平 成 29 年

社会福祉施設等調査報告

JN211912

厚生労働省政策統括官（統計・情報政策、政策評価担当）編
一般財団法人　厚 生 労 働 統 計 協 会

ま　え　が　き

　この報告書は、平成29年10月１日現在で実施した社会福祉施設等調査の結果をまとめたものです。

　社会福祉施設等調査は、我が国の社会福祉施設等の全数を客体として、施設・事業所の数及びその機能を明らかにすることを目的として、昭和31年以来毎年実施していますが、昭和60年から、３年周期で精密調査を、その中間の２年間は施設数、定員、在所者数、従事者数等の基礎的事項を把握する簡易調査を実施しています。

　平成29年は簡易調査であり、施設数、定員、在所者数等の基礎的事項の調査結果を収録しています。

　この報告書が、社会福祉行政施策の基礎資料として活用されるとともに、関係各方面においても広く御利用いただければ幸いです。

　終わりに、この調査に御尽力いただいた関係各位に深く感謝するとともに、今後一層の御協力をお願いいたします。

　平成31年２月

厚生労働省政策統括官（統計・情報政策、政策評価担当）

大西　康之

調　査　担　当　係

政策統括官付参事官付社会統計室　社会福祉施設統計係

電話（03）5253-1111　内線7552

平成 29 年

社会福祉施設等調査報告

目　　　次

第Ⅱ章　障害福祉サービス等・障害児通所支援等事業所票

第 Ⅰ 編

調 査 の 概 要

1 調査の目的

(1) 目 的

　　この調査は、全国の社会福祉施設等を対象に、施設の数、在所者、従事者の状況等を把握して社会福祉行政推進のための基礎資料を得ることを目的とする。

　　なお、本調査は統計法に基づく一般統計調査である。

(2) 沿 革

　　社会福祉に関する統計は、当初、都道府県が台帳に基づいて報告し、厚生省報告例としてまとめていたが、施設の状況をより詳細に把握するため、昭和31年厚生省報告例から分離し、「社会福祉施設調査」として、直接施設を対象に調査を実施した。以後、毎年年末現在において実施してきたが、昭和47年以降は10月1日現在に変更し、現在に至っている。

　　昭和60年から調査内容を充実させるとともに、60年を初年として3年に1回は精密調査を、中間の2年間は基礎的事項のみを把握する簡易調査を実施することとした。

(3) 主な変遷

平成2年	施設入所（居）者の生活実態と生活の場としての施設のあり方についての基礎的な事項を把握するため、個票による入所者票調査を実施
平成9年	施設従事者の確保、福祉サービスの向上を目的として、施設に従事する者の質的な情報を把握するため、個票による従事者票調査を実施
平成12年	介護保険統計調査の実施に伴い、「特別養護老人ホーム」、「老人短期入所施設」及び「老人日帰り介護施設」を対象から除外
平成15年	支援費制度の施行に伴い、居宅支援事業所票を新設
平成18年	平成18年4月の障害者自立支援法の施行に伴い、居宅支援事業所票から障害福祉サービス事業所票に変更
平成19年	平成18年10月の障害者自立支援法の全面施行に伴い、調査対象サービスを7種類から15種類に変更
平成20年	相談支援事業サービスを対象に追加
平成24年	障害者自立支援法の経過措置期間終了により、旧法施設（身体障害者福祉法、知的障害者福祉法、精神保健及び精神障害者福祉に関する法律）が障害者支援施設及び障害福祉サービス事業所へ移行したことに伴い、調査対象サービスを見直し。また、児童福祉法の一部改正により、障害児通所支援事業及び障害児相談支援事業を対象に追加
平成27年	平成27年4月の子ども・子育て支援制度施行に伴い、学校かつ児童福祉施設の単一施設として法的に位置づけられた「幼保連携型認定こども園」及び地域型保育事業として児童福祉法に位置づけられた「小規模保育事業所」を対象に追加。制度上、類型が無くなった「へき地保育所」は対象から除外。

2 調査の対象及び客体

(1) 基本票

都道府県・指定都市・中核市を対象とし、次ページに掲げる施設・事業所の全数を把握した。

(2) 詳細票

施　設　票：次ページに掲げる施設(54 種類)を対象とし、その全数（休止中の施設を含む。）を客体とした。

事　業　所　票：次ページに掲げる障害者総合支援法による障害福祉サービス事業所（15 種類）及び相談支援事業所（3 種類）、児童福祉法による障害児通所支援事業所（3 種類）及び障害児相談支援事業所（1 種類）を対象とし、その全数（休止中の事業所を含む。）を客体とした。

	基 本 票		詳 細 票		
	施設・事業所数 1)	集計施設・事業所数 2)	回収施設・事業所数 3)	集計施設・事業所数 4)	回収率(％) 5)
施 設 票					
生活保護法による保護施設	292	291	229	228	98.3
老人福祉法による老人福祉施設 6)	5 331	5 293	5 112	5 086	95.9
障害者総合支援法による障害者支援施設	5 763	5 734	5 180	5 155	89.9
身体障害者福祉法による身体障害者社会参加支援施設	318	314	310	307	97.5
売春防止法による婦人保護施設	47	46	47	46	100.0
児童福祉法による児童福祉施設等	40 668	40 137	35 382	35 206	93.8
（再掲）保育所等 7)	27 301	27 137	25 732	25 660	94.3
母子及び父子並びに寡婦福祉法による母子・父子福祉施設	58	56	56	55	96.6
その他の社会福祉施設等	21 156	21 016	13 053	12 971	85.8
（再掲）有料老人ホーム（サービス付き高齢者向け住宅以外）	13 614	13 525	11 576	11 522	85.0
事 業 所 票					
障害福祉サービス等事業所・障害児通所支援等事業所	68 830	67 741	56 656	55 995	82.3

注 ： 施設の種類別内訳は40ページ参考表第1表を参照。
1) 施設・事業所数は、活動中又は休止中の施設・事業所数である。
2) 集計施設・事業所数は、活動中の施設・事業所数である。
3) 回収施設・事業所数は、詳細票の回収があった施設・事業所数である。
4) 詳細票の集計施設・事業所数は、詳細票を回収した施設・事業所数のうち活動中の施設・事業所数である。
5) 回収率(%)＝「回収施設・事業所数 3)」÷「施設・事業所数 1)」×100により算出している。ただし、詳細票の調査を実施していない次の施設を除いている。
　① 保護施設のうち医療保護施設（59施設）
　② 児童福祉施設等のうち助産施設（463施設）及び児童遊園（2,486施設）
　③ その他の社会福祉施設等のうち無料低額診療施設（589施設）及び有料老人ホーム（サービス付き高齢者向け住宅であるもの）（5,356施設）。
6) 老人福祉施設には、老人デイサービスセンター、老人短期入所施設、特別養護老人ホーム及び老人介護支援センターを含まない。
7) 保育所等は、幼保連携型認定こども園、保育所型認定こども園及び保育所である。

3 調査の期日

平成 29 年 10 月 1 日（日）現在で行った。

4 調査の事項

調査票（555 ページに掲載）に示すとおりである。

5 調査の方法及び系統

基本票：　| 厚生労働省 |　——　| 都道府県・指定都市・中核市 |

詳細票：　| 厚生労働省 |　——　| 社会福祉施設等 / 障害福祉サービス等事業所 / 障害児通所支援等事業所 |

※　平成 20 年調査までは、施設・事業所に対し都道府県・指定都市・中核市による調査票の配布・回収（一部の調査票は厚生労働省（平成 20 年調査のみ厚生労働省が委託した民間事業者）による郵送）により調査を実施。

※　平成 21～23 年調査は、施設・事業所に対し厚生労働省が委託した民間事業者による調査票の配布・回収（郵送）により調査を実施。

※　平成 24 年調査からは、行政情報から把握可能な項目については都道府県・指定都市・中核市に対しオンラインによる基本票の配布・回収により調査を実施。それ以外の項目については、施設・事業所に対し厚生労働省が委託した民間事業者による詳細票の配布・回収（郵送）により調査を実施している。
なお、平成 28 年調査からは、詳細票の一部については、オンラインによる回収も可能とした。

6 結果の集計

集計は、厚生労働省政策統括官（統計・情報政策、政策評価担当）で行った。

各施設票・障害福祉サービス等事業所票　調査対象施設・事業所一覧

施設・事業所の種類	調査票(詳細票)の種類
生活保護法による保護施設	保護施設・老人福祉施設 身体障害者社会参加支援施設等調査票
救護施設	
更生施設	
医療保護施設　　　　　　　　　　　　　　　　　※	
授産施設	
宿所提供施設	
老人福祉法による老人福祉施設	保護施設・老人福祉施設 身体障害者社会参加支援施設等調査票
養護老人ホーム(一般)	
養護老人ホーム(盲)	
軽費老人ホーム　A型	
軽費老人ホーム　B型	
軽費老人ホーム(ケアハウス)	
都市型軽費老人ホーム	
老人福祉センター(特A型)	
老人福祉センター(A型)	
老人福祉センター(B型)	
障害者総合支援法による障害者支援施設　等	障害者支援施設等調査票
障害者支援施設	
地域活動支援センター	
福祉ホーム	
身体障害者福祉法による身体障害者社会参加支援施設	保護施設・老人福祉施設 身体障害者社会参加支援施設等調査票
身体障害者福祉センター(A型)	
身体障害者福祉センター(B型)	
障害者更生センター	
補装具製作施設	
盲導犬訓練施設	
点字図書館	
点字出版施設	
聴覚障害者情報提供施設	
売春防止法による婦人保護施設	保護施設・老人福祉施設 身体障害者社会参加支援施設等調査票
婦人保護施設	
児童福祉法による児童福祉施設 等	児童福祉施設等調査票
助産施設　　　　　　　　　　　　　　　　　　　※	
乳児院	
母子生活支援施設	
幼保連携型認定こども園	幼保連携型認定こども園調査票
保育所型認定こども園	保育所・小規模保育事業所調査票
保育所	
小規模保育事業所A型	
小規模保育事業所B型	
小規模保育事業所C型	
児童養護施設	児童福祉施設等調査票
障害児入所施設(福祉型)	
障害児入所施設(医療型)	
児童発達支援センター(福祉型)	
児童発達支援センター(医療型)	
児童心理治療施設	
児童自立支援施設	
児童家庭支援センター	

注：※の施設は、詳細票の調査を実施していない。

施設・事業所の種類	調査票(詳細票)の種類
小型児童館	児童福祉施設等調査票
児童センター	
大型児童館A型	
大型児童館B型	
大型児童館C型	
その他の児童館	
児童遊園　　　　　　　　　　　　　　　　　　　　※	
母子及び父子並びに寡婦福祉法による母子・父子福祉施設	児童福祉施設等調査票
母子・父子福祉センター	
母子・父子休養ホーム	
その他の社会福祉施設等	保護施設・老人福祉施設 身体障害者社会参加支援施設等調査票
授産施設	
宿所提供施設	
盲人ホーム	
無料低額診療施設　　　　　　　　　　　　　　　　※	
隣保館	
へき地保健福祉館	
有料老人ホーム（サービス付き高齢者向け住宅以外）	
有料老人ホーム（サービス付き高齢者向け住宅であるもの）※	
障害者総合支援法による障害福祉サービス事業所及び相談支援事業所	障害福祉サービス等・障害児通所支援等事業所票
居宅介護事業所	
重度訪問介護事業所	
同行援護事業所	
行動援護事業所	
療養介護事業所	
生活介護事業所	
重度障害者等包括支援事業所	
計画相談支援事業所	
地域相談支援（地域移行支援）事業所	
地域相談支援（地域定着支援）事業所	
短期入所事業所	
共同生活援助事業所	
自立訓練（機能訓練）事業所	
自立訓練（生活訓練）事業所	
宿泊型自立訓練事業所	
就労移行支援事業所	
就労継続支援（A型）事業所	
就労継続支援（B型）事業所	
児童福祉法による障害児通所支援事業所及び障害児相談支援事業所	
児童発達支援事業所	
放課後等デイサービス事業所	
保育所等訪問支援事業所	
障害児相談支援事業所	

第 Ⅱ 編

結 果 の 概 要

1　表章記号の規約
　(1) 計数のない場合　　　　　　　　　　　　　　　　　　　　　　　　−
　(2) 統計項目のありえない場合　　　　　　　　　　　　　　　　　　　・
　(3) 計数不明又は計数を表章することが不適当な場合　　　　　　　…
　(4) 表章単位の1／2未満の場合　　　　　　　　　　　　　　　0、0.0
　(5) 減少数（率）の場合　　　　　　　　　　　　　　　　　　　　　△

2　統計表利用上の注意
　(1) 施設・事業所の分類は法律によった。
　(2) 集計対象は、活動中の施設・事業所である。
　(3) 施設の定員は、認可等を受けた定員とした。また、次の施設については、以下のとおりである。
　　ア　助産施設については、児童福祉法の規定による認可病床数で計上した。
　　イ　宿所提供施設については、人員で計上した。
　　ウ　母子生活支援施設については、世帯数で計上した。
　(4) 入所施設において通所（園）部門を併設している施設の定員及び在所者数は、入所＋通所の定員、在所者数である。
　(5) 施設・事業所の従事者については、施設・事業所の設置基準・運営要綱・国庫負担金交付基準などにかかわりなく、10月1日現在の状況を計上した。
　(6) この報告書に掲載の数値は四捨五入しているため、内訳の合計が「総数」に合わない場合がある。

【 基本票編 】

　この結果は、基本票で把握した施設・事業所のうち、平成29年10月1日現在で活動中の施設・事業所について集計したものである。

1　施設の状況
（1）施設数・定員

　施設の種類別に施設数をみると、「保育所等」は27,137施設で前年に比べ872施設、3.3%増加している。また、「有料老人ホーム（サービス付き高齢者向け住宅以外)」は13,525施設で前年に比べ955施設、7.6%増加している。

　施設の種類別に定員をみると、「保育所等」は2,645,050人で前年に比べ87,917人、3.4%増加している。また、「有料老人ホーム（サービス付き高齢者向け住宅以外)」は518,507人で前年に比べ35,715人、7.4%増加している。（表1、総括表第1～2表)

表1　施設の種類別にみた施設数・定員（基本票)

各年10月1日現在

	平成26年 (2014)	平成27年 (2015)	平成28年 (2016)	平成29年 (2017)	対　前　年 増減数	増減率(%)
			施　　設　　数			
総　数	61 307	66 213	70 101	**72 887**	2 786	4.0
保護施設	291	292	293	**291**	△　2	△ 0.7
老人福祉施設	5 334	5 327	5 291	**5 293**	2	0.0
障害者支援施設等	5 951	5 874	5 778	**5 734**	△　44	△ 0.8
身体障害者社会参加支援施設	322	322	309	**314**	5	1.6
婦人保護施設	47	47	47	**46**	△　1	△ 2.1
児童福祉施設等	34 462	37 139	38 808	**40 137**	1 329	3.4
（再掲）保育所等 [2]	24 509	25 580	26 265	**27 137**	872	3.3
母子・父子福祉施設	59	58	56	**56**	0	0.0
その他の社会福祉施設等	14 841	17 154	19 519	**21 016**	1 497	7.7
（再掲）有料老人ホーム(サービス付き高齢者向け住宅以外)	9 632	10 651	12 570	**13 525**	955	7.6
			定　　員　　（人)[1]			
総　数	3 317 478	3 551 311	3 719 236	**3 875 461**	156 225	4.2
保護施設	19 250	19 558	19 616	**19 495**	△　121	△ 0.6
老人福祉施設	157 922	158 025	157 895	**158 558**	663	0.4
障害者支援施設等 [3]	197 867	195 298	192 762	**191 636**	△ 1 126	△ 0.6
身体障害者社会参加支援施設	360	360	360	**360**	0	0.0
婦人保護施設	1 270	1 270	1 270	**1 220**	△　50	△ 3.9
児童福祉施設等 [4]	2 434 381	2 599 480	2 692 975	**2 796 574**	103 599	3.8
（再掲）保育所等 [2]	2 339 029	2 481 970	2 557 133	**2 645 050**	87 917	3.4
母子・父子福祉施設	…	…	…	**…**	…	…
その他の社会福祉施設等	506 428	577 320	654 358	**707 618**	53 260	8.1
（再掲）有料老人ホーム(サービス付き高齢者向け住宅以外)	391 144	424 828	482 792	**518 507**	35 715	7.4

注: 詳細は37ページ　総括表　表8参照。
1) 定員は、定員について調査を実施した施設のみ、集計している。
2) 保育所等は、幼保連携型認定こども園、保育所型認定こども園及び保育所である。
3) 障害者支援施設等のうち障害者支援施設の定員は入所者分のみである。
4) 総数、児童福祉施設等の定員には母子生活支援施設を含まない。

（2）経営主体別施設数

　　施設の種類別に経営主体別施設数の構成割合をみると、その他の社会福祉施設等を除く各種類で「社会福祉法人」の割合が最も多くなっている。また、有料老人ホーム（サービス付き高齢者向け住宅以外）では、「営利法人（会社）」が82.6％と最も多くなっている。（表2）

表2　施設の種類別にみた経営主体別施設数及び構成割合（基本票）

平成29年10月1日現在

| | 総数 | 公営 | | | | 私営 | | | | | その他 |
		国・独立行政法人	都道府県	市区町村	一部事務組合・広域連合	社会福祉法人	医療法人	公益法人・日赤	営利法人（会社）	その他の法人	
					施設数						
総数	72 887	81	227	16 062	139	27 801	2 213	747	18 635	5 973	1 009
保護施設	291	–	1	15	6	269	–	–	–	–	–
老人福祉施設	5 293	–	–	786	74	4 054	52	65	120	74	68
障害者支援施設等	5 734	9	22	108	17	3 730	200	48	55	1 510	35
身体障害者社会参加支援施設	314	–	8	30	–	206	–	37	2	26	5
婦人保護施設	46	–	22	–	–	24	–	–	–	–	–
児童福祉施設等	40 137	72	170	14 026	41	18 025	88	439	3 381	3 096	799
（再掲）保育所等[1]	27 137	2	–	8 711	3	14 493	15	56	1 686	2 049	122
母子・父子福祉施設	56	–	4	4	–	28	–	6	–	14	–
その他の社会福祉施設等	21 016	–	–	1 093	1	1 465	1 873	152	15 077	1 253	102
（再掲）有料老人ホーム（サービス付き高齢者向け住宅以外）	13 525	–	–	1	–	730	1 033	13	11 165	551	32
					構成割合（%）						
総数	100.0	0.1	0.3	22.0	0.2	38.1	3.0	1.0	25.6	8.2	1.4
保護施設	100.0	–	0.3	5.2	2.1	92.4	–	–	–	–	–
老人福祉施設	100.0	–	–	14.8	1.4	76.6	1.0	1.2	2.3	1.4	1.3
障害者支援施設等	100.0	0.2	0.4	1.9	0.3	65.1	3.5	0.8	1.0	26.3	0.6
身体障害者社会参加支援施設	100.0	–	2.5	9.6	–	65.6	–	11.8	0.6	8.3	1.6
婦人保護施設	100.0	–	47.8	–	–	52.2	–	–	–	–	–
児童福祉施設等	100.0	0.2	0.4	34.9	0.1	44.9	0.2	1.1	8.4	7.7	2.0
（再掲）保育所等[1]	100.0	0.0	–	32.1	0.0	53.4	0.1	0.2	6.2	7.6	0.4
母子・父子福祉施設	100.0	–	7.1	7.1	–	50.0	–	10.7	–	25.0	–
その他の社会福祉施設等	100.0	–	–	5.2	0.0	7.0	8.9	0.7	71.7	6.0	0.5
（再掲）有料老人ホーム（サービス付き高齢者向け住宅以外）	100.0	–	–	0.0	–	5.4	7.6	0.1	82.6	4.1	0.2

注：1）保育所等は、幼保連携型認定こども園、保育所型認定こども園及び保育所である。

2 障害福祉サービス等事業所・障害児通所支援等事業所の状況

（1）事業所数

　　事業の種類別に事業所数をみると、「居宅介護事業」が23,074事業所で最も多く、前年に比べ131事業所、0.6%増加している。次いで多いのは、「重度訪問介護事業」で20,952事業所となっており、前年に比べ98事業所、0.5%減少している。

　　また、対前年増減率をみると、「放課後等デイサービス事業」が20.4%で最も増加率が高く、次いで、「児童発達支援事業」の20.0%となっている。（表3）

表3　事業の種類別にみた事業所数（基本票）

各年10月1日現在

	平成26年 (2014)	平成27年 (2015)	平成28年 (2016)	平成29年 (2017)	対　前　年	
					増減数	増減率（%）
居宅介護事業	21 667	22 429	22 943	23 074	131	0.6
重度訪問介護事業	20 117	20 786	21 050	20 952	△　98	△　0.5
同行援護事業	9 707	9 854	10 263	10 356	93	0.9
行動援護事業	2 336	2 425	2 472	2 495	23	0.9
療養介護事業	229	220	221	222	1	0.5
生活介護事業	6 084	6 496	6 933	7 275	342	4.9
重度障害者等包括支援事業	34	34	38	29	△　9	△　23.7
計画相談支援事業	6 225	8 053	8 736	9 241	505	5.8
地域相談支援（地域移行支援）事業	2 955	3 136	3 249	3 301	52	1.6
地域相談支援（地域定着支援）事業	2 834	2 995	3 120	3 166	46	1.5
短期入所事業	4 556	4 833	5 099	5 333	234	4.6
共同生活援助事業	6 432	6 762	7 219	7 590	371	5.1
自立訓練（機能訓練）事業	436	432	428	428	0	0.0
自立訓練（生活訓練）事業	1 334	1 361	1 353	1 374	21	1.6
宿泊型自立訓練事業	228	230	232	225	△　7	△　3.0
就労移行支援事業	2 858	3 146	3 323	3 471	148	4.5
就労継続支援（A型）事業	2 382	3 018	3 455	3 776	321	9.3
就労継続支援（B型）事業	8 722	9 431	10 214	11 041	827	8.1
児童発達支援事業	3 258	3 942	4 984	5 981	997	20.0
放課後等デイサービス事業	5 267	6 971	9 385	11 301	1 916	20.4
保育所等訪問支援事業	550	714	858	969	111	12.9
障害児相談支援事業	4 048	5 128	5 755	6 134	379	6.6

注：　複数の事業を行う事業所は、それぞれの事業に計上している。
　　　障害者支援施設の昼間実施サービス（生活介護、自立訓練、就労移行支援及び就労継続支援）を除く。

（2）経営主体別事業所数

　　事業の種類別に経営主体別事業所数の構成割合をみると、短期入所事業では「社会福祉法人」が74.8%と最も多く、居宅介護事業、重度訪問介護事業、同行援護事業では、「営利法人（会社）」が最も多くなっており、それぞれ68.1%、69.2%、70.4%となっている（表4）。

表4　事業の種類別にみた経営主体別事業所数及び構成割合（基本票）

平成29年10月1日現在

	総数	国・独立行政法人	地方公共団体	社会福祉協議会	社会福祉法人[1]	医療法人	公益法人	協同組合	営利法人（会社）	特定非営利活動法人	その他
事業所数											
居宅介護事業	23 074	–	37	1 502	2 377	623	67	354	15 705	1 970	439
重度訪問介護事業	20 952	–	26	1 309	2 056	543	64	327	14 506	1 727	394
同行援護事業	10 356	–	12	731	881	143	29	160	7 292	920	188
行動援護事業	2 495	–	8	217	585	31	9	21	1 089	483	52
療養介護事業	222	99	11	–	99	3	–	1	–	–	9
生活介護事業	7 275	31	201	348	4 155	80	14	12	970	1 324	140
重度障害者等包括支援事業	29	–	1	1	9	–	–	–	13	5	–
計画相談支援事業	9 241	14	308	556	3 961	400	53	21	1 960	1 641	327
地域相談支援（地域移行支援）事業	3 301	2	40	190	1 763	255	31	5	398	520	97
地域相談支援（地域定着支援）事業	3 166	2	36	181	1 686	240	26	5	400	500	90
短期入所事業	5 333	76	181	36	3 989	219	18	16	355	362	81
共同生活援助事業	7 590	2	29	38	4 118	599	62	1	756	1 748	237
自立訓練（機能訓練）事業	428	–	22	50	122	15	–	5	165	42	7
自立訓練（生活訓練）事業	1 374	–	27	57	492	135	7	3	269	298	86
宿泊型自立訓練事業	225	–	4	1	90	102	7	1	4	5	11
就労移行支援事業	3 471	1	38	31	1 355	93	18	1	1 060	653	221
就労継続支援（A型）事業	3 776	–	1	6	572	14	3	–	2 223	594	363
就労継続支援（B型）事業	11 041	1	118	301	4 661	215	40	2	1 722	3 430	551
児童発達支援事業	5 981	31	434	76	1 054	77	19	8	2 914	975	393
放課後等デイサービス事業	11 301	28	146	84	1 666	104	21	13	6 282	2 140	817
保育所等訪問支援事業	969	–	193	16	394	15	2	2	143	156	48
障害児相談支援事業	6 134	9	290	395	2 566	170	14	13	1 405	1 040	232
構成割合（%）											
居宅介護事業	100.0	–	0.2	6.5	10.3	2.7	0.3	1.5	68.1	8.5	1.9
重度訪問介護事業	100.0	–	0.1	6.2	9.8	2.6	0.3	1.6	69.2	8.2	1.9
同行援護事業	100.0	–	0.1	7.1	8.5	1.4	0.3	1.5	70.4	8.9	1.8
行動援護事業	100.0	–	0.3	8.7	23.4	1.2	0.4	0.8	43.6	19.4	2.1
療養介護事業	100.0	44.6	5.0	–	44.6	1.4	–	0.5	–	–	4.1
生活介護事業	100.0	0.4	2.8	4.8	57.1	1.1	0.2	0.2	13.3	18.2	1.9
重度障害者等包括支援事業	100.0	–	3.4	3.4	31.0	–	–	–	44.8	17.2	–
計画相談支援事業	100.0	0.2	3.3	6.0	42.9	4.3	0.6	0.2	21.2	17.8	3.5
地域相談支援（地域移行支援）事業	100.0	0.1	1.2	5.8	53.4	7.7	0.9	0.2	12.1	15.8	2.9
地域相談支援（地域定着支援）事業	100.0	0.1	1.1	5.7	53.3	7.6	0.8	0.2	12.6	15.8	2.8
短期入所事業	100.0	1.4	3.4	0.7	74.8	4.1	0.3	0.3	6.7	6.8	1.5
共同生活援助事業	100.0	0.0	0.4	0.5	54.3	7.9	0.8	0.0	10.0	23.0	3.1
自立訓練（機能訓練）事業	100.0	–	5.1	11.7	28.5	3.5	–	1.2	38.6	9.8	1.6
自立訓練（生活訓練）事業	100.0	–	2.0	4.1	35.8	9.8	0.5	0.2	19.6	21.7	6.3
宿泊型自立訓練事業	100.0	–	1.8	0.4	40.0	45.3	3.1	0.4	1.8	2.2	4.9
就労移行支援事業	100.0	0.0	1.1	0.9	39.0	2.7	0.5	0.0	30.5	18.8	6.4
就労継続支援（A型）事業	100.0	–	0.0	0.2	15.1	0.4	0.1	–	58.9	15.7	9.6
就労継続支援（B型）事業	100.0	0.0	1.1	2.7	42.2	1.9	0.4	0.0	15.6	31.1	5.0
児童発達支援事業	100.0	0.5	7.3	1.3	17.6	1.3	0.3	0.1	48.7	16.3	6.6
放課後等デイサービス事業	100.0	0.2	1.3	0.7	14.7	0.9	0.2	0.1	55.6	18.9	7.2
保育所等訪問支援事業	100.0	–	19.9	1.7	40.7	1.5	0.2	0.2	14.8	16.1	5.0
障害児相談支援事業	100.0	0.1	4.7	6.4	41.8	2.8	0.2	0.2	22.9	17.0	3.8

注：　複数の事業を行う事業所は、それぞれの事業に計上している。
　　　障害者支援施設の昼間実施サービス（生活介護、自立訓練、就労移行支援及び就労継続支援）を除く。
　　1）社会福祉法人には社会福祉協議会を含まない。

【詳細票編】

　　この結果は、基本票で把握した施設・事業所について、平成29年10月1日現在の状況を詳細票により調査し、回収された施設・事業所のうち活動中の施設・事業所について集計したものである。

1　施設の状況
（1）在所者数・在所率

　　在所者の総数は3,212,953人となっており、在所率は93.9%である。これを施設の種類別にみると、「保育所等」が95.8%、「有料老人ホーム（サービス付き高齢者向け住宅以外）」が84.4%となっている。
　　（表5、総括表第1〜3表、参考表第2表）

表5　施設の種類別にみた施設数・定員・在所者数・在所率（詳細票）

平成29年10月1日現在

	施設数	定員（人）[1]	在所者数（人）[1]	在所率（%）[2]
総数	59 054	3 451 240	3 212 953	93.9
保護施設	228	19 175	18 752	97.8
老人福祉施設	5 086	152 819	140 173	91.8
障害者支援施設等	5 155	176 183	145 639	94.3
身体障害者社会参加支援施設	307	360	…	…
婦人保護施設	46	1 220	358	35.7
児童福祉施設等	35 206	2 640 266	2 520 165	95.6
（再掲）保育所等 [3]	25 660	2 505 390	2 397 504	95.8
母子・父子福祉施設	55	…	…	…
その他の社会福祉施設等	12 971	461 217	387 866	84.4
（再掲）有料老人ホーム（サービス付き高齢者向け住宅以外）	11 522	447 920	377 134	84.4

注：1）　定員及び在所者数は、それぞれ定員又は在所者数について、調査を実施した施設のみ計上している。
　　　　なお、障害者支援施設等のうち障害者支援施設の定員は入所者分のみであり、在所者数は入所者数と通所者数の合計である。また、総数、児童福祉施設等の定員及び在所者数には母子生活支援施設を含まない。
　　　　詳細は37ページ　総括表　表8参照。

　　2）　在所率（%）＝在所者数÷定員×100により算出している。ただし、在所者数不詳の施設及び在所者数について調査を行っていない次の施設を除いて計算している。
　　　　　①障害者支援施設等のうち地域活動支援センター
　　　　　②身体障害者社会参加支援施設のうち障害者更生センター
　　　　　③その他の社会福祉施設等のうち盲人ホーム
　　　　詳細は39ページ参考表　第2表　施設の種類別在所率（詳細票）参照。

　　3）　保育所等は、幼保連携型認定こども園、保育所型認定こども園及び保育所である。

（2）職種別常勤換算従事者数

　　常勤換算従事者の総数は 1,007,414 人となっている。これを施設の種類別、職種別にみると、保育所等の「保育士」は 363,003 人、「保育教諭」は 65,812 人（うち保育士資格保有者は 59,217 人）となっている。また、有料老人ホーム（サービス付き高齢者向け住宅以外）の「介護職員」は 101,017 人、障害者支援施設等の「生活指導・支援員等」は 57,597 人となっている。（表6）

表6　施設の種類別にみた職種別常勤換算従事者数（詳細票）

（単位：人）　　平成29年10月1日現在

	総　　数	保護施設 1)	老人福祉施設	障害支援施設等	身体障害者社会参加支援施設	婦人保護施設	児童福祉施設等(保育所等を除く) 1)	保育所等 2)	母子・父子福祉施設	その他の社会福祉施設等(有料老人ホーム(サービス付き高齢者向け住宅以外)を除く) 1)	有料老人ホーム(サービス付き高齢者向け住宅以外)
総　　数	1 007 414	6 293	44 719	101 443	2 796	370	105 263	577 577	206	3 741	165 006
施設長・園長・管理者	48 910	211	3 331	3 688	216	28	6 992	25 226	24	1 036	8 159
サービス管理責任者	3 828	…	…	3 828	…	…	…	…	…	…	…
生活指導・支援員等 3)	84 463	753	4 613	57 597	270	143	13 828	…	3	742	6 514
職業・作業指導員	4 107	75	133	2 720	111	11	454	…	4	274	325
セラピスト	6 216	7	132	929	74	7	3 526	…	…	4	1 537
理学療法士	2 047	2	35	465	25	–	961	…	…	2	557
作業療法士	1 409	3	21	304	23	–	772	…	…	–	285
その他の療法員	2 760	1	76	160	26	7	1 792	…	…	2	696
心理・職能判定員	67	…	…	67	…	…	…	…	…	…	…
医師	3 169	28	135	302	6	5	1 346	1 265	…	4	78
歯科医師	1 233	…	…	…	…	…	81	1 153	…	…	…
保健師・助産師・看護師	44 029	417	2 834	4 870	78	23	10 477	9 488	–	35	15 807
精神保健福祉士	1 145	97	25	879	2	–	…	…	…	0	142
保育士	379 839	…	…	…	…	…	16 830	363 003	6	…	…
保育教諭 4)	65 812	…	…	…	…	…	…	65 812	…	…	…
うち保育士資格保有者	59 217	…	…	…	…	…	…	59 217	…	…	…
保育従事者 5)	16 607	…	…	…	…	…	16 607	…	…	…	…
家庭的保育者 5)	320	…	…	…	…	…	320	…	…	…	…
家庭的保育補助者 5)	110	…	…	…	…	…	110	…	…	…	…
児童生活支援員	609	…	…	…	…	…	609	…	–	…	…
児童厚生員	10 843	…	…	…	…	…	10 843	…	–	…	…
母子支援員	674	…	…	…	…	…	674	…	…	…	…
介護職員	134 258	3 264	17 805	12 019	96	2	…	…	…	54	101 017
栄養士	25 449	198	2 065	2 301	6	17	2 242	17 120	–	2	1 499
調理員	74 997	548	4 811	4 735	16	52	5 745	47 219	7	177	11 687
事務員	36 935	448	4 815	4 911	587	38	4 303	13 271	74	845	7 643
児童発達支援管理責任者	989	…	…	…	…	…	989	…	…	…	…
その他の教諭 6)	3 139	…	…	…	…	…	…	3 139	…	…	…
その他の職員 7)	59 668	247	4 020	2 597	1 336	43	9 290	30 883	87	568	10 599

注：　従事者数は常勤換算従事者数であり、小数点以下第1位を四捨五入している。
　　　従事者数は詳細票により調査した職種についてのものであり、調査した職種以外は「…」とした。

　1）保護施設には医療保護施設、児童福祉施設等（保育所等を除く）には助産施設及び児童遊園、その他の社会福祉施設等（有料老人ホーム（サービス付き高齢者向け住宅以外）を除く）には無料低額診療施設及び有料老人ホーム（サービス付き高齢者向け住宅であるもの）をそれぞれ含まない。

　2）保育所等は、幼保連携型認定こども園、保育所型認定こども園及び保育所である。

　3）生活指導・支援員等には、生活指導員、生活相談員、生活支援員、児童指導員及び児童自立支援専門員を含むが、保護施設及び婦人保護施設は生活指導員のみである。

　4）保育教諭には主幹保育教諭、指導保育教諭、助保育教諭及び講師を含む。また、就学前の子どもに関する教育、保育等の総合的な提供の推進に関する法律の一部を改正する法律（平成24年法律第66号）附則にある保育教諭等の資格の特例のため、保育士資格を有さない者を含む。

　5）保育従事者、家庭的保育者及び家庭的保育補助者は小規模保育事業所の従事者である。なお、保育士資格を有さない者を含む。

　6）その他の教諭は、就学前の子どもに関する教育、保育等の総合的な提供の推進に関する法律（平成18年法律第77号）第14条に基づき採用されている、園長及び保育教諭（主幹保育教諭、指導保育教諭、助保育教諭及び講師を含む）以外の教諭である。

　7）その他の職員には、幼保連携型認定こども園の教育・保育補助員及び養護職員（看護師等を除く）を含む。

2　障害福祉サービス等事業所・障害児通所支援等事業所の状況

（1）　利用実人員階級別事業所の状況

　　9月中に利用者がいた障害福祉サービス等事業所数・障害児通所支援等事業所数を利用実人員階級別にみると、居宅介護事業、重度訪問介護事業、同行援護事業、行動援護事業などで「1〜4人」が最も多くなっている。

　　一方、生活介護事業、就労継続支援（A型・B型）事業、放課後等デイサービス事業などでは「10〜19人」が最も多くなっている。

　　療養介護事業は「50人以上」が最も多くなっている。（表7）

表7　事業の種類別にみた利用実人員階級別事業所数及び構成割合（詳細票）

平成29年10月1日現在

	9月中に利用者がいた事業所数	1〜4人	5〜9人	10〜19人	20〜29人	30〜39人	40〜49人	50人以上
	事業所数							
居宅介護事業	15 860	5 870	3 925	3 621	1 342	568	244	290
重度訪問介護事業	5 765	4 821	664	196	52	14	4	12
同行援護事業	5 121	3 914	774	255	76	33	22	45
行動援護事業	1 197	646	244	204	66	20	6	11
療養介護事業	176	2	3	8	7	14	15	125
生活介護事業	6 014	633	759	1 686	1 272	719	402	510
重度障害者等包括支援事業	7	3	4	–	–	–	–	–
計画相談支援事業	6 714	1 238	1 130	1 673	1 003	626	357	686
地域相談支援（地域移行支援）事業	327	291	22	7	1	1	2	3
地域相談支援（地域定着支援）事業	466	309	81	44	17	8	4	3
短期入所事業	3 875	1 311	895	857	384	196	88	143
共同生活援助事業	6 121	988	1 986	1 724	701	272	136	245
自立訓練（機能訓練）事業	109	52	20	22	10	2	2	1
自立訓練（生活訓練）事業	900	212	269	283	84	29	7	9
宿泊型自立訓練事業	207	5	36	129	28	8	–	1
就労移行支援事業	2 703	755	870	620	250	137	23	33
就労継続支援（A型）事業	2 982	163	448	1 064	806	317	85	89
就労継続支援（B型）事業	9 270	422	1 030	3 060	2 488	1 184	508	540
児童発達支援事業	4 074	989	710	889	487	295	225	476
放課後等デイサービス事業	8 957	449	850	2 843	2 447	1 243	520	596
保育所等訪問支援事業	519	284	115	82	23	10	3	2
障害児相談支援事業	3 451	1 307	739	693	326	157	71	158
	構成割合(%)							
居宅介護事業	100.0	37.0	24.7	22.8	8.5	3.6	1.5	1.8
重度訪問介護事業	100.0	83.6	11.5	3.4	0.9	0.2	0.1	0.2
同行援護事業	100.0	76.4	15.1	5.0	1.5	0.6	0.4	0.9
行動援護事業	100.0	54.0	20.4	17.0	5.5	1.7	0.5	0.9
療養介護事業	100.0	1.1	1.7	4.5	4.0	8.0	8.5	71.0
生活介護事業	100.0	10.5	12.6	28.0	21.2	12.0	6.7	8.5
重度障害者等包括支援事業	100.0	42.9	57.1	–	–	–	–	–
計画相談支援事業	100.0	18.4	16.8	24.9	14.9	9.3	5.3	10.2
地域相談支援（地域移行支援）事業	100.0	89.0	6.7	2.1	0.3	0.3	0.6	0.9
地域相談支援（地域定着支援）事業	100.0	66.3	17.4	9.4	3.6	1.7	0.9	0.6
短期入所事業	100.0	33.8	23.1	22.1	9.9	5.1	2.3	3.7
共同生活援助事業	100.0	16.1	32.4	28.2	11.5	4.4	2.2	4.0
自立訓練（機能訓練）事業	100.0	47.7	18.3	20.2	9.2	1.8	1.8	0.9
自立訓練（生活訓練）事業	100.0	23.6	29.9	31.4	9.3	3.2	0.8	1.0
宿泊型自立訓練事業	100.0	2.4	17.4	62.3	13.5	3.9	–	0.5
就労移行支援事業	100.0	27.9	32.2	22.9	9.2	5.1	0.9	1.2
就労継続支援（A型）事業	100.0	5.5	15.0	35.7	27.0	10.6	2.9	3.0
就労継続支援（B型）事業	100.0	4.6	11.1	33.0	26.8	12.8	5.5	5.8
児童発達支援事業	100.0	24.3	17.4	21.8	12.0	7.2	5.5	11.7
放課後等デイサービス事業	100.0	5.0	9.5	31.7	27.3	13.9	5.8	6.7
保育所等訪問支援事業	100.0	54.7	22.2	15.8	4.4	1.9	0.6	0.4
障害児相談支援事業	100.0	37.9	21.4	20.1	9.4	4.5	2.1	4.6

注：　利用実人員階級別事業所数は、9月中に利用者がいた事業所について集計している。
　　　障害者支援施設の昼間実施サービス（生活介護、自立訓練、就労移行支援及び就労継続支援）を除く。
　　　9月中に利用者がいた事業所数には利用実人員不詳の事業所を含む。

（2）　利用状況

①　療養介護、生活介護、自立訓練（機能訓練・生活訓練）、就労移行支援、就労継続支援（Ａ型・Ｂ型）、計画相談支援、地域相談支援（地域移行支援・地域定着支援）サービスの利用状況

　9月中の利用実人員をみると、就労継続支援（Ｂ型）の258,357人が最も多くなっており、利用者1人当たり利用日数をみると、療養介護サービスは24.4日、自立訓練（生活訓練）サービスは13.1日、就労移行支援サービスは11.7日となっている（表8）。

表8　療養介護・生活介護・自立訓練（機能訓練・生活訓練）・就労移行支援・就労継続支援（Ａ型・Ｂ型）・
　　　計画相談支援・地域相談支援（地域移行支援・地域定着支援）サービスの利用状況　　　（詳細票）

平成29年9月

	療養介護サービス	生活介護サービス	自立訓練（機能訓練）サービス	自立訓練（生活訓練）サービス	就労移行支援サービス	就労継続支援（Ａ型）サービス	就労継続支援（Ｂ型）サービス	計画相談支援サービス 1)	地域相談支援（地域移行支援）サービス	地域相談支援（地域定着支援）サービス
利用実人員（人）	13 798	187 850	889	9 397	33 179	70 684	258 357	150 543	969	2 806
利用延人数（人）	336 895	1 900 517	5 762	122 835	389 179	804 633	2 874 868	…	…	…
利用者1人当たり利用日数（日）	24.4	10.1	6.5	13.1	11.7	11.4	11.1	・	・	・

注:　9月中に利用者がいた事業所のうち、利用実人員不詳及び利用延人数不詳の事業所を除いて算出した。
　　障害者支援施設の昼間実施サービス（生活介護、自立訓練、就労移行支援及び就労継続支援）を除く。
　　1）計画相談支援サービスは、サービス利用支援（計画作成）又は継続サービス利用支援（モニタリング）を利用した人数である。

②　居宅介護、同行援護、重度訪問介護、行動援護サービスの利用状況

　9月中の利用者1人当たり訪問回数をみると、居宅介護サービスを利用する障害者では「身体介護が中心」が17.1回と最も多く、次いで「家事援助が中心」が9.7回となっている。
　一方、重度訪問介護サービスを利用する障害者では27.4回となっており、そのうち「移動介護」が7.5回となっている。
　また、行動援護サービスを利用する障害者では5.6回となっている。（表9）

表9　障害者・障害児別にみた居宅介護・同行援護・重度訪問介護・行動援護サービスの利用状況（詳細票）

平成29年9月

		居宅介護サービス					同行援護サービス		重度訪問介護サービス		行動援護サービス
		身体介護が中心	通院介助が中心 身体介護を伴う	通院介助が中心 身体介護を伴わない	通院等乗降介助が中心	家事援助が中心	身体介護を伴う	身体介護を伴わない		うち移動介護	
障害者	利用実人員（人）	73 143	17 040	6 686	2 541	95 883	10 441	12 936	17 214	6 359	7 217
	訪問回数合計（回）	1 251 958	58 880	17 215	19 585	931 092	70 725	73 280	471 904	47 866	40 425
	利用者1人当たり訪問回数（回）	17.1	3.5	2.6	7.7	9.7	6.8	5.7	27.4	7.5	5.6
障害児	利用実人員（人）	7 926	857	113	53	1 235	171	66	・	・	2 024
	訪問回数合計（回）	87 639	2 348	319	312	12 332	1 139	370	・	・	9 794
	利用者1人当たり訪問回数（回）	11.1	2.7	2.8	5.9	10.0	6.7	5.6	・	・	4.8

注:　9月中に利用者がいた事業所のうち、利用実人員不詳及び訪問回数不詳の事業所を除いて算出した。
　　居宅介護サービスの利用実人員は、サービスの内容別に利用者を計上している。

③ **重度障害者等包括支援、共同生活援助、宿泊型自立訓練、短期入所サービスの利用状況**

　9月中の利用者1人当たり利用日数をみると、重度障害者等包括支援サービスは29.5日、短期入所サービスは、障害者が5.8日、障害児が4.3日となっている（表10）。

表10　重度障害者等包括支援・共同生活援助・宿泊型自立訓練・短期入所サービスの利用状況（詳細票）

平成29年9月

	重度障害者等包括支援サービス	共同生活援助サービス 1)	宿泊型自立訓練サービス 1)	短期入所サービス	
				障害者	障害児
利用実人員（人）	28	93 090	3 064	43 457	7 406
利用日数合計（日）	826	・	・	254 134	32 050
利用者1人当たり利用日数（日）	29.5	・	・	5.8	4.3

　注：　9月中に利用者がいた事業所のうち、利用実人員不詳及び利用日数不詳の事業所を除いて算出した。
　　　1)　共同生活援助サービス及び宿泊型自立訓練サービスは、9月末日の利用実人員である。

④ **児童発達支援、放課後等デイサービス、保育所等訪問支援、障害児相談支援サービスの利用状況**

　9月中の利用実人員をみると、放課後等デイサービスの226,611人が最も多くなっており、利用者1人当たり利用回数をみると、児童発達支援サービスは5.7回、放課後等デイサービスは6.9回、保育所等訪問支援サービスは1.4回となっている（表11）。

表11　児童発達支援・放課後等デイサービス・保育所等訪問支援・障害児相談支援サービスの利用状況（詳細票）

平成29年9月

	児童発達支援サービス	放課後等デイサービス	保育所等訪問支援サービス	障害児相談支援サービス 1)
利用実人員（人）	91 309	226 611	3 532	47 300
利用延人数（人）	521 621	1 559 448	・	・
訪問回数合計（回）	・	・	4 878	・
利用者1人当たり利用回数（回）	5.7	6.9	1.4	・

　注：　9月中に利用者がいた事業所のうち、利用実人員不詳、利用延人数不詳及び訪問回数不詳の事業所を除いて算出した。
　　　1)　障害児相談支援サービスは、障害児支援利用援助（計画作成）又は継続障害児支援利用援助（モニタリング）を提供した人数である。

（3）職種別常勤換算従事者数

　障害福祉サービス等事業所・障害児通所支援等事業所の常勤換算従事者数は、居宅介護事業で100,328人、生活介護事業で56,088人、就労継続支援（B型）事業で52,987人となっている（表12）。

表12　事業の種類別にみた職種別常勤換算従事者数（詳細票）

（単位：人）　　平成29年10月1日現在

	総数	介護福祉士	実務者研修修了者	旧介護職員基礎研修課程修了者	旧ホームヘルパー1級研修課程修了者	初任者研修修了者（旧ホームヘルパー2級研修課程修了者含む）	障害者居宅介護従業者基礎研修課程修了者（旧ホームヘルパー3級研修課程修了者含む）	重度訪問介護従業者養成研修修了者	同行援護従業者養成研修修了者	行動援護従業者養成研修修了者	その他
居宅介護事業	100 328	50 739	5 474	1 680	2 707	35 130	532	…	…	…	4 065
重度訪問介護事業	37 877	18 372	2 345	618	926	12 481	701	1 044	…	…	1 392
同行援護事業	28 845	14 206	1 411	466	680	7 965	374	…	2 699	…	1 045
行動援護事業	5 732	2 824	222	92	118	1 712	62	…	…	532	171

	総数	サービス管理責任者	医師	看護師	生活支援員	その他
療養介護事業	18 070	355	827	8 706	5 008	3 174

	総数	サービス管理責任者	医師	保健師・看護師	理学・作業療法士	生活支援員	その他
生活介護事業	56 088	4 988	516	4 418	517	39 687	5 963

	総数	サービス提供責任者	その他
重度障害者等包括支援事業	17	7	10

	総数	管理者	相談支援専門員	その他
計画相談支援事業	14 047	3 373	9 133	1 541
地域相談支援（地域移行支援）事業	889	168	568	153
地域相談支援（地域定着支援）事業	1 263	246	827	190

	総数	医師	保健師・看護師	心理・職能判定員	理学・作業療法士	生活支援員	職業指導員	介護職員	うち介護福祉士	児童指導員	保育士	その他
短期入所事業　1)	32 561	393	2 350	26	378	19 427	153	4 892	2 318	291	296	4 355

	総数	サービス管理責任者	世話人	生活支援員	その他
共同生活援助事業	41 428	4 248	22 639	12 647	1 894

	総数	サービス管理責任者	保健師・看護師	理学・作業療法士	生活支援員	訪問支援員	その他
自立訓練（機能訓練）事業	607	76	101	74	193	8	155
自立訓練（生活訓練）事業	3 346	701	87	…	2 098	128	333
宿泊型自立訓練事業	1 116	172	32	…	668	…	244

	総数	サービス管理責任者	生活支援員	職業指導員	就労支援員	その他
就労移行支援事業	12 623	2 145	3 022	3 599	3 247	610
就労継続支援（A型）事業	15 730	2 689	4 629	7 052	…	1 360
就労継続支援（B型）事業	52 987	8 048	16 867	19 827	…	8 246

	総数	児童発達支援管理責任者	指導員	保育士	その他
児童発達支援事業	23 808	3 749	10 151	6 649	3 258
放課後等デイサービス事業	45 827	8 438	26 355	6 590	4 444

	総数	児童発達支援管理責任者	訪問支援員	その他
保育所等訪問支援事業	1 105	347	647	111

	総数	管理者	相談支援専門員	その他
障害児相談支援事業	7 619	1 684	4 908	1 027

注：平成29年9月中に利用者がいた事業所の従事者数である。
　　従事者数は常勤換算従事者数であり、小数点以下第1位を四捨五入している。
　　障害者支援施設の昼間実施サービス（生活介護、自立訓練、就労移行支援及び就労継続支援）を除く。
　　従事者数は詳細票により調査した職種についてのものであり、調査した職種以外は「…」とした。
　1)　短期入所事業の従事者には空床型の事業所の従事者を含まない。

第 Ⅲ 編

統 計 表 － Ⅰ 総 括 表

1 表章記号の規約
(1) 計数のない場合　　　　　　　　　　　　　　　　　　　　　　　－
(2) 統計項目のありえない場合　　　　　　　　　　　　　　　　　　・
(3) 計数不明又は計数を表章することが不適当な場合　　　　　　　…
(4) 表章単位の1／2未満の場合　　　　　　　　　　　　　　　　0、0.0

2 統計表利用上の注意
(1) 施設・事業所の分類は法律によった。
(2) 集計対象は、活動中の施設・事業所である。
(3) 施設の定員は、認可等を受けた定員とした。また、次の施設については、以下のとおりである。
　ア　助産施設については、児童福祉法の規定による認可病床数で計上した。
　イ　宿所提供施設については、人員で計上した。
　ウ　母子生活支援施設については、世帯数で計上した。
(4) 入所施設において通所（園）部門を併設している施設の定員及び在所者数は、入所＋通所の定員、在所者数である。
(5) 施設・事業所の従事者については、施設・事業所の設置基準・運営要綱・国庫負担金交付基準などにかかわりなく、10月1日現在の状況を計上した。
(6) この報告書に掲載の数値は四捨五入しているため、内訳の合計が「総数」に合わない場合がある。
(7) 保育所等及び小規模保育事業所の定員及び利用児童数は、保育部分のみで計上した。
(8) 平成21年以降は調査方法の変更等により、調査対象施設・事業所のうち調査票を回収できなかった施設・事業所があるため、表題又は表中に「基本票」と記載がない統計表は全数となっていないものもある。
(9) 平成23年は東日本大震災の被災地域（津波による浸水地域及び東京電力福島第一原子力発電所の事故による警戒区域等を含む市町村。）に所在する施設・事業所（418施設、471事業所）は調査を見合わせた。
【調査を見合わせた市町村】
　宮城県　石巻市、塩竈市、気仙沼市、名取市、多賀城市、岩沼市、東松島市、亘理町、
　　　　　山元町、松島町、七ヶ浜町、利府町、女川町、南三陸町
　福島県　相馬市、田村市、南相馬市、川俣町、広野町、楢葉町、富岡町、川内村、大熊町、
　　　　　双葉町、浪江町、葛尾村、新地町、飯舘村

統 計 表 一 覧

統計表番号	客体							分類項目		
	施設数	定員	在所者数	常勤換算従事者数	在所率	事業所数	利用実人員	施設の種類	障害福祉サービス等の事業の種類の	年次推移
1	●							●		●
2		●						●		●
3			○					○		○
4				○				○		○
5					○			○		○
6						●			●	●
7							○		○	○
8	●	●	○	○				●		

注：1）●及び○印は、該当する客体及び分類項目である。
　　2）●印は、基本票及び詳細票で集計している。

表1　施設の種類、年次別施設数

施設の種類	1) 2) 平成23年(2011)	3) 平成24年(2012)	3) 25(2013)	3) 26(2014)	3) 27(2015)	3) 28(2016)	3) 29(2017)	詳細票 4) 平成24年(2012)	25(2013)	26(2014)	27(2015)	28(2016)	29(2017)
総　　数	50 129	55 881	58 613	61 307	66 213	70 101	72 887	48 250	50 684	53 154	53 540	56 571	59 054
保　護　施　設	294	295	292	291	292	293	291	231	230	225	231	228	228
救　護　施　設	184	184	184	183	185	186	186	181	183	177	184	181	183
更　生　施　設	21	20	19	19	19	21	21	20	19	19	19	21	21
医　療　保　護　施　設	58	60	60	60	59	59	59	…	…	…	…	…	…
授　産　施　設	20	20	18	18	18	17	15	20	18	18	17	17	15
宿　所　提　供　施　設	11	11	11	11	11	10	10	10	10	11	11	9	9
老　人　福　祉　施　設	4 827	5 323	5 308	5 334	5 327	5 291	5 293	4 962	5 004	5 026	5 103	5 004	5 086
養　護　老　人　ホ　ー　ム	893	953	953	952	957	954	959	905	913	917	936	923	931
養護老人ホーム（一般）	847	904	903	901	906	902	907	859	866	868	886	875	880
養護老人ホーム（盲）	46	49	50	51	51	52	52	46	47	49	50	48	51
軽　費　老　人　ホ　ー　ム	2 001	2 182	2 198	2 250	2 264	2 280	2 302	2 045	2 079	2 117	2 166	2 151	2 198
軽費老人ホームA型	208	215	213	209	204	199	194	207	207	207	197	198	188
軽費老人ホームB型	24	24	22	17	16	15	14	23	20	17	16	14	13
軽費老人ホーム（ケアハウス）	1 769	1 943	1 963	1 989	1 996	2 007	2 023	1 815	1 852	1 861	1 908	1 884	1 931
都市型軽費老人ホーム	…	…	…	35	48	59	71	…	…	32	45	55	66
老　人　福　祉　セ　ン　タ　ー	1 933	2 188	2 157	2 132	2 106	2 057	2 032	2 012	2 012	1 992	2 001	1 930	1 957
老人福祉センター（特A型）	222	259	253	250	246	244	242	237	231	236	234	223	233
老人福祉センター（A型）	1 306	1 479	1 454	1 435	1 417	1 371	1 353	1 368	1 358	1 344	1 353	1 298	1 307
老人福祉センター（B型）	405	450	450	447	443	442	437	407	423	412	414	409	417
障　害　者　支　援　施　設　等	4 263	5 962	6 099	5 951	5 874	5 778	5 734	5 330	5 549	5 376	5 221	5 191	5 155
障　害　者　支　援　施　設	1 661	2 660	2 652	2 612	2 559	2 550	2 549	2 461	2 476	2 449	2 417	2 373	2 358
地　域　活　動　支　援　セ　ン　タ　ー	2 446	3 135	3 286	3 183	3 165	3 082	3 038	2 715	2 925	2 780	2 666	2 688	2 665
福　祉　ホ　ー　ム	156	167	161	156	150	146	147	154	148	147	138	130	132
旧身体障害者福祉法による身体障害者更生援護施設	286	・	・	・	・	・	・	・	・	・	・	・	・
肢体不自由者更生施設	15	・	・	・	・	・	・	・	・	・	・	・	・
視覚障害者更生施設	1	・	・	・	・	・	・	・	・	・	・	・	・
聴覚・言語障害者更生施設	1	・	・	・	・	・	・	・	・	・	・	・	・
内部障害者更生施設	2	・	・	・	・	・	・	・	・	・	・	・	・
身体障害者療護施設	106	・	・	・	・	・	・	・	・	・	・	・	・
身体障害者入所授産施設	44	・	・	・	・	・	・	・	・	・	・	・	・
身体障害者通所授産施設	78	・	・	・	・	・	・	・	・	・	・	・	・
身体障害者小規模通所授産施設	31	・	・	・	・	・	・	・	・	・	・	・	・
身体障害者福祉工場	8	・	・	・	・	・	・	・	・	・	・	・	・
旧知的障害者福祉法による知的障害者援護施設	1 127	・	・	・	・	・	・	・	・	・	・	・	・
知的障害者入所更生施設	397	・	・	・	・	・	・	・	・	・	・	・	・
知的障害者通所更生施設	133	・	・	・	・	・	・	・	・	・	・	・	・
知的障害者入所授産施設	94	・	・	・	・	・	・	・	・	・	・	・	・
知的障害者通所授産施設	424	・	・	・	・	・	・	・	・	・	・	・	・
知的障害者小規模通所授産施設	20	・	・	・	・	・	・	・	・	・	・	・	・
知的障害者通勤寮	54	・	・	・	・	・	・	・	・	・	・	・	・
知的障害者福祉工場	5	・	・	・	・	・	・	・	・	・	・	・	・
旧精神保健及び精神障害者福祉に関する法律による精神障害者社会復帰施設	366	・	・	・	・	・	・	・	・	・	・	・	・
精神障害者生活訓練施設	162	・	・	・	・	・	・	・	・	・	・	・	・
精神障害者福祉ホーム	82	・	・	・	・	・	・	・	・	・	・	・	・
精神障害者福祉ホーム（B型）	82	・	・	・	・	・	・	・	・	・	・	・	・
精神障害者授産施設（入所）	10	・	・	・	・	・	・	・	・	・	・	・	・
精神障害者授産施設（通所）	66	・	・	・	・	・	・	・	・	・	・	・	・
精神障害者小規模通所授産施設	44	・	・	・	・	・	・	・	・	・	・	・	・
精神障害者福祉工場	2	・	・	・	・	・	・	・	・	・	・	・	・

施設の種類	1) 2) 平成23年 (2011)	3) 平成24年 (2012)	3) 25 (2013)	3) 26 (2014)	3) 27 (2015)	3) 28 (2016)	3) 29 (2017)	詳細票 4) 平成24年 (2012)	25 (2013)	26 (2014)	27 (2015)	28 (2016)	29 (2017)
身体障害者社会参加支援施設	318	308	322	322	322	309	314	295	316	318	311	299	307
身体障害者福祉センター	165	152	162	163	161	151	150	145	157	159	151	144	147
身体障害者福祉センター（A型）	33	31	35	36	36	36	36	31	35	36	35	35	36
身体障害者福祉センター（B型）	132	121	127	127	125	115	114	114	122	123	116	109	111
障害者更生センター	5	5	5	5	5	5	5	5	5	5	5	5	5
補装具製作施設	17	18	18	17	16	15	16	17	17	17	16	15	16
盲導犬訓練施設	11	11	13	12	12	12	13	11	13	12	12	11	12
点字図書館	73	72	73	74	73	72	73	69	73	74	72	70	71
点字出版施設	11	11	11	11	11	10	10	11	11	11	11	10	10
聴覚障害者情報提供施設	36	39	40	40	44	44	47	37	40	40	44	44	46
婦人保護施設	45	46	48	47	47	47	46	46	48	47	47	47	46
児童福祉施設等	31 599	33 873	33 938	34 462	37 139	38 808	40 137	29 079	29 061	29 565	32 089	33 490	35 206
助産施設	403	411	403	393	391	388	387	...	...	...	...	...	...
乳児院	127	130	131	133	134	136	138	129	131	132	134	134	132
母子生活支援施設	259	259	248	243	235	228	227	251	243	241	229	221	215
保育所等 5)	21 751	23 740	24 076	24 509	25 580	26 265	27 137	22 720	22 594	22 992	24 234	24 771	25 660
小規模保育事業所	...	...	...	...	1 555	2 535	3 401	...	...	...	1 291	2 216	2 984
小規模保育事業所A型	...	...	...	...	...	1 805	2 594	...	...	...	...	1 575	2 310
小規模保育事業所B型	...	...	...	...	...	618	697	...	...	...	...	547	584
小規模保育事業所C型	...	...	...	...	...	112	110	...	...	...	...	94	90
児童養護施設	578	589	590	602	609	609	608	570	571	590	594	579	590
障害児入所施設（福祉型）	·	264	263	276	267	266	263	239	251	261	249	244	242
障害児入所施設（医療型）	·	187	189	207	200	212	212	160	165	182	178	190	186
児童発達支援センター（福祉型）	·	316	355	453	467	500	528	288	339	420	435	461	490
児童発達支援センター（医療型）	·	109	107	111	106	99	99	99	98	102	98	87	92
知的障害児施設	225	·	·	·	·	·	·	·	·	·	·	·	·
自閉症児施設	7	·	·	·	·	·	·	·	·	·	·	·	·
知的障害児通園施設	256	·	·	·	·	·	·	·	·	·	·	·	·
盲児施設	9	·	·	·	·	·	·	·	·	·	·	·	·
ろうあ児施設	10	·	·	·	·	·	·	·	·	·	·	·	·
難聴幼児通園施設	23	·	·	·	·	·	·	·	·	·	·	·	·
肢体不自由児施設	59	·	·	·	·	·	·	·	·	·	·	·	·
肢体不自由児通園施設	97	·	·	·	·	·	·	·	·	·	·	·	·
肢体不自由児療護施設	6	·	·	·	·	·	·	·	·	·	·	·	·
重症心身障害児施設	133	·	·	·	·	·	·	·	·	·	·	·	·
児童心理治療施設	37	38	38	38	40	42	44	37	38	38	39	41	43
児童自立支援施設	58	58	59	58	58	58	58	57	57	57	58	55	57
児童家庭支援センター	79	90	96	99	103	108	114	85	95	99	101	104	114
児童館	4 318	4 617	4 598	4 598	4 613	4 637	4 541	4 444	4 479	4 451	4 449	4 387	4 401
小型児童館	2 568	2 735	2 723	2 703	2 692	2 719	2 680	2 610	2 640	2 611	2 573	2 565	2 583
児童センター	1 625	1 763	1 767	1 787	1 784	1 781	1 725	1 720	1 731	1 735	1 747	1 693	1 688
大型児童館A型	18	18	17	17	17	17	17	18	17	17	17	17	17
大型児童館B型	4	4	4	4	4	4	4	4	4	4	4	4	4
大型児童館C型	1	1	1	1	−	−	−	1	1	1	−	−	−
その他の児童館	102	96	86	86	116	116	115	91	86	83	108	108	109
児童遊園	3 164	3 065	2 785	2 742	2 781	2 725	2 380	...	...	...	...	...	...
母子・父子福祉施設	60	61	60	59	58	56	56	57	58	56	58	51	55
母子・父子福祉センター	56	57	56	56	55	54	54	53	54	53	55	51	53
母子・父子休養ホーム	4	4	4	3	3	2	2	4	4	3	3	−	2
その他の社会福祉施設等	6 944	10 013	12 546	14 841	17 154	19 519	21 016	8 250	10 418	12 541	10 480	12 261	12 971
授産施設	69	69	70	71	68	68	66	65	69	66	68	68	65
宿所提供施設	281	282	291	296	296	350	366	253	264	267	266	314	324
盲人ホーム	17	19	19	19	20	19	19	19	19	17	19	17	19
無料低額診療施設	325	416	475	509	553	571	586	...	...	...	...	...	...
隣保館	1 024	1 101	1 089	1 085	1 076	1 064	1 071	1 053	1 050	1 049	1 037	998	1 019
へき地保健福祉館	59	62	50	45	42	38	32	46	41	34	37	18	22
へき地保育所	529	545	517	493	...	...	...	513	486	464	...	...	...
有料老人ホーム（サービス付き高齢者向け住宅以外）6)	4 640	7 519	8 502	9 632	10 651	12 570	13 525	6 301	7 472	8 495	9 053	10 846	11 522
有料老人ホーム（サービス付き高齢者向け住宅であるもの）	·	...	1 533	2 691	4 448	4 839	5 351	...	1 017	2 149	...	...	...

注：1）平成23年は、調査票が回収された施設のうち、活動中の施設について集計している。
　　2）平成23年は、調査方法等の変更による回収率の影響を受けていることに留意する必要がある。
　　3）平成24年からは、基本票として都道府県・指定都市・中核市が把握する施設について、活動中の施設を集計している。
　　4）詳細票は、詳細票が回収された施設のうち、活動中の施設について集計している。
　　5）保育所等は、幼保連携型認定こども園、保育所型認定こども園及び保育所である。
　　6）平成24年にはサービス付き高齢者向け住宅であるものを一部含む。

表2　施設の種類、年次別定員

施設の種類	1)2) 平成23年 (2011)	3) 平成24年 (2012)	3) 25 (2013)	3) 26 (2014)	3) 27 (2015)	3) 28 (2016)	3) 29 (2017)	詳細票4) 平成24年 (2012)	25 (2013)	26 (2014)	27 (2015)	28 (2016)	29 (2017)
総　　　　　　　　数	2 771 297	3 061 776	3 191 622	3 317 478	3 551 311	3 719 236	3 875 461	2 885 351	2 967 873	3 087 109	3 189 673	3 313 127	3 451 240
保　護　施　設	20 239	19 567	19 365	19 250	19 558	19 616	19 495	19 117	19 165	18 770	19 488	19 036	19 175
救　護　施　設	16 885	16 515	16 525	16 395	16 747	16 783	16 728	16 185	16 445	15 915	16 697	16 323	16 528
更　生　施　設	1 911	1 579	1 427	1 442	1 408	1 513	1 497	1 579	1 427	1 442	1 408	1 513	1 497
授　産　施　設	623	653	603	603	593	540	490	653	603	603	573	540	490
宿　所　提　供　施　設	820	820	810	810	810	780	780	700	690	810	810	660	660
老　人　福　祉　施　設	145 972	156 587	157 034	157 922	158 025	157 895	158 558	148 073	149 824	150 767	152 990	150 962	152 819
養　護　老　人　ホ　ー　ム	60 752	65 113	64 830	64 443	64 313	64 091	64 084	61 808	62 171	62 393	62 933	62 042	62 040
養護老人ホーム（一般）	58 083	62 299	61 926	61 489	61 359	61 107	61 100	59 194	59 467	59 589	60 079	59 308	59 106
養護老人ホーム（盲）	2 669	2 814	2 904	2 954	2 954	2 984	2 984	2 614	2 704	2 804	2 854	2 734	2 934
軽　費　老　人　ホ　ー　ム	85 220	91 474	92 204	93 479	93 712	93 804	94 474	86 265	87 653	88 374	90 057	88 920	90 779
軽　費　老　人　ホ　ー　ム　A　型	12 232	12 656	12 566	12 366	12 046	11 746	11 496	12 216	12 246	12 266	11 596	11 696	11 146
軽　費　老　人　ホ　ー　ム　B　型	1 090	1 170	1 020	818	.718	668	618	1 120	920	818	718	618	568
軽費老人ホーム（ケアハウス）	71 898	77 648	78 618	79 717	80 142	80 387	81 132	72 929	74 487	74 747	76 987	75 673	77 923
都　市　型　軽　費　老　人　ホ　ー　ム				578	806	1 003	1 228			543	756	933	1 142
障　害　者　支　援　施　設　等	141 048	201 782	202 964	197 867	195 298	192 762	191 636	184 124	187 596	182 997	180 159	177 317	176 183
障　害　者　支　援　施　設	94 405	145 889	145 015	142 868	140 512	139 627	139 040	135 210	135 906	134 536	133 631	130 547	129 558
地　域　活　動　支　援　センター	44 702	53 748	55 833	52 967	52 845	51 231	50 687	46 926	49 767	46 545	44 702	45 052	44 897
福　　祉　　ホ　　ー　　ム	1 941	2 145	2 116	2 032	1 941	1 904	1 909	1 988	1 923	1 916	1 826	1 718	1 728
旧身体障害者福祉法による身体障害者更生援護施設	11 768	・	・	・	・	・	・	・	・	・	・	・	・
肢　体　不　自　由　者　更　生　施　設	844	・	・	・	・	・	・	・	・	・	・	・	・
視　覚　障　害　者　更　生　施　設	90	・	・	・	・	・	・	・	・	・	・	・	・
聴覚・言語障害者更生施設	30	・	・	・	・	・	・	・	・	・	・	・	・
内　部　障　害　者　更　生　施　設	202	・	・	・	・	・	・	・	・	・	・	・	・
身　体　障　害　者　療　護　施　設	5 834	・	・	・	・	・	・	・	・	・	・	・	・
身　体　障　害　者　入　所　授　産　施　設	1 965	・	・	・	・	・	・	・	・	・	・	・	・
身　体　障　害　者　通　所　授　産　施　設	1 856	・	・	・	・	・	・	・	・	・	・	・	・
身体障害者小規模通所授産施設	542	・	・	・	・	・	・	・	・	・	・	・	・
身　体　障　害　者　福　祉　工　場	405	・	・	・	・	・	・	・	・	・	・	・	・
旧知的障害者福祉法による知的障害者援護施設	50 542	・	・	・	・	・	・	・	・	・	・	・	・
知　的　障　害　者　入　所　更　生　施　設	24 808	・	・	・	・	・	・	・	・	・	・	・	・
知　的　障　害　者　通　所　更　生　施　設	4 231	・	・	・	・	・	・	・	・	・	・	・	・
知　的　障　害　者　入　所　授　産　施　設	5 596	・	・	・	・	・	・	・	・	・	・	・	・
知　的　障　害　者　通　所　授　産　施　設	14 106	・	・	・	・	・	・	・	・	・	・	・	・
知的障害者小規模通所授産施設	323	・	・	・	・	・	・	・	・	・	・	・	・
知　的　障　害　者　通　勤　寮	1 333	・	・	・	・	・	・	・	・	・	・	・	・
知　的　障　害　者　福　祉　工　場	145	・	・	・	・	・	・	・	・	・	・	・	・
旧精神保健及び精神障害者福祉に関する法律による精神障害者社会復帰施設	7 572	・	・	・	・	・	・	・	・	・	・	・	・
精　神　障　害　者　生　活　訓　練　施　設	3 285	・	・	・	・	・	・	・	・	・	・	・	・
精　神　障　害　者　福　祉　ホ　ー　ム	1 636	・	・	・	・	・	・	・	・	・	・	・	・
精神障害者福祉ホーム（B型）	1 636	・	・	・	・	・	・	・	・	・	・	・	・
精神障害者授産施設（入所）	254	・	・	・	・	・	・	・	・	・	・	・	・
精神障害者授産施設（通所）	1 504	・	・	・	・	・	・	・	・	・	・	・	・
精神障害者小規模通所授産施設	834	・	・	・	・	・	・	・	・	・	・	・	・
精　神　障　害　者　福　祉　工　場	59	・	・	・	・	・	・	・	・	・	・	・	・
身　体　障　害　者　社　会　参　加　支　援　施　設	360	360	360	360	360	360	360	360	360	360	360	360	360
障　害　者　更　生　センター	360	360	360	360	360	360	360	360	360	360	360	360	360
婦　人　保　護　施　設	1 275	1 286	1 340	1 270	1 270	1 270	1 220	1 286	1 340	1 270	1 270	1 270	1 220
児　童　福　祉　施　設　等	2 144 248	2 334 169	2 381 444	2 434 381	2 599 480	2 692 975	2 796 574	2 230 324	2 233 181	2 286 547	2 457 146	2 530 471	2 640 266
助　　産　　施　　設	…	3 889	3 179	3 107	3 115	3 369	3 813	…	…	…	…	…	…
乳　　児　　院	3 823	3 851	3 857	3 870	3 873	3 892	3 934	3 831	3 857	3 828	3 873	3 852	3 744
母　子　生　活　支　援　施　設 5)	5 240	5 338	5 010	4 930	4 830	4 768	4 938	5 174	4 908	4 886	4 708	4 635	4 509
保　　育　　所　　等 6)	2 059 667	2 243 121	2 290 932	2 339 029	2 481 970	2 557 133	2 645 050	2 148 953	2 151 140	2 198 830	2 351 796	2 409 496	2 505 390
小　規　模　保　育　事　業　所	…	…	…	24 281	40 769	55 731	…	…	…	…	20 184	35 753	48 937
小　規　模　保　育　事　業　所　A　型	…	…	…		29 785	43 634	…	…	…	…		26 034	38 830
小　規　模　保　育　事　業　所　B　型	…	…	…		9 867	11 027	…	…	…	…		8 776	9 229
小　規　模　保　育　事　業　所　C　型	…	…	…		1 117	1 070	…	…	…	…		943	878
児　　童　　養　　護　　施　　設	33 782	34 410	33 852	33 599	33 287	32 850	32 387	33 072	32 643	33 008	32 428	31 174	31 414
障　害　児　入　所　施　設（福祉型）		11 302	10 640	11 287	10 533	10 227	9 801	10 385	10 084	10 604	9 672	9 026	8 893
障　害　児　入　所　施　設（医療型）		16 740	17 267	19 277	18 432	20 047	20 139	14 440	14 832	17 409	16 453	18 150	17 774
児　童　発　達　支　援　センター（福祉型）		11 418	12 080	14 886	14 822	15 792	16 759	10 610	11 603	13 932	13 903	14 703	15 524
児　童　発　達　支　援　センター（医療型）		3 809	4 037	3 763	3 533	3 267	3 277	3 499	3 532	3 443	3 253	2 878	3 027
知　的　障　害　児　施　設	9 461	・	・	・	・	・	・	・	・	・	・	・	・
自　閉　症　児　施　設	283	・	・	・	・	・	・	・	・	・	・	・	・
知　的　障　害　児　通　園　施　設	9 541	・	・	・	・	・	・	・	・	・	・	・	・
盲　　児　　施　　設	183	・	・	・	・	・	・	・	・	・	・	・	・
ろ　う　あ　児　施　設	214	・	・	・	・	・	・	・	・	・	・	・	・
難　聴　幼　児　通　園　施　設	788	・	・	・	・	・	・	・	・	・	・	・	・
肢　体　不　自　由　児　施　設	3 684	・	・	・	・	・	・	・	・	・	・	・	・
肢　体　不　自　由　児　通　園　施　設	3 620	・	・	・	・	・	・	・	・	・	・	・	・
肢　体　不　自　由　児　療　護　施　設	260	・	・	・	・	・	・	・	・	・	・	・	・
重　症　心　身　障　害　児　施　設	13 289	・	・	・	・	・	・	・	・	・	・	・	・
児　童　心　理　治　療　施　設	1 704	1 724	1 734	1 734	1 812	1 892	1 964	1 689	1 734	1 734	1 762	1 842	1 914
児　童　自　立　支　援　施　設	3 949	3 905	3 866	3 829	3 822	3 741	3 719	3 845	3 756	3 759	3 822	3 597	3 649
そ　の　他　の　社　会　福　祉　施　設　等	248 273	348 025	429 115	506 428	577 320	654 358	707 618	302 067	376 407	446 398	378 260	433 711	461 217
授　　産　　施　　設	2 251	2 264	2 311	2 254	2 144	2 099	2 059	2 106	2 251	2 144	2 144	2 099	2 029
宿　所　提　供　施　設	9 206	9 045	9 122	9 434	9 495	11 063	12 360	8 241	8 582	8 895	8 850	10 102	.10 888
盲　　人　　ホ　　ー　　ム	340	380	380	380	380	380	380	380	380	340	380	340	380
へ　き　地　保　育　所	20 302	21 102	19 925		19 816	19 816		21 102	18 764	18 764	19 816		
有料老人ホーム（サービス付き高齢者向け住宅以外）7)	216 174	315 234	350 990	391 144	424 828	482 792	518 507	271 524	315 718	349 732	366 886	421 170	447 920
有料老人ホーム（サービス付き高齢者向け住宅であるもの）	・	…	46 387	84 140	140 473	158 024	174 312	…	30 712	67 241	…	…	…

注：定員を調査していない施設は掲載していない。
　　1）平成23年は、調査票が回収された施設のうち、活動中の施設について集計している。
　　2）平成23年は、調査方法等の変更による回収率変動の影響を受けていることに留意する必要がある。
　　3）平成24年からは基本票として都道府県・指定都市・中核市が把握する施設について、活動中の施設を集計している。
　　4）詳細票は、詳細票が回収された施設のうち、活動中の施設について集計している。
　　5）母子生活支援施設の定員は世帯数であり、総数及び児童福祉施設等には含まない。
　　6）保育所等は、幼保連携型認定こども園、保育所型認定こども園及び保育所である。
　　7）平成24年にはサービス付き高齢者向け住宅であるものを一部含む。

表3　施設の種類、年次別在所者数

（単位：人）

各年10月1日現在

施　設　の　種　類	平成23年 (2011)	24 (2012)	25 (2013)	26 (2014)	27 (2015)	28 (2016)	29 (2017)
総　　　　　　　　　　　数	2 684 538	2 797 021	2 861 687	2 966 611	3 008 594	3 108 031	3 212 953
保　　護　　施　　設	19 342	18 744	18 651	18 055	19 112	18 692	18 752
救　　護　　施　　設	16 824	16 280	16 448	16 029	16 984	16 652	16 650
更　　生　　施　　設	1 651	1 637	1 417	1 269	1 409	1 409	1 411
授　　産　　施　　設	439	420	416	389	347	334	343
宿　所　提　供　施　設	428	407	370	368	372	297	348
老　人　福　祉　施　設	136 029	137 421	138 373	138 635	141 033	139 013	140 173
養　護　老　人　ホ　ー　ム	56 381	56 860	56 962	56 963	57 288	56 264	55 678
養護老人ホーム（一般）	53 752	54 306	54 353	54 306	54 572	53 719	52 935
養護老人ホーム（盲）	2 629	2 554	2 609	2 657	2 716	2 545	2 743
軽　費　老　人　ホ　ー　ム	79 648	80 561	81 411	81 672	83 745	82 749	84 495
軽　費　老　人　ホ　ー　ム　A　型	11 366	11 392	11 271	11 220	10 753	10 978	10 467
軽　費　老　人　ホ　ー　ム　B　型	717	718	546	484	438	425	379
軽費老人ホーム（ケアハウス）	67 565	68 451	69 594	69 446	71 826	70 464	72 579
都　市　型　軽　費　老　人　ホ　ー　ム	…	…	…	522	728	882	1 070
障　害　者　支　援　施　設　等	105 317	149 514	151 545	151 349	150 006	147 890	145 639
障　害　者　支　援　施　設	103 724	147 888	149 997	149 771	148 537	146 479	144 238
福　祉　ホ　ー　ム	1 593	1 626	1 548	1 578	1 469	1 411	1 401
旧身体障害者福祉法による身体障害者更生援護施設	10 743	・	・	・	・	・	・
肢　体　不　自　由　者　更　生　施　設	669	・	・	・	・	・	・
視　覚　障　害　者　更　生　施　設	44	・	・	・	・	・	・
聴　覚・言　語　障　害　者　更　生　施　設	30	・	・	・	・	・	・
内　部　障　害　者　更　生　施　設	67	・	・	・	・	・	・
身　体　障　害　者　療　護　施　設	5 694	・	・	・	・	・	・
身　体　障　害　者　入　所　授　産　施　設	1 625	・	・	・	・	・	・
身　体　障　害　者　通　所　授　産　施　設	1 863	・	・	・	・	・	・
身　体　障　害　者　小　規　模　通　所　授　産　施　設	503	・	・	・	・	・	・
身　体　障　害　者　福　祉　工　場	248	・	・	・	・	・	・
旧知的障害者福祉法による知的障害者援護施設	50 827	・	・	・	・	・	・
知　的　障　害　者　入　所　更　生　施　設	24 380	・	・	・	・	・	・
知　的　障　害　者　通　所　更　生　施　設	4 310	・	・	・	・	・	・
知　的　障　害　者　入　所　授　産　施　設	5 311	・	・	・	・	・	・
知　的　障　害　者　通　所　授　産　施　設	15 308	・	・	・	・	・	・
知　的　障　害　者　小　規　模　通　所　授　産　施　設	270	・	・	・	・	・	・
知　的　障　害　者　通　勤　寮	1 124	・	・	・	・	・	・
知　的　障　害　者　福　祉　工　場	124	・	・	・	・	・	・
旧精神保健及び精神障害者福祉に関する法律による精神障害者社会復帰施設	6 288	・	・	・	・	・	・
精　神　障　害　者　生　活　訓　練　施　設	2 081	・	・	・	・	・	・
精　神　障　害　者　福　祉　ホ　ー　ム	1 355	・	・	・	・	・	・
精　神　障　害　者　福　祉　ホ　ー　ム（B型）	1 355	・	・	・	・	・	・
精　神　障　害　者　授　産　施　設（入所）	203	・	・	・	・	・	・
精　神　障　害　者　授　産　施　設（通所）	1 642	・	・	・	・	・	・
精　神　障　害　者　小　規　模　通　所　授　産　施　設	965	・	・	・	・	・	・
精　神　障　害　者　福　祉　工　場	42	・	・	・	・	・	・
婦　人　保　護　施　設	411	417	423	409	374	349	358
児　童　福　祉　施　設　等	2 157 692	2 252 366	2 255 424	2 304 401	2 388 023	2 441 544	2 520 165
乳　　児　　院	3 035	3 023	3 137	3 105	3 039	3 089	2 851
母　子　生　活　支　援　施　設　1）	10 042	9 437	9 367	9 223	8 902	8 625	8 100
保　　育　　所　　等　2）	2 084 136	2 187 568	2 185 166	2 230 552	2 295 346	2 332 766	2 397 504
小　規　模　保　育　事　業　所　型	…	…	…	…	18,326.00	33 859	47 402
小　規　模　保　育　事　業　所　A　型	…	…	…	…	…	24 645	37 645
小　規　模　保　育　事　業　所　B　型	…	…	…	…	…	8 316	8 885
小　規　模　保　育　事　業　所　C　型	…	…	…	…	…	898	872
児　童　養　護　施　設	29 214	28 188	27 549	27 468	27 045	25 722	25 636
障　害　児　入　所　施　設（福祉型）	・	7 986	8 053	8 016	7 460	6 865	6 774
障　害　児　入　所　施　設（医療型）	・	6 881	9 351	8 946	8 327	8 156	7 432
児　童　発　達　支　援　センター（福祉型）	・	13 337	16 594	21 095	23 396	26 104	27 460
児　童　発　達　支　援　センター（医療型）	・	2 641	2 780	2 389	2 392	2 315	2 468
知　的　障　害　児　施　設	8 255	・	・	・	・	・	・
自　閉　症　児　施　設	185	・	・	・	・	・	・
知　的　障　害　児　通　園　施　設	11 174	・	・	・	・	・	・
盲　児　施　設	119	・	・	・	・	・	・
ろ　う　あ　児　施　設	142	・	・	・	・	・	・
難　聴　幼　児　通　園　施　設	893	・	・	・	・	・	・
肢　体　不　自　由　児　施　設	1 954	・	・	・	・	・	・
肢　体　不　自　由　児　通　園　施　設	2 706	・	・	・	・	・	・
肢　体　不　自　由　児　療　護　施　設	235	・	・	・	・	・	・
重　症　心　身　障　害　児　施　設	12 771	・	・	・	・	・	・
児　童　心　理　治　療　施　設	1 251	1 236	1 275	1 303	1 311	1 339	1 374
児　童　自　立　支　援　施　設	1 622	1 506	1 519	1 527	1 381	1 329	1 264
そ　の　他　の　社　会　福　祉　施　設　等	197 889	238 559	297 271	353 762	310 046	360 543	387 866
授　　産　　施　　設	1 980	1 815	1 881	1 792	1 801	1 732	1 662
宿　所　提　供　施　設	8 027	6 806	7 170	7 197	7 375	8 503	9 070
へ　き　地　保　育　所	8 377	8 031	7 730	7 330	…	…	…
有料老人ホーム（サービス付き高齢者向け住宅以外）3）	179 505	221 907	257 777	285 160	300 870	350 308	377 134
有料老人ホーム（サービス付き高齢者向け住宅であるもの）		22 713	52 283				

注：調査票が回収された施設のうち、活動中の施設について集計している。

　　　在所者数を調査していない施設は掲載していない。

　　　調査方法等の変更による回収率変動の影響を受けていることに留意する必要がある。

　　1）母子生活支援施設の在所者数は世帯人員であり、総数及び児童福祉施設には含まない。

　　2）保育所等は、幼保連携型認定こども園、保育所型認定こども園及び保育所である。

　　3）平成24年にはサービス付き高齢者向け住宅であるものを一部含む。

表4　施設の種類、年次別常勤換算従事者数

（単位：人）　　　　　　　　　　　　　　　　　　　　　　　　　　　　　　　　　　　各年10月1日現在

施　設　の　種　類	平成23年 (2011)	24 (2012)	25 (2013)	26 (2014)	27 (2015)	28 (2016)	29 (2017)
総　　　　　　　　　数	769 777	804 149	839 702	878 413	899 172	960 031	1 007 414
保　　護　　施　　設	6 232	6 061	6 252	6 055	6 306	6 199	6 293
救　　護　　施　　設	5 803	5 656	5 856	5 685	5 935	5 820	5 915
更　　生　　施　　設	286	270	271	247	251	269	278
授　　産　　施　　設	107	98	91	90	83	76	68
宿　所　提　供　施　設	37	37	34	34	37	33	32
老　人　福　祉　施　設	40 446	42 253	43 011	43 146	44 355	44 121	44 719
養　護　老　人　ホ　ー　ム	15 847	16 270	16 501	16 586	16 903	16 464	16 646
養護老人ホーム（一般）	14 807	15 288	15 479	15 540	15 863	15 488	15 602
養護老人ホーム（盲）	1 040	982	1 022	1 046	1 040	976	1 044
軽　費　老　人　ホ　ー　ム	18 380	19 241	19 601	19 894	20 676	20 915	21 281
軽費老人ホームA型	2 781	2 796	2 757	2 796	2 635	2 730	2 574
軽費老人ホームB型	66	97	51	49	44	40	38
軽費老人ホーム（ケアハウス）	15 533	16 347	16 793	16 887	17 735	17 828	18 267
都市型軽費老人ホーム	…	…	…	162	262	316	402
老　人　福　祉　セ　ン　タ　ー	6 220	6 743	6 909	6 666	6 776	6 742	6 792
老人福祉センター（特A型）	880	987	976	988	982	842	949
老人福祉センター（A　型）	4 538	4 735	4 767	4 583	4 569	4 633	4 654
老人福祉センター（B　型）	802	1 020	1 166	1 095	1 226	1 266	1 189
障　害　者　支　援　施　設　等	71 572	96 425	99 435	100 065	99 547	100 448	101 443
障　害　者　支　援　施　設	62 278	85 634	88 552	90 052	89 949	90 277	91 138
地　域　活　動　支　援　セ　ン　タ　ー	8 974	10 466	10 618	9 755	9 351	9 930	10 043
福　　祉　　ホ　　ー　　ム	320	326	265	257	248	241	262
旧身体障害者福祉法による身体障害者更生援護施設	5 857	・	・	・	・	・	・
肢　体　不　自　由　者　更　生　施　設	301	・	・	・	・	・	・
視　覚　障　害　者　更　生　施　設	22	・	・	・	・	・	・
聴覚・言語障害者更生施設	15	・	・	・	・	・	・
内　部　障　害　者　更　生　施　設	39	・	・	・	・	・	・
身　体　障　害　者　療　護　施　設	3 913	・	・	・	・	・	・
身　体　障　害　者　入　所　授　産　施　設	675	・	・	・	・	・	・
身　体　障　害　者　通　所　授　産　施　設	589	・	・	・	・	・	・
身体障害者小規模通所授産施設	125	・	・	・	・	・	・
身　体　障　害　者　福　祉　工　場	179	・	・	・	・	・	・
旧知的障害者福祉法による知的障害者援護施設	20 975	・	・	・	・	・	・
知　的　障　害　者　入　所　更　生　施　設	12 178	・	・	・	・	・	・
知　的　障　害　者　通　所　更　生　施　設	1 550	・	・	・	・	・	・
知　的　障　害　者　入　所　授　産　施　設	2 198	・	・	・	・	・	・
知　的　障　害　者　通　所　授　産　施　設	4 655	・	・	・	・	・	・
知的障害者小規模通所授産施設	82	・	・	・	・	・	・
知　的　障　害　者　通　勤　寮	269	・	・	・	・	・	・
知　的　障　害　者　福　祉　工　場	43	・	・	・	・	・	・
旧精神保健及び精神障害者福祉に関する法律による精神障害者社会復帰施設	2 134	・	・	・	・	・	・
精　神　障　害　者　生　活　訓　練　施　設	1 086	・	・	・	・	・	・
精　神　障　害　者　福　祉　ホ　ー　ム	355	・	・	・	・	・	・
精神障害者福祉ホーム（B型）	355	・	・	・	・	・	・
精　神　障　害　者　授　産　施　設　（入所）	76	・	・	・	・	・	・
精　神　障　害　者　授　産　施　設　（通所）	438	・	・	・	・	・	・
精神障害者小規模通所授産施設	167	・	・	・	・	・	・
精　神　障　害　者　福　祉　工　場	12	・	・	・	・	・	・

施 設 の 種 類	平成23年 (2011)	24 (2012)	25 (2013)	26 (2014)	27 (2015)	28 (2016)	29 (2017)
身体障害者社会参加支援施設	2 758	2 564	2 724	2 598	2 623	2 667	2 796
身体障害者福祉センター	1 259	1 146	1 231	1 150	1 178	1 192	1 231
身体障害者福祉センター（A型）	512	518	604	545	573	573	613
身体障害者福祉センター（B型）	747	629	627	605	605	619	618
障 害 者 更 生 セ ン タ ー	115	95	90	89	88	84	74
補 装 具 製 作 施 設	150	199	191	144	138	191	190
盲 導 犬 訓 練 施 設	216	201	205	201	204	202	211
点 字 図 書 館	617	540	602	590	571	549	618
点 字 出 版 施 設	117	111	110	113	112	107	118
聴 覚 障 害 者 情 報 提 供 施 設	284	272	294	311	333	342	354
婦 人 保 護 施 設	364	369	389	385	379	363	370
児 童 福 祉 施 設 等	523 339	542 248	550 111	570 794	603 769	644 659	682 841
乳 児 院	4 088	4 210	4 462	4 539	4 661	4 793	4 921
母 子 生 活 支 援 施 設	1 972	2 012	2 049	2 067	2 051	2 080	1 994
保 育 所 等 1）	447 013	470 708	476 450	492 788	517 183	546 628	577 577
小 規 模 保 育 事 業 所	…	…	…	…	8 514	17 149	23 999
小 規 模 保 育 事 業 所 A 型	…	…	…	…	…	12 346	18 817
小 規 模 保 育 事 業 所 B 型	…	…	…	…	…	4 227	4 558
小 規 模 保 育 事 業 所 C 型	…	…	…	…	…	576	624
児 童 養 護 施 設	15 575	15 477	15 920	16 672	17 046	17 137	17 883
障害児入所施設（福祉型）	・	6 242	6 467	6 498	6 052	5 960	5 736
障害児入所施設（医療型）	・	15 902	16 715	19 465	18 605	20 497	19 384
児童発達支援センター（福祉型）	・	5 326	6 054	6 941	7 290	7 934	8 286
児童発達支援センター（医療型）	・	1 555	1 785	1 462	1 407	1 293	1 382
知 的 障 害 児 施 設	5 791	・	・	・	・	・	・
自 閉 症 児 施 設	268	・	・	・	・	・	・
知 的 障 害 児 通 園 施 設	4 952	・	・	・	・	・	・
盲 児 施 設	110	・	・	・	・	・	・
ろ う あ 児 施 設	130	・	・	・	・	・	・
難 聴 幼 児 通 園 施 設	277	・	・	・	・	・	・
肢 体 不 自 由 児 施 設	3 728	・	・	・	・	・	・
肢 体 不 自 由 児 通 園 施 設	1 573	・	・	・	・	・	・
肢 体 不 自 由 児 療 護 施 設	186	・	・	・	・	・	・
重 症 心 身 障 害 児 施 設	17 737	・	・	・	・	・	・
児 童 心 理 治 療 施 設	948	970	960	995	1 024	1 165	1 309
児 童 自 立 支 援 施 設	1 801	1 780	1 769	1 788	1 847	1 743	1 838
児 童 家 庭 支 援 セ ン タ ー	223	260	294	319	321	342	390
児 童 館	16 966	17 806	17 185	17 262	17 765	17 937	18 142
小 型 児 童 館	8 490	9 138	8 994	8 848	9 011	9 322	9 596
児 童 セ ン タ ー	7 644	7 844	7 446	7 622	8 046	7 901	7 829
大 型 児 童 館 A 型	332	330	279	318	300	293	314
大 型 児 童 館 B 型	55	48	60	61	66	68	68
大 型 児 童 館 C 型	126	121	99	77	－	－	－
そ の 他 の 児 童 館	318	326	307	335	342	354	336
母 子 ・ 父 子 福 祉 施 設	251	262	216	174	201	192	206
母 子 ・ 父 子 福 祉 セ ン タ ー	237	228	195	173	200	192	205
母 子 ・ 父 子 休 養 ホ ー ム	14	33	21	1	2	－	1
そ の 他 の 社 会 福 祉 施 設 等	95 850	113 967	137 565	155 196	141 992	161 382	168 747
授 産 施 設	380	376	395	374	381	379	360
宿 所 提 供 施 設	690	676	645	672	696	760	849
盲 人 ホ ー ム	35	36	36	33	44	33	40
隣 保 館	2 464	2 577	2 538	2 450	2 403	2 472	2 485
へ き 地 保 健 福 祉 館	16	16	14	14	16	6	7
へ き 地 保 育 所	1 828	1 824	1 771	1 677	…	…	…
有料老人ホーム（サービス付き 高齢者向け住宅以外） 2）	90 439	108 463	124 625	134 043	138 452	157 732	165 006
有料老人ホーム（サービス付き 高齢者向け住宅であるもの）	・	…	7 542	15 935	…	…	…

注：調査票が回収された施設のうち、活動中の施設について集計している。
　　従事者を調査していない施設は掲載していない。
　　従事者数は常勤換算従事者数であり、小数点以下第1位を四捨五入している。
　　調査方法等の変更による回収率変動の影響を受けていることに留意する必要がある。
　　1）保育所等は、幼保連携型認定こども園、保育所型認定こども園及び保育所である。
　　2）平成24年にはサービス付き高齢者向け住宅であるものを一部含む。

表5　施設の種類、年次別在所率

（単位：%）　　　各年10月1日現在

	平成23年 (2011)	24 (2012)	25 (2013)	26 (2014)	27 (2015)	28 (2016)	29 (2017)
総　　　　　　　　　　　数	98.7	98.1	97.6	97.2	95.2	94.5	93.9
保　　護　　施　　設	95.6	98.0	97.3	96.4	98.1	98.2	97.8
老　人　福　祉　施　設	93.5	92.9	92.7	92.1	92.3	92.1	91.8
障害者支援施設等 1)	93.5	93.8	93.8	94.3	94.6	94.3	94.3
身体障害者更生援護施設	92.3	・	・	・	・	・	・
知的障害者援護施設	100.9	・	・	・	・	・	・
精神障害者社会復帰施設	83.7	・	・	・	・	・	・
婦　人　保　護　施　設	37.6	37.7	36.0	35.7	34.8	33.1	35.7
児　童　福　祉　施　設　等	100.8	101.2	101.1	101.0	97.3	96.6	95.6
（再掲）保　育　所　等	101.3	101.9	101.7	101.6	97.7	96.9	95.8
幼保連携型認定こども園	…	…	100.6	101.4	97.1	100.0	97.1
保育所型認定こども園	…	…	102.5	101.6	95.7	83.7	83.8
保　　育　　所	…	…	…	…	97.8	96.8	95.9
（再掲）小規模保育事業所	…	…	…	…	91.2	95.0	97.1
小規模保育事業所A型	…	…	…	…	…	95.1	97.2
小規模保育事業所B型	…	…	…	…	…	94.8	96.5
小規模保育事業所C型	…	…	…	…	…	96.2	99.3
その他の社会福祉施設等	80.1	79.7	79.9	80.2	82.7	83.5	84.4
（再掲）有料老人ホーム（サービス付き高齢者向け住宅以外） 2)	83.3	82.3	82.2	82.3	82.7	83.5	84.4
（再掲）有料老人ホーム（サービス付き高齢者向け住宅であるもの）	・	…	77.4	78.8	…	…	…

注：調査票が回収された活動中の施設の在所率について集計している。
　　在所率（%）＝在所者数÷定員×100により算出している。
　　ただし、在所者数について調査を行っていない施設を除くとともに、在所者数不詳の施設を除いた定員で計算している。
　　1）障害者支援施設等のうち障害者支援施設の定員及び在所者数は、入所者分のみである。
　　2）平成24年にはサービス付き高齢者向け住宅であるものを一部含む。

表6 障害福祉サービス等の事業の種類、年次別事業所数

各年10月1日現在

	1) 2) 平成23年 (2011)	3) 平成24年 (2012)	3) 25 (2013)	3) 26 (2014)	3) 27 (2015)	3) 28 (2016)	3) 29 (2017)	詳細票 4) 平成24年 (2012)	25 (2013)	26 (2014)	27 (2015)	28 (2016)	29 (2017)
居 宅 介 護 事 業	13 000	19 872	20 811	21 667	22 429	22 943	23 074	15 461	16 468	16 958	17 580	18 120	18 111
重 度 訪 問 介 護 事 業	11 732	18 547	19 376	20 117	20 786	21 050	20 952	14 326	15 232	15 642	16 178	16 480	16 298
同 行 援 護 事 業	・	8 527	9 343	9 707	9 854	10 263	10 356	6 722	7 601	7 772	7 995	8 362	8 283
行 動 援 護 事 業	1 406	2 161	2 208	2 336	2 425	2 472	2 495	1 704	1 742	1 815	1 882	1 959	1 913
療 養 介 護 事 業	34	230	234	229	220	221	222	189	198	190	185	188	194
生 活 介 護 事 業 5)	3 414	5 538	5 595	6 084	6 496	6 933	7 275	4 879	5 029	5 312	5 660	6 060	6 366
児 童 デ イ サ ー ビ ス 事 業	1 816	・	・	・	・	・	・	・	・	・	・	・	・
重 度 障 害 者 等 包 括 支 援 事 業	47	57	42	34	34	38	29	52	35	26	28	29	23
相 談 支 援 事 業	2 510	・	・	・	・	・	・	・	・	・	・	・	・
計 画 相 談 支 援 事 業	・	3 086	4 362	6 225	8 053	8 736	9 241	2 698	3 848	5 348	6 875	7 534	7 805
地 域 相 談 支 援 （地域移行支援） 事 業	・	3 277	2 904	2 955	3 136	3 249	3 301	2 815	2 517	2 464	2 628	2 801	2 782
地 域 相 談 支 援 （地域定着支援） 事 業	・	3 218	2 798	2 834	2 995	3 120	3 166	2 766	2 417	2 359	2 514	2 683	2 666
短 期 入 所 事 業	3 311	4 043	4 315	4 556	4 833	5 099	5 333	3 628	3 915	4 072	4 360	4 580	4 730
共 同 生 活 介 護 事 業	3 052	4 385	4 557	・	・	・	・	3 814	3 937				
共 同 生 活 援 助 事 業	3 405	4 568	4 795	6 432	6 762	7 219	7 590	3 965	4 123	5 439	5 772	6 146	6 421
自 立 訓 練 （機能訓練） 事 業 5)	243	425	415	436	432	428	428	367	366	376	364	357	370
自 立 訓 練 （生活訓練） 事 業 5)	792	1 314	1 287	1 334	1 361	1 353	1 374	1 123	1 122	1 111	1 135	1 144	1 159
宿 泊 型 自 立 訓 練 事 業	・	199	223	228	230	232	225	181	211	206	217	225	211
就 労 移 行 支 援 事 業 5)	1 557	2 518	2 614	2 858	3 146	3 323	3 471	2 162	2 282	2 431	2 680	2 845	2 956
就 労 継 続 支 援 （Ａ型） 事 業 5)	629	1 374	1 811	2 382	3 018	3 455	3 776	1 165	1 549	1 961	2 423	2 824	3 065
就 労 継 続 支 援 （Ｂ型） 事 業 5)	4 590	7 360	7 936	8 722	9 431	10 214	11 041	6 472	7 020	7 428	8 056	8 751	9 459
児 童 発 達 支 援 事 業	・	2 804	2 802	3 258	3 942	4 984	5 981	2 395	2 425	2 714	3 298	4 110	4 924
放 課 後 等 デ イ サ ー ビ ス 事 業	・	3 107	3 909	5 267	6 971	9 385	11 301	2 589	3 238	4 283	5 682	7 645	9 264
保 育 所 等 訪 問 支 援 事 業	・	240	415	550	714	858	969	211	379	489	650	775	860
障 害 児 相 談 支 援 事 業	・	1 914	2 989	4 048	5 128	5 755	6 134	1 618	2 609	3 435	4 329	4 918	5 110

注：複数の事業を行う事業所は、それぞれの事業に計上している。
　　1）平成23年は、調査票が回収された事業所のうち、活動中の事業所について集計している。
　　2）平成23年は、調査方法等の変更による回収率変動の影響を受けていることに留意する必要がある。
　　3）平成24年からは、基本票として都道府県・指定都市・中核市が把握する事業所について、活動中の事業所を集計している。
　　4）詳細票は、詳細票が回収された事業所のうち、活動中の事業所について集計している。
　　5）障害者支援施設の昼間実施サービス（生活介護、自立訓練、就労移行支援及び就労継続支援）を除く。

表7　障害福祉サービス等の事業の種類、年次別利用実人員

（単位：人）　　各年9月

	平成23年 (2011)	24 (2012)	25 (2013)	26 (2014)	27 (2015)	28 (2016)	29 (2017)
居宅介護事業　身体介護が中心	52 291	60 450	64 401	67 537	72 910	78 677	81 069
通院介助が中心 （身体介護を伴う）	10 327	11 853	12 602	13 629	14 812	16 488	17 897
通院介助が中心 （身体介護を伴わない）	5 627	6 184	6 456	6 735	6 925	7 043	6 799
通院等乗降介助が中心	2 157	2 042	2 215	2 683	2 520	2 453	2 594
家事援助が中心	64 365	72 662	78 934	83 632	88 198	94 756	97 118
重度訪問介護事業	10 535	13 053	13 446	14 152	15 374	18 504	17 214
同行援護事業　身体介護を伴う	・	4 904	6 041	6 694	8 133	9 705	10 612
身体介護を伴わない	・	10 750	12 354	12 996	13 407	13 001	13 002
行動援護事業	5 194	6 254	7 034	7 334	8 547	8 863	9 241
療養介護事業	1 810	14 072	13 501	11 931	13 948	13 673	13 798
生活介護事業　1)	74 581	108 491	104 664	107 864	157 341	194 246	187 850
児童デイサービス事業	64 483	・	・	・	・	・	・
重度障害者等包括支援事業	23	29	45	18	28	17	28
相談支援事業　2)	3 725	・	・	・	・	・	・
計画相談支援事業　3)	・	13 099	43 417	84 971	124 632	140 974	150 543
地域相談支援（地域移行支援）事業	・	1 265	832	912	765	748	969
地域相談支援（地域定着支援）事業	・	1 553	1 671	1 757	2 222	2 528	2 806
短期入所事業	27 894	31 402	35 801	39 084	43 922	47 659	50 863
共同生活介護事業　4)	35 936	40 320	50 441	・	・	・	・
共同生活援助事業　4)	19 527	23 360	24 024	74 964	83 882	87 413	93 090
自立訓練（機能訓練）事業　1)	1 281	1 017	982	868	1 024	1 072	889
自立訓練（生活訓練）事業　1)	7 797	9 913	10 040	9 550	9 022	9 167	
宿泊型自立訓練事業　4)	・	3 161	3 494	3 337	3 094	3 161	3 064
就労移行支援事業　1)	16 266	22 214	23 238	23 188	28 491	31 061	33 179
就労継続支援（A型）事業　1)	12 309	23 523	29 513	40 771	58 377	68 070	70 684
就労継続支援（B型）事業　1)	99 182	157 019	159 968	173 585	226 749	252 597	258 357
児童発達支援事業	・	12 557	15 889	18 678	24 662	28 750	91 309
放課後等デイサービス事業	・	41 955	58 350	86 524	124 001	154 840	226 611
保育所等訪問支援事業	・	316	942	1 644	2 326	3 053	3 532
障害児相談支援事業　5)	・	2 088	9 410	19 902	32 310	41 756	47 300

注：調査票が回収できた事業所のうち、活動中の事業所について集計している。
　1）障害者支援施設の昼間実施サービス（生活介護、自立訓練、就労移行支援及び就労継続支援）を除く。
　2）相談支援事業の利用実人員は、サービス利用計画を作成した人数である。
　3）計画相談支援事業の利用実人員は、サービス利用支援（計画作成）又は継続サービス利用支援（モニタリング）を行った人数である。
　4）共同生活介護事業、共同生活援助事業及び宿泊型自立訓練事業は、9月末日の利用実人員である。
　5）障害児相談支援事業の利用実人員は、障害児支援利用援助（計画作成）又は継続障害児支援利用援助（モニタリング）を行った人数である。

表8　施設の種類別にみた施設数・定員・在所者数・従事者数

平成29年10月1日現在

施設の種類	基本票 1)		詳細票 2)			
	施設数	定員(人) 3)	施設数	定員(人) 3)	在所者数(人) 3)	従事者数(人) 4)
総数	72 887	3 875 461	59 054	3 451 240	3 212 953	1 007 414
保護施設	291	19 495	228	19 175	18 752	6 293
救護施設	186	16 728	183	16 528	16 650	5 915
更生施設	21	1 497	21	1 497	1 411	278
医療保護施設 5)	59	...	...	...	...	...
授産施設	15	490	15	490	343	68
宿所提供施設	10	780	9	660	348	32
老人福祉施設	5 293	158 558	5 086	152 819	140 173	44 719
養護老人ホーム	959	64 084	931	62 040	55 678	16 646
養護老人ホーム（一般）	907	61 100	880	59 106	52 935	15 602
養護老人ホーム（盲）	52	2 984	51	2 934	2 743	1 044
軽費老人ホーム	2 302	94 474	2 198	90 779	84 495	21 281
軽費老人ホームA型	194	11 496	188	11 146	10 467	2 574
軽費老人ホームB型	14	618	13	568	379	38
軽費老人ホーム（ケアハウス）	2 023	81 132	1 931	77 923	72 579	18 267
都市型軽費老人ホーム	71	1 228	66	1 142	1 070	402
老人福祉センター	2 032	・	1 957	・	・	6 792
老人福祉センター（特A型）	242	・	233	・	・	949
老人福祉センター（A型）	1 353	・	1 307	・	・	4 654
老人福祉センター（B型）	437	・	417	・	・	1 189
障害者支援施設等	5 734	191 636	5 155	176 183	145 639	101 443
障害者支援施設 7)	2 549	139 040	2 358	129 558	144 238	91 138
地域活動支援センター 8)	3 038	50 687	2 665	44 897	...	10 043
福祉ホーム	147	1 909	132	1 728	1 401	262
身体障害者社会参加支援施設	314	360	307	360	...	2 796
身体障害者福祉センター	150	・	147	・	・	1 231
身体障害者福祉センター（A型）	36	・	36	・	・	613
身体障害者福祉センター（B型）	114	・	111	・	・	618
障害者更生センター 8)	5	360	5	360	...	74
補装具製作施設	16	...	16	...	...	190
盲導犬訓練施設	13	...	12	...	...	211
点字図書館	73	・	71	・	・	618
点字出版施設	10	...	10	...	...	118
聴覚障害者情報提供施設	47	・	46	・	・	354
婦人保護施設	46	1 220	46	1 220	358	370
児童福祉施設等	40 137	2 796 574	35 206	2 640 266	2 520 165	682 841
助産施設 5)	387	3 813	...	...	...	4 921
乳児院	138	3 934	132	3 744	2 851	1 994
母子生活支援施設 6)	227	4 938	215	4 509	8 100	...
保育所等	27 137	2 645 050	25 660	2 505 390	2 397 504	577 577
幼保連携型認定こども園	3 620	365 222	3 377	341 649	331 292	91 568
保育所型認定こども園	591	64 809	567	61 973	51 905	12 857
保育所	22 926	2 215 019	21 716	2 101 768	2 014 307	473 152
小規模保育事業	3 401	55 731	2 984	48 937	47 402	23 999
小規模保育事業所A型	2 594	43 634	2 310	38 830	37 645	18 817
小規模保育事業所B型	697	11 027	584	9 229	8 885	4 558
小規模保育事業所C型	110	1 070	90	878	872	624
児童養護施設	608	32 387	590	31 414	25 636	17 883
障害児入所施設（福祉型）	263	9 801	242	8 893	6 774	5 736
障害児入所施設（医療型）	212	20 139	186	17 774	7 432	19 384
児童発達支援センター（福祉型）	528	16 759	490	15 524	27 460	8 286
児童発達支援センター（医療型）	99	3 277	92	3 027	2 468	1 382
児童心理治療施設	44	1 964	43	1 914	1 374	1 309
児童自立支援施設	58	3 719	57	3 649	1 264	1 838
児童家庭支援センター	114	・	114	・	・	390
児童館	4 541	・	4 401	・	・	18 142
小型児童館	2 680	・	2 583	・	・	9 596
児童センター	1 725	・	1 688	・	・	7 829
大型児童館A型	17	・	17	・	・	314
大型児童館B型	4	・	4	・	・	68
大型児童館C型	-	・	-	・	・	-
その他の児童館	115	・	109	・	・	336
児童遊園 5)	2 380	・	...	...	...	...
母子・父子福祉施設	56	...	55	...	...	206
母子・父子福祉センター	54	...	53	...	...	205
母子・父子休養ホーム	2	...	2	...	...	1
その他の社会福祉施設等	21 016	707 618	12 971	461 217	387 866	168 747
授産施設	66	2 059	65	2 029	1 662	360
宿所提供施設	366	12 360	324	10 888	9 070	849
盲人ホーム 8)	19	380	19	380	...	40
無料低額診療施設 5)	586	・	...	・	・	2 485
隣保館	1 071	・	1 019	・	・	2 485
へき地保健福祉館	32	・	22	・	・	7
有料老人ホーム（サービス付き高齢者向け住宅以外）	13 525	518 507	11 522	447 920	377 134	165 006
有料老人ホーム（サービス付き高齢者向け住宅であるもの） 5)	5 351	174 312	...	...	...	...

注：1）基本票は、都道府県・指定都市・中核市において把握している施設のうち、活動中の施設について集計している。
　　2）詳細票は、詳細票が回収できた施設のうち、活動中の施設について集計している。
　　3）定員及び在所者数は、それぞれ定員又は在所者数について、調査を実施した施設のみ計上している。
　　4）従事者数は常勤換算従事者数であり、小数点以下第1位を四捨五入している。
　　5）保護施設のうち医療保護施設、児童福祉施設等のうち助産施設及び児童遊園並びにその他の社会福祉施設等のうち無料低額診療施設及び有料老人ホーム（サービス付き高齢者向け住宅であるもの）については、詳細票調査を実施していない。
　　6）母子生活支援施設の定員は世帯数、在所者数は世帯人員であり、総数、児童福祉施設等の定員及び在所者数には含まない。
　　7）障害者支援施設等のうち障害者支援施設の定員は入所者分のみである。また、在所者数の内訳は、入所者数122,025人、通所者数22,213人である。
　　8）障害者支援施設等のうち地域活動支援センター、身体障害者社会参加支援施設のうち障害者更生センター及びその他の社会福祉施設等のうち盲人ホームについては、在所者数を調査していない。

参考表　第1表　施設の種類別調査対象施設数

平成29年10月1日現在

	基本票		詳細票	
	施設数 1)	集計施設数 2)	回収施設数 3)	集計施設数 4)
総数	73 633	72 887	59 369	59 054
保護施設	292	291	229	228
救護施設	186	186	183	183
更生施設	21	21	21	21
医療保護施設 5)	59	59	…	…
授産施設	16	15	16	15
宿所提供施設	10	10	9	9
老人福祉施設	5 331	5 293	5 112	5 086
養護老人ホーム	961	959	932	931
養護老人ホーム（一般）	909	907	881	880
養護老人ホーム（盲）	52	52	51	51
軽費老人ホーム	2 304	2 302	2 199	2 198
軽費老人ホームA型	195	194	188	188
軽費老人ホームB型	15	14	14	13
軽費老人ホーム（ケアハウス）	2 023	2 023	1 931	1 931
都市型軽費老人ホーム	71	71	66	66
老人福祉センター	2 066	2 032	1 981	1 957
老人福祉センター（特A型）	246	242	236	233
老人福祉センター（A型）	1 376	1 353	1 323	1 307
老人福祉センター（B型）	444	437	422	417
障害者支援施設等	5 763	5 734	5 180	5 155
障害者支援施設	2 551	2 549	2 359	2 358
地域活動支援センター	3 065	3 038	2 689	2 665
福祉ホーム	147	147	132	132
身体障害者社会参加支援施設	318	314	310	307
身体障害者福祉センター	152	150	149	147
身体障害者福祉センター（A型）	36	36	36	36
身体障害者福祉センター（B型）	116	114	113	111
障害者更生センター	6	5	5	5
補装具製作施設	17	16	17	16
盲導犬訓練施設	13	13	12	12
点字図書館	73	73	71	71
点字出版施設	10	10	10	10
聴覚障害者情報提供施設	47	47	46	46
婦人保護施設	47	46	47	46

	基本票		詳細票	
	施設数 1)	集計施設数 2)	回収施設数 3)	集計施設数 4)
児童福祉施設等	40 668	40 137	35 382	35 206
助産施設 5)	463	387	…	…
乳児院	138	138	132	132
母子生活支援施設	234	227	216	215
保育所等	27 301	27 137	25 732	25 660
幼保連携型認定こども園	3 624	3 620	3 380	3 377
保育所型認定こども園	593	591	569	567
保育所	23 084	22 926	21 783	21 716
小規模保育事業所	3 405	3 401	2 986	2 984
小規模保育事業所A型	2 595	2 594	2 310	2 310
小規模保育事業所B型	700	697	586	584
小規模保育事業所C型	110	110	90	90
児童養護施設	608	608	590	590
障害児入所施設（福祉型）	263	263	242	242
障害児入所施設（医療型）	212	212	186	186
児童発達支援センター（福祉型）	529	528	491	490
児童発達支援センター（医療型）	100	99	93	92
児童心理治療施設	44	44	43	43
児童自立支援施設	58	58	57	57
児童家庭支援センター	114	114	114	114
児童館	4 713	4 541	4 500	4 401
小型児童館	2 831	2 680	2 669	2 583
児童センター	1 738	1 725	1 697	1 688
大型児童館A型	17	17	17	17
大型児童館B型	4	4	4	4
大型児童館C型	－	－	－	－
その他の児童館	123	115	113	109
児童遊園 5)	2 486	2 380	…	…
母子・父子福祉施設	58	56	56	55
母子・父子福祉センター	55	54	54	53
母子・父子休養ホーム	3	2	2	2
その他の社会福祉施設等	21 156	21 016	13 053	12 971
授産施設	66	66	65	65
宿所提供施設	370	366	326	324
盲人ホーム	22	19	22	19
無料低額診療施設 5)	589	586	…	…
隣保館	1 094	1 071	1 033	1 019
へき地保健福祉館	45	32	31	22
有料老人ホーム（サービス付き高齢者向け住宅以外）	13 614	13 525	11 576	11 522
有料老人ホーム（サービス付き高齢者向け住宅であるもの）5)	5 356	5 351	…	…

注：1）　施設数は、活動中又は休止中の施設数である。
　　2）　基本票の集計施設数は、活動中の施設数である。
　　3）　回収施設数は、詳細票の回収があった施設数である。
　　4）　詳細票の集計施設数は、詳細票を回収した施設数のうち活動中の施設数である。
　　5）　保護施設のうち医療保護施設、児童福祉施設等のうち助産施設及び児童遊園並びにその他の社会福祉施設等のうち無料低額診療施設及び
　　　　有料老人ホーム（サービス付き高齢者向け住宅であるもの）については、詳細票調査を実施していない。

参考表　第2表　施設の種類別在所率（詳細票）

施　設　の　種　類	施　設　数	定　員（人） A	在所者数（人） B	在　所　率（%） B÷A×100
総数	48 121	3 399 795	3 190 740	93.9
保護施設	228	19 175	18 752	97.8
救護施設	183	16 528	16 650	100.7
更生施設	21	1 497	1 411	94.3
授産施設	15	490	343	70.0
宿所提供施設	9	660	348	52.7
老人福祉施設	3 127	152 749	140 173	91.8
養護老人ホーム	931	62 040	55 678	89.7
養護老人ホーム（一般）	880	59 106	52 935	89.6
養護老人ホーム（盲）	51	2 934	2 743	93.5
軽費老人ホーム	2 196	90 709	84 495	93.1
軽費老人ホームA型	188	11 146	10 467	93.9
軽費老人ホームB型	13	568	379	66.7
軽費老人ホーム（ケアハウス）	1 929	77 853	72 579	93.2
都市型軽費老人ホーム	66	1 142	1 070	93.7
障害者支援施設等	2 477	130 846	123 426	94.3
障害者支援施設 1)	2 346	129 128	122 025	94.5
福祉ホーム	131	1 718	1 401	81.5
婦人保護施設	30	1 004	358	35.7
児童福祉施設等	30 412	2 636 554	2 520 165	95.6
乳児院	132	3 744	2 851	76.1
保育所等	25 619	2 502 676	2 397 504	95.8
幼保連携型認定こども園	3 365	341 314	331 292	97.1
保育所型認定こども園	566	61 953	51 905	83.8
保育所	21 688	2 099 409	2 014 307	95.9
小規模保育事業所	2 976	48 821	47 402	97.1
小規模保育事業所A型	2 303	38 731	37 645	97.2
小規模保育事業所B型	583	9 212	8 885	96.5
小規模保育事業所C型	90	878	872	99.3
児童養護施設	588	31 354	25 636	81.8
障害児入所施設（福祉型）	240	8 812	6 774	76.9
障害児入所施設（医療型）	176	17 048	7 432	43.6
児童発達支援センター（福祉型）	489	15 509	27 460	177.1
児童発達支援センター（医療型）	92	3 027	2 468	81.5
児童心理治療施設	43	1 914	1 374	71.8
児童自立支援施設	57	3 649	1 264	34.6
その他の社会福祉施設等	11 847	459 467	387 866	84.4
授産施設	65	2 029	1 662	81.9
宿所提供施設	316	10 807	9 070	83.9
有料老人ホーム（サービス付き高齢者向け住宅以外）	11 466	446 631	377 134	84.4

注：定員又は在所者数について調査を実施した施設のうち、在所者数不詳の施設を除いた数値を計上している。
　　1）障害者支援施設等のうち障害者支援施設の定員及び在所者数は入所者分のみである。

第 Ⅲ 編

統 計 表 － Ⅱ 個 別 表

1 表章記号の規約
(1) 計数のない場合 　　　　　　　　　　　　　　　　　　　　　　－
(2) 統計項目のありえない場合 　　　　　　　　　　　　　　　　　・
(3) 計数不明又は計数を表章することが不適当な場合 　　　　　…
(4) 表章単位の1／2未満の場合 　　　　　　　　　　　　　　0、0.0

2 統計表利用上の注意
(1) 施設・事業所の分類は法律によった。
(2) 集計対象は、活動中の施設・事業所である。
(3) 都道府県・指定都市・中核市の統計表は、施設の所在地ではなく、施設を設置又は認可
　　（届出）した都道府県・指定都市・中核市で計上した。また、国立の施設は「国」に計上し、
　　いずれの都道府県・指定都市・中核市にも含まれていない。
(4) 施設の定員は、認可等を受けた定員とした。また、次の施設については、以下のとおりで
　　ある。
　　ア　助産施設については、児童福祉法の規定による認可病床数で計上した。
　　イ　宿所提供施設については、人員で計上した。
　　ウ　母子生活支援施設については、世帯数で計上した。
(5) 入所施設において通所（園）部門を併設している施設の定員及び在所者数は、入所＋通所
　　の定員、在所者数である。
(6) 施設・事業所の従事者については、施設・事業所の設置基準・運営要綱・国庫負担金交付
　　基準などにかかわりなく、10月1日現在の状況を計上した。
(7) この報告書に掲載の数値は四捨五入しているため、内訳の合計が「総数」に合わない場合
　　がある。
(8) 保育所等及び小規模保育事業所の定員及び利用児童数は、保育部分のみで計上した。
(9) 平成21年以降は調査方法の変更等により、調査対象施設・事業所のうち調査票を回収でき
　　なかった施設・事業所があるため、表題又は表中に「基本票」と記載がない統計表は全数と
　　なっていないものもある。

統　計　表

（施　設　票）

統計表番号	客体 施設等数	定員	在所者数・利用児童数	退所者数	従事者 常勤換算従事者数	常勤保育士数	常勤保育教諭数	常勤保育従事者（保育士資格あり）・常勤家庭的保育者（保育士資格あり）数	保育士の採用―退職者数	保育教諭の採用―退職者数	分類 施設の種類（法律による） 全対象施設	児童福祉施設等を除く	保育所等・小規模保育事業所等を除く	障害者支援施設等を除く	児童福祉施設等	保育所等	幼保連携型認定こども園	保育所（保育所型認定こども園・保育所）	小規模保育事業所	障害者支援施設等	設置主体
1	●										●										
2	●										●										●
3	●											●									
4	●														●						
5	●															●			●		
6	●															●			●		
7		●									●										
8		○	○								○										
9			○									○		○							
10			○												○						
11			○																	○	
12			○													○			○		
13					○						○										
14-1					○									○							
14-2					○											○			○		
15-1						○										○					
15-2							○										○				
15-3								○											○		
16-1									○									○	○		
16-2									○	○							○				
17			○																	○	
18				○																○	
19				○											○						

注：1）●、○印は、該当する客体及び分類項目である。
　　2）●印は、基本票及び詳細票で集計しており、詳細票で集計した統計表は閲覧（https://www.e-stat.go.jp）に掲載している。

一　　　　　覧

10分類	公営—私営	法人営	都道府県—指定都市—中核市	定員階級	保育標準時間（開所時間）	保育標準時間の開所—閉所時刻（30分間隔）	保育短時間の利用開始—利用終了時刻（30分間隔）	在所者の種類（契約による者—被措置者—その他）	年齢階級・各歳・区分	職種	常勤—非常勤	入所期間	入所前の居住地別	身体障害者手帳所持・療育手帳所持	退所理由	在所期間	退所後の住居（夜の住まい）	備考	統計表番号
	●		●																1
●																			2
	●			●															3
	●		・	●															4
●			●																5
	●		●		●														6
	●		●																7
○								○											8
	○								○										9
	○								○										10
	○								○										11
			○						○										12
	○		○																13
	○									○	○								14-1
	○									○	○								14-2
	○	○	○																15-1
	○	○	○																15-2
	○	○	○																15-3
	○		○										○						16-1
	○		○										○						16-2
	○											○						・障害者支援施設のみ ・在所者数は入所者数のみ	17
	○														○		○		18
	○														○	○			19

統 計 表

(障害福祉サービス等・障害児通所支援等事業所票)

統計表番号	障害福祉サービス等事業所数	障害児通所支援等事業所数	1事業所当たり利用実人員・訪問回数・利用延日数・利用延人数・利用者数・・	定員	利用実人員	9月末日利用実人員	訪問回数	利用延人員	利用延日数	送迎加算の状況	入居者数	退所者数	常勤換算従事者数	居宅介護事業	重度訪問介護事業	同行援護事業	行動援護事業	療養介護事業	生活介護事業	重度障害者等包括支援事業	計画相談支援	地域相談支援（地域移行支援）	地域相談支援（地域定着支援）	短期入所事業	共同生活援助事業	自立訓練（機能訓練）事業	自立訓練（生活訓練）事業	宿泊型自立訓練事業	就労移行支援事業	就労継続支援（A型）事業	就労継続支援（B型）事業
20	●	●												●	●	●	●	●	●	●	●	●	●	●	●	●	●	●	●	●	●
21	○	○												○	○	○	○		○	○							○	○	○	○	
22		○																													
23	○																								○						
24	○																									○					
25	○	○												○	○	○	○		○	○							○	○			
26	○	○												○	○	○															
27	○	○																	○	○							○	○			
28	○																			○				○							
29	○																								○			○			
30	○																														
31						○													○	○				○	○	○	○		○	○	○
32			○											○	○	○	○														
33			○																○	○							○	○			
34			○																					○					○		
35			○																					○	○	○					
36			○																							○		○			
37				○																						○		○			
38					○	○								○		○															
39					○										○																
40					○												○														
41					○		○												○	○			○	○					○		
42					○	○	○			○																					
43					○				○																		○				
44					○				○									○													
45						○																				○		○			
46					○			○																		○					
47										○	○																				
48											○																				
49														○	○	○	○	○	○	○	○	○	○	○	○	○	○	○	○	○

注：1）　●、○印は、該当する客体及び分類項目である。
　　2）　●印は、基本票及び詳細票で集計しており、詳細票で集計した統計表は閲覧（https://www.e-stat.go.jp）に掲載している。

一　　　覧

児童発達支援事業	放課後等デイサービス事業	保育所等訪問支援事業	障害児相談支援事業	公営－私営（10分類）	都道府県－指定都市－中核市	営業日数階級	定員階級	事業所形態	利用実人員階級	9月末日利用実人員階級	訪問回数階級	利用延人数階級	利用延日数階級	利用期間	サービスの内容	障害者及び障害児	利用者の類型	サービス費の種類	入居前の場所・状況	退居後の行先・状況	退所理由	常勤－非常勤	備　考	統計表番号
●	●	●	●	●	●																			20
		○		○		○																		21
○	○			○		○	○																	22
				○			○	○															定員階級は併設型事業所のみ	23
				○			○	○																24
○	○	○	○	○					○															25
		○		○						○														26
○	○			○							○													27
				○								○												28
				○									○											29
				○			○																事業所数は定員階級別箇所数	30
				○										○										31
	○			○																				32
○	○			○																				33
				○																			短期入所事業は併設型事業所のみ	34
			○	○																				35
				○																				36
○	○				○																			37
				○											○	○								38
				○																				39
				○													○							40
				○																				41
○	○	○	○	○																				42
				○												○								43
				○													○							44
				○																				45
				○														○						46
				○															○	○				47
				○																	○			48
○	○	○	○	○																		○		49

２　障害福祉サービス等・障害児通所支援等事業所票

第1表　【基本票】社会福祉施設等数，国－都道府県

国 都道府県	総数			保護施設 総数			救護施設			更生施設			医療保護施設			授産施設		
	総数	公営	私営	総数	公営	私営	総数	公営	私営	総数	公営	私営	総数	公営	私営	総数	公営	私営
全国	72 887	16 509	56 378	291	22	269	186	14	172	21	2	19	59	2	57	15	3	12
国	11	10	1	－	－	－	－	－	－	－	－	－	－	－	－	－	－	－
北海道	2 125	775	1 350	3	－	3	2	－	2	－	－	－	－	－	－	1	－	1
青森	792	66	726	3	－	3	3	－	3	－	－	－	－	－	－	－	－	－
岩手	736	191	545	4	－	4	2	－	2	－	－	－	2	－	2	－	－	－
宮城	858	372	486	－	－	－	－	－	－	－	－	－	－	－	－	－	－	－
秋田	529	111	418	2	－	2	1	－	1	－	－	－	－	－	－	1	－	1
山形	815	206	609	4	－	4	3	－	3	－	－	－	－	－	－	－	－	－
福島	628	196	432	7	1	6	4	－	4	－	－	－	1	－	1	2	1	1
茨城	1 348	238	1 110	4	－	4	4	－	4	－	－	－	－	－	－	－	－	－
栃木	749	174	575	1	－	1	－	－	－	－	－	－	－	－	－	1	－	1
群馬	858	123	735	3	－	3	3	－	3	－	－	－	－	－	－	－	－	－
埼玉	2 435	418	2 017	5	－	5	2	－	2	－	－	－	3	－	3	－	－	－
千葉	1 988	736	1 252	5	－	5	4	－	4	－	－	－	1	－	1	－	－	－
東京	5 664	1 438	4 226	35	－	35	8	－	8	11	－	11	10	－	10	－	－	－
神奈川	1 308	198	1 110	3	－	3	1	－	1	－	－	－	2	－	2	－	－	－
新潟	1 052	456	596	5	1	4	4	1	3	－	－	－	1	－	1	－	－	－
富山	418	143	275	1	－	1	－	－	－	－	－	－	1	－	1	－	－	－
石川	504	175	329	1	－	1	1	－	1	－	－	－	－	－	－	－	－	－
福井	598	204	394	2	－	2	1	－	1	－	－	－	1	－	1	－	－	－
山梨	572	199	373	3	－	3	3	－	3	－	－	－	－	－	－	－	－	－
長野	1 325	634	691	5	2	3	5	2	3	－	－	－	－	－	－	－	－	－
岐阜	874	294	580	1	－	1	1	－	1	－	－	－	－	－	－	－	－	－
静岡	949	212	737	1	－	1	1	－	1	－	－	－	－	－	－	－	－	－
愛知	2 550	1 397	1 153	2	－	2	2	－	2	－	－	－	－	－	－	－	－	－
三重	1 086	328	758	4	－	4	3	－	3	－	－	－	1	－	1	－	－	－
滋賀	521	196	325	4	－	4	4	－	4	－	－	－	－	－	－	－	－	－
京都	567	218	349	2	－	2	1	－	1	－	－	－	1	－	1	－	－	－
大阪	1 687	257	1 430	6	－	6	4	－	4	－	－	－	2	－	2	－	－	－
兵庫	1 178	317	861	2	－	2	2	－	2	－	－	－	－	－	－	－	－	－
奈良	467	167	300	3	－	3	1	－	1	－	－	－	2	－	2	－	－	－
和歌山	443	214	229	2	－	2	1	－	1	－	－	－	1	－	1	－	－	－
鳥取	542	190	352	2	－	2	2	－	2	－	－	－	－	－	－	－	－	－
島根	603	86	517	3	－	3	3	－	3	－	－	－	－	－	－	－	－	－
岡山	527	200	327	6	2	4	5	2	3	－	－	－	－	－	－	1	－	1
広島	638	205	433	2	－	2	1	－	1	－	－	－	1	－	1	－	－	－
山口	910	263	647	5	1	4	5	1	4	－	－	－	－	－	－	－	－	－
徳島	621	214	407	6	1	5	3	－	3	－	－	－	2	－	2	－	－	－
香川	385	141	244	2	－	2	2	－	2	－	－	－	－	－	－	－	－	－
愛媛	679	257	422	2	1	1	2	1	1	－	－	－	－	－	－	－	－	－
高知	387	206	181	－	－	－	－	－	－	－	－	－	－	－	－	－	－	－
福岡	1 588	333	1 255	3	－	3	3	－	3	－	－	－	－	－	－	－	－	－
佐賀	670	81	589	3	－	3	2	－	2	－	－	－	1	－	1	－	－	－
長崎	709	158	551	－	－	－	－	－	－	－	－	－	－	－	－	－	－	－
熊本	1 049	145	904	6	1	5	6	1	5	－	－	－	－	－	－	－	－	－
大分	632	71	561	3	－	3	2	－	2	－	－	－	－	－	－	1	－	1
宮崎	871	187	684	1	－	1	1	－	1	－	－	－	－	－	－	－	－	－
鹿児島	924	91	833	－	－	－	－	－	－	－	－	－	－	－	－	－	－	－
沖縄	1 073	147	926	1	－	1	1	－	1	－	－	－	－	－	－	－	－	－

注：指定都市及び中核市は別掲である。

施設

－指定都市－中核市、施設の種類・経営主体の公営－私営別

平成29年10月 1 日

指定都市 中核市	総数			保護施設 総数			救護施設			更生施設			医療保護施設			授産施設		
	総数	公営	私営	総数	公営	私営	総数	公営	私営	総数	公営	私営	総数	公営	私営	総数	公営	私営
指定都市（別掲）																		
札幌市	1 080	42	1 038	4	-	4	4	-	4	-	-	-	-	-	-	-	-	-
仙台市	593	44	549	2	-	2	2	-	2	-	-	-	-	-	-	-	-	-
さいたま市	583	68	515	-	-	-	-	-	-	-	-	-	-	-	-	-	-	-
千葉市	476	65	411	1	-	1	1	-	1	-	-	-	-	-	-	-	-	-
横浜市	1 631	84	1 547	8	-	8	3	-	3	3	-	3	2	-	2	-	-	-
川崎市	733	41	692	1	-	1	1	-	1	-	-	-	-	-	-	-	-	-
相模原市	328	75	253	-	-	-	-	-	-	-	-	-	-	-	-	-	-	-
新潟市	454	99	355	1	-	1	1	-	1	-	-	-	-	-	-	-	-	-
静岡市	307	63	244	2	-	2	2	-	2	-	-	-	-	-	-	-	-	-
浜松市	308	30	278	7	-	7	5	-	5	-	-	-	1	-	1	-	-	-
名古屋市	1 166	125	1 041	8	4	4	2	2	-	2	1	1	2	1	1	1	-	1
京都市	807	22	785	4	-	4	-	-	-	1	-	1	3	-	3	-	-	-
大阪市	1 338	70	1 268	17	1	16	9	-	9	2	-	2	6	1	5	-	-	-
堺市	365	20	345	1	-	1	1	-	1	-	-	-	-	-	-	-	-	-
神戸市	757	77	680	7	2	5	5	1	4	1	1	-	1	-	1	-	-	-
岡山市	418	82	336	2	-	2	1	-	1	-	-	-	1	-	1	-	-	-
広島市	593	203	390	1	-	1	1	-	1	-	-	-	-	-	-	-	-	-
北九州市	532	30	502	3	-	3	3	-	3	-	-	-	-	-	-	-	-	-
福岡市	716	19	697	1	-	1	1	-	1	-	-	-	-	-	-	-	-	-
熊本市	541	34	507	2	-	2	1	-	1	-	-	-	1	-	1	-	-	-
中核市（別掲）																		
旭川市	394	8	386	-	-	-	-	-	-	-	-	-	-	-	-	-	-	-
函館市	219	29	190	4	-	4	3	-	3	-	-	-	1	-	1	-	-	-
青森市	309	40	269	-	-	-	-	-	-	-	-	-	-	-	-	-	-	-
八戸市	171	2	169	-	-	-	-	-	-	-	-	-	-	-	-	-	-	-
盛岡市	288	15	273	-	-	-	-	-	-	-	-	-	-	-	-	-	-	-
秋田市	203	42	161	1	-	1	1	-	1	-	-	-	-	-	-	-	-	-
郡山市	125	26	99	1	-	1	1	-	1	-	-	-	-	-	-	-	-	-
いわき市	166	39	127	2	1	1	1	-	1	-	-	-	-	-	-	1	1	-
宇都宮市	215	16	199	2	-	2	1	-	1	-	-	-	1	-	1	-	-	-
前橋市	236	25	211	-	-	-	-	-	-	-	-	-	-	-	-	-	-	-
高崎市	255	33	222	-	-	-	-	-	-	-	-	-	-	-	-	-	-	-
川越市	126	24	102	1	1	-	-	-	-	-	-	-	-	-	-	1	1	-
越谷市	135	22	113	-	-	-	-	-	-	-	-	-	-	-	-	-	-	-
船橋市	248	49	199	-	-	-	-	-	-	-	-	-	-	-	-	-	-	-
柏市	161	40	121	-	-	-	-	-	-	-	-	-	-	-	-	-	-	-
八王子市	219	32	187	2	-	2	2	-	2	-	-	-	-	-	-	-	-	-
横須賀市	142	13	129	-	-	-	-	-	-	-	-	-	-	-	-	-	-	-
富山市	234	43	191	2	-	2	1	-	1	-	-	-	1	-	1	-	-	-
金沢市	304	48	256	2	-	2	2	-	2	-	-	-	-	-	-	-	-	-
長野市	280	43	237	2	-	2	2	-	2	-	-	-	-	-	-	-	-	-
岐阜市	197	28	169	-	-	-	-	-	-	-	-	-	-	-	-	-	-	-
豊橋市	143	33	110	-	-	-	-	-	-	-	-	-	-	-	-	-	-	-
豊田市	174	94	80	-	-	-	-	-	-	-	-	-	-	-	-	-	-	-
岡崎市	151	75	76	2	-	2	-	-	-	1	-	1	-	-	-	1	-	1
大津市	150	25	125	1	-	1	1	-	1	-	-	-	-	-	-	-	-	-
高槻市	145	18	127	1	-	1	1	-	1	-	-	-	-	-	-	-	-	-
東大阪市	270	25	245	2	-	2	1	-	1	-	-	-	1	-	1	-	-	-
豊中市	178	34	144	-	-	-	-	-	-	-	-	-	-	-	-	-	-	-
枚方市	163	18	145	-	-	-	-	-	-	-	-	-	-	-	-	-	-	-
姫路市	231	56	175	1	-	1	1	-	1	-	-	-	-	-	-	-	-	-
西宮市	213	34	179	1	-	1	1	-	1	-	-	-	-	-	-	-	-	-
尼崎市	212	21	191	-	-	-	-	-	-	-	-	-	-	-	-	-	-	-
奈良市	180	32	148	3	-	3	1	-	1	-	-	-	1	-	1	1	-	1
和歌山市	282	38	244	2	-	2	1	-	1	-	-	-	1	-	1	-	-	-
倉敷市	236	26	210	2	-	2	1	-	1	-	-	-	-	-	-	1	-	1
福山市	275	69	206	-	-	-	-	-	-	-	-	-	-	-	-	-	-	-
呉市	121	20	101	2	-	2	1	-	1	-	-	-	1	-	1	-	-	-
下関市	197	41	156	2	-	2	1	-	1	-	-	-	1	-	1	-	-	-
高松市	256	55	201	1	-	1	1	-	1	-	-	-	1	-	1	-	-	-
松山市	225	29	196	2	1	1	2	1	1	-	-	-	-	-	-	-	-	-
高知市	239	78	161	2	1	1	2	1	1	-	-	-	-	-	-	-	-	-
久留米市	221	49	172	-	-	-	-	-	-	-	-	-	-	-	-	-	-	-
長崎市	256	16	240	3	-	3	2	-	2	-	-	-	-	-	-	1	-	1
佐世保市	184	5	179	1	-	1	1	-	1	-	-	-	-	-	-	-	-	-
大分市	290	15	275	-	-	-	-	-	-	-	-	-	-	-	-	-	-	-
宮崎市	410	19	391	2	-	2	1	-	1	-	-	-	-	-	-	1	-	1
鹿児島市	437	23	414	1	1	-	1	1	-	-	-	-	-	-	-	-	-	-
那覇市	252	13	239	1	-	1	1	-	1	-	-	-	-	-	-	-	-	-

第1表 【基本票】社会福祉施設等数，国－都道府県

国都道府県	保護施設 宿所提供施設			老人福祉施設 総数			養護老人ホーム（一般）			養護老人ホーム（盲）			軽費老人ホームA型			軽費老人ホームB型		
	総数	公営	私営	総数	公営	私営	総数	公営	私営	総数	公営	私営	総数	公営	私営	総数	公営	私営
全 国	10	1	9	5 293	860	4 433	907	135	772	52	-	52	194	2	192	14	3	11
国	-	-	-	-	-	-	-	-	-	-	-	-	-	-	-	-	-	-
北 海 道	-	-	-	205	65	140	49	12	37	1	-	1	8	1	7	1	1	-
青 森	-	-	-	64	25	39	6	-	6	1	-	1	1	-	1	-	-	-
岩 手	-	-	-	51	9	42	14	-	14	1	-	1	-	-	-	-	-	-
宮 城	-	-	-	63	9	54	6	-	6	1	-	1	1	-	1	-	-	-
秋 田	-	-	-	66	15	51	13	4	9	-	-	-	1	-	1	-	-	-
山 形	1	-	1	50	3	47	12	2	10	1	-	1	1	-	1	-	-	-
福 島	-	-	-	70	22	48	10	2	8	1	-	1	1	-	1	-	-	-
茨 城	-	-	-	120	21	99	13	3	10	1	-	1	2	-	2	-	-	-
栃 木	-	-	-	42	5	37	10	-	10	1	-	1	-	-	-	-	-	-
群 馬	-	-	-	77	10	67	11	2	9	-	-	-	1	-	1	-	-	-
埼 玉	-	-	-	169	26	143	12	-	12	1	-	1	6	-	6	-	-	-
千 葉	-	-	-	139	23	116	17	2	15	1	-	1	3	-	3	-	-	-
東 京	6	-	6	342	113	229	27	-	27	1	-	1	8	-	8	1	-	1
神 奈 川	-	-	-	57	12	45	7	-	7	-	-	-	7	-	7	-	-	-
新 潟	-	-	-	94	16	78	15	6	9	1	-	1	2	1	1	-	-	-
富 山	-	-	-	37	5	32	2	2	-	-	-	-	1	-	1	-	-	-
石 川	-	-	-	56	6	50	6	-	6	1	-	1	1	-	1	-	-	-
福 井	-	-	-	41	5	36	8	-	8	1	-	1	2	-	2	-	-	-
山 梨	-	-	-	57	20	37	11	4	7	1	-	1	3	-	3	-	-	-
長 野	-	-	-	114	31	83	23	8	15	1	-	1	3	-	3	-	-	-
岐 阜	-	-	-	108	26	82	20	4	16	-	-	-	-	-	-	-	-	-
静 岡	-	-	-	79	6	73	18	1	17	-	-	-	1	-	1	-	-	-
愛 知	-	-	-	154	34	120	21	1	20	1	-	1	2	-	2	-	-	-
三 重	-	-	-	88	21	67	20	6	14	1	-	1	4	-	4	1	-	1
滋 賀	-	-	-	41	5	36	4	-	4	1	-	1	-	-	-	-	-	-
京 都	-	-	-	89	17	72	8	1	7	-	-	-	2	-	2	-	-	-
大 阪	-	-	-	135	23	112	11	-	11	-	-	-	13	-	13	-	-	-
兵 庫	-	-	-	147	26	121	27	2	25	1	-	1	1	-	1	-	-	-
奈 良	-	-	-	54	12	42	10	2	8	1	-	1	4	-	4	-	-	-
和 歌 山	-	-	-	28	7	21	11	5	6	-	-	-	-	-	-	-	-	-
鳥 取	-	-	-	58	4	54	4	-	4	-	-	-	4	-	4	-	-	-
島 根	-	-	-	61	8	53	22	1	21	1	-	1	-	-	-	-	-	-
岡 山	-	-	-	78	16	62	16	8	8	1	-	1	2	-	2	-	-	-
広 島	-	-	-	87	17	70	18	-	18	1	-	1	2	-	2	-	-	-
山 口	-	-	-	73	15	58	19	6	13	-	-	-	7	-	7	-	-	-
徳 島	1	1	-	82	17	65	18	6	12	1	-	1	2	-	2	-	-	-
香 川	-	-	-	48	5	43	8	2	6	1	-	1	1	-	1	2	-	2
愛 媛	-	-	-	76	20	56	21	9	12	-	-	-	1	-	1	-	-	-
高 知	-	-	-	36	10	26	7	3	4	2	-	2	-	-	-	-	-	-
福 岡	-	-	-	126	14	112	25	4	21	2	-	2	15	-	15	-	-	-
佐 賀	-	-	-	58	7	51	11	2	9	1	-	1	1	-	1	-	-	-
長 崎	-	-	-	49	4	45	19	2	17	1	-	1	3	-	3	-	-	-
熊 本	-	-	-	76	7	69	27	1	26	-	-	-	3	-	3	1	-	1
大 分	-	-	-	36	4	32	17	1	16	1	-	1	2	-	2	-	-	-
宮 崎	-	-	-	52	7	45	27	2	25	-	-	-	-	-	-	-	-	-
鹿 児 島	-	-	-	94	28	66	33	8	25	3	-	3	7	-	7	1	1	-
沖 縄	-	-	-	35	7	28	5	-	5	-	-	-	1	-	1	-	-	-

－指定都市－中核市、施設の種類・経営主体の公営－私営別

指定都市 / 中核市	保護施設 宿所提供施設			老人福祉施設 総数			養護老人ホーム(一般)			養護老人ホーム(盲)			軽費老人ホームA型			軽費老人ホームB型		
	総数	公営	私営	総数	公営	私営	総数	公営	私営	総数	公営	私営	総数	公営	私営	総数	公営	私営
指定都市(別掲)																		
札幌市	－	－	－	39	－	39	4	－	4	－	－	－	6	－	6	2	－	2
仙台市	－	－	－	25	－	25	2	－	2	－	－	－	1	－	1	－	－	－
さいたま市	－	－	－	20	－	20	3	－	3	－	－	－	－	－	－	－	－	－
千葉市	－	－	－	35	－	35	2	－	2	－	－	－	3	－	3	－	－	－
横浜市	－	－	－	35	1	34	6	1	5	－	－	－	5	－	5	－	－	－
川崎市	－	－	－	12	－	12	2	－	2	－	－	－	－	－	－	－	－	－
相模原市	－	－	－	14	1	13	1	－	1	－	－	－	－	－	－	－	－	－
新潟市	－	－	－	36	－	36	1	－	1	－	－	－	1	－	1	－	－	－
静岡市	－	－	－	17	－	17	2	－	2	－	－	－	－	－	－	－	－	－
浜松市	1	－	1	32	1	31	5	－	5	1	－	1	2	－	2	－	－	－
名古屋市	1	－	1	44	－	44	5	－	5	1	－	1	4	－	4	－	－	－
京都市	－	－	－	42	－	42	11	－	11	1	－	1	－	－	－	－	－	－
大阪市	－	－	－	59	－	59	12	－	12	－	－	－	1	－	1	－	－	－
堺市	－	－	－	20	－	20	2	－	2	－	－	－	1	－	1	－	－	－
神戸市	－	－	－	37	2	35	8	1	7	－	－	－	1	－	1	－	－	－
岡山市	－	－	－	30	4	26	5	1	4	－	－	－	－	－	－	1	1	－
広島市	－	－	－	21	－	21	8	－	8	－	－	－	1	－	1	－	－	－
北九州市	－	－	－	37	－	37	9	－	9	－	－	－	7	－	7	－	－	－
福岡市	－	－	－	34	－	34	3	－	3	1	－	1	2	－	2	－	－	－
熊本市	－	－	－	38	1	37	7	－	7	1	－	1	2	－	2	－	－	－
中核市(別掲)																		
旭川市	－	－	－	14	－	14	2	－	2	1	－	1	2	－	2	－	－	－
函館市	－	－	－	11	－	11	2	－	2	－	－	－	－	－	－	－	－	－
青森市	－	－	－	11	1	10	2	－	2	－	－	－	1	－	1	－	－	－
八戸市	－	－	－	8	－	8	1	－	1	－	－	－	－	－	－	－	－	－
盛岡市	－	－	－	36	－	36	2	－	2	－	－	－	1	－	1	1	－	1
秋田市	－	－	－	14	－	14	2	－	2	1	－	1	1	－	1	－	－	－
郡山市	－	－	－	8	－	8	1	－	1	－	－	－	1	－	1	－	－	－
いわき市	－	－	－	12	1	11	2	1	1	－	－	－	1	－	1	－	－	－
宇都宮市	－	－	－	19	－	19	1	－	1	－	－	－	－	－	－	－	－	－
前橋市	－	－	－	17	－	17	1	－	1	1	－	1	1	－	1	－	－	－
高崎市	－	－	－	29	7	22	4	－	4	－	－	－	1	－	1	－	－	－
川越市	－	－	－	7	－	7	1	－	1	－	－	－	1	－	1	－	－	－
越谷市	－	－	－	7	－	7	1	－	1	－	－	－	1	－	1	－	－	－
船橋市	－	－	－	14	－	14	1	－	1	－	－	－	1	－	1	－	－	－
柏市	－	－	－	9	－	9	1	－	1	－	－	－	－	－	－	－	－	－
八王子市	－	－	－	7	2	5	5	－	5	－	－	－	－	－	－	－	－	－
横須賀市	－	－	－	11	－	11	1	－	1	1	－	1	－	－	－	－	－	－
富山市	－	－	－	17	－	17	2	－	2	－	－	－	1	－	1	－	－	－
金沢市	－	－	－	15	－	15	2	－	2	－	－	－	1	－	1	－	－	－
長野市	－	－	－	29	6	23	2	1	1	－	－	－	1	－	1	－	－	－
岐阜市	－	－	－	23	－	23	2	－	2	－	－	－	－	－	－	1	－	1
豊橋市	－	－	－	13	1	12	1	1	－	－	－	－	1	－	1	－	－	－
豊田市	－	－	－	6	－	6	1	－	1	－	－	－	－	－	－	－	－	－
岡崎市	－	－	－	12	－	12	1	－	1	－	－	－	－	－	－	－	－	－
大津市	－	－	－	11	－	11	2	－	2	－	－	－	－	－	－	－	－	－
高槻市	－	－	－	17	－	17	1	－	1	1	－	1	－	－	－	－	－	－
東大阪市	－	－	－	15	3	12	1	－	1	－	－	－	－	－	－	－	－	－
豊中市	－	－	－	4	－	4	1	－	1	－	－	－	－	－	－	－	－	－
枚方市	－	－	－	11	1	10	1	－	1	－	－	－	1	－	1	－	－	－
姫路市	－	－	－	15	3	12	3	－	3	－	－	－	－	－	－	－	－	－
西宮市	－	－	－	8	1	7	1	1	－	－	－	－	－	－	－	－	－	－
尼崎市	－	－	－	11	－	11	1	－	1	－	－	－	－	－	－	－	－	－
奈良市	－	－	－	18	－	18	1	－	1	－	－	－	2	－	2	－	－	－
和歌山市	－	－	－	12	－	12	2	－	2	1	－	1	－	－	－	－	－	－
倉敷市	－	－	－	17	－	17	2	－	2	－	－	－	－	－	－	－	－	－
福山市	－	－	－	19	－	19	1	－	1	－	－	－	1	－	1	－	－	－
呉市	－	－	－	14	－	14	2	－	2	1	－	1	－	－	－	－	－	－
下関市	－	－	－	17	－	17	2	－	2	1	－	1	2	－	2	－	－	－
松山市	－	－	－	16	－	16	2	－	2	－	－	－	－	－	－	1	－	1
高松市	－	－	－	18	1	17	1	1	－	1	－	1	－	－	－	－	－	－
高知市	－	－	－	20	12	8	2	－	2	－	－	－	1	－	1	－	－	－
久留米市	－	－	－	11	－	11	1	－	1	－	－	－	1	－	1	－	－	－
長崎市	－	－	－	27	1	26	8	1	7	－	－	－	3	－	3	－	－	－
佐世保市	－	－	－	15	－	15	4	－	4	－	－	－	1	－	1	－	－	－
大分市	－	－	－	9	－	9	1	－	1	－	－	－	1	－	1	－	－	－
宮崎市	－	－	－	18	－	18	5	－	5	1	－	1	2	－	2	－	－	－
鹿児島市	－	－	－	26	2	24	3	2	1	－	－	－	－	－	－	1	－	1
那覇市	－	－	－	6	－	6	1	－	1	－	－	－	－	－	－	－	－	－

－指定都市－中核市、施設の種類・経営主体の公営－私営別

第1表 【基本票】社会福祉施設等数，国－都道府県

国 都道府県	軽費老人ホーム（ケアハウス）			都市型軽費老人ホーム			老人福祉センター（特A型）			老人福祉センター（A型）			老人福祉センター（B型）			障害者支援施設等 総数		
	総数	公営	私営	総数	公営	私営	総数	公営	私営	総数	公営	私営	総数	公営	私営	総数	公営	私営
全国	2 023	9	2 014	71	-	71	242	104	138	1 353	400	953	437	207	230	5 734	156	5 578
国	-	-	-	-	-	-	-	-	-	-		-	-	-	-	7	7	-
北海道	77	1	76	-	-	-	15	11	4	45	31	14	9	8	1	280	6	274
青森	14	-	14	-	-	-	11	7	4	20	11	9	11	7	4	69	7	62
岩手	19	-	19	-	-	-	5	2	3	12	7	5	-	-	-	84	-	84
宮城	30	-	30	-	-	-	9	5	4	15	4	11	1	-	1	71	12	59
秋田	34	1	33	-	-	-	2	2	-	16	8	8	-	-	-	55	2	53
山形	11	-	11	-	-	-	-	-	-	24	1	23	1	-	1	52	-	52
福島	22	-	22	-	-	-	9	7	2	25	11	14	2	2	-	45	-	45
茨城	48	-	48	-	-	-	7	-	7	40	14	26	9	4	5	135	8	127
栃木	13	-	13	-	-	-	4	2	2	14	3	11	-	-	-	76	6	70
群馬	40	-	40	-	-	-	1	-	1	24	8	16	-	-	-	89	3	86
埼玉	64	-	64	-	-	-	-	-	-	73	21	52	13	5	8	186	4	182
千葉	64	1	63	-	-	-	1	-	1	35	14	21	18	6	12	174	13	161
東京	43	-	43	69	-	69	-	-	-	66	29	37	127	84	43	257	9	248
神奈川	14	-	14	-	-	-	4	1	3	21	8	13	4	3	1	142	2	140
新潟	37	-	37	-	-	-	3	1	2	35	7	28	1	1	-	117	12	105
富山	14	-	14	-	-	-	2	1	1	18	2	16	-	-	-	30	-	30
石川	20	-	20	-	-	-	4	1	3	16	3	13	8	2	6	36	-	36
福井	18	-	18	-	-	-	1	-	1	11	5	6	-	-	-	43	-	43
山梨	12	-	12	-	-	-	6	-	6	23	15	8	1	1	-	66	1	65
長野	25	-	25	-	-	-	7	4	3	44	17	27	11	2	9	134	13	121
岐阜	29	-	29	-	-	-	13	7	6	36	12	24	10	3	7	69	-	69
静岡	33	-	33	-	-	-	-	-	-	25	5	20	2	-	2	85	5	80
愛知	61	-	61	-	-	-	12	5	7	38	12	26	19	16	3	127	3	124
三重	31	-	31	-	-	-	14	10	4	13	3	10	4	2	2	53	-	53
滋賀	16	-	16	-	-	-	2	2	-	18	3	15	-	-	-	34	1	33
京都	52	-	52	-	-	-	3	2	1	17	11	6	7	3	4	57	1	56
大阪	57	-	57	-	-	-	4	-	4	25	6	19	25	17	8	109	6	103
兵庫	62	-	62	-	-	-	12	5	7	29	12	17	15	7	8	163	-	163
奈良	23	1	22	-	-	-	6	4	2	10	5	5	-	-	-	44	1	43
和歌山	14	-	14	-	-	-	2	1	1	-	-	-	1	1	-	30	-	30
鳥取	25	-	25	-	-	-	6	1	5	18	3	15	1	-	1	31	-	31
島根	17	-	17	-	-	-	2	-	2	13	4	9	6	3	3	61	-	61
岡山	35	-	35	-	-	-	4	4	-	16	3	13	4	1	3	66	4	62
広島	35	1	34	-	-	-	6	4	2	22	10	12	3	2	1	70	1	69
山口	28	-	28	-	-	-	-	-	-	19	9	10	-	-	-	65	-	65
徳島	35	-	35	-	-	-	7	5	2	18	6	12	1	-	1	63	-	63
香川	23	-	23	-	-	-	3	-	3	9	3	6	1	-	1	34	1	33
愛媛	39	3	36	-	-	-	2	1	1	12	6	6	1	1	-	65	5	60
高知	18	-	18	-	-	-	-	-	-	9	7	2	-	-	-	36	1	35
福岡	55	-	55	-	-	-	2	-	2	27	10	17	-	-	-	145	-	145
佐賀	25	-	25	-	-	-	3	-	3	17	5	12	-	-	-	47	2	45
長崎	13	-	13	-	-	-	-	-	-	12	1	11	1	1	-	56	2	54
熊本	14	-	14	-	-	-	12	1	11	15	1	14	4	4	-	97	-	97
大分	9	-	9	-	-	-	1	1	-	6	2	4	-	-	-	58	-	58
宮崎	12	-	12	-	-	-	-	-	-	11	4	7	2	1	1	46	-	46
鹿児島	13	-	13	-	-	-	4	2	2	29	15	14	4	2	2	100	-	100
沖縄	7	-	7	-	-	-	6	1	5	14	5	9	2	1	1	69	3	66

－指定都市－中核市、施設の種類・経営主体の公営－私営別

平成29年10月 1日

指定都市 中核市	軽費老人ホーム（ケアハウス）			都市型軽費老人ホーム			老人福祉センター（特A型）			老人福祉センター（A型）			老人福祉センター（B型）			障害者支援施設等 総数		
	総数	公営	私営	総数	公営	私営	総数	公営	私営	総数	公営	私営	総数	公営	私営	総数	公営	私営
指定都市（別掲）																		
札幌市	17	－	17	－	－	－	－	－	－	10	－	10	－	－	－	86	－	86
仙台市	15	－	15	－	－	－	－	－	－	7	－	7	－	－	－	33	－	33
さいたま市	5	－	5	－	－	－	－	－	－	7	－	7	5	－	5	33	－	33
千葉市	15	－	15	－	－	－	－	－	－	6	－	6	9	－	9	32	－	32
横浜市	6	－	6	－	－	－	1	－	1	17	－	17	－	－	－	241	2	239
川崎市	3	－	3	－	－	－	－	－	－	7	－	7	－	－	－	78	－	78
相模原市	9	－	9	－	－	－	－	－	－	3	1	2	1	－	1	20	－	20
新潟市	22	－	22	－	－	－	－	－	－	9	－	9	3	－	3	48	1	47
静岡市	7	－	7	－	－	－	－	－	－	7	－	7	1	－	1	16	－	16
浜松市	14	－	14	－	－	－	4	－	4	6	1	5	－	－	－	22	－	22
名古屋市	18	－	18	－	－	－	－	－	－	16	－	16	－	－	－	38	－	38
京都市	13	－	13	－	－	－	－	－	－	10	－	10	7	－	7	24	1	23
大阪市	19	－	19	－	－	－	1	－	1	26	－	26	－	－	－	81	－	81
堺市	10	－	10	－	－	－	－	－	－	3	－	3	4	－	4	21	－	21
神戸市	28	1	27	－	－	－	－	－	－	－	－	－	－	－	－	41	1	40
岡山市	21	－	21	－	－	－	－	－	－	3	2	1	－	－	－	40	－	40
広島市	9	－	9	－	－	－	－	－	－	1	－	1	2	－	2	53	1	52
北九州市	18	－	18	－	－	－	3	－	3	－	－	－	－	－	－	21	－	21
福岡市	21	－	21	－	－	－	－	－	－	7	－	7	－	－	－	35	－	35
熊本市	16	－	16	－	－	－	－	－	－	5	1	4	7	－	7	23	－	23
中核市（別掲）																		
旭川市	7	－	7	－	－	－	－	－	－	2	－	2	－	－	－	15	－	15
函館市	5	－	5	－	－	－	－	－	－	3	－	3	1	－	1	12	－	12
青森市	6	－	6	－	－	－	－	－	－	2	1	1	－	－	－	21	－	21
八戸市	5	－	5	－	－	－	－	－	－	2	－	2	－	－	－	10	－	10
盛岡市	4	－	4	－	－	－	－	－	－	4	－	4	24	－	24	20	－	20
秋田市	9	－	9	－	－	－	－	－	－	1	－	1	－	－	－	14	1	13
郡山市	4	－	4	－	－	－	－	－	－	2	－	2	－	－	－	12	－	12
いわき市	5	－	5	－	－	－	－	－	－	－	－	－	4	－	4	12	－	12
宇都宮市	13	－	13	－	－	－	－	－	－	5	－	5	－	－	－	24	－	24
前橋市	9	－	9	－	－	－	1	－	1	4	－	4	－	－	－	20	－	20
高崎市	11	－	11	－	－	－	4	4	－	8	3	5	1	－	1	19	－	19
川越市	2	－	2	－	－	－	－	－	－	2	－	2	1	－	1	12	－	12
越谷市	2	－	2	－	－	－	－	－	－	4	－	4	－	－	－	10	－	10
船橋市	7	－	7	－	－	－	－	－	－	5	－	5	－	－	－	16	－	16
柏市	4	－	4	－	－	－	－	－	－	4	－	4	－	－	－	8	－	8
八王子市	－	－	－	－	－	－	－	－	－	2	2	－	－	－	－	13	－	13
横須賀市	3	－	3	－	－	－	－	－	－	6	－	6	－	－	－	23	－	23
富山市	8	－	8	－	－	－	－	－	－	6	－	6	－	－	－	22	－	22
金沢市	7	－	7	－	－	－	－	－	－	4	－	4	2	－	2	23	1	22
長野市	8	－	8	－	－	－	－	－	－	12	1	11	6	4	2	22	－	22
岐阜市	11	－	11	－	－	－	－	－	－	3	－	3	6	－	6	11	3	8
豊橋市	6	－	6	－	－	－	－	－	－	5	－	5	－	－	－	10	1	9
豊田市	2	－	2	－	－	－	1	－	1	2	－	2	－	－	－	12	－	12
岡崎市	5	－	5	－	－	－	－	－	－	6	－	6	－	－	－	7	－	7
大津市	4	－	4	－	－	－	2	－	2	3	－	3	－	－	－	3	－	3
高槻市	10	－	10	－	－	－	－	－	－	5	－	5	－	－	－	11	1	10
東大阪市	8	－	8	－	－	－	1	－	1	2	2	－	3	1	2	17	2	15
豊中市	3	－	3	－	－	－	－	－	－	－	－	－	－	－	－	3	－	3
枚方市	7	－	7	－	－	－	－	－	－	1	－	1	1	1	－	11	－	11
姫路市	8	－	8	－	－	－	－	－	－	4	3	1	－	－	－	16	－	16
西宮市	4	－	4	2	－	2	－	－	－	1	－	1	－	－	－	25	－	25
尼崎市	5	－	5	－	－	－	1	－	1	4	－	4	－	－	－	28	－	28
奈良市	11	－	11	－	－	－	－	－	－	4	－	4	－	－	－	12	－	12
和歌山市	9	－	9	－	－	－	－	－	－	－	－	－	－	－	－	16	－	16
倉敷市	11	－	11	－	－	－	1	－	1	3	－	3	－	－	－	15	－	15
福山市	11	－	11	－	－	－	2	－	2	3	－	3	1	－	1	12	－	12
呉市	7	－	7	－	－	－	－	－	－	2	－	2	2	－	2	8	－	8
下関市	10	－	10	－	－	－	－	－	－	2	－	2	－	－	－	8	－	8
高松市	13	－	13	－	－	－	－	－	－	1	－	1	－	－	－	17	－	17
松山市	12	－	12	－	－	－	－	－	－	2	－	2	1	－	1	15	－	15
高知市	5	－	5	－	－	－	－	－	－	1	1	－	11	11	－	11	－	11
久留米市	7	－	7	－	－	－	2	－	2	－	－	－	－	－	－	22	－	22
長崎市	11	－	11	－	－	－	－	－	－	2	－	2	3	－	3	16	－	16
佐世保市	8	－	8	－	－	－	－	－	－	2	－	2	1	－	1	9	－	9
大分市	7	－	7	－	－	－	－	－	－	－	－	－	－	－	－	11	－	11
宮崎市	7	－	7	－	－	－	－	－	－	2	－	2	1	－	1	14	－	14
鹿児島市	15	－	15	－	－	－	－	－	－	7	－	7	－	－	－	38	－	38
那覇市	1	－	1	－	－	－	1	－	1	3	－	3	－	－	－	14	－	14

第1表　【基本票】社会福祉施設等数，国－都道府県

| 国 都道府県 | 障害者支援施設等 | | | | | | | | | 身体障害者社会参加支援施設 | | | | | | | | |
| | 障害者支援施設 | | | 地域活動支援センター | | | 福祉ホーム | | | 総数 | | | 身体障害者福祉センター（A型） | | | 身体障害者福祉センター（B型） | | |
	総数	公営	私営	総数	公営	私営	総数	公営	私営	総数	公営	私営	総数	公営	私営	総数	公営	私営
全国	2 549	59	2 490	3 038	96	2 942	147	1	146	314	38	276	36	5	31	114	22	92
国	7	7	－	－	－	－	－	－	－	1	－	1	1	－	1	－	－	－
北海道	161	1	160	111	5	106	8	－	8	10	1	9	－	－	－	7	1	6
青森	40	6	34	23	1	22	6	－	6	4	－	4	1	－	1	1	－	1
岩手	39	－	39	45	－	45	－	－	－	2	－	2	－	－	－	2	－	2
宮城	23	－	23	47	12	35	1	－	1	3	－	3	1	－	1	－	－	－
秋田	39	2	37	14	－	14	2	－	2	4	1	3	1	－	1	1	1	－
山形	29	－	29	21	－	21	2	－	2	3	1	2	－	－	－	1	1	－
福島	29	－	29	15	－	15	1	－	1	3	－	3	－	－	－	1	－	1
茨城	73	4	69	62	4	58	－	－	－	3	－	3	－	－	－	－	－	－
栃木	42	2	40	31	4	27	3	－	3	3	－	3	－	－	－	－	－	－
群馬	32	－	32	56	3	53	1	－	1	6	－	6	－	－	－	2	－	2
埼玉	79	2	77	107	2	105	－	－	－	5	1	4	1	－	1	1	－	1
千葉	69	－	69	103	13	90	2	－	2	9	4	5	－	－	－	5	4	1
東京	81	－	81	164	9	155	12	－	12	21	3	18	2	－	2	4	1	3
神奈川	47	2	45	95	－	95	－	－	－	4	1	3	－	－	－	－	－	－
新潟	50	11	39	64	1	63	3	－	3	4	－	4	1	－	1	1	－	1
富山	16	－	16	14	－	14	－	－	－	－	－	－	－	－	－	－	－	－
石川	18	－	18	16	－	16	2	－	2	－	－	－	－	－	－	－	－	－
福井	26	－	26	16	－	16	1	－	1	3	－	3	1	－	1	－	－	－
山梨	28	－	28	37	1	36	1	－	1	2	－	2	－	－	－	－	－	－
長野	53	2	51	81	11	70	－	－	－	7	1	6	1	－	1	3	－	3
岐阜	41	－	41	27	－	27	1	－	1	2	－	2	－	－	－	1	－	1
静岡	51	5	46	34	－	34	－	－	－	5	－	5	1	－	1	1	－	1
愛知	43	－	43	78	3	75	6	－	6	11	1	10	－	－	－	10	1	9
三重	39	－	39	13	－	13	1	－	1	4	－	4	－	－	－	－	－	－
滋賀	22	1	21	12	－	12	－	－	－	4	1	3	1	－	1	1	1	－
京都	33	－	33	23	1	22	1	－	1	6	－	6	－	－	－	3	－	3
大阪	52	3	49	57	3	54	－	－	－	12	3	9	1	－	1	8	3	5
兵庫	64	－	64	97	－	97	2	－	2	6	1	5	－	－	－	2	1	1
奈良	22	－	22	20	1	19	2	－	2	2	2	－	1	1	－	－	－	－
和歌山	19	－	19	11	－	11	－	－	－	2	－	2	－	－	－	－	－	－
鳥取	21	－	21	10	－	10	－	－	－	2	－	2	－	－	－	－	－	－
島根	29	－	29	32	－	32	－	－	－	5	－	5	－	－	－	－	－	－
岡山	26	－	26	38	4	34	2	－	2	2	－	2	－	－	－	－	－	－
広島	36	－	36	30	1	29	4	－	4	4	－	4	1	－	1	2	－	2
山口	42	－	42	22	－	22	1	－	1	4	2	2	1	1	－	1	－	1
徳島	24	－	24	37	－	37	2	－	2	2	－	2	－	－	－	－	－	－
香川	16	1	15	16	－	16	2	－	2	3	－	3	1	－	1	－	－	－
愛媛	31	2	29	33	3	30	1	－	1	7	－	7	1	－	1	3	－	3
高知	24	1	23	10	－	10	2	－	2	－	－	－	－	－	－	－	－	－
福岡	94	－	94	50	－	50	1	－	1	－	－	－	－	－	－	－	－	－
佐賀	22	1	21	20	1	19	－	－	－	5	2	3	－	－	－	3	2	1
長崎	29	－	29	27	2	25	－	－	－	2	－	2	－	－	－	－	－	－
熊本	52	－	52	42	－	42	3	－	3	4	1	3	1	－	1	－	－	－
大分	32	－	32	21	－	21	5	－	5	3	－	3	1	－	1	－	－	－
宮崎	22	－	22	24	－	24	－	－	－	4	－	4	－	－	－	1	－	1
鹿児島	58	－	58	40	－	40	2	－	2	2	－	2	－	－	－	－	－	－
沖縄	43	－	43	26	3	23	－	－	－	1	－	1	－	－	－	－	－	－

－指定都市－中核市、施設の種類・経営主体の公営－私営別

指定都市 / 中核市	障害者支援施設等									身体障害者社会参加支援施設								
	障害者支援施設			地域活動支援センター			福祉ホーム			総数			身体障害者福祉センター（A型）			身体障害者福祉センター（B型）		
	総数	公営	私営	総数	公営	私営	総数	公営	私営	総数	公営	私営	総数	公営	私営	総数	公営	私営
指定都市（別掲）																		
札幌市	30	－	30	53	－	53	3	－	3	6	1	5	1	－	1	1	－	1
仙台市	14	－	14	17	－	17	2	－	2	1	－	1	－	－	－	－	－	－
さいたま市	8	－	8	25	－	25	－	－	－	2	－	2	－	－	－	1	－	1
千葉市	12	－	12	19	－	19	1	－	1	4	－	4	－	－	－	2	－	2
横浜市	23	1	22	216	－	216	2	1	1	6	－	6	1	－	1	1	－	1
川崎市	5	－	5	72	－	72	1	－	1	6	－	6	－	－	－	4	－	4
相模原市	6	－	6	14	－	14	－	－	－	－	－	－	－	－	－	－	－	－
新潟市	9	－	9	38	1	37	1	－	1	1	－	1	－	－	－	1	－	1
静岡市	8	－	8	5	－	5	3	－	3	1	－	1	－	－	－	1	－	1
浜松市	15	－	15	7	－	7	－	－	－	－	－	－	－	－	－	－	－	－
名古屋市	15	－	15	14	－	14	9	－	9	7	－	7	2	－	2	1	－	1
京都市	17	1	16	3	－	3	4	－	4	9	1	8	2	1	1	3	－	3
大阪市	24	－	24	57	－	57	1	－	1	4	－	4	2	－	2	－	－	－
堺市	5	－	5	15	－	15	1	－	1	3	－	3	1	－	1	－	－	－
神戸市	21	1	20	19	－	19	1	－	1	3	1	2	1	1	－	－	－	－
岡山市	13	－	13	26	－	26	1	－	1	－	－	－	－	－	－	－	－	－
広島市	18	1	17	33	－	33	2	－	2	－	－	－	－	－	－	－	－	－
北九州市	11	－	11	8	－	8	2	－	2	4	－	4	－	－	－	2	－	2
福岡市	12	－	12	22	－	22	1	－	1	9	－	9	2	－	2	6	－	6
熊本市	14	－	14	8	－	8	1	－	1	1	－	1	－	－	－	1	－	1
中核市（別掲）																		
旭川市	11	－	11	4	－	4	－	－	－	1	－	1	－	－	－	1	－	1
函館市	5	－	5	6	－	6	1	－	1	1	－	1	－	－	－	1	－	1
青森市	11	－	11	9	－	9	1	－	1	1	－	1	－	－	－	1	－	1
八戸市	7	－	7	3	－	3	－	－	－	1	－	1	－	－	－	1	－	1
盛岡市	4	－	4	16	－	16	－	－	－	－	－	－	－	－	－	－	－	－
秋田市	8	－	8	6	1	5	－	－	－	－	－	－	－	－	－	－	－	－
郡山市	3	－	3	9	－	9	－	－	－	1	－	1	－	－	－	1	－	1
いわき市	6	－	6	5	－	5	1	－	1	－	－	－	－	－	－	－	－	－
宇都宮市	7	－	7	15	－	15	2	－	2	2	－	2	1	－	1	1	－	1
前橋市	6	－	6	13	－	13	1	－	1	1	1	－	－	－	－	1	1	－
高崎市	10	－	10	8	－	8	1	－	1	1	－	1	－	－	－	1	－	1
川越市	6	－	6	6	－	6	－	－	－	1	－	1	－	－	－	1	－	1
越谷市	3	－	3	7	－	7	－	－	－	－	－	－	－	－	－	－	－	－
船橋市	4	－	4	11	－	11	1	－	1	－	－	－	－	－	－	－	－	－
柏市	2	－	2	6	－	6	－	－	－	－	－	－	－	－	－	－	－	－
八王子市	9	－	9	3	－	3	1	－	1	3	2	1	－	－	－	3	2	1
横須賀市	6	－	6	17	－	17	－	－	－	1	1	－	－	－	－	1	－	1
富山市	11	－	11	11	－	11	－	－	－	3	－	3	－	－	－	1	－	1
金沢市	8	－	8	13	1	12	2	－	2	3	－	3	－	－	－	1	－	1
長野市	5	－	5	17	－	17	－	－	－	1	－	1	－	－	－	1	－	1
岐阜市	4	2	2	7	1	6	－	－	－	1	－	1	－	－	－	1	－	1
豊田市	5	－	5	5	1	4	－	－	－	1	1	－	1	1	－	－	－	－
豊橋市	4	－	4	6	－	6	2	－	2	1	－	1	－	－	－	1	－	1
岡崎市	5	－	5	2	－	2	－	－	－	－	－	－	－	－	－	－	－	－
大津市	1	－	1	2	－	2	－	－	－	－	－	－	－	－	－	－	－	－
高槻市	3	－	3	8	1	7	－	－	－	－	－	－	－	－	－	3	2	1
東大阪市	2	－	2	15	2	13	－	－	－	4	2	2	－	－	－	3	2	1
豊中市	1	－	1	2	－	2	－	－	－	1	1	－	－	－	－	1	1	－
枚方市	3	－	3	8	－	8	－	－	－	－	－	－	－	－	－	－	－	－
姫路市	9	－	9	6	－	6	1	－	1	－	－	－	－	－	－	－	－	－
西宮市	10	－	10	14	－	14	1	－	1	1	－	1	1	－	1	1	－	1
尼崎市	1	－	1	27	－	27	－	－	－	1	－	1	－	－	－	1	－	1
奈良市	8	－	8	2	－	2	2	－	2	1	－	1	－	－	－	1	－	1
和歌山市	8	－	8	8	－	8	－	－	－	3	－	3	－	－	－	－	－	－
倉敷市	7	－	7	8	－	8	－	－	－	－	－	－	－	－	－	－	－	－
福山市	7	－	7	4	－	4	1	－	1	1	－	1	－	－	－	1	－	1
呉市	3	－	3	5	－	5	－	－	－	1	－	1	－	－	－	1	－	1
下関市	6	－	6	2	－	2	－	－	－	2	－	2	－	－	－	1	－	1
高松市	6	－	6	10	－	10	1	－	1	1	－	1	－	－	－	1	－	1
松山市	13	－	13	2	－	2	－	－	－	1	－	1	－	－	－	1	－	1
高知市	4	－	4	7	－	7	－	－	－	3	1	2	－	－	－	1	－	1
久留米市	12	－	12	10	－	10	－	－	－	1	－	1	－	－	－	1	－	1
長崎市	8	－	8	8	－	8	－	－	－	－	－	－	－	－	－	－	－	－
佐世保市	7	－	7	6	－	6	－	－	－	－	－	－	－	－	－	－	－	－
大分市	5	－	5	6	－	6	－	－	－	－	－	－	－	－	－	－	－	－
宮崎市	6	－	6	7	－	7	1	－	1	－	－	－	－	－	－	－	－	－
鹿児島市	19	－	19	15	－	15	4	－	4	1	－	1	－	－	－	1	－	1
那覇市	2	－	2	12	－	12	－	－	－	2	－	2	－	－	－	1	－	1

第1表　【基本票】社会福祉施設等数，国－都道府県

国 都道府県	身体障害者社会参加支援施設																	
	障害者更生センター			補装具製作施設			盲導犬訓練施設			点字図書館			点字出版施設			聴覚障害者情報提供施設		
	総数	公営	私営	総数	公営	私営	総数	公営	私営	総数	公営	私営	総数	公営	私営	総数	公営	私営
全国	5	－	5	16	3	13	13	－	13	73	8	65	10	－	10	47	－	47
国	－	－	－	－	－	－	－	－	－	－	－	－	－	－	－	－	－	－
北海道	－	－	－	－	－	－	－	－	－	3	－	3	－	－	－	－	－	－
青森	－	－	－	－	－	－	－	－	－	1	－	1	－	－	－	1	－	1
岩手	－	－	－	－	－	－	－	－	－	－	－	－	－	－	－	－	－	－
宮城	－	－	－	－	－	－	－	－	－	1	－	1	－	－	－	1	－	1
秋田	－	－	－	－	－	－	－	－	－	1	－	1	－	－	－	1	－	1
山形	－	－	－	－	－	－	－	－	－	1	－	1	－	－	－	1	－	1
福島	－	－	－	1	－	1	－	－	－	1	－	1	－	－	－	1	－	1
茨城	－	－	－	－	－	－	1	－	1	1	－	1	－	－	－	1	－	1
栃木	1	－	1	－	－	－	－	－	－	1	－	1	－	－	－	1	－	1
群馬	－	－	－	1	－	1	－	－	－	2	－	2	－	－	－	1	－	1
埼玉	1	－	1	1	1	－	－	－	－	1	－	1	－	－	－	－	－	－
千葉	－	－	－	2	－	2	－	－	－	1	－	1	1	－	1	－	－	－
東京	－	－	－	2	－	2	1	－	1	6	2	4	5	－	5	1	－	1
神奈川	－	－	－	1	－	1	－	－	－	2	1	1	－	－	－	1	－	1
新潟	－	－	－	－	－	－	－	－	－	1	－	1	－	－	－	1	－	1
富山	－	－	－	－	－	－	－	－	－	－	－	－	－	－	－	－	－	－
石川	－	－	－	－	－	－	－	－	－	－	－	－	－	－	－	－	－	－
福井	－	－	－	－	－	－	－	－	－	1	－	1	－	－	－	1	－	1
山梨	－	－	－	－	－	－	－	－	－	1	－	1	－	－	－	1	－	1
長野	－	－	－	1	1	－	－	－	－	1	－	1	－	－	－	1	－	1
岐阜	－	－	－	－	－	－	－	－	－	－	－	－	－	－	－	1	－	1
静岡	－	－	－	－	－	－	1	－	1	1	－	1	－	－	－	1	－	1
愛知	－	－	－	－	－	－	－	－	－	1	－	1	－	－	－	1	－	－
三重	－	－	－	－	－	－	－	－	－	2	－	2	－	－	－	1	－	1
滋賀	－	－	－	－	－	－	－	－	－	1	－	1	－	－	－	1	－	1
京都	－	－	－	－	－	－	1	－	1	1	－	1	－	－	－	1	－	1
大阪	－	－	－	－	－	－	1	－	1	1	－	1	－	－	－	1	－	1
兵庫	1	－	1	1	－	1	－	－	－	1	－	1	－	－	－	1	－	1
奈良	－	－	－	－	－	－	－	－	－	1	1	－	－	－	－	1	－	－
和歌山	－	－	－	－	－	－	－	－	－	1	－	1	－	－	－	1	－	1
鳥取	－	－	－	1	－	1	－	－	－	1	－	1	－	－	－	－	－	－
島根	－	－	－	－	－	－	1	－	1	2	－	2	－	－	－	2	－	2
岡山	－	－	－	－	－	－	－	－	－	1	－	1	－	－	－	1	－	1
広島	－	－	－	－	－	－	－	－	－	1	－	1	－	－	－	1	－	－
山口	－	－	－	－	－	－	－	－	－	1	1	－	－	－	－	1	－	1
徳島	－	－	－	－	－	－	－	－	－	1	－	1	－	－	－	1	－	1
香川	－	－	－	－	－	－	－	－	－	1	－	1	－	－	－	1	－	1
愛媛	1	－	1	－	－	－	－	－	－	1	－	1	－	－	－	1	－	1
高知	－	－	－	－	－	－	－	－	－	－	－	－	－	－	－	－	－	－
福岡	－	－	－	－	－	－	－	－	－	－	－	－	－	－	－	－	－	－
佐賀	－	－	－	－	－	－	－	－	－	1	－	1	－	－	－	1	－	1
長崎	－	－	－	－	－	－	－	－	－	1	－	1	－	－	－	1	－	1
熊本	－	－	－	1	1	－	－	－	－	1	－	1	－	－	－	1	－	1
大分	－	－	－	－	－	－	－	－	－	1	－	1	－	－	－	1	－	1
宮崎	－	－	－	－	－	－	－	－	－	2	－	2	－	－	－	1	－	1
鹿児島	－	－	－	－	－	－	－	－	－	1	－	1	－	－	－	1	－	1
沖縄	－	－	－	－	－	－	－	－	－	－	－	－	－	－	－	1	－	1

第1表　【基本票】社会福祉施設等数，国－都道府県

－指定都市－中核市、施設の種類・経営主体の公営－私営別

平成29年10月 1 日

指定都市 中核市	身体障害者社会参加支援施設																	
	障害者更生センター			補装具製作施設			盲導犬訓練施設			点字図書館			点字出版施設			聴覚障害者情報提供施設		
	総数	公営	私営	総数	公営	私営	総数	公営	私営	総数	公営	私営	総数	公営	私営	総数	公営	私営
指定都市（別掲）																		
札幌市	－	－	－	－	－	－	1	－	1	2	1	1	－	－	－	1	－	1
仙台市	－	－	－	－	－	－	1	－	1	1	－	1	－	－	－	－	－	－
さいたま市	－	－	－	－	－	－	－	－	－	－	－	－	－	－	－	1	－	1
千葉市	－	－	－	1	－	1	－	－	－	－	－	－	－	－	－	1	－	1
横浜市	1	－	1	1	－	1	2	－	2	－	－	－	－	－	－	1	－	1
川崎市	－	－	－	－	－	－	－	－	－	1	－	1	－	－	－	1	－	1
相模原市	－	－	－	－	－	－	－	－	－	－	－	－	－	－	－	－	－	－
新潟市	－	－	－	－	－	－	－	－	－	－	－	－	－	－	－	－	－	－
静岡市	－	－	－	－	－	－	－	－	－	－	－	－	－	－	－	－	－	－
浜松市	－	－	－	－	－	－	－	－	－	－	－	－	－	－	－	－	－	－
名古屋市	－	－	－	1	－	1	1	－	1	1	－	1	－	－	－	1	－	1
京都市	－	－	－	－	－	－	－	－	－	1	－	1	2	－	2	1	－	1
大阪市	－	－	－	－	－	－	－	－	－	2	－	2	－	－	－	－	－	－
堺市	－	－	－	－	－	－	－	－	－	1	－	1	－	－	－	1	－	1
神戸市	－	－	－	－	－	－	1	－	1	－	－	－	－	－	－	－	－	－
岡山市	－	－	－	－	－	－	－	－	－	－	－	－	－	－	－	－	－	－
広島市	－	－	－	－	－	－	－	－	－	1	－	1	－	－	－	1	－	1
北九州市	－	－	－	－	－	－	－	－	－	1	－	1	－	－	－	－	－	－
福岡市	－	－	－	－	－	－	－	－	－	－	－	－	－	－	－	－	－	－
熊本市	－	－	－	－	－	－	－	－	－	－	－	－	－	－	－	－	－	－
中核市（別掲）																		
旭川市	－	－	－	－	－	－	－	－	－	1	－	1	－	－	－	－	－	－
函館市	－	－	－	－	－	－	－	－	－	－	－	－	－	－	－	－	－	－
青森市	－	－	－	－	－	－	－	－	－	－	－	－	－	－	－	－	－	－
八戸市	－	－	－	－	－	－	－	－	－	－	－	－	－	－	－	－	－	－
盛岡市	－	－	－	－	－	－	－	－	－	－	－	－	－	－	－	－	－	－
秋田市	－	－	－	－	－	－	－	－	－	－	－	－	－	－	－	－	－	－
郡山市	－	－	－	－	－	－	－	－	－	－	－	－	－	－	－	－	－	－
いわき市	－	－	－	－	－	－	1	－	1	－	－	－	－	－	－	－	－	－
宇都宮市	－	－	－	－	－	－	－	－	－	－	－	－	－	－	－	－	－	－
前橋市	－	－	－	－	－	－	－	－	－	－	－	－	－	－	－	－	－	－
高崎市	－	－	－	－	－	－	－	－	－	－	－	－	－	－	－	－	－	－
川越市	－	－	－	－	－	－	－	－	－	－	－	－	－	－	－	－	－	－
越谷市	－	－	－	－	－	－	－	－	－	－	－	－	－	－	－	－	－	－
船橋市	－	－	－	－	－	－	－	－	－	－	－	－	－	－	－	－	－	－
柏市	－	－	－	－	－	－	－	－	－	－	－	－	－	－	－	－	－	－
八王子市	－	－	－	－	－	－	－	－	－	1	1	－	－	－	－	－	－	－
横須賀市	－	－	－	－	－	－	－	－	－	1	－	1	－	－	－	1	－	1
富山市	－	－	－	－	－	－	－	－	－	1	－	1	1	－	1	1	－	1
金沢市	－	－	－	－	－	－	－	－	－	－	－	－	－	－	－	－	－	－
長野市	－	－	－	－	－	－	－	－	－	－	－	－	－	－	－	－	－	－
岐阜市	－	－	－	－	－	－	－	－	－	1	－	1	－	－	－	－	－	－
豊橋市	－	－	－	－	－	－	－	－	－	－	－	－	－	－	－	－	－	－
豊田市	－	－	－	－	－	－	－	－	－	－	－	－	－	－	－	－	－	－
岡崎市	－	－	－	－	－	－	－	－	－	－	－	－	－	－	－	－	－	－
大津市	－	－	－	－	－	－	－	－	－	－	－	－	－	－	－	－	－	－
高槻市	－	－	－	－	－	－	－	－	－	－	－	－	－	－	－	－	－	－
東大阪市	－	－	－	－	－	－	－	－	－	－	－	－	1	－	1	－	－	－
豊中市	－	－	－	－	－	－	－	－	－	－	－	－	－	－	－	－	－	－
枚方市	－	－	－	－	－	－	－	－	－	－	－	－	－	－	－	－	－	－
姫路市	－	－	－	－	－	－	－	－	－	－	－	－	－	－	－	－	－	－
西宮市	－	－	－	－	－	－	－	－	－	－	－	－	－	－	－	－	－	－
尼崎市	－	－	－	－	－	－	－	－	－	－	－	－	－	－	－	－	－	－
奈良市	－	－	－	1	－	1	－	－	－	1	－	1	－	－	－	1	－	1
和歌山市	－	－	－	－	－	－	－	－	－	－	－	－	－	－	－	－	－	－
倉敷市	－	－	－	－	－	－	－	－	－	－	－	－	－	－	－	－	－	－
福山市	－	－	－	－	－	－	－	－	－	－	－	－	－	－	－	－	－	－
呉市	－	－	－	－	－	－	－	－	－	－	－	－	－	－	－	－	－	－
下関市	－	－	－	－	－	－	－	－	－	1	－	1	－	－	－	－	－	－
高松市	－	－	－	－	－	－	－	－	－	－	－	－	－	－	－	－	－	－
松山市	－	－	－	－	－	－	－	－	－	－	－	－	－	－	－	－	－	－
高知市	－	－	－	－	－	－	－	－	－	1	1	－	－	－	－	1	－	1
久留米市	－	－	－	－	－	－	－	－	－	－	－	－	－	－	－	－	－	－
長崎市	－	－	－	－	－	－	－	－	－	－	－	－	－	－	－	－	－	－
佐世保市	－	－	－	－	－	－	－	－	－	－	－	－	－	－	－	－	－	－
大分市	－	－	－	－	－	－	－	－	－	－	－	－	－	－	－	－	－	－
宮崎市	－	－	－	－	－	－	－	－	－	－	－	－	－	－	－	－	－	－
鹿児島市	－	－	－	－	－	－	－	－	－	－	－	－	－	－	－	－	－	－
那覇市	－	－	－	－	－	－	－	－	－	1	－	1	－	－	－	－	－	－

第1表 【基本票】社会福祉施設等数，国－都道府県

| 国
都道府県 | 婦人保護施設 | | | 児童福祉施設等 | | | | | | | | | | | |
| | | | | 総数 | | | 助産施設 | | | 乳児院 | | | 母子生活支援施設 | | |
	総数	公営	私営	総数	公営	私営	総数	公営	私営	総数	公営	私営	総数	公営	私営
全国	46	22	24	40 137	14 309	25 828	387	194	193	138	5	133	227	30	197
国	-	-	-	3	3	-	-	-	-	-	-	-	-	-	-
北海道	1	1	-	945	527	418	24	10	14	-	-	-	2	1	1
青森	-	-	-	397	34	363	3	2	1	2	-	2	1	-	1
岩手	-	-	-	444	182	262	-	-	-	-	-	-	-	-	-
宮城	1	-	1	565	351	214	4	3	1	-	-	-	3	2	1
秋田	1	-	1	288	93	195	5	2	3	-	-	-	4	-	4
山形	1	1	-	461	201	260	6	5	1	1	1	-	1	-	1
福島	1	1	-	368	172	196	5	2	3	1	1	-	3	1	2
茨城	1	1	-	717	202	515	1	1	-	3	-	3	3	-	3
栃木	1	1	-	442	156	286	1	-	1	2	-	2	2	1	1
群馬	1	1	-	354	103	251	-	-	-	2	-	2	1	-	1
埼玉	1	1	-	1 418	375	1 043	9	4	5	4	-	4	3	-	3
千葉	2	-	2	1 200	689	511	5	1	4	7	1	6	2	-	2
東京	5	-	5	3 749	1 311	2 438	34	12	22	10	-	10	33	-	33
神奈川	1	-	1	623	182	441	11	7	4	3	1	2	-	-	-
新潟	1	1	-	704	425	279	1	-	1	1	-	1	2	1	1
富山	-	-	-	267	138	129	7	5	2	1	-	1	-	-	-
石川	1	1	-	335	167	168	4	4	-	1	-	1	1	-	1
福井	1	1	-	421	193	228	5	3	2	2	-	2	1	-	1
山梨	1	1	-	336	177	159	3	2	1	2	-	2	1	-	1
長野	1	1	-	733	538	195	16	11	5	3	-	3	2	1	1
岐阜	1	-	1	507	263	244	4	4	-	1	-	1	1	-	1
静岡	1	-	1	538	189	349	4	4	-	2	-	2	1	-	1
愛知	-	-	-	1 769	1 354	415	1	1	-	2	-	2	5	1	4
三重	-	-	-	539	269	270	7	2	5	3	-	3	5	1	4
滋賀	1	1	-	332	165	167	6	5	1	-	-	-	1	-	1
京都	1	1	-	318	163	155	10	8	2	2	-	2	1	-	1
大阪	2	-	2	812	209	603	23	12	11	2	-	2	3	-	3
兵庫	-	-	-	650	232	418	5	3	2	3	-	3	3	-	3
奈良	-	-	-	235	119	116	4	4	-	2	-	2	2	-	2
和歌山	1	1	-	242	163	79	7	6	1	1	-	1	3	3	-
鳥取	-	-	-	299	149	150	5	4	1	2	-	2	5	-	5
島根	-	-	-	335	68	267	1	1	-	1	-	1	1	-	1
岡山	-	-	-	255	148	107	2	-	2	1	-	1	-	-	-
広島	-	-	-	349	164	185	-	-	-	1	-	1	4	-	4
山口	1	1	-	440	220	220	3	1	2	-	-	-	1	-	1
徳島	1	1	-	301	152	149	1	1	-	1	-	1	2	2	-
香川	1	1	-	196	112	84	2	-	2	1	-	1	-	-	-
愛媛	1	1	-	320	198	122	-	-	-	1	1	-	5	4	1
高知	-	-	-	242	157	85	3	2	1	-	-	-	1	-	1
福岡	1	-	1	736	265	471	4	2	2	3	-	3	6	1	5
佐賀	1	-	1	330	64	266	3	2	1	1	-	1	3	1	2
長崎	1	1	-	399	95	304	2	2	-	1	-	1	1	1	-
熊本	-	-	-	528	119	409	-	-	-	1	-	1	-	-	-
大分	1	1	-	289	57	232	1	1	-	1	-	1	2	-	2
宮崎	1	1	-	481	179	302	3	3	-	-	-	-	2	-	2
鹿児島	-	-	-	498	63	435	1	1	-	1	-	1	4	3	1
沖縄	1	-	1	574	137	437	7	5	2	1	-	1	2	1	1

平成29年10月1日

指定都市 中核市	婦人保護施設			児童福祉施設等											
	総数	公営	私営	総　　数			助産施設			乳児院			母子生活支援施設		
				総数	公営	私営	総数	公営	私営	総数	公営	私営	総数	公営	私営
指定都市（別掲）															
札幌市	-	-	-	518	40	478	6	-	6	1	-	1	6	-	6
仙台市	-	-	-	408	44	364	-	-	-	2	-	2	2	-	2
さいたま市	-	-	-	333	68	265	3	1	2	3	-	3	1	-	1
千葉市	-	-	-	223	65	158	2	2	-	1	-	1	1	-	1
横浜市	-	-	-	960	81	879	9	-	9	3	-	3	8	-	8
川崎市	-	-	-	441	41	400	3	1	2	2	-	2	1	-	1
相模原市	-	-	-	208	74	134	1	-	1	1	-	1	1	-	1
新潟市	-	-	-	269	98	171	2	1	1	1	-	1	2	-	2
静岡市	-	-	-	193	63	130	2	1	1	1	-	1	1	-	1
浜松市	-	-	-	161	25	136	4	-	4	1	-	1	1	-	1
名古屋市	2	-	2	614	119	495	2	2	-	3	-	3	5	-	5
京都市	-	-	-	543	20	523	9	1	8	2	-	2	3	-	3
大阪市	-	-	-	648	69	579	11	3	8	5	-	5	4	-	4
堺市	-	-	-	165	19	146	4	1	3	-	-	-	1	-	1
神戸市	1	-	1	504	69	435	4	3	1	3	-	3	7	-	7
岡山市	-	-	-	188	68	120	2	1	1	1	-	1	1	1	-
広島市	-	-	-	375	200	175	-	-	-	1	-	1	4	-	4
北九州市	-	-	-	260	21	239	3	2	1	1	-	1	2	-	2
福岡市	-	-	-	362	8	354	4	-	4	2	-	2	2	-	2
熊本市	-	-	-	276	31	245	3	-	3	2	-	2	2	-	2
中核市（別掲）															
旭川市	-	-	-	100	6	94	2	1	1	-	-	-	1	-	1
函館市	-	-	-	87	29	58	2	1	1	1	-	1	2	-	2
青森市	-	-	-	151	39	112	1	1	-	1	-	1	1	-	1
八戸市	-	-	-	99	2	97	1	1	-	-	-	-	1	-	1
盛岡市	1	-	1	130	15	115	-	-	-	2	-	2	1	-	1
秋田市	-	-	-	129	41	88	4	1	3	1	-	1	3	-	3
郡山市	-	-	-	60	26	34	-	-	-	-	-	-	1	-	1
いわき市	-	-	-	73	37	36	1	1	-	-	-	-	-	-	-
宇都宮市	-	-	-	123	16	107	1	-	1	1	-	1	1	-	1
前橋市	-	-	-	83	23	60	-	-	-	-	-	-	1	-	1
高崎市	-	-	-	100	22	78	-	-	-	1	-	1	1	1	-
川越市	-	-	-	75	23	52	-	-	-	-	-	-	-	-	-
越谷市	-	-	-	79	22	57	2	1	1	-	-	-	1	-	1
船橋市	-	-	-	146	48	98	2	1	1	-	-	-	1	-	1
柏市	-	-	-	90	40	50	-	-	-	-	-	-	-	-	-
八王子市	-	-	-	129	28	101	2	-	2	-	-	-	1	-	1
横須賀市	-	-	-	56	12	44	2	2	-	1	-	1	-	-	-
富山市	-	-	-	116	43	73	3	1	2	1	-	1	1	-	1
金沢市	-	-	-	163	47	116	1	1	-	1	-	1	1	-	1
長野市	-	-	-	140	31	109	3	-	3	1	-	1	1	-	1
岐阜市	-	-	-	84	24	60	1	1	-	1	-	1	2	-	2
豊橋市	-	-	-	92	30	62	1	1	-	1	-	1	1	-	1
豊田市	-	-	-	127	94	33	-	-	-	1	-	1	1	-	1
岡崎市	-	-	-	99	75	24	1	1	-	1	-	1	1	-	1
大津市	-	-	-	96	25	71	1	1	-	1	-	1	1	-	1
高槻市	-	-	-	87	15	72	3	-	3	-	-	-	-	-	-
東大阪市	-	-	-	111	16	95	3	1	2	1	-	1	-	-	-
豊中市	-	-	-	96	31	65	1	1	-	-	-	-	-	-	-
枚方市	-	-	-	70	17	53	1	1	-	-	-	-	-	-	-
姫路市	1	-	1	122	36	86	-	-	-	2	-	2	1	-	1
西宮市	-	-	-	120	32	88	-	-	-	-	-	-	1	-	1
尼崎市	-	-	-	114	21	93	1	-	1	-	-	-	1	-	1
奈良市	-	-	-	70	28	42	1	-	1	-	-	-	1	-	1
和歌山市	-	-	-	83	26	57	1	-	1	-	-	-	1	-	1
倉敷市	-	-	-	121	21	100	2	-	2	-	-	-	1	-	1
福山市	-	-	-	125	51	74	-	-	-	-	-	-	1	1	-
呉市	1	-	1	67	12	55	-	-	-	-	-	-	1	-	1
下関市	-	-	-	80	40	40	2	1	1	1	-	1	1	-	1
高松市	-	-	-	106	49	57	1	1	-	-	-	-	1	-	1
松山市	-	-	-	116	17	99	2	-	2	1	-	1	1	-	1
高知市	-	-	-	142	51	91	3	2	1	1	-	1	1	-	1
久留米市	-	-	-	118	48	70	-	-	-	-	-	-	1	-	1
長崎市	-	-	-	132	15	117	1	1	-	-	-	-	1	-	1
佐世保市	-	-	-	91	5	86	1	1	-	-	-	-	1	1	-
大分市	-	-	-	107	15	92	1	-	1	-	-	-	1	1	-
宮崎市	-	-	-	181	19	162	-	-	-	1	-	1	-	-	-
鹿児島市	1	-	1	186	18	168	2	1	1	2	-	2	4	-	4
那覇市	-	-	-	132	13	119	3	1	2	-	-	-	1	-	1

第1表　【基本票】社会福祉施設等数，国－都道府県

国 都 道 府 県	児 童 福 祉 施 設 等												小規模保育事業所		
	保　育　所　等			幼保連携型認定こども園			保育所型認定こども園			保　育　所			総　　　数		
	総　数	公　営	私　営	総　数	公　営	私　営	総　数	公　営	私　営	総　数	公　営	私　営	総　数	公　営	私　営
全　　　国	27 137	8 716	18 421	3 620	550	3 070	591	215	376	22 926	7 951	14 975	3 401	40	3 361
国	－	－	－	－	－	－	－	－	－	－	－	－	－	－	－
北 海 道	614	300	314	97	14	83	43	21	22	474	265	209	27	1	26
青　　森	310	8	302	113	3	110	16	－	16	181	5	176	2	－	2
岩　　手	309	109	200	39	8	31	6	5	1	264	96	168	24	－	24
宮　　城	249	137	112	10	5	5	2	－	2	237	132	105	73	－	73
秋　　田	206	50	156	41	9	32	10	2	8	155	39	116	3	－	3
山　　形	282	79	203	39	2	37	6	1	5	237	76	161	25	－	25
福　　島	239	119	120	60	21	39	2	2	－	177	96	81	39	－	39
茨　　城	578	157	421	113	12	101	11	4	7	454	141	313	35	－	35
栃　　木	322	123	199	68	5	63	3	2	1	251	116	135	44	4	40
群　　馬	282	68	214	60	2	58	2	1	1	220	65	155	1	－	1
埼　　玉	948	293	655	44	－	44	2	－	2	902	293	609	275	－	275
千　　葉	689	270	419	35	12	23	11	3	8	643	255	388	－	－	－
東　　京	2 500	733	1 767	27	9	18	42	13	29	2 431	711	1 720	406	－	406
神 奈 川	421	99	322	23	10	13	2	－	2	396	89	307	71	－	71
新　　潟	489	280	209	58	7	51	6	1	5	425	272	153	18	－	18
富　　山	204	105	99	31	4	27	5	1	4	168	100	68	－	－	－
石　　川	240	119	121	54	－	54	37	32	5	149	87	62	3	－	3
福　　井	277	120	157	85	16	69	1	－	1	191	104	87	5	2	3
山　　梨	233	108	125	32	－	32	6	5	1	195	103	92	11	－	11
長　　野	487	393	94	24	2	22	23	22	1	440	369	71	8	－	8
岐　　阜	374	215	159	49	27	22	26	7	19	299	181	118	19	－	19
静　　岡	361	132	229	48	17	31	6	1	5	307	114	193	77	－	77
愛　　知	769	537	232	26	1	25	5	4	1	738	532	206	66	1	65
三　　重	421	219	202	20	5	15	6	4	2	395	210	185	21	－	21
滋　　賀	227	101	126	52	30	22	4	4	－	171	67	104	24	1	23
京　　都	224	109	115	26	1	25	1	1	－	197	107	90	17	－	17
大　　阪	588	154	434	212	14	198	4	1	3	372	139	233	103	－	103
兵　　庫	514	188	326	158	51	107	12	－	12	344	137	207	39	－	39
奈　　良	160	75	85	24	12	12	1	－	1	135	63	72	13	5	8
和 歌 山	142	84	58	12	3	9	12	3	9	118	78	40	6	2	4
鳥　　取	185	97	88	26	10	16	8	6	2	151	81	70	26	－	26
島　　根	290	54	236	13	3	10	21	10	11	256	41	215	7	4	3
岡　　山	210	124	86	27	22	5	12	10	2	171	92	79	4	－	4
広　　島	280	143	137	33	3	30	14	10	4	233	130	103	7	1	6
山　　口	260	97	163	2	－	2	－	－	－	258	97	161	12	－	12
徳　　島	211	112	99	30	11	19	16	15	1	165	86	79	2	－	2
香　　川	132	75	57	13	10	3	1	1	－	118	64	54	6	－	6
愛　　媛	248	157	91	20	7	13	2	1	1	226	149	77	12	2	10
高　　知	167	113	54	8	6	2	1	－	1	158	107	51	9	1	8
福　　岡	508	96	412	17	5	12	8	1	7	483	90	393	－	－	－
佐　　賀	246	39	207	52	－	52	3	－	3	191	39	152	32	－	32
長　　崎	291	30	261	39	3	36	11	1	10	241	26	215	19	－	19
熊　　本	442	85	357	29	－	29	3	－	3	410	85	325	20	－	20
大　　分	216	38	178	49	4	45	15	4	11	152	30	122	8	2	6
宮　　崎	289	44	245	72	－	72	11	1	10	206	43	163	12	5	7
鹿 児 島	402	39	363	94	3	91	13	6	7	295	30	265	28	2	26
沖　　縄	394	74	320	19	2	17	2	－	2	373	72	301	86	－	86

平成29年10月1日

指定都市 中核市	児童福祉施設等 保育所等 総数 総数	公営	私営	幼保連携型認定こども園 総数	公営	私営	保育所型認定こども園 総数	公営	私営	保育所 総数	公営	私営	小規模保育事業所 総数 総数	公営	私営
指定都市（別掲）															
札幌市	298	22	276	35	1	34	2	－	2	261	21	240	67	－	67
仙台市	192	38	154	12	－	12	－	－	－	180	38	142	79	－	79
さいたま市	201	61	140	5	－	5	－	－	－	196	61	135	94	－	94
千葉市	168	59	109	7	－	7	2	2	－	159	57	102	38	－	38
横浜市	743	80	663	22	－	22	－	－	－	721	80	641	148	－	148
川崎市	326	40	286	2	－	2	－	－	－	324	40	284	32	－	32
相模原市	117	25	92	8	1	7	－	－	－	109	24	85	33	－	33
新潟市	234	87	147	31	－	31	5	－	5	198	87	111	8	－	8
静岡市	140	58	82	85	58	27	－	－	－	55	－	55	31	3	28
浜松市	112	21	91	44	－	44	1	－	1	67	21	46	27	－	27
名古屋市	434	108	326	37	－	37	18	－	18	379	108	271	124	－	124
京都市	270	18	252	19	－	19	3	－	3	248	18	230	105	－	105
大阪市	457	64	393	33	－	33	2	－	2	422	64	358	127	－	127
堺市	121	18	103	98	18	80	3	－	3	20	－	20	28	－	28
神戸市	244	58	186	115	－	115	－	－	－	129	58	71	91	－	91
岡山市	125	52	73	12	6	6	－	－	－	113	46	67	14	－	14
広島市	215	88	127	21	－	21	4	1	3	190	87	103	23	－	23
北九州市	165	19	146	－	－	－	－	－	－	165	19	146	31	－	31
福岡市	232	7	225	3	－	3	－	－	－	229	7	222	103	－	103
熊本市	184	19	165	54	－	54	－	－	－	130	19	111	59	－	59
中核市（別掲）															
旭川市	67	3	64	9	－	9	12	－	12	46	3	43	17	－	17
函館市	50	3	47	18	－	18	15	1	14	17	2	15	－	－	－
青森市	88	－	88	23	－	23	1	－	1	64	－	64	1	－	1
八戸市	75	－	75	44	－	44	13	－	13	18	－	18	－	－	－
盛岡市	69	12	57	11	－	11	－	－	－	58	12	46	10	－	10
秋田市	72	6	66	16	－	16	－	－	－	56	6	50	11	－	11
郡山市	44	25	19	－	－	－	－	－	－	44	25	19	11	－	11
いわき市	60	31	29	4	－	4	－	－	－	56	31	25	3	－	3
宇都宮市	90	10	80	14	－	14	1	－	1	75	10	65	22	－	22
前橋市	71	18	53	26	－	26	－	－	－	45	18	27	－	－	－
高崎市	87	21	66	24	－	24	1	－	1	62	21	41	－	－	－
川越市	52	20	32	2	－	2	－	－	－	50	20	30	18	－	18
越谷市	43	18	25	5	－	5	－	－	－	38	18	20	31	－	31
船橋市	101	27	74	4	－	4	－	－	－	97	27	70	19	－	19
柏市	64	23	41	5	－	5	－	－	－	59	23	36	6	－	6
八王子市	100	10	90	－	－	－	1	－	1	99	10	89	3	－	3
横須賀市	47	10	37	9	－	9	－	－	－	38	10	28	1	－	1
富山市	95	42	53	48	－	48	2	－	2	45	42	3	1	－	1
金沢市	113	13	100	32	－	32	10	－	10	71	13	58	－	－	－
長野市	84	29	55	7	－	7	1	1	－	76	28	48	2	－	2
岐阜市	46	19	27	6	－	6	－	－	－	40	19	21	15	1	14
豊橋市	59	5	54	14	1	13	－	－	－	45	4	41	－	－	－
豊田市	80	55	25	10	－	10	－	－	－	70	55	15	2	－	2
岡崎市	56	38	18	3	3	－	2	2	－	51	33	18	－	－	－
大津市	71	14	57	11	－	11	－	－	－	60	14	46	9	－	9
高槻市	51	14	37	15	1	14	－	－	－	36	13	23	26	－	26
東大阪市	78	11	67	37	2	35	－	－	－	41	9	32	17	－	17
豊中市	80	26	54	36	26	10	－	－	－	44	－	44	11	－	11
枚方市	59	12	47	4	－	4	－	－	－	55	12	43	8	2	6
姫路市	97	30	67	38	8	30	13	－	13	46	22	24	－	－	－
西宮市	63	23	40	8	－	8	－	－	－	55	23	32	41	－	41
尼崎市	85	21	64	5	－	5	－	－	－	80	21	59	21	－	21
奈良市	52	24	28	21	12	9	－	－	－	31	12	19	4	－	4
和歌山市	61	18	43	18	－	18	－	－	－	43	18	25	－	－	－
倉敷市	95	21	74	7	5	2	2	－	2	86	16	70	10	－	10
福山市	113	50	63	21	－	21	－	－	－	92	50	42	10	－	10
呉市	54	12	42	12	－	12	2	－	2	40	12	28	2	－	2
下関市	57	23	34	14	7	7	－	－	－	43	16	27	－	－	－
高松市	79	36	43	11	6	5	－	－	－	68	30	38	9	1	8
松山市	75	16	59	11	－	11	9	2	7	55	14	41	18	－	18
高知市	96	24	72	5	－	5	5	－	5	86	24	62	10	－	10
久留米市	75	9	66	7	－	7	1	－	1	67	9	58	－	－	－
長崎市	118	9	109	23	1	22	－	－	－	95	8	87	1	－	1
佐世保市	75	3	72	9	－	9	4	－	4	62	3	59	2	－	2
大分市	93	13	80	22	－	22	1	－	1	70	13	57	7	－	7
宮崎市	138	5	133	43	－	43	－	－	－	95	5	90	6	－	6
鹿児島市	146	11	135	31	－	31	－	－	－	115	11	104	－	－	－
那覇市	105	10	95	11	3	8	1	－	1	93	7	86	9	－	9

第1表　【基本票】社会福祉施設等数，国－都道府県

国 都 道 府 県	児 童 福 祉 施 設 等														
	小 規 模 保 育 事 業 所								児 童 養 護 施 設			障害児入所施設 （福 祉 型）		
	小規模保育事業所A型			小規模保育事業所B型			小規模保育事業所C型								
	総 数	公 営	私 営	総 数	公 営	私 営	総 数	公 営	私 営	総 数	公 営	私 営	総 数	公 営	私 営
全　　　　　国	2 594	28	2 566	697	12	685	110	－	110	608	10	598	263	39	224
国	－	－	－	－	－	－	－	－	－	－	－	－	1	1	－
北　海　道	20	－	20	6	1	5	1	－	1	15	－	15	10	－	10
青　　　森	1	－	1	1	－	1	－	－	－	4	－	4	7	5	2
岩　　　手	11	－	11	13	－	13	－	－	－	3	－	3	5	1	4
宮　　　城	52	－	52	17	－	17	4	－	4	1	－	1	2	－	2
秋　　　田	2	－	2	1	－	1	－	－	－	2	－	2	4	－	4
山　　　形	13	－	13	11	－	11	1	－	1	5	－	5	3	3	－
福　　　島	28	－	28	10	－	10	1	－	1	7	－	7	8	2	6
茨　　　城	29	－	29	5	－	5	1	－	1	19	－	19	8	－	8
栃　　　木	38	4	34	6	－	6	－	－	－	9	－	9	4	－	4
群　　　馬	1	－	1	－	－	－	－	－	－	3	－	3	3	1	2
埼　　　玉	124	－	124	150	－	150	1	－	1	19	－	19	5	－	5
千　　　葉	－	－	－	－	－	－	－	－	－	16	1	15	9	1	8
東　　　京	294	－	294	95	－	95	17	－	17	52	－	52	8	－	8
神　奈　川	64	－	64	7	－	7	－	－	－	15	－	15	8	1	7
新　　　潟	9	－	9	8	－	8	1	－	1	4	2	2	8	5	3
富　　　山	－	－	－	－	－	－	－	－	－	1	－	1	2	2	－
石　　　川	3	－	3	－	－	－	－	－	－	4	－	4	1	－	1
福　　　井	3	1	2	2	1	1	－	－	－	5	1	4	2	－	2
山　　　梨	9	－	9	－	－	－	2	－	2	7	－	7	1	1	－
長　　　野	8	－	8	－	－	－	－	－	－	11	－	11	1	－	1
岐　　　阜	13	－	13	6	－	6	－	－	－	9	－	9	2	－	2
静　　　岡	49	－	49	17	－	17	11	－	11	10	－	10	7	4	3
愛　　　知	57	－	57	9	1	8	－	－	－	17	－	17	3	1	2
三　　　重	10	－	10	10	－	10	1	－	1	12	－	12	4	－	4
滋　　　賀	19	1	18	5	－	5	－	－	－	2	－	2	2	1	1
京　　　都	15	－	15	1	－	1	1	－	1	6	－	6	2	－	2
大　　　阪	98	－	98	5	－	5	－	－	－	17	－	17	6	－	6
兵　　　庫	38	－	38	1	－	1	－	－	－	15	－	15	6	－	6
奈　　　良	12	4	8	1	1	－	－	－	－	6	－	6	4	2	1
和　歌　山	6	2	4	－	－	－	－	－	－	5	1	4	1	－	1
鳥　　　取	24	－	24	2	－	2	－	－	－	5	－	5	2	1	1
島　　　根	5	2	3	2	2	－	－	－	－	3	－	3	5	－	5
岡　　　山	3	－	3	1	－	1	－	－	－	6	－	6	1	－	1
広　　　島	5	1	4	2	－	2	－	－	－	6	－	6	5	－	5
山　　　口	9	－	9	3	－	3	－	－	－	8	－	8	2	－	2
徳　　　島	2	－	2	－	－	－	－	－	－	7	－	7	3	－	3
香　　　川	2	－	2	4	－	4	－	－	－	2	－	2	2	1	1
愛　　　媛	9	2	7	3	－	3	－	－	－	6	2	4	4	2	2
高　　　知	3	1	2	5	－	5	1	－	1	4	－	4	3	－	3
福　　　岡	－	－	－	－	－	－	－	－	－	10	－	10	7	－	7
佐　　　賀	21	－	21	11	－	11	－	－	－	6	－	6	2	1	1
長　　　崎	16	－	16	3	－	3	－	－	－	6	－	6	1	－	1
熊　　　本	14	－	14	5	－	5	1	－	1	8	－	8	5	1	4
大　　　分	7	2	5	1	－	1	－	－	－	7	－	7	4	－	4
宮　　　崎	6	1	5	6	4	2	－	－	－	6	－	6	5	－	5
鹿　児　島	12	－	12	16	2	14	－	－	－	9	－	9	5	－	5
沖　　　縄	51	－	51	35	－	35	－	－	－	8	－	8	4	－	4

第1表　【基本票】社会福祉施設等数，国－都道府県

－指定都市－中核市、施設の種類・経営主体の公営－私営別

平成29年10月 1 日

指定都市 / 中核市	児童福祉施設等														
	小規模保育事業所									児童養護施設			障害児入所施設（福祉型）		
	小規模保育事業所A型			小規模保育事業所B型			小規模保育事業所C型								
	総数	公営	私営	総数	公営	私営	総数	公営	私営	総数	公営	私営	総数	公営	私営
指定都市（別掲）															
札幌市	64	—	64	2	—	2	1	—	1	5	—	5	3	1	2
仙台市	52	—	52	18	—	18	9	—	9	4	—	4	—	—	—
さいたま市	79	—	79	15	—	15	—	—	—	2	—	2	1	—	1
千葉市	29	—	29	8	—	8	1	—	1	3	—	3	1	—	1
横浜市	118	—	118	24	—	24	6	—	6	10	—	10	5	—	5
川崎市	15	—	15	12	—	12	5	—	5	5	—	5	1	—	1
相模原市	13	—	13	19	—	19	1	—	1	2	—	2	1	—	1
新潟市	8	—	8	—	—	—	—	—	—	1	—	1	—	—	—
静岡市	31	3	28	—	—	—	—	—	—	2	—	2	1	—	1
浜松市	27	—	27	—	—	—	—	—	—	3	—	3	2	—	2
名古屋市	83	—	83	41	—	41	—	—	—	13	1	12	2	1	1
京都市	93	—	93	6	—	6	6	—	6	7	—	7	2	—	2
大阪市	96	—	96	8	—	8	23	—	23	10	1	9	6	—	6
堺市	27	—	27	1	—	1	—	—	—	4	—	4	—	—	—
神戸市	91	—	91	—	—	—	—	—	—	13	—	13	4	—	4
岡山市	14	—	14	—	—	—	—	—	—	5	1	4	3	—	3
広島市	19	—	19	4	—	4	—	—	—	4	—	4	4	—	4
北九州市	31	—	31	—	—	—	—	—	—	6	—	6	2	—	2
福岡市	89	—	89	6	—	6	8	—	8	3	—	3	1	—	1
熊本市	59	—	59	—	—	—	—	—	—	4	—	4	3	—	3
中核市（別掲）															
旭川市	17	—	17	—	—	—	—	—	—	2	—	2	—	—	—
函館市	—	—	—	—	—	—	—	—	—	2	—	2	—	—	—
青森市	1	—	1	—	—	—	—	—	—	1	—	1	1	—	1
八戸市	—	—	—	—	—	—	—	—	—	1	—	1	1	—	1
盛岡市	6	—	6	2	—	2	2	—	2	3	—	3	—	—	—
秋田市	2	—	2	9	—	9	—	—	—	2	—	2	1	—	1
郡山市	11	—	11	—	—	—	—	—	—	—	—	—	1	—	1
いわき市	3	—	3	—	—	—	—	—	—	1	—	1	—	—	—
宇都宮市	20	—	20	2	—	2	—	—	—	2	—	2	—	—	—
前橋市	—	—	—	—	—	—	—	—	—	2	—	2	—	—	—
高崎市	—	—	—	2	—	2	—	—	—	3	—	3	—	—	—
川越市	16	—	16	2	—	2	—	—	—	1	—	1	—	—	—
越谷市	21	—	21	10	—	10	—	—	—	—	—	—	—	—	—
船橋市	19	—	19	—	—	—	—	—	—	1	—	1	—	—	—
柏市	6	—	6	—	—	—	—	—	—	—	—	—	2	—	2
八王子市	3	—	3	—	—	—	—	—	—	3	—	3	1	—	1
横須賀市	1	—	1	—	—	—	—	—	—	2	—	2	—	—	—
富山市	1	—	1	—	—	—	—	—	—	2	—	2	—	—	—
金沢市	—	—	—	—	—	—	—	—	—	4	—	4	2	—	2
長野市	2	—	2	—	—	—	—	—	—	3	—	3	—	—	—
岐阜市	15	1	14	—	—	—	—	—	—	1	—	1	—	—	—
豊橋市	—	—	—	—	—	—	—	—	—	2	—	2	2	—	2
豊田市	2	—	2	—	—	—	—	—	—	1	—	1	1	—	1
岡崎市	—	—	—	—	—	—	—	—	—	2	—	2	1	—	1
大津市	4	—	4	2	—	2	3	—	3	2	—	2	—	—	—
高槻市	26	—	26	—	—	—	—	—	—	3	—	3	—	—	—
東大阪市	17	—	17	—	—	—	—	—	—	5	—	5	1	—	1
豊中市	11	—	11	—	—	—	—	—	—	—	—	—	—	—	—
枚方市	3	2	1	5	—	5	—	—	—	—	—	—	—	—	—
姫路市	—	—	—	—	—	—	—	—	—	4	—	4	—	—	—
西宮市	29	—	29	11	—	11	1	—	1	2	—	2	1	—	1
尼崎市	21	—	21	—	—	—	—	—	—	2	—	2	—	—	—
奈良市	4	—	4	—	—	—	—	—	—	—	—	—	—	—	—
和歌山市	—	—	—	—	—	—	—	—	—	3	—	3	1	—	1
倉敷市	10	—	10	—	—	—	—	—	—	1	—	1	—	—	—
福山市	10	—	10	—	—	—	—	—	—	—	—	—	—	—	—
呉市	2	—	2	—	—	—	—	—	—	3	—	3	—	—	—
下関市	—	—	—	—	—	—	—	—	—	2	—	2	—	—	—
高松市	9	1	8	—	—	—	—	—	—	1	—	1	—	—	—
松山市	18	—	18	—	—	—	—	—	—	4	—	4	2	—	2
高知市	6	—	6	4	—	4	—	—	—	4	—	4	—	—	—
久留米市	—	—	—	—	—	—	—	—	—	1	—	1	—	—	—
長崎市	1	—	1	—	—	—	—	—	—	3	—	3	1	—	1
佐世保市	2	—	2	—	—	—	—	—	—	2	—	2	1	—	1
大分市	7	—	7	—	—	—	—	—	—	2	—	2	1	—	1
宮崎市	6	—	6	—	—	—	—	—	—	4	—	4	1	—	1
鹿児島市	—	—	—	—	—	—	—	—	—	5	—	5	3	—	3
那覇市	9	—	9	—	—	—	—	—	—	—	—	—	—	—	—

第1表 【基本票】社会福祉施設等数，国-都道府県

国 都 道 府 県	児 童 福 祉 施 設 等														
	障害児入所施設 （医療型）			児童発達支援センター （福祉型）			児童発達支援センター （医療型）			児童心理治療施設			児童自立支援施設		
	総数	公営	私営	総数	公営	私営	総数	公営	私営	総数	公営	私営	総数	公営	私営
全　　　　国	212	77	135	528	128	400	99	50	49	44	4	40	58	56	2
国	-	-	-	-	-	-	-	-	-	-	-	-	2	2	-
北 海 道	8	5	3	8	3	5	-	-	-	1	-	1	3	2	1
青　　森	-	-	-	3	-	3	1	1	-	-	-	-	1	1	-
岩　　手	2	-	2	1	-	1	1	-	1	-	-	-	1	1	-
宮　　城	2	2	-	7	3	4	-	-	-	-	-	-	1	1	-
秋　　田	2	2	-	1	1	-	1	1	-	-	-	-	1	1	-
山　　形	1	1	-	5	2	3	1	1	-	-	-	-	1	1	-
福　　島	2	2	-	4	-	4	2	2	-	-	-	-	1	1	-
茨　　城	5	2	3	2	1	1	-	-	-	1	-	1	1	1	-
栃　　木	4	1	3	1	1	-	-	-	-	1	-	1	1	1	-
群　　馬	3	1	2	2	-	2	-	-	-	1	-	1	1	1	-
埼　　玉	5	-	5	19	10	9	-	-	-	1	-	1	1	1	-
千　　葉	4	2	2	21	10	11	5	4	1	1	-	1	1	1	-
東　　京	12	4	8	26	9	17	5	4	1	-	-	-	2	2	-
神 奈 川	7	4	3	14	2	12	-	-	-	1	1	-	1	1	-
新　　潟	2	1	1	4	2	2	1	1	-	-	-	-	1	1	-
富　　山	2	1	1	4	1	3	2	1	1	-	-	-	1	1	-
石　　川	1	-	1	2	-	2	-	-	-	-	-	-	1	1	-
福　　井	1	1	-	6	3	3	-	-	-	-	-	-	1	1	-
山　　梨	1	1	-	4	-	4	1	1	-	-	-	-	1	1	-
長　　野	4	2	2	7	1	6	1	-	1	1	-	1	1	1	-
岐　　阜	1	1	-	4	3	1	2	1	1	-	-	-	1	1	-
静　　岡	2	1	1	13	5	8	-	-	-	1	1	-	1	1	-
愛　　知	4	1	3	13	8	5	3	1	2	2	-	2	1	1	-
三　　重	4	3	1	5	2	3	-	-	-	1	-	1	1	1	-
滋　　賀	3	1	2	7	6	1	1	1	-	1	-	1	1	1	-
京　　都	3	1	2	2	-	2	1	-	1	1	-	1	1	1	-
大　　阪	4	1	3	20	11	9	8	4	4	2	-	2	2	2	-
兵　　庫	5	2	3	8	4	4	4	4	-	1	-	1	1	1	-
奈　　良	-	-	-	5	-	5	2	1	1	-	-	-	1	1	-
和 歌 山	3	1	2	7	-	7	-	-	-	-	-	-	1	1	-
鳥　　取	1	1	-	4	2	2	3	3	-	1	-	1	1	1	-
島　　根	2	-	2	6	-	6	-	-	-	1	-	1	1	1	-
岡　　山	1	1	-	7	1	6	1	1	-	1	-	1	1	1	-
広　　島	6	-	6	9	-	9	2	-	2	1	-	1	1	1	-
山　　口	3	2	1	6	-	6	-	-	-	1	-	1	1	1	-
徳　　島	3	2	1	9	-	9	-	-	-	-	-	-	1	1	-
香　　川	2	1	1	1	-	1	1	-	1	-	-	-	1	1	-
愛　　媛	2	1	1	2	1	1	-	-	-	-	-	-	1	1	-
高　　知	2	-	2	4	1	3	1	1	-	1	-	1	1	1	-
福　　岡	7	3	4	15	-	15	-	-	-	1	-	1	1	1	-
佐　　賀	3	-	3	6	1	5	-	-	-	-	-	-	1	1	-
長　　崎	4	1	3	5	-	5	-	-	-	1	-	1	1	1	-
熊　　本	3	1	2	9	1	8	1	1	-	1	-	1	1	1	-
大　　分	4	-	4	8	-	8	1	-	1	-	-	-	1	1	-
宮　　崎	4	3	1	8	-	8	1	1	-	1	-	1	1	1	-
鹿 児 島	2	1	1	15	2	13	-	-	-	-	-	-	1	1	-
沖　　縄	5	2	3	-	-	-	1	-	1	-	-	-	1	1	-

－指定都市－中核市、施設の種類・経営主体の公営－私営別

平成29年10月 1 日

指定都市／中核市	障害児入所施設（医療型） 総数	公営	私営	児童発達支援センター（福祉型） 総数	公営	私営	児童発達支援センター（医療型） 総数	公営	私営	児童心理治療施設 総数	公営	私営	児童自立支援施設 総数	公営	私営
指定都市（別掲）															
札幌市	2	-	2	6	2	4	2	2	-	1	1	-	-	-	-
仙台市	2	1	1	5	-	5	-	-	-	1	-	1	-	-	-
さいたま市	-	-	-	5	2	3	2	2	-	-	-	-	-	-	-
千葉市	2	2	-	3	1	2	2	1	1	-	-	-	-	-	-
横浜市	3	-	3	10	-	10	9	-	9	1	-	1	2	1	1
川崎市	1	-	1	4	-	4	4	-	4	1	-	1	-	-	-
相模原市	2	-	2	2	1	1	1	1	-	-	-	-	-	-	-
新潟市	1	1	-	1	1	-	-	-	-	-	-	-	-	-	-
静岡市	3	1	2	1	-	1	-	-	-	-	-	-	-	-	-
浜松市	2	1	1	4	-	4	-	-	-	-	-	-	-	-	-
名古屋市	1	-	1	9	4	5	1	1	-	1	1	-	1	1	-
京都市	2	-	2	9	1	8	-	-	-	1	-	1	1	-	1
大阪市	5	-	5	10	-	10	1	-	1	2	-	2	1	1	-
堺市	1	-	1	3	-	3	2	-	2	-	-	-	-	-	-
神戸市	1	-	1	8	4	4	-	-	-	1	-	1	1	1	-
岡山市	2	-	2	5	-	5	-	-	-	1	-	1	-	-	-
広島市	1	-	1	5	-	5	2	-	2	1	-	1	-	-	-
北九州市	2	-	2	7	-	7	-	-	-	-	-	-	-	-	-
福岡市	1	1	-	9	-	9	2	-	2	-	-	-	-	-	-
熊本市	1	-	1	3	-	3	-	-	-	-	-	-	-	-	-
中核市（別掲）															
旭川市	1	-	1	3	1	2	1	1	-	-	-	-	-	-	-
函館市	-	-	-	1	-	1	1	1	-	-	-	-	-	-	-
青森市	1	1	-	1	-	1	-	-	-	1	-	1	-	-	-
八戸市	2	1	1	2	-	2	1	-	1	1	-	1	-	-	-
盛岡市	-	-	-	1	-	1	-	-	-	-	-	-	-	-	-
秋田市	-	-	-	1	-	1	-	-	-	-	-	-	-	-	-
郡山市	-	-	-	2	1	1	-	-	-	-	-	-	-	-	-
いわき市	-	-	-	-	-	-	-	-	-	-	-	-	-	-	-
宇都宮市	-	-	-	1	1	-	1	1	-	-	-	-	-	-	-
前橋市	-	-	-	1	-	1	-	-	-	-	-	-	-	-	-
高崎市	1	-	1	1	1	-	-	-	-	-	-	-	-	-	-
川越市	-	-	-	1	1	-	-	-	-	-	-	-	-	-	-
越谷市	-	-	-	2	-	2	-	-	-	-	-	-	-	-	-
船橋市	-	-	-	-	-	-	-	-	-	-	-	-	-	-	-
柏市	1	-	1	1	1	-	1	1	-	-	-	-	-	-	-
八王子市	-	-	-	1	-	1	-	-	-	-	-	-	-	-	-
横須賀市	1	-	1	1	-	1	1	-	1	-	-	-	-	-	-
富山市	1	1	-	1	-	1	-	-	-	-	-	-	-	-	-
金沢市	4	1	3	3	-	3	-	-	-	-	-	-	-	-	-
長野市	1	1	-	2	-	2	-	-	-	-	-	-	-	-	-
岐阜市	1	1	-	2	1	1	1	1	-	-	-	-	-	-	-
豊橋市	1	1	-	2	1	1	-	-	-	-	-	-	-	-	-
豊田市	-	-	-	2	-	2	1	-	1	-	-	-	-	-	-
岡崎市	-	-	-	1	-	1	-	-	-	-	-	-	-	-	-
大津市	-	-	-	1	1	-	-	-	-	-	-	-	-	-	-
高槻市	-	-	-	1	-	1	1	-	1	1	-	1	-	-	-
東大阪市	-	-	-	1	-	1	1	1	-	-	-	-	-	-	-
豊中市	-	-	-	1	1	-	1	1	-	-	-	-	-	-	-
枚方市	-	-	-	1	1	-	-	-	-	-	-	-	-	-	-
姫路市	1	-	1	2	2	-	-	-	-	-	-	-	-	-	-
西宮市	1	-	1	2	1	1	-	-	-	-	-	-	-	-	-
尼崎市	-	-	-	2	-	2	1	-	1	-	-	-	-	-	-
奈良市	2	-	2	4	-	4	-	-	-	-	-	-	-	-	-
和歌山市	2	-	2	4	-	4	-	-	-	1	-	1	-	-	-
倉敷市	-	-	-	5	-	5	1	-	1	-	-	-	-	-	-
福山市	1	-	1	1	-	1	-	-	-	-	-	-	-	-	-
呉市	-	-	-	1	-	1	-	-	-	-	-	-	-	-	-
下関市	-	-	-	1	-	1	-	-	-	1	-	1	-	-	-
高松市	-	-	-	4	-	4	-	-	-	-	-	-	-	-	-
高知市	1	-	1	1	-	1	1	-	1	-	-	-	-	-	-
久留米市	1	1	-	1	-	1	1	-	1	-	-	-	-	-	-
長崎市	-	-	-	1	-	1	-	-	-	-	-	-	-	-	-
佐世保市	-	-	-	1	1	-	-	-	-	-	-	-	-	-	-
大分市	-	-	-	-	-	-	-	-	-	-	-	-	-	-	-
宮崎市	-	-	-	-	-	-	-	-	-	-	-	-	-	-	-
鹿児島市	1	-	1	12	-	12	-	-	-	1	-	1	-	-	-
那覇市	1	-	1	-	-	-	1	-	1	-	-	-	-	-	-

－指定都市－中核市、施設の種類・経営主体の公営－私営別

第1表　【基本票】社会福祉施設等数，国−都道府県

国 都道府県	児童福祉施設等														
	児童家庭支援センター			小型児童館			児童センター			大型児童館A型			大型児童館B型		
	総数	公営	私営	総数	公営	私営	総数	公営	私営	総数	公営	私営	総数	公営	私営
全　　　　国	114	－	114	2 680	1 669	1 011	1 725	884	841	17	3	14	4	－	4
国	－	－	－	－	－	－	－	－	－	－	－	－	－	－	－
北　海　道	7	－	7	121	110	11	94	85	9	1	1	－	－	－	－
青　　　森	1	－	1	39	10	29	20	4	16	－	－	－	－	－	－
岩　　　手	1	－	1	41	25	16	9	－	9	1	－	1	－	－	－
宮　　　城	1	－	1	46	35	11	27	20	7	－	－	－	－	－	－
秋　　　田	－	－	－	46	26	20	10	8	2	1	－	1	－	－	－
山　　　形	2	－	2	18	9	9	27	17	10	－	－	－	－	－	－
福　　　島	－	－	－	34	28	6	15	7	8	－	－	－	－	－	－
茨　　　城	2	－	2	42	29	13	9	4	5	－	－	－	1	－	1
栃　　　木	1	－	1	28	13	15	12	4	8	1	－	1	－	－	－
群　　　馬	1	－	1	36	19	17	16	12	4	1	－	1	－	－	－
埼　　　玉	3	－	3	53	36	17	64	22	42	－	－	－	－	－	－
千　　　葉	7	－	7	29	20	9	31	18	13	－	－	－	－	－	－
東　　　京	－	－	－	357	295	62	220	168	52	－	－	－	－	－	－
神　奈　川	－	－	－	36	31	5	2	2	－	－	－	－	－	－	－
新　　　潟	－	－	－	37	21	16	6	4	2	－	－	－	1	－	1
富　　　山	－	－	－	21	14	7	15	2	13	1	－	1	－	－	－
石　　　川	2	－	2	49	34	15	21	7	14	3	－	3	－	－	－
福　　　井	4	－	4	71	29	42	31	24	7	2	1	1	－	－	－
山　　　梨	1	－	1	43	40	3	19	15	4	－	－	－	－	－	－
長　　　野	1	－	1	92	66	26	51	17	34	－	－	－	－	－	－
岐　　　阜	4	－	4	47	22	25	26	5	21	－	－	－	－	－	－
静　　　岡	3	－	3	17	9	8	5	3	2	－	－	－	－	－	－
愛　　　知	－	－	－	136	101	35	138	96	42	1	－	1	－	－	－
三　　　重	3	－	3	27	20	7	14	11	3	1	－	1	－	－	－
滋　　　賀	－	－	－	22	19	3	5	1	4	－	－	－	1	－	1
京　　　都	2	－	2	34	33	1	11	11	－	－	－	－	－	－	－
大　　　阪	1	－	1	17	14	3	15	11	4	1	－	1	－	－	－
兵　　　庫	4	－	4	34	27	7	7	2	5	1	1	－	－	－	－
奈　　　良	2	－	2	20	18	2	11	11	－	－	－	－	－	－	－
和　歌　山	－	－	－	62	62	－	4	3	1	－	－	－	－	－	－
鳥　　　取	3	－	3	38	25	13	8	5	3	－	－	－	－	－	－
島　　　根	－	－	－	7	1	6	2	－	2	－	－	－	－	－	－
岡　　　山	－	－	－	18	16	2	－	－	－	－	－	－	－	－	－
広　　　島	1	－	1	17	15	2	6	2	4	－	－	－	－	－	－
山　　　口	4	－	4	32	15	17	3	－	3	－	－	－	－	－	－
徳　　　島	1	－	1	55	29	26	－	－	－	－	－	－	－	－	－
香　　　川	1	－	1	38	31	7	4	1	3	1	－	1	－	－	－
愛　　　媛	1	－	1	29	24	5	7	3	4	1	－	1	－	－	－
高　　　知	2	－	2	17	12	5	4	3	1	－	－	－	－	－	－
福　　　岡	1	－	1	25	18	7	23	19	4	－	－	－	－	－	－
佐　　　賀	1	－	1	9	5	4	9	6	3	－	－	－	－	－	－
長　　　崎	1	－	1	19	14	5	1	－	1	－	－	－	－	－	－
熊　　　本	1	－	1	22	18	4	9	6	3	－	－	－	－	－	－
大　　　分	2	－	2	28	13	15	－	－	－	－	－	－	－	－	－
宮　　　崎	－	－	－	46	24	22	5	－	5	－	－	－	－	－	－
鹿　児　島	1	－	1	16	8	8	6	－	6	－	－	－	－	－	－
沖　　　縄	2	－	2	37	31	6	26	23	3	－	－	－	－	－	－

平成29年10月 1日

| 指定都市 中核市 | 児童福祉施設等 |||||||||||||||
| | 児童家庭支援センター ||| 小型児童館 ||| 児童センター ||| 大型児童館A型 ||| 大型児童館B型 |||
	総数	公営	私営	総数	公営	私営	総数	公営	私営	総数	公営	私営	総数	公営	私営
指定都市（別掲）															
札幌市	4	－	4	2	－	2	103	－	103	－	－	－	－	－	－
仙台市	－	－	－	81	－	81	17	－	17	－	－	－	－	－	－
さいたま市	－	－	－	2	－	2	16	－	16	－	－	－	－	－	－
千葉市	3	－	3	－	－	－	－	－	－	－	－	－	－	－	－
横浜市	9	－	9	－	－	－	－	－	－	－	－	－	－	－	－
川崎市	3	－	3	58	－	58	－	－	－	－	－	－	－	－	－
相模原市	－	－	－	23	23	－	24	24	－	－	－	－	－	－	－
新潟市	－	－	－	8	1	7	5	1	4	－	－	－	－	－	－
静岡市	－	－	－	5	－	5	6	－	6	－	－	－	－	－	－
浜松市	1	－	1	4	3	1	－	－	－	－	－	－	－	－	－
名古屋市	1	－	1	－	－	－	17	－	17	－	－	－	－	－	－
京都市	－	－	－	124	－	124	7	－	7	－	－	－	－	－	－
大阪市	1	－	1	4	－	4	2	－	2	－	－	－	－	－	－
堺市	1	－	1	－	－	－	－	－	－	－	－	－	－	－	－
神戸市	2	－	2	35	－	35	88	1	87	－	－	－	－	－	－
岡山市	－	－	－	21	6	15	3	3	－	－	－	－	－	－	－
広島市	－	－	－	27	27	－	85	84	1	－	－	－	－	－	－
北九州市	1	－	1	－	－	－	40	－	40	－	－	－	－	－	－
福岡市	2	－	2	1	－	1	－	－	－	－	－	－	－	－	－
熊本市	－	－	－	3	2	1	9	8	1	－	－	－	－	－	－
中核市（別掲）															
旭川市	－	－	－	－	－	－	6	－	6	－	－	－	－	－	－
函館市	1	－	1	11	10	1	12	10	2	－	－	－	－	－	－
青森市	－	－	－	16	－	16	1	－	1	－	－	－	－	－	－
八戸市	－	－	－	6	－	6	9	－	9	－	－	－	－	－	－
盛岡市	－	－	－	6	－	6	33	－	33	－	－	－	－	－	－
秋田市	－	－	－	15	15	－	19	19	－	－	－	－	－	－	－
郡山市	－	－	－	－	－	－	1	－	1	－	－	－	－	－	－
いわき市	－	－	－	1	－	1	1	－	1	－	－	－	－	－	－
宇都宮市	－	－	－	2	2	－	1	1	－	－	－	－	－	－	－
前橋市	－	－	－	4	3	1	3	2	1	－	－	－	－	－	－
高崎市	1	－	1	5	－	5	2	－	2	－	－	－	－	－	－
川越市	－	－	－	1	1	－	2	2	－	－	－	－	－	－	－
越谷市	－	－	－	－	－	－	2	2	－	－	－	－	－	－	－
船橋市	－	－	－	－	－	－	20	20	－	－	－	－	－	－	－
柏市	－	－	－	2	2	－	－	－	－	－	－	－	－	－	－
八王子市	－	－	－	12	12	－	－	－	－	－	－	－	－	－	－
横須賀市	－	－	－	－	－	－	9	－	9	－	－	－	－	－	－
富山市	－	－	－	3	－	3	9	－	9	－	－	－	－	－	－
金沢市	1	－	1	7	7	－	25	24	1	－	－	－	－	－	－
長野市	－	－	－	8	－	8	34	－	34	－	－	－	－	－	－
岐阜市	1	－	1	3	－	3	10	－	10	－	－	－	－	－	－
豊橋市	－	－	－	－	－	－	1	－	1	－	－	－	－	－	－
豊田市	－	－	－	－	－	－	－	－	－	－	－	－	－	－	－
岡崎市	－	－	－	－	－	－	－	－	－	－	－	－	－	－	－
大津市	1	－	1	7	7	－	－	－	－	－	－	－	－	－	－
高槻市	－	－	－	1	1	－	－	－	－	－	－	－	－	－	－
東大阪市	－	－	－	2	2	－	1	1	－	－	－	－	－	－	－
豊中市	－	－	－	－	－	－	－	－	－	－	－	－	－	－	－
枚方市	－	－	－	－	－	－	－	－	－	－	－	－	－	－	－
姫路市	1	－	1	1	1	－	9	－	9	－	－	－	1	－	1
西宮市	－	－	－	5	4	1	4	4	－	－	－	－	－	－	－
尼崎市	1	－	1	－	－	－	1	－	1	－	－	－	－	－	－
奈良市	1	－	1	4	4	－	7	7	－	－	－	－	－	－	－
和歌山市	－	－	－	5	－	5	1	－	1	－	－	－	－	－	－
倉敷市	－	－	－	5	－	5	1	－	1	－	－	－	－	－	－
福山市	－	－	－	－	－	－	1	－	1	－	－	－	－	－	－
呉市	1	－	1	4	－	4	－	－	－	－	－	－	－	－	－
下関市	1	－	1	4	4	－	2	－	2	－	－	－	－	－	－
高松市	－	－	－	11	9	2	3	－	3	－	－	－	－	－	－
松山市	－	－	－	6	－	6	3	－	3	－	－	－	－	－	－
高知市	1	－	1	2	2	－	7	7	－	－	－	－	－	－	－
久留米市	－	－	－	－	－	－	1	－	1	－	－	－	－	－	－
長崎市	－	－	－	3	3	－	1	1	－	－	－	－	－	－	－
佐世保市	－	－	－	－	－	－	9	－	9	－	－	－	－	－	－
大分市	－	－	－	1	1	－	9	－	9	－	－	－	－	－	－
宮崎市	－	－	－	9	－	9	8	－	8	－	－	－	－	－	－
鹿児島市	－	－	－	14	1	13	37	－	37	－	－	－	－	－	－
那覇市	－	－	－	4	1	3	7	－	7	－	－	－	－	－	－

第1表　【基本票】社会福祉施設等数，国－都道府県

| 国 都道府県 | 児童福祉施設等 | | | | | | | | | 母子・父子福祉施設 | | | | | | | | |
| | 大型児童館C型 | | | その他の児童館 | | | 児童遊園 | | | 総数 | | | 母子・父子福祉センター | | | 母子・父子休養ホーム | | |
	総数	公営	私営	総数	公営	私営	総数	公営	私営	総数	公営	私営	総数	公営	私営	総数	公営	私営
全　　国	-	-	-	115	76	39	2 380	2 328	52	56	8	48	54	7	47	2	1	1
国	-	-	-	-	-	-	-	-	-	-	-	-	-	-	-	-	-	-
北　海　道	-	-	-	5	5	-	5	4	1	1	-	1	1	-	1	-	-	-
青　　森	-	-	-	-	-	-	3	3	-	-	-	-	-	-	-	-	-	-
岩　　手	-	-	-	-	-	-	46	46	-	-	-	-	-	-	-	-	-	-
宮　　城	-	-	-	5	4	1	144	144	-	1	-	1	1	-	1	-	-	-
秋　　田	-	-	-	-	-	-	2	2	-	-	-	-	-	-	-	-	-	-
山　　形	-	-	-	-	-	-	83	82	1	1	-	1	1	-	1	-	-	-
福　　島	-	-	-	3	2	1	5	5	-	-	-	-	-	-	-	-	-	-
茨　　城	-	-	-	1	1	-	6	6	-	1	-	1	1	-	1	-	-	-
栃　　木	-	-	-	-	-	-	8	8	-	-	-	-	-	-	-	-	-	-
群　　馬	-	-	-	-	-	-	1	1	-	-	-	-	-	-	-	-	-	-
埼　　玉	-	-	-	-	-	-	9	9	-	4	4	-	4	4	-	-	-	-
千　　葉	-	-	-	2	1	1	371	359	12	1	1	-	1	1	-	-	-	-
東　　京	-	-	-	-	-	-	84	84	-	-	-	-	-	-	-	-	-	-
神　奈　川	-	-	-	29	29	-	4	4	-	-	-	-	-	-	-	-	-	-
新　　潟	-	-	-	23	1	22	106	106	-	-	-	-	-	-	-	-	-	-
富　　山	-	-	-	-	-	-	6	6	-	-	-	-	-	-	-	-	-	-
石　　川	-	-	-	-	-	-	2	2	-	1	-	1	1	-	1	-	-	-
福　　井	-	-	-	6	6	-	2	2	-	1	-	1	1	-	1	-	-	-
山　　梨	-	-	-	8	8	-	-	-	-	1	-	1	1	-	1	-	-	-
長　　野	-	-	-	2	1	1	45	45	-	-	-	-	-	-	-	-	-	-
岐　　阜	-	-	-	1	1	-	10	10	-	3	-	3	3	-	3	-	-	-
静　　岡	-	-	-	-	-	-	34	29	5	-	-	-	-	-	-	-	-	-
愛　　知	-	-	-	-	-	-	608	605	3	4	-	4	4	-	4	-	-	-
三　　重	-	-	-	-	-	-	10	10	-	1	-	1	1	-	1	-	-	-
滋　　賀	-	-	-	-	-	-	29	28	1	1	-	1	1	-	1	-	-	-
京　　都	-	-	-	1	-	1	-	-	-	-	-	-	-	-	-	-	-	-
大　　阪	-	-	-	-	-	-	-	-	-	-	-	-	-	-	-	-	-	-
兵　　庫	-	-	-	-	-	-	-	-	-	4	1	3	4	1	3	-	-	-
奈　　良	-	-	-	-	-	-	3	2	1	-	-	-	-	-	-	-	-	-
和　歌　山	-	-	-	-	-	-	-	-	-	-	-	-	-	-	-	-	-	-
鳥　　取	-	-	-	-	-	-	10	10	-	-	-	-	-	-	-	-	-	-
島　　根	-	-	-	-	-	-	8	7	1	2	-	2	2	-	2	-	-	-
岡　　山	-	-	-	1	1	-	3	3	-	-	-	-	-	-	-	-	-	-
広　　島	-	-	-	-	-	-	3	2	1	1	-	1	1	-	1	-	-	-
山　　口	-	-	-	-	-	-	104	104	-	1	-	1	1	-	1	-	-	-
徳　　島	-	-	-	-	-	-	5	5	-	-	-	-	-	-	-	-	-	-
香　　川	-	-	-	-	-	-	2	2	-	-	-	-	-	-	-	-	-	-
愛　　媛	-	-	-	-	-	-	1	-	1	-	-	-	-	-	-	-	-	-
高　　知	-	-	-	-	-	-	23	23	-	-	-	-	-	-	-	-	-	-
福　　岡	-	-	-	1	1	-	124	124	-	1	-	1	1	-	1	-	-	-
佐　　賀	-	-	-	-	-	-	8	8	-	1	-	1	1	-	1	-	-	-
長　　崎	-	-	-	4	4	-	42	42	-	-	-	-	-	-	-	-	-	-
熊　　本	-	-	-	-	-	-	5	5	-	-	-	-	-	-	-	-	-	-
大　　分	-	-	-	6	2	4	-	-	-	1	-	1	1	-	1	-	-	-
宮　　崎	-	-	-	-	-	-	98	98	-	-	-	-	-	-	-	-	-	-
鹿　児　島	-	-	-	-	-	-	7	6	1	-	-	-	-	-	-	-	-	-
沖　　縄	-	-	-	-	-	-	-	-	-	-	-	-	-	-	-	-	-	-

－指定都市－中核市、施設の種類・経営主体の公営－私営別

指定都市 / 中核市	大型児童館C型 総数	大型児童館C型 公営	大型児童館C型 私営	その他の児童館 総数	その他の児童館 公営	その他の児童館 私営	児童遊園 総数	児童遊園 公営	児童遊園 私営	母子・父子福祉施設 総数	母子・父子福祉施設 公営	母子・父子福祉施設 私営	福祉センター 総数	福祉センター 公営	福祉センター 私営	休養ホーム 総数	休養ホーム 公営	休養ホーム 私営
指定都市（別掲）																		
札幌市	-	-	-	-	-	-	12	12	-	2	-	2	2	-	2	-	-	-
仙台市	-	-	-	-	-	-	23	5	18	-	-	-	-	-	-	-	-	-
さいたま市	-	-	-	-	-	-	3	2	1	-	-	-	-	-	-	-	-	-
千葉市	-	-	-	-	-	-	-	-	-	-	-	-	-	-	-	-	-	-
横浜市	-	-	-	-	-	-	-	-	-	-	-	-	-	-	-	-	-	-
川崎市	-	-	-	-	-	-	-	-	-	1	-	1	1	-	1	-	-	-
相模原市	-	-	-	-	-	-	-	-	-	-	-	-	-	-	-	-	-	-
新潟市	-	-	-	-	-	-	6	6	-	-	-	-	-	-	-	-	-	-
静岡市	-	-	-	-	-	-	-	-	-	-	-	-	-	-	-	-	-	-
浜松市	-	-	-	-	-	-	-	-	-	-	-	-	-	-	-	-	-	-
名古屋市	-	-	-	-	-	-	-	-	-	-	-	-	-	-	-	-	-	-
京都市	-	-	-	1	-	1	1	-	1	1	-	1	1	-	1	-	-	-
大阪市	-	-	-	2	-	2	-	-	-	2	-	2	2	-	2	-	-	-
堺市	-	-	-	-	-	-	-	-	-	-	-	-	-	-	-	-	-	-
神戸市	-	-	-	-	-	-	2	2	-	1	-	1	1	-	1	-	-	-
岡山市	-	-	-	1	-	1	4	4	-	-	-	-	-	-	-	-	-	-
広島市	-	-	-	3	1	2	-	-	-	-	-	-	-	-	-	-	-	-
北九州市	-	-	-	-	-	-	-	-	-	1	-	1	1	-	1	-	-	-
福岡市	-	-	-	-	-	-	-	-	-	1	-	1	1	-	1	-	-	-
熊本市	-	-	-	-	-	-	3	2	1	2	-	2	2	-	2	-	-	-
中核市（別掲）																		
旭川市	-	-	-	-	-	-	-	-	-	-	-	-	-	-	-	-	-	-
函館市	-	-	-	4	4	-	-	-	-	1	-	1	1	-	1	-	-	-
青森市	-	-	-	-	-	-	37	37	-	-	-	-	-	-	-	-	-	-
八戸市	-	-	-	-	-	-	-	-	-	-	-	-	-	-	-	-	-	-
盛岡市	-	-	-	1	-	1	3	3	-	-	-	-	-	-	-	-	-	-
秋田市	-	-	-	-	-	-	-	-	-	1	-	1	1	-	1	-	-	-
郡山市	-	-	-	-	-	-	6	5	1	-	-	-	-	-	-	-	-	-
いわき市	-	-	-	-	-	-	1	1	-	-	-	-	-	-	-	-	-	-
宇都宮市	-	-	-	-	-	-	1	-	1	-	-	-	-	-	-	-	-	-
前橋市	-	-	-	-	-	-	-	-	-	-	-	-	-	-	-	-	-	-
高崎市	-	-	-	-	-	-	-	-	-	-	-	-	-	-	-	-	-	-
川越市	-	-	-	-	-	-	-	-	-	-	-	-	-	-	-	-	-	-
越谷市	-	-	-	-	-	-	-	-	-	1	1	-	1	1	-	-	-	-
船橋市	-	-	-	-	-	-	-	-	-	-	-	-	-	-	-	-	-	-
柏市	-	-	-	2	2	-	11	11	-	-	-	-	-	-	-	-	-	-
八王子市	-	-	-	-	-	-	6	6	-	-	-	-	-	-	-	-	-	-
横須賀市	-	-	-	-	-	-	-	-	-	-	-	-	-	-	-	-	-	-
富山市	-	-	-	-	-	-	1	1	-	-	-	-	-	-	-	-	-	-
金沢市	-	-	-	-	-	-	-	-	-	1	1	-	-	-	-	1	1	-
長野市	-	-	-	-	-	-	1	1	-	1	1	-	1	1	-	-	-	-
岐阜市	-	-	-	-	-	-	-	-	-	1	-	1	1	-	1	-	-	-
豊橋市	-	-	-	-	-	-	22	22	-	-	-	-	-	-	-	-	-	-
豊田市	-	-	-	-	-	-	39	39	-	-	-	-	-	-	-	-	-	-
岡崎市	-	-	-	-	-	-	36	36	-	-	-	-	-	-	-	-	-	-
大津市	-	-	-	-	-	-	2	2	-	2	-	2	1	-	1	1	-	1
高槻市	-	-	-	2	2	-	-	-	-	-	-	-	-	-	-	-	-	-
東大阪市	-	-	-	-	-	-	-	-	-	1	-	1	1	-	1	-	-	-
豊中市	-	-	-	-	-	-	-	-	-	-	-	-	-	-	-	-	-	-
枚方市	-	-	-	-	-	-	-	-	-	-	-	-	-	-	-	-	-	-
姫路市	-	-	-	-	-	-	3	3	-	-	-	-	-	-	-	-	-	-
西宮市	-	-	-	-	-	-	-	-	-	1	-	1	1	-	1	-	-	-
尼崎市	-	-	-	-	-	-	-	-	-	-	-	-	-	-	-	-	-	-
奈良市	-	-	-	-	-	-	1	-	1	-	-	-	-	-	-	-	-	-
和歌山市	-	-	-	-	-	-	-	-	-	-	-	-	-	-	-	-	-	-
倉敷市	-	-	-	-	-	-	-	-	-	-	-	-	-	-	-	-	-	-
福山市	-	-	-	-	-	-	-	-	-	-	-	-	-	-	-	-	-	-
呉市	-	-	-	-	-	-	-	-	-	-	-	-	-	-	-	-	-	-
下関市	-	-	-	-	-	-	12	12	-	-	-	-	-	-	-	-	-	-
高松市	-	-	-	-	-	-	-	-	-	-	-	-	-	-	-	-	-	-
松山市	-	-	-	-	-	-	-	-	-	-	-	-	-	-	-	-	-	-
高知市	-	-	-	-	-	-	16	16	-	-	-	-	-	-	-	-	-	-
久留米市	-	-	-	-	-	-	38	38	-	1	-	1	1	-	1	-	-	-
長崎市	-	-	-	1	-	1	-	-	-	-	-	-	-	-	-	-	-	-
佐世保市	-	-	-	-	-	-	-	-	-	-	-	-	-	-	-	-	-	-
大分市	-	-	-	-	-	-	-	-	-	-	-	-	-	-	-	-	-	-
宮崎市	-	-	-	-	-	-	14	14	-	-	-	-	-	-	-	-	-	-
鹿児島市	-	-	-	-	-	-	6	6	-	1	-	1	1	-	1	-	-	-
那覇市	-	-	-	-	-	-	1	1	-	2	-	2	2	-	2	-	-	-

第1表　【基本票】社会福祉施設等数，国－都道府県

国都道府県	その他の社会福祉施設等														
	総数			授産施設			宿所提供施設			盲人ホーム			無料低額診療施設		
	総数	公営	私営	総数	公営	私営	総数	公営	私営	総数	公営	私営	総数	公営	私営
全国	21 016	1 094	19 922	66	30	36	366	3	363	19	-	19	586	-	586
国	-	-	-	-	-	-	-	-	-	-	-	-	-	-	-
北海道	680	175	505	3	-	3	-	-	-	-	-	-	22	-	22
青森	255	-	255	-	-	-	-	-	-	-	-	-	-	-	-
岩手	151	-	151	-	-	-	-	-	-	-	-	-	4	-	4
宮城	154	-	154	-	-	-	-	-	-	-	-	-	7	-	7
秋田	113	-	113	1	-	1	-	-	-	-	-	-	-	-	-
山形	243	-	243	-	-	-	2	-	2	-	-	-	6	-	6
福島	134	-	134	2	-	2	-	-	-	-	-	-	5	-	5
茨城	367	6	361	-	-	-	17	-	17	-	-	-	10	-	10
栃木	184	6	178	1	-	1	-	-	-	-	-	-	3	-	3
群馬	328	6	322	-	-	-	1	-	1	-	-	-	8	-	8
埼玉	647	7	640	-	-	-	-	-	-	1	-	1	21	-	21
千葉	458	6	452	-	-	-	-	-	-	-	-	-	13	-	13
東京	1 255	2	1 253	11	-	11	165	-	165	4	-	4	51	-	51
神奈川	478	1	477	-	-	-	53	-	53	-	-	-	10	-	10
新潟	127	1	126	-	-	-	-	-	-	-	-	-	1	-	1
富山	83	-	83	-	-	-	-	-	-	-	-	-	-	-	-
石川	74	1	73	-	-	-	-	-	-	-	-	-	2	-	2
福井	86	5	81	-	-	-	1	-	1	1	-	1	8	-	8
山梨	106	-	106	-	-	-	-	-	-	1	-	1	13	-	13
長野	331	48	283	35	28	7	1	1	-	1	-	1	6	-	6
岐阜	183	5	178	-	-	-	-	-	-	-	-	-	1	-	1
静岡	240	12	228	-	-	-	5	-	5	-	-	-	5	-	5
愛知	483	5	478	-	-	-	-	-	-	1	-	1	-	-	-
三重	397	38	359	-	-	-	-	-	-	1	-	1	-	-	-
滋賀	104	23	81	-	-	-	-	-	-	-	-	-	5	-	5
京都	94	36	58	-	-	-	-	-	-	-	-	-	9	-	9
大阪	611	16	595	-	-	-	3	-	3	-	-	-	16	-	16
兵庫	206	57	149	-	-	-	-	-	-	-	-	-	-	-	-
奈良	129	33	96	-	-	-	-	-	-	-	-	-	8	-	8
和歌山	138	43	95	-	-	-	-	-	-	-	-	-	1	-	1
鳥取	150	37	113	-	-	-	-	-	-	1	-	1	1	-	1
島根	136	10	126	-	-	-	-	-	-	-	-	-	4	-	4
岡山	120	30	90	-	-	-	-	-	-	-	-	-	-	-	-
広島	125	23	102	-	-	-	-	-	-	-	-	-	1	-	1
山口	321	24	297	-	-	-	3	-	3	-	-	-	6	-	6
徳島	166	43	123	-	-	-	-	-	-	-	-	-	4	-	4
香川	101	22	79	-	-	-	-	-	-	-	-	-	-	-	-
愛媛	208	32	176	-	-	-	-	-	-	-	-	-	10	-	10
高知	73	38	35	-	-	-	-	-	-	-	-	-	-	-	-
福岡	576	54	522	1	-	1	1	-	1	-	-	-	6	-	6
佐賀	225	6	219	1	1	-	-	-	-	-	-	-	-	-	-
長崎	202	56	146	-	-	-	-	-	-	-	-	-	4	-	4
熊本	338	17	321	-	-	-	-	-	-	-	-	-	5	-	5
大分	241	9	232	1	-	1	1	-	1	-	-	-	1	-	1
宮崎	286	-	286	-	-	-	-	-	-	1	-	1	2	-	2
鹿児島	230	-	230	-	-	-	-	-	-	-	-	-	-	-	-
沖縄	392	-	392	-	-	-	-	-	-	-	-	-	3	-	3

－指定都市－中核市、施設の種類・経営主体の公営－私営別

その他の社会福祉施設等

指定都市 中核市	総数			授産施設			宿所提供施設			盲人ホーム			無料低額診療施設		
	総数	公営	私営	総数	公営	私営	総数	公営	私営	総数	公営	私営	総数	公営	私営
指定都市（別掲）															
札幌市	425	1	424	－	－	－	－	－	－	－	－	－	18	－	18
仙台市	124	－	124	－	－	－	－	－	－	－	－	－	3	－	3
さいたま市	195	－	195	－	－	－	－	－	－	1	－	1	1	－	1
千葉市	181	－	181	－	－	－	32	－	32	－	－	－	6	－	6
横浜市	381	－	381	－	－	－	43	－	43	－	－	－	20	－	20
川崎市	194	－	194	－	－	－	－	－	－	－	－	－	－	－	－
相模原市	86	－	86	－	－	－	－	－	－	－	－	－	2	－	2
新潟市	100	－	100	－	－	－	－	－	－	－	－	－	9	－	9
静岡市	78	－	78	－	－	－	－	－	－	1	－	1	3	－	3
浜松市	86	4	82	－	－	－	5	－	5	－	－	－	3	－	3
名古屋市	453	2	451	－	－	－	－	－	－	－	－	－	4	－	4
京都市	184	－	184	－	－	－	3	－	3	1	－	1	34	－	34
大阪市	527	－	527	－	－	－	8	－	8	1	－	1	43	－	43
堺市	155	1	154	－	－	－	－	－	－	－	－	－	6	－	6
神戸市	163	2	161	－	－	－	2	2	－	－	－	－	3	－	3
岡山市	158	10	148	－	－	－	－	－	－	－	－	－	13	－	13
広島市	143	2	141	－	－	－	－	－	－	－	－	－	7	－	7
北九州市	206	9	197	－	－	－	1	－	1	－	－	－	11	－	11
福岡市	274	11	263	－	－	－	－	－	－	－	－	－	8	－	8
熊本市	199	2	197	1	－	1	－	－	－	－	－	－	5	－	5
中核市（別掲）															
旭川市	264	2	262	－	－	－	－	－	－	－	－	－	2	－	2
函館市	103	－	103	－	－	－	－	－	－	－	－	－	4	－	4
青森市	125	－	125	－	－	－	－	－	－	－	－	－	6	－	6
八戸市	53	－	53	－	－	－	－	－	－	－	－	－	－	－	－
盛岡市	101	－	101	－	－	－	－	－	－	－	－	－	1	－	1
秋田市	45	－	45	－	－	－	－	－	－	－	－	－	－	－	－
郡山市	42	－	42	－	－	－	－	－	－	－	－	－	－	－	－
いわき市	67	－	67	－	－	－	－	－	－	－	－	－	3	－	3
宇都宮市	45	－	45	－	－	－	－	－	－	－	－	－	5	－	5
前橋市	115	1	114	－	－	－	－	－	－	－	－	－	－	－	－
高崎市	106	4	102	－	－	－	－	－	－	－	－	－	3	－	3
川越市	30	－	30	－	－	－	3	－	3	－	－	－	－	－	－
越谷市	39	－	39	－	－	－	4	－	4	－	－	－	3	－	3
船橋市	71	－	71	－	－	－	2	－	2	－	－	－	－	－	－
柏市	54	－	54	1	－	1	－	－	－	－	－	－	－	－	－
八王子市	65	－	65	－	－	－	6	－	6	－	－	－	1	－	1
横須賀市	51	－	51	－	－	－	－	－	－	－	－	－	5	－	5
富山市	74	－	74	－	－	－	－	－	－	1	－	1	4	－	4
金沢市	98	－	98	－	－	－	－	－	－	－	－	－	5	－	5
長野市	85	5	80	6	1	5	－	－	－	－	－	－	2	－	2
岐阜市	77	1	76	－	－	－	－	－	－	1	－	1	－	－	－
豊橋市	27	－	27	－	－	－	－	－	－	－	－	－	－	－	－
豊田市	28	－	28	－	－	－	－	－	－	－	－	－	－	－	－
岡崎市	31	－	31	－	－	－	－	－	－	－	－	－	－	－	－
大津市	37	－	37	－	－	－	－	－	－	－	－	－	3	－	3
高槻市	29	2	27	－	－	－	－	－	－	－	－	－	6	－	6
東大阪市	121	2	119	－	－	－	1	－	1	－	－	－	1	－	1
豊中市	73	2	71	－	－	－	－	－	－	－	－	－	－	－	－
枚方市	71	－	71	－	－	－	－	－	－	－	－	－	－	－	－
姫路市	76	17	59	－	－	－	－	－	－	－	－	－	－	－	－
西宮市	57	1	56	－	－	－	－	－	－	1	－	1	－	－	－
尼崎市	58	－	58	－	－	－	－	－	－	－	－	－	－	－	－
奈良市	76	4	72	－	－	－	－	－	－	－	－	－	10	－	10
和歌山市	166	12	154	－	－	－	－	－	－	－	－	－	6	－	6
倉敷市	81	5	76	1	－	1	－	－	－	－	－	－	－	－	－
福山市	119	18	101	－	－	－	－	－	－	－	－	－	－	－	－
呉市	28	8	20	－	－	－	－	－	－	－	－	－	－	－	－
下関市	88	1	87	－	－	－	2	－	2	－	－	－	3	－	3
高松市	115	6	109	－	－	－	1	－	1	－	－	－	3	－	3
松山市	73	10	63	－	－	－	－	－	－	－	－	－	－	－	－
高知市	61	13	48	－	－	－	－	－	－	－	－	－	2	－	2
久留米市	68	1	67	－	－	－	－	－	－	－	－	－	－	－	－
長崎市	78	－	78	－	－	－	－	－	－	－	－	－	7	－	7
佐世保市	68	－	68	1	－	1	－	－	－	－	－	－	－	－	－
大分市	163	－	163	－	－	－	－	－	－	－	－	－	－	－	－
宮崎市	195	－	195	－	－	－	－	－	－	－	－	－	6	－	6
鹿児島市	183	2	181	－	－	－	－	－	－	－	－	－	5	－	5
那覇市	95	－	95	－	－	－	－	－	－	－	－	－	3	－	3

－指定都市－中核市、施設の種類・経営主体の公営－私営別

第1表 【基本票】社会福祉施設等数, 国－都道府県

国 都 道 府 県	その他の社会福祉施設等											
	隣　　保　　館			へき地保健福祉館			有料老人ホーム (サービス付き高齢者向け住宅以外)			有料老人ホーム (サービス付き高齢者向け住宅であるもの)		
	総　数	公　営	私　営	総　数	公　営	私　営	総　　数	公　営	私　営	総　　数	公　営	私　営
全　　　　国	1 071	1 025	46	32	32	－	13 525	1	13 524	5 351	3	5 348
国	－	－	－	－	－	－	－	－	－	－	－	－
北　海　道	159	158	1	16	16	－	312	－	312	168	1	167
青　　森	－	－	－	－	－	－	254	－	254	1	－	1
岩　　手	－	－	－	－	－	－	94	－	94	53	－	53
宮　　城	－	－	－	－	－	－	76	－	76	71	－	71
秋　　田	－	－	－	－	－	－	72	－	72	40	－	40
山　　形	－	－	－	－	－	－	233	－	233	2	－	2
福　　島	－	－	－	－	－	－	75	－	75	52	－	52
茨　　城	6	6	－	－	－	－	145	－	145	189	－	189
栃　　木	6	6	－	－	－	－	81	－	81	93	－	93
群　　馬	6	6	－	－	－	－	223	－	223	90	－	90
埼　　玉	7	7	－	－	－	－	364	－	364	254	－	254
千　　葉	6	6	－	－	－	－	437	－	437	2	－	2
東　　京	－	－	－	－	－	－	758	1	757	266	1	265
神　奈　川	1	1	－	－	－	－	293	－	293	121	－	121
新　　潟	1	1	－	－	－	－	66	－	66	59	－	59
富　　山	－	－	－	－	－	－	44	－	44	39	－	39
石　　川	－	－	－	－	－	－	46	－	46	26	1	25
福　　井	5	5	－	－	－	－	22	－	22	49	－	49
山　　梨	－	－	－	－	－	－	36	－	36	56	－	56
長　　野	19	19	－	－	－	－	189	－	189	80	－	80
岐　　阜	5	5	－	－	－	－	115	－	115	62	－	62
静　　岡	12	12	－	－	－	－	152	－	152	66	－	66
愛　　知	4	4	－	1	1	－	352	－	352	125	－	125
三　　重	38	38	－	－	－	－	183	－	183	175	－	175
滋　　賀	27	23	4	－	－	－	16	－	16	56	－	56
京　　都	36	36	－	－	－	－	17	－	17	32	－	32
大　　阪	23	16	7	－	－	－	324	－	324	245	－	245
兵　　庫	57	57	－	－	－	－	54	－	54	95	－	95
奈　　良	36	33	3	－	－	－	54	－	54	31	－	31
和　歌　山	43	43	－	－	－	－	49	－	49	45	－	45
鳥　　取	37	37	－	－	－	－	70	－	70	41	－	41
島　　根	10	10	－	－	－	－	81	－	81	41	－	41
岡　　山	30	30	－	－	－	－	65	－	65	25	－	25
広　　島	26	23	3	－	－	－	55	－	55	43	－	43
山　　口	22	22	－	2	2	－	181	－	181	107	－	107
徳　　島	43	43	－	－	－	－	51	－	51	68	－	68
香　　川	22	22	－	－	－	－	50	－	50	29	－	29
愛　　媛	32	32	－	－	－	－	166	－	166	－	－	－
高　　知	38	38	－	－	－	－	24	－	24	11	－	11
福　　岡	54	53	1	1	1	－	418	－	418	95	－	95
佐　　賀	5	5	－	－	－	－	198	－	198	21	－	21
長　　崎	46	46	－	10	10	－	90	－	90	52	－	52
熊　　本	17	17	－	－	－	－	271	－	271	45	－	45
大　　分	9	9	－	－	－	－	193	－	193	36	－	36
宮　　崎	－	－	－	－	－	－	261	－	261	22	－	22
鹿　児　島	－	－	－	－	－	－	181	－	181	49	－	49
沖　　縄	－	－	－	－	－	－	330	－	330	59	－	59

平成29年10月 1 日

指定都市 中核市	隣保館 総数	公営	私営	へき地保健福祉館 総数	公営	私営	有料老人ホーム（サービス付き高齢者向け住宅以外）総数	公営	私営	有料老人ホーム（サービス付き高齢者向け住宅であるもの）総数	公営	私営
指定都市（別掲）												
札幌市	1	1	－	－	－	－	226	－	226	180	－	180
仙台市	－	－	－	－	－	－	75	－	75	46	－	46
さいたま市	－	－	－	－	－	－	163	－	163	30	－	30
千葉市	－	－	－	－	－	－	98	－	98	45	－	45
横浜市	1	－	1	－	－	－	248	－	248	69	－	69
川崎市	－	－	－	－	－	－	163	－	163	31	－	31
相模原市	－	－	－	－	－	－	84	－	84	－	－	－
新潟市	－	－	－	－	－	－	59	－	59	32	－	32
静岡市	－	－	－	－	－	－	71	－	71	3	－	3
浜松市	4	4	－	－	－	－	38	－	38	36	－	36
名古屋市	2	2	－	－	－	－	350	－	350	97	－	97
京都市	－	－	－	－	－	－	58	－	58	88	－	88
大阪市	8	－	8	－	－	－	334	－	334	133	－	133
堺市	1	1	－	－	－	－	91	－	91	57	－	57
神戸市	1	－	1	－	－	－	79	－	79	78	－	78
岡山市	10	10	－	－	－	－	79	－	79	56	－	56
広島市	2	2	－	－	－	－	54	－	54	80	－	80
北九州市	9	9	－	－	－	－	184	－	184	1	－	1
福岡市	10	10	－	1	1	－	192	－	192	63	－	63
熊本市	2	2	－	－	－	－	182	－	182	9	－	9
中核市（別掲）												
旭川市	2	2	－	－	－	－	243	－	243	17	－	17
函館市	－	－	－	－	－	－	63	－	63	36	－	36
青森市	－	－	－	－	－	－	119	－	119	－	－	－
八戸市	－	－	－	－	－	－	53	－	53	－	－	－
盛岡市	－	－	－	－	－	－	74	－	74	26	－	26
秋田市	－	－	－	－	－	－	20	－	20	25	－	25
郡山市	－	－	－	－	－	－	11	－	11	31	－	31
いわき市	－	－	－	－	－	－	52	－	52	15	－	15
宇都宮市	－	－	－	－	－	－	12	－	12	30	－	30
前橋市	1	1	－	－	－	－	109	－	109	－	－	－
高崎市	4	4	－	－	－	－	99	－	99	－	－	－
川越市	－	－	－	－	－	－	13	－	13	14	－	14
越谷市	－	－	－	－	－	－	34	－	34	1	－	1
船橋市	－	－	－	－	－	－	49	－	49	17	－	17
柏市	－	－	－	－	－	－	53	－	53	－	－	－
八王子市	－	－	－	－	－	－	37	－	37	21	－	21
横須賀市	1	－	1	－	－	－	45	－	45	－	－	－
富山市	－	－	－	－	－	－	33	－	33	36	－	36
金沢市	10	－	10	－	－	－	83	－	83	－	－	－
長野市	4	4	－	－	－	－	48	－	48	25	－	25
岐阜市	1	1	－	－	－	－	75	－	75	－	－	－
豊橋市	－	－	－	－	－	－	21	－	21	6	－	6
豊田市	－	－	－	－	－	－	24	－	24	4	－	4
岡崎市	－	－	－	－	－	－	20	－	20	11	－	11
大津市	－	－	－	－	－	－	17	－	17	17	－	17
高槻市	2	2	－	－	－	－	18	－	18	9	－	9
東大阪市	2	2	－	－	－	－	72	－	72	40	－	40
豊中市	2	2	－	－	－	－	49	－	49	21	－	21
枚方市	－	－	－	－	－	－	71	－	71	－	－	－
姫路市	17	17	－	－	－	－	16	－	16	43	－	43
西宮市	1	1	－	－	－	－	34	－	34	21	－	21
尼崎市	6	－	6	－	－	－	52	－	52	－	－	－
奈良市	4	－	4	－	－	－	41	－	41	21	－	21
和歌山市	12	12	－	－	－	－	91	－	91	57	－	57
倉敷市	5	5	－	－	－	－	54	－	54	21	－	21
福山市	18	18	－	－	－	－	38	－	38	63	－	63
呉市	8	8	－	－	－	－	8	－	8	12	－	12
下関市	－	－	－	1	1	－	62	－	62	20	－	20
高松市	6	6	－	－	－	－	66	－	66	36	－	36
松山市	10	10	－	－	－	－	60	－	60	－	－	－
高知市	13	13	－	－	－	－	30	－	30	16	－	16
久留米市	1	1	－	－	－	－	53	－	53	14	－	14
長崎市	－	－	－	－	－	－	52	－	52	19	－	19
佐世保市	－	－	－	－	－	－	65	－	65	2	－	2
大分市	－	－	－	－	－	－	140	－	140	23	－	23
宮崎市	－	－	－	－	－	－	182	－	182	7	－	7
鹿児島市	2	2	－	－	－	－	138	－	138	38	－	38
那覇市	－	－	－	－	－	－	77	－	77	15	－	15

第2表　【基本票】社会福祉施設等数，

施設の種類／経営主体	総数	公立 総数	国・独立行政法人	都道府県	市区町村	一部事務組合・広域連合	私立 総数	社会福祉法人	医療法人	公益法人・日赤	営利法人（会社）	その他の法人	その他
総数	72 887	21 643	80	496	20 872	195	51 244	24 206	2 197	312	18 334	5 399	796
公営	16 509	16 509	79	230	16 062	138	-	-	-	-	-	-	-
国・独立行政法人	81	81	79	1	1	-	-	-	-	-	-	-	-
都道府県	227	227	-	227	-	-	-	-	-	-	-	-	-
市区町村	16 062	16 062	-	1	16 059	2	-	-	-	-	-	-	-
一部事務組合・広域連合	139	139	-	1	2	136	-	-	-	-	-	-	-
私営	56 378	5 134	1	266	4 810	57	51 244	24 206	2 197	312	18 334	5 399	796
社会福祉法人	27 801	3 595	-	211	3 338	46	24 206	24 206	-	-	-	-	-
医療法人	2 213	17	-	-	17	-	2 196	-	2 196	-	-	-	-
公益法人・日赤	747	435	1	26	408	-	312	-	-	312	-	-	-
営利法人（会社）	18 635	300	-	4	296	-	18 335	-	1	-	18 334	-	-
その他の法人	5 973	574	-	22	542	10	5 399	-	-	-	-	5 399	-
その他	1 009	213	-	3	209	1	796	-	-	-	-	-	796
保護施設	291	60	-	5	36	19	231	231					
公営	22	22	-	1	15	6	-	-	-	-	-	-	-
国・独立行政法人	-	-	-	-	-	-	-	-	-	-	-	-	-
都道府県	1	1	-	1	-	-	-	-	-	-	-	-	-
市区町村	15	15	-	-	15	-	-	-	-	-	-	-	-
一部事務組合・広域連合	6	6	-	-	-	6	-	-	-	-	-	-	-
私営	269	38	-	4	21	13	231	231	-	-	-	-	-
社会福祉法人	269	38	-	4	21	13	231	231	-	-	-	-	-
医療法人	-	-	-	-	-	-	-	-	-	-	-	-	-
公益法人・日赤	-	-	-	-	-	-	-	-	-	-	-	-	-
営利法人（会社）	-	-	-	-	-	-	-	-	-	-	-	-	-
その他の法人	-	-	-	-	-	-	-	-	-	-	-	-	-
その他	-	-	-	-	-	-	-	-	-	-	-	-	-
救護施設	186	33	-	4	23	6	153	153					
公営	14	14	-	-	8	6	-	-	-	-	-	-	-
国・独立行政法人	-	-	-	-	-	-	-	-	-	-	-	-	-
都道府県	-	-	-	-	-	-	-	-	-	-	-	-	-
市区町村	8	8	-	-	8	-	-	-	-	-	-	-	-
一部事務組合・広域連合	6	6	-	-	-	6	-	-	-	-	-	-	-
私営	172	19	-	4	15	-	153	153	-	-	-	-	-
社会福祉法人	172	19	-	4	15	-	153	153	-	-	-	-	-
医療法人	-	-	-	-	-	-	-	-	-	-	-	-	-
公益法人・日赤	-	-	-	-	-	-	-	-	-	-	-	-	-
営利法人（会社）	-	-	-	-	-	-	-	-	-	-	-	-	-
その他の法人	-	-	-	-	-	-	-	-	-	-	-	-	-
その他	-	-	-	-	-	-	-	-	-	-	-	-	-
更生施設	21	15	-	-	7	8	6	6					
公営	2	2	-	-	2	-	-	-	-	-	-	-	-
国・独立行政法人	-	-	-	-	-	-	-	-	-	-	-	-	-
都道府県	-	-	-	-	-	-	-	-	-	-	-	-	-
市区町村	2	2	-	-	2	-	-	-	-	-	-	-	-
一部事務組合・広域連合	-	-	-	-	-	-	-	-	-	-	-	-	-
私営	19	13	-	-	5	8	6	6	-	-	-	-	-
社会福祉法人	19	13	-	-	5	8	6	6	-	-	-	-	-
医療法人	-	-	-	-	-	-	-	-	-	-	-	-	-
公益法人・日赤	-	-	-	-	-	-	-	-	-	-	-	-	-
営利法人（会社）	-	-	-	-	-	-	-	-	-	-	-	-	-
その他の法人	-	-	-	-	-	-	-	-	-	-	-	-	-
その他	-	-	-	-	-	-	-	-	-	-	-	-	-
医療保護施設	59	2	-	-	2	-	57	57					
公営	2	2	-	-	2	-	-	-	-	-	-	-	-
国・独立行政法人	-	-	-	-	-	-	-	-	-	-	-	-	-
都道府県	-	-	-	-	-	-	-	-	-	-	-	-	-
市区町村	2	2	-	-	2	-	-	-	-	-	-	-	-
一部事務組合・広域連合	-	-	-	-	-	-	-	-	-	-	-	-	-
私営	57	-	-	-	-	-	57	57	-	-	-	-	-
社会福祉法人	57	-	-	-	-	-	57	57	-	-	-	-	-
医療法人	-	-	-	-	-	-	-	-	-	-	-	-	-
公益法人・日赤	-	-	-	-	-	-	-	-	-	-	-	-	-
営利法人（会社）	-	-	-	-	-	-	-	-	-	-	-	-	-
その他の法人	-	-	-	-	-	-	-	-	-	-	-	-	-
その他	-	-	-	-	-	-	-	-	-	-	-	-	-

施設の種類／経営主体	総数	公立					私立						
		総数	国・独立行政法人	都道府県	市区町村	一部事務組合・広域連合	総数	社会福祉法人	医療法人	公益法人・日赤	営利法人（会社）	その他の法人	その他
授 産 施 設	15	3	–	–	3	–	12	12	–	–	–	–	–
公　　　　　　　　　　営人	3	3	–	–	3	–	–	–	–	–	–	–	–
国 ・ 独 立 行 政 法 人	–	–	–	–	–	–	–	–	–	–	–	–	–
都 　 道 　 府 　 県	–	–	–	–	–	–	–	–	–	–	–	–	–
市 　 区 　 町 　 村	3	3	–	–	3	–	–	–	–	–	–	–	–
一部事務組合・広域連合	–	–	–	–	–	–	–	–	–	–	–	–	–
私　　　　　　　　　　営	12	–	–	–	–	–	12	12	–	–	–	–	–
社 　 会 　 福 　 祉 法 人	12	–	–	–	–	–	12	12	–	–	–	–	–
医 　 療 　 法 　 人	–	–	–	–	–	–	–	–	–	–	–	–	–
公 　 益 　 法 　 人 ・ 日 赤	–	–	–	–	–	–	–	–	–	–	–	–	–
営 利 法 人 （ 会 社 ）	–	–	–	–	–	–	–	–	–	–	–	–	–
そ 　 の 　 他 　 の 法 人	–	–	–	–	–	–	–	–	–	–	–	–	–
そ 　 　 の 　 　 他	–	–	–	–	–	–	–	–	–	–	–	–	–
宿 所 提 供 施 設	10	7	–	1	1	5	3	3	–	–	–	–	–
公　　　　　　　　　　営人	1	1	–	1	–	–	–	–	–	–	–	–	–
国 ・ 独 立 行 政 法 人	–	–	–	–	–	–	–	–	–	–	–	–	–
都 　 道 　 府 　 県	1	1	–	1	–	–	–	–	–	–	–	–	–
市 　 区 　 町 　 村	–	–	–	–	–	–	–	–	–	–	–	–	–
一部事務組合・広域連合	–	–	–	–	–	–	–	–	–	–	–	–	–
私　　　　　　　　　　営	9	6	–	–	1	5	3	3	–	–	–	–	–
社 　 会 　 福 　 祉 法 人	9	6	–	–	1	5	3	3	–	–	–	–	–
医 　 療 　 法 　 人	–	–	–	–	–	–	–	–	–	–	–	–	–
公 　 益 　 法 　 人 ・ 日 赤	–	–	–	–	–	–	–	–	–	–	–	–	–
営 利 法 人 （ 会 社 ）	–	–	–	–	–	–	–	–	–	–	–	–	–
そ 　 の 　 他 　 の 法 人	–	–	–	–	–	–	–	–	–	–	–	–	–
そ 　 　 の 　 　 他	–	–	–	–	–	–	–	–	–	–	–	–	–
老 人 福 祉 施 設	5 293	2 282	–	5	2 190	87	3 011	2 921	47	1	39	3	–
公　　　　　　　　　　営人	860	860	–	–	785	75	–	–	–	–	–	–	–
国 ・ 独 立 行 政 法 人	–	–	–	–	–	–	–	–	–	–	–	–	–
都 　 道 　 府 　 県	–	–	–	–	–	–	–	–	–	–	–	–	–
市 　 区 　 町 　 村	786	786	–	–	784	2	–	–	–	–	–	–	–
一部事務組合・広域連合	74	74	–	–	1	73	–	–	–	–	–	–	–
私　　　　　　　　　　営	4 433	1 422	–	5	1 405	12	3 011	2 921	47	1	39	3	–
社 　 会 　 福 　 祉 法 人	4 054	1 133	–	5	1 117	11	2 921	2 921	–	–	–	–	–
医 　 療 　 法 　 人	52	5	–	–	5	–	47	–	47	–	–	–	–
公 　 益 　 法 　 人 ・ 日 赤	65	64	–	–	64	–	1	–	–	1	–	–	–
営 利 法 人 （ 会 社 ）	120	81	–	–	81	–	39	–	–	–	39	–	–
そ 　 の 　 他 　 の 法 人	74	71	–	–	71	–	3	–	–	–	–	3	–
そ 　 　 の 　 　 他	68	68	–	–	67	1	–	–	–	–	–	–	–
養 護 老 人 ホ ー ム （ 一 般 ）	907	294	–	2	220	72	613	613	–	–	–	–	–
公　　　　　　　　　　営人	135	135	–	–	71	64	–	–	–	–	–	–	–
国 ・ 独 立 行 政 法 人	–	–	–	–	–	–	–	–	–	–	–	–	–
都 　 道 　 府 　 県	–	–	–	–	–	–	–	–	–	–	–	–	–
市 　 区 　 町 　 村	71	71	–	–	70	1	–	–	–	–	–	–	–
一部事務組合・広域連合	64	64	–	–	1	63	–	–	–	–	–	–	–
私　　　　　　　　　　営	772	159	–	2	149	8	613	613	–	–	–	–	–
社 　 会 　 福 　 祉 法 人	770	157	–	2	147	8	613	613	–	–	–	–	–
医 　 療 　 法 　 人	–	–	–	–	–	–	–	–	–	–	–	–	–
公 　 益 　 法 　 人 ・ 日 赤	1	1	–	–	1	–	–	–	–	–	–	–	–
営 利 法 人 （ 会 社 ）	1	1	–	–	1	–	–	–	–	–	–	–	–
そ 　 の 　 他 　 の 法 人	–	–	–	–	–	–	–	–	–	–	–	–	–
そ 　 　 の 　 　 他	–	–	–	–	–	–	–	–	–	–	–	–	–
養 護 老 人 ホ ー ム （ 盲 ）	52	1	–	1	–	–	51	51	–	–	–	–	–
公　　　　　　　　　　営人	–	–	–	–	–	–	–	–	–	–	–	–	–
国 ・ 独 立 行 政 法 人	–	–	–	–	–	–	–	–	–	–	–	–	–
都 　 道 　 府 　 県	–	–	–	–	–	–	–	–	–	–	–	–	–
市 　 区 　 町 　 村	–	–	–	–	–	–	–	–	–	–	–	–	–
一部事務組合・広域連合	–	–	–	–	–	–	–	–	–	–	–	–	–
私　　　　　　　　　　営	52	1	–	1	–	–	51	51	–	–	–	–	–
社 　 会 　 福 　 祉 法 人	52	1	–	1	–	–	51	51	–	–	–	–	–
医 　 療 　 法 　 人	–	–	–	–	–	–	–	–	–	–	–	–	–
公 　 益 　 法 　 人 ・ 日 赤	–	–	–	–	–	–	–	–	–	–	–	–	–
営 利 法 人 （ 会 社 ）	–	–	–	–	–	–	–	–	–	–	–	–	–
そ 　 の 　 他 　 の 法 人	–	–	–	–	–	–	–	–	–	–	–	–	–
そ 　 　 の 　 　 他	–	–	–	–	–	–	–	–	–	–	–	–	–

第2表　【基本票】社会福祉施設等数，

施設の種類　経営主体	総数	公立					私立						
		総数	国・独立行政法人	都道府県	市区町村	一部事務組合・広域連合	総数	社会福祉法人	医療法人	公益法人・日赤	営利法人（会社）	その他の法人	その他
軽費老人ホーム　Ａ型	194	12	－	－	12	－	182	182	－	－	－	－	－
公　　　　　　　　営	2	2	－	－	2	－	－	－	－	－	－	－	－
国・独立行政法人	－	－	－	－	－	－	－	－	－	－	－	－	－
都　道　府　県	－	－	－	－	－	－	－	－	－	－	－	－	－
市　区　町　村	2	2	－	－	2	－	－	－	－	－	－	－	－
一部事務組合・広域連	－	－	－	－	－	－	－	－	－	－	－	－	－
私　　　　　　　　営	192	10	－	－	10	－	182	182	－	－	－	－	－
社　会　福　祉　法　人	192	10	－	－	10	－	182	182	－	－	－	－	－
医　　療　　法　　人	－	－	－	－	－	－	－	－	－	－	－	－	－
公益法人・日赤	－	－	－	－	－	－	－	－	－	－	－	－	－
営利法人（会社）	－	－	－	－	－	－	－	－	－	－	－	－	－
その他の法人	－	－	－	－	－	－	－	－	－	－	－	－	－
そ　　の　　他	－	－	－	－	－	－	－	－	－	－	－	－	－
軽費老人ホーム　Ｂ型	14	9	－	－	9	－	5	5	－	－	－	－	－
公　　　　　　　　営	3	3	－	－	3	－	－	－	－	－	－	－	－
国・独立行政法人	－	－	－	－	－	－	－	－	－	－	－	－	－
都　道　府　県	－	－	－	－	－	－	－	－	－	－	－	－	－
市　区　町　村	3	3	－	－	3	－	－	－	－	－	－	－	－
一部事務組合・広域連	－	－	－	－	－	－	－	－	－	－	－	－	－
私　　　　　　　　営	11	6	－	－	6	－	5	5	－	－	－	－	－
社　会　福　祉　法　人	11	6	－	－	6	－	5	5	－	－	－	－	－
医　　療　　法　　人	－	－	－	－	－	－	－	－	－	－	－	－	－
公益法人・日赤	－	－	－	－	－	－	－	－	－	－	－	－	－
営利法人（会社）	－	－	－	－	－	－	－	－	－	－	－	－	－
その他の法人	－	－	－	－	－	－	－	－	－	－	－	－	－
そ　　の　　他	－	－	－	－	－	－	－	－	－	－	－	－	－
軽費老人ホーム（ケアハウス）	2 023	46	－	1	38	7	1 977	1 928	43	1	4	1	
公　　　　　　　　営	9	9	－	－	4	5	－	－	－	－	－	－	
国・独立行政法人	－	－	－	－	－	－	－	－	－	－	－	－	
都　道　府　県	－	－	－	－	－	－	－	－	－	－	－	－	
市　区　町　村	4	4	－	－	4	－	－	－	－	－	－	－	
一部事務組合・広域連	5	5	－	－	－	5	－	－	－	－	－	－	
私　　　　　　　　営	2 014	37	－	1	34	2	1 977	1 928	43	1	4	1	
社　会　福　祉　法　人	1 962	34	－	1	31	2	1 928	1 928	－	－	－	－	
医　　療　　法　　人	44	1	－	－	1	－	43	－	43	－	－	－	
公益法人・日赤	1	－	－	－	－	－	1	－	－	1	－	－	
営利法人（会社）	5	1	－	－	1	－	4	－	－	－	4	－	
その他の法人	2	1	－	－	1	－	1	－	－	－	－	1	
そ　　の　　他													
都市型軽費老人ホーム	71	－	－	－	－	－	71	30	4	－	35	2	－
公　　　　　　　　営	－	－	－	－	－	－	－	－	－	－	－	－	－
国・独立行政法人	－	－	－	－	－	－	－	－	－	－	－	－	－
都　道　府　県	－	－	－	－	－	－	－	－	－	－	－	－	－
市　区　町　村	－	－	－	－	－	－	－	－	－	－	－	－	－
一部事務組合・広域連	－	－	－	－	－	－	－	－	－	－	－	－	－
私　　　　　　　　営	71	－	－	－	－	－	71	30	4	－	35	2	－
社　会　福　祉　法　人	30	－	－	－	－	－	30	30	－	－	－	－	－
医　　療　　法　　人	4	－	－	－	－	－	4	－	4	－	－	－	－
公益法人・日赤	－	－	－	－	－	－	－	－	－	－	－	－	－
営利法人（会社）	35	－	－	－	－	－	35	－	－	－	35	－	－
その他の法人	2	－	－	－	－	－	2	－	－	－	－	2	－
そ　　の　　他	－												
老人福祉センター（特Ａ型）	242	239	－	－	239	－	3	3					
公　　　　　　　　営	104	104	－	－	104	－	－	－					
国・独立行政法人	－	－	－	－	－	－							
都　道　府　県	－	－	－	－	－	－							
市　区　町　村	104	104	－	－	104	－							
一部事務組合・広域連	－	－	－	－	－	－							
私　　　　　　　　営	138	135	－	－	135	－	3	3	－	－	－	－	
社　会　福　祉　法　人	110	107	－	－	107	－	3	3	－	－	－	－	
医　　療　　法　　人	4	4	－	－	4	－	－	－	－	－	－	－	
公益法人・日赤	3	3	－	－	3	－	－	－	－	－	－	－	
営利法人（会社）	10	10	－	－	10	－	－	－	－	－	－	－	
その他の法人	7	7	－	－	7	－	－	－	－	－	－	－	
そ　　の　　他	4	4	－	－	4	－	－	－	－	－	－	－	

平成29年10月1日

施設の種類／経営主体	総数	公立					私立						
		総数	国・独立行政法人	都道府県	市区町村	一部事務組合・広域連合	総数	社会福祉法人	医療法人	公益法人・日赤	営利法人（会社）	その他の法人	その他
老人福祉センター（A型）	1 353	1 257	–	1	1 249	7	96	96	–	–	–	–	–
公営	400	400	–	–	394	6	–	–	–	–	–	–	–
国・独立行政法人	–	–	–	–	–	–	–	–	–	–	–	–	–
都道府県	–	–	–	–	–	–	–	–	–	–	–	–	–
市区町村	395	395	–	–	394	1	–	–	–	–	–	–	–
一部事務組合・広域連合	5	5	–	–	–	5	–	–	–	–	–	–	–
私営	953	857	–	1	855	1	96	96	–	–	–	–	–
社会福祉法人	773	677	–	1	676	–	96	96	–	–	–	–	–
医療法人	–	–	–	–	–	–	–	–	–	–	–	–	–
公益法人・日赤	49	49	–	–	49	–	–	–	–	–	–	–	–
営利法人（会社）	55	55	–	–	55	–	–	–	–	–	–	–	–
その他の法人	40	40	–	–	40	–	–	–	–	–	–	–	–
その他	36	36	–	–	35	1	–	–	–	–	–	–	–
老人福祉センター（B型）	437	424	–	–	423	1	13	13	–	–	–	–	–
公営	207	207	–	–	207		–	–	–	–	–	–	–
国・独立行政法人	–	–	–	–	–	–	–	–	–	–	–	–	–
都道府県	–	–	–	–	–	–	–	–	–	–	–	–	–
市区町村	207	207	–	–	207		–	–	–	–	–	–	–
一部事務組合・広域連合	–	–	–	–	–	–	–	–	–	–	–	–	–
私営	230	217	–	–	216	1	13	13	–	–	–	–	–
社会福祉法人	154	141	–	–	140	1	13	13	–	–	–	–	–
医療法人	–	–	–	–	–	–	–	–	–	–	–	–	–
公益法人・日赤	11	11	–	–	11		–	–	–	–	–	–	–
営利法人（会社）	14	14	–	–	14		–	–	–	–	–	–	–
その他の法人	23	23	–	–	23		–	–	–	–	–	–	–
その他	28	28	–	–	28		–	–	–	–	–	–	–
障害者支援施設等	5 734	789	9	81	672	27	4 945	3 256	189	34	53	1 383	30
公営	156	156	9	22	108	17	–	–	–	–	–	–	–
国・独立行政法人	9	9	9	–	–	–	–	–	–	–	–	–	–
都道府県	22	22	–	22	–	–	–	–	–	–	–	–	–
市区町村	108	108	–	–	108	–	–	–	–	–	–	–	–
一部事務組合・広域連合	17	17	–	–	–	17	–	–	–	–	–	–	–
私営	5 578	633	–	59	564	10	4 945	3 256	189	34	53	1 383	30
社会福祉法人	3 730	474	–	59	406	9	3 256	3 256	–	–	–	–	–
医療法人	200	11	–	–	11	–	189	–	189	–	–	–	–
公益法人・日赤	48	14	–	–	14	–	34	–	–	34	–	–	–
営利法人（会社）	55	2	–	–	2	–	53	–	–	–	53		
その他の法人	1 510	127	–	–	126	1	1 383				–	1 383	–
その他	35	5	–	–	5	–	30					–	30
障害者支援施設	2 549	162	7	79	52	24	2 387	2 383		4			
公営	59	59	7	22	14	16	–	–	–	–	–	–	–
国・独立行政法人	7	7	7	22	–	16	–	–	–	–	–	–	–
都道府県	22	22	–	22	–	–	–	–	–	–	–	–	–
市区町村	14	14	–	–	14	–	–	–	–	–	–	–	–
一部事務組合・広域連合	16	16	–	–	–	16	–	–	–	–	–	–	–
私営	2 490	103	–	57	38	8	2 387	2 383		4			
社会福祉法人	2 486	103	–	57	38	8	2 383	2 383	–	–	–	–	–
医療法人	–	–	–	–	–	–	–	–	–	–	–	–	–
公益法人・日赤	4	–	–	–	–	–	4			4			
営利法人（会社）	–	–	–	–	–	–	–	–	–	–	–	–	–
その他の法人	–	–	–	–	–	–	–	–	–	–	–	–	–
その他	–	–	–	–	–	–	–	–	–	–	–	–	–
地域活動支援センター	3 038	618	2	–	613	3	2 420	770	164	30	51	1 376	29
公営	96	96	2	–	93	1	–	–	–	–	–	–	–
国・独立行政法人	2	2	2	–	–	–	–	–	–	–	–	–	–
都道府県	–	–	–	–	–	–	–	–	–	–	–	–	–
市区町村	93	93	–	–	93	–	–	–	–	–	–	–	–
一部事務組合・広域連合	1	1	–	–	–	1	–	–	–	–	–	–	–
私営	2 942	522	–	–	520	2	2 420	770	164	30	51	1 376	29
社会福祉法人	1 133	363	–	–	362	1	770	770	–	–	–	–	–
医療法人	175	11	–	–	11	–	164	–	164	–	–	–	–
公益法人・日赤	44	14	–	–	14	–	30	–	–	30	–	–	–
営利法人（会社）	53	2	–	–	2	–	51	–	–	–	51		
その他の法人	1 503	127	–	–	126	1	1 376				–	1 376	–
その他	34	5	–	–	5	–	29					–	29

第2表　【基本票】社会福祉施設等数,

施設の種類／経営主体	総数	公立					私立						その他
		総数	国・独立行政法人	都道府県	市区町村	一部事務組合・広域連合	総数	社会福祉法人	医療法人	公益法人・日赤	営利法人（会社）	その他の法人	その他
福祉ホーム	147	9	－	2	7	－	138	103	25	－	2	7	1
公営	1	1	－	－	1	－	－	－	－	－	－	－	－
国・独立行政法人	－	－	－	－	－	－	－	－	－	－	－	－	－
都道府県	－	－	－	－	－	－	－	－	－	－	－	－	－
市区町村	1	1	－	－	1	－	－	－	－	－	－	－	－
一部事務組合・広域連合	－	－	－	－	－	－	－	－	－	－	－	－	－
私営	146	8	－	2	6	－	138	103	25	－	2	7	1
社会福祉法人	111	8	－	2	6	－	103	103	－	－	－	－	－
医療法人	25	－	－	－	－	－	25	－	25	－	－	－	－
公益法人・日赤	－	－	－	－	－	－	－	－	－	－	－	－	－
営利法人（会社）	2	－	－	－	－	－	2	－	－	－	2	－	－
その他の法人	7	－	－	－	－	－	7	－	－	－	－	7	－
その他	1	－	－	－	－	－	1	－	－	－	－	－	1
身体障害者社会参加支援施設	314	245	1	91	153	－	69	50	－	14	1	4	－
公営	38	38	－	8	30	－	－	－	－	－	－	－	－
国・独立行政法人	－	－	－	－	－	－	－	－	－	－	－	－	－
都道府県	8	8	－	8	－	－	－	－	－	－	－	－	－
市区町村	30	30	－	－	30	－	－	－	－	－	－	－	－
一部事務組合・広域連合	－	－	－	－	－	－	－	－	－	－	－	－	－
私営	276	207	1	83	123	－	69	50	－	14	1	4	－
社会福祉法人	206	156	－	57	99	－	50	50	－	－	－	－	－
医療法人	－	－	－	－	－	－	－	－	－	－	－	－	－
公益法人・日赤	37	23	1	11	11	－	14	－	－	14	－	－	－
営利法人（会社）	2	1	－	1	－	－	1	－	－	－	1	－	－
その他の法人	26	22	－	12	10	－	4	－	－	－	－	4	－
その他	5	5	－	2	3	－	－	－	－	－	－	－	－
身体障害者福祉センター（A型）	36	36	1	20	15	－	－	－	－	－	－	－	－
公営	5	5	－	2	3	－	－	－	－	－	－	－	－
国・独立行政法人	－	－	－	－	－	－	－	－	－	－	－	－	－
都道府県	2	2	－	2	－	－	－	－	－	－	－	－	－
市区町村	3	3	－	－	3	－	－	－	－	－	－	－	－
一部事務組合・広域連合	－	－	－	－	－	－	－	－	－	－	－	－	－
私営	31	31	1	18	12	－	－	－	－	－	－	－	－
社会福祉法人	23	23	－	13	10	－	－	－	－	－	－	－	－
医療法人	－	－	－	－	－	－	－	－	－	－	－	－	－
公益法人・日赤	6	6	1	3	2	－	－	－	－	－	－	－	－
営利法人（会社）	－	－	－	－	－	－	－	－	－	－	－	－	－
その他の法人	1	1	－	1	－	－	－	－	－	－	－	－	－
その他	1	1	－	1	－	－	－	－	－	－	－	－	－
身体障害者福祉センター（B型）	114	113	－	1	112	－	1	1	－	－	－	－	－
公営	22	22	－	1	21	－	－	－	－	－	－	－	－
国・独立行政法人	－	－	－	－	－	－	－	－	－	－	－	－	－
都道府県	1	1	－	1	－	－	－	－	－	－	－	－	－
市区町村	21	21	－	－	21	－	－	－	－	－	－	－	－
一部事務組合・広域連合	－	－	－	－	－	－	－	－	－	－	－	－	－
私営	92	91	－	－	91	－	1	1	－	－	－	－	－
社会福祉法人	77	76	－	－	76	－	1	1	－	－	－	－	－
医療法人	－	－	－	－	－	－	－	－	－	－	－	－	－
公益法人・日赤	6	6	－	－	6	－	－	－	－	－	－	－	－
営利法人（会社）	－	－	－	－	－	－	－	－	－	－	－	－	－
その他の法人	6	6	－	－	6	－	－	－	－	－	－	－	－
その他	3	3	－	－	3	－	－	－	－	－	－	－	－
障害者更生センター	5	5	－	4	1	－	－	－	－	－	－	－	－
公営	－	－	－	－	－	－	－	－	－	－	－	－	－
国・独立行政法人	－	－	－	－	－	－	－	－	－	－	－	－	－
都道府県	－	－	－	－	－	－	－	－	－	－	－	－	－
市区町村	－	－	－	－	－	－	－	－	－	－	－	－	－
一部事務組合・広域連合	－	－	－	－	－	－	－	－	－	－	－	－	－
私営	5	5	－	4	1	－	－	－	－	－	－	－	－
社会福祉法人	4	4	－	3	1	－	－	－	－	－	－	－	－
医療法人	－	－	－	－	－	－	－	－	－	－	－	－	－
公益法人・日赤	－	－	－	－	－	－	－	－	－	－	－	－	－
営利法人（会社）	1	1	－	1	－	－	－	－	－	－	－	－	－
その他の法人	－	－	－	－	－	－	－	－	－	－	－	－	－
その他	－	－	－	－	－	－	－	－	－	－	－	－	－

施設の種類・経営主体、設置主体別

施設の種類／経営主体	総数	公立					私立						
		総数	国・独立行政法人	都道府県	市区町村	一部事務組合・広域連合	総数	社会福祉法人	医療法人	公益法人・日赤	営利法人（会社）	その他の法人	その他
補装具製作施設	16	9	–	7	2	–	7	2	–	3	1	1	–
公営	3	3	–	3	–	–	–	–	–	–	–	–	–
国・独立行政法人	–	–	–	–	–	–	–	–	–	–	–	–	–
都道府県	3	3	–	3	–	–	–	–	–	–	–	–	–
市区町村	–	–	–	–	–	–	–	–	–	–	–	–	–
一部事務組合・広域連合	–	–	–	–	–	–	–	–	–	–	–	–	–
私営	13	6	–	4	2	–	7	2	–	3	1	1	–
社会福祉法人	8	6	–	4	2	–	2	2	–	–	–	–	–
医療法人	–	–	–	–	–	–	–	–	–	–	–	–	–
公益法人・日赤	3	–	–	–	–	–	3	–	–	3	–	–	–
営利法人（会社）	1	–	–	–	–	–	1	–	–	–	1	–	–
その他の法人	1	–	–	–	–	–	1	–	–	–	–	1	–
その他	–	–	–	–	–	–	–	–	–	–	–	–	–
盲導犬訓練施設	13	–	–	–	–	–	13	3	–	9	–	1	–
公営	–	–	–	–	–	–	–	–	–	–	–	–	–
国・独立行政法人	–	–	–	–	–	–	–	–	–	–	–	–	–
都道府県	–	–	–	–	–	–	–	–	–	–	–	–	–
市区町村	–	–	–	–	–	–	–	–	–	–	–	–	–
一部事務組合・広域連合	–	–	–	–	–	–	–	–	–	–	–	–	–
私営	13	–	–	–	–	–	13	3	–	9	–	1	–
社会福祉法人	3	–	–	–	–	–	3	3	–	–	–	–	–
医療法人	–	–	–	–	–	–	–	–	–	–	–	–	–
公益法人・日赤	9	–	–	–	–	–	9	–	–	9	–	–	–
営利法人（会社）	–	–	–	–	–	–	–	–	–	–	–	–	–
その他の法人	1	–	–	–	–	–	1	–	–	–	–	1	–
その他	–	–	–	–	–	–	–	–	–	–	–	–	–
点字図書館	73	46	–	29	17	–	27	25	–	1	–	1	–
公営	8	8	–	2	6	–	–	–	–	–	–	–	–
国・独立行政法人	–	–	–	–	–	–	–	–	–	–	–	–	–
都道府県	2	2	–	2	–	–	–	–	–	–	–	–	–
市区町村	6	6	–	–	6	–	–	–	–	–	–	–	–
一部事務組合・広域連合	–	–	–	–	–	–	–	–	–	–	–	–	–
私営	65	38	–	27	11	–	27	25	–	1	–	1	–
社会福祉法人	53	28	–	21	7	–	25	25	–	–	–	–	–
医療法人	–	–	–	–	–	–	–	–	–	–	–	–	–
公益法人・日赤	6	5	–	4	1	–	1	–	–	1	–	–	–
営利法人（会社）	–	–	–	–	–	–	–	–	–	–	–	–	–
その他の法人	6	5	–	2	3	–	1	–	–	–	–	1	–
その他	–	–	–	–	–	–	–	–	–	–	–	–	–
点字出版施設	10	–	–	–	–	–	10	10	–	–	–	–	–
公営	–	–	–	–	–	–	–	–	–	–	–	–	–
国・独立行政法人	–	–	–	–	–	–	–	–	–	–	–	–	–
都道府県	–	–	–	–	–	–	–	–	–	–	–	–	–
市区町村	–	–	–	–	–	–	–	–	–	–	–	–	–
一部事務組合・広域連合	–	–	–	–	–	–	–	–	–	–	–	–	–
私営	10	–	–	–	–	–	10	10	–	–	–	–	–
社会福祉法人	10	–	–	–	–	–	10	10	–	–	–	–	–
医療法人	–	–	–	–	–	–	–	–	–	–	–	–	–
公益法人・日赤	–	–	–	–	–	–	–	–	–	–	–	–	–
営利法人（会社）	–	–	–	–	–	–	–	–	–	–	–	–	–
その他の法人	–	–	–	–	–	–	–	–	–	–	–	–	–
その他	–	–	–	–	–	–	–	–	–	–	–	–	–
聴覚障害者情報提供施設	47	36	–	30	6	–	11	9	–	1	–	1	–
公営	–	–	–	–	–	–	–	–	–	–	–	–	–
国・独立行政法人	–	–	–	–	–	–	–	–	–	–	–	–	–
都道府県	–	–	–	–	–	–	–	–	–	–	–	–	–
市区町村	–	–	–	–	–	–	–	–	–	–	–	–	–
一部事務組合・広域連合	–	–	–	–	–	–	–	–	–	–	–	–	–
私営	47	36	–	30	6	–	11	9	–	1	–	1	–
社会福祉法人	28	19	–	16	3	–	9	9	–	–	–	–	–
医療法人	–	–	–	–	–	–	–	–	–	–	–	–	–
公益法人・日赤	7	6	–	4	2	–	1	–	–	1	–	–	–
営利法人（会社）	–	–	–	–	–	–	–	–	–	–	–	–	–
その他の法人	11	10	–	9	1	–	1	–	–	–	–	1	–
その他	1	1	–	1	–	–	–	–	–	–	–	–	–

第2表　【基本票】社会福祉施設等数，

施設の種類／経営主体	総数	公立					私立						
		総数	国・独立行政法人	都道府県	市区町村	一部事務組合・広域連合	総数	社会福祉法人	医療法人	公益法人・日赤	営利法人（会社）	その他の法人	その他
婦人保護施設	46	30	－	30	－	－	16	16	－	－	－	－	－
公営	22	22	－	22	－	－	－	－	－	－	－	－	－
国・独立行政法人	－	－	－	－	－	－	－	－	－	－	－	－	－
都道府県	22	22	－	22	－	－	－	－	－	－	－	－	－
市区町村	－	－	－	－	－	－	－	－	－	－	－	－	－
一部事務組合・広域連合	－	－	－	－	－	－	－	－	－	－	－	－	－
私営	24	8	－	8	－	－	16	16	－	－	－	－	－
社会福祉法人	24	8	－	8	－	－	16	16	－	－	－	－	－
医療法人	－	－	－	－	－	－	－	－	－	－	－	－	－
公益法人・日赤	－	－	－	－	－	－	－	－	－	－	－	－	－
営利法人（会社）	－	－	－	－	－	－	－	－	－	－	－	－	－
その他の法人	－	－	－	－	－	－	－	－	－	－	－	－	－
その他	－	－	－	－	－	－	－	－	－	－	－	－	－
児童福祉施設等	40 137	17 034	70	268	16 643	53	23 103	16 289	87	117	3 167	2 778	665
公営	14 309	14 309	70	173	14 027	39	－	－	－	－	－	－	－
国・独立行政法人	72	72	70	1	1	－	－	－	－	－	－	－	－
都道府県	170	170	－	170		－	－	－	－	－	－	－	－
市区町村	14 026	14 026	－	1	14 025	－	－	－	－	－	－	－	－
一部事務組合・広域連合	41	41	－	1	1	39	－	－	－	－	－	－	－
私営	25 828	2 725	－	95	2 616	14	23 103	16 289	87	117	3 167	2 778	665
社会福祉法人	18 025	1 736	－	74	1 657	5	16 289	16 289	－	－	－	－	－
医療法人	88	1	－	－	1	－	87	－	87	－	－	－	－
公益法人・日赤	439	322	－	13	309	－	117	－	－	117	－	－	－
営利法人（会社）	3 381	214	－	3	211	－	3 167	－	－	－	3 167	－	－
その他の法人	3 096	318	－	4	305	9	2 778	－	－	－	－	2 778	－
その他	799	134	－	1	133	－	665	－	－	－	－	－	665
助産施設	387	202	13	39	136	14	185	44	49	40	1	36	15
公営	194	194	13	38	129	14	－	－	－	－	－	－	－
国・独立行政法人	15	15	13	1	1	－	－	－	－	－	－	－	－
都道府県	37	37	－	37	－	－	－	－	－	－	－	－	－
市区町村	128	128	－	－	128	－	－	－	－	－	－	－	－
一部事務組合・広域連合	14	14	－	－	－	14	－	－	－	－	－	－	－
私営	193	8	－	1	7	－	185	44	49	40	1	36	15
社会福祉法人	46	2	－	－	2	－	44	44	－	－	－	－	－
医療法人	49	－	－	－	－	－	49	－	49	－	－	－	－
公益法人・日赤	43	3	－	－	3	－	40	－	－	40	－	－	－
営利法人（会社）	2	1	－	－	1	－	1	－	－	－	1	－	－
その他の法人	38	2	－	1	1	－	36	－	－	－	－	36	－
その他	15	－	－	－	－	－	15	－	－	－	－	－	15
乳児院	138	11	－	5	5	1	127	120	－	7			
公営	5	5	－	4		1	－	－	－	－	－	－	－
国・独立行政法人	－	－	－	－	－	－	－	－	－	－	－	－	－
都道府県	4	4	－	4	－	－	－	－	－	－	－	－	－
市区町村	1	1	－	－	－	1	－	－	－	－	－	－	－
一部事務組合・広域連合	133	6	－	1	5	－	127	120	－	7			
私営	125	5	－	－	5	－	120	120	－	－	－	－	－
社会福祉法人	－	－	－	－	－	－	－	－	－	－	－	－	－
医療法人	8	1	－	1	－	－	7	－	－	7	－	－	－
公益法人・日赤	－	－	－	－	－	－	－	－	－	－	－	－	－
営利法人（会社）	－	－	－	－	－	－	－	－	－	－	－	－	－
その他の法人	－	－	－	－	－	－	－	－	－	－	－	－	－
母子生活支援施設	227	94	－	5	87	2	133	131	－	2	－		
公営	30	30	－	1	27	2	－	－	－	－	－	－	－
国・独立行政法人	－	－	－	－	－	－	－	－	－	－	－	－	－
都道府県	27	27	－	－	27	－	－	－	－	－	－	－	－
市区町村	3	3	－	1	－	2	－	－	－	－	－	－	－
一部事務組合・広域連合	197	64	－	4	60	－	133	131	－	2	－		
私営	191	60	－	4	56	－	131	131	－	－	－	－	－
社会福祉法人	6	4	－	－	4	－	2	－	－	2	－	－	－
医療法人	－	－	－	－	－	－	－	－	－	－	－	－	－
公益法人・日赤	－	－	－	－	－	－	－	－	－	－	－	－	－
営利法人（会社）	－	－	－	－	－	－	－	－	－	－	－	－	－
その他の法人	－	－	－	－	－	－	－	－	－	－	－	－	－

施設の種類・経営主体、設置主体別

平成29年10月 1 日

施設の種類／経営主体	総数	公立 総数	国・独立行政法人	都道府県	市区町村	一部事務組合・広域連合	私立 総数	社会福祉法人	医療法人	公益法人・日赤	営利法人（会社）	その他の法人	その他
保育所等	27 137	9 337	2	1	9 322	12	17 800	14 036	14	49	1 601	1 982	118
公営	8 716	8 716	2	−	8 711	3	−	−	−	−	−	−	−
国・独立行政法人	2	2	2	−	−	−	−	−	−	−	−	−	−
都道府県	−	−	−	−	−	−	−	−	−	−	−	−	−
市区町村	8 711	8 711	−	−	8 711	−	−	−	−	−	−	−	−
一部事務組合・広域連合	3	3	−	−	−	3	−	−	−	−	−	−	−
私営	18 421	621	−	1	611	9	17 800	14 036	14	49	1 601	1 982	118
社会福祉法人	14 493	457	−	1	456	−	14 036	14 036	−	−	−	−	−
医療法人	15	1	−	−	1	−	14	−	14	−	−	−	−
公益法人・日赤	56	7	−	−	7	−	49	−	−	49	−	−	−
営利法人（会社）	1 686	85	−	−	85	−	1 601	−	−	−	1 601	−	−
その他の法人	2 049	67	−	−	58	9	1 982	−	−	−	−	1 982	−
その他	122	4	−	−	4	−	118	−	−	−	−	−	118
幼保連携型認定こども園	3 620	571	−	−	562	9	3 049	1 883	−	−	−	1 164	2
公営	550	550	−	−	550	−	−	−	−	−	−	−	−
国・独立行政法人	−	−	−	−	−	−	−	−	−	−	−	−	−
都道府県	−	−	−	−	−	−	−	−	−	−	−	−	−
市区町村	550	550	−	−	550	−	−	−	−	−	−	−	−
一部事務組合・広域連合	−	−	−	−	−	−	−	−	−	−	−	−	−
私営	3 070	21	−	−	12	9	3 049	1 883	−	−	−	1 164	2
社会福祉法人	1 894	11	−	−	11	−	1 883	1 883	−	−	−	−	−
医療法人	−	−	−	−	−	−	−	−	−	−	−	−	−
公益法人・日赤	−	−	−	−	−	−	−	−	−	−	−	−	−
営利法人（会社）	−	−	−	−	−	−	−	−	−	−	−	−	−
その他の法人	1 174	10	−	−	1	9	1 164	−	−	−	−	1 164	−
その他	2	−	−	−	−	−	2	−	−	−	−	−	2
保育所型認定こども園	591	249	1	−	248	−	342	277	−	4	27	30	4
公営	215	215	1	−	214	−	−	−	−	−	−	−	−
国・独立行政法人	1	1	1	−	−	−	−	−	−	−	−	−	−
都道府県	−	−	−	−	−	−	−	−	−	−	−	−	−
市区町村	214	214	−	−	214	−	−	−	−	−	−	−	−
一部事務組合・広域連合	−	−	−	−	−	−	−	−	−	−	−	−	−
私営	376	34	−	−	34	−	342	277	−	4	27	30	4
社会福祉法人	296	19	−	−	19	−	277	277	−	−	−	−	−
医療法人	1	1	−	−	1	−	−	−	−	−	−	−	−
公益法人・日赤	6	2	−	−	2	−	4	−	−	4	−	−	−
営利法人（会社）	29	2	−	−	2	−	27	−	−	−	27	−	−
その他の法人	40	10	−	−	10	−	30	−	−	−	−	30	−
その他	4	−	−	−	−	−	4	−	−	−	−	−	4
保育所	22 926	8 517	1	1	8 512	3	14 409	11 876	14	45	1 574	788	112
公営	7 951	7 951	1	−	7 947	3	−	−	−	−	−	−	−
国・独立行政法人	1	1	1	−	−	−	−	−	−	−	−	−	−
都道府県	−	−	−	−	−	−	−	−	−	−	−	−	−
市区町村	7 947	7 947	−	−	7 947	−	−	−	−	−	−	−	−
一部事務組合・広域連合	3	3	−	−	−	3	−	−	−	−	−	−	−
私営	14 975	566	−	1	565	−	14 409	11 876	14	45	1 574	788	112
社会福祉法人	12 303	427	−	1	426	−	11 876	11 876	−	−	−	−	−
医療法人	14	−	−	−	−	−	14	−	14	−	−	−	−
公益法人・日赤	50	5	−	−	5	−	45	−	−	45	−	−	−
営利法人（会社）	1 657	83	−	−	83	−	1 574	−	−	−	1 574	−	−
その他の法人	835	47	−	−	47	−	788	−	−	−	−	788	−
その他	116	4	−	−	4	−	112	−	−	−	−	−	112
小規模保育事業所	3 401	63	1	−	61	1	3 338	524	16	7	1 561	705	525
公営	40	40	1	−	39	−	−	−	−	−	−	−	−
国・独立行政法人	1	1	1	−	−	−	−	−	−	−	−	−	−
都道府県	−	−	−	−	−	−	−	−	−	−	−	−	−
市区町村	39	39	−	−	39	−	−	−	−	−	−	−	−
一部事務組合・広域連合	−	−	−	−	−	−	−	−	−	−	−	−	−
私営	3 361	23	−	−	22	1	3 338	524	16	7	1 561	705	525
社会福祉法人	535	11	−	−	10	1	524	524	−	−	−	−	−
医療法人	16	−	−	−	−	−	16	−	16	−	−	−	−
公益法人・日赤	7	−	−	−	−	−	7	−	−	7	−	−	−
営利法人（会社）	1 567	6	−	−	6	−	1 561	−	−	−	1 561	−	−
その他の法人	708	3	−	−	3	−	705	−	−	−	−	705	−
その他	528	3	−	−	3	−	525	−	−	−	−	−	525

第２表　【基本票】社会福祉施設等数，

施設の種類／経営主体	総数	公立					私立						
		総数	国・独立行政法人	都道府県	市区町村	一部事務組合・広域連合	総数	社会福祉法人	医療法人	公益法人・日赤	営利法人（会社）	その他の法人	その他
小規模保育事業所Ａ型	2 594	47	1	–	45	1	2 547	444	14	6	1 244	560	279
公営	28	28	1	–	27	–	–	–	–	–	–	–	–
国・独立行政法人	1	1	1	–	–	–	–	–	–	–	–	–	–
都道府県	–	–	–	–	–	–	–	–	–	–	–	–	–
市区町村	27	27	–	–	27	–	–	–	–	–	–	–	–
一部事務組合・広域連合	–	–	–	–	–	–	–	–	–	–	–	–	–
私営	2 566	19	–	–	18	1	2 547	444	14	6	1 244	560	279
社会福祉法人	452	8	–	–	7	1	444	444	–	–	–	–	–
医療法人	14	–	–	–	–	–	14	–	14	–	–	–	–
公益法人・日赤	6	–	–	–	–	–	6	–	–	6	–	–	–
営利法人（会社）	1 250	6	–	–	6	–	1 244	–	–	–	1 244	–	–
その他の法人	562	2	–	–	2	–	560	–	–	–	–	560	–
その他	282	3	–	–	3	–	279	–	–	–	–	–	279
小規模保育事業所Ｂ型	697	16	–	–	16	–	681	66	2	1	292	126	194
公営	12	12	–	–	12	–	–	–	–	–	–	–	–
国・独立行政法人	–	–	–	–	–	–	–	–	–	–	–	–	–
都道府県	–	–	–	–	–	–	–	–	–	–	–	–	–
市区町村	12	12	–	–	12	–	–	–	–	–	–	–	–
一部事務組合・広域連合	–	–	–	–	–	–	–	–	–	–	–	–	–
私営	685	4	–	–	4	–	681	66	2	1	292	126	194
社会福祉法人	69	3	–	–	3	–	66	66	–	–	–	–	–
医療法人	2	–	–	–	–	–	2	–	2	–	–	–	–
公益法人・日赤	1	–	–	–	–	–	1	–	–	1	–	–	–
営利法人（会社）	292	–	–	–	–	–	292	–	–	–	292	–	–
その他の法人	127	1	–	–	1	–	126	–	–	–	–	126	–
その他	194	–	–	–	–	–	194	–	–	–	–	–	194
小規模保育事業所Ｃ型	110	–	–	–	–	–	110	14	–	–	25	19	52
公営	–	–	–	–	–	–	–	–	–	–	–	–	–
国・独立行政法人	–	–	–	–	–	–	–	–	–	–	–	–	–
都道府県	–	–	–	–	–	–	–	–	–	–	–	–	–
市区町村	–	–	–	–	–	–	–	–	–	–	–	–	–
一部事務組合・広域連合	–	–	–	–	–	–	–	–	–	–	–	–	–
私営	110	–	–	–	–	–	110	14	–	–	25	19	52
社会福祉法人	14	–	–	–	–	–	14	14	–	–	–	–	–
医療法人	–	–	–	–	–	–	–	–	–	–	–	–	–
公益法人・日赤	–	–	–	–	–	–	–	–	–	–	–	–	–
営利法人（会社）	25	–	–	–	–	–	25	–	–	–	25	–	–
その他の法人	19	–	–	–	–	–	19	–	–	–	–	19	–
その他	52	–	–	–	–	–	52	–	–	–	–	–	52
児童養護施設	608	37	–	14	21	2	571	565	–	4	–	1	1
公営	10	10	–	2	6	2	–	–	–	–	–	–	–
国・独立行政法人	–	–	–	–	–	–	–	–	–	–	–	–	–
都道府県	2	2	–	2	–	–	–	–	–	–	–	–	–
市区町村	6	6	–	–	6	–	–	–	–	–	–	–	–
一部事務組合・広域連合	2	2	–	–	–	2	–	–	–	–	–	–	–
私営	598	27	–	12	15	–	571	565	–	4	–	1	1
社会福祉法人	592	27	–	12	15	–	565	565	–	–	–	–	–
医療法人	–	–	–	–	–	–	–	–	–	–	–	–	–
公益法人・日赤	4	–	–	–	–	–	4	–	–	4	–	–	–
営利法人（会社）	–	–	–	–	–	–	–	–	–	–	–	–	–
その他の法人	1	–	–	–	–	–	1	–	–	–	–	1	–
その他	1	–	–	–	–	–	1	–	–	–	–	–	1
障害児入所施設（福祉型）	263	69	1	41	14	13	194	192	–	2	–	–	–
公営	39	39	1	21	7	10	–	–	–	–	–	–	–
国・独立行政法人	1	1	1	–	–	–	–	–	–	–	–	–	–
都道府県	21	21	–	21	–	–	–	–	–	–	–	–	–
市区町村	7	7	–	–	7	–	–	–	–	–	–	–	–
一部事務組合・広域連合	10	10	–	–	–	10	–	–	–	–	–	–	–
私営	224	30	–	20	7	3	194	192	–	2	–	–	–
社会福祉法人	222	30	–	20	7	3	192	192	–	–	–	–	–
医療法人	–	–	–	–	–	–	–	–	–	–	–	–	–
公益法人・日赤	2	–	–	–	–	–	2	–	–	2	–	–	–
営利法人（会社）	–	–	–	–	–	–	–	–	–	–	–	–	–
その他の法人	–	–	–	–	–	–	–	–	–	–	–	–	–
その他	–	–	–	–	–	–	–	–	–	–	–	–	–

施設の種類・経営主体、設置主体別

施設の種類／経営主体	総数	公立					私立						
		総数	国・独立行政法人	都道府県	市区町村	一部事務組合・広域連合	総数	社会福祉法人	医療法人	公益法人・日赤	営利法人（会社）	その他の法人	その他
障害児入所施設（医療型）	212	95	49	42	4	–	117	112	1	3	–	1	–
公営	77	77	49	27	1	–	–	–	–	–	–	–	–
国・独立行政法人	49	49	49	–	–	–	–	–	–	–	–	–	–
都道府県	27	27	–	27	–	–	–	–	–	–	–	–	–
市区町村	1	1	–	–	1	–	–	–	–	–	–	–	–
一部事務組合・広域連合	–	–	–	–	–	–	–	–	–	–	–	–	–
私営	135	18	–	15	3	–	117	112	1	3	–	1	–
社会福祉法人	128	16	–	13	3	–	112	112	–	–	–	–	–
医療法人	1	–	–	–	–	–	1	–	1	–	–	–	–
公益法人・日赤	4	1	–	–	1	–	3	–	–	3	–	–	–
営利法人（会社）	–	–	–	–	–	–	–	–	–	–	–	–	–
その他の法人	1	–	–	–	–	–	1	–	–	–	–	1	–
その他	1	1	–	–	1	–	–	–	–	–	–	–	–
児童発達支援センター（福祉型）	528	221	–	13	203	5	307	266	7	2	1	31	–
公営	128	128	–	7	117	4	–	–	–	–	–	–	–
国・独立行政法人	–	–	–	–	–	–	–	–	–	–	–	–	–
都道府県	7	7	–	7	–	–	–	–	–	–	–	–	–
市区町村	117	117	–	–	117	–	–	–	–	–	–	–	–
一部事務組合・広域連合	4	4	–	–	–	4	–	–	–	–	–	–	–
私営	400	93	–	6	86	1	307	266	7	2	1	31	–
社会福祉法人	356	90	–	6	83	1	266	266	–	–	–	–	–
医療法人	7	–	–	–	–	–	7	–	7	–	–	–	–
公益法人・日赤	3	1	–	–	1	–	2	–	–	2	–	–	–
営利法人（会社）	1	–	–	–	–	–	1	–	–	–	1	–	–
その他の法人	33	2	–	–	2	–	31	–	–	–	–	31	–
その他	–	–	–	–	–	–	–	–	–	–	–	–	–
児童発達支援センター（医療型）	99	87	2	31	52	2	12	11	–	1	–	–	–
公営	50	50	2	19	27	2	–	–	–	–	–	–	–
国・独立行政法人	2	2	2	–	–	–	–	–	–	–	–	–	–
都道府県	19	19	–	19	–	–	–	–	–	–	–	–	–
市区町村	27	27	–	–	27	–	–	–	–	–	–	–	–
一部事務組合・広域連合	2	2	–	–	–	2	–	–	–	–	–	–	–
私営	49	37	–	12	25	–	12	11	–	1	–	–	–
社会福祉法人	47	36	–	11	25	–	11	11	–	–	–	–	–
医療法人	–	–	–	–	–	–	–	–	–	–	–	–	–
公益法人・日赤	2	1	–	1	–	–	1	–	–	1	–	–	–
営利法人（会社）	–	–	–	–	–	–	–	–	–	–	–	–	–
その他の法人	–	–	–	–	–	–	–	–	–	–	–	–	–
その他	–	–	–	–	–	–	–	–	–	–	–	–	–
児童心理治療施設	44	10	–	5	5	–	34	34	–	–	–	–	–
公営	4	4	–	2	2	–	–	–	–	–	–	–	–
国・独立行政法人	–	–	–	–	–	–	–	–	–	–	–	–	–
都道府県	2	2	–	2	–	–	–	–	–	–	–	–	–
市区町村	2	2	–	–	2	–	–	–	–	–	–	–	–
一部事務組合・広域連合	–	–	–	–	–	–	–	–	–	–	–	–	–
私営	40	6	–	3	3	–	34	34	–	–	–	–	–
社会福祉法人	40	6	–	3	3	–	34	34	–	–	–	–	–
医療法人	–	–	–	–	–	–	–	–	–	–	–	–	–
公益法人・日赤	–	–	–	–	–	–	–	–	–	–	–	–	–
営利法人（会社）	–	–	–	–	–	–	–	–	–	–	–	–	–
その他の法人	–	–	–	–	–	–	–	–	–	–	–	–	–
その他	–	–	–	–	–	–	–	–	–	–	–	–	–
児童自立支援施設	58	56	2	50	4	–	2	2	–	–	–	–	–
公営	56	56	2	50	4	–	–	–	–	–	–	–	–
国・独立行政法人	2	2	2	–	–	–	–	–	–	–	–	–	–
都道府県	50	50	–	50	–	–	–	–	–	–	–	–	–
市区町村	4	4	–	–	4	–	–	–	–	–	–	–	–
一部事務組合・広域連合	–	–	–	–	–	–	–	–	–	–	–	–	–
私営	2	–	–	–	–	–	2	2	–	–	–	–	–
社会福祉法人	2	–	–	–	–	–	2	2	–	–	–	–	–
医療法人	–	–	–	–	–	–	–	–	–	–	–	–	–
公益法人・日赤	–	–	–	–	–	–	–	–	–	–	–	–	–
営利法人（会社）	–	–	–	–	–	–	–	–	–	–	–	–	–
その他の法人	–	–	–	–	–	–	–	–	–	–	–	–	–
その他	–	–	–	–	–	–	–	–	–	–	–	–	–

第2表　【基本票】社会福祉施設等数，

施設の種類／経営主体	総数	公立					私立						
		総数	国・独立行政法人	都道府県	市区町村	一部事務組合・広域連合	総数	社会福祉法人	医療法人	公益法人・日赤	営利法人（会社）	その他の法人	その他
児童家庭支援センター	114	5	－	－	5	－	109	107	－	－	－	2	－
公営	－	－	－	－	－	－	－	－	－	－	－	－	－
国・独立行政法人	－	－	－	－	－	－	－	－	－	－	－	－	－
都道府県	－	－	－	－	－	－	－	－	－	－	－	－	－
市区町村	－	－	－	－	－	－	－	－	－	－	－	－	－
一部事務組合・広域連合	－	－	－	－	－	－	－	－	－	－	－	－	－
私営	114	5	－	－	5	－	109	107	－	－	－	2	－
社会福祉法人	109	2	－	－	2	－	107	107	－	－	－	－	－
医療法人	－	－	－	－	－	－	－	－	－	－	－	－	－
公益法人・日赤	－	－	－	－	－	－	－	－	－	－	－	－	－
営利法人（会社）	－	－	－	－	－	－	－	－	－	－	－	－	－
その他の法人	5	3	－	－	3	－	2	－	－	－	－	2	－
その他	－	－	－	－	－	－	－	－	－	－	－	－	－
小型児童館	2 680	2 564	－	－	2 563	1	116	101	－	－	1	10	4
公営	1 669	1 669	－	－	1 668	1	－	－	－	－	－	－	－
国・独立行政法人	－	－	－	－	－	－	－	－	－	－	－	－	－
都道府県	－	－	－	－	－	－	－	－	－	－	－	－	－
市区町村	1 667	1 667	－	－	1 667	－	－	－	－	－	－	－	－
一部事務組合・広域連合	2	2	－	－	1	1	－	－	－	－	－	－	－
私営	1 011	895	－	－	895	－	116	101	－	－	1	10	4
社会福祉法人	604	503	－	－	503	－	101	101	－	－	－	－	－
医療法人	－	－	－	－	－	－	－	－	－	－	－	－	－
公益法人・日赤	140	140	－	－	140	－	－	－	－	－	－	－	－
営利法人（会社）	58	57	－	－	57	－	1	－	－	－	1	－	－
その他の法人	174	164	－	－	164	－	10	－	－	－	－	10	－
その他	35	31	－	－	31	－	4	－	－	－	－	－	4
児童センター	1 725	1 685	－	－	1 685	－	40	37	－	－	1	2	－
公営	884	884	－	－	884	－	－	－	－	－	－	－	－
国・独立行政法人	－	－	－	－	－	－	－	－	－	－	－	－	－
都道府県	－	－	－	－	－	－	－	－	－	－	－	－	－
市区町村	884	884	－	－	884	－	－	－	－	－	－	－	－
一部事務組合・広域連合	－	－	－	－	－	－	－	－	－	－	－	－	－
私営	841	801	－	－	801	－	40	37	－	－	1	2	－
社会福祉法人	517	480	－	－	480	－	37	37	－	－	－	－	－
医療法人	－	－	－	－	－	－	－	－	－	－	－	－	－
公益法人・日赤	135	135	－	－	135	－	－	－	－	－	－	－	－
営利法人（会社）	63	62	－	－	62	－	1	－	－	－	1	－	－
その他の法人	73	71	－	－	71	－	2	－	－	－	－	2	－
その他	53	53	－	－	53	－	－	－	－	－	－	－	－
大型児童館A型	17	17	－	16	1	－	－	－	－	－	－	－	－
公営	3	3	－	2	1	－	－	－	－	－	－	－	－
国・独立行政法人	－	－	－	－	－	－	－	－	－	－	－	－	－
都道府県	1	1	－	1	－	－	－	－	－	－	－	－	－
市区町村	2	2	－	1	1	－	－	－	－	－	－	－	－
一部事務組合・広域連合	－	－	－	－	－	－	－	－	－	－	－	－	－
私営	14	14	－	14	－	－	－	－	－	－	－	－	－
社会福祉法人	2	2	－	2	－	－	－	－	－	－	－	－	－
医療法人	－	－	－	－	－	－	－	－	－	－	－	－	－
公益法人・日赤	9	9	－	9	－	－	－	－	－	－	－	－	－
営利法人（会社）	1	1	－	1	－	－	－	－	－	－	－	－	－
その他の法人	2	2	－	2	－	－	－	－	－	－	－	－	－
その他	－	－	－	－	－	－	－	－	－	－	－	－	－
大型児童館B型	4	4	－	3	1	－	－	－	－	－	－	－	－
公営	－	－	－	－	－	－	－	－	－	－	－	－	－
国・独立行政法人	－	－	－	－	－	－	－	－	－	－	－	－	－
都道府県	－	－	－	－	－	－	－	－	－	－	－	－	－
市区町村	－	－	－	－	－	－	－	－	－	－	－	－	－
一部事務組合・広域連合	－	－	－	－	－	－	－	－	－	－	－	－	－
私営	4	4	－	3	1	－	－	－	－	－	－	－	－
社会福祉法人	2	2	－	2	－	－	－	－	－	－	－	－	－
医療法人	－	－	－	－	－	－	－	－	－	－	－	－	－
公益法人・日赤	－	－	－	－	－	－	－	－	－	－	－	－	－
営利法人（会社）	1	1	－	1	－	－	－	－	－	－	－	－	－
その他の法人	－	－	－	－	－	－	－	－	－	－	－	－	－
その他	1	1	－	－	1	－	－	－	－	－	－	－	－

施設の種類・経営主体、設置主体別

施設の種類／経営主体	総数	公立 総数	国・独立行政法人	都道府県	市区町村	一部事務組合・広域連合	私立 総数	社会福祉法人	医療法人	公益法人・日赤	営利法人（会社）	その他の法人	その他
大型児童館Ｃ型	–	–	–	–	–	–	–	–	–	–	–	–	–
公営	–	–	–	–	–	–	–	–	–	–	–	–	–
国・独立行政法人	–	–	–	–	–	–	–	–	–	–	–	–	–
都道府県	–	–	–	–	–	–	–	–	–	–	–	–	–
市区町村	–	–	–	–	–	–	–	–	–	–	–	–	–
一部事務組合・広域連合	–	–	–	–	–	–	–	–	–	–	–	–	–
私営	–	–	–	–	–	–	–	–	–	–	–	–	–
社会福祉法人	–	–	–	–	–	–	–	–	–	–	–	–	–
医療法人	–	–	–	–	–	–	–	–	–	–	–	–	–
公益法人・日赤	–	–	–	–	–	–	–	–	–	–	–	–	–
営利法人（会社）	–	–	–	–	–	–	–	–	–	–	–	–	–
その他の法人	–	–	–	–	–	–	–	–	–	–	–	–	–
その他	–	–	–	–	–	–	–	–	–	–	–	–	–
その他の児童館	115	105	–	–	105	–	10	3	–	–	1	4	2
公営	76	76	–	–	76	–	–	–	–	–	–	–	–
国・独立行政法人	–	–	–	–	–	–	–	–	–	–	–	–	–
都道府県	–	–	–	–	–	–	–	–	–	–	–	–	–
市区町村	76	76	–	–	76	–	–	–	–	–	–	–	–
一部事務組合・広域連合	–	–	–	–	–	–	–	–	–	–	–	–	–
私営	39	29	–	–	29	–	10	3	–	–	1	4	2
社会福祉法人	7	4	–	–	4	–	3	3	–	–	–	–	–
医療法人	–	–	–	–	–	–	–	–	–	–	–	–	–
公益法人・日赤	–	–	–	–	–	–	1	–	–	–	1	–	–
営利法人（会社）	1	–	–	–	–	–	1	–	–	–	1	–	–
その他の法人	6	2	–	–	2	–	4	–	–	–	–	4	–
その他	25	23	–	–	23	–	2	–	–	–	–	–	2
児童遊園	2 380	2 372	–	3	2 369	–	8	4	–	–	–	4	–
公営	2 328	2 328	–	–	2 328	–	–	–	–	–	–	–	–
国・独立行政法人	–	–	–	–	–	–	–	–	–	–	–	–	–
都道府県	–	–	–	–	–	–	–	–	–	–	–	–	–
市区町村	2 328	2 328	–	–	2 328	–	–	–	–	–	–	–	–
一部事務組合・広域連合	–	–	–	–	–	–	–	–	–	–	–	–	–
私営	52	44	–	3	41	–	8	4	–	–	–	4	–
社会福祉法人	7	3	–	–	3	–	4	4	–	–	–	–	–
医療法人	–	–	–	–	–	–	–	–	–	–	–	–	–
公益法人・日赤	20	20	–	1	19	–	–	–	–	–	–	–	–
営利法人（会社）	1	1	–	1	–	–	–	–	–	–	–	–	–
その他の法人	6	2	–	1	1	–	4	–	–	–	–	4	–
その他	18	18	–	–	18	–	–	–	–	–	–	–	–
母子・父子福祉施設	56	43	–	14	29	–	13	8	–	1	–	4	–
公営	8	8	–	4	4	–	–	–	–	–	–	–	–
国・独立行政法人	–	–	–	–	–	–	–	–	–	–	–	–	–
都道府県	4	4	–	4	–	–	–	–	–	–	–	–	–
市区町村	4	4	–	–	4	–	–	–	–	–	–	–	–
一部事務組合・広域連合	–	–	–	–	–	–	–	–	–	–	–	–	–
私営	48	35	–	10	25	–	13	8	–	1	–	4	–
社会福祉法人	28	20	–	2	18	–	8	8	–	–	–	–	–
医療法人	–	–	–	–	–	–	–	–	–	–	–	–	–
公益法人・日赤	6	5	–	2	3	–	1	–	–	1	–	–	–
営利法人（会社）	–	–	–	–	–	–	–	–	–	–	–	–	–
その他の法人	14	10	–	6	4	–	4	–	–	–	–	4	–
その他	–	–	–	–	–	–	–	–	–	–	–	–	–
母子・父子福祉センター	54	42	–	14	28	–	12	7	–	1	–	4	–
公営	7	7	–	4	3	–	–	–	–	–	–	–	–
国・独立行政法人	–	–	–	–	–	–	–	–	–	–	–	–	–
都道府県	4	4	–	4	–	–	–	–	–	–	–	–	–
市区町村	3	3	–	–	3	–	–	–	–	–	–	–	–
一部事務組合・広域連合	–	–	–	–	–	–	–	–	–	–	–	–	–
私営	47	35	–	10	25	–	12	7	–	1	–	4	–
社会福祉法人	27	20	–	2	18	–	7	7	–	–	–	–	–
医療法人	–	–	–	–	–	–	–	–	–	–	–	–	–
公益法人・日赤	6	5	–	2	3	–	1	–	–	1	–	–	–
営利法人（会社）	–	–	–	–	–	–	–	–	–	–	–	–	–
その他の法人	14	10	–	6	4	–	4	–	–	–	–	4	–
その他	–	–	–	–	–	–	–	–	–	–	–	–	–

第2表　【基本票】社会福祉施設等数，

施設の種類／経営主体	総数	公立					私立						
		総数	国・独立行政法人	都道府県	市区町村	一部事務組合・広域連合	総数	社会福祉法人	医療法人	公益法人・日赤	営利法人（会社）	その他の法人	その他
母子・父子休養ホーム	2	1	-	-	1	-	1	1	-	-	-	-	-
公営	1	1	-	-	1	-	-	-	-	-	-	-	-
国・独立行政法人	-	-	-	-	-	-	-	-	-	-	-	-	-
都道府県	-	-	-	-	-	-	-	-	-	-	-	-	-
市区町村	1	1	-	-	1	-	-	-	-	-	-	-	-
一部事務組合・広域連合	-	-	-	-	-	-	-	-	-	-	-	-	-
私営	1	-	-	-	-	-	1	1	-	-	-	-	-
社会福祉法人	1	-	-	-	-	-	1	1	-	-	-	-	-
医療法人	-	-	-	-	-	-	-	-	-	-	-	-	-
公益法人・日赤	-	-	-	-	-	-	-	-	-	-	-	-	-
営利法人（会社）	-	-	-	-	-	-	-	-	-	-	-	-	-
その他の法人	-	-	-	-	-	-	-	-	-	-	-	-	-
その他	-	-	-	-	-	-	-	-	-	-	-	-	-
その他の社会福祉施設等	21 016	1 160	-	2	1 149	9	19 856	1 435	1 874	145	15 074	1 227	101
公営	1 094	1 094	-	-	1 093	1	-	-	-	-	-	-	-
国・独立行政法人	-	-	-	-	-	-	-	-	-	-	-	-	-
都道府県	-	-	-	-	-	-	-	-	-	-	-	-	-
市区町村	1 093	1 093	-	-	1 093	-	-	-	-	-	-	-	-
一部事務組合・広域連合	1	1	-	-	-	1	-	-	-	-	-	-	-
私営	19 922	66	-	2	56	8	19 856	1 435	1 874	145	15 074	1 227	101
社会福祉法人	1 465	30	-	2	20	8	1 435	1 435	-	-	-	-	-
医療法人	1 873	-	-	-	-	-	1 873	-	1 873	-	-	-	-
公益法人・日赤	152	7	-	-	7	-	145	-	-	145	-	-	-
営利法人（会社）	15 077	2	-	-	2	-	15 075	-	1	-	15 074	-	-
その他の法人	1 253	26	-	-	26	-	1 227	-	-	-	-	1 227	-
その他	102	1	-	-	1	-	101	-	-	-	-	-	101
授産施設	66	47	-	-	47	-	19	19	-	-	-	-	-
公営	30	30	-	-	30	-	-	-	-	-	-	-	-
国・独立行政法人	-	-	-	-	-	-	-	-	-	-	-	-	-
都道府県	-	-	-	-	-	-	-	-	-	-	-	-	-
市区町村	30	30	-	-	30	-	-	-	-	-	-	-	-
一部事務組合・広域連合	-	-	-	-	-	-	-	-	-	-	-	-	-
私営	36	17	-	-	17	-	19	19	-	-	-	-	-
社会福祉法人	25	6	-	-	6	-	19	19	-	-	-	-	-
医療法人	-	-	-	-	-	-	-	-	-	-	-	-	-
公益法人・日赤	5	5	-	-	5	-	-	-	-	-	-	-	-
営利法人（会社）	-	-	-	-	-	-	-	-	-	-	-	-	-
その他の法人	6	6	-	-	6	-	-	-	-	-	-	-	-
その他	-	-	-	-	-	-	-	-	-	-	-	-	-
宿所提供施設	366	11	-	-	3	8	355	14	2	6	44	277	12
公営	3	3	-	-	3	-	-	-	-	-	-	-	-
国・独立行政法人	-	-	-	-	-	-	-	-	-	-	-	-	-
都道府県	-	-	-	-	-	-	-	-	-	-	-	-	-
市区町村	3	3	-	-	3	-	-	-	-	-	-	-	-
一部事務組合・広域連合	-	-	-	-	-	-	-	-	-	-	-	-	-
私営	363	8	-	-	-	8	355	14	2	6	44	277	12
社会福祉法人	22	8	-	-	-	8	14	14	-	-	-	-	-
医療法人	2	-	-	-	-	-	2	-	2	-	-	-	-
公益法人・日赤	6	-	-	-	-	-	6	-	-	6	-	-	-
営利法人（会社）	44	-	-	-	-	-	44	-	-	-	44	-	-
その他の法人	277	-	-	-	-	-	277	-	-	-	-	277	-
その他	12	-	-	-	-	-	12	-	-	-	-	-	12
盲人ホーム	19	5	-	1	4	-	14	14	-	-	-	-	-
公営	-	-	-	-	-	-	-	-	-	-	-	-	-
国・独立行政法人	-	-	-	-	-	-	-	-	-	-	-	-	-
都道府県	-	-	-	-	-	-	-	-	-	-	-	-	-
市区町村	-	-	-	-	-	-	-	-	-	-	-	-	-
一部事務組合・広域連合	-	-	-	-	-	-	-	-	-	-	-	-	-
私営	19	5	-	1	4	-	14	14	-	-	-	-	-
社会福祉法人	16	2	-	1	1	-	14	14	-	-	-	-	-
医療法人	-	-	-	-	-	-	-	-	-	-	-	-	-
公益法人・日赤	-	-	-	-	-	-	-	-	-	-	-	-	-
営利法人（会社）	-	-	-	-	-	-	-	-	-	-	-	-	-
その他の法人	3	3	-	-	3	-	-	-	-	-	-	-	-
その他	-	-	-	-	-	-	-	-	-	-	-	-	-

施設の種類・経営主体、設置主体別

平成29年10月1日

施設の種類／経営主体	総数	公立 総数	国・独立行政法人	都道府県	市区町村	一部事務組合・広域連合	私立 総数	社会福祉法人	医療法人	公益法人・日赤	営利法人（会社）	その他の法人	その他
無料低額診療施設	586	3	–	–	3	–	583	179	103	120	–	176	5
公営	–	–	–	–	–	–	–	–	–	–	–	–	–
国・独立行政法人	–	–	–	–	–	–	–	–	–	–	–	–	–
都道府県	–	–	–	–	–	–	–	–	–	–	–	–	–
市区町村	–	–	–	–	–	–	–	–	–	–	–	–	–
一部事務組合・広域連合	–	–	–	–	–	–	–	–	–	–	–	–	–
私営	586	3	–	–	3	–	583	179	103	120	–	176	5
社会福祉法人	180	1	–	–	1	–	179	179	–	–	–	–	–
医療法人	103	–	–	–	–	–	103	–	103	–	–	–	–
公益法人・日赤	122	2	–	–	2	–	120	–	–	120	–	–	–
営利法人（会社）	–	–	–	–	–	–	–	–	–	–	–	–	–
その他の法人	176	–	–	–	–	–	176	–	–	–	–	176	–
その他	5	–	–	–	–	–	5	–	–	–	–	–	5
隣保館	1 071	1 051	–	–	1 051	–	20	18	–	1	–	1	–
公営	1 025	1 025	–	–	1 025	–	–	–	–	–	–	–	–
国・独立行政法人	–	–	–	–	–	–	–	–	–	–	–	–	–
都道府県	–	–	–	–	–	–	–	–	–	–	–	–	–
市区町村	1 025	1 025	–	–	1 025	–	–	–	–	–	–	–	–
一部事務組合・広域連合	–	–	–	–	–	–	–	–	–	–	–	–	–
私営	46	26	–	–	26	–	20	18	–	1	–	1	–
社会福祉法人	25	7	–	–	7	–	18	18	–	–	–	–	–
医療法人	–	–	–	–	–	–	–	–	–	–	–	–	–
公益法人・日赤	1	–	–	–	–	–	1	–	–	1	–	–	–
営利法人（会社）	1	1	–	–	1	–	–	–	–	–	–	–	–
その他の法人	18	17	–	–	17	–	1	–	–	–	–	1	–
その他	1	1	–	–	1	–	–	–	–	–	–	–	–
へき地保健福祉館	32	32	–	–	32	–	–	–	–	–	–	–	–
公営	32	32	–	–	32	–	–	–	–	–	–	–	–
国・独立行政法人	–	–	–	–	–	–	–	–	–	–	–	–	–
都道府県	–	–	–	–	–	–	–	–	–	–	–	–	–
市区町村	32	32	–	–	32	–	–	–	–	–	–	–	–
一部事務組合・広域連合	–	–	–	–	–	–	–	–	–	–	–	–	–
私営	–	–	–	–	–	–	–	–	–	–	–	–	–
社会福祉法人	–	–	–	–	–	–	–	–	–	–	–	–	–
医療法人	–	–	–	–	–	–	–	–	–	–	–	–	–
公益法人・日赤	–	–	–	–	–	–	–	–	–	–	–	–	–
営利法人（会社）	–	–	–	–	–	–	–	–	–	–	–	–	–
その他の法人	–	–	–	–	–	–	–	–	–	–	–	–	–
その他	–	–	–	–	–	–	–	–	–	–	–	–	–
有料老人ホーム（サービス付き高齢者向け住宅以外）	13 525	6	–	1	5	–	13 519	726	1 034	13	11 163	551	32
公営	1	1	–	–	1	–	–	–	–	–	–	–	–
国・独立行政法人	–	–	–	–	–	–	–	–	–	–	–	–	–
都道府県	–	–	–	–	–	–	–	–	–	–	–	–	–
市区町村	1	1	–	–	1	–	–	–	–	–	–	–	–
一部事務組合・広域連合	–	–	–	–	–	–	–	–	–	–	–	–	–
私営	13 524	5	–	1	4	–	13 519	726	1 034	13	11 163	551	32
社会福祉法人	730	4	–	1	3	–	726	726	–	–	–	–	–
医療法人	1 033	–	–	–	–	–	1 033	–	1 033	–	–	–	–
公益法人・日赤	13	–	–	–	–	–	13	–	–	13	–	–	–
営利法人（会社）	11 165	1	–	–	1	–	11 164	–	1	–	11 163	–	–
その他の法人	551	–	–	–	–	–	551	–	–	–	–	551	–
その他	32	–	–	–	–	–	32	–	–	–	–	–	32
有料老人ホーム（サービス付き高齢者向け住宅であるもの）	5 351	5	–	–	4	1	5 346	465	735	5	3 867	222	52
公営	3	3	–	–	2	1	–	–	–	–	–	–	–
国・独立行政法人	–	–	–	–	–	–	–	–	–	–	–	–	–
都道府県	–	–	–	–	–	–	–	–	–	–	–	–	–
市区町村	2	2	–	–	2	–	–	–	–	–	–	–	–
一部事務組合・広域連合	1	1	–	–	–	1	–	–	–	–	–	–	–
私営	5 348	2	–	–	2	–	5 346	465	735	5	3 867	222	52
社会福祉法人	467	2	–	–	2	–	465	465	–	–	–	–	–
医療法人	735	–	–	–	–	–	735	–	735	–	–	–	–
公益法人・日赤	5	–	–	–	–	–	5	–	–	5	–	–	–
営利法人（会社）	3 867	–	–	–	–	–	3 867	–	–	–	3 867	–	–
その他の法人	222	–	–	–	–	–	222	–	–	–	–	222	–
その他	52	–	–	–	–	–	52	–	–	–	–	–	52

第3表　【基本票】社会福祉施設等数（児童福祉施設等を除く），

定員階級	保護施設												老		
	救護施設			更生施設			授産施設			宿所提供施設			養護老人ホーム（一般）		
	総数	公営	私営	総数	公営	私営	総数	公営	私営	総数	公営	私営	総数	公営	私営
総　　数	186	14	172	21	2	19	15	3	12	10	1	9	907	135	772
30 人 以 下	2	－	2	3	－	3	11	－	11	1	－	1	26	2	24
31 ～ 40	1	－	1	－	－	－	1	1	－	－	－	－	13	1	12
41 ～ 49	－	－	－	－	－	－	－	－	－	－	－	－	9	2	7
50	35	5	30	5	1	4	2	1	1	1	－	1	428	60	368
51 ～ 60	20	2	18	3	－	3	1	1	－	3	－	3	98	15	83
61 ～ 70	17	1	16	3	－	3	－	－	－	－	－	－	73	13	60
71 ～ 80	18	1	17	1	－	1	－	－	－	1	－	1	86	11	75
81 ～ 90	14	1	13	－	－	－	－	－	－	－	－	－	21	3	18
91 ～ 100	36	1	35	3	－	3	－	－	－	1	－	1	74	18	56
101 ～ 110	9	1	8	－	－	－	－	－	－	－	－	－	20	5	15
111 ～ 120	6	－	6	2	1	1	－	－	－	3	1	2	15	－	15
121 ～ 130	5	1	4	－	－	－	－	－	－	－	－	－	12	2	10
131 ～ 140	2	－	2	－	－	－	－	－	－	－	－	－	4	－	4
141 ～ 150	10	1	9	－	－	－	－	－	－	－	－	－	14	1	13
151 ～ 170	2	－	2	1	－	1	－	－	－	－	－	－	4	1	3
171 ～ 200	8	－	8	－	－	－	－	－	－	－	－	－	6	－	6
201 ～ 250	1	－	1	－	－	－	－	－	－	－	－	－	3	1	2
251 ～ 300	－	－	－	－	－	－	－	－	－	－	－	－	－	－	－
301 人 以 上	－	－	－	－	－	－	－	－	－	－	－	－	1	－	1
不　　詳	－	－	－	－	－	－	－	－	－	－	－	－	－	－	－

定員階級	障害者支援施設等									身体障害者社会参加支援施設			婦人保護施設		
	障害者支援施設			地域活動支援センター			福祉ホーム			障害者更生センター					
	総数	公営	私営	総数	公営	私営	総数	公営	私営	総数	公営	私営	総数	公営	私営
総　　数	2 549	59	2 490	3 038	96	2 942	147	1	146	5	－	5	46	22	24
30 人 以 下	347	9	338	2 684	75	2 609	143	1	142	－	－	－	33	22	11
31 ～ 40	551	7	544	67	3	64	2	－	2	－	－	－	7	－	7
41 ～ 49	68	1	67	6	2	4	2	－	2	－	－	－	－	－	－
50	656	17	639	24	2	22	－	－	－	－	－	－	2	－	2
51 ～ 60	401	5	396	13	2	11	－	－	－	2	－	2	1	－	1
61 ～ 70	103	6	97	2	－	2	－	－	－	－	－	－	2	－	2
71 ～ 80	218	2	216	3	1	2	－	－	－	3	－	3	－	－	－
81 ～ 90	42	1	41	－	－	－	－	－	－	－	－	－	－	－	－
91 ～ 100	82	5	77	5	－	5	－	－	－	－	－	－	1	－	1
101 ～ 110	17	1	16	－	－	－	－	－	－	－	－	－	－	－	－
111 ～ 120	12	－	12	－	－	－	－	－	－	－	－	－	－	－	－
121 ～ 130	8	1	7	－	－	－	－	－	－	－	－	－	－	－	－
131 ～ 140	15	－	15	－	－	－	－	－	－	－	－	－	－	－	－
141 ～ 150	13	1	12	2	－	2	－	－	－	－	－	－	－	－	－
151 ～ 170	3	－	3	－	－	－	－	－	－	－	－	－	－	－	－
171 ～ 200	2	－	2	4	－	4	－	－	－	－	－	－	－	－	－
201 ～ 250	3	－	3	－	－	－	－	－	－	－	－	－	－	－	－
251 ～ 300	2	－	2	－	－	－	－	－	－	－	－	－	－	－	－
301 人 以 上	6	3	3	－	－	－	－	－	－	－	－	－	－	－	－
不　　詳	－	－	－	228	11	217	－	－	－	－	－	－	－	－	－

注：定員を調査していない施設は掲載していない。

定員階級、施設の種類・経営主体の公営－私営別

平成29年10月 1 日

人　福　祉　施　設

養護老人ホーム（盲）			軽費老人ホーム A型			軽費老人ホーム B型			軽費老人ホーム（ケアハウス）			都市型軽費老人ホーム			定員階級
総数	公営	私営	総数	公営	私営	総数	公営	私営	総数	公営	私営	総数	公営	私営	
52	－	52	194	2	192	14	3	11	2 023	9	2 014	71	－	71	総　　数
2	－	2	－	－	－	3	－	3	963	7	956	71	－	71	30 人 以 下
－	－	－	－	－	－	1	－	1	135	1	134	－	－	－	31 ～ 40
－	－	－	－	－	－	－	－	－	32	－	32	－	－	－	41 ～ 49
31	－	31	150	2	148	10	3	7	646	1	645	－	－	－	50
7	－	7	10	－	10	－	－	－	93	－	93	－	－	－	51 ～ 60
5	－	5	7	－	7	－	－	－	43	－	43	－	－	－	61 ～ 70
4	－	4	6	－	6	－	－	－	35	－	35	－	－	－	71 ～ 80
－	－	－	2	－	2	－	－	－	12	－	12	－	－	－	81 ～ 90
2	－	2	14	－	14	－	－	－	48	－	48	－	－	－	91 ～ 100
1	－	1	－	－	－	－	－	－	4	－	4	－	－	－	101 ～ 110
－	－	－	－	－	－	－	－	－	3	－	3	－	－	－	111 ～ 120
－	－	－	1	－	1	－	－	－	1	－	1	－	－	－	121 ～ 130
－	－	－	－	－	－	－	－	－	1	－	1	－	－	－	131 ～ 140
－	－	－	－	－	－	－	－	－	5	－	5	－	－	－	141 ～ 150
－	－	－	2	－	2	－	－	－	－	－	－	－	－	－	151 ～ 170
－	－	－	2	－	2	－	－	－	1	－	1	－	－	－	171 ～ 200
－	－	－	－	－	－	－	－	－	1	－	1	－	－	－	201 ～ 250
－	－	－	－	－	－	－	－	－	－	－	－	－	－	－	251 ～ 300
－	－	－	－	－	－	－	－	－	－	－	－	－	－	－	301 人 以 上
－	－	－	－	－	－	－	－	－	－	－	－	－	－	－	不　　詳

その他の社会福祉施設等

授産施設			宿所提供施設			盲人ホーム			有料老人ホーム（サービス付き高齢者向け住宅以外）			有料老人ホーム（サービス付き高齢者向け住宅であるもの）			定員階級
総数	公営	私営	総数	公営	私営	総数	公営	私営	総数	公営	私営	総数	公営	私営	
66	30	36	366	3	363	19	－	19	13 525	1	13 524	5 351	3	5 348	総　　数
50	24	26	231	1	230	19	－	19	7 425	1	7 424	3 134	2	3 132	30 人 以 下
8	5	3	35	－	35	－	－	－	1 458	－	1 458	891	－	891	31 ～ 40
－	－	－	26	－	26	－	－	－	1 105	－	1 105	419	－	419	41 ～ 49
6	1	5	10	－	10	－	－	－	445	－	445	171	1	170	50
2	－	2	16	1	15	－	－	－	1 130	－	1 130	350	－	350	51 ～ 60
－	－	－	15	－	15	－	－	－	575	－	575	144	－	144	61 ～ 70
－	－	－	9	－	9	－	－	－	455	－	455	108	－	108	71 ～ 80
－	－	－	4	1	3	－	－	－	235	－	235	39	－	39	81 ～ 90
－	－	－	3	－	3	－	－	－	235	－	235	51	－	51	91 ～ 100
－	－	－	2	－	2	－	－	－	86	－	86	8	－	8	101 ～ 110
－	－	－	1	－	1	－	－	－	67	－	67	13	－	13	111 ～ 120
－	－	－	8	－	8	－	－	－	48	－	48	7	－	7	121 ～ 130
－	－	－	1	－	1	－	－	－	32	－	32	1	－	1	131 ～ 140
－	－	－	1	－	1	－	－	－	44	－	44	2	－	2	141 ～ 150
－	－	－	－	－	－	－	－	－	41	－	41	6	－	6	151 ～ 170
－	－	－	1	－	1	－	－	－	41	－	41	3	－	3	171 ～ 200
－	－	－	3	－	3	－	－	－	41	－	41	4	－	4	201 ～ 250
－	－	－	－	－	－	－	－	－	19	－	19	－	－	－	251 ～ 300
－	－	－	－	－	－	－	－	－	43	－	43	－	－	－	301 人 以 上
－	－	－	－	－	－	－	－	－	－	－	－	－	－	－	不　　詳

第４表　【基本票】児童福祉施設等数，定員階級、

定員階級	助産施設			乳児院			母子生活支援施設			保育 総数			幼保連携型認定こども園		
	総数	公営	私営	総数	公営	私営	総数	公営	私営	総数	公営	私営	総数	公営	私営
総数	387	194	193	138	5	133	227	30	197	27 137	8 716	18 421	3 620	550	3 070
10人以下	302	150	152	13	-	13	25	7	18	24	6	18	24	6	18
11 ～ 20	31	18	13	49	2	47	149	20	129	336	94	242	54	12	42
21 ～ 30	14	6	8	35	2	33	32	2	30	959	291	668	123	21	102
31 ～ 40	23	13	10	21	1	20	10	1	9	807	207	600	125	20	105
41 ～ 49	4	2	2	5	-	5	1	-	1	837	384	453	105	24	81
(再掲) 41 ～ 45	3	1	2	3	-	3	1	-	1	737	379	358	76	23	53
(再掲) 46 ～ 49	1	1	-	2	-	2	-	-	-	100	5	95	29	1	28
50	4	1	3	6	-	6	7	-	7	730	148	582	126	14	112
51 ～ 60	1	-	1	3	-	3	2	-	2	3 875	1 056	2 819	400	50	350
61 ～ 70	1	1	-	2	-	2	-	-	-	1 714	403	1 311	288	32	256
71 ～ 80	-	-	-	3	-	3	1	-	1	1 777	518	1 259	289	41	248
81 ～ 90	1	-	1	1	-	1	-	-	-	4 026	1 217	2 809	429	52	377
91 ～ 100	-	-	-	-	-	-	-	-	-	1 900	735	1 165	261	50	211
101 ～ 110	-	-	-	-	-	-	-	-	-	1 470	531	939	202	20	182
111 ～ 120	-	-	-	-	-	-	-	-	-	2 939	1 065	1 874	299	64	235
121 ～ 150	-	-	-	-	-	-	-	-	-	3 149	1 172	1 977	473	79	394
151 ～ 200	1	-	1	-	-	-	-	-	-	1 796	640	1 156	285	48	237
201人以上	1	-	1	-	-	-	-	-	-	798	249	549	137	17	120
不詳	4	3	1	-	-	-	-	-	-	-	-	-	-	-	-

定員階級	小規模保育事業所Ｂ型			小規模保育事業所Ｃ型			児童養護施設			障害児入所施設（福祉型）			障害児入所施設（医療型）		
	総数	公営	私営	総数	公営	私営	総数	公営	私営	総数	公営	私営	総数	公営	私営
総数	697	12	685	110	-	110	608	10	598	263	39	224	212	77	135
10人以下	74	3	71	98	-	98	6	-	6	22	3	19	-	-	-
11 ～ 20	622	9	613	12	-	12	4	-	4	40	4	36	6	2	4
21 ～ 30	-	-	-	-	-	-	75	4	71	85	12	73	12	6	6
31 ～ 40	1	-	1	-	-	-	113	2	111	41	7	34	16	5	11
41 ～ 49	-	-	-	-	-	-	95	1	94	6	-	6	4	-	4
(再掲) 41 ～ 45	-	-	-	-	-	-	63	-	63	4	-	4	3	-	3
(再掲) 46 ～ 49	-	-	-	-	-	-	32	1	31	2	-	2	1	-	1
50	-	-	-	-	-	-	54	1	53	27	4	23	19	9	10
51 ～ 60	-	-	-	-	-	-	97	1	96	19	1	18	25	4	21
61 ～ 70	-	-	-	-	-	-	57	-	57	8	3	5	8	3	5
71 ～ 80	-	-	-	-	-	-	50	1	49	8	1	7	24	12	12
81 ～ 90	-	-	-	-	-	-	23	-	23	1	1	-	10	2	8
91 ～ 100	-	-	-	-	-	-	17	-	17	3	3	-	15	4	11
101 ～ 110	-	-	-	-	-	-	7	-	7	-	-	-	5	3	2
111 ～ 120	-	-	-	-	-	-	3	-	3	-	-	-	23	17	6
121 ～ 150	-	-	-	-	-	-	6	-	6	2	-	2	15	1	14
151 ～ 200	-	-	-	-	-	-	1	-	1	1	-	1	20	6	14
201人以上	-	-	-	-	-	-	-	-	-	-	-	-	10	3	7
不詳	-	-	-	-	-	-	-	-	-	-	-	-	-	-	-

注：1）母子生活支援施設は世帯数である。
　　2）定員を調査していない施設は除く。

施設の種類・経営主体の公営－私営別

| 所　　　　　　等 | | | | | | 小　規　模　保　育　事　業　所 | | | | | | 定　員　階　級 |
| 保育所型認定こども園 | | | 保　　育　　所 | | | 総　　　　　数 | | | 小規模保育事業所A型 | | | |
総　数	公　営	私　営	総　数	公　営	私　営	総　数	公　営	私　営	総　数	公　営	私　営	
591	215	376	22 926	7 951	14 975	3 401	40	3 361	2 594	28	2 566	総　　　　数
–	–	–	–	–	–	346	5	341	174	2	172	10 人 以 下
1	–	1	281	82	199	3 052	33	3 019	2 418	24	2 394	11 ～ 20
17	14	3	819	256	563	2	2	–	2	2	–	21 ～ 30
19	8	11	663	179	484	1	–	1	–	–	–	31 ～ 40
13	5	8	719	355	364	–	–	–	–	–	–	41 ～ 49
13	5	8	648	351	297	–	–	–	–	–	–	(再掲) 41 ～ 45
–	–	–	71	4	67	–	–	–	–	–	–	(再掲) 46 ～ 49
18	7	11	586	127	459	–	–	–	–	–	–	50
52	22	30	3 423	984	2 439	–	–	–	–	–	–	51 ～ 60
43	10	33	1 383	361	1 022	–	–	–	–	–	–	61 ～ 70
47	16	31	1 441	461	980	–	–	–	–	–	–	71 ～ 80
57	23	34	3 540	1 142	2 398	–	–	–	–	–	–	81 ～ 90
51	13	38	1 588	672	916	–	–	–	–	–	–	91 ～ 100
41	12	29	1 227	499	728	–	–	–	–	–	–	101 ～ 110
41	20	21	2 599	981	1 618	–	–	–	–	–	–	111 ～ 120
90	29	61	2 586	1 064	1 522	–	–	–	–	–	–	121 ～ 150
60	23	37	1 451	569	882	–	–	–	–	–	–	151 ～ 200
41	13	28	620	219	401	–	–	–	–	–	–	201 人 以 上
–	–	–	–	–	–	–	–	–	–	–	–	不　　　詳

| 児童発達支援センター（福祉型） | | | 児童発達支援センター（医療型） | | | 児 童 心 理 治 療 施 設 | | | 児 童 自 立 支 援 施 設 | | | 定　員　階　級 |
総　数	公　営	私　営	総　数	公　営	私　営	総　数	公　営	私　営	総　数	公　営	私　営	
528	128	400	99	50	49	44	4	40	58	56	2	総　　　　数
44	1	43	9	4	5	–	–	–	–	–	–	10 人 以 下
120	11	109	16	9	7	1	–	1	1	1	–	11 ～ 20
198	51	147	19	9	10	9	1	8	6	6	–	21 ～ 30
78	33	45	47	25	22	6	–	6	7	7	–	31 ～ 40
12	5	7	–	–	–	4	1	3	8	8	–	41 ～ 49
7	2	5	–	–	–	4	1	3	5	5	–	(再掲) 41 ～ 45
5	3	2	–	–	–	–	–	–	3	3	–	(再掲) 46 ～ 49
37	8	29	4	1	3	17	2	15	6	5	1	50
14	7	7	3	1	2	4	–	4	10	10	–	51 ～ 60
7	4	3	–	–	–	2	–	2	5	5	–	61 ～ 70
11	4	7	1	1	–	1	–	1	3	3	–	71 ～ 80
1	1	–	–	–	–	–	–	–	4	3	1	81 ～ 90
3	2	1	–	–	–	–	–	–	1	1	–	91 ～ 100
2	1	1	–	–	–	–	–	–	–	–	–	101 ～ 110
1	–	1	–	–	–	–	–	–	2	2	–	111 ～ 120
–	–	–	–	–	–	–	–	–	4	4	–	121 ～ 150
–	–	–	–	–	–	–	–	–	–	–	–	151 ～ 200
–	–	–	–	–	–	–	–	–	1	1	–	201 人 以 上
–	–	–	–	–	–	–	–	–	–	–	–	不　　　詳

第5表　【基本票】保育所等数・小規模保育事業所数，

都 道 府 県	保育所等数 総数	公営 総数	国・独立行政法人	都道府県	市区町村	一部事務組合・広域連合	私 総数	社会福祉法人	医療法人	公益法人・日赤	営利法人（会社）	その他の法人	その他
全　　国	27 137	8 716	2	－	8 711	3	18 421	14 493	15	56	1 686	2 049	122
北　海　道	614	300	－	－	300	－	314	232	－	3	3	72	4
青　　森	310	8	－	－	8	－	302	283	－	－	1	17	1
岩　　手	309	109	－	－	109	－	200	172	－	－	2	24	2
宮　　城	249	137	－	－	137	－	112	90	2	－	7	13	－
秋　　田	206	50	－	－	50	－	156	127	－	6	1	21	1
山　　形	282	79	－	－	79	－	203	143	－	1	20	38	1
福　　島	239	119	－	－	119	－	120	82	1	1	2	34	－
茨　　城	578	157	－	－	157	－	421	334	－	－	8	79	－
栃　　木	322	123	－	－	123	－	199	127	－	－	－	72	－
群　　馬	282	68	－	－	68	－	214	198	－	－	－	16	－
埼　　玉	948	293	－	－	293	－	655	463	1	1	89	100	1
千　　葉	689	270	－	－	270	－	419	309	1	－	82	25	2
東　　京	2 500	733	1	－	732	－	1 767	1 059	1	14	561	121	11
神　奈　川	421	99	－	－	99	－	322	223	－	1	56	40	2
新　　潟	489	280	－	－	280	－	209	169	1	－	1	38	－
富　　山	204	105	－	－	105	－	99	83	－	－	1	15	－
石　　川	240	119	－	－	119	－	121	112	－	－	－	8	1
福　　井	277	120	－	－	120	－	157	147	－	1	－	9	－
山　　梨	233	108	－	－	108	－	125	99	－	1	－	13	12
長　　野	487	393	－	－	393	－	94	78	－	－	－	16	－
岐　　阜	374	215	－	－	214	1	159	142	－	－	1	15	1
静　　岡	361	132	－	－	130	2	229	199	－	－	6	23	1
愛　　知	769	537	－	－	537	－	232	171	－	－	22	38	1
三　　重	421	219	－	－	219	－	202	191	－	－	2	9	－
滋　　賀	227	101	－	－	101	－	126	114	－	－	－	11	1
京　　都	224	109	－	－	109	－	115	108	－	1	－	6	－
大　　阪	588	154	－	－	154	－	434	382	－	－	13	39	－
兵　　庫	514	188	－	－	188	－	326	289	－	－	8	29	－
奈　　良	160	75	－	－	75	－	85	77	－	－	3	4	1
和　歌　山	142	84	－	－	84	－	58	50	－	－	－	6	2
鳥　　取	185	97	－	－	97	－	88	67	1	－	5	15	－
島　　根	290	54	－	－	54	－	236	230	－	1	1	3	1
岡　　山	210	124	－	－	124	－	86	81	－	－	－	5	－
広　　島	280	143	－	－	143	－	137	96	－	－	22	19	－
山　　口	260	97	－	－	97	－	163	133	－	－	3	5	22
徳　　島	211	112	－	－	112	－	99	92	－	－	3	4	－
香　　川	132	75	－	－	75	－	57	52	－	－	1	4	－
愛　　媛	248	157	－	－	157	－	91	75	－	2	1	12	1
高　　知	167	113	－	－	113	－	54	49	－	－	1	3	1
福　　岡	508	96	－	－	96	－	412	380	－	－	1	23	8
佐　　賀	246	39	－	－	39	－	207	166	－	－	－	40	1
長　　崎	291	30	－	－	30	－	261	230	－	－	3	28	－
熊　　本	442	85	－	－	85	－	357	343	－	－	－	14	－
大　　分	216	38	－	－	38	－	178	158	－	－	6	14	－
宮　　崎	289	44	－	－	44	－	245	228	－	－	－	17	－
鹿　児　島	402	39	－	－	39	－	363	304	－	－	－	59	－
沖　　縄	394	74	－	－	74	－	320	312	－	－	2	6	－

注：指定都市及び中核市は別掲である。

都道府県－指定都市－中核市、経営主体別

平成29年10月 1 日

指定都市 中核市	保育所等数 総数	公営 総数	国・独立行政法人	都道府県	市区町村	一部事務組合・広域連合	私営 総数	社会福祉法人	医療法人	公益法人・日赤	営利法人（会社）	その他の法人	その他
指定都市（別掲）													
札幌市	298	22	1	－	21	－	276	205	－	1	32	37	1
仙台市	192	38	－	－	38	－	154	85	－	1	39	29	－
さいたま市	201	61	－	－	61	－	140	111	－	1	19	8	1
千葉市	168	59	－	－	59	－	109	55	1	－	43	10	－
横浜市	743	80	－	－	80	－	663	327	1	3	245	81	6
川崎市	326	40	－	－	40	－	286	126	－	3	144	13	－
相模原市	117	25	－	－	25	－	92	75	－	－	12	5	－
新潟市	234	87	－	－	87	－	147	126	－	1	－	19	1
静岡市	140	58	－	－	58	－	82	56	1	－	7	15	3
浜松市	112	21	－	－	21	－	91	79	－	－	4	8	－
名古屋市	434	108	－	－	108	－	326	233	－	－	23	59	11
京都市	270	18	－	－	18	－	252	227	－	－	－	22	3
大阪市	457	64	－	－	64	－	393	331	－	1	28	33	－
堺市	121	18	－	－	18	－	103	90	－	－	1	12	－
神戸市	244	58	－	－	58	－	186	154	－	－	3	28	1
岡山市	125	52	－	－	52	－	73	70	－	－	－	3	－
広島市	215	88	－	－	88	－	127	76	－	－	18	30	3
北九州市	165	19	－	－	19	－	146	143	－	2	－	1	－
福岡市	232	7	－	－	7	－	225	202	－	－	8	15	－
熊本市	184	19	－	－	19	－	165	140	－	－	2	23	－
中核市（別掲）													
旭川市	67	3	－	－	3	－	64	54	－	1	2	7	－
函館市	50	3	－	－	3	－	47	38	－	1	－	8	－
青森市	88	－	－	－	－	－	88	84	－	1	－	2	1
八戸市	69	12	－	－	12	－	57	46	－	1	3	7	－
秋田市	72	6	－	－	6	－	66	45	－	1	3	17	－
郡山市	44	25	－	－	25	－	19	8	－	1	6	4	－
いわき市	60	31	－	－	31	－	29	24	－	－	－	5	－
宇都宮市	90	10	－	－	10	－	80	63	－	－	1	16	－
前橋市	71	18	－	－	18	－	53	41	－	－	－	12	－
高崎市	87	21	－	－	21	－	66	61	－	1	－	4	－
川越市	52	20	－	－	20	－	32	30	－	－	－	2	－
越谷市	43	18	－	－	18	－	25	16	－	－	1	8	－
船橋市	101	27	－	－	27	－	74	49	1	－	15	9	－
柏市	64	23	－	－	23	－	41	21	1	－	12	7	－
八王子市	100	10	－	－	10	－	90	80	－	－	4	3	3
横須賀市	47	10	－	－	10	－	37	21	－	－	12	4	－
富山市	95	42	－	－	42	－	53	43	－	1	－	9	－
金沢市	113	13	－	－	13	－	100	98	－	－	－	2	－
長野市	84	29	－	－	29	－	55	40	－	1	－	13	1
岐阜市	46	19	－	－	19	－	27	23	－	－	－	2	2
豊橋市	59	5	－	－	5	－	54	50	－	－	－	4	－
豊田市	80	55	－	－	55	－	25	13	－	－	－	12	－
岡崎市	56	38	－	－	38	－	18	18	－	－	－	－	－
大津市	71	14	－	－	14	－	57	50	－	－	2	5	－
高槻市	51	14	－	－	14	－	37	31	－	－	4	2	－
東大阪市	78	11	－	－	11	－	67	54	－	－	－	13	－
豊中市	80	26	－	－	26	－	54	27	1	－	8	18	－
枚方市	59	12	－	－	12	－	47	43	－	－	－	4	－
姫路市	97	30	－	－	30	－	67	54	－	－	3	9	1
西宮市	63	23	－	－	23	－	40	37	－	－	－	3	－
尼崎市	85	21	－	－	21	－	64	59	－	－	－	5	－
奈良市	52	24	－	－	24	－	28	27	－	－	－	1	－
和歌山市	61	18	－	－	18	－	43	36	－	1	－	6	－
倉敷市	95	21	－	－	21	－	74	73	－	－	－	1	－
福山市	113	50	－	－	50	－	63	60	－	－	－	3	－
呉市	54	12	－	－	12	－	42	34	－	－	－	8	－
下関市	57	23	－	－	23	－	34	27	－	－	－	3	4
高松市	79	36	－	－	36	－	43	40	－	－	－	3	－
松山市	75	16	－	－	16	－	59	37	－	－	9	13	－
高知市	96	24	－	－	24	－	72	60	－	－	5	7	－
久留米市	75	9	－	－	9	－	66	59	－	－	－	7	－
長崎市	118	9	－	－	9	－	109	76	－	－	5	28	－
佐世保市	75	3	－	－	3	－	72	57	－	－	1	14	－
大分市	93	13	－	－	13	－	80	54	1	－	16	9	－
宮崎市	138	5	－	－	5	－	133	112	－	－	3	17	1
鹿児島市	146	11	－	－	11	－	135	101	－	－	2	32	－
那覇市	105	10	－	－	10	－	95	89	－	－	3	3	－

第5表　【基本票】保育所等数・小規模保育事業所数，

都道府県	保育所等												
	総数	幼保連携型認定こども園											
		公営					私					営	
		総数	国・独立行政法人	都道府県	市区町村	一部事務組合・広域連合	総数	社会福祉法人	医療法人	公益法人・日赤	営利法人（会社）	その他の法人	その他
全　　　　国	3 620	550	–	–	550	–	3 070	1 894	–	–	–	1 174	2
北　海　道	97	14	–	–	14	–	83	35	–	–	–	48	–
青　　　森	113	3	–	–	3	–	110	100	–	–	–	10	–
岩　　　手	39	8	–	–	8	–	31	11	–	–	–	20	–
宮　　　城	10	5	–	–	5	–	5	1	–	–	–	4	–
秋　　　田	41	9	–	–	9	–	32	14	–	–	–	18	–
山　　　形	39	2	–	–	2	–	37	13	–	–	–	24	–
福　　　島	60	21	–	–	21	–	39	11	–	–	–	28	–
茨　　　城	113	12	–	–	12	–	101	40	–	–	–	61	–
栃　　　木	68	5	–	–	5	–	63	4	–	–	–	59	–
群　　　馬	60	2	–	–	2	–	58	45	–	–	–	13	–
埼　　　玉	44	–	–	–	–	–	44	6	–	–	–	38	–
千　　　葉	35	12	–	–	12	–	23	14	–	–	–	9	–
東　　　京	27	9	–	–	9	–	18	2	–	–	–	16	–
神　奈　川	23	10	–	–	10	–	13	4	–	–	–	7	2
新　　　潟	58	7	–	–	7	–	51	16	–	–	–	35	–
富　　　山	31	4	–	–	4	–	27	15	–	–	–	12	–
石　　　川	54	–	–	–	–	–	54	48	–	–	–	6	–
福　　　井	85	16	–	–	16	–	69	60	–	–	–	9	–
山　　　梨	32	–	–	–	–	–	32	19	–	–	–	13	–
長　　　野	24	2	–	–	2	–	22	8	–	–	–	14	–
岐　　　阜	49	27	–	–	27	–	22	20	–	–	–	2	–
静　　　岡	48	17	–	–	17	–	31	12	–	–	–	19	–
愛　　　知	26	1	–	–	1	–	25	12	–	–	–	13	–
三　　　重	20	5	–	–	5	–	15	8	–	–	–	7	–
滋　　　賀	52	30	–	–	30	–	22	14	–	–	–	8	–
京　　　都	26	1	–	–	1	–	25	23	–	–	–	2	–
大　　　阪	212	14	–	–	14	–	198	174	–	–	–	24	–
兵　　　庫	158	51	–	–	51	–	107	96	–	–	–	11	–
奈　　　良	24	12	–	–	12	–	12	10	–	–	–	2	–
和　歌　山	12	3	–	–	3	–	9	5	–	–	–	4	–
鳥　　　取	26	10	–	–	10	–	16	5	–	–	–	11	–
島　　　根	13	3	–	–	3	–	10	8	–	–	–	2	–
岡　　　山	27	22	–	–	22	–	5	3	–	–	–	2	–
広　　　島	33	3	–	–	3	–	30	18	–	–	–	12	–
山　　　口	2	–	–	–	–	–	2	–	–	–	–	2	–
徳　　　島	30	11	–	–	11	–	19	17	–	–	–	2	–
香　　　川	13	10	–	–	10	–	3	3	–	–	–	–	–
愛　　　媛	20	7	–	–	7	–	13	1	–	–	–	12	–
高　　　知	8	6	–	–	6	–	2	–	–	–	–	2	–
福　　　岡	17	5	–	–	5	–	12	5	–	–	–	7	–
佐　　　賀	52	–	–	–	–	–	52	18	–	–	–	34	–
長　　　崎	39	3	–	–	3	–	36	22	–	–	–	14	–
熊　　　本	29	–	–	–	–	–	29	19	–	–	–	10	–
大　　　分	49	4	–	–	4	–	45	41	–	–	–	4	–
宮　　　崎	72	–	–	–	–	–	72	55	–	–	–	17	–
鹿　児　島	94	3	–	–	3	–	91	45	–	–	–	46	–
沖　　　縄	19	2	–	–	2	–	17	14	–	–	–	3	–

都道府県－指定都市－中核市、経営主体別

保育所等 / 幼保連携型認定こども園

指定都市 中核市	総数	公営 総数	公営 国・独立行政法人	公営 都道府県	公営 市区町村	公営 一部事務組合・広域連合	私営 総数	私営 社会福祉法人	私営 医療法人	私営 公益法人・日赤	私営 営利法人（会社）	私営 その他の法人	私営 その他
指定都市（別掲）													
札幌市	35	1	-	-	1	-	34	9	-	-	-	25	-
仙台市	12	-	-	-	-	-	12	2	-	-	-	10	-
さいたま市	5	-	-	-	-	-	5	-	-	-	-	5	-
千葉市	7	-	-	-	-	-	7	3	-	-	-	4	-
横浜市	22	-	-	-	-	-	22	-	-	-	-	22	-
川崎市	2	-	-	-	-	-	2	-	-	-	-	2	-
相模原市	8	1	-	-	1	-	7	3	-	-	-	4	-
新潟市	31	-	-	-	-	-	31	14	-	-	-	17	-
静岡市	85	58	-	-	58	-	27	13	-	-	-	14	-
浜松市	44	-	-	-	-	-	44	36	-	-	-	8	-
名古屋市	37	-	-	-	-	-	37	31	-	-	-	6	-
京都市	19	-	-	-	-	-	19	18	-	-	-	1	-
大阪市	33	-	-	-	-	-	33	19	-	-	-	14	-
堺市	98	18	-	-	18	-	80	69	-	-	-	11	-
神戸市	115	-	-	-	-	-	115	97	-	-	-	18	-
岡山市	12	6	-	-	6	-	6	6	-	-	-	-	-
広島市	21	-	-	-	-	-	21	3	-	-	-	18	-
北九州市	-	-	-	-	-	-	-	-	-	-	-	-	-
福岡市	3	-	-	-	-	-	3	2	-	-	-	1	-
熊本市	54	-	-	-	-	-	54	33	-	-	-	21	-
中核市（別掲）													
旭川市	9	-	-	-	-	-	9	7	-	-	-	2	-
函館市	18	-	-	-	-	-	18	12	-	-	-	6	-
青森市	23	-	-	-	-	-	23	21	-	-	-	2	-
八戸市	44	-	-	-	-	-	44	40	-	-	-	4	-
盛岡市	11	-	-	-	-	-	11	6	-	-	-	5	-
秋田市	16	-	-	-	-	-	16	2	-	-	-	14	-
郡山市	-	-	-	-	-	-	-	-	-	-	-	-	-
いわき市	4	-	-	-	-	-	4	-	-	-	-	4	-
宇都宮市	14	-	-	-	-	-	14	-	-	-	-	14	-
前橋市	26	-	-	-	-	-	26	14	-	-	-	12	-
高崎市	24	-	-	-	-	-	24	20	-	-	-	4	-
川越市	2	-	-	-	-	-	2	-	-	-	-	2	-
越谷市	5	-	-	-	-	-	5	-	-	-	-	5	-
船橋市	4	-	-	-	-	-	4	2	-	-	-	2	-
柏市	5	-	-	-	-	-	5	-	-	-	-	5	-
八王子市	-	-	-	-	-	-	-	-	-	-	-	-	-
横須賀市	9	-	-	-	-	-	9	5	-	-	-	4	-
富山市	48	-	-	-	-	-	48	39	-	-	-	9	-
金沢市	32	-	-	-	-	-	32	30	-	-	-	2	-
長野市	7	-	-	-	-	-	7	-	-	-	-	7	-
岐阜市	6	-	-	-	-	-	6	5	-	-	-	1	-
豊橋市	14	1	-	-	1	-	13	9	-	-	-	4	-
豊田市	10	-	-	-	-	-	10	-	-	-	-	10	-
岡崎市	3	3	-	-	3	-	-	-	-	-	-	-	-
大津市	11	-	-	-	-	-	11	8	-	-	-	3	-
高槻市	15	1	-	-	1	-	14	12	-	-	-	2	-
東大阪市	37	2	-	-	2	-	35	23	-	-	-	12	-
豊中市	36	26	-	-	26	-	10	3	-	-	-	7	-
枚方市	4	-	-	-	-	-	4	-	-	-	-	4	-
姫路市	38	8	-	-	8	-	30	26	-	-	-	4	-
西宮市	8	-	-	-	-	-	8	8	-	-	-	-	-
尼崎市	5	-	-	-	-	-	5	1	-	-	-	4	-
奈良市	21	12	-	-	12	-	9	9	-	-	-	-	-
和歌山市	18	-	-	-	-	-	18	12	-	-	-	6	-
倉敷市	7	5	-	-	5	-	2	1	-	-	-	1	-
福山市	21	-	-	-	-	-	21	19	-	-	-	2	-
呉市	12	-	-	-	-	-	12	6	-	-	-	6	-
下関市	14	7	-	-	7	-	7	6	-	-	-	1	-
高松市	11	6	-	-	6	-	5	2	-	-	-	3	-
松山市	11	-	-	-	-	-	11	2	-	-	-	9	-
高知市	5	-	-	-	-	-	5	-	-	-	-	5	-
久留米市	7	-	-	-	-	-	7	-	-	-	-	7	-
長崎市	23	1	-	-	1	-	22	8	-	-	-	14	-
佐世保市	9	-	-	-	-	-	9	5	-	-	-	4	-
大分市	22	-	-	-	-	-	22	17	-	-	-	5	-
宮崎市	43	-	-	-	-	-	43	30	-	-	-	13	-
鹿児島市	31	-	-	-	-	-	31	5	-	-	-	26	-
那覇市	11	3	-	-	3	-	8	7	-	-	-	1	-

第5表　【基本票】保育所等数・小規模保育事業所数，

都道府県	保育所等												
	総数	保育所型認定こども園											
		公営					私営						
		総数	国・独立行政法人	都道府県	市区町村	一部事務組合・広域連合	総数	社会福祉法人	医療法人	公益法人・日赤	営利法人（会社）	その他の法人	その他
全国	591	215	1	－	214	－	376	296	1	6	29	40	4
北海道	43	21	－	－	21	－	22	16	－	－	1	5	－
青森	16	－	－	－	－	－	16	12	－	－	－	4	－
岩手	6	5	－	－	5	－	1	1	－	－	－	－	－
宮城	2	－	－	－	－	－	2	1	－	－	－	1	－
秋田	10	2	－	－	2	－	8	7	－	1	－	－	－
山形	6	1	－	－	1	－	5	4	－	－	－	1	－
福島	2	2	－	－	2	－	－	－	－	－	－	－	－
茨城	11	4	－	－	4	－	7	7	－	－	－	－	－
栃木	3	2	－	－	2	－	1	－	－	－	－	1	－
群馬	2	1	－	－	1	－	1	1	－	－	－	－	－
埼玉	2	－	－	－	－	－	2	2	－	－	－	－	－
千葉	11	3	－	－	3	－	8	8	－	－	－	－	－
東京	42	13	1	－	12	－	29	15	－	2	9	3	－
神奈川	2	－	－	－	－	－	2	1	－	－	－	1	－
新潟	6	1	－	－	1	－	5	4	1	－	－	－	－
富山	5	1	－	－	1	－	4	3	－	－	－	1	－
石川	37	32	－	－	32	－	5	5	－	－	－	－	－
福井	1	－	－	－	－	－	1	－	－	1	－	－	－
山梨	6	5	－	－	5	－	1	1	－	－	－	－	－
長野	23	22	－	－	22	－	1	1	－	－	－	－	－
岐阜	26	7	－	－	7	－	19	13	－	－	－	6	－
静岡	6	1	－	－	1	－	5	5	－	－	－	－	－
愛知	5	4	－	－	4	－	1	－	－	－	1	－	－
三重	6	4	－	－	4	－	2	2	－	－	－	－	－
滋賀	4	4	－	－	4	－	－	－	－	－	－	－	－
京都	1	1	－	－	1	－	－	－	－	－	－	－	－
大阪	4	1	－	－	1	－	3	3	－	－	－	－	－
兵庫	12	－	－	－	－	－	12	10	－	－	－	2	－
奈良	1	－	－	－	－	－	1	1	－	－	－	－	－
和歌山	12	3	－	－	3	－	9	8	－	－	－	1	－
鳥取	8	6	－	－	6	－	2	1	－	－	1	－	－
島根	21	10	－	－	10	－	11	11	－	－	－	－	－
岡山	12	10	－	－	10	－	2	2	－	－	－	－	－
広島	14	10	－	－	10	－	4	4	－	－	－	－	－
山口	－	－	－	－	－	－	－	－	－	－	－	－	－
徳島	16	15	－	－	15	－	1	1	－	－	－	－	－
香川	1	1	－	－	1	－	－	－	－	－	－	－	－
愛媛	2	1	－	－	1	－	1	－	－	－	－	1	－
高知	1	－	－	－	－	－	1	－	－	－	－	1	－
福岡	8	1	－	－	1	－	7	6	－	－	－	1	－
佐賀	3	－	－	－	－	－	3	2	－	－	－	1	－
長崎	11	1	－	－	1	－	10	9	－	－	－	1	－
熊本	3	－	－	－	－	－	3	3	－	－	－	－	－
大分	15	4	－	－	4	－	11	10	－	－	－	1	－
宮崎	11	1	－	－	1	－	10	10	－	－	－	－	－
鹿児島	13	6	－	－	6	－	7	6	－	－	－	1	－
沖縄	2	－	－	－	－	－	2	2	－	－	－	－	－

都道府県－指定都市－中核市、経営主体別

保育所等　／　保育所型認定こども園

指定都市 中核市	総数	公営 総数	国・独立行政法人	都道府県	市区町村	一部事務組合・広域連合	私営 総数	社会福祉法人	医療法人	公益法人・日赤	営利法人(会社)	その他の法人	その他
指定都市(別掲)													
札幌市	2	-	-	-	-	-	2	1	-	1	-	-	-
仙台市	-	-	-	-	-	-	-	-	-	-	-	-	-
さいたま市	2	2	-	-	2	-	-	-	-	-	-	-	-
千葉市	-	-	-	-	-	-	-	-	-	-	-	-	-
横浜市	-	-	-	-	-	-	-	-	-	-	-	-	-
川崎市	-	-	-	-	-	-	-	-	-	-	-	-	-
相模原市	-	-	-	-	-	-	-	-	-	-	-	-	-
新潟市	5	-	-	-	-	-	5	5	-	-	-	-	-
静岡市	-	-	-	-	-	-	-	-	-	-	-	-	-
浜松市	1	-	-	-	-	-	1	-	-	-	1	-	-
名古屋市	18	-	-	-	-	-	18	10	-	-	-	4	4
京都市	3	-	-	-	-	-	3	3	-	-	-	-	-
大阪市	2	-	-	-	-	-	2	2	-	-	-	-	-
堺市	3	-	-	-	-	-	3	2	-	-	1	-	-
神戸市	-	-	-	-	-	-	-	-	-	-	-	-	-
岡山市	-	-	-	-	-	-	-	-	-	-	-	-	-
広島市	4	1	-	-	1	-	3	3	-	-	-	-	-
北九州市	-	-	-	-	-	-	-	-	-	-	-	-	-
福岡市	-	-	-	-	-	-	-	-	-	-	-	-	-
熊本市	-	-	-	-	-	-	-	-	-	-	-	-	-
中核市(別掲)													
旭川市	12	-	-	-	-	-	12	11	-	-	-	1	-
函館市	15	1	-	-	1	-	14	12	-	1	-	1	-
青森市	1	-	-	-	-	-	1	1	-	-	-	-	-
八戸市	13	-	-	-	-	-	13	13	-	-	-	-	-
盛岡市	-	-	-	-	-	-	-	-	-	-	-	-	-
秋田市	-	-	-	-	-	-	-	-	-	-	-	-	-
郡山市	-	-	-	-	-	-	-	-	-	-	-	-	-
山形市	-	-	-	-	-	-	-	-	-	-	-	-	-
いわき市	-	-	-	-	-	-	-	-	-	-	-	-	-
宇都宮市	1	-	-	-	-	-	1	-	-	-	-	1	-
前橋市	-	-	-	-	-	-	-	-	-	-	-	-	-
高崎市	1	-	-	-	-	-	1	1	-	-	-	-	-
川越市	-	-	-	-	-	-	-	-	-	-	-	-	-
越谷市	-	-	-	-	-	-	-	-	-	-	-	-	-
船橋市	-	-	-	-	-	-	-	-	-	-	-	-	-
柏市	-	-	-	-	-	-	-	-	-	-	-	-	-
八王子市	1	-	-	-	-	-	1	1	-	-	-	-	-
横須賀市	-	-	-	-	-	-	-	-	-	-	-	-	-
富山市	2	-	-	-	-	-	2	2	-	-	-	-	-
金沢市	10	-	-	-	-	-	10	10	-	-	-	-	-
長野市	1	1	-	-	1	-	-	-	-	-	-	-	-
岐阜市	-	-	-	-	-	-	-	-	-	-	-	-	-
豊橋市	-	-	-	-	-	-	-	-	-	-	-	-	-
豊田市	-	-	-	-	-	-	-	-	-	-	-	-	-
岡崎市	2	2	-	-	2	-	-	-	-	-	-	-	-
大津市	-	-	-	-	-	-	-	-	-	-	-	-	-
高槻市	-	-	-	-	-	-	-	-	-	-	-	-	-
東大阪市	-	-	-	-	-	-	-	-	-	-	-	-	-
豊中市	-	-	-	-	-	-	-	-	-	-	-	-	-
枚方市	-	-	-	-	-	-	-	-	-	-	-	-	-
姫路市	13	-	-	-	-	-	13	7	-	-	-	3	3
西宮市	-	-	-	-	-	-	-	-	-	-	-	-	-
尼崎市	-	-	-	-	-	-	-	-	-	-	-	-	-
奈良市	-	-	-	-	-	-	-	-	-	-	-	-	-
和歌山市	-	-	-	-	-	-	-	-	-	-	-	-	-
倉敷市	2	-	-	-	-	-	2	2	-	-	-	-	-
福山市	-	-	-	-	-	-	-	-	-	-	-	-	-
呉市	2	-	-	-	-	-	2	2	-	-	-	-	-
下関市	-	-	-	-	-	-	-	-	-	-	-	-	-
高松市	9	2	-	-	2	-	7	3	-	-	-	3	1
松山市	-	-	-	-	-	-	-	-	-	-	-	-	-
高知市	5	-	-	-	-	-	5	-	-	-	5	-	-
久留米市	1	-	-	-	-	-	1	1	-	-	-	-	-
長崎市	-	-	-	-	-	-	-	-	-	-	-	-	-
佐世保市	4	-	-	-	-	-	4	4	-	-	-	-	-
大分市	1	-	-	-	-	-	1	1	-	-	-	-	-
宮崎市	-	-	-	-	-	-	-	-	-	-	-	-	-
鹿児島市	-	-	-	-	-	-	-	-	-	-	-	-	-
那覇市	1	-	-	-	-	-	1	1	-	-	-	-	-

第5表 【基本票】保育所等数・小規模保育事業所数，

都道府県	保育所等												
		保育所								等			
		公営					私営						
	総数	総数	国・独立行政法人	都道府県	市区町村	一部事務組合・広域連合	総数	社会福祉法人	医療法人	公益法人・日赤	営利法人（会社）	その他の法人	その他
全国	22 926	7 951	1	－	7 947	3	14 975	12 303	14	50	1 657	835	116
北海道	474	265	－	－	265	－	209	181	－	3	2	19	4
青森	181	5	－	－	5	－	176	171	－	－	1	3	1
岩手	264	96	－	－	96	－	168	160	－	－	2	4	2
宮城	237	132	－	－	132	－	105	88	2	－	7	8	－
秋田	155	39	－	－	39	－	116	106	－	5	1	3	1
山形	237	76	－	－	76	－	161	126	－	1	19	14	1
福島	177	96	－	－	96	－	81	71	1	1	2	6	－
茨城	454	141	－	－	141	－	313	287	－	－	8	18	－
栃木	251	116	－	－	116	－	135	123	－	－	－	12	－
群馬	220	65	－	－	65	－	155	152	－	－	－	3	－
埼玉	902	293	－	－	293	－	609	455	1	1	89	62	1
千葉	643	255	－	－	255	－	388	287	1	－	82	16	2
東京	2 431	711	－	－	711	－	1 720	1 042	1	12	552	102	11
神奈川	396	89	－	－	89	－	307	218	－	1	56	32	－
新潟	425	272	－	－	272	－	153	149	－	－	1	3	－
富山	168	100	－	－	100	－	68	65	－	－	1	2	－
石川	149	87	－	－	87	－	62	59	－	－	－	2	1
福井	191	104	－	－	104	－	87	87	－	－	－	－	－
山梨	195	103	－	－	103	－	92	79	－	1	－	－	12
長野	440	369	－	－	369	－	71	69	－	－	－	2	－
岐阜	299	181	－	－	180	1	118	109	－	－	1	7	1
静岡	307	114	－	－	112	2	193	182	－	－	6	4	1
愛知	738	532	－	－	532	－	206	159	－	－	21	25	1
三重	395	210	－	－	210	－	185	181	－	－	2	2	－
滋賀	171	67	－	－	67	－	104	100	－	－	－	3	1
京都	197	107	－	－	107	－	90	85	－	1	－	4	－
大阪	372	139	－	－	139	－	233	205	－	－	13	15	－
兵庫	344	137	－	－	137	－	207	183	－	－	8	16	－
奈良	135	63	－	－	63	－	72	66	－	－	3	2	1
和歌山	118	78	－	－	78	－	40	37	－	－	－	1	2
鳥取	151	81	－	－	81	－	70	61	1	－	4	4	－
島根	256	41	－	－	41	－	215	211	－	1	1	1	1
岡山	171	92	－	－	92	－	79	76	－	－	－	3	－
広島	233	130	－	－	130	－	103	74	－	－	22	7	－
山口	258	97	－	－	97	－	161	133	－	－	3	3	22
徳島	165	86	－	－	86	－	79	74	－	－	3	2	－
香川	118	64	－	－	64	－	54	49	－	－	1	4	－
愛媛	226	149	－	－	149	－	77	74	－	2	－	－	1
高知	158	107	－	－	107	－	51	49	－	－	－	1	1
福岡	483	90	－	－	90	－	393	369	－	－	1	15	8
佐賀	191	39	－	－	39	－	152	146	－	－	－	5	1
長崎	241	26	－	－	26	－	215	199	－	－	2	14	－
熊本	410	85	－	－	85	－	325	321	－	－	－	4	－
大分	152	30	－	－	30	－	122	107	－	－	6	9	－
宮崎	206	43	－	－	43	－	163	163	－	－	－	－	－
鹿児島	295	30	－	－	30	－	265	253	－	－	－	12	－
沖縄	373	72	－	－	72	－	301	296	－	－	2	3	－

都道府県－指定都市－中核市、経営主体別

平成29年10月 1 日

指定都市 中核市	保育所等 総数	保育所 公営 総数	国・独立行政法人	都道府県	市区町村	一部事務組合・広域連合	保育所 私営 総数	社会福祉法人	医療法人	公益法人・日赤	営利法人(会社)	その他の法人	その他
指定都市（別掲）													
札幌市	261	21	1	－	20	－	240	195	－	－	32	12	1
仙台市	180	38	－	－	38	－	142	83	－	1	39	19	－
さいたま市	196	61	－	－	61	－	135	111	－	1	19	3	1
千葉市	159	57	－	－	57	－	102	52	1	－	43	6	－
横浜市	721	80	－	－	80	－	641	327	1	3	245	59	6
川崎市	324	40	－	－	40	－	284	126	－	3	144	11	－
相模原市	109	24	－	－	24	－	85	72	－	－	12	1	－
新潟市	198	87	－	－	87	－	111	107	－	1	－	2	1
静岡市	55	－	－	－	－	－	55	43	1	－	7	1	3
浜松市	67	21	－	－	21	－	46	43	－	－	3	－	－
名古屋市	379	108	－	－	108	－	271	192	－	－	23	49	7
京都市	248	18	－	－	18	－	230	206	－	－	－	21	3
大阪市	422	64	－	－	64	－	358	310	－	1	28	19	－
堺市	20	－	－	－	－	－	20	19	－	－	－	1	－
神戸市	129	58	－	－	58	－	71	57	－	－	3	10	1
岡山市	113	46	－	－	46	－	67	64	－	－	－	3	－
広島市	190	87	－	－	87	－	103	70	－	－	18	12	3
北九州市	165	19	－	－	19	－	146	143	－	2	－	1	－
福岡市	229	7	－	－	7	－	222	200	－	－	8	14	－
熊本市	130	19	－	－	19	－	111	107	－	－	2	2	－
中核市（別掲）													
旭川市	46	3	－	－	3	－	43	36	－	1	2	4	－
函館市	17	2	－	－	2	－	15	14	－	－	－	1	－
青森市	64	－	－	－	－	－	64	62	－	1	－	－	1
八戸市	18	－	－	－	－	－	18	17	－	－	－	1	－
盛岡市	58	12	－	－	12	－	46	40	－	1	3	2	－
秋田市	56	6	－	－	6	－	50	43	－	1	3	3	－
郡山市	44	25	－	－	25	－	19	8	－	1	6	4	－
いわき市	56	31	－	－	31	－	25	24	－	－	－	1	－
宇都宮市	75	10	－	－	10	－	65	63	－	－	1	1	－
前橋市	45	18	－	－	18	－	27	27	－	－	－	－	－
高崎市	62	21	－	－	21	－	41	40	－	1	－	－	－
川越市	50	20	－	－	20	－	30	30	－	－	－	－	－
越谷市	38	18	－	－	18	－	20	16	－	－	1	3	－
船橋市	97	27	－	－	27	－	70	47	1	－	15	7	－
柏市	59	23	－	－	23	－	36	21	1	－	12	2	－
八王子市	99	10	－	－	10	－	89	79	－	－	4	3	3
横須賀市	38	10	－	－	10	－	28	16	－	－	12	－	－
富山市	45	42	－	－	42	－	3	2	－	1	－	－	－
金沢市	71	13	－	－	13	－	58	58	－	－	－	－	－
長野市	76	28	－	－	28	－	48	40	－	1	－	6	1
岐阜市	40	19	－	－	19	－	21	18	－	－	－	1	2
豊橋市	45	4	－	－	4	－	41	41	－	－	－	－	－
豊田市	70	55	－	－	55	－	15	13	－	－	－	2	－
岡崎市	51	33	－	－	33	－	18	18	－	－	－	－	－
大津市	60	14	－	－	14	－	46	42	－	－	2	2	－
高槻市	36	13	－	－	13	－	23	19	－	－	4	－	－
東大阪市	41	9	－	－	9	－	32	31	－	－	－	1	－
豊中市	44	－	－	－	－	－	44	24	1	－	8	11	－
枚方市	55	12	－	－	12	－	43	43	－	－	－	－	－
姫路市	46	22	－	－	22	－	24	21	－	－	－	2	1
西宮市	55	23	－	－	23	－	32	29	－	－	－	3	－
尼崎市	80	21	－	－	21	－	59	58	－	－	－	1	－
奈良市	31	12	－	－	12	－	19	18	－	－	－	1	－
和歌山市	43	18	－	－	18	－	25	24	－	1	－	－	－
倉敷市	86	16	－	－	16	－	70	70	－	－	－	－	－
福山市	92	50	－	－	50	－	42	41	－	－	－	1	－
呉市	40	12	－	－	12	－	28	26	－	－	－	2	－
下関市	43	16	－	－	16	－	27	21	－	－	－	2	4
高松市	68	30	－	－	30	－	38	38	－	－	－	－	－
松山市	55	14	－	－	14	－	41	32	－	－	6	3	－
高知市	86	24	－	－	24	－	62	60	－	－	－	2	－
久留米市	67	9	－	－	9	－	58	58	－	－	－	－	－
長崎市	95	8	－	－	8	－	87	68	－	－	5	14	－
佐世保市	62	3	－	－	3	－	59	48	－	－	1	10	－
大分市	70	13	－	－	13	－	57	36	1	－	16	4	－
宮崎市	95	5	－	－	5	－	90	82	－	－	3	4	1
鹿児島市	115	11	－	－	11	－	104	96	－	－	2	6	－
那覇市	93	7	－	－	7	－	86	81	－	－	3	2	－

第5表　【基本票】保育所等数・小規模保育事業所数，

| 都道府県 | 小規模保育事業所数 | | | | | | | | | | | | |
| | 総数 | 公営 | | | | | 私営 | | | | | | |
		総数	国・独立行政法人	都道府県	市区町村	一部事務組合・広域連合	総数	社会福祉法人	医療法人	公益法人・日赤	営利法人（会社）	その他の法人	その他
全国	3 401	40	1	－	39	－	3 361	535	16	7	1 567	708	528
北海道	27	1	－	－	1	－	26	4	－	－	11	9	2
青森	2	－	－	－	－	－	2	1	－	－	－	－	1
岩手	24	－	－	－	－	－	24	3	－	－	6	5	10
宮城	73	－	－	－	－	－	73	5	－	－	40	7	21
秋田	3	－	－	－	－	－	3	1	－	－	1	－	1
山形	25	－	－	－	－	－	25	2	－	－	－	14	9
福島	39	－	－	－	－	－	39	2	－	－	13	4	20
茨城	35	－	－	－	－	－	35	7	1	－	12	7	8
栃木	44	4	－	－	4	－	40	6	－	－	22	9	3
群馬	1	－	－	－	－	－	1	－	－	－	－	1	－
埼玉	275	－	－	－	－	－	275	17	－	1	143	28	86
千葉	－	－	－	－	－	－	－	－	－	－	－	－	－
東京	406	－	－	－	－	－	406	45	3	－	254	86	18
神奈川	71	－	－	－	－	－	71	6	－	－	41	11	13
新潟	18	－	－	－	－	－	18	10	－	－	2	4	2
富山	－	－	－	－	－	－	－	－	－	－	－	－	－
石川	3	－	－	－	－	－	3	1	－	－	－	2	－
福井	5	2	－	－	2	－	3	1	－	－	－	1	1
山梨	11	－	－	－	－	－	11	1	－	－	6	4	－
長野	8	－	－	－	－	－	8	2	－	－	1	5	－
岐阜	19	－	－	－	－	－	19	1	1	－	5	7	5
静岡	77	－	－	－	－	－	77	8	－	－	32	3	34
愛知	66	1	－	－	1	－	65	7	－	－	34	18	6
三重	21	－	－	－	－	－	21	4	－	－	11	4	2
滋賀	24	1	－	－	1	－	23	4	1	－	13	5	－
京都	17	－	－	－	－	－	17	8	－	－	5	3	1
大阪	103	－	－	－	－	－	103	16	1	－	50	23	13
兵庫	39	－	－	－	－	－	39	18	－	－	8	10	1
奈良	13	5	－	－	5	－	8	5	－	－	2	1	－
和歌山	6	2	－	－	2	－	4	－	－	－	－	4	－
鳥取	26	－	－	－	－	－	26	3	－	－	16	5	2
島根	7	4	－	－	4	－	3	－	－	－	1	1	1
岡山	4	－	－	－	－	－	4	2	－	－	1	－	1
広島	7	1	－	－	1	－	6	2	－	－	2	1	1
山口	12	－	－	－	－	－	12	1	－	－	7	4	－
徳島	2	－	－	－	－	－	2	－	－	－	1	－	1
香川	6	－	－	－	－	－	6	4	－	－	1	－	1
愛媛	12	2	－	－	2	－	10	1	－	－	4	2	3
高知	9	1	－	－	1	－	8	1	－	－	2	1	4
福岡	－	－	－	－	－	－	－	－	－	－	－	－	－
佐賀	32	－	－	－	－	－	32	4	－	－	12	7	9
長崎	19	－	－	－	－	－	19	12	－	－	4	1	2
熊本	20	－	－	－	－	－	20	4	－	－	1	12	3
大分	8	2	－	－	2	－	6	2	－	－	－	2	2
宮崎	12	5	－	－	5	－	7	4	－	－	－	3	－
鹿児島	28	2	－	－	2	－	26	4	－	－	5	7	10
沖縄	86	－	－	－	－	－	86	17	－	－	12	22	35

都道府県－指定都市－中核市、経営主体別

小規模保育事業所数

指定都市 / 中核市	総数	総数(公営)	公営 国・独立行政法人	公営 都道府県	公営 市区町村	公営 一部事務組合・広域連合	総数(私営)	私営 社会福祉法人	私営 医療法人	私営 公益法人・日赤	私営 営利法人（会社）	私営 その他の法人	その他
指定都市（別掲）													
札幌市	67	−	−	−	−	−	67	6	−	−	35	17	9
仙台市	79	−	−	−	−	−	79	5	−	−	42	17	15
さいたま市	94	−	−	−	−	−	94	6	−	−	69	8	11
千葉市	38	−	−	−	−	−	38	2	−	−	30	6	−
横浜市	148	−	−	−	−	−	148	15	−	−	67	64	2
川崎市	32	−	−	−	−	−	32	7	−	−	13	8	4
相模原市	33	−	−	−	−	−	33	3	1	−	20	5	4
新潟市	8	−	−	−	−	−	8	2	−	−	3	3	−
静岡市	31	3	−	−	3	−	28	1	2	−	14	9	2
浜松市	27	−	−	−	−	−	27	6	−	−	14	5	2
名古屋市	124	−	−	−	−	−	124	30	−	−	69	18	7
京都市	105	−	−	−	−	−	105	14	1	2	18	42	28
大阪市	127	−	−	−	−	−	127	18	−	1	92	7	9
堺市	28	−	−	−	−	−	28	1	−	−	17	10	−
神戸市	91	−	−	−	−	−	91	34	2	1	32	22	−
岡山市	14	−	−	−	−	−	14	4	−	−	6	2	2
広島市	23	−	−	−	−	−	23	3	−	−	11	4	5
北九州市	31	−	−	−	−	−	31	14	−	−	5	9	3
福岡市	103	−	−	−	−	−	103	50	−	1	30	13	9
熊本市	59	−	−	−	−	−	59	15	−	−	27	8	9
中核市（別掲）													
旭川市	17	−	−	−	−	−	17	5	−	−	4	7	1
函館市	−	−	−	−	−	−	−	−	−	−	−	−	−
青森市	1	−	−	−	−	−	1	−	−	−	−	−	1
八戸市	−	−	−	−	−	−	−	−	−	−	−	−	−
盛岡市	10	−	−	−	−	−	10	1	−	−	5	1	3
秋田市	11	−	−	−	−	−	11	−	−	−	5	−	6
郡山市	11	−	−	−	−	−	11	−	−	−	10	1	−
いわき市	3	−	−	−	−	−	3	−	−	−	1	−	2
宇都宮市	22	−	−	−	−	−	22	7	−	−	9	5	1
前橋市	−	−	−	−	−	−	−	−	−	−	−	−	−
高崎市	−	−	−	−	−	−	−	−	−	−	−	−	−
川越市	18	−	−	−	−	−	18	−	−	−	6	2	10
越谷市	31	−	−	−	−	−	31	1	−	−	24	4	2
船橋市	19	−	−	−	−	−	19	−	−	−	13	6	−
柏市	6	−	−	−	−	−	6	−	−	−	3	3	−
八王子市	3	−	−	−	−	−	3	−	−	−	1	1	1
横須賀市	1	−	−	−	−	−	1	−	−	−	1	−	−
富山市	1	−	−	−	−	−	1	−	−	−	1	−	−
金沢市	−	−	−	−	−	−	−	−	−	−	−	−	−
長野市	2	−	−	−	−	−	2	−	−	−	1	1	−
岐阜市	15	1	1	−	−	−	14	−	−	−	2	7	5
豊橋市	−	−	−	−	−	−	−	−	−	−	−	−	−
豊田市	2	−	−	−	−	−	2	−	−	−	1	1	−
岡崎市	−	−	−	−	−	−	−	−	−	−	−	−	−
大津市	9	−	−	−	−	−	9	2	−	−	−	−	7
高槻市	26	−	−	−	−	−	26	4	−	−	14	5	3
東大阪市	17	−	−	−	−	−	17	4	1	−	8	4	−
豊中市	11	−	−	−	−	−	11	3	−	−	1	1	6
枚方市	8	2	−	−	2	−	6	−	−	−	−	−	6
姫路市	−	−	−	−	−	−	−	−	−	−	−	−	−
西宮市	41	−	−	−	−	−	41	1	−	−	18	13	9
尼崎市	21	−	−	−	−	−	21	1	−	−	12	8	−
奈良市	4	−	−	−	−	−	4	2	−	−	1	1	−
和歌山市	−	−	−	−	−	−	−	−	−	−	−	−	−
倉敷市	10	−	−	−	−	−	10	7	−	−	3	−	−
福山市	10	−	−	−	−	−	10	2	−	−	3	3	2
呉市	2	−	−	−	−	−	2	−	−	−	1	1	−
下関市	9	1	−	−	1	−	8	3	−	−	4	1	−
高松市	18	−	−	−	−	−	18	6	−	−	8	4	−
高知市	10	−	−	−	−	−	10	−	−	−	7	3	−
久留米市	−	−	−	−	−	−	−	−	−	−	−	1	−
長崎市	1	−	−	−	−	−	1	−	−	−	−	1	−
佐世保市	2	−	−	−	−	−	2	−	−	−	−	−	2
大分市	7	−	−	−	−	−	7	−	−	−	4	1	2
宮崎市	6	−	−	−	−	−	6	3	1	−	−	2	−
鹿児島市	−	−	−	−	−	−	−	−	−	−	−	−	−
那覇市	9	−	−	−	−	−	9	−	−	−	2	1	6

都道府県－指定都市－中核市、経営主体別

第5表 【基本票】保育所等数・小規模保育事業所数,

都道府県	総数	小規模保育事業所 公営					小規模保育事業所A型 私営						
		総数	国・独立行政法人	都道府県	市区町村	一部事務組合・広域連合	総数	社会福祉法人	医療法人	公益法人・日赤	営利法人（会社）	その他の法人	その他
全国	2 594	28	1	－	27	－	2 566	452	14	6	1 250	562	282
北海道	20	－	－	－	－	－	20	2	－	－	10	7	1
青森	1	－	－	－	－	－	1	－	－	－	－	－	1
岩手	11	－	－	－	－	－	11	3	－	－	4	2	2
宮城	52	－	－	－	－	－	52	4	－	－	35	4	9
秋田	2	－	－	－	－	－	2	1	－	－	1	－	－
山形	13	－	－	－	－	－	13	2	－	－	－	10	1
福島	28	－	－	－	－	－	28	－	－	－	11	4	13
茨城	29	－	－	－	－	－	29	6	1	－	10	7	5
栃木	38	4	－	－	4	－	34	6	－	－	20	6	2
群馬	1	－	－	－	－	－	1	－	－	－	－	1	－
埼玉	124	－	－	－	－	－	124	13	－	－	58	19	34
千葉	－	－	－	－	－	－	－	－	－	－	－	－	－
東京	294	－	－	－	－	－	294	38	2	－	187	61	6
神奈川	64	－	－	－	－	－	64	6	－	－	40	8	10
新潟	9	－	－	－	－	－	9	3	－	－	2	4	－
富山	－	－	－	－	－	－	－	－	－	－	－	－	－
石川	3	－	－	－	－	－	3	1	－	－	－	2	－
福井	3	1	－	－	1	－	2	－	－	－	－	1	1
山梨	9	－	－	－	－	－	9	1	－	－	6	2	－
長野	8	－	－	－	－	－	8	2	－	－	1	5	－
岐阜	13	－	－	－	－	－	13	1	1	－	5	5	1
静岡	49	－	－	－	－	－	49	7	－	－	25	2	15
愛知	57	－	－	－	－	－	57	7	－	－	30	14	6
三重	10	－	－	－	－	－	10	4	－	－	2	3	1
滋賀	19	1	－	－	1	－	18	4	1	－	12	1	－
京都	15	－	－	－	－	－	15	6	－	－	5	3	1
大阪	98	－	－	－	－	－	98	15	1	－	49	23	10
兵庫	38	－	－	－	－	－	38	18	1	1	8	9	1
奈良	12	4	－	－	4	－	8	5	－	－	2	1	－
和歌山	6	2	－	－	2	－	4	－	－	－	－	4	－
鳥取	24	－	－	－	－	－	24	2	－	－	16	4	2
島根	5	2	－	－	2	－	3	－	－	－	1	1	1
岡山	3	－	－	－	－	－	3	2	－	－	1	－	－
広島	5	1	－	－	1	－	4	1	－	－	2	－	1
山口	9	－	－	－	－	－	9	－	－	－	6	3	－
徳島	2	－	－	－	－	－	2	－	－	－	1	－	1
香川	2	－	－	－	－	－	2	1	－	－	1	－	－
愛媛	9	2	－	－	2	－	7	1	－	－	2	2	2
高知	3	1	－	－	1	－	2	－	－	－	1	1	－
福岡	－	－	－	－	－	－	－	－	－	－	－	－	－
佐賀	21	－	－	－	－	－	21	1	－	－	9	4	7
長崎	16	－	－	－	－	－	16	12	－	－	3	－	1
熊本	14	－	－	－	－	－	14	3	－	－	1	7	3
大分	7	2	－	－	2	－	5	2	－	－	－	1	2
宮崎	6	1	－	－	1	－	5	3	－	－	－	2	－
鹿児島	12	－	－	－	－	－	12	4	－	－	3	1	4
沖縄	51	－	－	－	－	－	51	9	－	－	10	16	16

都道府県－指定都市－中核市、経営主体別

平成29年10月 1 日

小規模保育事業所 ／ 小規模保育事業所A型

指定都市 中核市	総数	公営 総数	国・独立行政法人	都道府県	市区町村	一部事務組合・広域連合	私営 総数	社会福祉法人	医療法人	公益法人・日赤	営利法人（会社）	その他の法人	その他
指定都市（別掲）													
札幌市	64	-	-	-	-	-	64	6	-	-	35	16	7
仙台市	52	-	-	-	-	-	52	3	-	-	35	13	1
さいたま市	79	-	-	-	-	-	79	6	-	-	58	7	8
千葉市	29	-	-	-	-	-	29	2	-	-	21	6	-
横浜市	118	-	-	-	-	-	118	12	-	-	60	45	1
川崎市	15	-	-	-	-	-	15	5	-	-	9	1	-
相模原市	13	-	-	-	-	-	13	3	-	-	7	3	-
新潟市	8	-	-	-	-	-	8	2	-	-	3	3	-
静岡市	31	3	-	-	3	-	28	1	2	-	14	9	2
浜松市	27	-	-	-	-	-	27	6	-	-	14	5	2
名古屋市	83	-	-	-	-	-	83	19	-	-	47	14	3
京都市	93	-	-	-	-	-	93	14	1	2	16	37	23
大阪市	96	-	-	-	-	-	96	16	-	1	72	6	1
堺市	27	-	-	-	-	-	27	1	-	-	17	9	-
神戸市	91	-	-	-	-	-	91	34	2	1	32	22	-
岡山市	14	-	-	-	-	-	14	4	-	-	6	2	2
広島市	19	-	-	-	-	-	19	3	-	-	10	4	2
北九州市	31	-	-	-	-	-	31	14	-	-	5	9	3
福岡市	89	-	-	-	-	-	89	39	-	1	30	11	8
熊本市	59	-	-	-	-	-	59	15	-	-	27	8	9
中核市（別掲）													
旭川市	17	-	-	-	-	-	17	5	-	-	4	7	1
函館市	-	-	-	-	-	-	-	-	-	-	-	-	-
青森市	1	-	-	-	-	-	1	-	-	-	-	-	1
八戸市	-	-	-	-	-	-	-	-	-	-	-	-	-
盛岡市	6	-	-	-	-	-	6	1	-	-	3	1	1
秋田市	2	-	-	-	-	-	2	-	-	-	1	-	1
郡山市	11	-	-	-	-	-	11	-	-	-	10	1	-
いわき市	3	-	-	-	-	-	3	-	-	-	1	-	2
宇都宮市	20	-	-	-	-	-	20	5	-	-	9	5	1
前橋市	-	-	-	-	-	-	-	-	-	-	-	-	-
高崎市	16	-	-	-	-	-	16	-	-	-	5	2	9
川越市	21	-	-	-	-	-	21	1	-	-	15	4	1
越谷市	19	-	-	-	-	-	19	-	-	-	13	6	-
船橋市	6	-	-	-	-	-	6	-	-	-	3	3	-
柏市	3	-	-	-	-	-	3	-	-	-	1	1	1
八王子市	3	-	-	-	-	-	3	-	-	-	1	1	1
横須賀市	1	-	-	-	-	-	1	-	-	-	1	-	-
富山市	1	-	-	-	-	-	1	1	-	-	-	-	-
金沢市	-	-	-	-	-	-	-	-	-	-	-	-	-
長野市	2	-	-	-	-	-	2	-	-	-	1	1	-
岐阜市	15	1	1	-	-	-	14	-	-	-	2	7	5
豊橋市	-	-	-	-	-	-	-	-	-	-	-	-	-
豊田市	2	-	-	-	-	-	2	-	-	-	1	1	-
岡崎市	-	-	-	-	-	-	-	-	-	-	-	-	-
大津市	4	-	-	-	-	-	4	2	-	-	-	-	2
高槻市	26	-	-	-	-	-	26	4	-	-	14	5	3
東大阪市	17	-	-	-	-	-	17	4	1	-	8	4	-
豊中市	11	-	-	-	-	-	11	3	-	-	1	1	6
枚方市	3	2	-	-	2	-	1	-	-	-	-	-	1
姫路市	-	-	-	-	-	-	-	-	-	-	-	-	-
西宮市	29	-	-	-	-	-	29	1	-	-	18	7	3
尼崎市	21	-	-	-	-	-	21	1	-	-	12	8	-
奈良市	4	-	-	-	-	-	4	2	-	-	1	1	-
和歌山市	-	-	-	-	-	-	-	-	-	-	-	-	-
倉敷市	10	-	-	-	-	-	10	7	-	-	3	-	-
福山市	10	-	-	-	-	-	10	2	-	-	3	3	2
呉市	2	-	-	-	-	-	2	-	-	-	1	1	-
下関市	-	-	-	-	-	-	-	-	-	-	-	-	-
高松市	9	1	-	-	1	-	8	3	-	-	4	1	-
松山市	18	-	-	-	-	-	18	6	-	-	8	4	-
高知市	6	-	-	-	-	-	6	-	-	-	3	3	-
久留米市	-	-	-	-	-	-	-	-	-	-	-	-	-
長崎市	1	-	-	-	-	-	1	-	-	-	-	1	-
佐世保市	2	-	-	-	-	-	2	-	-	-	-	-	2
大分市	7	-	-	-	-	-	7	-	-	-	4	1	2
宮崎市	6	-	-	-	-	-	6	3	1	-	-	2	-
鹿児島市	-	-	-	-	-	-	-	-	-	-	-	-	-
那覇市	9	-	-	-	-	-	9	-	-	-	2	1	6

都道府県－指定都市－中核市、経営主体別

第5表　【基本票】保育所等数・小規模保育事業所数，

都道府県	小規模保育事業所												
	小規模保育事業所B型												
	総数	公営					私営						
		総数	国・独立行政法人	都道府県	市区町村	一部事務組合・広域連合	総数	社会福祉法人	医療法人	公益法人・日赤	営利法人（会社）	その他の法人	その他
全国	697	12	-	-	12	-	685	69	2	1	292	127	194
北海道	6	1	-	-	1	-	5	2	-	-	1	1	1
青森	1	-	-	-	-	-	1	1	-	-	-	-	-
岩手	13	-	-	-	-	-	13	-	-	-	2	3	8
宮城	17	-	-	-	-	-	17	1	-	-	5	1	10
秋田	1	-	-	-	-	-	1	-	-	-	-	-	1
山形	11	-	-	-	-	-	11	-	-	-	-	4	7
福島	10	-	-	-	-	-	10	2	-	-	1	-	7
茨城	5	-	-	-	-	-	5	1	-	-	2	-	2
栃木	6	-	-	-	-	-	6	-	-	-	2	3	1
群馬	-	-	-	-	-	-	-	-	-	-	-	-	-
埼玉	150	-	-	-	-	-	150	4	-	1	84	9	52
千葉	-	-	-	-	-	-	-	-	-	-	-	-	-
東京	95	-	-	-	-	-	95	5	1	-	62	19	8
神奈川	7	-	-	-	-	-	7	-	-	-	1	3	3
新潟	8	-	-	-	-	-	8	6	-	-	-	-	2
富山	-	-	-	-	-	-	-	-	-	-	-	-	-
石川	-	-	-	-	-	-	-	-	-	-	-	-	-
福井	2	1	-	-	1	-	1	1	-	-	-	-	-
山梨	-	-	-	-	-	-	-	-	-	-	-	-	-
長野	-	-	-	-	-	-	-	-	-	-	-	-	-
岐阜	6	-	-	-	-	-	6	-	-	-	-	2	4
静岡	17	-	-	-	-	-	17	1	-	-	6	1	9
愛知	9	1	-	-	1	-	8	-	-	-	4	4	-
三重	10	-	-	-	-	-	10	-	-	-	9	1	-
滋賀	5	-	-	-	-	-	5	-	-	-	1	4	-
京都	1	-	-	-	-	-	1	1	-	-	-	-	-
大阪	5	-	-	-	-	-	5	1	-	-	1	-	3
兵庫	1	-	-	-	-	-	1	-	-	-	1	-	-
奈良	1	1	-	-	1	-	-	-	-	-	-	-	-
和歌山	-	-	-	-	-	-	-	-	-	-	-	-	-
鳥取	2	-	-	-	-	-	2	1	-	-	-	1	-
島根	2	2	-	-	2	-	-	-	-	-	-	-	-
岡山	1	-	-	-	-	-	1	-	-	-	-	-	1
広島	2	-	-	-	-	-	2	1	-	-	-	1	-
山口	3	-	-	-	-	-	3	1	-	-	1	1	-
徳島	-	-	-	-	-	-	-	-	-	-	-	-	-
香川	4	-	-	-	-	-	4	3	-	-	-	-	1
愛媛	3	-	-	-	-	-	3	-	-	-	2	-	1
高知	5	-	-	-	-	-	5	1	-	-	1	-	3
福岡	-	-	-	-	-	-	-	-	-	-	-	-	-
佐賀	11	-	-	-	-	-	11	3	-	-	3	3	2
長崎	3	-	-	-	-	-	3	-	-	-	1	1	1
熊本	5	-	-	-	-	-	5	1	-	-	-	4	-
大分	1	-	-	-	-	-	1	-	-	-	-	1	-
宮崎	6	4	-	-	4	-	2	1	-	-	-	1	-
鹿児島	16	2	-	-	2	-	14	-	-	-	2	6	6
沖縄	35	-	-	-	-	-	35	8	-	-	2	6	19

指定都市 中核市	小規模保育事業所												
	小規模保育事業所 B 型												
	総数	公営					私営						
		総数	国・独立行政法人	都道府県	市区町村	一部事務組合・広域連合	総数	社会福祉法人	医療法人	公益法人・日赤	営利法人（会社）	その他の法人	その他
指定都市（別掲）													
札幌市	2	－	－	－	－	－	2	－	－	－	－	－	2
仙台市	18	－	－	－	－	－	18	2	－	－	7	4	5
さいたま市	15	－	－	－	－	－	15	－	－	－	11	1	3
千葉市	8	－	－	－	－	－	8	－	－	－	8	－	－
横浜市	24	－	－	－	－	－	24	2	－	－	7	15	－
川崎市	12	－	－	－	－	－	12	2	－	－	3	7	－
相模原市	19	－	－	－	－	－	19	－	1	－	13	1	4
新潟市	－	－	－	－	－	－	－	－	－	－	－	－	－
静岡市	－	－	－	－	－	－	－	－	－	－	－	－	－
浜松市	－	－	－	－	－	－	－	－	－	－	－	－	－
名古屋市	41	－	－	－	－	－	41	11	－	－	22	4	4
京都市	6	－	－	－	－	－	6	－	－	－	1	4	1
大阪市	8	－	－	－	－	－	8	1	－	－	6	1	－
堺市	1	－	－	－	－	－	1	－	－	－	－	1	－
神戸市	－	－	－	－	－	－	－	－	－	－	－	－	－
岡山市	－	－	－	－	－	－	－	－	－	－	－	－	－
広島市	4	－	－	－	－	－	4	－	－	－	1	－	3
北九州市	－	－	－	－	－	－	－	－	－	－	－	－	－
福岡市	6	－	－	－	－	－	6	3	－	－	－	2	1
熊本市	－	－	－	－	－	－	－	－	－	－	－	－	－
中核市（別掲）													
旭川市	－	－	－	－	－	－	－	－	－	－	－	－	－
函館市	－	－	－	－	－	－	－	－	－	－	－	－	－
青森市	－	－	－	－	－	－	－	－	－	－	－	－	－
八戸市	2	－	－	－	－	－	2	－	－	－	2	－	－
盛岡市	－	－	－	－	－	－	－	－	－	－	－	－	－
秋田市	9	－	－	－	－	－	9	－	－	－	4	－	5
郡山市	－	－	－	－	－	－	－	－	－	－	－	－	－
いわき市	－	－	－	－	－	－	－	－	－	－	－	－	－
宇都宮市	2	－	－	－	－	－	2	2	－	－	－	－	－
前橋市	－	－	－	－	－	－	－	－	－	－	－	－	－
高崎市	－	－	－	－	－	－	－	－	－	－	－	－	－
川越市	2	－	－	－	－	－	2	－	－	－	1	－	1
越谷市	10	－	－	－	－	－	10	－	－	－	9	－	1
船橋市	－	－	－	－	－	－	－	－	－	－	－	－	－
柏市	－	－	－	－	－	－	－	－	－	－	－	－	－
八王子市	－	－	－	－	－	－	－	－	－	－	－	－	－
横須賀市	－	－	－	－	－	－	－	－	－	－	－	－	－
富山市	－	－	－	－	－	－	－	－	－	－	－	－	－
金沢市	－	－	－	－	－	－	－	－	－	－	－	－	－
長野市	－	－	－	－	－	－	－	－	－	－	－	－	－
岐阜市	－	－	－	－	－	－	－	－	－	－	－	－	－
豊橋市	－	－	－	－	－	－	－	－	－	－	－	－	－
豊田市	－	－	－	－	－	－	－	－	－	－	－	－	－
岡崎市	－	－	－	－	－	－	－	－	－	－	－	－	－
大津市	2	－	－	－	－	－	2	－	－	－	－	－	2
高槻市	－	－	－	－	－	－	－	－	－	－	－	－	－
東大阪市	－	－	－	－	－	－	－	－	－	－	－	－	－
豊中市	－	－	－	－	－	－	－	－	－	－	－	－	－
枚方市	5	－	－	－	－	－	5	－	－	－	－	－	5
姫路市	－	－	－	－	－	－	－	－	－	－	－	－	－
西宮市	11	－	－	－	－	－	11	－	－	－	－	6	5
尼崎市	－	－	－	－	－	－	－	－	－	－	－	－	－
奈良市	－	－	－	－	－	－	－	－	－	－	－	－	－
和歌山市	－	－	－	－	－	－	－	－	－	－	－	－	－
倉敷市	－	－	－	－	－	－	－	－	－	－	－	－	－
福山市	－	－	－	－	－	－	－	－	－	－	－	－	－
呉市	－	－	－	－	－	－	－	－	－	－	－	－	－
下関市	－	－	－	－	－	－	－	－	－	－	－	－	－
高松市	－	－	－	－	－	－	－	－	－	－	－	－	－
高知市	4	－	－	－	－	－	4	－	－	－	4	－	－
久留米市	－	－	－	－	－	－	－	－	－	－	－	－	－
長崎市	－	－	－	－	－	－	－	－	－	－	－	－	－
佐世保市	－	－	－	－	－	－	－	－	－	－	－	－	－
大分市	－	－	－	－	－	－	－	－	－	－	－	－	－
宮崎市	－	－	－	－	－	－	－	－	－	－	－	－	－
鹿児島市	－	－	－	－	－	－	－	－	－	－	－	－	－
那覇市	－	－	－	－	－	－	－	－	－	－	－	－	－

第5表　【基本票】保育所等数・小規模保育事業所数,

都道府県	総数	小規模保育事業所C型 公営					私営						
		総数	国・独立行政法人	都道府県	市区町村	一部事務組合・広域連合	総数	社会福祉法人	医療法人	公益法人・日赤	営利法人（会社）	その他の法人	その他
全国	110	-	-	-	-	-	110	14	-	-	25	19	52
北海道	1	-	-	-	-	-	1	-	-	-	-	1	-
青森	-	-	-	-	-	-	-	-	-	-	-	-	-
岩手	-	-	-	-	-	-	-	-	-	-	-	-	-
宮城	4	-	-	-	-	-	4	-	-	-	-	2	2
秋田	-	-	-	-	-	-	-	-	-	-	-	-	-
山形	1	-	-	-	-	-	1	-	-	-	-	-	1
福島	1	-	-	-	-	-	1	-	-	-	1	-	-
茨城	1	-	-	-	-	-	1	-	-	-	-	-	1
栃木	-	-	-	-	-	-	-	-	-	-	-	-	-
群馬	-	-	-	-	-	-	-	-	-	-	-	-	-
埼玉	1	-	-	-	-	-	1	-	-	-	1	-	-
千葉	-	-	-	-	-	-	-	-	-	-	-	-	-
東京	17	-	-	-	-	-	17	2	-	-	5	6	4
神奈川	-	-	-	-	-	-	-	-	-	-	-	-	-
新潟	1	-	-	-	-	-	1	1	-	-	-	-	-
富山	-	-	-	-	-	-	-	-	-	-	-	-	-
石川	-	-	-	-	-	-	-	-	-	-	-	-	-
福井	-	-	-	-	-	-	-	-	-	-	-	-	-
山梨	2	-	-	-	-	-	2	-	-	-	-	2	-
長野	-	-	-	-	-	-	-	-	-	-	-	-	-
岐阜	-	-	-	-	-	-	-	-	-	-	-	-	-
静岡	11	-	-	-	-	-	11	-	-	-	1	-	10
愛知	1	-	-	-	-	-	1	-	-	-	-	-	1
三重	-	-	-	-	-	-	-	-	-	-	-	-	-
滋賀	-	-	-	-	-	-	-	-	-	-	-	-	-
京都	1	-	-	-	-	-	1	1	-	-	-	-	-
大阪	-	-	-	-	-	-	-	-	-	-	-	-	-
兵庫	-	-	-	-	-	-	-	-	-	-	-	-	-
奈良	-	-	-	-	-	-	-	-	-	-	-	-	-
和歌山	-	-	-	-	-	-	-	-	-	-	-	-	-
鳥取	-	-	-	-	-	-	-	-	-	-	-	-	-
島根	-	-	-	-	-	-	-	-	-	-	-	-	-
岡山	-	-	-	-	-	-	-	-	-	-	-	-	-
広島	-	-	-	-	-	-	-	-	-	-	-	-	-
山口	-	-	-	-	-	-	-	-	-	-	-	-	-
徳島	-	-	-	-	-	-	-	-	-	-	-	-	-
香川	-	-	-	-	-	-	-	-	-	-	-	-	-
愛媛	-	-	-	-	-	-	-	-	-	-	-	-	-
高知	1	-	-	-	-	-	1	-	-	-	-	-	1
福岡	-	-	-	-	-	-	-	-	-	-	-	-	-
佐賀	-	-	-	-	-	-	-	-	-	-	-	-	-
長崎	-	-	-	-	-	-	-	-	-	-	-	-	-
熊本	1	-	-	-	-	-	1	-	-	-	-	1	-
大分	-	-	-	-	-	-	-	-	-	-	-	-	-
宮崎	-	-	-	-	-	-	-	-	-	-	-	-	-
鹿児島	-	-	-	-	-	-	-	-	-	-	-	-	-
沖縄	-	-	-	-	-	-	-	-	-	-	-	-	-

都道府県－指定都市－中核市、経営主体別

小 規 模 保 育 事 業 所 ／ 小 規 模 保 育 事 業 所 C 型

指定都市 中核市	総数	公営 総数	国・独立行政法人	都道府県	市区町村	一部事務組合・広域連合	私営 総数	社会福祉法人	医療法人	公益法人・日赤	営利法人（会社）	その他の法人	その他
指定都市（別掲）													
札幌市	1	-	-	-	-	-	1	-	-	-	-	1	-
仙台市	9	-	-	-	-	-	9	-	-	-	-	-	9
さいたま市	-	-	-	-	-	-	-	-	-	-	-	-	-
千葉市	1	-	-	-	-	-	1	-	-	-	1	-	-
横浜市	16	-	-	-	-	-	16	1	-	-	10	4	1
川崎市	5	-	-	-	-	-	5	-	-	-	1	-	4
相模原市	1	-	-	-	-	-	1	-	-	-	1	-	-
新潟市	-	-	-	-	-	-	-	-	-	-	-	-	-
静岡市	-	-	-	-	-	-	-	-	-	-	-	-	-
浜松市	-	-	-	-	-	-	-	-	-	-	-	-	-
名古屋市	-	-	-	-	-	-	-	-	-	-	-	-	-
京都市	6	-	-	-	-	-	6	-	-	-	1	1	4
大阪市	23	-	-	-	-	-	23	1	-	-	14	-	8
堺市	-	-	-	-	-	-	-	-	-	-	-	-	-
神戸市	-	-	-	-	-	-	-	-	-	-	-	-	-
岡山市	-	-	-	-	-	-	-	-	-	-	-	-	-
広島市	-	-	-	-	-	-	-	-	-	-	-	-	-
北九州市	-	-	-	-	-	-	-	-	-	-	-	-	-
福岡市	8	-	-	-	-	-	8	8	-	-	-	-	-
熊本市	-	-	-	-	-	-	-	-	-	-	-	-	-
中核市（別掲）													
旭川市	-	-	-	-	-	-	-	-	-	-	-	-	-
函館市	-	-	-	-	-	-	-	-	-	-	-	-	-
青森市	-	-	-	-	-	-	-	-	-	-	-	-	-
八戸市	-	-	-	-	-	-	-	-	-	-	-	-	-
盛岡市	2	-	-	-	-	-	2	-	-	-	-	-	2
秋田市	-	-	-	-	-	-	-	-	-	-	-	-	-
郡山市	-	-	-	-	-	-	-	-	-	-	-	-	-
いわき市	-	-	-	-	-	-	-	-	-	-	-	-	-
宇都宮市	-	-	-	-	-	-	-	-	-	-	-	-	-
前橋市	-	-	-	-	-	-	-	-	-	-	-	-	-
高崎市	-	-	-	-	-	-	-	-	-	-	-	-	-
川越市	-	-	-	-	-	-	-	-	-	-	-	-	-
越谷市	-	-	-	-	-	-	-	-	-	-	-	-	-
船橋市	-	-	-	-	-	-	-	-	-	-	-	-	-
柏市	-	-	-	-	-	-	-	-	-	-	-	-	-
八王子市	-	-	-	-	-	-	-	-	-	-	-	-	-
横須賀市	-	-	-	-	-	-	-	-	-	-	-	-	-
富山市	-	-	-	-	-	-	-	-	-	-	-	-	-
金沢市	-	-	-	-	-	-	-	-	-	-	-	-	-
長野市	-	-	-	-	-	-	-	-	-	-	-	-	-
岐阜市	-	-	-	-	-	-	-	-	-	-	-	-	-
豊橋市	-	-	-	-	-	-	-	-	-	-	-	-	-
豊田市	-	-	-	-	-	-	-	-	-	-	-	-	-
岡崎市	-	-	-	-	-	-	-	-	-	-	-	-	-
大津市	3	-	-	-	-	-	3	-	-	-	-	-	3
高槻市	-	-	-	-	-	-	-	-	-	-	-	-	-
東大阪市	-	-	-	-	-	-	-	-	-	-	-	-	-
豊中市	-	-	-	-	-	-	-	-	-	-	-	-	-
枚方市	-	-	-	-	-	-	-	-	-	-	-	-	-
姫路市	-	-	-	-	-	-	-	-	-	-	-	-	-
西宮市	1	-	-	-	-	-	1	-	-	-	-	-	1
尼崎市	-	-	-	-	-	-	-	-	-	-	-	-	-
奈良市	-	-	-	-	-	-	-	-	-	-	-	-	-
和歌山市	-	-	-	-	-	-	-	-	-	-	-	-	-
倉敷市	-	-	-	-	-	-	-	-	-	-	-	-	-
福山市	-	-	-	-	-	-	-	-	-	-	-	-	-
呉市	-	-	-	-	-	-	-	-	-	-	-	-	-
下関市	-	-	-	-	-	-	-	-	-	-	-	-	-
高松市	-	-	-	-	-	-	-	-	-	-	-	-	-
松山市	-	-	-	-	-	-	-	-	-	-	-	-	-
高知市	-	-	-	-	-	-	-	-	-	-	-	-	-
久留米市	-	-	-	-	-	-	-	-	-	-	-	-	-
長崎市	-	-	-	-	-	-	-	-	-	-	-	-	-
佐世保市	-	-	-	-	-	-	-	-	-	-	-	-	-
大分市	-	-	-	-	-	-	-	-	-	-	-	-	-
宮崎市	-	-	-	-	-	-	-	-	-	-	-	-	-
鹿児島市	-	-	-	-	-	-	-	-	-	-	-	-	-
那覇市	-	-	-	-	-	-	-	-	-	-	-	-	-

都道府県－指定都市－中核市、経営主体別

第6表　【基本票】保育所等数・小規模保育事業所数，都道府県－

| 都道府県 | 保育所等数 総数 | | | | | | | | |
	総数	9時間以下	9時間超～9時間半以下	9時間半超～10時間以下	10時間超～10時間半以下	10時間半超～11時間以下	11時間超～11時間半以下	11時間半超～12時間以下	12時間超える
全国	27 137	165	64	261	33	7 310	798	14 603	3 903
北海道	614	39	16	41	5	304	6	190	13
青森	310	－	－	3	1	39	33	190	44
岩手	309	－	－	－	－	142	7	145	15
宮城	249	－	－	－	－	89	9	146	5
秋田	206	－	－	1	－	19	8	171	7
山形	282	3	－	6	－	50	13	172	38
福島	239	2	－	2	－	174	9	50	2
茨城	578	－	－	－	－	233	21	238	86
栃木	322	－	－	－	－	66	7	211	38
群馬	282	－	2	1	－	71	20	176	12
埼玉	948	－	－	－	－	220	11	504	213
千葉	689	－	1	5	－	181	12	336	154
東京	2 500	2	1	2	－	973	5	758	759
神奈川	421	－	－	2	－	64	8	237	110
新潟	489	2	－	－	－	137	21	321	8
富山	204	1	－	8	－	39	1	121	34
石川	240	－	－	1	－	49	5	153	32
福井	277	－	－	3	－	109	16	140	9
山梨	233	1	－	－	－	75	9	136	12
長野	487	17	－	11	1	163	10	273	12
岐阜	374	8	3	12	1	96	20	225	9
静岡	361	2	－	2	－	98	38	197	24
愛知	769	42	1	29	－	239	8	427	23
三重	421	7	2	19	2	195	7	171	18
滋賀	227	－	－	－	1	53	17	124	32
京都	224	－	－	7	－	45	2	148	22
大阪	588	－	－	－	－	43	－	416	129
兵庫	514	－	－	23	－	87	7	356	41
奈良	160	8	－	－	－	14	2	99	37
和歌山	142	－	2	6	－	44	1	84	5
鳥取	185	－	－	－	－	40	11	112	22
島根	290	－	－	－	－	61	15	178	36
岡山	210	－	－	7	－	23	－	175	5
広島	280	－	－	1	－	129	2	130	18
山口	260	－	－	5	－	65	14	168	8
徳島	211	1	8	2	3	50	17	127	3
香川	132	－	－	5	1	63	3	59	1
愛媛	248	－	－	12	2	190	1	42	1
高知	167	2	7	8	1	102	15	32	－
福岡	508	1	－	3	－	117	17	340	30
佐賀	246	－	－	－	－	59	12	169	6
長崎	291	－	－	2	－	118	29	137	5
熊本	442	－	2	1	1	99	44	277	18
大分	216	－	－	2	－	136	12	54	12
宮崎	289	－	－	－	－	51	47	179	12
鹿児島	402	－	－	1	1	118	38	236	8
沖縄	394	－	1	1	－	114	5	264	9

注：指定都市及び中核市は別掲である。

指定都市－中核市、経営主体の公営－私営・保育標準時間（開所時間）別

指定都市 / 中核市	総数	9時間以下	9時間超～9時間半以下	9時間半超～10時間以下	10時間超～10時間半以下	10時間半超～11時間以下	11時間超～11時間半以下	11時間半超～12時間以下	12時間超える
指定都市（別掲）									
札幌市	298	-	-	-	-	7	-	266	25
仙台市	192	-	-	-	-	1	-	127	64
さいたま市	201	-	-	-	-	2	1	137	61
千葉市	168	-	-	-	-	-	-	50	118
横浜市	743	-	-	-	-	57	4	169	513
川崎市	326	-	-	-	-	32	-	59	235
相模原市	117	-	-	4	-	1	1	81	30
新潟市	234	-	-	-	-	4	1	196	33
静岡市	140	-	-	-	-	51	4	82	3
浜松市	112	-	-	-	-	3	22	81	6
名古屋市	434	-	-	2	-	68	-	337	27
京都市	270	-	-	-	-	53	30	163	24
大阪市	457	-	-	18	3	142	3	237	54
堺市	121	-	-	-	-	2	-	87	32
神戸市	244	-	-	-	-	144	34	58	8
岡山市	125	-	-	-	-	28	5	81	11
広島市	215	-	-	-	-	54	1	124	36
北九州市	165	-	-	-	7	7	-	148	3
福岡市	232	-	-	-	-	197	-	16	19
熊本市	184	-	-	-	-	30	14	122	18
中核市（別掲）									
旭川市	67	-	-	-	-	66	-	1	-
函館市	50	-	-	-	-	46	3	1	-
青森市	88	-	-	-	-	2	6	56	24
八戸市	75	-	-	-	-	2	1	65	7
盛岡市	69	-	-	-	-	1	-	43	25
秋田市	72	-	-	-	-	3	-	46	23
郡山市	44	-	-	-	-	43	1	-	-
いわき市	60	-	-	-	-	34	1	23	2
宇都宮市	90	-	-	-	-	11	-	68	11
前橋市	71	-	-	-	-	24	3	44	-
高崎市	87	-	-	-	-	35	5	43	4
川越市	52	-	-	-	-	3	-	47	2
越谷市	43	-	-	-	-	-	-	42	1
船橋市	101	-	-	-	-	28	-	39	34
柏市	64	-	-	-	-	-	-	38	26
八王子市	100	-	-	-	-	19	3	75	3
横須賀市	47	-	-	-	-	2	1	36	8
富山市	95	-	-	-	-	22	-	39	34
金沢市	113	-	-	-	-	9	-	92	12
長野市	84	-	-	-	-	29	-	48	7
岐阜市	46	1	-	-	-	15	-	23	7
豊橋市	59	-	-	3	-	24	3	27	2
豊田市	80	14	-	-	-	26	-	40	-
岡崎市	56	-	16	-	-	-	-	39	1
大津市	71	-	-	-	-	1	2	58	10
高槻市	51	-	-	-	-	-	-	48	3
東大阪市	78	-	-	-	-	16	-	55	7
豊中市	80	-	-	-	-	-	-	79	1
枚方市	59	-	-	-	-	-	-	43	16
姫路市	97	-	-	-	-	19	-	77	1
西宮市	63	-	-	-	-	-	-	62	1
尼崎市	85	-	-	-	-	1	-	78	6
奈良市	52	1	-	-	-	18	3	18	12
和歌山市	61	11	2	-	-	9	1	37	1
倉敷市	95	-	-	-	-	14	1	76	4
福山市	113	-	-	-	-	-	-	101	12
呉市	54	-	-	-	-	15	9	29	1
下関市	57	-	-	-	-	20	4	27	6
高松市	79	-	-	-	3	12	-	58	6
松山市	75	-	-	-	-	7	-	50	18
高知市	96	-	-	-	-	27	7	62	-
久留米市	75	-	-	-	-	9	3	49	14
長崎市	118	-	-	-	-	11	4	82	21
佐世保市	75	-	-	-	-	2	2	28	43
大分市	93	-	-	-	-	7	-	74	12
宮崎市	138	-	-	-	-	137	-	1	-
鹿児島市	146	-	-	-	-	-	-	132	14
那覇市	105	-	-	-	-	12	-	89	4

指定都市－中核市、経営主体の公営－私営・保育標準時間（開所時間）別

第6表 【基本票】保育所等数・小規模保育事業所数, 都道府県－

都道府県	保育所等数 総数（公営）								
	総数	9時間以下	9時間超～9時間半以下	9時間半超～10時間以下	10時間超～10時間半以下	10時間半超～11時間以下	11時間超～11時間半以下	11時間半超～12時間以下	12時間超える
全　　国	8 716	154	60	193	24	3 539	176	4 390	180
北　海　道	300	35	14	35	2	148	1	61	4
青　　森	8	－	－	－	－	4	3	1	－
岩　　手	109	－	－	－	－	60	－	49	－
宮　　城	137	－	－	－	－	68	4	64	1
秋　　田	50	－	－	1	－	8	1	39	1
山　　形	79	2	－	－	－	20	6	51	－
福　　島	119	2	－	2	－	84	5	26	－
茨　　城	157	－	－	－	－	80	9	68	－
栃　　木	123	－	－	－	－	41	－	78	4
群　　馬	68	－	2	1	－	43	－	22	－
埼　　玉	293	－	－	－	－	109	－	154	30
千　　葉	270	－	1	4	－	70	3	170	22
東　　京	733	2	1	2	－	401	－	293	34
神　奈　川	99	－	－	－	－	20	－	78	1
新　　潟	280	1	－	－	－	105	10	163	1
富　　山	105	1	－	8	－	36	－	55	5
石　　川	119	－	－	－	－	35	－	76	8
福　　井	120	－	－	3	－	63	7	47	－
山　　梨	108	1	－	－	－	49	－	57	1
長　　野	393	16	－	11	1	145	10	209	1
岐　　阜	215	8	3	12	1	76	17	94	4
静　　岡	132	1	－	1	－	63	18	49	－
愛　　知	537	41	1	26	－	202	－	264	3
三　　重	219	7	1	9	1	145	－	56	－
滋　　賀	101	－	－	－	－	47	11	43	－
京　　都	109	－	－	7	－	37	－	63	2
大　　阪	154	－	－	－	－	23	－	129	2
兵　　庫	188	－	－	22	－	58	1	103	4
奈　　良	75	6	－	－	－	12	－	50	7
和　歌　山	84	－	2	3	－	35	－	44	－
鳥　　取	97	－	－	－	－	33	8	44	12
島　　根	54	－	－	－	－	22	－	32	－
岡　　山	124	－	－	7	－	21	－	96	－
広　　島	143	－	－	1	－	94	－	46	2
山　　口	97	－	－	3	－	46	1	47	－
徳　　島	112	1	8	2	3	49	1	48	－
香　　川	75	－	－	5	1	49	－	20	－
愛　　媛	157	－	－	12	2	125	－	18	－
高　　知	113	2	7	8	1	82	9	4	－
福　　岡	96	1	－	－	－	38	－	55	2
佐　　賀	39	－	－	－	－	9	1	29	－
長　　崎	30	－	－	1	－	21	1	7	－
熊　　本	85	－	2	1	1	32	3	45	1
大　　分	38	－	－	－	－	34	－	4	－
宮　　崎	44	－	－	－	－	25	7	12	－
鹿　児　島	39	－	－	1	1	18	－	19	－
沖　　縄	74	－	1	1	－	33	1	38	－

指定都市－中核市、経営主体の公営－私営・保育標準時間（開所時間）別

指定都市 / 中核市	保育所等 総数（公営）								
	総数	9時間以下	9時間超～9時間半以下	9時間半超～10時間以下	10時間超～10時間半以下	10時間半超～11時間以下	11時間超～11時間半以下	11時間半超～12時間以下	12時間超える
指定都市（別掲）									
札幌市	22	-	-	-	-	-	-	22	-
仙台市	38	-	-	-	-	-	-	38	-
さいたま市	61	-	-	-	-	1	-	56	4
千葉市	59	-	-	-	-	-	-	49	10
横浜市	80	-	-	-	-	-	-	80	-
川崎市	40	-	-	-	-	1	-	39	-
相模原市	25	-	-	4	-	1	-	20	-
新潟市	87	-	-	-	-	3	-	84	-
静岡市	58	-	-	-	-	35	-	23	-
浜松市	21	-	-	-	-	2	4	15	-
名古屋市	108	-	-	-	-	23	-	85	-
京都市	18	-	-	-	-	7	-	11	-
大阪市	64	-	-	-	-	33	-	30	1
堺市	18	-	-	-	-	-	-	14	4
神戸市	58	-	-	-	-	-	33	25	-
岡山市	52	-	-	-	-	26	-	26	-
広島市	88	-	-	-	-	52	-	36	-
北九州市	19	-	-	-	7	-	-	12	-
福岡市	7	-	-	-	-	7	-	-	-
熊本市	19	-	-	-	-	-	-	18	1
中核市（別掲）									
旭川市	3	-	-	-	-	3	-	-	-
函館市	3	-	-	-	-	3	-	-	-
青森市	-	-	-	-	-	-	-	-	-
八戸市									
盛岡市	12	-	-	-	-	-	-	11	1
秋田市	6	-	-	-	-	-	-	6	-
郡山市	25	-	-	-	-	24	1	-	-
いわき市	31	-	-	-	-	31	-	-	-
宇都宮市	10	-	-	-	-	-	-	10	-
前橋市	18	-	-	-	-	16	-	2	-
高崎市	21	-	-	-	-	18	-	3	-
川越市	20	-	-	-	-	-	-	19	1
越谷市	18	-	-	-	-	-	-	18	-
船橋市	27	-	-	-	-	27	-	-	-
柏市	23	-	-	-	-	-	-	23	-
八王子市	10	-	-	-	-	-	-	10	-
横須賀市	10	-	-	-	-	-	-	10	-
富山市	42	-	-	-	-	19	-	23	-
金沢市	13	-	-	-	-	8	-	5	-
長野市	29	-	-	-	-	24	-	5	-
岐阜市	19	1	-	-	-	15	-	-	3
豊橋市	5	-	-	-	-	-	-	5	-
豊田市	55	14	-	-	-	23	-	18	-
岡崎市	38	-	15	-	-	-	-	23	-
大津市	14	-	-	-	-	-	-	14	-
高槻市	14	-	-	-	-	-	-	14	-
東大阪市	11	-	-	-	-	-	-	11	-
豊中市	26	-	-	-	-	-	-	26	-
枚方市	12	-	-	-	-	-	-	12	-
姫路市	30	-	-	-	-	15	-	15	-
西宮市	23	-	-	-	-	-	-	23	-
尼崎市	21	-	-	-	-	-	-	21	-
奈良市	24	1	-	-	-	17	-	6	-
和歌山市	18	11	2	-	-	5	-	-	-
倉敷市	21	-	-	-	-	11	-	10	-
福山市	50	-	-	-	-	-	-	50	-
呉市	12	-	-	-	-	9	-	3	-
下関市	23	-	-	-	-	16	-	7	-
高松市	36	-	-	-	3	11	-	22	-
松山市	16	-	-	-	-	4	-	12	-
高知市	24	-	-	-	-	7	-	17	-
久留米市	9	-	-	-	-	9	-	-	-
長崎市	9	-	-	-	-	7	-	2	-
佐世保市	3	-	-	-	-	-	-	-	3
大分市	13	-	-	-	-	1	-	12	-
宮崎市	5	-	-	-	-	5	-	-	-
鹿児島市	11	-	-	-	-	-	-	11	-
那覇市	10	-	-	-	-	2	-	8	-

指定都市－中核市、経営主体の公営－私営・保育標準時間（開所時間）別

第6表　【基本票】保育所等数・小規模保育事業所数，都道府県－

都道府県	保育所等数 総数								
	総数	9時間以下	9時間超～9時間半以下	9時間半超～10時間以下	10時間超～10時間半以下	10時間半超～11時間以下	11時間超～11時間半以下	11時間半超～12時間以下	12時間超える
全　　　　国	18 421	11	4	68	9	3 771	622	10 213	3 723
北　海　道	314	4	2	6	3	156	5	129	9
青　　　森	302	-	-	3	1	35	30	189	44
岩　　　手	200	-	-	-	-	82	7	96	15
宮　　　城	112	-	-	-	-	21	5	82	4
秋　　　田	156	-	-	-	-	11	7	132	6
山　　　形	203	1	-	6	-	30	7	121	38
福　　　島	120	-	-	-	-	90	4	24	2
茨　　　城	421	-	-	-	-	153	12	170	86
栃　　　木	199	-	-	-	-	25	7	133	34
群　　　馬	214	-	-	-	-	28	20	154	12
埼　　　玉	655	-	-	-	-	111	11	350	183
千　　　葉	419	-	-	1	-	111	9	166	132
東　　　京	1 767	-	-	-	-	572	5	465	725
神　奈　川	322	-	-	2	-	44	8	159	109
新　　　潟	209	1	-	-	-	32	11	158	7
富　　　山	99	-	-	-	-	3	1	66	29
石　　　川	121	-	-	1	-	14	5	77	24
福　　　井	157	-	-	-	-	46	9	93	9
山　　　梨	125	-	-	-	-	26	9	79	11
長　　　野	94	1	-	-	-	18	-	64	11
岐　　　阜	159	-	-	-	-	20	3	131	5
静　　　岡	229	1	-	1	-	35	20	148	24
愛　　　知	232	1	-	3	-	37	8	163	20
三　　　重	202	-	1	10	1	50	7	115	18
滋　　　賀	126	-	-	-	1	6	6	81	32
京　　　都	115	-	-	-	-	8	2	85	20
大　　　阪	434	-	-	-	-	20	-	287	127
兵　　　庫	326	-	-	1	-	29	6	253	37
奈　　　良	85	2	-	-	-	2	2	49	30
和　歌　山	58	-	-	3	-	9	1	40	5
鳥　　　取	88	-	-	-	-	7	3	68	10
島　　　根	236	-	-	-	-	39	15	146	36
岡　　　山	86	-	-	-	-	2	-	79	5
広　　　島	137	-	-	-	-	35	2	84	16
山　　　口	163	-	-	2	-	19	13	121	8
徳　　　島	99	-	-	-	-	1	16	79	3
香　　　川	57	-	-	-	-	14	3	39	1
愛　　　媛	91	-	-	-	-	65	1	24	1
高　　　知	54	-	-	-	-	20	6	28	-
福　　　岡	412	-	-	3	-	79	17	285	28
佐　　　賀	207	-	-	-	-	50	11	140	6
長　　　崎	261	-	-	1	-	97	28	130	5
熊　　　本	357	-	-	-	-	67	41	232	17
大　　　分	178	-	-	2	-	102	12	50	12
宮　　　崎	245	-	-	-	-	26	40	167	12
鹿　児　島	363	-	-	-	-	100	38	217	8
沖　　　縄	320	-	-	-	-	81	4	226	9

指定都市－中核市、経営主体の公営－私営・保育標準時間（開所時間）別

平成29年10月 1 日

指定都市 / 中核市	保育所等総数 総数	私営 9時間以下	9時間超～9時間半以下	9時間半超～10時間以下	10時間超～10時間半以下	10時間半超～11時間以下	11時間超～11時間半以下	11時間半超～12時間以下	12時間超える
指定都市（別掲）									
札幌市	276	-	-	-	-	7	-	244	25
仙台市	154	-	-	-	-	1	-	89	64
さいたま市	140	-	-	-	-	1	1	81	57
千葉市	109	-	-	-	-	-	-	1	108
横浜市	663	-	-	-	-	57	4	89	513
川崎市	286	-	-	-	-	31	-	20	235
相模原市	92	-	-	-	-	-	1	61	30
新潟市	147	-	-	-	-	1	1	112	33
静岡市	82	-	-	-	-	16	4	59	3
浜松市	91	-	-	-	-	1	18	66	6
名古屋市	326	-	-	2	-	45	-	252	27
京都市	252	-	-	-	-	46	30	152	24
大阪市	393	-	-	18	3	109	3	207	53
堺市	103	-	-	-	-	2	-	73	28
神戸市	186	-	-	-	-	144	1	33	8
岡山市	73	-	-	-	-	2	5	55	11
広島市	127	-	-	-	-	2	1	88	36
北九州市	146	-	-	-	-	7	-	136	3
福岡市	225	-	-	-	-	190	-	16	19
熊本市	165	-	-	-	-	30	14	104	17
中核市（別掲）									
旭川市	64	-	-	-	-	63	-	1	-
函館市	47	-	-	-	-	43	3	1	-
青森市	88	-	-	-	-	2	6	56	24
八戸市	75	-	-	-	-	2	1	65	7
盛岡市	57	-	-	-	-	1	-	32	24
秋田市	66	-	-	-	-	3	-	40	23
郡山市	19	-	-	-	-	19	-	-	-
いわき市	29	-	-	-	-	3	1	23	2
宇都宮市	80	-	-	-	-	11	-	58	11
前橋市	53	-	-	-	-	8	3	42	-
高崎市	66	-	-	-	-	17	5	40	4
川越市	32	-	-	-	-	3	-	28	1
越谷市	25	-	-	-	-	-	-	24	1
船橋市	74	-	-	-	-	1	-	39	34
柏市	41	-	-	-	-	-	-	15	26
八王子市	90	-	-	-	-	19	3	65	3
横須賀市	37	-	-	-	-	2	1	26	8
富山市	53	-	-	-	-	3	-	16	34
金沢市	100	-	-	-	-	1	-	87	12
長野市	55	-	-	-	-	5	-	43	7
岐阜市	27	-	-	-	-	-	-	23	4
豊橋市	54	-	-	3	-	24	3	22	2
豊田市	25	-	-	-	-	3	-	22	-
岡崎市	18	-	1	-	-	-	-	16	1
大津市	57	-	-	-	-	1	2	44	10
高槻市	37	-	-	-	-	-	-	34	3
東大阪市	67	-	-	-	-	16	-	44	7
豊中市	54	-	-	-	-	-	-	53	1
枚方市	47	-	-	-	-	-	-	31	16
姫路市	67	-	-	-	-	4	-	62	1
西宮市	40	-	-	-	-	-	-	39	1
尼崎市	64	-	-	-	-	1	-	57	6
奈良市	28	-	-	-	-	1	3	12	12
和歌山市	43	-	-	-	-	4	1	37	1
倉敷市	74	-	-	-	-	3	1	66	4
福山市	63	-	-	-	-	-	-	51	12
呉市	42	-	-	-	-	6	9	26	1
下関市	34	-	-	-	-	4	4	20	6
高松市	43	-	-	-	-	1	-	36	6
松山市	59	-	-	-	-	3	-	38	18
高知市	72	-	-	-	-	20	7	45	-
久留米市	66	-	-	-	-	-	3	49	14
長崎市	109	-	-	-	-	4	4	80	21
佐世保市	72	-	-	-	-	2	2	28	40
大分市	80	-	-	-	-	6	-	62	12
宮崎市	133	-	-	-	-	132	-	1	-
鹿児島市	135	-	-	-	-	-	-	121	14
那覇市	95	-	-	-	-	10	-	81	4

第6表 【基本票】保育所等数・小規模保育事業所数, 都道府県-

都道府県	保 育 所 等								
	幼 保 連 携 型 認 定 こ ど も 園								
	総数								
	総 数	9 時 間 以 下	9 時 間 超~9時間半以下	9時間半超~10時間以下	10 時 間 超~11時間以下	10時間半超~11時間以下	11 時 間 超~11時間半以下	11時間半超~12時間以下	12 時 間 超 え る
全 国	3 620	3	3	14	6	1 081	92	2 072	349
北 海 道	97	-	-	-	2	57	2	33	3
青 森	113	-	-	-	-	16	3	79	15
岩 手	39	-	-	-	-	22	-	17	-
宮 城	10	-	-	-	-	6	-	3	1
秋 田	41	-	-	-	-	6	2	31	2
山 形	39	-	-	-	-	9	3	24	3
福 島	60	-	-	-	-	49	5	5	1
茨 城	113	-	-	-	-	57	5	41	10
栃 木	68	-	-	-	-	20	4	40	4
群 馬	60	-	-	-	-	14	6	33	7
埼 玉	44	-	-	-	-	11	1	30	2
千 葉	35	-	-	-	-	20	1	12	2
東 京	27	-	-	-	-	11	-	11	5
神 奈 川	23	-	-	1	-	13	-	7	2
新 潟	58	-	-	-	-	9	3	44	2
富 山	31	-	-	-	-	4	-	22	5
石 川	54	-	-	1	-	8	2	32	11
福 井	85	-	-	-	-	23	2	58	2
山 梨	32	-	-	-	-	8	-	22	2
長 野	24	1	-	-	-	11	-	11	1
岐 阜	49	-	-	3	1	14	-	30	1
静 岡	48	-	-	-	-	20	4	24	-
愛 知	26	1	-	2	-	5	-	18	-
三 重	20	-	-	1	-	10	-	8	1
滋 賀	52	-	-	-	1	14	8	26	3
京 都	26	-	-	-	-	2	-	17	7
大 阪	212	-	-	-	-	15	-	143	54
兵 庫	158	-	-	4	-	20	-	122	12
奈 良	24	-	-	-	-	5	-	15	4
和 歌 山	12	-	-	-	-	-	-	10	2
鳥 取	26	-	-	-	-	4	1	14	7
島 根	13	-	-	-	-	8	1	4	-
岡 山	27	-	-	-	-	-	-	27	-
広 島	33	-	-	-	-	7	1	22	3
山 口	2	-	-	-	-	2	-	-	-
徳 島	30	-	-	-	-	4	1	24	1
香 川	13	-	-	-	-	9	-	4	-
愛 媛	20	-	-	-	2	17	-	1	-
高 知	8	-	-	-	-	6	-	2	-
福 岡	17	-	-	-	-	10	1	5	1
佐 賀	52	-	-	-	-	42	-	10	-
長 崎	39	-	-	-	-	17	-	22	-
熊 本	29	-	-	-	-	26	-	3	-
大 分	49	-	-	-	-	35	-	12	2
宮 崎	72	-	-	-	-	11	7	51	3
鹿 児 島	94	-	-	-	-	30	10	52	2
沖 縄	19	-	-	-	-	13	-	6	-

指定都市－中核市、経営主体の公営－私営・保育標準時間（開所時間）別

平成29年10月１日

指定都市／中核市	保育所等　幼保連携型認定こども園　総数								
	総数	9時間以下	9時間超～9時間半以下	9時間半超～10時間以下	10時間超～10時間半以下	10時間半超～11時間以下	11時間超～11時間半以下	11時間半超～12時間以下	12時間超える
指定都市（別掲）									
札幌市	35	-	-	-	-	-	-	34	1
仙台市	12	-	-	-	-	1	-	8	3
さいたま市	5	-	-	-	-	-	-	4	1
千葉市	7	-	-	-	-	-	-	-	7
横浜市	22	-	-	-	-	13	-	6	3
川崎市	2	-	-	-	-	-	-	-	2
相模原市	8	-	-	-	-	-	1	6	1
新潟市	31	-	-	-	-	-	-	27	4
静岡市	85	-	-	-	-	43	-	42	-
浜松市	44	-	-	-	-	1	5	32	6
名古屋市	37	-	-	-	-	4	-	32	1
京都市	19	-	-	-	-	2	-	14	3
大阪市	33	-	-	-	-	24	-	6	3
堺市	98	-	-	-	-	2	-	72	24
神戸市	115	-	-	-	-	79	-	29	7
岡山市	12	-	-	-	-	-	-	10	2
広島市	21	-	-	-	-	-	1	16	4
北九州市	-	-	-	-	-	-	-	-	-
福岡市	3	-	-	-	-	2	-	-	1
熊本市	54	-	-	-	-	23	1	24	6
中核市（別掲）									
旭川市	9	-	-	-	-	9	-	-	-
函館市	18	-	-	-	-	16	2	-	-
青森市	23	-	-	-	-	2	2	11	8
八戸市	44	-	-	-	-	1	1	38	4
盛岡市	11	-	-	-	-	1	-	7	3
秋田市	16	-	-	-	-	3	-	12	1
郡山市	-	-	-	-	-	-	-	-	-
いわき市	4	-	-	-	-	2	-	2	-
宇都宮市	14	-	-	-	-	10	-	4	-
前橋市	26	-	-	-	-	7	1	18	-
高崎市	24	-	-	-	-	4	1	18	1
川越市	2	-	-	-	-	2	-	-	-
越谷市	5	-	-	-	-	-	-	5	-
船橋市	4	-	-	-	-	1	-	2	1
柏市	5	-	-	-	-	-	-	4	1
八王子市	-	-	-	-	-	-	-	-	-
横須賀市	9	-	-	-	-	2	1	6	-
富山市	48	-	-	-	-	3	-	14	31
金沢市	32	-	-	-	-	-	-	30	2
長野市	7	-	-	-	-	1	-	5	1
岐阜市	6	-	-	-	-	-	-	6	-
豊橋市	14	-	-	2	-	3	2	6	1
豊田市	10	-	-	-	-	-	-	10	-
岡崎市	3	-	3	-	-	-	-	-	-
大津市	11	-	-	-	-	1	-	8	2
高槻市	15	-	-	-	-	-	-	15	-
東大阪市	37	-	-	-	-	14	-	17	6
豊中市	36	-	-	-	-	-	-	35	1
枚方市	4	-	-	-	-	-	-	4	-
姫路市	38	-	-	-	-	8	-	30	-
西宮市	8	-	-	-	-	-	-	8	-
尼崎市	5	-	-	-	-	1	-	4	-
奈良市	21	1	-	-	-	11	-	6	3
和歌山市	18	-	-	-	-	4	-	13	1
倉敷市	7	-	-	-	-	3	-	4	-
福山市	21	-	-	-	-	-	-	17	4
呉市	12	-	-	-	-	2	1	9	-
下関市	14	-	-	-	-	4	-	8	2
高松市	11	-	-	-	-	2	-	9	-
松山市	11	-	-	-	-	1	-	9	1
高知市	5	-	-	-	-	2	-	3	-
久留米市	7	-	-	-	-	-	-	7	-
長崎市	23	-	-	-	-	1	-	20	2
佐世保市	9	-	-	-	-	-	-	2	7
大分市	22	-	-	-	-	4	-	16	2
宮崎市	43	-	-	-	-	42	-	1	-
鹿児島市	31	-	-	-	-	-	-	30	1
那覇市	11	-	-	-	-	-	-	11	-

第6表 【基本票】保育所等数・小規模保育事業所数，都道府県－

都 道 府 県	保 育 所 等								
	幼 保 連 携 型 認 定 こ ど も 園								
	公 営								
	総 数	9 時 間 以下	9 時 間 超 ～ 9時間半以下	9時間半超 ～ 10時間以下	10 時 間 超 ～ 10時間半以下	10時間半超 ～ 11時間以下	11 時 間 超 ～ 11時間半以下	11時間半超 ～ 12時間以下	12 時 間 超 え る
全　　国	550	2	3	7	4	234	12	275	13
北 海 道	14	-	-	-	1	12	-	1	-
青　　森	3	-	-	-	-	2	1	-	-
岩　　手	8	-	-	-	-	5	-	3	-
宮　　城	5	-	-	-	-	4	-	1	-
秋　　田	9	-	-	-	-	2	-	7	-
山　　形	2	-	-	-	-	1	1	-	-
福　　島	21	-	-	-	-	18	1	2	-
茨　　城	12	-	-	-	-	9	-	3	-
栃　　木	5	-	-	-	-	1	-	4	-
群　　馬	2	-	-	-	-	2	-	-	-
埼　　玉	-	-	-	-	-	-	-	-	-
千　　葉	12	-	-	-	-	6	-	6	-
東　　京	9	-	-	-	-	5	-	3	1
神 奈 川	10	-	-	-	-	7	-	3	-
新　　潟	7	-	-	-	-	3	-	4	-
富　　山	4	-	-	-	-	1	-	3	-
石　　川	-	-	-	-	-	-	-	-	-
福　　井	16	-	-	-	-	4	-	12	-
山　　梨	-	-	-	-	-	-	-	-	-
長　　野	2	-	-	-	-	1	-	1	-
岐　　阜	27	-	-	3	1	14	-	9	-
静　　岡	17	-	-	-	-	11	1	5	-
愛　　知	1	1	-	-	-	-	-	-	-
三　　重	5	-	-	-	-	3	-	2	-
滋　　賀	30	-	-	-	-	11	8	11	-
京　　都	1	-	-	-	-	1	-	-	-
大　　阪	14	-	-	-	-	2	-	12	-
兵　　庫	51	-	-	4	-	6	-	38	3
奈　　良	12	-	-	-	-	4	-	8	-
和 歌 山	3	-	-	-	-	-	-	3	-
鳥　　取	10	-	-	-	-	1	-	4	5
島　　根	3	-	-	-	-	1	-	2	-
岡　　山	22	-	-	-	-	-	-	22	-
広　　島	3	-	-	-	-	-	-	3	-
山　　口	-	-	-	-	-	-	-	-	-
徳　　島	11	-	-	-	-	4	-	7	-
香　　川	10	-	-	-	-	9	-	1	-
愛　　媛	7	-	-	-	2	5	-	-	-
高　　知	6	-	-	-	-	6	-	-	-
福　　岡	5	-	-	-	-	2	-	3	-
佐　　賀	-	-	-	-	-	-	-	-	-
長　　崎	3	-	-	-	-	2	-	1	-
熊　　本	-	-	-	-	-	-	-	-	-
大　　分	4	-	-	-	-	3	-	1	-
宮　　崎	-	-	-	-	-	-	-	-	-
鹿 児 島	3	-	-	-	-	2	-	1	-
沖　　縄	2	-	-	-	-	2	-	-	-

指定都市－中核市、経営主体の公営－私営・保育標準時間（開所時間）別

平成29年10月 1 日

保育所等 － 幼保連携型認定こども園 － 公営

指定都市／中核市	総数	9時間以下	9時間超～9時間半以下	9時間半超～10時間以下	10時間超～10時間半以下	10時間半超～11時間以下	11時間超～11時間半以下	11時間半超～12時間以下	12時間超える
指定都市（別掲）									
札幌市	1	-	-	-	-	-	-	1	-
仙台市	-	-	-	-	-	-	-	-	-
さいたま市	-	-	-	-	-	-	-	-	-
千葉市	-	-	-	-	-	-	-	-	-
横浜市	-	-	-	-	-	-	-	-	-
川崎市	1	-	-	-	-	-	-	1	-
相模原市	-	-	-	-	-	-	-	-	-
新潟市	58	-	-	-	-	35	-	23	-
静岡市	-	-	-	-	-	-	-	-	-
浜松市	-	-	-	-	-	-	-	-	-
名古屋市	-	-	-	-	-	-	-	-	-
京都市	-	-	-	-	-	-	-	-	-
大阪市	-	-	-	-	-	-	-	-	-
堺市	18	-	-	-	-	-	-	14	4
神戸市	-	-	-	-	-	-	-	-	-
岡山市	6	-	-	-	-	-	-	6	-
広島市	-	-	-	-	-	-	-	-	-
北九州市	-	-	-	-	-	-	-	-	-
福岡市	-	-	-	-	-	-	-	-	-
熊本市	-	-	-	-	-	-	-	-	-
中核市（別掲）									
旭川市	-	-	-	-	-	-	-	-	-
函館市	-	-	-	-	-	-	-	-	-
青森市	-	-	-	-	-	-	-	-	-
八戸市	-	-	-	-	-	-	-	-	-
盛岡市	-	-	-	-	-	-	-	-	-
秋田市	-	-	-	-	-	-	-	-	-
郡山市	-	-	-	-	-	-	-	-	-
いわき市	-	-	-	-	-	-	-	-	-
宇都宮市	-	-	-	-	-	-	-	-	-
前橋市	-	-	-	-	-	-	-	-	-
高崎市	-	-	-	-	-	-	-	-	-
川越市	-	-	-	-	-	-	-	-	-
越谷市	-	-	-	-	-	-	-	-	-
船橋市	-	-	-	-	-	-	-	-	-
柏市	-	-	-	-	-	-	-	-	-
八王子市	-	-	-	-	-	-	-	-	-
横須賀市	-	-	-	-	-	-	-	-	-
富山市	-	-	-	-	-	-	-	-	-
金沢市	-	-	-	-	-	-	-	-	-
長野市	-	-	-	-	-	-	-	-	-
岐阜市	1	-	-	-	-	-	-	1	-
豊橋市	-	-	-	-	-	-	-	-	-
豊田市	3	-	-	3	-	-	-	-	-
岡崎市	-	-	-	-	-	-	-	-	-
大津市	-	-	-	-	-	-	-	-	-
高槻市	1	-	-	-	-	-	-	1	-
東大阪市	2	-	-	-	-	-	-	2	-
豊中市	26	-	-	-	-	-	-	26	-
枚方市	8	-	-	-	-	7	-	1	-
姫路市	-	-	-	-	-	-	-	-	-
西宮市	-	-	-	-	-	-	-	-	-
尼崎市	12	1	-	-	-	11	-	-	-
奈良市	-	-	-	-	-	-	-	-	-
和歌山市	5	-	-	-	-	3	-	2	-
倉敷市	-	-	-	-	-	-	-	-	-
福山市	7	-	-	-	-	3	-	4	-
呉市	6	-	-	-	-	2	-	4	-
下関市	-	-	-	-	-	-	-	-	-
高松市	-	-	-	-	-	-	-	-	-
松山市	-	-	-	-	-	-	-	-	-
高知市	1	-	-	-	-	1	-	-	-
久留米市	-	-	-	-	-	-	-	-	-
長崎市	-	-	-	-	-	-	-	-	-
佐世保市	-	-	-	-	-	-	-	-	-
大分市	-	-	-	-	-	-	-	-	-
宮崎市	-	-	-	-	-	-	-	-	-
鹿児島市	-	-	-	-	-	-	-	-	-
那覇市	3	-	-	-	-	-	-	3	-

第6表　【基本票】保育所等数・小規模保育事業所数，都道府県－

都道府県	保育所等 幼保連携型認定こども園 私営								
	総数	9時間以下	9時間超〜9時間半以下	9時間半超〜10時間以下	10時間超〜10時間半以下	10時間半超〜11時間以下	11時間超〜11時間半以下	11時間半超〜12時間以下	12時間超える
全国	3 070	1	－	7	2	847	80	1 797	336
北海道	83	－	－	－	1	45	2	32	3
青森	110	－	－	－	－	14	2	79	15
岩手	31	－	－	－	－	17	－	14	－
宮城	5	－	－	－	－	2	－	2	1
秋田	32	－	－	－	－	4	2	24	2
山形	37	－	－	－	－	8	2	24	3
福島	39	－	－	－	－	31	4	3	1
茨城	101	－	－	－	－	48	5	38	10
栃木	63	－	－	－	－	19	4	36	4
群馬	58	－	－	－	－	12	6	33	7
埼玉	44	－	－	－	－	11	1	30	2
千葉	23	－	－	－	－	14	1	6	2
東京	18	－	－	－	－	6	－	8	4
神奈川	13	－	－	1	－	6	－	4	2
新潟	51	－	－	－	－	6	3	40	2
富山	27	－	－	－	－	3	－	19	5
石川	54	－	－	1	－	8	2	32	11
福井	69	－	－	－	－	19	2	46	2
山梨	32	－	－	－	－	8	－	22	2
長野	22	1	－	－	－	10	－	10	1
岐阜	22	－	－	－	－	－	－	21	1
静岡	31	－	－	－	－	9	3	19	－
愛知	25	－	－	2	－	5	－	18	－
三重	15	－	－	1	－	7	－	6	1
滋賀	22	－	－	－	1	3	－	15	3
京都	25	－	－	－	－	1	－	17	7
大阪	198	－	－	－	－	13	－	131	54
兵庫	107	－	－	－	－	14	－	84	9
奈良	12	－	－	－	－	1	－	7	4
和歌山	9	－	－	－	－	－	－	7	2
鳥取	16	－	－	－	－	3	1	10	2
島根	10	－	－	－	－	7	1	2	－
岡山	5	－	－	－	－	－	－	5	－
広島	30	－	－	－	－	7	1	19	3
山口	2	－	－	－	－	2	－	－	－
徳島	19	－	－	－	－	－	1	17	1
香川	3	－	－	－	－	－	－	3	－
愛媛	13	－	－	－	－	12	－	1	－
高知	2	－	－	－	－	－	－	2	－
福岡	12	－	－	－	－	8	1	2	1
佐賀	52	－	－	－	－	42	－	10	－
長崎	36	－	－	－	－	15	－	21	－
熊本	29	－	－	－	－	26	－	3	－
大分	45	－	－	－	－	32	－	11	2
宮崎	72	－	－	－	－	11	7	51	3
鹿児島	91	－	－	－	－	28	10	51	2
沖縄	17	－	－	－	－	11	－	6	－

指定都市－中核市、経営主体の公営－私営・保育標準時間（開所時間）別

指定都市 / 中核市	保育所等 幼保連携型認定こども園 私営							
	総数	9時間以下	9時間超～9時間半以下	9時間半超～10時間以下	10時間超～10時間半以下	10時間半超～11時間以下	11時間超～11時間半以下	11時間半超～12時間以下	12時間超える
指定都市（別掲）									
札幌市	34	－	－	－	－	－	－	33	1
仙台市	12	－	－	－	－	1	－	8	3
さいたま市	5	－	－	－	－	－	－	4	1
千葉市	7	－	－	－	－	－	－	－	7
横浜市	22	－	－	－	－	13	－	6	3
川崎市	2	－	－	－	－	－	－	－	2
相模原市	7	－	－	－	－	－	1	5	1
新潟市	31	－	－	－	－	－	－	27	4
静岡市	27	－	－	－	－	8	－	19	－
浜松市	44	－	－	－	－	1	5	32	6
名古屋市	37	－	－	－	－	4	－	32	1
京都市	19	－	－	－	－	2	－	14	3
大阪市	33	－	－	－	－	24	－	6	3
堺市	80	－	－	－	－	2	－	58	20
神戸市	115	－	－	－	－	79	－	29	7
岡山市	6	－	－	－	－	－	－	4	2
広島市	21	－	－	－	－	－	1	16	4
北九州市	－	－	－	－	－	－	－	－	－
福岡市	3	－	－	－	－	2	－	－	1
熊本市	54	－	－	－	－	23	1	24	6
中核市（別掲）									
旭川市	9	－	－	－	－	9	－	－	－
函館市	18	－	－	－	－	16	2	－	－
青森市	23	－	－	－	－	2	2	11	8
八戸市	44	－	－	－	－	1	1	38	4
盛岡市	11	－	－	－	－	1	－	7	3
秋田市	16	－	－	－	－	3	－	12	1
郡山市	－	－	－	－	－	－	－	－	－
いわき市	4	－	－	－	－	2	－	2	－
宇都宮市	14	－	－	－	－	10	－	4	－
前橋市	26	－	－	－	－	7	1	18	－
高崎市	24	－	－	－	－	4	1	18	1
川越市	2	－	－	－	－	2	－	－	－
越谷市	5	－	－	－	－	－	－	5	－
船橋市	4	－	－	－	－	1	－	2	1
柏市	5	－	－	－	－	－	－	4	1
八王子市	－	－	－	－	－	－	－	－	－
横須賀市	9	－	－	－	－	2	1	6	－
富山市	48	－	－	－	－	3	－	14	31
金沢市	32	－	－	－	－	－	－	30	2
長野市	7	－	－	－	－	1	－	5	1
岐阜市	6	－	－	－	－	－	－	6	－
豊橋市	13	－	－	2	－	3	2	5	1
豊田市	10	－	－	－	－	－	－	10	－
岡崎市	－	－	－	－	－	－	－	－	－
大津市	11	－	－	－	－	1	－	8	2
高槻市	14	－	－	－	－	－	－	14	－
東大阪市	35	－	－	－	－	14	－	15	6
豊中市	10	－	－	－	－	－	－	9	1
枚方市	4	－	－	－	－	－	－	4	－
姫路市	30	－	－	－	－	1	－	29	－
西宮市	8	－	－	－	－	－	－	8	－
尼崎市	5	－	－	－	－	1	－	4	－
奈良市	9	－	－	－	－	－	－	6	3
和歌山市	18	－	－	－	－	4	－	13	1
倉敷市	2	－	－	－	－	－	－	2	－
福山市	21	－	－	－	－	－	－	17	4
呉市	12	－	－	－	－	2	1	9	－
下関市	7	－	－	－	－	1	－	4	2
高松市	11	－	－	－	－	1	－	9	1
高知市	5	－	－	－	－	2	－	3	－
久留米市	7	－	－	－	－	－	－	7	－
長崎市	22	－	－	－	－	－	－	20	2
佐世保市	9	－	－	－	－	－	－	2	7
大分市	22	－	－	－	－	4	－	16	2
宮崎市	43	－	－	－	－	42	－	1	－
鹿児島市	31	－	－	－	－	－	－	30	1
那覇市	8	－	－	－	－	－	－	8	－

第6表　【基本票】保育所等数・小規模保育事業所数，都道府県－

都道府県	保育所等　保育所型認定こども園　総数								
	総数	9時間以下	9時間超~9時間半以下	9時間半超~10時間以下	10時間超~10時間半以下	10時間半超~11時間以下	11時間超~11時間半以下	11時間半超~12時間以下	12時間超える
全国	591	8	-	2	1	195	11	322	52
北海道	43	5	-	2	-	22	-	13	1
青森	16	-	-	-	1	3	1	11	-
岩手	6	-	-	-	-	1	-	5	-
宮城	2	-	-	-	-	-	-	2	-
秋田	10	-	-	-	-	1	-	8	1
山形	6	-	-	-	-	2	-	4	-
福島	2	-	-	-	-	2	-	-	-
茨城	11	-	-	-	-	7	-	4	-
栃木	3	-	-	-	-	2	-	1	-
群馬	2	-	-	-	-	1	-	1	-
埼玉	2	-	-	-	-	-	-	1	1
千葉	11	-	-	-	-	7	-	3	1
東京	42	-	-	-	-	14	-	13	15
神奈川	2	-	-	-	-	1	-	1	-
新潟	6	-	-	-	-	-	-	5	1
富山	5	-	-	-	-	-	-	4	1
石川	37	-	-	-	-	7	-	30	-
福井	1	-	-	-	-	1	-	-	-
山梨	6	-	-	-	-	3	-	1	2
長野	23	-	-	-	-	1	2	20	-
岐阜	26	2	-	-	-	10	-	14	-
静岡	6	-	-	-	-	1	-	4	1
愛知	5	-	-	-	-	1	-	4	-
三重	6	1	-	-	-	3	-	2	-
滋賀	4	-	-	-	-	-	-	4	-
京都	1	-	-	-	-	1	-	-	-
大阪	4	-	-	-	-	1	-	1	2
兵庫	12	-	-	-	-	1	-	10	1
奈良	1	-	-	-	-	-	-	1	-
和歌山	12	-	-	-	-	4	-	5	3
鳥取	8	-	-	-	-	1	4	-	3
島根	21	-	-	-	-	2	-	17	2
岡山	12	-	-	-	-	1	-	11	-
広島	14	-	-	-	-	6	-	8	-
山口	-	-	-	-	-	-	-	-	-
徳島	16	-	-	-	-	13	1	2	-
香川	1	-	-	-	-	-	-	1	-
愛媛	2	-	-	-	-	2	-	-	-
高知	1	-	-	-	-	-	-	1	-
福岡	8	-	-	-	-	1	-	7	-
佐賀	3	-	-	-	-	-	-	3	-
長崎	11	-	-	-	-	3	-	8	-
熊本	3	-	-	-	-	1	-	2	-
大分	15	-	-	-	-	15	-	-	-
宮崎	11	-	-	-	-	1	1	9	-
鹿児島	13	-	-	-	-	8	1	4	-
沖縄	2	-	-	-	-	-	-	2	-

指定都市－中核市、経営主体の公営－私営・保育標準時間（開所時間）別

指定都市 中核市	保育所等 保育所型認定こども園 総数								
	総数	9時間以下	9時間超〜9時間半以下	9時間半超〜10時間以下	10時間超〜10時間半以下	10時間半超〜11時間以下	11時間超〜11時間半以下	11時間半超〜12時間以下	12時間超える
指定都市（別掲）									
札幌市	2	－	－	－	－	－	－	2	－
仙台市	－	－	－	－	－	－	－	－	－
さいたま市	－	－	－	－	－	－	－	－	－
千葉市	2	－	－	－	－	－	－	2	－
横浜市	－	－	－	－	－	－	－	－	－
川崎市	－	－	－	－	－	－	－	－	－
相模原市	－	－	－	－	－	－	－	－	－
新潟市	5	－	－	－	－	－	－	4	1
静岡市	－	－	－	－	－	－	－	－	－
浜松市	1	－	－	－	－	－	－	1	－
名古屋市	18	－	－	－	－	8	－	10	－
京都市	3	－	－	－	－	1	－	2	－
大阪市	3	－	－	－	－	2	－	－	－
堺市	3	－	－	－	－	－	－	2	1
神戸市	－	－	－	－	－	－	－	－	－
岡山市	－	－	－	－	－	－	－	－	－
広島市	4	－	－	－	－	1	－	1	2
北九州市	－	－	－	－	－	－	－	－	－
福岡市	－	－	－	－	－	－	－	－	－
熊本市	－	－	－	－	－	－	－	－	－
中核市（別掲）									
旭川市	12	－	－	－	－	12	－	－	－
函館市	15	－	－	－	－	14	－	1	－
青森市	1	－	－	－	－	－	1	－	－
八戸市	13	－	－	－	－	1	－	11	1
盛岡市	－	－	－	－	－	－	－	－	－
秋田市	－	－	－	－	－	－	－	－	－
郡山市	－	－	－	－	－	－	－	－	－
いわき市	－	－	－	－	－	－	－	－	－
宇都宮市	1	－	－	－	－	－	－	1	－
前橋市	－	－	－	－	－	－	－	－	－
高崎市	1	－	－	－	－	－	－	1	－
川越市	－	－	－	－	－	－	－	－	－
越谷市	－	－	－	－	－	－	－	－	－
船橋市	－	－	－	－	－	－	－	－	－
柏市	－	－	－	－	－	－	－	－	－
八王子市	1	－	－	－	－	－	－	1	－
横須賀市	－	－	－	－	－	－	－	－	－
富山市	2	－	－	－	－	－	－	1	1
金沢市	10	－	－	－	－	－	－	7	3
長野市	1	－	－	－	－	1	－	－	－
岐阜市	－	－	－	－	－	－	－	－	－
豊橋市	－	－	－	－	－	－	－	－	－
豊田市	－	－	－	－	－	－	－	－	－
岡崎市	2	－	－	－	－	－	－	2	－
大津市	－	－	－	－	－	－	－	－	－
高槻市	－	－	－	－	－	－	－	－	－
東大阪市	－	－	－	－	－	－	－	－	－
豊中市	－	－	－	－	－	－	－	－	－
枚方市	－	－	－	－	－	－	－	－	－
姫路市	13	－	－	－	－	1	－	12	－
西宮市	－	－	－	－	－	－	－	－	－
尼崎市	－	－	－	－	－	－	－	－	－
奈良市	－	－	－	－	－	－	－	－	－
和歌山市	－	－	－	－	－	－	－	－	－
倉敷市	2	－	－	－	－	－	－	2	－
福山市	－	－	－	－	－	－	－	－	－
呉市	2	－	－	－	－	1	－	1	－
下関市	－	－	－	－	－	－	－	－	－
高松市	9	－	－	－	－	2	－	3	4
松山市	－	－	－	－	－	－	－	－	－
高知市	5	－	－	－	－	－	－	5	－
久留米市	1	－	－	－	－	－	－	－	1
長崎市	－	－	－	－	－	－	－	－	－
佐世保市	4	－	－	－	－	－	－	1	3
大分市	1	－	－	－	－	－	－	1	－
宮崎市	－	－	－	－	－	－	－	－	－
鹿児島市	－	－	－	－	－	－	－	－	－
那覇市	1	－	－	－	－	－	－	1	－

指定都市－中核市、経営主体の公営－私営・保育標準時間（開所時間）別

第6表　【基本票】保育所等数・小規模保育事業所数，都道府県－

都道府県	保育所等 保育所型認定こども園 公営								
	総数	9時間以下	9時間超〜9時間半以下	9時間半超〜10時間以下	10時間超〜10時間半以下	10時間半超〜11時間以下	11時間超〜11時間半以下	11時間半超〜12時間以下	12時間超える
全国	215	6	-	2	-	81	5	115	6
北海道	21	3	-	2	-	13	-	3	-
青森	-	-	-	-	-	-	-	-	-
岩手	5	-	-	-	-	1	-	4	-
宮城	-	-	-	-	-	-	-	-	-
秋田	2	-	-	-	-	-	-	1	1
山形	1	-	-	-	-	1	-	-	-
福島	2	-	-	-	-	2	-	-	-
茨城	4	-	-	-	-	1	-	3	-
栃木	2	-	-	-	-	1	-	1	-
群馬	1	-	-	-	-	1	-	-	-
埼玉	-	-	-	-	-	-	-	-	-
千葉	3	-	-	-	-	3	-	-	-
東京	13	-	-	-	-	1	-	10	2
神奈川	-	-	-	-	-	-	-	-	-
新潟	1	-	-	-	-	-	-	1	-
富山	1	-	-	-	-	-	-	1	-
石川	32	-	-	-	-	6	-	26	-
福井	-	-	-	-	-	-	-	-	-
山梨	5	-	-	-	-	3	-	1	1
長野	22	-	-	-	-	-	2	20	-
岐阜	7	2	-	-	-	4	-	1	-
静岡	1	-	-	-	-	-	-	1	-
愛知	4	-	-	-	-	1	-	3	-
三重	4	1	-	-	-	3	-	-	-
滋賀	4	-	-	-	-	-	-	4	-
京都	1	-	-	-	-	1	-	-	-
大阪	1	-	-	-	-	1	-	-	-
兵庫	-	-	-	-	-	-	-	-	-
奈良	-	-	-	-	-	-	-	-	-
和歌山	3	-	-	-	-	2	-	1	-
鳥取	6	-	-	-	-	1	3	-	2
島根	10	-	-	-	-	-	-	10	-
岡山	10	-	-	-	-	1	-	9	-
広島	10	-	-	-	-	3	-	7	-
山口	-	-	-	-	-	-	-	-	-
徳島	15	-	-	-	-	13	-	2	-
香川	1	-	-	-	-	-	-	1	-
愛媛	1	-	-	-	-	1	-	-	-
高知	-	-	-	-	-	-	-	-	-
福岡	1	-	-	-	-	-	-	1	-
佐賀	-	-	-	-	-	-	-	-	-
長崎	1	-	-	-	-	1	-	-	-
熊本	-	-	-	-	-	-	-	-	-
大分	4	-	-	-	-	4	-	-	-
宮崎	1	-	-	-	-	1	-	-	-
鹿児島	6	-	-	-	-	6	-	-	-
沖縄	-	-	-	-	-	-	-	-	-

指定都市－中核市、経営主体の公営－私営・保育標準時間（開所時間）別

平成29年10月 1 日

指定都市 中核市	保育所等 保育所型認定こども園 公営 総数	9時間以下	9時間超～9時間半以下	9時間半超～10時間以下	10時間超～10時間半以下	10時間半超～11時間以下	11時間超～11時間半以下	11時間半超～12時間以下	12時間超える
指定都市（別掲）									
札幌市	-	-	-	-	-	-	-	-	-
仙台市	-	-	-	-	-	-	-	-	-
さいたま市	-	-	-	-	-	-	-	-	-
千葉市	2	-	-	-	-	-	-	2	-
横浜市	-	-	-	-	-	-	-	-	-
川崎市	-	-	-	-	-	-	-	-	-
相模原市	-	-	-	-	-	-	-	-	-
新潟市	-	-	-	-	-	-	-	-	-
静岡市	-	-	-	-	-	-	-	-	-
浜松市	-	-	-	-	-	-	-	-	-
名古屋市	-	-	-	-	-	-	-	-	-
京都市	-	-	-	-	-	-	-	-	-
大阪市	-	-	-	-	-	-	-	-	-
堺市	-	-	-	-	-	-	-	-	-
神戸市	-	-	-	-	-	-	-	-	-
岡山市	1	-	-	-	-	1	-	-	-
広島市	-	-	-	-	-	-	-	-	-
北九州市	-	-	-	-	-	-	-	-	-
福岡市	-	-	-	-	-	-	-	-	-
熊本市	-	-	-	-	-	-	-	-	-
中核市（別掲）									
旭川市	1	-	-	-	-	1	-	-	-
函館市	-	-	-	-	-	-	-	-	-
青森市	-	-	-	-	-	-	-	-	-
八戸市	-	-	-	-	-	-	-	-	-
盛岡市	-	-	-	-	-	-	-	-	-
秋田市	-	-	-	-	-	-	-	-	-
郡山市	-	-	-	-	-	-	-	-	-
いわき市	-	-	-	-	-	-	-	-	-
宇都宮市	-	-	-	-	-	-	-	-	-
前橋市	-	-	-	-	-	-	-	-	-
高崎市	-	-	-	-	-	-	-	-	-
川越市	-	-	-	-	-	-	-	-	-
越谷市	-	-	-	-	-	-	-	-	-
船橋市	-	-	-	-	-	-	-	-	-
柏市	-	-	-	-	-	-	-	-	-
八王子市	-	-	-	-	-	-	-	-	-
横須賀市	-	-	-	-	-	-	-	-	-
富山市	-	-	-	-	-	-	-	-	-
金沢市	1	-	-	-	-	1	-	-	-
長野市	-	-	-	-	-	-	-	-	-
岐阜市	-	-	-	-	-	-	-	-	-
豊橋市	-	-	-	-	-	-	-	-	-
豊田市	-	-	-	-	-	-	-	-	-
岡崎市	2	-	-	-	-	-	-	2	-
大津市	-	-	-	-	-	-	-	-	-
高槻市	-	-	-	-	-	-	-	-	-
東大阪市	-	-	-	-	-	-	-	-	-
豊中市	-	-	-	-	-	-	-	-	-
枚方市	-	-	-	-	-	-	-	-	-
姫路市	-	-	-	-	-	-	-	-	-
西宮市	-	-	-	-	-	-	-	-	-
尼崎市	-	-	-	-	-	-	-	-	-
奈良市	-	-	-	-	-	-	-	-	-
和歌山市	-	-	-	-	-	-	-	-	-
倉敷市	-	-	-	-	-	-	-	-	-
福山市	-	-	-	-	-	-	-	-	-
呉市	-	-	-	-	-	-	-	-	-
下関市	-	-	-	-	-	-	-	-	-
高松市	2	-	-	-	-	2	-	-	-
松山市	-	-	-	-	-	-	-	-	-
高知市	-	-	-	-	-	-	-	-	-
久留米市	-	-	-	-	-	-	-	-	-
長崎市	-	-	-	-	-	-	-	-	-
佐世保市	-	-	-	-	-	-	-	-	-
大分市	-	-	-	-	-	-	-	-	-
宮崎市	-	-	-	-	-	-	-	-	-
鹿児島市	-	-	-	-	-	-	-	-	-
那覇市	-	-	-	-	-	-	-	-	-

指定都市－中核市、経営主体の公営－私営・保育標準時間（開所時間）別

第6表 【基本票】保育所等数・小規模保育事業所数，都道府県－

都道府県	保育所等 保育所型認定こども園 私営 総数	9時間以下	9時間超～9時間半以下	9時間半超～10時間以下	10時間超～10時間半以下	10時間半超～11時間以下	11時間超～11時間半以下	11時間半超～12時間以下	12時間超える
全国	376	2	－	－	1	114	6	207	46
北海道	22	2	－	－	－	9	－	10	1
青森	16	－	－	－	1	3	1	11	－
岩手	1	－	－	－	－	－	－	1	－
宮城	2	－	－	－	－	－	－	2	－
秋田	8	－	－	－	－	1	－	7	－
山形	5	－	－	－	－	1	－	4	－
福島	－	－	－	－	－	－	－	－	－
茨城	7	－	－	－	－	6	－	1	－
栃木	1	－	－	－	－	1	－	－	－
群馬	1	－	－	－	－	－	－	1	－
埼玉	2	－	－	－	－	－	－	1	1
千葉	8	－	－	－	－	4	－	3	1
東京	29	－	－	－	－	13	－	3	13
神奈川	2	－	－	－	－	1	－	1	－
新潟	5	－	－	－	－	－	－	4	1
富山	4	－	－	－	－	－	－	3	1
石川	5	－	－	－	－	1	－	4	－
福井	1	－	－	－	－	1	－	－	－
山梨	1	－	－	－	－	－	－	－	1
長野	1	－	－	－	－	1	－	－	－
岐阜	19	－	－	－	－	6	－	13	－
静岡	5	－	－	－	－	1	－	3	1
愛知	1	－	－	－	－	－	－	1	－
三重	2	－	－	－	－	－	－	2	－
滋賀	－	－	－	－	－	－	－	－	－
京都	－	－	－	－	－	－	－	－	－
大阪	3	－	－	－	－	－	－	1	2
兵庫	12	－	－	－	－	1	－	10	1
奈良	1	－	－	－	－	－	－	1	－
和歌山	9	－	－	－	－	2	－	4	3
鳥取	2	－	－	－	－	－	1	－	1
島根	11	－	－	－	－	2	－	7	2
岡山	2	－	－	－	－	－	－	2	－
広島	4	－	－	－	－	3	－	1	－
山口	－	－	－	－	－	－	－	－	－
徳島	1	－	－	－	－	－	1	－	－
香川	－	－	－	－	－	－	－	－	－
愛媛	1	－	－	－	－	1	－	－	－
高知	1	－	－	－	－	－	－	1	－
福岡	7	－	－	－	－	1	－	6	－
佐賀	3	－	－	－	－	－	－	3	－
長崎	10	－	－	－	－	2	－	8	－
熊本	3	－	－	－	－	1	－	2	－
大分	11	－	－	－	－	11	－	－	－
宮崎	10	－	－	－	－	－	1	9	－
鹿児島	7	－	－	－	－	2	1	4	－
沖縄	2	－	－	－	－	－	－	2	－

指定都市－中核市、経営主体の公営－私営・保育標準時間（開所時間）別

指定都市／中核市	総数	9時間以下	9時間超～9時間半以下	9時間半超～10時間以下	10時間超～10時間半以下	10時間半超～11時間以下	11時間超～11時間半以下	11時間半超～12時間以下	12時間超える
指定都市（別掲）									
札幌市	2	－	－	－	－	－	－	2	－
仙台市	－	－	－	－	－	－	－	－	－
さいたま市	－	－	－	－	－	－	－	－	－
千葉市	－	－	－	－	－	－	－	－	－
横浜市	－	－	－	－	－	－	－	－	－
川崎市	－	－	－	－	－	－	－	－	－
相模原市	－	－	－	－	－	－	－	－	－
新潟市	5	－	－	－	－	－	－	4	1
静岡市	－	－	－	－	－	－	－	－	－
浜松市	1	－	－	－	－	－	－	1	－
名古屋市	18	－	－	－	－	8	－	10	－
京都市	3	－	－	－	－	1	－	2	－
大阪市	2	－	－	－	－	2	－	－	－
堺市	3	－	－	－	－	－	－	2	1
神戸市	－	－	－	－	－	－	－	－	－
岡山市	－	－	－	－	－	－	－	－	－
広島市	3	－	－	－	－	－	－	1	2
北九州市	－	－	－	－	－	－	－	－	－
福岡市	－	－	－	－	－	－	－	－	－
熊本市	－	－	－	－	－	－	－	－	－
中核市（別掲）									
旭川市	12	－	－	－	－	12	－	－	－
函館市	14	－	－	－	－	13	－	1	－
青森市	1	－	－	－	－	－	1	－	－
八戸市	13	－	－	－	－	1	－	11	1
盛岡市	－	－	－	－	－	－	－	－	－
秋田市	－	－	－	－	－	－	－	－	－
郡山市	－	－	－	－	－	－	－	－	－
いわき市	－	－	－	－	－	－	－	－	－
宇都宮市	1	－	－	－	－	－	－	1	－
前橋市	－	－	－	－	－	－	－	－	－
高崎市	1	－	－	－	－	－	－	1	－
川越市	－	－	－	－	－	－	－	－	－
越谷市	－	－	－	－	－	－	－	－	－
船橋市	－	－	－	－	－	－	－	－	－
柏市	－	－	－	－	－	－	－	－	－
八王子市	1	－	－	－	－	－	－	1	－
横須賀市	－	－	－	－	－	－	－	－	－
富山市	2	－	－	－	－	－	－	1	1
金沢市	10	－	－	－	－	－	－	7	3
長野市	－	－	－	－	－	－	－	－	－
岐阜市	－	－	－	－	－	－	－	－	－
豊橋市	－	－	－	－	－	－	－	－	－
豊田市	－	－	－	－	－	－	－	－	－
岡崎市	－	－	－	－	－	－	－	－	－
大津市	－	－	－	－	－	－	－	－	－
高槻市	－	－	－	－	－	－	－	－	－
東大阪市	－	－	－	－	－	－	－	－	－
豊中市	－	－	－	－	－	－	－	－	－
枚方市	－	－	－	－	－	－	－	－	－
姫路市	13	－	－	－	－	1	－	12	－
西宮市	－	－	－	－	－	－	－	－	－
尼崎市	－	－	－	－	－	－	－	－	－
奈良市	－	－	－	－	－	－	－	－	－
和歌山市	－	－	－	－	－	－	－	－	－
倉敷市	2	－	－	－	－	－	－	2	－
福山市	2	－	－	－	－	1	－	1	－
呉市	－	－	－	－	－	－	－	－	－
下関市	－	－	－	－	－	－	－	－	－
高松市	7	－	－	－	－	－	－	3	4
高知市	5	－	－	－	－	－	－	5	－
久留米市	1	－	－	－	－	－	－	－	1
長崎市	4	－	－	－	－	－	－	1	3
佐世保市	1	－	－	－	－	－	－	1	－
大分市	1	－	－	－	－	－	－	1	－
宮崎市	－	－	－	－	－	－	－	－	－
鹿児島市	－	－	－	－	－	－	－	－	－
那覇市	1	－	－	－	－	－	－	1	－

（注）表頭区分：保育所等／保育所型認定こども園／私営

第6表　【基本票】保育所等数・小規模保育事業所数，都道府県-

都道府県	保育所等 総数	保育所 総数 9時間以下	9時間超~9時間半以下	9時間半超~10時間以下	10時間超~10時間半以下	10時間半超~11時間以下	11時間超~11時間半以下	11時間半超~12時間以下	12時間超える
全　　　国	22 926	154	61	245	26	6 034	695	12 209	3 502
北　海　道	474	34	16	39	3	225	4	144	9
青　　森	181	-	-	3	-	20	29	100	29
岩　　手	264	-	-	-	-	119	7	123	15
宮　　城	237	-	-	-	-	83	9	141	4
秋　　田	155	-	-	1	-	12	6	132	4
山　　形	237	3	-	6	-	39	10	144	35
福　　島	177	2	-	2	-	123	4	45	1
茨　　城	454	-	-	-	-	169	16	193	76
栃　　木	251	-	-	-	-	44	3	170	34
群　　馬	220	-	2	1	-	56	14	142	5
埼　　玉	902	-	-	-	-	209	10	473	210
千　　葉	643	-	1	5	-	154	11	321	151
東　　京	2 431	2	1	2	-	948	5	734	739
神　奈　川	396	-	-	1	-	50	8	229	108
新　　潟	425	2	-	-	-	128	18	272	5
富　　山	168	1	-	8	-	35	1	95	28
石　　川	149	-	-	-	-	34	3	91	21
福　　井	191	-	-	3	-	85	14	82	7
山　　梨	195	1	-	-	-	64	9	113	8
長　　野	440	16	-	11	1	151	8	242	11
岐　　阜	299	6	3	9	-	72	20	181	8
静　　岡	307	2	-	2	-	77	34	169	23
愛　　知	738	41	1	27	-	233	8	405	23
三　　重	395	6	2	18	2	182	7	161	17
滋　　賀	171	-	-	-	-	39	9	94	29
京　　都	197	-	-	7	-	42	2	131	15
大　　阪	372	-	-	-	-	27	-	272	73
兵　　庫	344	-	-	19	-	66	7	224	28
奈　　良	135	8	-	-	-	9	2	83	33
和　歌　山	118	-	2	6	-	40	1	69	-
鳥　　取	151	-	-	-	-	35	6	98	12
島　　根	256	-	-	-	-	51	14	157	34
岡　　山	171	-	-	7	-	22	-	137	5
広　　島	233	-	-	1	-	116	1	100	15
山　　口	258	-	-	5	-	63	14	168	8
徳　　島	165	1	8	2	3	33	15	101	2
香　　川	118	-	-	5	1	54	3	54	1
愛　　媛	226	-	-	12	-	171	1	41	1
高　　知	158	2	7	8	1	96	15	29	-
福　　岡	483	1	-	3	-	106	16	328	29
佐　　賀	191	-	-	-	-	17	12	156	6
長　　崎	241	-	-	2	-	98	29	107	5
熊　　本	410	-	2	1	1	72	44	272	18
大　　分	152	-	-	2	-	86	12	42	10
宮　　崎	206	-	-	-	-	39	39	119	9
鹿　児　島	295	-	-	1	1	80	27	180	6
沖　　縄	373	-	1	1	-	101	5	256	9

指定都市－中核市、経営主体の公営－私営・保育標準時間（開所時間）別

平成29年10月1日

指定都市／中核市	保育所等 総数								
	総数	9時間以下	9時間超～9時間半以下	9時間半超～10時間以下	10時間超～10時間半以下	10時間半超～11時間以下	11時間超～11時間半以下	11時間半超～12時間以下	12時間超える
指定都市（別掲）									
札幌市	261	-	-	-	-	7	-	230	24
仙台市	180	-	-	-	-	-	-	119	61
さいたま市	196	-	-	-	-	2	1	133	60
千葉市	159	-	-	-	-	-	-	48	111
横浜市	721	-	-	-	-	44	4	163	510
川崎市	324	-	-	-	-	32	-	59	233
相模原市	109	-	-	4	-	1	-	75	29
新潟市	198	-	-	-	-	4	1	165	28
静岡市	55	-	-	-	-	8	4	40	3
浜松市	67	-	-	-	-	2	17	48	-
名古屋市	379	-	-	2	-	56	-	295	26
京都市	248	-	-	-	-	50	30	147	21
大阪市	422	-	-	18	3	116	3	231	51
堺市	20	-	-	-	-	-	-	13	7
神戸市	129	-	-	-	-	65	34	29	1
岡山市	113	-	-	-	-	28	5	71	9
広島市	190	-	-	-	-	53	-	107	30
北九州市	165	-	-	-	7	7	-	148	3
福岡市	229	-	-	-	-	195	-	16	18
熊本市	130	-	-	-	-	7	13	98	12
中核市（別掲）									
旭川市	46	-	-	-	-	45	-	1	-
函館市	17	-	-	-	-	16	1	-	-
青森市	64	-	-	-	-	-	3	45	16
八戸市	18	-	-	-	-	-	-	16	2
盛岡市	58	-	-	-	-	-	-	36	22
秋田市	56	-	-	-	-	-	-	34	22
郡山市	44	-	-	-	-	43	1	-	-
いわき市	56	-	-	-	-	32	1	21	2
宇都宮市	75	-	-	-	-	1	-	63	11
前橋市	45	-	-	-	-	17	2	26	-
高崎市	62	-	-	-	-	31	4	24	3
川越市	50	-	-	-	-	1	-	47	2
越谷市	38	-	-	-	-	-	-	37	1
船橋市	97	-	-	-	-	27	-	37	33
柏市	59	-	-	-	-	-	-	34	25
八王子市	99	-	-	-	-	19	3	74	3
横須賀市	38	-	-	-	-	-	-	30	8
富山市	45	-	-	-	-	19	-	24	2
金沢市	71	-	-	-	-	9	-	55	7
長野市	76	-	-	-	-	27	-	43	6
岐阜市	40	1	-	-	-	15	-	17	7
豊橋市	45	-	-	1	-	21	1	21	1
豊田市	70	14	-	-	-	26	-	30	-
岡崎市	51	-	13	-	-	-	-	37	1
大津市	60	-	-	-	-	-	2	50	8
高槻市	36	-	-	-	-	-	-	33	3
東大阪市	41	-	-	-	-	2	-	38	1
豊中市	44	-	-	-	-	-	-	44	-
枚方市	55	-	-	-	-	-	-	39	16
姫路市	46	-	-	-	-	10	-	35	1
西宮市	55	-	-	-	-	-	-	54	1
尼崎市	80	-	-	-	-	-	-	74	6
奈良市	31	-	-	-	-	7	3	12	9
和歌山市	43	11	2	-	-	5	1	24	-
倉敷市	86	-	-	-	-	11	1	70	4
福山市	92	-	-	-	-	-	-	84	8
呉市	40	-	-	-	-	12	8	19	1
下関市	43	-	-	-	-	16	4	19	4
高松市	68	-	-	-	3	10	-	50	5
松山市	55	-	-	-	-	4	-	38	13
高知市	86	-	-	-	-	25	7	54	-
久留米市	67	-	-	-	-	9	3	42	13
長崎市	95	-	-	-	-	10	4	62	19
佐世保市	62	-	-	-	-	2	2	25	33
大分市	70	-	-	-	-	3	-	57	10
宮崎市	95	-	-	-	-	95	-	-	-
鹿児島市	115	-	-	-	-	-	-	102	13
那覇市	93	-	-	-	-	12	-	77	4

第6表　【基本票】保育所等数・小規模保育事業所数，都道府県－

都 道 府 県	保　　　　育　　　　所　　　　等								
	保　　　育　　　育　　　所								
	公				営				
	総　　数	9 時 間 ～ 以　　下	9 時 間 超 ～ 9 時間半以下	9 時間半超 ～ 10時間以下	10 時 間 超 ～ 10時間半以下	10時間半超 ～ 11時間以下	11 時 間 超 ～ 11時間半以下	11時間半超 ～ 12時間以下	12 時 間 超 え る
全　　　　　国	7 951	146	57	184	20	3 224	159	4 000	161
北　海　道	265	32	14	33	1	123	1	57	4
青　　　森	5	－	－	－	－	2	2	1	－
岩　　　手	96	－	－	－	－	54	－	42	－
宮　　　城	132	－	－	－	－	64	4	63	1
秋　　　田	39	－	－	1	－	6	1	31	－
山　　　形	76	2	－	－	－	18	5	51	－
福　　　島	96	2	－	2	－	64	4	24	－
茨　　　城	141	－	－	－	－	70	9	62	－
栃　　　木	116	－	－	－	－	39	－	73	4
群　　　馬	65	－	2	1	－	40	－	22	－
埼　　　玉	293	－	－	－	－	109	－	154	30
千　　　葉	255	－	1	4	－	61	3	164	22
東　　　京	711	2	1	2	－	395	－	280	31
神　奈　川	89	－	－	－	－	13	－	75	1
新　　　潟	272	1	－	－	－	102	10	158	1
富　　　山	100	1	－	8	－	35	－	51	5
石　　　川	87	－	－	－	－	29	－	50	8
福　　　井	104	－	－	3	－	59	7	35	－
山　　　梨	103	1	－	－	－	46	－	56	－
長　　　野	369	16	－	11	1	144	8	188	1
岐　　　阜	181	6	3	9	－	58	17	84	4
静　　　岡	114	1	－	1	－	52	17	43	－
愛　　　知	532	40	1	26	－	201	－	261	3
三　　　重	210	6	1	9	1	139	－	54	－
滋　　　賀	67	－	－	－	－	36	3	28	－
京　　　都	107	－	－	7	－	35	－	63	2
大　　　阪	139	－	－	－	－	20	－	117	2
兵　　　庫	137	－	－	18	－	52	1	65	1
奈　　　良	63	6	－	－	－	8	－	42	7
和　歌　山	78	－	2	3	－	33	－	40	－
鳥　　　取	81	－	－	－	－	31	5	40	5
島　　　根	41	－	－	－	－	21	－	20	－
岡　　　山	92	－	－	7	－	20	－	65	－
広　　　島	130	－	－	1	－	91	－	36	2
山　　　口	97	－	－	3	－	46	1	47	－
徳　　　島	86	1	8	2	3	32	1	39	－
香　　　川	64	－	－	5	1	40	－	18	－
愛　　　媛	149	－	－	12	－	119	－	18	－
高　　　知	107	2	7	8	1	76	9	4	－
福　　　岡	90	1	－	－	－	36	－	51	2
佐　　　賀	39	－	－	－	－	9	1	29	－
長　　　崎	26	－	－	1	－	18	1	6	－
熊　　　本	85	－	2	1	1	32	3	45	1
大　　　分	30	－	－	－	－	27	－	3	－
宮　　　崎	43	－	－	－	－	24	7	12	－
鹿　児　島	30	－	－	1	1	10	－	18	－
沖　　　縄	72	－	1	1	－	31	1	38	－

指定都市－中核市、経営主体の公営－私営・保育標準時間（開所時間）別

平成29年10月1日

指定都市 中核市	保育所等								
	保育所								
	公営								
	総数	9時間以下	9時間超～9時間半以下	9時間半超～10時間以下	10時間超～10時間半以下	10時間半超～11時間以下	11時間超～11時間半以下	11時間半超～12時間以下	12時間超える
指定都市（別掲）									
札幌市	21	-	-	-	-	-	-	21	-
仙台市	38	-	-	-	-	-	-	38	-
さいたま市	61	-	-	-	-	1	-	56	4
千葉市	57	-	-	-	-	-	-	47	10
横浜市	80	-	-	-	-	-	-	80	-
川崎市	40	-	-	-	-	1	-	39	-
相模原市	24	-	-	4	-	1	-	19	-
新潟市	87	-	-	-	-	3	-	84	-
静岡市	-	-	-	-	-	-	-	-	-
浜松市	21	-	-	-	-	2	4	15	-
名古屋市	108	-	-	-	-	23	-	85	-
京都市	18	-	-	-	-	7	-	11	-
大阪市	64	-	-	-	-	33	-	30	1
堺市	-	-	-	-	-	-	-	-	-
神戸市	58	-	-	-	-	-	33	25	-
岡山市	46	-	-	-	-	26	-	20	-
広島市	87	-	-	-	-	51	-	36	-
北九州市	19	-	-	-	7	-	-	12	-
福岡市	7	-	-	-	-	7	-	-	-
熊本市	19	-	-	-	-	-	-	18	1
中核市（別掲）									
旭川市	3	-	-	-	-	3	-	-	-
函館市	2	-	-	-	-	2	-	-	-
青森市	-	-	-	-	-	-	-	-	-
八戸市	-								
盛岡市	12	-	-	-	-	-	-	11	1
秋田市	6	-	-	-	-	-	-	6	-
郡山市	25	-	-	-	-	24	1	-	-
いわき市	31	-	-	-	-	31	-	-	-
宇都宮市	10	-	-	-	-	-	-	10	-
前橋市	18	-	-	-	-	16	-	2	-
高崎市	21	-	-	-	-	18	-	3	-
川越市	20	-	-	-	-	-	-	19	1
越谷市	18	-	-	-	-	-	-	18	-
船橋市	27	-	-	-	-	27	-	-	-
柏市	23	-	-	-	-	-	-	23	-
八王子市	10	-	-	-	-	-	-	10	-
横須賀市	10	-	-	-	-	-	-	10	-
富山市	42	-	-	-	-	19	-	23	-
金沢市	13	-	-	-	-	8	-	5	-
長野市	28	-	-	-	-	23	-	5	-
岐阜市	19	1	-	-	-	15	-	-	3
豊橋市	4	-	-	-	-	-	-	4	-
豊田市	55	14	-	-	-	23	-	18	-
岡崎市	33	-	12	-	-	-	-	21	-
大津市	14	-	-	-	-	-	-	14	-
高槻市	13	-	-	-	-	-	-	13	-
東大阪市	9	-	-	-	-	-	-	9	-
豊中市	-	-	-	-	-	-	-	-	-
枚方市	12	-	-	-	-	-	-	12	-
姫路市	22	-	-	-	-	8	-	14	-
西宮市	23	-	-	-	-	-	-	23	-
尼崎市	21	-	-	-	-	-	-	21	-
奈良市	12	-	-	-	-	6	-	6	-
和歌山市	18	11	2	-	-	5	-	-	-
倉敷市	16	-	-	-	-	8	-	8	-
福山市	50	-	-	-	-	-	-	50	-
呉市	12	-	-	-	-	9	-	3	-
下関市	16	-	-	-	-	13	-	3	-
高松市	30	-	-	-	3	9	-	18	-
松山市	14	-	-	-	-	2	-	12	-
高知市	24	-	-	-	-	7	-	17	-
久留米市	9	-	-	-	-	9	-	-	-
長崎市	8	-	-	-	-	6	-	2	-
佐世保市	3	-	-	-	-	-	-	-	3
大分市	13	-	-	-	-	1	-	12	-
宮崎市	5	-	-	-	-	5	-	-	-
鹿児島市	11	-	-	-	-	-	-	11	-
那覇市	7	-	-	-	-	2	-	5	-

第6表　【基本票】保育所等数・小規模保育事業所数，都道府県－

都道府県	保育所等								
	保育所								
	私営								
	総数	9時間以下	9時間超～9時間半以下	9時間半超～10時間以下	10時間超～10時間半以下	10時間半超～11時間以下	11時間超～11時間半以下	11時間半超～12時間以下	12時間超える
全　国	14 975	8	4	61	6	2 810	536	8 209	3 341
北海道	209	2	2	6	2	102	3	87	5
青森	176	−	−	3	−	18	27	99	29
岩手	168	−	−	−	−	65	7	81	15
宮城	105	−	−	−	−	19	5	78	3
秋田	116	−	−	−	−	6	5	101	4
山形	161	1	−	6	−	21	5	93	35
福島	81	−	−	−	−	59	−	21	1
茨城	313	−	−	−	−	99	7	131	76
栃木	135	−	−	−	−	5	3	97	30
群馬	155	−	−	−	−	16	14	120	5
埼玉	609	−	−	−	−	100	10	319	180
千葉	388	−	−	1	−	93	8	157	129
東京	1 720	−	−	−	−	553	5	454	708
神奈川	307	−	−	1	−	37	8	154	107
新潟	153	1	−	−	−	26	8	114	4
富山	68	−	−	−	−	−	1	44	23
石川	62	−	−	−	−	5	3	41	13
福井	87	−	−	−	−	26	7	47	7
山梨	92	−	−	−	−	18	9	57	8
長野	71	−	−	−	−	7	−	54	10
岐阜	118	−	−	−	−	14	3	97	4
静岡	193	1	−	1	−	25	17	126	23
愛知	206	1	−	1	−	32	8	144	20
三重	185	−	1	9	1	43	7	107	17
滋賀	104	−	−	−	−	3	6	66	29
京都	90	−	−	−	−	7	2	68	13
大阪	233	−	−	−	−	7	−	155	71
兵庫	207	−	−	1	−	14	6	159	27
奈良	72	2	−	−	−	1	2	41	26
和歌山	40	−	−	3	−	7	1	29	−
鳥取	70	−	−	−	−	4	1	58	7
島根	215	−	−	−	−	30	14	137	34
岡山	79	−	−	−	−	2	−	72	5
広島	103	−	−	−	−	25	1	64	13
山口	161	−	−	2	−	17	13	121	8
徳島	79	−	−	−	−	1	14	62	2
香川	54	−	−	−	−	14	3	36	1
愛媛	77	−	−	−	−	52	1	23	1
高知	51	−	−	−	−	20	6	25	−
福岡	393	−	−	3	−	70	16	277	27
佐賀	152	−	−	−	−	8	11	127	6
長崎	215	−	−	1	−	80	28	101	5
熊本	325	−	−	−	−	40	41	227	17
大分	122	−	−	2	−	59	12	39	10
宮崎	163	−	−	−	−	15	32	107	9
鹿児島	265	−	−	−	−	70	27	162	6
沖縄	301	−	−	−	−	70	4	218	9

指定都市－中核市、経営主体の公営－私営・保育標準時間（開所時間）別

平成29年10月1日

指定都市 / 中核市	保育所等（保育所・私営）							
	総数	9時間以下	9時間超～9時間半以下	9時間半超～10時間以下	10時間超～10時間半以下	10時間半超～11時間以下	11時間超～11時間半以下	11時間半超～12時間以下	12時間超える

指定都市 / 中核市	総数	9時間以下	9時間超～9時間半以下	9時間半超～10時間以下	10時間超～10時間半以下	10時間半超～11時間以下	11時間超～11時間半以下	11時間半超～12時間以下	12時間超える
指定都市（別掲）									
札幌市	240	-	-	-	-	7	-	209	24
仙台市	142	-	-	-	-	-	-	81	61
さいたま市	135	-	-	-	-	1	1	77	56
千葉市	102	-	-	-	-	-	-	1	101
横浜市	641	-	-	-	-	44	4	83	510
川崎市	284	-	-	-	-	31	-	20	233
相模原市	85	-	-	-	-	-	-	56	29
新潟市	111	-	-	-	-	1	1	81	28
静岡市	55	-	-	-	-	8	4	40	3
浜松市	46	-	-	-	-	-	13	33	-
名古屋市	271	-	-	2	-	33	-	210	26
京都市	230	-	-	-	-	43	30	136	21
大阪市	358	-	-	18	3	83	3	201	50
堺市	20	-	-	-	-	-	-	13	7
神戸市	71	-	-	-	-	65	1	4	1
岡山市	67	-	-	-	-	2	5	51	9
広島市	103	-	-	-	-	2	-	71	30
北九州市	146	-	-	-	-	7	-	136	3
福岡市	222	-	-	-	-	188	-	16	18
熊本市	111	-	-	-	-	7	13	80	11
中核市（別掲）									
旭川市	43	-	-	-	-	42	-	1	-
函館市	15	-	-	-	-	14	1	-	-
青森市	64	-	-	-	-	-	3	45	16
八戸市	18	-	-	-	-	-	-	16	2
盛岡市	46	-	-	-	-	-	-	25	21
秋田市	50	-	-	-	-	-	-	28	22
郡山市	19	-	-	-	-	19	-	-	-
いわき市	25	-	-	-	-	1	1	21	2
宇都宮市	65	-	-	-	-	1	-	53	11
前橋市	27	-	-	-	-	1	2	24	-
高崎市	41	-	-	-	-	13	4	21	3
川越市	30	-	-	-	-	1	-	28	1
越谷市	20	-	-	-	-	-	-	19	1
船橋市	70	-	-	-	-	-	-	37	33
柏市	36	-	-	-	-	-	-	11	25
八王子市	89	-	-	-	-	19	3	64	3
横須賀市	28	-	-	-	-	-	-	20	8
富山市	3	-	-	-	-	-	-	1	2
金沢市	58	-	-	-	-	1	-	50	7
長野市	48	-	-	-	-	4	-	38	6
岐阜市	21	-	-	-	-	-	-	17	4
豊橋市	41	-	-	1	-	21	1	17	1
豊田市	15	-	-	-	-	3	-	12	-
岡崎市	18	-	1	-	-	-	-	16	1
大津市	46	-	-	-	-	-	2	36	8
高槻市	23	-	-	-	-	-	-	20	3
東大阪市	32	-	-	-	-	2	-	29	1
豊中市	44	-	-	-	-	-	-	44	-
枚方市	43	-	-	-	-	-	-	27	16
姫路市	24	-	-	-	-	2	-	21	1
西宮市	32	-	-	-	-	-	-	31	1
尼崎市	59	-	-	-	-	-	-	53	6
奈良市	19	-	-	-	-	1	3	6	9
和歌山市	25	-	-	-	-	-	1	24	-
倉敷市	70	-	-	-	-	3	1	62	4
福山市	42	-	-	-	-	-	-	34	8
呉市	28	-	-	-	-	3	8	16	1
下関市	27	-	-	-	-	3	4	16	4
高松市	38	-	-	-	-	1	-	32	5
松山市	41	-	-	-	-	2	-	26	13
高知市	62	-	-	-	-	18	7	37	-
久留米市	58	-	-	-	-	-	3	42	13
長崎市	87	-	-	-	-	4	4	60	19
佐世保市	59	-	-	-	-	2	2	25	30
大分市	57	-	-	-	-	2	-	45	10
宮崎市	90	-	-	-	-	90	-	-	-
鹿児島市	104	-	-	-	-	-	-	91	13
那覇市	86	-	-	-	-	10	-	72	4

指定都市－中核市、経営主体の公営－私営・保育標準時間（開所時間）別

第６表　【基本票】保育所等数・小規模保育事業所数，都道府県－

都道府県	小規模保育事業所数								
	総数	総数							
	総　数	9 時 間以　下	9 時 間 超～9時間半以下	9 時間半超～10時間以下	10 時 間 超～10時間半以下	10時間半超～11時間以下	11 時 間 超～11時間半以下	11時間半超～12時間以下	12 時 間超 え る
全　　国	3 401	55	5	50	10	1 456	35	1 495	295
北　海　道	27	-	-	-	-	22	-	5	-
青　　森	2	-	-	-	-	1	-	1	-
岩　　手	24	1	-	-	-	15	-	8	-
宮　　城	73	1	1	-	-	32	-	35	4
秋　　田	3	-	-	-	-	3	-	-	-
山　　形	25	-	-	-	-	6	-	17	2
福　　島	39	-	1	2	-	27	1	6	2
茨　　城	35	-	-	-	-	17	-	16	2
栃　　木	44	1	-	1	-	17	-	20	5
群　　馬	1	-	-	-	-	1	-	-	-
埼　　玉	275	2	-	2	1	71	2	142	55
千　　葉	-	-	-	-	-	-	-	-	-
東　　京	406	12	-	19	1	153	6	193	22
神　奈　川	71	-	-	1	-	13	-	34	23
新　　潟	18	-	-	-	-	3	-	15	-
富　　山	-	-	-	-	-	-	-	-	-
石　　川	3	-	-	-	-	1	-	2	-
福　　井	5	-	-	-	-	4	-	1	-
山　　梨	11	-	-	-	-	8	-	2	1
長　　野	8	-	-	-	-	4	-	3	1
岐　　阜	19	-	-	2	-	9	-	5	3
静　　岡	77	9	-	1	-	41	6	19	1
愛　　知	66	-	-	1	-	22	-	41	2
三　　重	21	-	1	2	-	15	-	3	-
滋　　賀	24	-	-	-	-	5	-	18	1
京　　都	17	1	-	1	-	10	-	4	1
大　　阪	103	-	-	1	-	45	-	46	11
兵　　庫	39	2	-	-	-	3	-	30	4
奈　　良	13	3	-	-	-	4	-	6	-
和　歌　山	6	1	-	-	-	3	-	2	-
鳥　　取	26	-	-	1	-	13	2	9	1
島　　根	7	1	1	1	-	3	-	1	-
岡　　山	4	-	-	-	-	3	-	1	-
広　　島	7	-	-	-	-	2	-	5	-
山　　口	12	-	-	-	-	3	-	8	1
徳　　島	2	-	-	-	-	1	-	1	-
香　　川	6	-	-	-	-	4	-	2	-
愛　　媛	12	2	-	-	-	9	-	1	-
高　　知	9	-	-	1	-	5	1	2	-
福　　岡	-	-	-	-	-	-	-	-	-
佐　　賀	32	-	-	-	-	31	-	1	-
長　　崎	19	2	-	-	-	11	-	6	-
熊　　本	20	1	1	-	-	13	-	5	-
大　　分	8	-	-	-	-	7	-	1	-
宮　　崎	12	-	-	-	3	5	2	2	-
鹿　児　島	28	1	-	-	1	9	-	15	2
沖　　縄	86	-	-	-	-	39	7	39	1

指定都市－中核市、経営主体の公営－私営・保育標準時間（開所時間）別

指定都市 中核市	小規模保育事業所 総数								
	総数	9時間以下	9時間超～9時間半以下	9時間半超～10時間以下	10時間超～10時間半以下	10時間半超～11時間以下	11時間超～11時間半以下	11時間半超～12時間以下	12時間超える
指定都市（別掲）									
札幌市	67	－	－	－	－	4	－	55	8
仙台市	79	－	－	1	－	10	－	61	7
さいたま市	94	－	－	－	－	10	1	74	9
千葉市	38	－	－	－	－	－	－	12	26
横浜市	148	－	－	2	－	46	－	76	24
川崎市	32	5	－	－	－	9	－	7	11
相模原市	33	－	－	－	－	1	－	24	8
新潟市	8	1	－	－	－	－	－	6	1
静岡市	31	－	－	－	－	21	－	10	－
浜松市	27	－	－	－	－	10	－	17	－
名古屋市	124	3	－	－	－	121	－	－	－
京都市	105	1	－	5	－	68	2	23	6
大阪市	127	－	－	2	－	89	－	32	4
堺市	28	－	－	－	－	2	－	16	10
神戸市	91	－	－	－	－	75	1	15	－
岡山市	14	－	－	－	－	5	－	5	4
広島市	23	－	－	－	－	23	－	－	－
北九州市	31	－	－	－	4	27	－	－	－
福岡市	103	－	－	－	－	80	－	21	2
熊本市	59	－	－	－	－	21	1	36	1
中核市（別掲）									
旭川市	17	－	－	－	－	17	－	－	－
函館市	1	－	－	－	－	－	－	1	－
青森市	－	－	－	－	－	－	－	－	－
八戸市	－	－	－	－	－	－	－	－	－
盛岡市	10	－	－	－	－	－	－	10	－
秋田市	11	－	－	－	－	6	1	3	1
郡山市	11	－	－	－	－	11	－	－	－
いわき市	3	－	－	－	－	1	－	2	－
宇都宮市	22	－	－	－	－	15	－	6	1
前橋市	－	－	－	－	－	－	－	－	－
高崎市	－	－	－	－	－	－	－	－	－
川越市	18	－	－	－	－	5	－	11	2
越谷市	31	－	－	－	－	3	－	24	4
船橋市	19	－	－	－	－	1	－	13	5
柏市	6	－	－	－	－	1	－	4	1
八王子市	3	1	－	－	－	2	－	－	－
横須賀市	1	－	－	－	－	1	－	－	－
富山市	1	－	－	－	－	－	－	1	－
金沢市	－	－	－	－	－	－	－	－	－
長野市	2	－	－	－	－	－	－	2	－
岐阜市	15	2	－	－	－	7	－	6	－
豊橋市	－	－	－	－	－	－	－	－	－
豊田市	2	－	－	－	－	－	－	2	－
岡崎市	－	－	－	－	－	－	－	－	－
大津市	9	－	－	－	－	4	－	5	－
高槻市	26	－	－	－	－	1	1	24	－
東大阪市	17	－	－	－	－	2	－	14	1
豊中市	11	－	－	－	－	－	－	10	1
枚方市	8	－	－	－	－	3	－	4	1
姫路市	－	－	－	－	－	－	－	－	－
西宮市	41	－	－	－	－	8	－	32	1
尼崎市	21	－	－	－	－	8	－	10	3
奈良市	4	－	－	－	－	－	－	4	－
和歌山市	－	－	－	－	－	－	－	－	－
倉敷市	10	－	－	－	4	1	－	4	1
福山市	10	－	－	－	－	4	－	6	－
呉市	2	－	－	－	－	1	－	1	－
下関市	－	－	－	－	－	－	－	－	－
高松市	9	1	－	－	－	2	1	5	－
松山市	18	－	－	－	－	1	－	13	4
高知市	10	－	－	－	－	4	－	4	2
久留米市	－	－	－	－	－	－	－	－	－
長崎市	1	－	－	－	－	－	－	1	－
佐世保市	2	1	－	－	－	1	－	－	－
大分市	7	－	－	－	－	－	－	6	1
宮崎市	6	－	－	－	－	6	－	－	－
鹿児島市	－	－	－	－	－	－	－	－	－
那覇市	9	－	－	－	－	5	－	4	－

指定都市－中核市、経営主体の公営－私営・保育標準時間（開所時間）別

第6表 【基本票】保育所等数・小規模保育事業所数, 都道府県－

| 都道府県 | 小規模保育事業所 総数 | | | | | | | | 数 |
| | 総数 | 公 | | | | 営 | | | |
	総数	9時間以下	9時間超～9時間半以下	9時間半超～10時間以下	10時間超～10時間半以下	10時間半超～11時間以下	11時間超～11時間半以下	11時間半超～12時間以下	12時間超える
全 国	40	8	1	1	3	19	1	7	－
北 海 道	1	－	－	－	－	1	－	－	－
青 森	－	－	－	－	－	－	－	－	－
岩 手	－	－	－	－	－	－	－	－	－
宮 城	－	－	－	－	－	－	－	－	－
秋 田	－	－	－	－	－	－	－	－	－
山 形	－	－	－	－	－	－	－	－	－
福 島	－	－	－	－	－	－	－	－	－
茨 城	－	－	－	－	－	－	－	－	－
栃 木	4	－	－	－	－	3	－	1	－
群 馬	－	－	－	－	－	－	－	－	－
埼 玉	－	－	－	－	－	－	－	－	－
千 葉	－	－	－	－	－	－	－	－	－
東 京	－	－	－	－	－	－	－	－	－
神 奈 川	－	－	－	－	－	－	－	－	－
新 潟	－	－	－	－	－	－	－	－	－
富 山	－	－	－	－	－	－	－	－	－
石 川	－	－	－	－	－	－	－	－	－
福 井	2	－	－	－	－	2	－	－	－
山 梨	－	－	－	－	－	－	－	－	－
長 野	－	－	－	－	－	－	－	－	－
岐 阜	－	－	－	－	－	－	－	－	－
静 岡	－	－	－	－	－	－	－	－	－
愛 知	1	－	－	－	－	1	－	－	－
三 重	－	－	－	－	－	－	－	－	－
滋 賀	1	－	－	－	－	1	－	－	－
京 都	－	－	－	－	－	－	－	－	－
大 阪	－	－	－	－	－	－	－	－	－
兵 庫	－	－	－	－	－	－	－	－	－
奈 良	5	2	－	－	－	2	－	1	－
和 歌 山	2	1	－	－	－	1	－	－	－
鳥 取	－	－	－	－	－	－	－	－	－
島 根	4	1	1	－	－	2	－	－	－
岡 山	－	－	－	－	－	－	－	－	－
広 島	1	－	－	－	－	1	－	－	－
山 口	－	－	－	－	－	－	－	－	－
徳 島	－	－	－	－	－	－	－	－	－
香 川	－	－	－	－	－	－	－	－	－
愛 媛	2	2	－	－	－	－	－	－	－
高 知	1	－	－	1	－	－	－	－	－
福 岡	－	－	－	－	－	－	－	－	－
佐 賀	－	－	－	－	－	－	－	－	－
長 崎	－	－	－	－	－	－	－	－	－
熊 本	－	－	－	－	－	－	－	－	－
大 分	2	－	－	－	－	2	－	－	－
宮 崎	5	－	－	－	3	1	1	－	－
鹿 児 島	2	1	－	－	－	1	－	－	－
沖 縄	－	－	－	－	－	－	－	－	－

指定都市－中核市、経営主体の公営－私営・保育標準時間（開所時間）別

指定都市／中核市	小規模保育事業所 総数（公営）								
	総数	9時間以下	9時間超〜9時間半以下	9時間半超〜10時間以下	10時間超〜10時間半以下	10時間半超〜11時間以下	11時間超〜11時間半以下	11時間半超〜12時間以下	12時間超える
指定都市（別掲）									
札幌市	－	－	－	－	－	－	－	－	－
仙台市	－	－	－	－	－	－	－	－	－
さいたま市	－	－	－	－	－	－	－	－	－
千葉市	－	－	－	－	－	－	－	－	－
横浜市	－	－	－	－	－	－	－	－	－
川崎市	－	－	－	－	－	－	－	－	－
相模原市	－	－	－	－	－	－	－	－	－
新潟市	3	－	－	－	－	－	－	3	－
静岡市	－	－	－	－	－	－	－	－	－
浜松市	－	－	－	－	－	－	－	－	－
名古屋市	－	－	－	－	－	－	－	－	－
京都市	－	－	－	－	－	－	－	－	－
大阪市	－	－	－	－	－	－	－	－	－
堺市	－	－	－	－	－	－	－	－	－
神戸市	－	－	－	－	－	－	－	－	－
岡山市	－	－	－	－	－	－	－	－	－
広島市	－	－	－	－	－	－	－	－	－
北九州市	－	－	－	－	－	－	－	－	－
福岡市	－	－	－	－	－	－	－	－	－
熊本市	－	－	－	－	－	－	－	－	－
中核市（別掲）									
旭川市	－	－	－	－	－	－	－	－	－
函館市	－	－	－	－	－	－	－	－	－
青森市	－	－	－	－	－	－	－	－	－
八戸市	－	－	－	－	－	－	－	－	－
盛岡市	－	－	－	－	－	－	－	－	－
秋田市	－	－	－	－	－	－	－	－	－
郡山市	－	－	－	－	－	－	－	－	－
いわき市	－	－	－	－	－	－	－	－	－
宇都宮市	－	－	－	－	－	－	－	－	－
前橋市	－	－	－	－	－	－	－	－	－
高崎市	－	－	－	－	－	－	－	－	－
川越市	－	－	－	－	－	－	－	－	－
越谷市	－	－	－	－	－	－	－	－	－
船橋市	－	－	－	－	－	－	－	－	－
柏市	－	－	－	－	－	－	－	－	－
八王子市	－	－	－	－	－	－	－	－	－
横須賀市	－	－	－	－	－	－	－	－	－
富山市	－	－	－	－	－	－	－	－	－
金沢市	－	－	－	－	－	－	－	－	－
長野市	－	－	－	－	－	－	－	－	－
岐阜市	1	－	－	－	－	－	1	－	－
豊橋市	－	－	－	－	－	－	－	－	－
豊田市	－	－	－	－	－	－	－	－	－
岡崎市	－	－	－	－	－	－	－	－	－
大津市	－	－	－	－	－	－	－	－	－
高槻市	－	－	－	－	－	－	－	－	－
東大阪市	－	－	－	－	－	－	－	－	－
豊中市	－	－	－	－	－	－	－	－	－
枚方市	2	－	－	－	－	－	－	2	－
姫路市	－	－	－	－	－	－	－	－	－
西宮市	－	－	－	－	－	－	－	－	－
尼崎市	－	－	－	－	－	－	－	－	－
奈良市	－	－	－	－	－	－	－	－	－
和歌山市	－	－	－	－	－	－	－	－	－
倉敷市	－	－	－	－	－	－	－	－	－
福山市	－	－	－	－	－	－	－	－	－
呉市	－	－	－	－	－	－	－	－	－
下関市	－	－	－	－	－	－	－	－	－
高松市	1	1	－	－	－	－	－	－	－
松山市	－	－	－	－	－	－	－	－	－
高知市	－	－	－	－	－	－	－	－	－
久留米市	－	－	－	－	－	－	－	－	－
長崎市	－	－	－	－	－	－	－	－	－
佐世保市	－	－	－	－	－	－	－	－	－
大分市	－	－	－	－	－	－	－	－	－
宮崎市	－	－	－	－	－	－	－	－	－
鹿児島市	－	－	－	－	－	－	－	－	－
那覇市	－	－	－	－	－	－	－	－	－

第6表　【基本票】保育所等数・小規模保育事業所数，都道府県－

都道府県	小規模保育事業所 総数								
	総数	私営							
	総　数	9時間以下	9時間超～9時間半以下	9時間半超～10時間以下	10時間超～10時間半以下	10時間半超～11時間以下	11時間超～11時間半以下	11時間半超～12時間以下	12時間超える
全　　国	3 361	47	4	49	7	1 437	34	1 488	295
北　海　道	26	-	-	-	-	21	-	5	-
青　森	2	-	-	-	-	1	-	1	-
岩　手	24	1	-	-	-	15	-	8	-
宮　城	73	1	1	-	-	32	-	35	4
秋　田	3	-	-	-	-	3	-	-	-
山　形	25	-	-	-	-	6	-	17	2
福　島	39	-	1	2	-	27	1	6	2
茨　城	35	-	-	-	-	17	-	16	2
栃　木	40	1	-	1	-	14	-	19	5
群　馬	1	-	-	-	-	1	-	-	-
埼　玉	275	2	-	2	1	71	2	142	55
千　葉	-	-	-	-	-	-	-	-	-
東　京	406	12	-	19	1	153	6	193	22
神　奈　川	71	-	-	1	-	13	-	34	23
新　潟	18	-	-	-	-	3	-	15	-
富　山	-	-	-	-	-	-	-	-	-
石　川	3	-	-	-	-	1	-	2	-
福　井	3	-	-	-	-	2	-	1	-
山　梨	11	-	-	-	-	8	-	2	1
長　野	8	-	-	-	-	4	-	3	1
岐　阜	19	-	-	2	-	9	-	5	3
静　岡	77	9	-	1	-	41	6	19	1
愛　知	65	-	-	1	-	21	-	41	2
三　重	21	-	1	2	-	15	-	3	-
滋　賀	23	-	-	-	-	4	-	18	1
京　都	17	1	-	1	-	10	-	4	1
大　阪	103	-	-	1	-	45	-	46	11
兵　庫	39	2	-	-	-	3	-	30	4
奈　良	8	1	-	-	-	2	-	5	-
和　歌　山	4	-	-	-	-	2	-	2	-
鳥　取	26	-	-	1	-	13	2	9	1
島　根	3	-	-	1	-	1	-	1	-
岡　山	4	-	-	-	-	3	-	1	-
広　島	6	-	-	-	-	1	-	5	-
山　口	12	-	-	-	-	3	-	8	1
徳　島	2	-	-	-	-	1	-	1	-
香　川	6	-	-	-	-	4	-	2	-
愛　媛	10	-	-	-	-	9	-	1	-
高　知	8	-	-	-	-	5	1	2	-
福　岡	-	-	-	-	-	-	-	-	-
佐　賀	32	-	-	-	-	31	-	1	-
長　崎	19	2	-	-	-	11	-	6	-
熊　本	20	1	1	-	-	13	-	5	-
大　分	6	-	-	-	-	5	-	1	-
宮　崎	7	-	-	-	-	4	1	2	-
鹿　児　島	26	-	-	-	1	8	-	15	2
沖　縄	86	-	-	-	-	39	7	39	1

指定都市－中核市、経営主体の公営－私営・保育標準時間（開所時間）別

平成29年10月 1日

指定都市 / 中核市	小規模保育事業所 総数 / 私営 総数	9時間以下	9時間超～9時間半以下	9時間半超～10時間以下	10時間超～10時間半以下	10時間半超～11時間以下	11時間超～11時間半以下	11時間半超～12時間以下	12時間超える
指定都市（別掲）									
札幌市	67	-	-	-	-	4	-	55	8
仙台市	79	-	-	1	-	10	-	61	7
さいたま市	94	-	-	-	-	10	1	74	9
千葉市	38	-	-	-	-	-	-	12	26
横浜市	148	-	-	2	-	46	-	76	24
川崎市	32	5	-	-	-	9	-	7	11
相模原市	33	-	-	-	-	1	-	24	8
新潟市	8	1	-	-	-	-	-	6	1
静岡市	28	-	-	-	-	21	-	7	-
浜松市	27	-	-	-	-	10	-	17	-
名古屋市	124	3	-	-	-	121	-	-	-
京都市	105	1	-	5	-	68	2	23	6
大阪市	127	-	-	2	-	89	-	32	4
堺市	28	-	-	-	-	2	-	16	10
神戸市	91	-	-	-	-	75	1	15	-
岡山市	14	-	-	-	-	5	-	5	4
広島市	23	-	-	-	-	23	-	-	-
北九州市	31	-	-	-	4	27	-	-	-
福岡市	103	-	-	-	-	80	-	21	2
熊本市	59	-	-	-	-	21	1	36	1
中核市（別掲）									
旭川市	17	-	-	-	-	17	-	-	-
函館市	-	-	-	-	-	-	-	-	-
青森市	1	-	-	-	-	-	-	1	-
八戸市	-	-	-	-	-	-	-	-	-
盛岡市	10	-	-	-	-	-	-	10	-
秋田市	11	-	-	-	-	6	1	3	1
郡山市	11	-	-	-	-	11	-	-	-
いわき市	3	-	-	-	-	1	-	2	-
宇都宮市	22	-	-	-	-	15	-	6	1
前橋市	-	-	-	-	-	-	-	-	-
高崎市	-	-	-	-	-	-	-	-	-
川越市	18	-	-	-	-	5	-	11	2
越谷市	31	-	-	-	-	3	-	24	4
船橋市	19	-	-	-	-	1	-	13	5
柏市	6	-	-	-	-	1	-	4	1
八王子市	3	1	-	-	-	2	-	-	-
横須賀市	1	-	-	-	-	1	-	-	-
富山市	1	-	-	-	-	-	-	1	-
金沢市	1	-	-	-	-	-	-	1	-
長野市	2	-	-	-	-	-	-	2	-
岐阜市	14	2	-	-	-	6	-	6	-
豊橋市	2	-	-	-	-	-	-	2	-
豊田市	-	-	-	-	-	-	-	-	-
岡崎市	-	-	-	-	-	-	-	-	-
大津市	9	-	-	-	-	4	-	5	-
高槻市	26	-	-	-	-	1	1	24	-
東大阪市	17	-	-	-	-	2	-	14	1
豊中市	11	-	-	-	-	-	-	10	1
枚方市	6	-	-	-	-	3	-	2	1
姫路市	-	-	-	-	-	-	-	-	-
西宮市	41	-	-	-	-	8	-	32	1
尼崎市	21	-	-	-	-	8	-	10	3
奈良市	4	-	-	-	-	-	-	4	-
和歌山市	-	-	-	-	-	-	-	-	-
倉敷市	10	-	-	-	4	1	-	4	1
福山市	10	-	-	-	-	4	-	6	-
呉市	2	-	-	-	-	1	-	1	-
下関市	-	-	-	-	-	-	-	-	-
高松市	8	-	-	-	-	2	1	5	-
松山市	18	-	-	-	-	1	-	13	4
高知市	10	-	-	-	-	4	-	4	2
久留米市	-	-	-	-	-	-	-	-	-
長崎市	1	-	-	-	-	-	-	1	-
佐世保市	2	1	-	-	-	1	-	-	-
大分市	7	-	-	-	-	-	-	6	1
宮崎市	6	-	-	-	-	6	-	-	-
鹿児島市	-	-	-	-	-	-	-	-	-
那覇市	9	-	-	-	-	5	-	4	-

指定都市－中核市、経営主体の公営－私営・保育標準時間（開所時間）別

第6表　【基本票】保育所等数・小規模保育事業所数，都道府県－

| 都道府県 | 小規模保育事業所 小規模保育事業所A型 数 | | | | | | | | |
	総数	9時間以下	9時間超～9時間半以下	9時間半超～10時間以下	10時間超～10時間半以下	10時間半超～11時間以下	11時間超～11時間半以下	11時間半超～12時間以下	12時間超える
全国	2 594	31	1	30	6	1 086	25	1 186	229
北海道	20	-	-	-	-	15	-	5	-
青森	1	-	-	-	-	1	-	-	-
岩手	11	1	-	-	-	8	-	2	-
宮城	52	-	-	-	-	21	-	27	4
秋田	2	-	-	-	-	2	-	-	-
山形	13	-	-	-	-	5	-	8	-
福島	28	-	-	1	-	21	1	5	-
茨城	29	-	-	-	-	14	-	14	1
栃木	38	-	-	1	-	13	-	19	5
群馬	1	-	-	-	-	1	-	-	-
埼玉	124	2	-	2	1	31	1	66	21
千葉	-	-	-	-	-	-	-	-	-
東京	294	9	-	9	1	101	5	148	21
神奈川	64	-	-	1	-	8	-	33	22
新潟	9	-	-	-	-	2	-	7	-
富山	-	-	-	-	-	-	-	-	-
石川	3	-	-	-	-	1	-	2	-
福井	3	-	-	-	-	2	-	1	-
山梨	9	-	-	-	-	7	-	2	-
長野	8	-	-	-	-	4	-	3	1
岐阜	13	-	-	2	-	7	-	4	-
静岡	49	-	-	-	-	31	4	13	1
愛知	57	-	-	1	-	20	-	35	1
三重	10	-	1	-	-	6	-	3	-
滋賀	19	-	-	-	-	2	-	16	1
京都	15	-	-	1	-	10	-	3	1
大阪	98	-	-	-	-	44	-	43	11
兵庫	38	1	-	-	-	3	-	30	4
奈良	12	2	-	-	-	4	-	6	-
和歌山	6	1	-	-	-	3	-	2	-
鳥取	24	-	-	1	-	12	2	8	1
島根	5	-	-	1	-	3	-	1	-
岡山	3	-	-	-	-	2	-	1	-
広島	5	-	-	-	-	1	-	4	-
山口	9	-	-	-	-	2	-	7	-
徳島	2	-	-	-	-	1	-	1	-
香川	2	-	-	-	-	-	-	2	-
愛媛	9	2	-	-	-	6	-	1	-
高知	3	-	-	1	-	-	-	2	-
福岡	-	-	-	-	-	-	-	-	-
佐賀	21	-	-	-	-	21	-	-	-
長崎	16	2	-	-	-	8	-	6	-
熊本	14	1	-	-	-	9	-	4	-
大分	7	-	-	-	-	6	-	1	-
宮崎	6	-	-	-	-	2	2	2	-
鹿児島	12	-	-	-	-	4	-	7	1
沖縄	51	-	-	-	-	21	3	27	-

指定都市－中核市、経営主体の公営－私営・保育標準時間（開所時間）別

指定都市 中核市	小規模保育事業所 小規模保育事業所Ａ型 総数								
	総数	9時間以下	9時間超～9時間半以下	9時間半超～10時間以下	10時間超～10時間半以下	10時間半超～11時間以下	11時間超～11時間半以下	11時間半超～12時間以下	12時間超える
指定都市（別掲）									
札幌市	64	-	-	-	-	2	-	54	8
仙台市	52	-	-	-	-	2	-	45	5
さいたま市	79	-	-	-	-	10	1	60	8
千葉市	29	-	-	-	-	-	-	9	20
横浜市	118	-	-	-	-	37	-	59	22
川崎市	15	-	-	-	-	6	-	-	9
相模原市	13	-	-	-	-	-	-	7	6
新潟市	8	1	-	-	-	-	-	6	1
静岡市	31	-	-	-	-	21	-	10	-
浜松市	27	-	-	-	-	10	-	17	-
名古屋市	83	3	-	-	-	80	-	-	-
京都市	93	1	-	5	-	57	2	22	6
大阪市	96	-	-	-	-	62	-	30	4
堺市	27	-	-	-	-	1	-	16	10
神戸市	91	-	-	-	-	75	1	15	-
岡山市	14	-	-	-	-	5	-	5	4
広島市	19	-	-	-	-	19	-	-	-
北九州市	31	-	-	-	4	27	-	-	-
福岡市	89	-	-	-	-	67	-	20	2
熊本市	59	-	-	-	-	21	1	36	1
中核市（別掲）									
旭川市	17	-	-	-	-	17	-	-	-
函館市	-	-	-	-	-	-	-	-	-
青森市	1	-	-	-	-	-	-	1	-
八戸市	-	-	-	-	-	-	-	-	-
盛岡市	6	-	-	-	-	-	-	6	-
秋田市	2	-	-	-	-	2	-	-	-
郡山市	11	-	-	-	-	11	-	-	-
いわき市	3	-	-	-	-	1	-	2	-
宇都宮市	20	-	-	-	-	14	-	5	1
前橋市	-	-	-	-	-	-	-	-	-
高崎市	-	-	-	-	-	-	-	-	-
川越市	16	-	-	-	-	4	-	10	2
越谷市	21	-	-	-	-	3	-	14	4
船橋市	19	-	-	-	-	1	-	13	5
柏市	6	-	-	-	-	1	-	4	1
八王子市	3	1	-	-	-	2	-	-	-
横須賀市	1	-	-	-	-	1	-	-	-
富山市	1	-	-	-	-	-	-	1	-
金沢市	-	-	-	-	-	-	-	-	-
長野市	2	-	-	-	-	-	-	2	-
岐阜市	15	2	-	-	-	7	-	6	-
豊橋市	-	-	-	-	-	-	-	-	-
豊田市	2	-	-	-	-	-	-	2	-
岡崎市	-	-	-	-	-	-	-	-	-
大津市	4	-	-	-	-	-	-	4	-
高槻市	26	-	-	-	-	1	1	24	-
東大阪市	17	-	-	-	-	2	-	14	1
豊中市	11	-	-	-	-	-	-	10	1
枚方市	3	-	-	-	-	-	-	2	1
姫路市	-	-	-	-	-	-	-	-	-
西宮市	29	-	-	-	-	2	-	26	1
尼崎市	21	-	-	-	-	8	-	10	3
奈良市	4	-	-	-	-	-	-	4	-
和歌山市	-	-	-	-	-	-	-	-	-
倉敷市	10	-	-	-	4	1	-	4	1
福山市	10	-	-	-	-	4	-	6	-
呉市	2	-	-	-	-	1	-	1	-
下関市	-	-	-	-	-	-	-	-	-
高松市	9	1	-	-	-	2	1	5	-
松山市	18	-	-	-	-	1	-	13	4
高知市	6	-	-	-	-	1	-	4	1
久留米市	-	-	-	-	-	-	-	-	-
長崎市	1	-	-	-	-	-	-	1	-
佐世保市	2	1	-	-	-	1	-	-	-
大分市	7	-	-	-	-	-	-	6	1
宮崎市	6	-	-	-	-	6	-	-	-
鹿児島市	-	-	-	-	-	-	-	-	-
那覇市	9	-	-	-	-	5	-	4	-

第6表　【基本票】保育所等数・小規模保育事業所数，都道府県－

都道府県	小規模保育事業所 小規模保育事業所A型	公				営			
	総数	9時間以下	9時間超~9時間半以下	9時間半超~10時間以下	10時間超~10時間半以下	10時間半超~11時間以下	11時間超~11時間半以下	11時間半超~12時間以下	12時間超える
全国	28	5	－	1	－	14	1	7	－
北海道	－	－	－	－	－	－	－	－	－
青森	－	－	－	－	－	－	－	－	－
岩手	－	－	－	－	－	－	－	－	－
宮城	－	－	－	－	－	－	－	－	－
秋田	－	－	－	－	－	－	－	－	－
山形	－	－	－	－	－	－	－	－	－
福島	－	－	－	－	－	－	－	－	－
茨城	－	－	－	－	－	－	－	－	－
栃木	4	－	－	－	－	3	－	1	－
群馬	－	－	－	－	－	－	－	－	－
埼玉	－	－	－	－	－	－	－	－	－
千葉	－	－	－	－	－	－	－	－	－
東京	－	－	－	－	－	－	－	－	－
神奈川	－	－	－	－	－	－	－	－	－
新潟	－	－	－	－	－	－	－	－	－
富山	－	－	－	－	－	－	－	－	－
石川	－	－	－	－	－	－	－	－	－
福井	1	－	－	－	－	1	－	－	－
山梨	－	－	－	－	－	－	－	－	－
長野	－	－	－	－	－	－	－	－	－
岐阜	－	－	－	－	－	－	－	－	－
静岡	－	－	－	－	－	－	－	－	－
愛知	－	－	－	－	－	－	－	－	－
三重	－	－	－	－	－	－	－	－	－
滋賀	1	－	－	－	－	1	－	－	－
京都	－	－	－	－	－	－	－	－	－
大阪	－	－	－	－	－	－	－	－	－
兵庫	－	－	－	－	－	－	－	－	－
奈良	4	1	－	－	－	2	－	1	－
和歌山	2	1	－	－	－	1	－	－	－
鳥取	－	－	－	－	－	－	－	－	－
島根	2	－	－	－	－	2	－	－	－
岡山	－	－	－	－	－	－	－	－	－
広島	1	－	－	－	－	1	－	－	－
山口	－	－	－	－	－	－	－	－	－
徳島	－	－	－	－	－	－	－	－	－
香川	－	－	－	－	－	－	－	－	－
愛媛	2	2	－	－	－	－	－	－	－
高知	1	－	－	1	－	－	－	－	－
福岡	－	－	－	－	－	－	－	－	－
佐賀	－	－	－	－	－	－	－	－	－
長崎	－	－	－	－	－	－	－	－	－
熊本	－	－	－	－	－	－	－	－	－
大分	2	－	－	－	－	2	－	－	－
宮崎	1	－	－	－	－	－	－	1	－
鹿児島	－	－	－	－	－	－	－	－	－
沖縄	－	－	－	－	－	－	－	－	－

指定都市－中核市、経営主体の公営－私営・保育標準時間（開所時間）別

平成29年10月 1 日

指定都市 中核市	小規模保育事業所								
	小規模保育事業所A型								
	公営								
	総数	9時間以下	9時間超～9時間半以下	9時間半超～10時間以下	10時間超～10時間半以下	10時間半超～11時間以下	11時間超～11時間半以下	11時間半超～12時間以下	12時間超える
指定都市（別掲）									
札幌市	-	-	-	-	-	-	-	-	-
仙台市	-	-	-	-	-	-	-	-	-
さいたま市	-	-	-	-	-	-	-	-	-
千葉市	-	-	-	-	-	-	-	-	-
横浜市	-	-	-	-	-	-	-	-	-
川崎市	-	-	-	-	-	-	-	-	-
相模原市	-	-	-	-	-	-	-	-	-
新潟市	3	-	-	-	-	-	-	3	-
静岡市	-	-	-	-	-	-	-	-	-
浜松市	-	-	-	-	-	-	-	-	-
名古屋市	-	-	-	-	-	-	-	-	-
京都市	-	-	-	-	-	-	-	-	-
大阪市	-	-	-	-	-	-	-	-	-
堺市	-	-	-	-	-	-	-	-	-
神戸市	-	-	-	-	-	-	-	-	-
岡山市	-	-	-	-	-	-	-	-	-
広島市	-	-	-	-	-	-	-	-	-
北九州市	-	-	-	-	-	-	-	-	-
福岡市	-	-	-	-	-	-	-	-	-
熊本市	-	-	-	-	-	-	-	-	-
中核市（別掲）									
旭川市	-	-	-	-	-	-	-	-	-
函館市	-	-	-	-	-	-	-	-	-
青森市	-	-	-	-	-	-	-	-	-
八戸市	-	-	-	-	-	-	-	-	-
盛岡市	-	-	-	-	-	-	-	-	-
秋田市	-	-	-	-	-	-	-	-	-
郡山市	-	-	-	-	-	-	-	-	-
いわき市	-	-	-	-	-	-	-	-	-
宇都宮市	-	-	-	-	-	-	-	-	-
前橋市	-	-	-	-	-	-	-	-	-
高崎市	-	-	-	-	-	-	-	-	-
川越市	-	-	-	-	-	-	-	-	-
越谷市	-	-	-	-	-	-	-	-	-
船橋市	-	-	-	-	-	-	-	-	-
柏市	-	-	-	-	-	-	-	-	-
八王子市	-	-	-	-	-	-	-	-	-
横須賀市	-	-	-	-	-	-	-	-	-
富山市	-	-	-	-	-	-	-	-	-
金沢市	-	-	-	-	-	-	-	-	-
長野市	-	-	-	-	-	-	-	-	-
岐阜市	1	-	-	-	-	1	-	-	-
豊橋市	-	-	-	-	-	-	-	-	-
豊田市	-	-	-	-	-	-	-	-	-
岡崎市	-	-	-	-	-	-	-	-	-
大津市	-	-	-	-	-	-	-	-	-
高槻市	-	-	-	-	-	-	-	-	-
東大阪市	-	-	-	-	-	-	-	-	-
豊中市	2	-	-	-	-	-	-	2	-
枚方市	-	-	-	-	-	-	-	-	-
姫路市	-	-	-	-	-	-	-	-	-
西宮市	-	-	-	-	-	-	-	-	-
尼崎市	-	-	-	-	-	-	-	-	-
奈良市	-	-	-	-	-	-	-	-	-
和歌山市	-	-	-	-	-	-	-	-	-
倉敷市	-	-	-	-	-	-	-	-	-
福山市	-	-	-	-	-	-	-	-	-
呉市	-	-	-	-	-	-	-	-	-
下関市	-	-	-	-	-	-	-	-	-
高松市	1	1	-	-	-	-	-	-	-
松山市	-	-	-	-	-	-	-	-	-
高知市	-	-	-	-	-	-	-	-	-
久留米市	-	-	-	-	-	-	-	-	-
長崎市	-	-	-	-	-	-	-	-	-
佐世保市	-	-	-	-	-	-	-	-	-
大分市	-	-	-	-	-	-	-	-	-
宮崎市	-	-	-	-	-	-	-	-	-
鹿児島市	-	-	-	-	-	-	-	-	-
那覇市	-	-	-	-	-	-	-	-	-

第6表　【基本票】保育所等数・小規模保育事業所数，都道府県－

都道府県	小規模保育事業所								
	小規模保育事業所A型								
	私営								
	総数	9時間以下	9時間超～9時間半以下	9時間半超～10時間以下	10時間超～10時間半以下	10時間半超～11時間以下	11時間超～11時間半以下	11時間半超～12時間以下	12時間超える
全国	2 566	26	1	29	6	1 072	24	1 179	229
北海道	20	-	-	-	-	15	-	5	-
青森	1	-	-	-	-	1	-	-	-
岩手	11	1	-	-	-	8	-	2	-
宮城	52	-	-	-	-	21	-	27	4
秋田	2	-	-	-	-	2	-	-	-
山形	13	-	-	-	-	5	-	8	-
福島	28	-	-	1	-	21	1	5	-
茨城	29	-	-	-	-	14	-	14	1
栃木	34	-	-	1	-	10	-	18	5
群馬	1	-	-	-	-	1	-	-	-
埼玉	124	2	-	2	1	31	1	66	21
千葉	-	-	-	-	-	-	-	-	-
東京	294	9	-	9	1	101	5	148	21
神奈川	64	-	-	1	-	8	-	33	22
新潟	9	-	-	-	-	2	-	7	-
富山	-	-	-	-	-	-	-	-	-
石川	3	-	-	-	-	1	-	2	-
福井	2	-	-	-	-	1	-	1	-
山梨	9	-	-	-	-	7	-	2	-
長野	8	-	-	-	-	4	-	3	1
岐阜	13	-	-	2	-	7	-	4	-
静岡	49	-	-	-	-	31	4	13	1
愛知	57	-	-	1	-	20	-	35	1
三重	10	-	1	-	-	6	-	3	-
滋賀	18	-	-	-	-	1	-	16	1
京都	15	-	-	1	-	10	-	3	1
大阪	98	-	-	-	-	44	-	43	11
兵庫	38	1	-	-	-	3	-	30	4
奈良	8	1	-	-	-	2	-	5	-
和歌山	4	-	-	-	-	2	-	2	-
鳥取	24	-	-	1	-	12	2	8	1
島根	3	-	-	1	-	1	-	1	-
岡山	3	-	-	-	-	2	-	1	-
広島	4	-	-	-	-	-	-	4	-
山口	9	-	-	-	-	2	-	7	-
徳島	2	-	-	-	-	1	-	1	-
香川	2	-	-	-	-	-	-	2	-
愛媛	7	-	-	-	-	6	-	1	-
高知	2	-	-	-	-	-	-	2	-
福岡	-	-	-	-	-	-	-	-	-
佐賀	21	-	-	-	-	21	-	-	-
長崎	16	2	-	-	-	8	-	6	-
熊本	14	1	-	-	-	9	-	4	-
大分	5	-	-	-	-	4	-	1	-
宮崎	5	-	-	-	-	2	1	2	-
鹿児島	12	-	-	-	-	4	-	7	1
沖縄	51	-	-	-	-	21	3	27	-

指定都市－中核市、経営主体の公営－私営・保育標準時間（開所時間）別

平成29年10月1日

| 指定都市 / 中核市 | 小規模保育事業所 小規模保育事業所A型 私営 | | | | | | | | |
	総数	9時間以下	9時間超～9時間半以下	9時間半超～10時間以下	10時間超～10時間半以下	10時間半超～11時間以下	11時間超～11時間半以下	11時間半超～12時間以下	12時間超える
指定都市（別掲）									
札幌市	64	-	-	-	-	2	-	54	8
仙台市	52	-	-	-	-	2	-	45	5
さいたま市	79	-	-	-	-	10	1	60	8
千葉市	29	-	-	-	-	-	-	9	20
横浜市	118	-	-	-	-	37	-	59	22
川崎市	15	-	-	-	-	6	-	-	9
相模原市	13	-	-	-	-	-	-	7	6
新潟市	8	1	-	-	-	-	-	6	1
静岡市	28	-	-	-	-	21	-	7	-
浜松市	27	-	-	-	-	10	-	17	-
名古屋市	83	3	-	-	-	80	-	-	-
京都市	93	1	-	5	-	57	2	22	6
大阪市	96	-	-	-	-	62	-	30	4
堺市	27	-	-	-	-	1	-	16	10
神戸市	91	-	-	-	-	75	1	15	-
岡山市	14	-	-	-	-	5	-	5	4
広島市	19	-	-	-	-	19	-	-	-
北九州市	31	-	-	-	4	27	-	-	-
福岡市	89	-	-	-	-	67	-	20	2
熊本市	59	-	-	-	-	21	1	36	1
中核市（別掲）									
旭川市	17	-	-	-	-	17	-	-	-
函館市	-	-	-	-	-	-	-	-	-
青森市	1	-	-	-	-	-	-	1	-
八戸市	-	-	-	-	-	-	-	-	-
盛岡市	6	-	-	-	-	-	-	6	-
秋田市	2	-	-	-	-	2	-	-	-
郡山市	11	-	-	-	-	11	-	-	-
いわき市	3	-	-	-	-	1	-	2	-
宇都宮市	20	-	-	-	-	14	-	5	1
前橋市	-	-	-	-	-	-	-	-	-
高崎市	-	-	-	-	-	-	-	-	-
川越市	16	-	-	-	-	4	-	10	2
越谷市	21	-	-	-	-	3	-	14	4
船橋市	19	-	-	-	-	1	-	13	5
柏市	6	-	-	-	-	1	-	4	1
八王子市	3	1	-	-	-	2	-	-	-
横須賀市	1	-	-	-	-	1	-	-	-
富山市	1	-	-	-	-	-	-	1	-
金沢市	-	-	-	-	-	-	-	-	-
長野市	2	-	-	-	-	-	-	2	-
岐阜市	14	2	-	-	-	6	-	6	-
豊橋市	-	-	-	-	-	-	-	-	-
豊田市	2	-	-	-	-	-	-	2	-
岡崎市	-	-	-	-	-	-	-	-	-
大津市	4	-	-	-	-	-	-	4	-
高槻市	26	-	-	-	-	1	1	24	-
東大阪市	17	-	-	-	-	2	-	14	1
豊中市	11	-	-	-	-	-	-	10	1
枚方市	1	-	-	-	-	-	-	-	1
姫路市	-	-	-	-	-	-	-	-	-
西宮市	29	-	-	-	-	2	-	26	1
尼崎市	21	-	-	-	-	8	-	10	3
奈良市	4	-	-	-	-	-	-	4	-
和歌山市	-	-	-	-	-	-	-	-	-
倉敷市	10	-	-	4	-	1	-	4	1
福山市	10	-	-	-	-	4	-	6	-
呉市	2	-	-	-	-	1	-	1	-
下関市	8	-	-	-	-	2	1	5	-
高松市	18	-	-	-	-	1	-	13	4
高知市	6	-	-	-	-	1	-	4	1
久留米市	-	-	-	-	-	-	-	-	-
長崎市	1	-	-	-	-	-	-	1	-
佐世保市	2	1	-	-	-	1	-	-	-
大分市	7	-	-	-	-	-	-	6	1
宮崎市	6	-	-	-	-	6	-	-	-
鹿児島市	-	-	-	-	-	-	-	-	-
那覇市	9	-	-	-	-	5	-	4	-

第6表 【基本票】保育所等数・小規模保育事業所数，都道府県−

都 道 府 県	小 規 模 保 育 事 業 所								
		小 規 模 保 育 事 業 所 B 型							
	総 数	総 数							
		9 時 間 以 下	9 時 間 超〜9時間半以下	9 時間半超〜10時間以下	10 時 間 超〜10時間半以下	10時間半超〜11時間以下	11 時 間 超〜11時間半以下	11時間半超〜12時間以下	12 時 間 超 え る
全　　　　国	697	10	2	9	4	305	10	292	65
北　海　道	6	-	-	-	-	6	-	-	-
青　　　森	1	-	-	-	-	-	-	1	-
岩　　　手	13	-	-	-	-	7	-	6	-
宮　　　城	17	1	1	-	-	8	-	7	-
秋　　　田	1	-	-	-	-	1	-	-	-
山　　　形	11	-	-	-	-	1	-	8	2
福　　　島	10	-	-	1	-	6	-	1	2
茨　　　城	5	-	-	-	-	3	-	1	1
栃　　　木	6	1	-	-	-	4	-	1	-
群　　　馬	-	-	-	-	-	-	-	-	-
埼　　　玉	150	-	-	-	-	39	1	76	34
千　　　葉	-	-	-	-	-	-	-	-	-
東　　　京	95	1	-	3	-	46	1	43	1
神　奈　川	7	-	-	-	-	5	-	1	1
新　　　潟	8	-	-	-	-	1	-	7	-
富　　　山	-	-	-	-	-	-	-	-	-
石　　　川	-	-	-	-	-	-	-	-	-
福　　　井	2	-	-	-	-	2	-	-	-
山　　　梨	-	-	-	-	-	-	-	-	-
長　　　野	-	-	-	-	-	-	-	-	-
岐　　　阜	6	-	-	-	-	2	-	1	3
静　　　岡	17	2	-	1	-	7	2	5	-
愛　　　知	9	-	-	-	-	2	-	6	1
三　　　重	10	-	-	1	-	9	-	-	-
滋　　　賀	5	-	-	-	-	3	-	2	-
京　　　都	1	1	-	-	-	-	-	-	-
大　　　阪	5	-	-	1	-	1	-	3	-
兵　　　庫	1	1	-	-	-	-	-	-	-
奈　　　良	1	1	-	-	-	-	-	-	-
和　歌　山	-	-	-	-	-	-	-	-	-
鳥　　　取	2	-	-	-	-	1	-	1	-
島　　　根	2	1	1	-	-	-	-	-	-
岡　　　山	1	-	-	-	-	1	-	-	-
広　　　島	2	-	-	-	-	1	-	1	-
山　　　口	3	-	-	-	-	1	-	1	1
徳　　　島	-	-	-	-	-	-	-	-	-
香　　　川	4	-	-	-	-	4	-	-	-
愛　　　媛	3	-	-	-	-	3	-	-	-
高　　　知	5	-	-	-	-	4	1	-	-
福　　　岡	-	-	-	-	-	-	-	-	-
佐　　　賀	11	-	-	-	-	10	-	1	-
長　　　崎	3	-	-	-	-	3	-	-	-
熊　　　本	5	-	-	-	-	4	-	1	-
大　　　分	1	-	-	-	-	1	-	-	-
宮　　　崎	6	-	-	-	3	3	-	-	-
鹿　児　島	16	1	-	-	1	5	-	8	1
沖　　　縄	35	-	-	-	-	18	4	12	1

指定都市－中核市、経営主体の公営－私営・保育標準時間（開所時間）別

平成29年10月 1 日

指定都市 中核市	小規模保育事業所 小規模保育事業所B型 総数								
	総数	9時間以下	9時間超～9時間半以下	9時間半超～10時間以下	10時間超～10時間半以下	10時間半超～11時間以下	11時間超～11時間半以下	11時間半超～12時間以下	12時間超える
指定都市（別掲）									
札幌市	2	-	-	-	-	2	-	-	-
仙台市	18	-	-	-	-	-	-	16	2
さいたま市	15	-	-	-	-	-	-	14	1
千葉市	8	-	-	-	-	-	-	2	6
横浜市	24	-	-	2	-	8	-	12	2
川崎市	12	-	-	-	-	3	-	7	2
相模原市	19	-	-	-	-	-	-	17	2
新潟市	-	-	-	-	-	-	-	-	-
静岡市	-	-	-	-	-	-	-	-	-
浜松市	-	-	-	-	-	-	-	-	-
名古屋市	41	-	-	-	-	41	-	-	-
京都市	6	-	-	-	-	5	-	1	-
大阪市	8	-	-	-	-	6	-	2	-
堺市	1	-	-	-	-	1	-	-	-
神戸市	-	-	-	-	-	-	-	-	-
岡山市	-	-	-	-	-	-	-	-	-
広島市	4	-	-	-	-	4	-	-	-
北九州市	-	-	-	-	-	-	-	-	-
福岡市	6	-	-	-	-	5	-	1	-
熊本市	-	-	-	-	-	-	-	-	-
中核市（別掲）									
旭川市	-	-	-	-	-	-	-	-	-
函館市	-	-	-	-	-	-	-	-	-
青森市	-	-	-	-	-	-	-	-	-
八戸市	-	-	-	-	-	-	-	-	-
盛岡市	2	-	-	-	-	-	-	2	-
秋田市	9	-	-	-	-	4	1	3	1
郡山市	-	-	-	-	-	-	-	-	-
いわき市	-	-	-	-	-	-	-	-	-
宇都宮市	2	-	-	-	-	1	-	1	-
前橋市	-	-	-	-	-	-	-	-	-
高崎市	-	-	-	-	-	-	-	-	-
川越市	2	-	-	-	-	1	-	1	-
越谷市	10	-	-	-	-	-	-	10	-
船橋市	-	-	-	-	-	-	-	-	-
柏市	-	-	-	-	-	-	-	-	-
八王子市	-	-	-	-	-	-	-	-	-
横須賀市	-	-	-	-	-	-	-	-	-
富山市	-	-	-	-	-	-	-	-	-
金沢市	-	-	-	-	-	-	-	-	-
長野市	-	-	-	-	-	-	-	-	-
岐阜市	-	-	-	-	-	-	-	-	-
豊橋市	-	-	-	-	-	-	-	-	-
豊田市	-	-	-	-	-	-	-	-	-
岡崎市	-	-	-	-	-	-	-	-	-
大津市	2	-	-	-	-	1	-	1	-
高槻市	-	-	-	-	-	-	-	-	-
東大阪市	-	-	-	-	-	-	-	-	-
豊中市	-	-	-	-	-	-	-	-	-
枚方市	5	-	-	-	-	3	-	2	-
姫路市	-	-	-	-	-	-	-	-	-
西宮市	11	-	-	-	-	5	-	6	-
尼崎市	-	-	-	-	-	-	-	-	-
奈良市	-	-	-	-	-	-	-	-	-
和歌山市	-	-	-	-	-	-	-	-	-
倉敷市	-	-	-	-	-	-	-	-	-
福山市	-	-	-	-	-	-	-	-	-
呉市	-	-	-	-	-	-	-	-	-
下関市	-	-	-	-	-	-	-	-	-
高松市	-	-	-	-	-	-	-	-	-
松山市	-	-	-	-	-	-	-	-	-
高知市	4	-	-	-	-	3	-	-	1
久留米市	-	-	-	-	-	-	-	-	-
長崎市	-	-	-	-	-	-	-	-	-
佐世保市	-	-	-	-	-	-	-	-	-
大分市	-	-	-	-	-	-	-	-	-
宮崎市	-	-	-	-	-	-	-	-	-
鹿児島市	-	-	-	-	-	-	-	-	-
那覇市	-	-	-	-	-	-	-	-	-

指定都市－中核市、経営主体の公営－私営・保育標準時間（開所時間）別

第6表　【基本票】保育所等数・小規模保育事業所数，都道府県－

都 道 府 県	小 規 模 保 育 事 業 所								
	小 規 模 保 育 事 業 所 B 型								
	公				営				
	総 数	9 時 間 以 下	9 時 間 超 ～ 9時間半以下	9時間半超 ～ 10時間以下	10 時 間 超 ～ 10時間半以下	10時間半超 ～ 11時間以下	11 時 間 超 ～ 11時間半以下	11時間半超 ～ 12時間以下	12 時 間 超 え る
全　　　　国	12	3	1	-	3	5	-	-	-
北　海　道	1	-	-	-	-	1	-	-	-
青　　森	-	-	-	-	-	-	-	-	-
岩　　手	-	-	-	-	-	-	-	-	-
宮　　城	-	-	-	-	-	-	-	-	-
秋　　田	-	-	-	-	-	-	-	-	-
山　　形	-	-	-	-	-	-	-	-	-
福　　島	-	-	-	-	-	-	-	-	-
茨　　城	-	-	-	-	-	-	-	-	-
栃　　木	-	-	-	-	-	-	-	-	-
群　　馬	-	-	-	-	-	-	-	-	-
埼　　玉	-	-	-	-	-	-	-	-	-
千　　葉	-	-	-	-	-	-	-	-	-
東　　京	-	-	-	-	-	-	-	-	-
神　奈　川	-	-	-	-	-	-	-	-	-
新　　潟	-	-	-	-	-	-	-	-	-
富　　山	-	-	-	-	-	-	-	-	-
石　　川	-	-	-	-	-	-	-	-	-
福　　井	1	-	-	-	-	1	-	-	-
山　　梨	-	-	-	-	-	-	-	-	-
長　　野	-	-	-	-	-	-	-	-	-
岐　　阜	-	-	-	-	-	-	-	-	-
静　　岡	-	-	-	-	-	-	-	-	-
愛　　知	1	-	-	-	-	1	-	-	-
三　　重	-	-	-	-	-	-	-	-	-
滋　　賀	-	-	-	-	-	-	-	-	-
京　　都	-	-	-	-	-	-	-	-	-
大　　阪	-	-	-	-	-	-	-	-	-
兵　　庫	-	-	-	-	-	-	-	-	-
奈　　良	1	1	-	-	-	-	-	-	-
和　歌　山	-	-	-	-	-	-	-	-	-
鳥　　取	-	-	-	-	-	-	-	-	-
島　　根	2	1	1	-	-	-	-	-	-
岡　　山	-	-	-	-	-	-	-	-	-
広　　島	-	-	-	-	-	-	-	-	-
山　　口	-	-	-	-	-	-	-	-	-
徳　　島	-	-	-	-	-	-	-	-	-
香　　川	-	-	-	-	-	-	-	-	-
愛　　媛	-	-	-	-	-	-	-	-	-
高　　知	-	-	-	-	-	-	-	-	-
福　　岡	-	-	-	-	-	-	-	-	-
佐　　賀	-	-	-	-	-	-	-	-	-
長　　崎	-	-	-	-	-	-	-	-	-
熊　　本	-	-	-	-	-	-	-	-	-
大　　分	-	-	-	-	-	-	-	-	-
宮　　崎	4	-	-	-	3	1	-	-	-
鹿　児　島	2	1	-	-	-	1	-	-	-
沖　　縄	-	-	-	-	-	-	-	-	-

指定都市－中核市、経営主体の公営－私営・保育標準時間（開所時間）別

指定都市 中核市	小規模保育事業所 B 型 公営								
	総数	9時間以下	9時間超～9時間半以下	9時間半超～10時間以下	10時間超～10時間半以下	10時間半超～11時間以下	11時間超～11時間半以下	11時間半超～12時間以下	12時間超える
指定都市（別掲）									
札幌市	－	－	－	－	－	－	－	－	－
仙台市	－	－	－	－	－	－	－	－	－
さいたま市	－	－	－	－	－	－	－	－	－
千葉市	－	－	－	－	－	－	－	－	－
横浜市	－	－	－	－	－	－	－	－	－
川崎市	－	－	－	－	－	－	－	－	－
相模原市	－	－	－	－	－	－	－	－	－
新潟市	－	－	－	－	－	－	－	－	－
静岡市	－	－	－	－	－	－	－	－	－
浜松市	－	－	－	－	－	－	－	－	－
名古屋市	－	－	－	－	－	－	－	－	－
京都市	－	－	－	－	－	－	－	－	－
大阪市	－	－	－	－	－	－	－	－	－
堺市	－	－	－	－	－	－	－	－	－
神戸市	－	－	－	－	－	－	－	－	－
岡山市	－	－	－	－	－	－	－	－	－
広島市	－	－	－	－	－	－	－	－	－
北九州市	－	－	－	－	－	－	－	－	－
福岡市	－	－	－	－	－	－	－	－	－
熊本市	－	－	－	－	－	－	－	－	－
中核市（別掲）									
旭川市	－	－	－	－	－	－	－	－	－
函館市	－	－	－	－	－	－	－	－	－
青森市	－	－	－	－	－	－	－	－	－
八戸市	－	－	－	－	－	－	－	－	－
盛岡市	－	－	－	－	－	－	－	－	－
秋田市	－	－	－	－	－	－	－	－	－
郡山市	－	－	－	－	－	－	－	－	－
いわき市	－	－	－	－	－	－	－	－	－
宇都宮市	－	－	－	－	－	－	－	－	－
前橋市	－	－	－	－	－	－	－	－	－
高崎市	－	－	－	－	－	－	－	－	－
川越市	－	－	－	－	－	－	－	－	－
越谷市	－	－	－	－	－	－	－	－	－
船橋市	－	－	－	－	－	－	－	－	－
柏市	－	－	－	－	－	－	－	－	－
八王子市	－	－	－	－	－	－	－	－	－
横須賀市	－	－	－	－	－	－	－	－	－
富山市	－	－	－	－	－	－	－	－	－
金沢市	－	－	－	－	－	－	－	－	－
長野市	－	－	－	－	－	－	－	－	－
岐阜市	－	－	－	－	－	－	－	－	－
豊橋市	－	－	－	－	－	－	－	－	－
豊田市	－	－	－	－	－	－	－	－	－
岡崎市	－	－	－	－	－	－	－	－	－
大津市	－	－	－	－	－	－	－	－	－
高槻市	－	－	－	－	－	－	－	－	－
東大阪市	－	－	－	－	－	－	－	－	－
豊中市	－	－	－	－	－	－	－	－	－
枚方市	－	－	－	－	－	－	－	－	－
姫路市	－	－	－	－	－	－	－	－	－
西宮市	－	－	－	－	－	－	－	－	－
尼崎市	－	－	－	－	－	－	－	－	－
奈良市	－	－	－	－	－	－	－	－	－
和歌山市	－	－	－	－	－	－	－	－	－
倉敷市	－	－	－	－	－	－	－	－	－
福山市	－	－	－	－	－	－	－	－	－
呉市	－	－	－	－	－	－	－	－	－
下関市	－	－	－	－	－	－	－	－	－
高松市	－	－	－	－	－	－	－	－	－
松山市	－	－	－	－	－	－	－	－	－
高知市	－	－	－	－	－	－	－	－	－
久留米市	－	－	－	－	－	－	－	－	－
長崎市	－	－	－	－	－	－	－	－	－
佐世保市	－	－	－	－	－	－	－	－	－
大分市	－	－	－	－	－	－	－	－	－
宮崎市	－	－	－	－	－	－	－	－	－
鹿児島市	－	－	－	－	－	－	－	－	－
那覇市	－	－	－	－	－	－	－	－	－

指定都市－中核市、経営主体の公営－私営・保育標準時間（開所時間）別

第6表 【基本票】保育所等数・小規模保育事業所数, 都道府県－

都道府県	小規模保育事業所 小規模保育事業所B型 私営								
	総数	9時間以下	9時間超～9時間半以下	9時間半超～10時間以下	10時間超～10時間半以下	10時間半超～11時間以下	11時間超～11時間半以下	11時間半超～12時間以下	12時間超える
全国	685	7	1	9	1	300	10	292	65
北海道	5	-	-	-	-	5	-	-	-
青森	1	-	-	-	-	-	-	1	-
岩手	13	-	-	-	-	7	-	6	-
宮城	17	1	1	-	-	8	-	7	-
秋田	1	-	-	-	-	1	-	-	-
山形	11	-	-	-	-	1	-	8	2
福島	10	-	-	1	-	6	-	1	2
茨城	5	-	-	-	-	3	-	1	1
栃木	6	1	-	-	-	4	-	1	-
群馬	-	-	-	-	-	-	-	-	-
埼玉	150	-	-	-	-	39	1	76	34
千葉	-	-	-	-	-	-	-	-	-
東京	95	1	-	3	-	46	1	43	1
神奈川	7	-	-	-	-	5	-	1	1
新潟	8	-	-	-	-	1	-	7	-
富山	-	-	-	-	-	-	-	-	-
石川	-	-	-	-	-	-	-	-	-
福井	1	-	-	-	-	1	-	-	-
山梨	-	-	-	-	-	-	-	-	-
長野	-	-	-	-	-	-	-	-	-
岐阜	6	-	-	-	-	2	-	1	3
静岡	17	2	-	1	-	7	2	5	-
愛知	8	-	-	-	-	1	-	6	1
三重	10	-	-	1	-	9	-	-	-
滋賀	5	-	-	-	-	3	-	2	-
京都	1	1	-	-	-	-	-	-	-
大阪	5	-	-	1	-	1	-	3	-
兵庫	1	1	-	-	-	-	-	-	-
奈良	-	-	-	-	-	-	-	-	-
和歌山	-	-	-	-	-	-	-	-	-
鳥取	2	-	-	-	-	1	-	1	-
島根	-	-	-	-	-	-	-	-	-
岡山	1	-	-	-	-	1	-	-	-
広島	2	-	-	-	-	1	-	1	-
山口	3	-	-	-	-	1	-	1	1
徳島	-	-	-	-	-	-	-	-	-
香川	4	-	-	-	-	4	-	-	-
愛媛	3	-	-	-	-	3	-	-	-
高知	5	-	-	-	-	4	1	-	-
福岡	-	-	-	-	-	-	-	-	-
佐賀	11	-	-	-	-	10	-	1	-
長崎	3	-	-	-	-	3	-	-	-
熊本	5	-	-	-	-	4	-	1	-
大分	1	-	-	-	-	1	-	-	-
宮崎	2	-	-	-	-	2	-	-	-
鹿児島	14	-	-	-	1	4	-	8	1
沖縄	35	-	-	-	-	18	4	12	1

指定都市－中核市、経営主体の公営－私営・保育標準時間（開所時間）別

指定都市 中核市	小規模保育事業所 小規模保育事業所B型 私営								
	総数	9時間以下	9時間超～9時間半以下	9時間半超～10時間以下	10時間超～10時間半以下	10時間半超～11時間以下	11時間超～11時間半以下	11時間半超～12時間以下	12時間超える
指定都市（別掲）									
札幌市	2	-	-	-	-	2	-	-	-
仙台市	18	-	-	-	-	-	-	16	2
さいたま市	15	-	-	-	-	-	-	14	1
千葉市	8	-	-	-	-	-	-	2	6
横浜市	24	-	-	2	-	8	-	12	2
川崎市	12	-	-	-	-	3	-	7	2
相模原市	19	-	-	-	-	-	-	17	2
新潟市	-	-	-	-	-	-	-	-	-
静岡市	-	-	-	-	-	-	-	-	-
浜松市	-	-	-	-	-	-	-	-	-
名古屋市	41	-	-	-	-	41	-	-	-
京都市	6	-	-	-	-	5	-	1	-
大阪市	8	-	-	-	-	6	-	2	-
堺市	1	-	-	-	-	1	-	-	-
神戸市	-	-	-	-	-	-	-	-	-
岡山市	-	-	-	-	-	-	-	-	-
広島市	4	-	-	-	-	4	-	-	-
北九州市	-	-	-	-	-	-	-	-	-
福岡市	6	-	-	-	-	5	-	1	-
熊本市	-	-	-	-	-	-	-	-	-
中核市（別掲）									
旭川市	-	-	-	-	-	-	-	-	-
函館市	-	-	-	-	-	-	-	-	-
青森市	-	-	-	-	-	-	-	-	-
八戸市	-	-	-	-	-	-	-	-	-
盛岡市	2	-	-	-	-	-	-	2	-
秋田市	9	-	-	-	-	4	1	3	1
郡山市	-	-	-	-	-	-	-	-	-
いわき市	-	-	-	-	-	-	-	-	-
宇都宮市	2	-	-	-	-	1	-	1	-
前橋市	-	-	-	-	-	-	-	-	-
高崎市	-	-	-	-	-	-	-	-	-
川越市	2	-	-	-	-	1	-	1	-
越谷市	10	-	-	-	-	-	-	10	-
船橋市	-	-	-	-	-	-	-	-	-
柏市	-	-	-	-	-	-	-	-	-
八王子市	-	-	-	-	-	-	-	-	-
横須賀市	-	-	-	-	-	-	-	-	-
富山市	-	-	-	-	-	-	-	-	-
金沢市	-	-	-	-	-	-	-	-	-
長野市	-	-	-	-	-	-	-	-	-
岐阜市	-	-	-	-	-	-	-	-	-
豊橋市	-	-	-	-	-	-	-	-	-
豊田市	-	-	-	-	-	-	-	-	-
岡崎市	-	-	-	-	-	-	-	-	-
大津市	2	-	-	-	-	1	-	1	-
高槻市	-	-	-	-	-	-	-	-	-
東大阪市	-	-	-	-	-	-	-	-	-
豊中市	-	-	-	-	-	-	-	-	-
枚方市	5	-	-	-	-	3	-	2	-
姫路市	-	-	-	-	-	-	-	-	-
西宮市	11	-	-	-	-	5	-	6	-
尼崎市	-	-	-	-	-	-	-	-	-
奈良市	-	-	-	-	-	-	-	-	-
和歌山市	-	-	-	-	-	-	-	-	-
倉敷市	-	-	-	-	-	-	-	-	-
福山市	-	-	-	-	-	-	-	-	-
呉市	-	-	-	-	-	-	-	-	-
下関市	-	-	-	-	-	-	-	-	-
高松市	-	-	-	-	-	-	-	-	-
松山市	-	-	-	-	-	-	-	-	-
高知市	4	-	-	-	-	3	-	-	1
久留米市	-	-	-	-	-	-	-	-	-
長崎市	-	-	-	-	-	-	-	-	-
佐世保市	-	-	-	-	-	-	-	-	-
大分市	-	-	-	-	-	-	-	-	-
宮崎市	-	-	-	-	-	-	-	-	-
鹿児島市	-	-	-	-	-	-	-	-	-
那覇市	-	-	-	-	-	-	-	-	-

指定都市－中核市、経営主体の公営－私営・保育標準時間（開所時間）別

第6表　【基本票】保育所等数・小規模保育事業所数，都道府県一

| 都道府県 | 小規模保育事業所 小規模保育事業所C型 | | | | | | | | |
| | 総数 | | | | 数 | | | | |
	総数	9時間以下	9時間超～9時間半以下	9時間半超～10時間以下	10時間超～10時間半以下	10時間半超～11時間以下	11時間超～11時間半以下	11時間半超～12時間以下	12時間超える
全国	110	14	2	11	-	65	-	17	1
北海道	1	-	-	-	-	1	-	-	-
青森	-	-	-	-	-	-	-	-	-
岩手	-	-	-	-	-	-	-	-	-
宮城	4	-	-	-	-	3	-	1	-
秋田	-	-	-	-	-	-	-	-	-
山形	1	-	-	-	-	-	-	1	-
福島	1	-	1	-	-	-	-	-	-
茨城	1	-	-	-	-	-	-	1	-
栃木	-	-	-	-	-	-	-	-	-
群馬	-	-	-	-	-	-	-	-	-
埼玉	1	-	-	-	-	1	-	-	-
千葉	-	-	-	-	-	-	-	-	-
東京	17	2	-	7	-	6	-	2	-
神奈川	-	-	-	-	-	-	-	-	-
新潟	1	-	-	-	-	-	-	1	-
富山	-	-	-	-	-	-	-	-	-
石川	-	-	-	-	-	-	-	-	-
福井	-	-	-	-	-	-	-	-	-
山梨	2	-	-	-	-	1	-	-	1
長野	-	-	-	-	-	-	-	-	-
岐阜	-	-	-	-	-	-	-	-	-
静岡	11	7	-	-	-	3	-	1	-
愛知	-	-	-	-	-	-	-	-	-
三重	1	-	-	1	-	-	-	-	-
滋賀	-	-	-	-	-	-	-	-	-
京都	1	-	-	-	-	-	-	1	-
大阪	-	-	-	-	-	-	-	-	-
兵庫	-	-	-	-	-	-	-	-	-
奈良	-	-	-	-	-	-	-	-	-
和歌山	-	-	-	-	-	-	-	-	-
鳥取	-	-	-	-	-	-	-	-	-
島根	-	-	-	-	-	-	-	-	-
岡山	-	-	-	-	-	-	-	-	-
広島	-	-	-	-	-	-	-	-	-
山口	-	-	-	-	-	-	-	-	-
徳島	-	-	-	-	-	-	-	-	-
香川	-	-	-	-	-	-	-	-	-
愛媛	-	-	-	-	-	-	-	-	-
高知	1	-	-	-	-	1	-	-	-
福岡	-	-	-	-	-	-	-	-	-
佐賀	-	-	-	-	-	-	-	-	-
長崎	-	-	-	-	-	-	-	-	-
熊本	1	-	1	-	-	-	-	-	-
大分	-	-	-	-	-	-	-	-	-
宮崎	-	-	-	-	-	-	-	-	-
鹿児島	-	-	-	-	-	-	-	-	-
沖縄	-	-	-	-	-	-	-	-	-

指定都市－中核市、経営主体の公営－私営・保育標準時間（開所時間）別

平成29年10月 1 日

指定都市 中核市	小規模保育事業所 C型 総数								
	総数	9時間以下	9時間超～9時間半以下	9時間半超～10時間以下	10時間超～10時間半以下	10時間半超～11時間以下	11時間超～11時間半以下	11時間半超～12時間以下	12時間超える
指定都市（別掲）									
札幌市	1	-	-	-	-	-	-	1	-
仙台市	9	-	-	1	-	8	-	-	-
さいたま市	-	-	-	-	-	-	-	-	-
千葉市	16	-	-	-	-	-	-	15	-
横浜市	16	-	-	-	-	1	-	15	-
川崎市	5	5	-	-	-	-	-	-	-
相模原市	1	-	-	-	-	1	-	-	-
新潟市	-	-	-	-	-	-	-	-	-
静岡市	-	-	-	-	-	-	-	-	-
浜松市	-	-	-	-	-	-	-	-	-
名古屋市	-	-	-	-	-	-	-	-	-
京都市	6	-	-	-	-	6	-	-	-
大阪市	23	-	-	2	-	21	-	-	-
堺市	-	-	-	-	-	-	-	-	-
神戸市	-	-	-	-	-	-	-	-	-
岡山市	-	-	-	-	-	-	-	-	-
広島市	-	-	-	-	-	-	-	-	-
北九州市	-	-	-	-	-	-	-	-	-
福岡市	8	-	-	-	-	8	-	-	-
熊本市	-	-	-	-	-	-	-	-	-
中核市（別掲）									
旭川市	-	-	-	-	-	-	-	-	-
函館市	-	-	-	-	-	-	-	-	-
青森市	-	-	-	-	-	-	-	-	-
八戸市	-	-	-	-	-	-	-	-	-
盛岡市	2	-	-	-	-	-	-	2	-
秋田市	-	-	-	-	-	-	-	-	-
郡山市	-	-	-	-	-	-	-	-	-
いわき市	-	-	-	-	-	-	-	-	-
宇都宮市	-	-	-	-	-	-	-	-	-
前橋市	-	-	-	-	-	-	-	-	-
高崎市	-	-	-	-	-	-	-	-	-
川越市	-	-	-	-	-	-	-	-	-
越谷市	-	-	-	-	-	-	-	-	-
船橋市	-	-	-	-	-	-	-	-	-
柏市	-	-	-	-	-	-	-	-	-
八王子市	-	-	-	-	-	-	-	-	-
横須賀市	-	-	-	-	-	-	-	-	-
富山市	-	-	-	-	-	-	-	-	-
金沢市	-	-	-	-	-	-	-	-	-
長野市	-	-	-	-	-	-	-	-	-
岐阜市	-	-	-	-	-	-	-	-	-
豊橋市	-	-	-	-	-	-	-	-	-
豊田市	-	-	-	-	-	-	-	-	-
岡崎市	-	-	-	-	-	-	-	-	-
大津市	3	-	-	-	-	3	-	-	-
高槻市	-	-	-	-	-	-	-	-	-
東大阪市	-	-	-	-	-	-	-	-	-
豊中市	-	-	-	-	-	-	-	-	-
枚方市	-	-	-	-	-	-	-	-	-
姫路市	-	-	-	-	-	-	-	-	-
西宮市	1	-	-	-	-	1	-	-	-
尼崎市	-	-	-	-	-	-	-	-	-
奈良市	-	-	-	-	-	-	-	-	-
和歌山市	-	-	-	-	-	-	-	-	-
倉敷市	-	-	-	-	-	-	-	-	-
福山市	-	-	-	-	-	-	-	-	-
呉市	-	-	-	-	-	-	-	-	-
下関市	-	-	-	-	-	-	-	-	-
高松市	-	-	-	-	-	-	-	-	-
松山市	-	-	-	-	-	-	-	-	-
高知市	-	-	-	-	-	-	-	-	-
久留米市	-	-	-	-	-	-	-	-	-
長崎市	-	-	-	-	-	-	-	-	-
佐世保市	-	-	-	-	-	-	-	-	-
大分市	-	-	-	-	-	-	-	-	-
宮崎市	-	-	-	-	-	-	-	-	-
鹿児島市	-	-	-	-	-	-	-	-	-
那覇市	-	-	-	-	-	-	-	-	-

指定都市－中核市、経営主体の公営－私営・保育標準時間（開所時間）別

第6表　【基本票】保育所等数・小規模保育事業所数，都道府県－

都 道 府 県	小 規 模 保 育 事 業 所								
	小 規 模 保 育 事 業 所 C 型								
	公 営								
	総　数	9 時 間 以 下	9 時 間 超 ～ 9時間半以下	9時間半超 ～ 10時間以下	10 時 間 超 ～ 10時間半以下	10時間半超 ～ 11時間以下	11 時 間 超 ～ 11時間半以下	11時間半超 ～ 12時間以下	12 時 間 超 え る
全　　　　国	－	－	－	－	－	－	－	－	－
北　海　道	－	－	－	－	－	－	－	－	－
青　　　森	－	－	－	－	－	－	－	－	－
岩　　　手	－	－	－	－	－	－	－	－	－
宮　　　城	－	－	－	－	－	－	－	－	－
秋　　　田	－	－	－	－	－	－	－	－	－
山　　　形	－	－	－	－	－	－	－	－	－
福　　　島	－	－	－	－	－	－	－	－	－
茨　　　城	－	－	－	－	－	－	－	－	－
栃　　　木	－	－	－	－	－	－	－	－	－
群　　　馬	－	－	－	－	－	－	－	－	－
埼　　　玉	－	－	－	－	－	－	－	－	－
千　　　葉	－	－	－	－	－	－	－	－	－
東　　　京	－	－	－	－	－	－	－	－	－
神　奈　川	－	－	－	－	－	－	－	－	－
新　　　潟	－	－	－	－	－	－	－	－	－
富　　　山	－	－	－	－	－	－	－	－	－
石　　　川	－	－	－	－	－	－	－	－	－
福　　　井	－	－	－	－	－	－	－	－	－
山　　　梨	－	－	－	－	－	－	－	－	－
長　　　野	－	－	－	－	－	－	－	－	－
岐　　　阜	－	－	－	－	－	－	－	－	－
静　　　岡	－	－	－	－	－	－	－	－	－
愛　　　知	－	－	－	－	－	－	－	－	－
三　　　重	－	－	－	－	－	－	－	－	－
滋　　　賀	－	－	－	－	－	－	－	－	－
京　　　都	－	－	－	－	－	－	－	－	－
大　　　阪	－	－	－	－	－	－	－	－	－
兵　　　庫	－	－	－	－	－	－	－	－	－
奈　　　良	－	－	－	－	－	－	－	－	－
和　歌　山	－	－	－	－	－	－	－	－	－
鳥　　　取	－	－	－	－	－	－	－	－	－
島　　　根	－	－	－	－	－	－	－	－	－
岡　　　山	－	－	－	－	－	－	－	－	－
広　　　島	－	－	－	－	－	－	－	－	－
山　　　口	－	－	－	－	－	－	－	－	－
徳　　　島	－	－	－	－	－	－	－	－	－
香　　　川	－	－	－	－	－	－	－	－	－
愛　　　媛	－	－	－	－	－	－	－	－	－
高　　　知	－	－	－	－	－	－	－	－	－
福　　　岡	－	－	－	－	－	－	－	－	－
佐　　　賀	－	－	－	－	－	－	－	－	－
長　　　崎	－	－	－	－	－	－	－	－	－
熊　　　本	－	－	－	－	－	－	－	－	－
大　　　分	－	－	－	－	－	－	－	－	－
宮　　　崎	－	－	－	－	－	－	－	－	－
鹿　児　島	－	－	－	－	－	－	－	－	－
沖　　　縄	－	－	－	－	－	－	－	－	－

指定都市－中核市、経営主体の公営－私営・保育標準時間（開所時間）別

指定都市 / 中核市	小規模保育事業所 小規模保育事業所Ｃ型 公営								
	総数	9時間以下	9時間超〜9時間半以下	9時間半超〜10時間以下	10時間超〜10時間半以下	10時間半超〜11時間以下	11時間超〜11時間半以下	11時間半超〜12時間以下	12時間超える
指定都市（別掲）									
札幌市	-	-	-	-	-	-	-	-	-
仙台市	-	-	-	-	-	-	-	-	-
さいたま市	-	-	-	-	-	-	-	-	-
千葉市	-	-	-	-	-	-	-	-	-
横浜市	-	-	-	-	-	-	-	-	-
川崎市	-	-	-	-	-	-	-	-	-
相模原市	-	-	-	-	-	-	-	-	-
新潟市	-	-	-	-	-	-	-	-	-
静岡市	-	-	-	-	-	-	-	-	-
浜松市	-	-	-	-	-	-	-	-	-
名古屋市	-	-	-	-	-	-	-	-	-
京都市	-	-	-	-	-	-	-	-	-
大阪市	-	-	-	-	-	-	-	-	-
堺市	-	-	-	-	-	-	-	-	-
神戸市	-	-	-	-	-	-	-	-	-
岡山市	-	-	-	-	-	-	-	-	-
広島市	-	-	-	-	-	-	-	-	-
北九州市	-	-	-	-	-	-	-	-	-
福岡市	-	-	-	-	-	-	-	-	-
熊本市	-	-	-	-	-	-	-	-	-
中核市（別掲）									
旭川市	-	-	-	-	-	-	-	-	-
函館市	-	-	-	-	-	-	-	-	-
青森市	-	-	-	-	-	-	-	-	-
八戸市	-	-	-	-	-	-	-	-	-
盛岡市	-	-	-	-	-	-	-	-	-
秋田市	-	-	-	-	-	-	-	-	-
郡山市	-	-	-	-	-	-	-	-	-
いわき市	-	-	-	-	-	-	-	-	-
宇都宮市	-	-	-	-	-	-	-	-	-
前橋市	-	-	-	-	-	-	-	-	-
高崎市	-	-	-	-	-	-	-	-	-
川越市	-	-	-	-	-	-	-	-	-
越谷市	-	-	-	-	-	-	-	-	-
船橋市	-	-	-	-	-	-	-	-	-
柏市	-	-	-	-	-	-	-	-	-
八王子市	-	-	-	-	-	-	-	-	-
横須賀市	-	-	-	-	-	-	-	-	-
富山市	-	-	-	-	-	-	-	-	-
金沢市	-	-	-	-	-	-	-	-	-
長野市	-	-	-	-	-	-	-	-	-
岐阜市	-	-	-	-	-	-	-	-	-
豊橋市	-	-	-	-	-	-	-	-	-
豊田市	-	-	-	-	-	-	-	-	-
岡崎市	-	-	-	-	-	-	-	-	-
大津市	-	-	-	-	-	-	-	-	-
高槻市	-	-	-	-	-	-	-	-	-
東大阪市	-	-	-	-	-	-	-	-	-
豊中市	-	-	-	-	-	-	-	-	-
枚方市	-	-	-	-	-	-	-	-	-
姫路市	-	-	-	-	-	-	-	-	-
西宮市	-	-	-	-	-	-	-	-	-
尼崎市	-	-	-	-	-	-	-	-	-
奈良市	-	-	-	-	-	-	-	-	-
和歌山市	-	-	-	-	-	-	-	-	-
倉敷市	-	-	-	-	-	-	-	-	-
福山市	-	-	-	-	-	-	-	-	-
呉市	-	-	-	-	-	-	-	-	-
下関市	-	-	-	-	-	-	-	-	-
高松市	-	-	-	-	-	-	-	-	-
松山市	-	-	-	-	-	-	-	-	-
高知市	-	-	-	-	-	-	-	-	-
久留米市	-	-	-	-	-	-	-	-	-
長崎市	-	-	-	-	-	-	-	-	-
佐世保市	-	-	-	-	-	-	-	-	-
大分市	-	-	-	-	-	-	-	-	-
宮崎市	-	-	-	-	-	-	-	-	-
鹿児島市	-	-	-	-	-	-	-	-	-
那覇市	-	-	-	-	-	-	-	-	-

指定都市－中核市、経営主体の公営－私営・保育標準時間（開所時間）別

第６表　【基本票】保育所等数・小規模保育事業所数，都道府県−

都道府県	小規模保育事業所 小規模保育事業所 C 型 私営								
	総数	9 時間以下	9 時間超～9時間半以下	9 時間半超～10時間以下	10 時間超～10時間半以下	10 時間半超～11時間以下	11 時間超～11時間半以下	11時間半超～12時間以下	12 時間超える
全　　国	110	14	2	11	-	65	-	17	1
北　海　道	1	-	-	-	-	1	-	-	-
青　　森	-	-	-	-	-	-	-	-	-
岩　　手	-	-	-	-	-	-	-	-	-
宮　　城	4	-	-	-	-	3	-	1	-
秋　　田	-	-	-	-	-	-	-	-	-
山　　形	1	-	-	-	-	-	-	1	-
福　　島	1	-	1	-	-	-	-	-	-
茨　　城	1	-	-	-	-	-	-	1	-
栃　　木	-	-	-	-	-	-	-	-	-
群　　馬	-	-	-	-	-	-	-	-	-
埼　　玉	1	-	-	-	-	1	-	-	-
千　　葉	-	-	-	-	-	-	-	-	-
東　　京	17	2	-	7	-	6	-	2	-
神　奈　川	-	-	-	-	-	-	-	1	-
新　　潟	1	-	-	-	-	-	-	1	-
富　　山	-	-	-	-	-	-	-	-	-
石　　川	-	-	-	-	-	-	-	-	-
福　　井	-	-	-	-	-	-	-	-	-
山　　梨	2	-	-	-	-	1	-	-	1
長　　野	-	-	-	-	-	-	-	-	-
岐　　阜	-	-	-	-	-	-	-	-	-
静　　岡	11	7	-	-	-	3	-	1	-
愛　　知	-	-	-	-	-	-	-	-	-
三　　重	1	-	-	1	-	-	-	-	-
滋　　賀	-	-	-	-	-	-	-	-	-
京　　都	1	-	-	-	-	-	-	1	-
大　　阪	-	-	-	-	-	-	-	-	-
兵　　庫	-	-	-	-	-	-	-	-	-
奈　　良	-	-	-	-	-	-	-	-	-
和　歌　山	-	-	-	-	-	-	-	-	-
鳥　　取	-	-	-	-	-	-	-	-	-
島　　根	-	-	-	-	-	-	-	-	-
岡　　山	-	-	-	-	-	-	-	-	-
広　　島	-	-	-	-	-	-	-	-	-
山　　口	-	-	-	-	-	-	-	-	-
徳　　島	-	-	-	-	-	-	-	-	-
香　　川	-	-	-	-	-	-	-	-	-
愛　　媛	-	-	-	-	-	-	-	-	-
高　　知	1	-	-	-	-	1	-	-	-
福　　岡	-	-	-	-	-	-	-	-	-
佐　　賀	-	-	-	-	-	-	-	-	-
長　　崎	-	-	-	-	-	-	-	-	-
熊　　本	1	-	1	-	-	-	-	-	-
大　　分	-	-	-	-	-	-	-	-	-
宮　　崎	-	-	-	-	-	-	-	-	-
鹿　児　島	-	-	-	-	-	-	-	-	-
沖　　縄	-	-	-	-	-	-	-	-	-

指定都市－中核市、経営主体の公営－私営・保育標準時間（開所時間）別

小 規 模 保 育 事 業 所 ／ 小規模保育事業所 C 型 ／ 私営

指定都市中核市	総数	9時間以下	9時間超～9時間半以下	9時間半超～10時間以下	10時間超～10時間半以下	10時間半超～11時間以下	11時間超～11時間半以下	11時間半超～12時間以下	12時間超える
指定都市（別掲）									
札幌市	1	-	-	-	-	-	-	1	-
仙台市	19	-	-	1	-	8	-	-	-
さいたま市	-	-	-	-	-	-	-	-	-
千葉市	-	-	-	-	-	-	-	1	-
横浜市	16	-	-	-	-	1	-	15	-
川崎市	5	5	-	-	-	-	-	-	-
相模原市	1	-	-	-	-	1	-	-	-
新潟市	-	-	-	-	-	-	-	-	-
静岡市	-	-	-	-	-	-	-	-	-
浜松市	-	-	-	-	-	-	-	-	-
名古屋市	-	-	-	-	-	-	-	-	-
京都市	6	-	-	-	-	6	-	-	-
大阪市	23	-	-	2	-	21	-	-	-
堺市	-	-	-	-	-	-	-	-	-
神戸市	-	-	-	-	-	-	-	-	-
岡山市	-	-	-	-	-	-	-	-	-
広島市	-	-	-	-	-	-	-	-	-
北九州市	-	-	-	-	-	-	-	-	-
福岡市	8	-	-	-	-	8	-	-	-
熊本市	-	-	-	-	-	-	-	-	-
中核市（別掲）									
旭川市	-	-	-	-	-	-	-	-	-
函館市	-	-	-	-	-	-	-	-	-
青森市	-	-	-	-	-	-	-	-	-
八戸市	-	-	-	-	-	-	-	-	-
盛岡市	2	-	-	-	-	-	-	2	-
秋田市	-	-	-	-	-	-	-	-	-
郡山市	-	-	-	-	-	-	-	-	-
いわき市	-	-	-	-	-	-	-	-	-
宇都宮市	-	-	-	-	-	-	-	-	-
前橋市	-	-	-	-	-	-	-	-	-
高崎市	-	-	-	-	-	-	-	-	-
川越市	-	-	-	-	-	-	-	-	-
越谷市	-	-	-	-	-	-	-	-	-
船橋市	-	-	-	-	-	-	-	-	-
柏市	-	-	-	-	-	-	-	-	-
八王子市	-	-	-	-	-	-	-	-	-
横須賀市	-	-	-	-	-	-	-	-	-
富山市	-	-	-	-	-	-	-	-	-
金沢市	-	-	-	-	-	-	-	-	-
長野市	-	-	-	-	-	-	-	-	-
岐阜市	-	-	-	-	-	-	-	-	-
豊橋市	-	-	-	-	-	-	-	-	-
豊田市	-	-	-	-	-	-	-	-	-
岡崎市	-	-	-	-	-	-	-	-	-
大津市	3	-	-	-	-	3	-	-	-
高槻市	-	-	-	-	-	-	-	-	-
東大阪市	-	-	-	-	-	-	-	-	-
豊中市	-	-	-	-	-	-	-	-	-
枚方市	-	-	-	-	-	-	-	-	-
姫路市	-	-	-	-	-	-	-	-	-
西宮市	1	-	-	-	-	1	-	-	-
尼崎市	-	-	-	-	-	-	-	-	-
奈良市	-	-	-	-	-	-	-	-	-
和歌山市	-	-	-	-	-	-	-	-	-
倉敷市	-	-	-	-	-	-	-	-	-
福山市	-	-	-	-	-	-	-	-	-
呉市	-	-	-	-	-	-	-	-	-
下関市	-	-	-	-	-	-	-	-	-
高松市	-	-	-	-	-	-	-	-	-
松山市	-	-	-	-	-	-	-	-	-
高知市	-	-	-	-	-	-	-	-	-
久留米市	-	-	-	-	-	-	-	-	-
長崎市	-	-	-	-	-	-	-	-	-
佐世保市	-	-	-	-	-	-	-	-	-
大分市	-	-	-	-	-	-	-	-	-
宮崎市	-	-	-	-	-	-	-	-	-
鹿児島市	-	-	-	-	-	-	-	-	-
那覇市	-	-	-	-	-	-	-	-	-

指定都市－中核市、経営主体の公営－私営・保育標準時間（開所時間）別

第7表　【基本票】社会福祉施設等の定員，国－

（単位：人）

国 都 道 府 県	総　　　数			保　　護　　施　　設								
				総　　　数			救　護　施　設			更　生　施　設		
	総　数	公　営	私　営	総　数	公　営	私　営	総　数	公　営	私　営	総　数	公　営	私　営
全　　　　　　　国	3 875 461	914 694	2 960 767	19 495	1 518	17 977	16 728	1 086	15 642	1 497	162	1 335
国	1 308	1 308	–	–	–	–	–	–	–	–	–	–
北　海　　道	81 561	24 311	57 250	220	–	220	190	–	190	–	–	–
青　　　森	33 874	1 114	32 760	400	–	400	400	–	400	–	–	–
岩　　　手	31 195	7 754	23 441	170	–	170	170	–	170	–	–	–
宮　　　城	28 719	11 709	17 010	–	–	–	–	–	–	–	–	–
秋　　　田	27 688	6 339	21 349	75	–	75	55	–	55	–	–	–
山　　　形	36 509	8 006	28 503	315	–	315	285	–	285	–	–	–
福　　　島	30 199	10 201	19 998	370	40	330	310	–	310	–	–	–
茨　　　城	78 449	15 975	62 474	340	–	340	340	–	340	–	–	–
栃　　　木	41 837	11 814	30 023	30	–	30	–	–	–	–	–	–
群　　　馬	44 273	6 994	37 279	240	–	240	240	–	240	–	–	–
埼　　　玉	128 688	29 574	99 114	244	–	244	244	–	244	–	–	–
千　　　葉	98 239	30 174	68 065	366	–	366	366	–	366	–	–	–
東　　　京	332 704	77 944	254 760	2 075	–	2 075	725	–	725	890	–	890
神　奈　　川	71 647	10 913	60 734	180	–	180	180	–	180	–	–	–
新　　　潟	57 850	27 996	29 854	440	100	340	440	100	340	–	–	–
富　　　山	25 029	9 916	15 113	–	–	–	–	–	–	–	–	–
石　　　川	32 036	11 754	20 282	90	–	90	90	–	90	–	–	–
福　　　井	34 424	11 331	23 093	140	–	140	140	–	140	–	–	–
山　　　梨	31 844	12 745	19 099	250	–	250	250	–	250	–	–	–
長　　　野	70 105	45 812	24 293	454	194	260	454	194	260	–	–	–
岐　　　阜	52 161	22 239	29 922	70	–	70	70	–	70	–	–	–
静　　　岡	55 614	14 670	40 944	80	–	80	80	–	80	–	–	–
愛　　　知	128 436	76 215	52 221	180	–	180	180	–	180	–	–	–
三　　　重	61 137	23 456	37 681	260	–	260	260	–	260	–	–	–
滋　　　賀	31 532	12 069	19 463	510	–	510	510	–	510	–	–	–
京　　　都	36 092	13 013	23 079	100	–	100	100	–	100	–	–	–
大　　　阪	103 372	19 231	84 141	470	–	470	470	–	470	–	–	–
兵　　　庫	77 493	17 054	60 439	140	–	140	140	–	140	–	–	–
奈　　　良	28 636	9 394	19 242	110	–	110	110	–	110	–	–	–
和　歌　　山	22 469	10 600	11 869	190	–	190	190	–	190	–	–	–
鳥　　　取	26 225	9 661	16 564	150	–	150	150	–	150	–	–	–
島　　　根	31 556	3 632	27 924	240	–	240	240	–	240	–	–	–
岡　　　山	25 772	10 481	15 291	339	100	239	309	100	209	–	–	–
広　　　島	34 061	12 062	21 999	100	–	100	100	–	100	–	–	–
山　　　口	36 198	8 394	27 804	320	50	270	320	50	270	–	–	–
徳　　　島	27 521	10 149	17 372	280	120	160	160	–	160	–	–	–
香　　　川	19 801	7 627	12 174	260	–	260	260	–	260	–	–	–
愛　　　媛	29 396	13 372	16 024	130	60	70	130	60	70	–	–	–
高　　　知	19 165	9 326	9 839	–	–	–	–	–	–	–	–	–
福　　　岡	81 246	10 485	70 761	190	–	190	190	–	190	–	–	–
佐　　　賀	34 699	4 806	29 893	180	–	180	180	–	180	–	–	–
長　　　崎	28 728	2 456	26 272	–	–	–	–	–	–	–	–	–
熊　　　本	48 943	6 095	42 848	320	50	270	320	50	270	–	–	–
大　　　分	28 839	2 346	26 493	210	–	210	180	–	180	–	–	–
宮　　　崎	34 192	3 312	30 880	50	–	50	50	–	50	–	–	–
鹿　児　　島	41 116	3 650	37 466	–	–	–	–	–	–	–	–	–
沖　　　縄	50 340	5 937	44 403	100	–	100	100	–	100	–	–	–

注：1）指定都市及び中核市は別掲である。
　　2）定員を調査していない施設は掲載していない。
　　3）総数には母子生活支援施設の定員を含まない。

指定都市 中核市	総数			保護施設 総数			救護施設			更生施設		
	総数	公営	私営	総数	公営	私営	総数	公営	私営	総数	公営	私営
指定都市（別掲）												
札幌市	53 346	2 160	51 186	450	–	450	450	–	450	–	–	–
仙台市	26 860	3 918	22 942	250	–	250	250	–	250	–	–	–
さいたま市	31 431	6 575	24 856	–	–	–	–	–	–	–	–	–
千葉市	27 306	6 741	20 565	96	–	96	96	–	96	–	–	–
横浜市	90 872	7 829	83 043	606	–	606	420	–	420	186	–	186
川崎市	40 031	4 037	35 994	86	–	86	86	–	86	–	–	–
相模原市	17 409	2 773	14 636	–	–	–	–	–	–	–	–	–
新潟市	27 738	8 325	19 413	100	–	100	100	–	100	–	–	–
静岡市	18 349	5 509	12 840	130	–	130	130	–	130	–	–	–
浜松市	20 759	2 410	18 349	370	–	370	320	–	320	–	–	–
名古屋市	67 695	11 288	56 407	510	300	210	188	188	–	172	112	60
京都市	39 767	2 147	37 620	30	–	30	–	–	–	30	–	30
大阪市	85 894	7 213	78 681	958	–	958	848	–	848	110	–	110
堺市	24 264	2 425	21 839	60	–	60	60	–	60	–	–	–
神戸市	41 208	6 946	34 262	350	100	250	300	50	250	50	50	–
岡山市	24 580	5 406	19 174	90	–	90	90	–	90	–	–	–
広島市	36 715	11 235	25 480	60	–	60	60	–	60	–	–	–
北九州市	28 942	1 924	27 018	250	–	250	250	–	250	–	–	–
福岡市	51 791	1 014	50 777	50	–	50	50	–	50	–	–	–
熊本市	28 784	1 805	26 979	60	–	60	60	–	60	–	–	–
中核市（別掲）												
旭川市	13 825	335	13 490	–	–	–	–	–	–	–	–	–
函館市	8 614	230	8 384	320	–	320	320	–	320	–	–	–
青森市	11 337	123	11 214	–	–	–	–	–	–	–	–	–
八戸市	8 886	102	8 784	–	–	–	–	–	–	–	–	–
盛岡市	10 057	945	9 112	–	–	–	–	–	–	–	–	–
秋田市	9 596	590	9 006	150	–	150	150	–	150	–	–	–
郡山市	5 989	2 010	3 979	80	–	80	80	–	80	–	–	–
いわき市	9 011	2 613	6 398	140	60	80	80	–	80	–	–	–
宇都宮市	12 762	1 625	11 137	100	–	100	100	–	100	–	–	–
前橋市	11 797	2 080	9 717	–	–	–	–	–	–	–	–	–
高崎市	12 810	2 369	10 441	–	–	–	–	–	–	–	–	–
川越市	6 531	1 910	4 621	50	50	–	–	–	–	–	–	–
越谷市	7 547	2 102	5 445	–	–	–	–	–	–	–	–	–
船橋市	16 508	4 491	12 017	–	–	–	–	–	–	–	–	–
柏市	10 166	3 045	7 121	–	–	–	–	–	–	–	–	–
八王子市	16 233	935	15 298	186	–	186	186	–	186	–	–	–
横須賀市	7 747	1 071	6 676	–	–	–	–	–	–	–	–	–
富山市	15 777	3 990	11 787	200	–	200	200	–	200	–	–	–
金沢市	18 350	1 286	17 064	250	–	250	250	–	250	–	–	–
長野市	12 853	3 044	9 809	190	–	190	190	–	190	–	–	–
岐阜市	9 462	2 481	6 981	–	–	–	–	–	–	–	–	–
豊橋市	11 735	865	10 870	–	–	–	–	–	–	–	–	–
豊田市	13 474	8 173	5 301	–	–	–	–	–	–	–	–	–
岡崎市	10 244	5 340	4 904	109	–	109	–	–	–	59	–	59
大津市	9 860	1 682	8 178	100	–	100	100	–	100	–	–	–
高槻市	8 533	1 441	7 092	200	–	200	200	–	200	–	–	–
東大阪市	13 572	1 377	12 195	90	–	90	90	–	90	–	–	–
豊中市	10 767	2 866	7 901	–	–	–	–	–	–	–	–	–
枚方市	11 258	1 382	9 876	–	–	–	–	–	–	–	–	–
姫路市	15 745	3 345	12 400	100	–	100	100	–	100	–	–	–
西宮市	10 790	2 405	8 385	100	–	100	100	–	100	–	–	–
尼崎市	10 197	1 675	8 522	–	–	–	–	–	–	–	–	–
奈良市	10 673	2 725	7 948	120	–	120	100	–	100	–	–	–
和歌山市	12 922	1 378	11 544	60	–	60	60	–	60	–	–	–
倉敷市	15 860	2 620	13 240	100	–	100	70	–	70	–	–	–
福山市	16 698	4 975	11 723	–	–	–	–	–	–	–	–	–
呉市	5 691	980	4 711	55	–	55	55	–	55	–	–	–
下関市	9 887	1 812	8 075	60	–	60	60	–	60	–	–	–
高松市	14 714	4 296	10 418	–	–	–	–	–	–	–	–	–
松山市	12 031	2 045	9 986	295	150	145	295	150	145	–	–	–
高知市	15 740	3 239	12 501	134	84	50	134	84	50	–	–	–
久留米市	12 595	1 190	11 405	–	–	–	–	–	–	–	–	–
長崎市	14 244	894	13 350	150	–	150	120	–	120	–	–	–
佐世保市	9 255	252	9 003	60	–	60	60	–	60	–	–	–
大分市	15 552	1 066	14 486	–	–	–	–	–	–	–	–	–
宮崎市	17 858	265	17 593	102	–	102	82	–	82	–	–	–
鹿児島市	19 501	1 130	18 371	60	60	–	60	60	–	–	–	–
那覇市	13 548	803	12 745	50	–	50	50	–	50	–	–	–

第7表　【基本票】社会福祉施設等の定員，国－

（単位：人）

国 都道府県	保護施設 授産施設			宿所提供施設			老人福祉施設 総数			養護老人ホーム（一般）			養護老人ホーム（盲）		
	総数	公営	私営	総数	公営	私営	総数	公営	私営	総数	公営	私営	総数	公営	私営
全国	490	150	340	780	120	660	158 558	9 812	148 746	61 100	9 302	51 798	2 984	-	2 984
国	-	-	-	-	-	-	-	-	-	-	-	-	-	-	-
北海道	30	-	30	-	-	-	7 817	925	6 892	3 697	805	2 892	110	-	110
青森	-	-	-	-	-	-	885	-	885	390	-	390	70	-	70
岩手	-	-	-	-	-	-	1 563	-	1 563	817	-	817	50	-	50
宮城	-	-	-	-	-	-	1 335	-	1 335	456	-	456	50	-	50
秋田	20	-	20	-	-	-	1 588	315	1 273	855	300	555	-	-	-
山形	-	-	-	30	-	30	1 595	200	1 395	1 000	200	800	50	-	50
福島	60	40	20	-	-	-	1 755	170	1 585	881	170	711	50	-	50
茨城	-	-	-	-	-	-	2 704	210	2 494	850	210	640	70	-	70
栃木	30	-	30	-	-	-	1 187	-	1 187	614	-	614	50	-	50
群馬	-	-	-	-	-	-	1 668	110	1 558	620	110	510	-	-	-
埼玉	-	-	-	-	-	-	4 364	-	4 364	715	-	715	100	-	100
千葉	-	-	-	-	-	-	3 807	190	3 617	1 054	150	904	50	-	50
東京	-	-	-	460	-	460	6 804	-	6 804	2 771	-	2 771	100	-	100
神奈川	-	-	-	-	-	-	1 301	-	1 301	460	-	460	-	-	-
新潟	-	-	-	-	-	-	2 778	650	2 128	1 260	600	660	60	-	60
富山	-	-	-	-	-	-	963	180	783	180	180	-	-	-	-
石川	-	-	-	-	-	-	1 556	-	1 556	410	-	410	50	-	50
福井	-	-	-	-	-	-	1 499	-	1 499	480	-	480	60	-	60
山梨	-	-	-	-	-	-	1 475	255	1 220	675	255	420	50	-	50
長野	-	-	-	-	-	-	2 751	556	2 195	1 552	556	996	50	-	50
岐阜	-	-	-	-	-	-	1 973	210	1 763	983	210	773	-	-	-
静岡	-	-	-	-	-	-	2 415	50	2 365	1 078	50	1 028	-	-	-
愛知	-	-	-	-	-	-	3 837	50	3 787	1 046	50	996	80	-	80
三重	-	-	-	-	-	-	2 825	330	2 495	1 230	330	900	70	-	70
滋賀	-	-	-	-	-	-	806	-	806	330	-	330	30	-	30
京都	-	-	-	-	-	-	2 209	70	2 139	473	70	403	-	-	-
大阪	-	-	-	-	-	-	4 037	-	4 037	980	-	980	-	-	-
兵庫	-	-	-	-	-	-	4 202	100	4 102	1 723	100	1 623	60	-	60
奈良	-	-	-	-	-	-	1 723	195	1 528	650	180	470	50	-	50
和歌山	-	-	-	-	-	-	1 242	400	842	732	400	332	-	-	-
鳥取	-	-	-	-	-	-	1 583	-	1 583	410	-	410	-	-	-
島根	-	-	-	-	-	-	2 271	60	2 211	1 221	60	1 161	50	-	50
岡山	30	-	30	-	-	-	2 127	440	1 687	862	440	422	50	-	50
広島	-	-	-	-	-	-	2 116	30	2 086	935	-	935	65	-	65
山口	-	-	-	-	-	-	2 992	470	2 522	1 135	470	665	-	-	-
徳島	-	-	-	120	120	-	2 443	321	2 122	970	321	649	50	-	50
香川	-	-	-	-	-	-	1 760	170	1 590	615	170	445	50	-	50
愛媛	-	-	-	-	-	-	2 458	590	1 868	1 220	500	720	-	-	-
高知	-	-	-	-	-	-	1 472	160	1 312	475	160	315	80	-	80
福岡	-	-	-	-	-	-	4 708	240	4 468	1 570	240	1 330	130	-	130
佐賀	-	-	-	-	-	-	1 798	140	1 658	833	140	693	50	-	50
長崎	-	-	-	-	-	-	1 860	160	1 700	1 060	160	900	80	-	80
熊本	-	-	-	-	-	-	2 170	50	2 120	1 370	50	1 320	-	-	-
大分	30	-	30	-	-	-	1 625	50	1 575	975	50	925	50	-	50
宮崎	-	-	-	-	-	-	1 779	105	1 674	1 459	105	1 354	-	-	-
鹿児島	-	-	-	-	-	-	2 861	470	2 391	1 945	420	1 525	160	-	160
沖縄	-	-	-	-	-	-	602	-	602	230	-	230	-	-	-

都道府県－指定都市－中核市、施設の種類・経営主体の公営－私営別

指定都市 / 中核市	授産施設 総数	公営	私営	宿所提供施設 総数	公営	私営	老人福祉施設 総数	公営	私営	養護老人ホーム（一般）総数	公営	私営	養護老人ホーム（盲）総数	公営	私営
指定都市（別掲）															
札幌市	-	-	-	-	-	-	1 830	-	1 830	330	-	330	-	-	-
仙台市	-	-	-	-	-	-	788	-	788	210	-	210	-	-	-
さいたま市	-	-	-	-	-	-	572	-	572	290	-	290	-	-	-
千葉市	-	-	-	-	-	-	980	-	980	130	-	130	-	-	-
横浜市	-	-	-	-	-	-	1 192	170	1 022	548	170	378	-	-	-
川崎市	-	-	-	-	-	-	454	-	454	190	-	190	-	-	-
相模原市	-	-	-	-	-	-	298	-	298	80	-	80	-	-	-
新潟市	-	-	-	-	-	-	1 089	-	1 089	100	-	100	-	-	-
静岡市	-	-	-	-	-	-	620	-	620	190	-	190	-	-	-
浜松市	-	-	-	50	-	50	1 218	-	1 218	370	-	370	50	-	50
名古屋市	30	-	30	120	-	120	1 721	-	1 721	720	-	720	50	-	50
京都市	-	-	-	-	-	-	1 367	-	1 367	680	-	680	50	-	50
大阪市	-	-	-	-	-	-	1 522	-	1 522	767	-	767	-	-	-
堺市	-	-	-	-	-	-	705	-	705	190	-	190	-	-	-
神戸市	-	-	-	-	-	-	2 178	130	2 048	501	80	421	50	-	50
岡山市	-	-	-	-	-	-	1 234	100	1 134	310	50	260	-	-	-
広島市	-	-	-	-	-	-	1 062	-	1 062	500	-	500	-	-	-
北九州市	-	-	-	-	-	-	1 690	-	1 690	570	-	570	-	-	-
福岡市	-	-	-	-	-	-	1 524	-	1 524	257	-	257	50	-	50
熊本市	-	-	-	-	-	-	1 187	-	1 187	440	-	440	50	-	50
中核市（別掲）															
旭川市	-	-	-	-	-	-	745	-	745	220	-	220	50	-	50
函館市	-	-	-	-	-	-	475	-	475	270	-	270	-	-	-
青森市	-	-	-	-	-	-	369	-	369	155	-	155	-	-	-
八戸市	-	-	-	-	-	-	230	-	230	60	-	60	-	-	-
盛岡市	-	-	-	-	-	-	399	-	399	100	-	100	-	-	-
秋田市	-	-	-	-	-	-	625	-	625	150	-	150	55	-	55
郡山市	-	-	-	-	-	-	304	-	304	74	-	74	-	-	-
いわき市	60	60	-	-	-	-	410	80	330	180	80	100	-	-	-
宇都宮市	-	-	-	-	-	-	690	-	690	110	-	110	-	-	-
前橋市	-	-	-	-	-	-	540	-	540	80	-	80	50	-	50
高崎市	-	-	-	-	-	-	638	-	638	210	-	210	-	-	-
川越市	50	50	-	-	-	-	252	-	252	100	-	100	-	-	-
越谷市	-	-	-	-	-	-	154	-	154	49	-	49	-	-	-
船橋市	-	-	-	-	-	-	460	-	460	52	-	52	-	-	-
柏市	-	-	-	-	-	-	290	-	290	90	-	90	-	-	-
八王子市	-	-	-	-	-	-	580	-	580	580	-	580	50	-	50
横須賀市	-	-	-	-	-	-	292	-	292	72	-	72	50	-	50
富山市	-	-	-	-	-	-	821	-	821	200	-	200	-	-	-
金沢市	-	-	-	-	-	-	937	-	937	240	-	240	-	-	-
長野市	-	-	-	-	-	-	519	100	419	150	100	50	-	-	-
岐阜市	-	-	-	-	-	-	620	-	620	200	-	200	-	-	-
豊橋市	-	-	-	-	-	-	311	60	251	60	60	-	-	-	-
豊田市	-	-	-	-	-	-	150	-	150	50	-	50	-	-	-
岡崎市	50	-	50	-	-	-	240	-	240	70	-	70	-	-	-
大津市	-	-	-	-	-	-	295	-	295	165	-	165	-	-	-
高槻市	-	-	-	-	-	-	490	-	490	50	-	50	50	-	50
東大阪市	-	-	-	-	-	-	516	-	516	150	-	150	-	-	-
豊中市	-	-	-	-	-	-	290	-	290	70	-	70	-	-	-
枚方市	-	-	-	-	-	-	402	-	402	100	-	100	-	-	-
姫路市	-	-	-	-	-	-	520	-	520	250	-	250	-	-	-
西宮市	-	-	-	-	-	-	312	100	212	100	100	-	-	-	-
尼崎市	-	-	-	-	-	-	125	-	125	50	-	50	-	-	-
奈良市	20	-	20	-	-	-	610	-	610	150	-	150	-	-	-
和歌山市	-	-	-	-	-	-	552	-	552	140	-	140	70	-	70
倉敷市	30	-	30	-	-	-	701	-	701	180	-	180	-	-	-
福山市	-	-	-	-	-	-	560	-	560	80	-	80	-	-	-
呉市	-	-	-	-	-	-	413	-	413	178	-	178	50	-	50
下関市	-	-	-	-	-	-	920	-	920	180	-	180	80	-	80
高松市	-	-	-	-	-	-	740	250	490	250	250	-	50	-	50
高知市	-	-	-	-	-	-	579	-	579	210	-	210	-	-	-
久留米市	-	-	-	-	-	-	445	-	445	125	-	125	-	-	-
長崎市	30	-	30	-	-	-	1 059	40	1 019	390	40	350	-	-	-
佐世保市	-	-	-	-	-	-	685	-	685	285	-	285	-	-	-
大分市	-	-	-	-	-	-	465	-	465	65	-	65	-	-	-
宮崎市	20	-	20	-	-	-	724	-	724	290	-	290	54	-	54
鹿児島市	-	-	-	-	-	-	776	160	616	230	160	70	-	-	-
那覇市	-	-	-	-	-	-	120	-	120	70	-	70	-	-	-

第7表 【基本票】社会福祉施設等の定員，国－

（単位：人）

国 都 道 府 県	老 人 福 祉 施 設												障害者支援施設等		
	軽費老人ホーム A型			軽費老人ホーム B型			軽費老人ホーム（ケアハウス）			都市型軽費老人ホーム			総 数		
	総 数	公 営	私 営	総 数	公 営	私 営	総 数	公 営	私 営	総 数	公 営	私 営	総 数	公 営	私 営
全 国	11 496	100	11 396	618	150	468	81 132	260	80 872	1 228	－	1 228	191 636	6 212	185 424
国	－	－	－	－	－	－	－	－	－	－	－	－	1 068	1 068	－
北 海 道	420	50	370	50	50	－	3 540	20	3 520	－	－	－	10 282	65	10 217
青 森	50	－	50	－	－	－	375	－	375	－	－	－	2 437	213	2 224
岩 手	－	－	－	－	－	－	696	－	696	－	－	－	2 710	－	2 710
宮 城	70	－	70	－	－	－	759	－	759	－	－	－	2 244	205	2 039
秋 田	50	－	50	－	－	－	683	15	668	－	－	－	3 072	150	2 922
山 形	50	－	50	－	－	－	495	－	495	－	－	－	2 331	－	2 331
福 島	60	－	60	－	－	－	764	－	764	－	－	－	2 013	－	2 013
茨 城	100	－	100	－	－	－	1 684	－	1 684	－	－	－	4 744	761	3 983
栃 木	－	－	－	－	－	－	523	－	523	－	－	－	2 910	144	2 766
群 馬	50	－	50	－	－	－	998	－	998	－	－	－	2 937	90	2 847
埼 玉	500	－	500	－	－	－	3 049	－	3 049	－	－	－	7 028	200	6 828
千 葉	200	－	200	－	－	－	2 503	40	2 463	－	－	－	5 823	267	5 556
東 京	600	－	600	50	－	50	2 087	－	2 087	1 196	－	1 196	7 952	181	7 771
神 奈 川	386	－	386	－	－	－	455	－	455	－	－	－	4 921	270	4 651
新 潟	100	50	50	－	－	－	1 358	－	1 358	－	－	－	3 212	580	2 632
富 山	50	－	50	－	－	－	733	－	733	－	－	－	961	－	961
石 川	170	－	170	－	－	－	926	－	926	－	－	－	1 415	－	1 415
福 井	100	－	100	－	－	－	859	－	859	－	－	－	1 962	－	1 962
山 梨	150	－	150	－	－	－	600	－	600	－	－	－	2 321	15	2 306
長 野	150	－	150	－	－	－	999	－	999	－	－	－	3 680	270	3 410
岐 阜	－	－	－	－	－	－	990	－	990	－	－	－	2 664	－	2 664
静 岡	60	－	60	－	－	－	1 277	－	1 277	－	－	－	3 050	270	2 780
愛 知	100	－	100	－	－	－	2 611	－	2 611	－	－	－	4 073	100	3 973
三 重	200	－	200	50	－	50	1 275	－	1 275	－	－	－	1 902	－	1 902
滋 賀	－	－	－	－	－	－	446	－	446	－	－	－	1 559	100	1 459
京 都	100	－	100	－	－	－	1 636	－	1 636	－	－	－	2 219	15	2 204
大 阪	690	－	690	－	－	－	2 367	－	2 367	－	－	－	3 906	276	3 630
兵 庫	50	－	50	－	－	－	2 369	－	2 369	－	－	－	4 979	－	4 979
奈 良	200	－	200	－	－	－	823	15	808	－	－	－	1 702	－	1 702
和 歌 山	－	－	－	－	－	－	510	－	510	－	－	－	1 108	－	1 108
鳥 取	230	－	230	－	－	－	943	－	943	－	－	－	1 207	－	1 207
島 根	－	－	－	－	－	－	1 000	－	1 000	－	－	－	2 010	－	2 010
岡 山	100	－	100	－	－	－	1 115	－	1 115	－	－	－	1 948	42	1 906
広 島	100	－	100	－	－	－	1 016	30	986	－	－	－	2 459	20	2 439
山 口	420	－	420	－	－	－	1 437	－	1 437	－	－	－	2 438	－	2 438
徳 島	100	－	100	－	－	－	1 323	－	1 323	－	－	－	2 076	－	2 076
香 川	50	－	50	60	－	60	985	－	985	－	－	－	1 219	35	1 184
愛 媛	50	－	50	－	－	－	1 188	90	1 098	－	－	－	2 009	149	1 860
高 知	－	－	－	－	－	－	917	－	917	－	－	－	1 380	50	1 330
福 岡	830	－	830	－	－	－	2 178	－	2 178	－	－	－	5 265	－	5 265
佐 賀	50	－	50	－	－	－	865	－	865	－	－	－	1 711	84	1 627
長 崎	150	－	150	－	－	－	570	－	570	－	－	－	1 924	35	1 889
熊 本	150	－	150	20	－	20	630	－	630	－	－	－	3 056	－	3 056
大 分	100	－	100	－	－	－	500	－	500	－	－	－	2 358	－	2 358
宮 崎	－	－	－	－	－	－	320	－	320	－	－	－	1 801	－	1 801
鹿 児 島	350	－	350	50	50	－	356	－	356	－	－	－	3 840	－	3 840
沖 縄	50	－	50	－	－	－	322	－	322	－	－	－	2 903	40	2 863

都道府県－指定都市－中核市、施設の種類・経営主体の公営－私営別

平成29年10月1日

指定都市 中核市	老人福祉施設 軽費老人ホーム A型			軽費老人ホーム B型			軽費老人ホーム（ケアハウス）			都市型軽費老人ホーム			障害者支援施設等 総数		
	総数	公営	私営	総数	公営	私営	総数	公営	私営	総数	公営	私営	総数	公営	私営
指定都市（別掲）															
札幌市	350	－	350	100	－	100	1 050	－	1 050	－	－	－	2 354	－	2 354
仙台市	50	－	50	－	－	－	528	－	528	－	－	－	985	－	985
さいたま市	－	－	－	－	－	－	282	－	282	－	－	－	775	－	775
千葉市	200	－	200	－	－	－	650	－	650	－	－	－	890	－	890
横浜市	250	－	250	－	－	－	394	－	394	－	－	－	5 056	110	4 946
川崎市	－	－	－	－	－	－	264	－	264	－	－	－	1 402	－	1 402
相模原市	－	－	－	－	－	－	218	－	218	－	－	－	659	－	659
新潟市	90	－	90	－	－	－	899	－	899	－	－	－	1 114	20	1 094
静岡市	－	－	－	－	－	－	430	－	430	－	－	－	629	－	629
浜松市	100	－	100	－	－	－	698	－	698	－	－	－	945	－	945
名古屋市	490	－	490	－	－	－	461	－	461	－	－	－	1 150	－	1 150
京都市	－	－	－	－	－	－	637	－	637	－	－	－	811	40	771
大阪市	50	－	50	－	－	－	705	－	705	－	－	－	2 110	－	2 110
堺市	50	－	50	－	－	－	465	－	465	－	－	－	475	－	475
神戸市	－	－	－	－	－	－	1 627	50	1 577	－	－	－	1 489	50	1 439
岡山市	－	－	－	50	50	－	874	－	874	－	－	－	1 157	－	1 157
広島市	50	－	50	－	－	－	512	－	512	－	－	－	1 355	50	1 305
北九州市	400	－	400	－	－	－	720	－	720	－	－	－	762	－	762
福岡市	200	－	200	－	－	－	1 017	－	1 017	－	－	－	1 008	－	1 008
熊本市	100	－	100	－	－	－	597	－	597	－	－	－	928	－	928
中核市（別掲）															
旭川市	100	－	100	－	－	－	375	－	375	－	－	－	578	－	578
函館市	－	－	－	－	－	－	205	－	205	－	－	－	415	－	415
青森市	60	－	60	－	－	－	154	－	154	－	－	－	815	－	815
八戸市	－	－	－	－	－	－	170	－	170	－	－	－	410	－	410
盛岡市	50	－	50	50	－	50	199	－	199	－	－	－	452	－	452
秋田市	50	－	50	－	－	－	370	－	370	－	－	－	520	20	500
郡山市	60	－	60	－	－	－	170	－	170	－	－	－	630	－	630
いわき市	50	－	50	－	－	－	180	－	180	－	－	－	370	－	370
宇都宮市	－	－	－	－	－	－	580	－	580	－	－	－	487	－	487
前橋市	80	－	80	－	－	－	330	－	330	－	－	－	501	－	501
高崎市	80	－	80	－	－	－	348	－	348	－	－	－	749	－	749
川越市	50	－	50	－	－	－	102	－	102	－	－	－	373	－	373
越谷市	－	－	－	－	－	－	105	－	105	－	－	－	285	－	285
船橋市	100	－	100	－	－	－	308	－	308	－	－	－	445	－	445
柏市	－	－	－	－	－	－	200	－	200	－	－	－	217	－	217
八王子市	－	－	－	－	－	－	－	－	－	－	－	－	650	－	650
横須賀市	－	－	－	－	－	－	170	－	170	－	－	－	553	－	553
富山市	100	－	100	－	－	－	521	－	521	－	－	－	841	－	841
金沢市	－	－	－	－	－	－	697	－	697	－	－	－	851	－	851
長野市	50	－	50	－	－	－	319	－	319	－	－	－	539	－	539
岐阜市	－	－	－	50	－	50	370	－	370	－	－	－	345	105	240
豊橋市	100	－	100	－	－	－	151	－	151	－	－	－	389	55	334
豊田市	－	－	－	－	－	－	100	－	100	－	－	－	417	－	417
岡崎市	－	－	－	－	－	－	170	－	170	－	－	－	277	－	277
大津市	－	－	－	－	－	－	130	－	130	－	－	－	90	－	90
高槻市	－	－	－	－	－	－	390	－	390	－	－	－	287	27	260
東大阪市	－	－	－	－	－	－	366	－	366	－	－	－	264	40	224
豊中市	－	－	－	－	－	－	220	－	220	－	－	－	61	－	61
枚方市	50	－	50	－	－	－	252	－	252	－	－	－	180	－	180
姫路市	－	－	－	－	－	－	270	－	270	－	－	－	530	－	530
西宮市	－	－	－	－	－	－	180	－	180	32	－	32	790	－	790
尼崎市	－	－	－	－	－	－	75	－	75	－	－	－	458	－	458
奈良市	120	－	120	－	－	－	340	－	340	－	－	－	474	－	474
和歌山市	－	－	－	－	－	－	342	－	342	－	－	－	495	－	495
倉敷市	－	－	－	－	－	－	521	－	521	－	－	－	395	－	395
福山市	50	－	50	－	－	－	430	－	430	－	－	－	480	－	480
呉市	－	－	－	－	－	－	185	－	185	－	－	－	292	－	292
下関市	170	－	170	－	－	－	490	－	490	－	－	－	422	－	422
高松市	－	－	－	－	－	－	488	－	488	－	－	－	547	－	547
松山市	－	－	－	50	－	50	390	－	390	－	－	－	640	－	640
高知市	60	－	60	－	－	－	309	－	309	－	－	－	267	－	267
久留米市	50	－	50	－	－	－	270	－	270	－	－	－	812	－	812
長崎市	150	－	150	－	－	－	519	－	519	－	－	－	674	－	674
佐世保市	－	－	－	－	－	－	400	－	400	－	－	－	513	－	513
大分市	50	－	50	－	－	－	350	－	350	－	－	－	260	－	260
宮崎市	100	－	100	－	－	－	280	－	280	－	－	－	405	－	405
鹿児島市	－	－	－	38	－	38	508	－	508	－	－	－	1 047	－	1 047
那覇市	－	－	－	－	－	－	50	－	50	－	－	－	301	－	301

第7表　【基本票】社会福祉施設等の定員，国－

（単位：人）

国都道府県	障害者支援施設等									身体障害者社会参加支援施設					
	障害者支援施設			地域活動支援センター			福祉ホーム			総数			障害者更生センター		
	総数	公営	私営	総数	公営	私営	総数	公営	私営	総数	公営	私営	総数	公営	私営
全国	139 040	4 396	134 644	50 687	1 806	48 881	1 909	10	1 899	360	-	360	360	-	360
国	1 068	1 068	-	-	-	-	-	-	-	-	-	-	-	-	-
北海道	8 586	50	8 536	1 595	15	1 580	101	-	101	-	-	-	-	-	-
青森	1 974	203	1 771	377	10	367	86	-	86	-	-	-	-	-	-
岩手	1 960	-	1 960	750	-	750	-	-	-	-	-	-	-	-	-
宮城	1 358	-	1 358	875	205	670	11	-	11	-	-	-	-	-	-
秋田	2 901	150	2 751	151	-	151	20	-	20	-	-	-	-	-	-
山形	1 918	-	1 918	363	-	363	50	-	50	-	-	-	-	-	-
福島	1 749	-	1 749	254	-	254	10	-	10	-	-	-	-	-	-
茨城	3 943	656	3 287	801	105	696	-	-	-	-	-	-	-	-	-
栃木	2 394	60	2 334	492	84	408	24	-	24	80	-	80	80	-	80
群馬	1 942	-	1 942	990	90	900	5	-	5	-	-	-	-	-	-
埼玉	5 098	160	4 938	1 930	40	1 890	-	-	-	80	-	80	80	-	80
千葉	3 915	-	3 915	1 888	267	1 621	20	-	20	-	-	-	-	-	-
東京	4 570	-	4 570	3 248	181	3 067	134	-	134	-	-	-	-	-	-
神奈川	3 137	270	2 867	1 784	-	1 784	-	-	-	-	-	-	-	-	-
新潟	2 176	555	1 621	1 006	25	981	30	-	30	-	-	-	-	-	-
富山	677	-	677	284	-	284	-	-	-	-	-	-	-	-	-
石川	1 048	-	1 048	335	-	335	32	-	32	-	-	-	-	-	-
福井	1 703	-	1 703	249	-	249	10	-	10	-	-	-	-	-	-
山梨	1 643	-	1 643	658	15	643	20	-	20	-	-	-	-	-	-
長野	2 491	120	2 371	1 189	150	1 039	-	-	-	-	-	-	-	-	-
岐阜	2 161	-	2 161	493	-	493	10	-	10	-	-	-	-	-	-
静岡	2 632	270	2 362	418	-	418	-	-	-	-	-	-	-	-	-
愛知	2 650	-	2 650	1 329	100	1 229	94	-	94	-	-	-	-	-	-
三重	1 772	-	1 772	118	-	118	12	-	12	-	-	-	-	-	-
滋賀	1 109	100	1 009	450	-	450	-	-	-	-	-	-	-	-	-
京都	1 844	-	1 844	365	15	350	10	-	10	-	-	-	-	-	-
大阪	2 920	160	2 760	986	116	870	-	-	-	-	-	-	-	-	-
兵庫	3 478	-	3 478	1 481	-	1 481	20	-	20	80	-	80	80	-	80
奈良	1 302	-	1 302	370	-	370	30	-	30	-	-	-	-	-	-
和歌山	938	-	938	170	-	170	-	-	-	-	-	-	-	-	-
鳥取	1 054	-	1 054	153	-	153	-	-	-	-	-	-	-	-	-
島根	1 418	-	1 418	592	-	592	-	-	-	-	-	-	-	-	-
岡山	1 339	-	1 339	557	42	515	52	-	52	-	-	-	-	-	-
広島	1 886	-	1 886	520	20	500	53	-	53	-	-	-	-	-	-
山口	2 074	-	2 074	354	-	354	10	-	10	-	-	-	-	-	-
徳島	1 488	-	1 488	568	-	568	20	-	20	-	-	-	-	-	-
香川	858	35	823	331	-	331	30	-	30	-	-	-	-	-	-
愛媛	1 473	90	1 383	526	59	467	10	-	10	60	-	60	60	-	60
高知	1 210	50	1 160	154	-	154	16	-	16	-	-	-	-	-	-
福岡	5 256	-	5 256	-	-	-	9	-	9	-	-	-	-	-	-
佐賀	1 383	69	1 314	279	15	264	49	-	49	-	-	-	-	-	-
長崎	1 470	-	1 470	454	35	419	-	-	-	-	-	-	-	-	-
熊本	2 438	-	2 438	595	-	595	23	-	23	-	-	-	-	-	-
大分	1 878	-	1 878	400	-	400	80	-	80	-	-	-	-	-	-
宮崎	1 400	-	1 400	401	-	401	-	-	-	-	-	-	-	-	-
鹿児島	3 099	-	3 099	721	-	721	20	-	20	-	-	-	-	-	-
沖縄	2 415	-	2 415	488	40	448	-	-	-	-	-	-	-	-	-

都道府県－指定都市－中核市、施設の種類・経営主体の公営－私営別

平成29年10月 1 日

指定都市 中核市	障害者支援施設等									身体障害者社会参加支援施設					
	障害者支援施設			地域活動支援センター			福祉ホーム			総数			障害者更生センター		
	総数	公営	私営	総数	公営	私営	総数	公営	私営	総数	公営	私営	総数	公営	私営
指定都市（別掲）															
札幌市	1 431	-	1 431	886	-	886	37	-	37	-	-	-	-	-	-
仙台市	675	-	675	270	-	270	40	-	40	-	-	-	-	-	-
さいたま市	380	-	380	395	-	395	-	-	-	-	-	-	-	-	-
千葉市	535	-	535	350	-	350	5	-	5	-	-	-	-	-	-
横浜市	1 185	100	1 085	3 831	-	3 831	40	10	30	60	-	60	60	-	60
川崎市	300	-	300	1 092	-	1 092	10	-	10	-	-	-	-	-	-
相模原市	350	-	350	309	-	309	-	-	-	-	-	-	-	-	-
新潟市	450	-	450	654	20	634	10	-	10	-	-	-	-	-	-
静岡市	501	-	501	102	-	102	26	-	26	-	-	-	-	-	-
浜松市	830	-	830	115	-	115	-	-	-	-	-	-	-	-	-
名古屋市	714	-	714	295	-	295	141	-	141	-	-	-	-	-	-
京都市	690	40	650	45	-	45	76	-	76	-	-	-	-	-	-
大阪市	1 142	-	1 142	968	-	968	-	-	-	-	-	-	-	-	-
堺市	270	-	270	200	-	200	5	-	5	-	-	-	-	-	-
神戸市	1 158	50	1 108	311	-	311	20	-	20	-	-	-	-	-	-
岡山市	649	-	649	496	-	496	12	-	12	-	-	-	-	-	-
広島市	842	50	792	495	-	495	18	-	18	-	-	-	-	-	-
北九州市	599	-	599	143	-	143	20	-	20	-	-	-	-	-	-
福岡市	607	-	607	381	-	381	20	-	20	-	-	-	-	-	-
熊本市	745	-	745	155	-	155	28	-	28	-	-	-	-	-	-
中核市（別掲）															
旭川市	509	-	509	69	-	69	-	-	-	-	-	-	-	-	-
函館市	278	-	278	122	-	122	15	-	15	-	-	-	-	-	-
青森市	601	-	601	204	-	204	10	-	10	-	-	-	-	-	-
八戸市	350	-	350	60	-	60	-	-	-	-	-	-	-	-	-
盛岡市	188	-	188	264	-	264	-	-	-	-	-	-	-	-	-
秋田市	428	-	428	92	20	72	-	-	-	-	-	-	-	-	-
郡山市	160	-	160	470	-	470	-	-	-	-	-	-	-	-	-
いわき市	285	-	285	75	-	75	10	-	10	-	-	-	-	-	-
宇都宮市	220	-	220	247	-	247	20	-	20	-	-	-	-	-	-
前橋市	297	-	297	194	-	194	10	-	10	-	-	-	-	-	-
高崎市	581	-	581	148	-	148	20	-	20	-	-	-	-	-	-
川越市	260	-	260	113	-	113	-	-	-	-	-	-	-	-	-
越谷市	153	-	153	132	-	132	-	-	-	-	-	-	-	-	-
船橋市	275	-	275	160	-	160	10	-	10	-	-	-	-	-	-
柏市	120	-	120	97	-	97	-	-	-	-	-	-	-	-	-
八王子市	541	-	541	89	-	89	20	-	20	-	-	-	-	-	-
横須賀市	298	-	298	255	-	255	-	-	-	-	-	-	-	-	-
富山市	661	-	661	180	-	180	-	-	-	-	-	-	-	-	-
金沢市	628	-	628	206	-	206	17	-	17	-	-	-	-	-	-
長野市	285	-	285	254	-	254	-	-	-	-	-	-	-	-	-
岐阜市	180	90	90	165	15	150	-	-	-	-	-	-	-	-	-
豊橋市	265	-	265	124	55	69	-	-	-	-	-	-	-	-	-
豊田市	303	-	303	74	-	74	40	-	40	-	-	-	-	-	-
岡崎市	277	-	277	-	-	-	-	-	-	-	-	-	-	-	-
大津市	50	-	50	40	-	40	-	-	-	-	-	-	-	-	-
高槻市	181	-	181	106	27	79	-	-	-	-	-	-	-	-	-
東大阪市	100	-	100	164	40	124	-	-	-	-	-	-	-	-	-
豊中市	21	-	21	40	-	40	-	-	-	-	-	-	-	-	-
枚方市	180	-	180	-	-	-	-	-	-	-	-	-	-	-	-
姫路市	401	-	401	120	-	120	9	-	9	-	-	-	-	-	-
西宮市	605	-	605	175	-	175	10	-	10	-	-	-	-	-	-
尼崎市	52	-	52	406	-	406	-	-	-	-	-	-	-	-	-
奈良市	387	-	387	60	-	60	27	-	27	-	-	-	-	-	-
和歌山市	365	-	365	130	-	130	-	-	-	-	-	-	-	-	-
倉敷市	380	-	380	15	-	15	-	-	-	-	-	-	-	-	-
福山市	380	-	380	90	-	90	10	-	10	-	-	-	-	-	-
呉市	137	-	137	155	-	155	-	-	-	-	-	-	-	-	-
下関市	367	-	367	55	-	55	-	-	-	-	-	-	-	-	-
高松市	312	-	312	223	-	223	12	-	12	-	-	-	-	-	-
松山市	600	-	600	40	-	40	-	-	-	-	-	-	-	-	-
高知市	192	-	192	75	-	75	-	-	-	-	-	-	-	-	-
久留米市	529	-	529	283	-	283	-	-	-	-	-	-	-	-	-
長崎市	564	-	564	110	-	110	-	-	-	-	-	-	-	-	-
佐世保市	483	-	483	30	-	30	-	-	-	-	-	-	-	-	-
大分市	260	-	260	-	-	-	-	-	-	-	-	-	-	-	-
宮崎市	258	-	258	130	-	130	17	-	17	-	-	-	-	-	-
鹿児島市	714	-	714	290	-	290	43	-	43	-	-	-	-	-	-
那覇市	130	-	130	171	-	171	-	-	-	-	-	-	-	-	-

都道府県－指定都市－中核市、施設の種類・経営主体の公営－私営別

第7表　【基本票】社会福祉施設等の定員，国－

（単位：人）

国都道府県	婦人保護施設			児童福祉施設等								
				総数			助産施設			乳児院		
	総数	公営	私営	総数	公営	私営	総数	公営	私営	総数	公営	私営
全　　　　国	1 220	284	936	2 796 574	895 730	1 900 844	3 813	1 698	2 115	3 934	132	3 802
国	-	-	-	240	240	-	-	-	-	-	-	-
北　海　道	10	10	-	48 694	23 295	25 399	93	41	52	-	-	-
青　　　森	-	-	-	23 499	901	22 598	6	5	1	24	-	24
岩　　　手	-	-	-	24 207	7 754	16 453	-	-	-	-	-	-
宮　　　城	20	-	20	21 902	11 504	10 398	8	6	2	-	-	-
秋　　　田	16	-	16	20 362	5 874	14 488	111	41	70	-	-	-
山　　　形	5	5	-	26 526	7 801	18 725	20	16	4	30	30	-
福　　　島	20	20	-	22 386	9 971	12 415	45	9	36	40	40	-
茨　　　城	8	8	-	59 383	14 996	44 387	-	-	-	78	-	78
栃　　　木	12	12	-	32 726	11 658	21 068	2	-	2	29	-	29
群　　　馬	11	11	-	30 215	6 783	23 432	-	-	-	28	-	28
埼　　　玉	20	20	-	89 204	29 354	59 850	29	13	16	185	-	185
千　　　葉	130	-	130	69 137	29 717	39 420	14	5	9	133	30	103
東　　　京	230	-	230	254 823	77 732	177 091	565	196	369	507	-	507
神　奈　川	70	-	70	42 651	10 643	32 008	27	13	14	77	12	65
新　　　潟	10	10	-	47 578	26 656	20 922	5	-	5	27	-	27
富　　　山	-	-	-	21 181	9 736	11 445	29	21	8	40	-	40
石　　　川	5	5	-	26 495	11 699	14 796	23	23	-	9	-	9
福　　　井	15	15	-	28 481	11 316	17 165	31	10	21	32	-	32
山　　　梨	5	5	-	25 487	12 470	13 017	95	70	25	35	-	35
長　　　野	20	20	-	54 146	43 946	10 200	370	278	92	39	-	39
岐　　　阜	20	-	20	42 728	22 029	20 699	35	35	-	15	-	15
静　　　岡	20	-	20	39 931	14 350	25 581	10	10	-	50	-	50
愛　　　知	-	-	-	104 830	76 065	28 765	20	20	-	40	-	40
三　　　重	-	-	-	45 898	23 126	22 772	123	54	69	45	-	45
滋　　　賀	10	10	-	26 684	11 959	14 725	145	127	18	-	-	-
京　　　都	30	30	-	29 000	12 898	16 102	20	16	4	40	-	40
大　　　阪	80	-	80	70 832	18 955	51 877	136	49	87	66	-	66
兵　　　庫	-	-	-	60 270	16 954	43 316	11	7	4	74	-	74
奈　　　良	-	-	-	21 315	9 199	12 116	21	21	-	50	-	50
和　歌　山	9	9	-	17 614	10 191	7 423	54	52	2	40	-	40
鳥　　　取	-	-	-	19 838	9 661	10 177	69	63	6	35	-	35
島　　　根	-	-	-	23 462	3 572	19 890	2	2	-	30	-	30
岡　　　山	-	-	-	19 333	9 899	9 434	3	-	3	-	-	-
広　　　島	-	-	-	26 001	12 012	13 989	-	-	-	30	-	30
山　　　口	16	16	-	22 599	7 858	14 741	9	3	6	-	-	-
徳　　　島	6	6	-	18 843	9 702	9 141	30	30	-	45	-	45
香　　　川	7	7	-	14 280	7 415	6 865	238	-	238	29	-	29
愛　　　媛	10	10	-	20 957	12 563	8 394	-	-	-	20	20	-
高　　　知	-	-	-	14 791	9 116	5 675	10	8	2	-	-	-
福　　　岡	50	-	50	54 264	10 245	44 019	13	5	8	70	-	70
佐　　　賀	20	-	20	25 056	4 552	20 504	13	10	3	20	-	20
長　　　崎	5	5	-	21 955	2 256	19 699	8	8	-	40	-	40
熊　　　本	-	-	-	36 558	5 995	30 563	-	-	-	15	-	15
大　　　分	30	30	-	16 824	2 266	14 558	5	5	-	20	-	20
宮　　　崎	20	20	-	22 804	3 187	19 617	21	21	-	-	-	-
鹿　児　島	-	-	-	29 219	3 180	26 039	20	20	-	15	-	15
沖　　　縄	40	-	40	38 201	5 897	32 304	22	13	9	20	-	20

注：児童福祉施設等の総数には母子生活支援施設の定員を含まない。

平成29年10月 1 日

指定都市　中核市	婦人保護施設			児童福祉施設等								
				総数			助産施設			乳児院		
	総数	公営	私営	総数	公営	私営	総数	公営	私営	総数	公営	私営
指定都市（別掲）												
札幌市	－	－	－	29 171	2 160	27 011	13	－	13	40	－	40
仙台市	－	－	－	19 170	3 918	15 252	－	－	－	85	－	85
さいたま市	－	－	－	19 833	6 575	13 258	4	2	2	49	－	49
千葉市	－	－	－	15 223	6 741	8 482	4	4	－	20	－	20
横浜市	－	－	－	63 567	7 549	56 018	460	－	460	130	－	130
川崎市	－	－	－	27 064	4 037	23 027	6	2	4	45	－	45
相模原市	－	－	－	12 784	2 773	10 011	2	－	2	22	－	22
新潟市	－	－	－	22 315	8 305	14 010	26	20	6	15	－	15
静岡市	－	－	－	14 067	5 509	8 558	11	5	6	20	－	20
浜松市	－	－	－	14 558	2 410	12 148	26	－	26	15	－	15
名古屋市	80	－	80	48 078	10 988	37 090	71	71	－	100	－	100
京都市	－	－	－	31 259	2 107	29 152	24	2	22	43	－	43
大阪市	－	－	－	59 892	7 213	52 679	80	15	65	280	－	280
堺市	－	－	－	17 292	2 425	14 867	15	4	11	－	－	－
神戸市	40	－	40	26 776	6 521	20 255	9	7	2	74	－	74
岡山市	－	－	－	17 611	5 306	12 305	9	4	5	35	－	35
広島市	－	－	－	28 135	11 185	16 950	－	－	－	29	－	29
北九州市	－	－	－	18 135	1 924	16 211	7	4	3	33	－	33
福岡市	－	－	－	35 924	1 014	34 910	8	－	8	65	－	65
熊本市	－	－	－	20 803	1 805	18 998	5	－	5	45	－	45
中核市（別掲）												
旭川市	－	－	－	6 151	335	5 816	6	3	3	－	－	－
函館市	－	－	－	3 979	230	3 749	8	5	3	20	－	20
青森市	－	－	－	6 547	123	6 424	3	3	－	10	－	10
八戸市	－	－	－	6 262	102	6 160	2	2	－	－	－	－
盛岡市	20	－	20	6 865	945	5 920	－	－	－	43	－	43
秋田市	－	－	－	6 969	570	6 399	100	30	70	30	－	30
山形市	－	－	－	3 805	2 010	1 795	－	－	－	－	－	－
いわき市	－	－	－	6 124	2 473	3 651	8	8	－	－	－	－
宇都宮市	－	－	－	9 819	1 625	8 194	2	－	2	80	－	80
前橋市	－	－	－	7 422	2 080	5 342	－	－	－	－	－	－
高崎市	－	－	－	8 395	2 369	6 026	－	－	－	20	－	20
川越市	－	－	－	4 723	1 860	2 863	－	－	－	－	－	－
越谷市	－	－	－	5 054	2 102	2 952	3	2	1	－	－	－
船橋市	－	－	－	12 277	4 491	7 786	6	3	3	－	－	－
柏市	－	－	－	6 736	3 045	3 691	－	－	－	－	－	－
八王子市	－	－	－	11 058	935	10 123	19	－	19	－	－	－
横須賀市	－	－	－	4 535	1 071	3 464	4	4	－	19	－	19
富山市	－	－	－	12 013	3 990	8 023	20	10	10	－	－	－
金沢市	－	－	－	12 691	1 286	11 405	5	5	－	30	－	30
長野市	－	－	－	9 600	2 904	6 696	57	－	57	18	－	18
岐阜市	－	－	－	6 203	2 376	3 827	20	20	－	20	－	20
豊橋市	－	－	－	10 019	750	9 269	10	10	－	49	－	49
豊田市	－	－	－	11 889	8 173	3 716	－	－	－	20	－	20
岡崎市	－	－	－	8 515	5 340	3 175	10	10	－	20	－	20
大津市	－	－	－	7 683	1 682	6 001	32	32	－	35	－	35
高槻市	－	－	－	6 155	1 414	4 741	9	－	9	－	－	－
東大阪市	－	－	－	8 794	1 337	7 457	12	3	9	30	－	30
豊中市	－	－	－	6 964	2 866	4 098	6	6	－	－	－	－
枚方市	－	－	－	7 029	1 382	5 647	4	4	－	－	－	－
姫路市	40	－	40	12 062	3 345	8 717	－	－	－	45	－	45
西宮市	－	－	－	6 932	2 305	4 627	－	－	－	－	－	－
尼崎市	－	－	－	7 321	1 675	5 646	1	－	1	－	－	－
奈良市	－	－	－	6 750	2 725	4 025	2	－	2	－	－	－
和歌山市	－	－	－	7 937	1 378	6 559	1	－	1	－	－	－
倉敷市	－	－	－	11 733	2 620	9 113	8	－	8	－	－	－
福山市	－	－	－	13 042	4 975	8 067	－	－	－	－	－	－
呉市	30	－	30	4 260	980	3 280	－	－	－	－	－	－
下関市	－	－	－	5 851	1 812	4 039	6	3	3	48	－	48
高松市	－	－	－	10 120	4 296	5 824	20	20	－	40	－	40
松山市	－	－	－	7 939	1 645	6 294	70	－	70	40	－	40
高知市	－	－	－	12 873	3 155	9 718	22	20	2	30	－	30
久留米市	－	－	－	9 060	1 190	7 870	－	－	－	－	－	－
長崎市	－	－	－	10 313	854	9 459	4	4	－	－	－	－
佐世保市	－	－	－	6 255	252	6 003	2	2	－	－	－	－
大分市	－	－	－	9 374	1 066	8 308	－	－	－	－	－	－
宮崎市	－	－	－	11 808	265	11 543	－	－	－	35	－	35
鹿児島市	30	－	30	13 247	910	12 337	29	20	9	45	－	45
那覇市	－	－	－	10 354	803	9 551	11	3	8	－	－	－

第7表 【基本票】社会福祉施設等の定員，国－

（単位：人）

国 都 道 府 県	児　童　福　祉　施　設　等														
	母子生活支援施設			保			育			所			等		
				総	数		幼保連携型認定こども園			保育所型認定こども園			保	育	所
	総 数	公 営	私 営	総 数	公 営	私 営	総 数	公 営	私 営	総 数	公 営	私 営	総 数	公 営	私 営
全　　　　国	4 938	515	4 423	2 645 050	873 736	1 771 314	365 222	53 866	311 356	64 809	22 636	42 173	2 215 019	797 234	1 417 785
国	-	-	-	-	-	-	-	-	-	-	-	-	-	-	-
北　海　道	38	18	20	45 476	22 462	23 014	7 184	1 401	5 783	3 561	1 830	1 731	34 731	19 231	15 500
青　　森	8	-	8	22 897	740	22 157	8 909	320	8 589	1 045	-	1 045	12 943	420	12 523
岩　　手	-	-	-	23 339	7 679	15 660	3 163	550	2 613	505	405	100	19 671	6 724	12 947
宮　　城	60	40	20	20 195	11 190	9 005	944	565	379	237	-	237	19 014	10 625	8 389
秋　　田	75	-	75	19 605	5 443	14 162	4 590	1 208	3 382	975	220	755	14 040	4 015	10 025
山　　形	20	-	20	25 474	7 480	17 994	3 789	185	3 604	365	70	295	21 320	7 225	14 095
福　　島	65	15	50	20 581	9 542	11 039	5 285	1 471	3 814	291	291	-	15 005	7 780	7 225
茨　　城	62	-	62	57 093	14 772	42 321	10 451	1 382	9 069	1 204	455	749	45 438	12 935	32 503
栃　　木	40	-	40	30 926	11 422	19 504	5 504	550	4 954	265	190	75	25 157	10 682	14 475
群　　馬	20	-	20	29 485	6 575	22 910	6 380	270	6 110	240	150	90	22 865	6 155	16 710
埼　　玉	55	-	55	81 803	28 919	52 884	3 852	-	3 852	249	-	249	77 702	28 919	48 783
千　　葉	39	-	39	66 488	28 790	37 698	3 452	1 284	2 168	1 201	400	801	61 835	27 106	34 729
東　　京	660	-	660	240 918	76 399	164 519	2 700	882	1 818	4 970	1 462	3 508	233 248	74 055	159 193
神　奈　川	-	-	-	39 098	10 143	28 955	1 853	995	858	314	-	314	36 931	9 148	27 783
新　　潟	26	6	20	46 605	26 299	20 306	4 751	794	3 957	850	240	610	41 004	25 265	15 739
富　　山	-	-	-	20 617	9 435	11 182	3 339	527	2 812	645	210	435	16 633	8 698	7 935
石　　川	15	-	15	26 077	11 616	14 461	6 858	-	6 858	4 075	3 475	600	15 144	8 141	7 003
福　　井	20	-	20	27 884	11 068	16 816	9 398	1 648	7 750	106	-	106	18 380	9 420	8 960
山　　梨	10	-	10	24 618	12 210	12 408	3 274	-	3 274	815	725	90	20 529	11 485	9 044
長　　野	39	19	20	52 535	43 412	9 123	1 668	150	1 518	3 440	3 245	195	47 427	40 017	7 410
岐　　阜	20	-	20	41 430	21 758	19 672	4 325	2 032	2 293	3 166	706	2 460	33 939	19 020	14 919
静　　岡	20	-	20	37 194	13 721	23 473	4 630	1 663	2 967	795	110	685	31 769	11 948	19 821
愛　　知	84	30	54	101 738	75 413	26 325	2 534	70	2 464	668	584	84	98 536	74 759	23 777
三　　重	87	10	77	44 267	22 666	21 601	2 245	602	1 643	624	409	215	41 398	21 655	19 743
滋　　賀	20	-	20	25 195	11 353	13 842	5 977	3 589	2 388	260	260	-	18 958	7 504	11 454
京　　都	20	-	20	27 817	12 707	15 110	3 773	80	3 693	180	180	-	23 864	12 447	11 417
大　　阪	99	-	99	65 189	17 860	47 329	25 300	1 701	23 599	621	150	471	39 268	16 009	23 259
兵　　庫	42	-	42	57 496	16 237	41 259	25 294	4 432	20 862	1 371	-	1 371	30 831	11 805	19 026
奈　　良	40	-	40	20 266	8 868	11 398	3 107	1 083	2 024	130	-	130	17 029	7 785	9 244
和　歌　山	60	60	-	16 633	9 850	6 783	1 400	456	944	2 077	420	1 657	13 156	8 974	4 182
鳥　　取	110	-	110	18 722	9 307	9 415	3 067	1 102	1 965	845	570	275	14 810	7 635	7 175
島　　根	20	-	20	22 675	3 460	19 215	1 165	355	810	1 455	515	940	20 055	2 590	17 465
岡　　山	-	-	-	18 497	9 654	8 843	2 115	1 807	308	1 400	1 140	260	14 982	6 707	8 275
広　　島	80	-	80	24 661	11 912	12 749	2 744	335	2 409	1 720	920	800	20 197	10 657	9 540
山　　口	20	-	20	21 330	7 565	13 765	80	-	80				21 250	7 565	13 685
徳　　島	29	29	-	17 685	9 468	8 217	3 274	1 374	1 900	1 375	1 315	60	13 036	6 779	6 257
香　　川	-	-	-	13 473	7 143	6 330	1 373	1 078	295	220	220	-	11 880	5 845	6 035
愛　　媛	87	67	20	20 142	12 235	7 907	1 295	542	753	209	130	79	18 638	11 563	7 075
高　　知	15	-	15	14 019	9 016	5 003	857	554	303	81	-	81	13 081	8 462	4 619
福　　岡	117	20	97	52 200	9 870	42 330	1 524	584	940	890	90	800	49 786	9 196	40 590
佐　　賀	30	3	27	23 888	4 450	19 438	4 592	-	4 592	348	-	348	18 948	4 450	14 498
長　　崎	6	6	-	20 596	2 143	18 453	3 172	202	2 970	900	40	860	16 524	1 901	14 623
熊　　本	-	-	-	34 939	5 805	29 134	1 981	-	1 981	300	-	300	32 658	5 805	26 853
大　　分	40	-	40	15 812	2 191	13 621	3 863	400	3 463	1 051	221	830	10 898	1 570	9 328
宮　　崎	15	-	15	21 518	2 811	18 707	5 543	-	5 543	966	136	830	15 009	2 675	12 334
鹿　児　島	57	40	17	27 473	2 981	24 492	6 434	311	6 123	790	360	430	20 249	2 310	17 939
沖　　縄	33	13	20	35 667	5 734	29 933	1 859	134	1 725	410	-	410	33 398	5 600	27 798

注：母子生活支援施設の定員は世帯数である。

都道府県－指定都市－中核市、施設の種類・経営主体の公営－私営別

指定都市 中核市	母子生活支援施設			児童福祉施設等 保育所等											
				総数			幼保連携型認定こども園			保育所型認定こども園			保育所		
	総数	公営	私営	総数	公営	私営	総数	公営	私営	総数	公営	私営	総数	公営	私営
指定都市（別掲）															
札幌市	114	-	114	26 820	1 960	24 860	2 717	60	2 657	191	-	191	23 912	1 900	22 012
仙台市	40	-	40	16 927	3 678	13 249	1 008	-	1 008	-	-	-	15 919	3 678	12 241
さいたま市	19	-	19	17 682	6 413	11 269	456	-	456	-	-	-	17 226	6 413	10 813
千葉市	40	-	40	14 180	6 517	7 663	675	-	675	232	232	-	13 273	6 285	6 988
横浜市	402	-	402	58 899	7 489	51 410	1 444	-	1 444	-	-	-	57 455	7 489	49 966
川崎市	30	-	30	25 803	4 035	21 768	225	-	225	-	-	-	25 578	4 035	21 543
相模原市	20	-	20	11 791	2 683	9 108	616	88	528	-	-	-	11 175	2 595	8 580
新潟市	36	-	36	21 937	8 115	13 822	2 485	-	2 485	482	-	482	18 970	8 115	10 855
静岡市	30	-	30	13 071	5 308	7 763	7 756	5 308	2 448	-	-	-	5 315	-	5 315
浜松市	30	-	30	13 370	2 300	11 070	5 610	-	5 610	260	-	260	7 500	2 300	5 200
名古屋市	145	-	145	44 589	10 459	34 130	4 508	-	4 508	3 462	-	3 462	36 619	10 459	26 160
京都市	70	-	70	28 866	2 075	26 791	2 841	-	2 841	245	-	245	25 780	2 075	23 705
大阪市	180	-	180	55 565	7 014	48 551	3 783	-	3 783	369	-	369	51 413	7 014	44 399
堺市	30	-	30	16 167	2 421	13 746	13 570	2 421	11 149	420	-	420	2 177	-	2 177
神戸市	140	-	140	23 861	6 138	17 723	11 189	-	11 189	-	-	-	12 672	6 138	6 534
岡山市	20	20	-	16 384	5 277	11 107	1 388	588	800	728	78	650	14 996	4 689	10 307
広島市	90	-	90	26 899	11 185	15 714	2 196	-	2 196	-	-	-	23 975	11 107	12 868
北九州市	48	-	48	16 570	1 920	14 650	-	-	-	-	-	-	16 570	1 920	14 650
福岡市	95	-	95	33 324	1 000	32 324	270	-	270	-	-	-	33 054	1 000	32 054
熊本市	45	-	45	19 047	1 805	17 242	6 217	-	6 217	-	-	-	12 830	1 805	11 025
中核市（別掲）															
旭川市	30	-	30	5 328	252	5 076	594	-	594	1 240	-	1 240	3 494	252	3 242
函館市	40	-	40	3 741	205	3 536	1 035	-	1 035	1 346	45	1 301	1 360	160	1 200
青森市	20	-	20	6 193	-	6 193	1 765	-	1 765	80	-	80	4 348	-	4 348
八戸市	20	-	20	5 893	-	5 893	3 525	-	3 525	1 109	-	1 109	1 259	-	1 259
盛岡市	30	-	30	6 372	945	5 427	1 081	-	1 081	-	-	-	5 291	945	4 346
秋田市	60	-	60	6 438	540	5 898	1 458	-	1 458	-	-	-	4 980	540	4 440
郡山市	38	-	38	3 520	1 980	1 540	-	-	-	-	-	-	3 520	1 980	1 540
いわき市	-	-	-	6 023	2 465	3 558	368	-	368	-	-	-	5 655	2 465	3 190
宇都宮市	22	-	22	9 186	1 545	7 641	1 006	-	1 006	70	-	70	8 110	1 545	6 565
前橋市	20	-	20	7 261	2 080	5 181	2 706	-	2 706	-	-	-	4 555	2 080	2 475
高崎市	18	18	-	8 229	2 369	5 860	2 460	-	2 460	45	-	45	5 724	2 369	3 355
川越市	-	-	-	4 274	1 830	2 444	93	-	93	-	-	-	4 181	1 830	2 351
越谷市	-	-	-	4 432	2 020	2 412	455	-	455	-	-	-	3 977	2 020	1 957
船橋市	20	-	20	11 751	4 488	7 263	402	-	402	-	-	-	11 349	4 488	6 861
柏市	-	-	-	6 464	2 955	3 509	611	-	611	-	-	-	5 853	2 955	2 898
八王子市	20	-	20	10 760	935	9 825	-	-	-	106	-	106	10 654	935	9 719
横須賀市	-	-	-	4 215	1 067	3 148	818	-	818	-	-	-	3 397	1 067	2 330
富山市	2	-	2	11 731	3 980	7 751	7 121	-	7 121	230	-	230	4 380	3 980	400
金沢市	20	-	20	12 090	1 211	10 879	3 451	-	3 451	1 172	-	1 172	7 467	1 211	6 256
長野市	10	-	10	9 181	2 784	6 397	827	-	827	72	72	-	8 282	2 712	5 570
岐阜市	40	-	40	5 496	2 060	3 436	876	-	876	-	-	-	4 620	2 060	2 560
豊橋市	20	-	20	9 605	660	8 945	2 195	150	2 045	-	-	-	7 410	510	6 900
豊田市	20	-	20	11 621	8 173	3 448	667	-	667	-	-	-	10 954	8 173	2 781
岡崎市	20	-	20	8 280	5 330	2 950	170	170	-	230	230	-	7 880	4 930	2 950
大津市	15	-	15	7 340	1 610	5 730	1 141	-	1 141	-	-	-	6 199	1 610	4 589
高槻市	-	-	-	5 360	1 414	3 946	1 740	74	1 666	-	-	-	3 620	1 340	2 280
東大阪市	-	-	-	7 929	1 334	6 595	3 802	194	3 608	-	-	-	4 127	1 140	2 987
豊中市	-	-	-	6 634	2 730	3 904	3 687	2 730	957	-	-	-	2 947	-	2 947
枚方市	-	-	-	6 843	1 260	5 583	380	-	380	-	-	-	6 463	1 260	5 203
姫路市	15	-	15	11 657	3 275	8 382	4 330	585	3 745	1 883	-	1 883	5 444	2 690	2 754
西宮市	20	-	20	5 884	2 260	3 624	730	-	730	-	-	-	5 154	2 260	2 894
尼崎市	20	-	20	6 765	1 675	5 090	351	-	351	-	-	-	6 414	1 675	4 739
奈良市	30	-	30	6 337	2 725	3 612	2 211	765	1 446	-	-	-	4 126	1 960	2 166
和歌山市	40	-	40	7 488	1 378	6 110	2 570	-	2 570	-	-	-	4 918	1 378	3 540
倉敷市	20	-	20	11 248	2 620	8 628	748	460	288	340	-	340	10 160	2 160	8 000
福山市	12	12	-	12 884	4 975	7 909	2 864	-	2 864	-	-	-	10 020	4 975	5 045
呉市	20	-	20	4 002	980	3 022	677	-	677	100	-	100	3 225	980	2 245
下関市	-	-	-	5 617	1 809	3 808	1 289	614	675	-	-	-	4 328	1 195	3 133
高松市	19	-	19	9 843	4 270	5 573	1 392	785	607	-	-	-	8 451	3 485	4 966
松山市	19	19	-	6 994	1 645	5 349	947	-	947	737	135	602	5 310	1 510	3 800
高知市	27	-	27	12 429	3 135	9 294	350	-	350	621	-	621	11 458	3 135	8 323
久留米市	30	30	-	8 780	1 190	7 590	270	-	270	270	-	270	8 240	1 190	7 050
長崎市	14	-	14	9 940	770	9 170	2 167	75	2 092	-	-	-	7 773	695	7 078
佐世保市	-	-	-	6 086	220	5 866	738	-	738	296	-	296	5 052	220	4 832
大分市	40	40	-	9 147	1 066	8 081	2 954	-	2 954	70	-	70	6 123	1 066	5 057
宮崎市	-	-	-	11 429	265	11 164	3 744	-	3 744	-	-	-	7 685	265	7 420
鹿児島市	80	-	80	12 234	890	11 344	1 970	-	1 970	-	-	-	10 264	890	9 374
那覇市	20	-	20	10 108	800	9 308	665	131	534	198	-	198	9 245	669	8 576

第7表　【基本票】社会福祉施設等の定員，国－

（単位：人）

国 都道府県	児童福祉施設等												児童養護施設		
	小規模保育事業所 総数			小規模保育事業所A型			小規模保育事業所B型			小規模保育事業所C型					
	総数	公営	私営	総数	公営	私営	総数	公営	私営	総数	公営	私営	総数	公営	私営
全　国	55 731	680	55 051	43 634	501	43 133	11 027	179	10 848	1 070	－	1 070	32 387	427	31 960
国	－	－	－	－	－	－	－	－	－	－	－	－	－	－	－
北海道	411	10	401	304	－	304	97	10	87	10	－	10	970	－	970
青森	31	－	31	19	－	19	12	－	12	－	－	－	245	－	245
岩手	340	－	340	171	－	171	169	－	169	－	－	－	143	－	143
宮城	1 181	－	1 181	860	－	860	277	－	277	44	－	44	70	－	70
秋田	46	－	46	31	－	31	15	－	15	－	－	－	100	－	100
山形	424	－	424	227	－	227	188	－	188	9	－	9	233	－	233
福島	652	－	652	491	－	491	151	－	151	10	－	10	353	－	353
茨城	610	－	610	533	－	533	67	－	67	10	－	10	763	－	763
栃木	754	76	678	665	76	589	89	－	89	－	－	－	420	－	420
群馬	15	－	15	15	－	15	－	－	－	－	－	－	137	－	137
埼玉	4 466	－	4 466	2 040	－	2 040	2 417	－	2 417	9	－	9	1 270	－	1 270
千葉	－	－	－	－	－	－	－	－	－	－	－	－	863	76	787
東京	6 631	－	6 631	4 856	－	4 856	1 598	－	1 598	177	－	177	2 823	－	2 823
神奈川	1 144	－	1 144	1 048	－	1 048	96	－	96	－	－	－	969	－	969
新潟	270	－	270	142	－	142	118	－	118	10	－	10	172	80	92
富山	－	－	－	－	－	－	－	－	－	－	－	－	45	－	45
石川	39	－	39	39	－	39	－	－	－	－	－	－	187	－	187
福井	88	38	50	57	19	38	31	19	12	－	－	－	211	40	171
山梨	178	－	178	159	－	159	－	－	－	19	－	19	251	－	251
長野	121	－	121	121	－	121	－	－	－	－	－	－	432	－	432
岐阜	321	－	321	232	－	232	89	－	89	－	－	－	503	－	503
静岡	1 214	－	1 214	824	－	824	299	－	299	91	－	91	452	－	452
愛知	1 046	19	1 027	914	－	914	132	19	113	－	－	－	747	－	747
三重	305	－	305	151	－	151	144	－	144	10	－	10	431	－	431
滋賀	409	19	390	337	19	318	72	－	72	－	－	－	81	－	81
京都	253	－	253	232	－	232	12	－	12	9	－	9	315	－	315
大阪	1 717	－	1 717	1 640	－	1 640	77	－	77	－	－	－	1 152	－	1 152
兵庫	674	－	674	662	－	662	12	－	12	－	－	－	498	－	498
奈良	205	81	124	195	71	124	10	10	－	－	－	－	320	－	320
和歌山	107	49	58	107	49	58	－	－	－	－	－	－	154	30	124
鳥取	425	－	425	394	－	394	31	－	31	－	－	－	213	－	213
島根	112	62	50	88	38	50	24	24	－	－	－	－	170	－	170
岡山	61	－	61	42	－	42	19	－	19	－	－	－	347	－	347
広島	123	30	93	92	30	62	31	－	31	－	－	－	336	－	336
山口	220	－	220	163	－	163	57	－	57	－	－	－	374	－	374
徳島	38	－	38	38	－	38	－	－	－	－	－	－	340	－	340
香川	86	－	86	38	－	38	48	－	48	－	－	－	96	－	96
愛媛	195	38	157	150	38	112	45	－	45	－	－	－	238	68	170
高知	140	12	128	49	12	37	81	－	81	10	－	10	176	－	176
福岡	－	－	－	－	－	－	－	－	－	－	－	－	699	－	699
佐賀	502	－	502	341	－	341	161	－	161	－	－	－	269	－	269
長崎	298	－	298	241	－	241	57	－	57	－	－	－	298	－	298
熊本	307	－	307	232	－	232	65	－	65	10	－	10	427	－	427
大分	128	38	90	116	38	78	12	－	12	－	－	－	281	－	281
宮崎	221	95	126	111	19	92	110	76	34	－	－	－	257	－	257
鹿児島	431	21	410	220	－	220	211	21	190	－	－	－	527	－	527
沖縄	1 548	－	1 548	946	－	946	602	－	602	－	－	－	404	－	404

都道府県－指定都市－中核市、施設の種類・経営主体の公営－私営別

指定都市 中核市	児童福祉施設等												児童養護施設		
	小規模保育事業所														
	総数			小規模保育事業所A型			小規模保育事業所B型			小規模保育事業所C型					
	総数	公営	私営	総数	公営	私営	総数	公営	私営	総数	公営	私営	総数	公営	私営
指定都市（別掲）															
札幌市	1 162	-	1 162	1 130	-	1 130	20	-	20	12	-	12	348	-	348
仙台市	1 313	-	1 313	912	-	912	315	-	315	86	-	86	305	-	305
さいたま市	1 653	-	1 653	1 397	-	1 397	256	-	256	-	-	-	110	-	110
千葉市	613	-	613	489	-	489	113	-	113	11	-	11	126	-	126
横浜市	2 240	-	2 240	1 864	-	1 864	323	-	323	53	-	53	355	-	355
川崎市	518	-	518	274	-	274	202	-	202	42	-	42	192	-	192
相模原市	584	-	584	240	-	240	334	-	334	10	-	10	95	-	95
新潟市	127	-	127	127	-	127	-	-	-	-	-	-	40	-	40
静岡市	534	36	498	534	36	498	-	-	-	-	-	-	81	-	81
浜松市	411	-	411	411	-	411	-	-	-	-	-	-	216	-	216
名古屋市	1 979	-	1 979	1 341	-	1 341	638	-	638	-	-	-	633	48	585
京都市	1 338	-	1 338	1 190	-	1 190	80	-	80	68	-	68	418	-	418
大阪市	2 032	-	2 032	1 688	-	1 688	120	-	120	224	-	224	789	60	729
堺市	524	-	524	512	-	512	12	-	12	-	-	-	341	-	341
神戸市	1 562	-	1 562	1 562	-	1 562	-	-	-	-	-	-	610	-	610
岡山市	258	-	258	258	-	258	-	-	-	-	-	-	259	25	234
広島市	424	-	424	353	-	353	71	-	71	-	-	-	280	-	280
北九州市	583	-	583	583	-	583	-	-	-	-	-	-	392	-	392
福岡市	1 737	-	1 737	1 560	-	1 560	97	-	97	80	-	80	236	-	236
熊本市	1 070	-	1 070	1 070	-	1 070	-	-	-	-	-	-	266	-	266
中核市（別掲）															
旭川市	294	-	294	294	-	294	-	-	-	-	-	-	76	-	76
函館市	-	-	-	-	-	-	-	-	-	-	-	-	160	-	160
青森市	19	-	19	19	-	19	-	-	-	-	-	-	77	-	77
八戸市	-	-	-	-	-	-	-	-	-	-	-	-	35	-	35
盛岡市	158	-	158	104	-	104	34	-	34	20	-	20	192	-	192
秋田市	191	-	191	38	-	38	153	-	153	-	-	-	160	-	160
郡山市	205	-	205	205	-	205	-	-	-	-	-	-	-	-	-
いわき市	53	-	53	53	-	53	-	-	-	-	-	-	40	-	40
宇都宮市	391	-	391	360	-	360	31	-	31	-	-	-	80	-	80
前橋市	-	-	-	-	-	-	-	-	-	-	-	-	121	-	121
高崎市	-	-	-	-	-	-	-	-	-	-	-	-	146	-	146
川越市	312	-	312	278	-	278	34	-	34	-	-	-	66	-	66
越谷市	539	-	539	355	-	355	184	-	184	-	-	-	-	-	-
船橋市	340	-	340	340	-	340	-	-	-	-	-	-	70	-	70
柏市	110	-	110	110	-	110	-	-	-	-	-	-	-	-	-
八王子市	42	-	42	42	-	42	-	-	-	-	-	-	138	-	138
横須賀市	19	-	19	19	-	19	-	-	-	-	-	-	120	-	120
富山市	19	-	19	19	-	19	-	-	-	-	-	-	150	-	150
金沢市	-	-	-	-	-	-	-	-	-	-	-	-	181	-	181
長野市	27	-	27	27	-	27	-	-	-	-	-	-	137	-	137
岐阜市	263	12	251	263	12	251	-	-	-	-	-	-	80	-	80
豊橋市	-	-	-	-	-	-	-	-	-	-	-	-	130	-	130
豊田市	38	-	38	38	-	38	-	-	-	-	-	-	60	-	60
岡崎市	-	-	-	-	-	-	-	-	-	-	-	-	108	-	108
大津市	128	-	128	62	-	62	38	-	38	28	-	28	108	-	108
高槻市	436	-	436	436	-	436	-	-	-	-	-	-	196	-	196
東大阪市	323	-	323	323	-	323	-	-	-	-	-	-	300	-	300
豊中市	194	-	194	194	-	194	-	-	-	-	-	-	-	-	-
枚方市	102	38	64	56	38	18	46	-	46	-	-	-	-	-	-
姫路市	-	-	-	-	-	-	-	-	-	-	-	-	250	-	250
西宮市	618	-	618	475	-	475	135	-	135	8	-	8	130	-	130
尼崎市	341	-	341	341	-	341	-	-	-	-	-	-	90	-	90
奈良市	76	-	76	76	-	76	-	-	-	-	-	-	-	-	-
和歌山市	-	-	-	-	-	-	-	-	-	-	-	-	215	-	215
倉敷市	189	-	189	189	-	189	-	-	-	-	-	-	50	-	50
福山市	158	-	158	158	-	158	-	-	-	-	-	-	-	-	-
呉市	34	-	34	34	-	34	-	-	-	-	-	-	144	-	144
下関市	-	-	-	-	-	-	-	-	-	-	-	-	150	-	150
高松市	122	6	116	122	6	116	-	-	-	-	-	-	65	-	65
松山市	320	-	320	320	-	320	-	-	-	-	-	-	315	-	315
高知市	149	-	149	84	-	84	65	-	65	-	-	-	233	-	233
久留米市	-	-	-	-	-	-	-	-	-	-	-	-	80	-	80
長崎市	18	-	18	18	-	18	-	-	-	-	-	-	166	-	166
佐世保市	31	-	31	31	-	31	-	-	-	-	-	-	96	-	96
大分市	119	-	119	119	-	119	-	-	-	-	-	-	98	-	98
宮崎市	79	-	79	79	-	79	-	-	-	-	-	-	225	-	225
鹿児島市	-	-	-	-	-	-	-	-	-	-	-	-	295	-	295
那覇市	125	-	125	125	-	125	-	-	-	-	-	-	-	-	-

第7表　【基本票】社会福祉施設等の定員，国－

（単位：人）

国都道府県	児童福祉施設等											
	障害児入所施設（福祉型）			障害児入所施設（医療型）			児童発達支援センター（福祉型）			児童発達支援センター（医療型）		
	総数	公営	私営	総数	公営	私営	総数	公営	私営	総数	公営	私営
全国	9 801	1 621	8 180	20 139	7 010	13 129	16 759	5 025	11 734	3 277	1 647	1 630
国	100	100	－	－	－	－	－	－	－	－	－	－
北海道	287	－	287	950	550	400	276	136	140	－	－	－
青森	191	101	90	－	－	－	50	－	50	5	5	－
岩手	180	30	150	110	－	110	30	－	30	20	－	20
宮城	70	－	70	205	205	－	145	75	70	－	－	－
秋田	110	－	110	260	260	－	15	15	－	40	40	－
山形	90	90	－	60	60	－	130	60	70	30	30	－
福島	310	70	240	200	200	－	95	－	95	60	60	－
茨城	270	－	270	405	160	245	70	20	50	－	－	－
栃木	130	－	130	300	30	270	40	40	－	30	30	－
群馬	106	54	52	292	100	192	45	－	45	－	－	－
埼玉	170	－	170	622	－	622	489	302	187	－	－	－
千葉	419	40	379	332	150	182	602	380	222	170	160	10
東京	467	－	467	1 491	345	1 146	989	395	594	180	145	35
神奈川	327	36	291	427	267	160	480	70	410	－	－	－
新潟	155	105	50	190	50	140	82	50	32	38	38	－
富山	100	100	－	100	50	50	110	30	80	60	20	40
石川	10	－	10	50	－	50	40	－	40	－	－	－
福井	35	－	35	50	50	－	105	65	40	－	－	－
山梨	70	70	－	80	80	－	120	－	120	15	15	－
長野	30	－	30	293	150	143	191	36	155	30	－	30
岐阜	80	－	80	53	53	－	139	109	30	44	24	20
静岡	332	210	122	118	80	38	451	219	232	－	－	－
愛知	170	80	90	401	120	281	439	309	130	80	40	40
三重	135	－	135	276	256	20	206	90	116	－	－	－
滋賀	160	100	60	329	80	249	180	160	20	40	40	－
京都	50	－	50	330	120	210	60	－	60	30	－	30
大阪	251	－	251	627	22	605	1 014	604	410	285	125	160
兵庫	181	－	181	690	250	440	286	170	116	160	160	－
奈良	129	89	40	－	－	－	124	－	124	140	80	60
和歌山	30	－	30	356	160	196	190	－	190	－	－	－
鳥取	85	65	20	50	50	－	78	60	18	80	80	－
島根	100	－	100	190	－	190	105	－	105	－	－	－
岡山	40	－	40	120	120	－	160	20	140	15	15	－
広島	96	－	96	347	－	347	288	－	288	30	－	30
山口	66	－	66	300	200	100	160	－	160	－	－	－
徳島	110	－	110	308	168	140	251	－	251	－	－	－
香川	56	35	21	232	207	25	15	－	15	25	－	25
愛媛	110	60	50	160	80	80	65	35	30	－	－	－
高知	201	－	201	70	－	70	85	20	65	20	20	－
福岡	210	－	210	623	310	313	339	－	339	－	－	－
佐賀	70	40	30	145	－	145	127	30	97	－	－	－
長崎	40	－	40	490	60	430	85	－	85	－	－	－
熊本	180	30	150	430	60	370	140	30	110	20	20	－
大分	160	－	160	224	－	224	132	－	132	30	－	30
宮崎	165	－	165	361	235	126	186	－	186	10	10	－
鹿児島	167	－	167	258	28	230	288	90	198	－	－	－
沖縄	110	－	110	360	120	240	－	－	－	40	－	40

都道府県－指定都市－中核市、施設の種類・経営主体の公営－私営別

指定都市 / 中核市	児童福祉施設等 障害児入所施設（福祉型） 総数	公営	私営	障害児入所施設（医療型） 総数	公営	私営	児童発達支援センター（福祉型） 総数	公営	私営	児童発達支援センター（医療型） 総数	公営	私営
指定都市（別掲）												
札幌市	137	32	105	344	－	344	209	70	139	70	70	－
仙台市	－	－	－	350	240	110	150	－	150	－	－	－
さいたま市	65	－	65	－	－	－	210	100	110	60	60	－
千葉市	－	－	－	170	170	－	90	40	50	20	10	10
横浜市	180	－	180	290	－	290	492	－	492	340	－	340
川崎市	50	－	50	100	－	100	190	－	190	110	－	110
相模原市	60	－	60	100	－	100	90	50	40	40	40	－
新潟市	－	－	－	120	120	－	50	50	－	－	－	－
静岡市	20	－	20	280	160	120	50	－	50	－	－	－
浜松市	70	－	70	260	110	150	190	－	190	－	－	－
名古屋市	114	84	30	90	－	90	316	140	176	40	40	－
京都市	90	－	90	125	－	125	305	30	275	－	－	－
大阪市	340	－	340	280	－	280	282	－	282	40	－	40
堺市	－	－	－	25	－	25	150	－	150	70	－	70
神戸市	116	－	116	78	－	78	306	246	60	－	－	－
岡山市	100	－	100	422	－	422	114	－	114	－	－	－
広島市	100	－	100	100	－	100	200	－	200	60	－	60
北九州市	90	－	90	180	－	180	280	－	280	－	－	－
福岡市	80	－	80	14	14	－	380	－	380	80	－	80
熊本市	170	－	170	116	－	116	84	－	84	－	－	－
中核市（別掲）												
旭川市	－	－	－	336	－	336	71	40	31	40	40	－
函館市	－	－	－	－	－	－	30	－	30	20	20	－
青森市	40	－	40	120	120	－	40	－	40	－	－	－
八戸市	60	－	60	182	100	82	50	－	50	40	－	40
盛岡市	－	－	－	－	－	－	50	－	50	－	－	－
秋田市	30	－	30	－	－	－	20	－	20	－	－	－
郡山市	30	－	30	－	－	－	50	30	20	－	－	－
いわき市	－	－	－	－	－	－	60	60	－	20	20	－
宇都宮市	－	－	－	－	－	－	40	－	40	－	－	－
前橋市	－	－	－	－	－	－	－	－	－	－	－	－
高崎市	－	－	－	41	－	41	30	30	－	－	－	－
川越市	－	－	－	－	－	－	80	80	－	－	－	－
越谷市	－	－	－	－	－	－	110	－	110	－	－	－
船橋市	－	－	－	－	－	－	－	－	－	－	－	－
柏市	42	－	42	30	－	30	50	50	－	40	40	－
八王子市	49	－	49	－	－	－	50	－	50	－	－	－
横須賀市	－	－	－	68	－	68	50	－	50	40	－	40
富山市	－	－	－	57	－	57	36	－	36	－	－	－
金沢市	60	－	60	230	70	160	95	－	95	－	－	－
長野市	－	－	－	120	120	－	60	－	60	－	－	－
岐阜市	－	－	－	180	180	－	94	54	40	50	50	－
豊橋市	105	－	105	40	40	－	80	40	40	－	－	－
豊田市	50	－	50	－	－	－	80	－	80	40	－	40
岡崎市	17	－	17	－	－	－	80	－	80	－	－	－
大津市	－	－	－	－	－	－	40	40	－	－	－	－
高槻市	－	－	－	－	－	－	50	－	50	50	－	50
東大阪市	50	－	50	－	－	－	110	－	110	40	－	40
豊中市	－	－	－	－	－	－	70	70	－	60	60	－
枚方市	－	－	－	－	－	－	40	40	－	40	40	－
姫路市	－	－	－	40	－	40	70	70	－	－	－	－
西宮市	45	－	45	180	－	180	75	45	30	－	－	－
尼崎市	－	－	－	－	－	－	74	－	74	50	－	50
奈良市	－	－	－	203	－	203	132	－	132	－	－	－
和歌山市	50	－	50	53	－	53	100	－	100	－	－	－
倉敷市	－	－	－	－	－	－	208	－	208	30	－	30
福山市	－	－	－	－	－	－	－	－	－	－	－	－
呉市	－	－	－	50	－	50	30	－	30	－	－	－
下関市	－	－	－	－	－	－	30	－	30	－	－	－
高松市	－	－	－	－	－	－	40	－	40	－	－	－
松山市	60	－	60	－	－	－	140	－	140	－	－	－
高知市	－	－	－	－	－	－	10	－	10	－	－	－
久留米市	－	－	－	150	－	150	20	－	20	30	－	30
長崎市	60	－	60	80	80	－	45	－	45	－	－	－
佐世保市	10	－	10	－	－	－	30	30	－	－	－	－
大分市	10	－	10	－	－	－	－	－	－	－	－	－
宮崎市	40	－	40	－	－	－	－	－	－	－	－	－
鹿児島市	100	－	100	190	－	190	304	－	304	－	－	－
那覇市	－	－	－	80	－	80	－	－	－	30	－	30

第7表　【基本票】社会福祉施設等の定員，国－

（単位：人）

国 都道府県	児童福祉施設等						その他の社会福祉施設等					
	児童心理治療施設			児童自立支援施設			総数			授産施設		
	総数	公営	私営	総数	公営	私営	総数	公営	私営	総数	公営	私営
全国	1 964	170	1 794	3 719	3 584	135	707 618	1 138	706 480	2 059	890	1 169
国	-	-	-	140	140	-	-	-	-	-	-	-
北海道	50	-	50	181	96	85	14 538	16	14 522	88	-	88
青森	-	-	-	50	50	-	6 653	-	6 653	-	-	-
岩手	-	-	-	45	45	-	2 545	-	2 545	-	-	-
宮城	-	-	-	28	28	-	3 218	-	3 218	-	-	-
秋田	-	-	-	75	75	-	2 575	-	2 575	20	-	20
山形				35	35	-	5 737	-	5 737			
福島				50	50	-	3 655	-	3 655	80	-	80
茨城	50	-	50	44	44	-	11 270	-	11 270			
栃木	35	-	35	60	60	-	4 892	-	4 892	30	-	30
群馬	53	-	53	54	54	-	9 202	-	9 202			
埼玉	50	-	50	120	120	-	27 748	-	27 748	-	-	-
千葉	30	-	30	86	86	-	18 976	-	18 976	-	-	-
東京	-	-	-	252	252	-	60 820	31	60 789	346	-	346
神奈川	42	42	-	60	60	-	22 524	-	22 524	-	-	-
新潟	-	-	-	34	34	-	3 832	-	3 832	-	-	-
富山				80	80	-	1 924	-	1 924	-	-	-
石川				60	60	-	2 475	50	2 425	-	-	-
福井				45	45	-	2 327	-	2 327	-	-	-
山梨				25	25	-	2 306	-	2 306	-	-	-
長野	35	-	35	70	70	-	9 054	826	8 228	1 015	820	195
岐阜	58	-	58	50	50	-	4 706	-	4 706	-	-	-
静岡	50	50	-	60	60	-	10 118	-	10 118	-	-	-
愛知	85	-	85	64	64	-	15 516	-	15 516	-	-	-
三重	50	-	50	60	60	-	10 252	-	10 252	-	-	-
滋賀	65	-	65	80	80	-	1 963	-	1 963	-	-	-
京都	30	-	30	55	55	-	2 534	-	2 534			
大阪	100	-	100	295	295	-	24 047	-	24 047			
兵庫	70	-	70	130	130	-	7 822	-	7 822			
奈良	-	-	-	60	60	-	3 786	-	3 786			
和歌山	-	-	-	50	50	-	2 306	-	2 306			
鳥取	45	-	45	36	36	-	3 447	-	3 447	-	-	-
島根	30	-	30	48	48	-	3 573	-	3 573	-	-	-
岡山	-	-	-	90	90	-	2 025	-	2 025	-	-	-
広島	20	-	20	70	70	-	3 385	-	3 385			
山口	50	-	50	90	90	-	7 833	-	7 833			
徳島	-	-	-	36	36	-	3 873	-	3 873	-	-	-
香川	-	-	-	30	30	-	2 275	-	2 275	-	-	-
愛媛	-	-	-	27	27	-	3 772	-	3 772	-	-	-
高知	30	-	30	40	40	-	1 522	-	1 522	-	-	-
福岡	50	-	50	60	60	-	16 769	-	16 769	50	-	50
佐賀	-	-	-	22	22	-	5 934	30	5 904	30	30	-
長崎	55	-	55	45	45	-	2 984	-	2 984	-	-	-
熊本	50	-	50	50	50	-	6 839	-	6 839	-	-	-
大分	-	-	-	32	32	-	7 792	-	7 792	30	-	30
宮崎	50	-	50	15	15	-	7 738	-	7 738	-	-	-
鹿児島	-	-	-	40	40	-	5 196	-	5 196	-	-	-
沖縄	-	-	-	30	30	-	8 494	-	8 494	-	-	-

都道府県－指定都市－中核市、施設の種類・経営主体の公営－私営別

平成29年10月 1 日

指定都市 中核市	児童福祉施設等						その他の社会福祉施設等					
	児童心理治療施設			児童自立支援施設			総数			授産施設		
	総数	公営	私営	総数	公営	私営	総数	公営	私営	総数	公営	私営
指定都市（別掲）												
札幌市	28	28	-	-	-	-	19 541	-	19 541	-	-	-
仙台市	40	-	40	-	-	-	5 667	-	5 667	-	-	-
さいたま市	-	-	-	-	-	-	10 251	-	10 251	-	-	-
千葉市	-	-	-	-	-	-	10 117	-	10 117	-	-	-
横浜市	71	-	71	110	60	50	20 391	-	20 391	-	-	-
川崎市	50	-	50	-	-	-	11 025	-	11 025	-	-	-
相模原市	-	-	-	-	-	-	3 668	-	3 668	-	-	-
新潟市	-	-	-	-	-	-	3 120	-	3 120	-	-	-
静岡市	-	-	-	-	-	-	2 903	-	2 903	-	-	-
浜松市	-	-	-	-	-	-	3 668	-	3 668	-	-	-
名古屋市	50	50	-	96	96	-	16 156	-	16 156	-	-	-
京都市	50	-	50	-	-	-	6 300	-	6 300	-	-	-
大阪市	80	-	80	124	124	-	21 412	-	21 412	-	-	-
堺市	-	-	-	-	-	-	5 732	-	5 732	-	-	-
神戸市	30	-	30	130	130	-	10 375	145	10 230	-	-	-
岡山市	30	-	30	-	-	-	4 488	-	4 488	-	-	-
広島市	43	-	43	-	-	-	6 103	-	6 103	-	-	-
北九州市	-	-	-	-	-	-	8 105	-	8 105	-	-	-
福岡市	-	-	-	-	-	-	13 285	-	13 285	-	-	-
熊本市	-	-	-	-	-	-	5 806	-	5 806	30	-	30
中核市（別掲）												
旭川市	-	-	-	-	-	-	6 351	-	6 351	-	-	-
函館市	-	-	-	-	-	-	3 425	-	3 425	-	-	-
青森市	45	-	45	-	-	-	3 606	-	3 606	-	-	-
八戸市	-	-	-	-	-	-	1 984	-	1 984	-	-	-
盛岡市	50	-	50	-	-	-	2 321	-	2 321	-	-	-
秋田市	-	-	-	-	-	-	1 332	-	1 332	-	-	-
郡山市	-	-	-	-	-	-	1 170	-	1 170	-	-	-
いわき市	-	-	-	-	-	-	1 967	-	1 967	-	-	-
宇都宮市	-	-	-	-	-	-	1 666	-	1 666	-	-	-
前橋市	-	-	-	-	-	-	3 334	-	3 334	-	-	-
高崎市	-	-	-	-	-	-	3 028	-	3 028	-	-	-
川越市	-	-	-	-	-	-	1 133	-	1 133	-	-	-
越谷市	-	-	-	-	-	-	2 054	-	2 054	-	-	-
船橋市	-	-	-	-	-	-	3 326	-	3 326	-	-	-
柏市	-	-	-	-	-	-	2 923	-	2 923	20	-	20
八王子市	-	-	-	-	-	-	3 759	-	3 759	-	-	-
横須賀市	-	-	-	-	-	-	2 367	-	2 367	-	-	-
富山市	-	-	-	-	-	-	1 902	-	1 902	-	-	-
金沢市	-	-	-	-	-	-	3 621	-	3 621	-	-	-
長野市	-	-	-	-	-	-	2 005	40	1 965	270	40	230
岐阜市	-	-	-	-	-	-	2 294	-	2 294	-	-	-
豊橋市	-	-	-	-	-	-	1 016	-	1 016	-	-	-
豊田市	-	-	-	-	-	-	1 018	-	1 018	-	-	-
岡崎市	-	-	-	-	-	-	1 103	-	1 103	-	-	-
大津市	-	-	-	-	-	-	1 692	-	1 692	-	-	-
高槻市	54	-	54	-	-	-	1 401	-	1 401	-	-	-
東大阪市	-	-	-	-	-	-	3 908	-	3 908	-	-	-
豊中市	-	-	-	-	-	-	3 452	-	3 452	-	-	-
枚方市	-	-	-	-	-	-	3 647	-	3 647	-	-	-
姫路市	-	-	-	-	-	-	2 493	-	2 493	-	-	-
西宮市	-	-	-	-	-	-	2 656	-	2 656	-	-	-
尼崎市	-	-	-	-	-	-	2 293	-	2 293	-	-	-
奈良市	-	-	-	-	-	-	2 719	-	2 719	-	-	-
和歌山市	30	-	30	-	-	-	3 878	-	3 878	-	-	-
倉敷市	-	-	-	-	-	-	2 931	-	2 931	30	-	30
福山市	-	-	-	-	-	-	2 616	-	2 616	-	-	-
呉市	-	-	-	-	-	-	641		641	-	-	-
下関市	-	-	-	-	-	-	2 634	-	2 634	-	-	-
高松市	30	-	30	-	-	-	3 359	-	3 359	-	-	-
松山市	-	-	-	-	-	-	2 417	-	2 417	-	-	-
高知市	-	-	-	-	-	-	1 887	-	1 887	-	-	-
久留米市	-	-	-	-	-	-	2 278	-	2 278	-	-	-
長崎市	-	-	-	-	-	-	2 048	-	2 048	-	-	-
佐世保市	-	-	-	-	-	-	1 742	-	1 742	20	-	20
大分市	-	-	-	-	-	-	5 453	-	5 453	-	-	-
宮崎市	-	-	-	-	-	-	4 819	-	4 819	-	-	-
鹿児島市	50	-	50	-	-	-	4 341	-	4 341	-	-	-
那覇市	-	-	-	-	-	-	2 723	-	2 723	-	-	-

第7表　【基本票】社会福祉施設等の定員，国−

（単位：人）

国 都　道　府　県	その　他　の　社　会　福　祉　施　設　等											
	宿　所　提　供　施　設			盲　人　ホ　ー　ム			有　料　老　人　ホ　ー　ム （サービス付き高齢者向け住宅以外）			有　料　老　人　ホ　ー　ム （サービス付き高齢者向け住宅であるもの）		
	総　数	公営	私　営	総　数	公営	私営	総　　数	公　営	私　営	総　　数	公　営	私　営
全　　　　　国	12 360	151	12 209	380	−	380	518 507	14	518 493	174 312	83	174 229
国	−	−	−	−	−	−	−	−	−	−	−	−
北　海　道	−	−	−	−	−	−	9 044	−	9 044	5 406	16	5 390
青　　　森	−	−	−	−	−	−	6 633	−	6 633	20	−	20
岩　　　手	−	−	−	−	−	−	1 466	−	1 466	1 079	−	1 079
宮　　　城	−	−	−	−	−	−	1 430	−	1 430	1 788	−	1 788
秋　　　田	−	−	−	−	−	−	1 592	−	1 592	963	−	963
山　　　形	23	−	23	−	−	−	5 692	−	5 692	22	−	22
福　　　島	−	−	−	−	−	−	2 134	−	2 134	1 441	−	1 441
茨　　　城	597	−	597	−	−	−	6 101	−	6 101	4 572	−	4 572
栃　　　木	−	−	−	−	−	−	2 281	−	2 281	2 581	−	2 581
群　　　馬	53	−	53	−	−	−	6 491	−	6 491	2 658	−	2 658
埼　　　玉	−	−	−	20	−	20	18 825	−	18 825	8 903	−	8 903
千　　　葉	−	−	−	−	−	−	18 937	−	18 937	39	−	39
東　　　京	4 809	−	4 809	80	−	80	45 050	14	45 036	10 535	17	10 518
神　奈　川	1 161	−	1 161	−	−	−	16 615	−	16 615	4 748	−	4 748
新　　　潟	−	−	−	−	−	−	2 215	−	2 215	1 617	−	1 617
富　　　山	−	−	−	−	−	−	978	−	978	946	−	946
石　　　川	−	−	−	−	−	−	1 724	−	1 724	751	50	701
福　　　井	12	−	12	20	−	20	840	−	840	1 455	−	1 455
山　　　梨	−	−	−	20	−	20	1 156	−	1 156	1 130	−	1 130
長　　　野	6	6	−	20	−	20	5 714	−	5 714	2 299	−	2 299
岐　　　阜	−	−	−	−	−	−	3 021	−	3 021	1 685	−	1 685
静　　　岡	112	−	112	−	−	−	7 829	−	7 829	2 177	−	2 177
愛　　　知	−	−	−	20	−	20	11 226	−	11 226	4 270	−	4 270
三　　　重	−	−	−	20	−	20	5 206	−	5 206	5 026	−	5 026
滋　　　賀	−	−	−	−	−	−	671	−	671	1 292	−	1 292
京　　　都	−	−	−	−	−	−	1 511	−	1 511	1 023	−	1 023
大　　　阪	16	−	16	−	−	−	15 226	−	15 226	8 805	−	8 805
兵　　　庫	−	−	−	−	−	−	4 554	−	4 554	3 268	−	3 268
奈　　　良	−	−	−	−	−	−	2 748	−	2 748	1 038	−	1 038
和　歌　山	−	−	−	−	−	−	1 296	−	1 296	1 010	−	1 010
鳥　　　取	−	−	−	20	−	20	1 960	−	1 960	1 467	−	1 467
島　　　根	−	−	−	−	−	−	2 190	−	2 190	1 383	−	1 383
岡　　　山	−	−	−	−	−	−	1 486	−	1 486	539	−	539
広　　　島	−	−	−	−	−	−	2 163	−	2 163	1 222	−	1 222
山　　　口	41	−	41	−	−	−	5 158	−	5 158	2 634	−	2 634
徳　　　島	−	−	−	−	−	−	1 896	−	1 896	1 977	−	1 977
香　　　川	−	−	−	−	−	−	1 385	−	1 385	890	−	890
愛　　　媛	−	−	−	−	−	−	3 772	−	3 772	−	−	−
高　　　知	−	−	−	−	−	−	1 273	−	1 273	249	−	249
福　　　岡	34	−	34	−	−	−	13 188	−	13 188	3 497	−	3 497
佐　　　賀	−	−	−	−	−	−	5 321	−	5 321	583	−	583
長　　　崎	−	−	−	−	−	−	1 808	−	1 808	1 176	−	1 176
熊　　　本	−	−	−	−	−	−	5 823	−	5 823	1 016	−	1 016
大　　　分	78	−	78	−	−	−	6 507	−	6 507	1 177	−	1 177
宮　　　崎	−	−	−	20	−	20	6 926	−	6 926	792	−	792
鹿　児　島	−	−	−	−	−	−	4 050	−	4 050	1 146	−	1 146
沖　　　縄	−	−	−	−	−	−	6 766	−	6 766	1 728	−	1 728

都道府県－指定都市－中核市、施設の種類・経営主体の公営－私営別

平成29年10月1日

指定都市 中核市	宿所提供施設 総数	公営	私営	盲人ホーム 総数	公営	私営	有料老人ホーム (サービス付き高齢者向け住宅以外) 総数	公営	私営	有料老人ホーム (サービス付き高齢者向け住宅であるもの) 総数	公営	私営
指定都市（別掲）												
札幌市	-	-	-	-	-	-	11 085	-	11 085	8 456	-	8 456
仙台市	-	-	-	-	-	-	4 218	-	4 218	1 449	-	1 449
さいたま市	-	-	-	20	-	20	9 139	-	9 139	1 092	-	1 092
千葉市	2 448	-	2 448	-	-	-	5 816	-	5 816	1 853	-	1 853
横浜市	1 423	-	1 423	-	-	-	16 223	-	16 223	2 745	-	2 745
川崎市	-	-	-	-	-	-	9 640	-	9 640	1 385	-	1 385
相模原市	-	-	-	-	-	-	3 668	-	3 668	-	-	-
新潟市	-	-	-	-	-	-	2 173	-	2 173	947	-	947
静岡市	-	-	-	20	-	20	2 818	-	2 818	65	-	65
浜松市	99	-	99	-	-	-	2 254	-	2 254	1 315	-	1 315
名古屋市	-	-	-	-	-	-	12 835	-	12 835	3 321	-	3 321
京都市	39	-	39	20	-	20	2 985	-	2 985	3 256	-	3 256
大阪市	398	-	398	20	-	20	15 690	-	15 690	5 304	-	5 304
堺市	-	-	-	-	-	-	3 750	-	3 750	1 982	-	1 982
神戸市	145	145	-	-	-	-	7 309	-	7 309	2 921	-	2 921
岡山市	-	-	-	-	-	-	2 617	-	2 617	1 871	-	1 871
広島市	-	-	-	-	-	-	3 126	-	3 126	2 977	-	2 977
北九州市	30	-	30	-	-	-	8 029	-	8 029	46	-	46
福岡市	-	-	-	-	-	-	10 513	-	10 513	2 772	-	2 772
熊本市	-	-	-	-	-	-	5 633	-	5 633	143	-	143
中核市（別掲）												
旭川市	-	-	-	-	-	-	5 687	-	5 687	664	-	664
函館市	-	-	-	-	-	-	2 290	-	2 290	1 135	-	1 135
青森市	-	-	-	-	-	-	3 606	-	3 606	-	-	-
八戸市	-	-	-	-	-	-	1 984	-	1 984	-	-	-
盛岡市	-	-	-	-	-	-	1 719	-	1 719	602	-	602
秋田市	-	-	-	-	-	-	653	-	653	679	-	679
郡山市	-	-	-	-	-	-	420	-	420	750	-	750
いわき市	-	-	-	-	-	-	1 551	-	1 551	416	-	416
宇都宮市	-	-	-	-	-	-	527	-	527	1 139	-	1 139
前橋市	-	-	-	-	-	-	3 334	-	3 334	-	-	-
高崎市	-	-	-	-	-	-	3 028	-	3 028	-	-	-
川越市	126	-	126	-	-	-	614	-	614	393	-	393
越谷市	245	-	245	-	-	-	1 768	-	1 768	41	-	41
船橋市	65	-	65	-	-	-	2 436	-	2 436	825	-	825
柏市	-	-	-	-	-	-	2 903	-	2 903	-	-	-
八王子市	334	-	334	-	-	-	2 760	-	2 760	665	-	665
横須賀市	-	-	-	-	-	-	2 367	-	2 367	-	-	-
富山市	-	-	-	20	-	20	966	-	966	916	-	916
金沢市	-	-	-	-	-	-	3 621	-	3 621	-	-	-
長野市	-	-	-	-	-	-	1 072	-	1 072	663	-	663
岐阜市	-	-	-	20	-	20	2 274	-	2 274	-	-	-
豊橋市	-	-	-	-	-	-	803	-	803	213	-	213
豊田市	-	-	-	-	-	-	865	-	865	153	-	153
岡崎市	-	-	-	-	-	-	730	-	730	373	-	373
大津市	-	-	-	-	-	-	1 222	-	1 222	470	-	470
高槻市	-	-	-	-	-	-	993	-	993	408	-	408
東大阪市	17	-	17	-	-	-	2 557	-	2 557	1 334	-	1 334
豊中市	-	-	-	-	-	-	2 545	-	2 545	907	-	907
枚方市	-	-	-	-	-	-	3 647	-	3 647	-	-	-
姫路市	-	-	-	-	-	-	990	-	990	1 503	-	1 503
西宮市	-	-	-	20	-	20	1 664	-	1 664	972	-	972
尼崎市	-	-	-	-	-	-	2 293	-	2 293	-	-	-
奈良市	-	-	-	-	-	-	2 008	-	2 008	711	-	711
和歌山市	-	-	-	-	-	-	2 419	-	2 419	1 459	-	1 459
倉敷市	-	-	-	-	-	-	2 200	-	2 200	701	-	701
福山市	-	-	-	-	-	-	971	-	971	1 645	-	1 645
呉市	-	-	-	-	-	-	241	-	241	400	-	400
下関市	43	-	43	-	-	-	1 943	-	1 943	648	-	648
高松市	6	-	6	-	-	-	2 239	-	2 239	1 114	-	1 114
松山市	-	-	-	-	-	-	2 417	-	2 417	-	-	-
高知市	-	-	-	-	-	-	1 331	-	1 331	556	-	556
久留米市	-	-	-	-	-	-	1 757	-	1 757	521	-	521
長崎市	-	-	-	-	-	-	1 326	-	1 326	722	-	722
佐世保市	-	-	-	-	-	-	1 683	-	1 683	39	-	39
大分市	-	-	-	-	-	-	4 645	-	4 645	808	-	808
宮崎市	-	-	-	-	-	-	4 564	-	4 564	255	-	255
鹿児島市	-	-	-	-	-	-	3 399	-	3 399	942	-	942
那覇市	-	-	-	-	-	-	2 076	-	2 076	647	-	647

第8表　社会福祉施設等の定員・在所者数，

（単位：人）

施 設 の 種 類 経 営 主 体	定　員	在　所　者　数			
		総　数	契約による者	被 措 置 者	そ　の　他
保　護　施　設	19 175	18 752	…	18 700	52
公　　　　　　　　営	1 398	1 034	…	989	45
国・独立行政法人	－	－	…	－	－
都　道　府　県	…	…	…	…	…
市　区　町　村	844	517	…	472	45
一部事務組合・広域連合	554	517	…	517	－
私　　　　　　　　営	17 777	17 718	…	17 711	7
社　会　福　祉　法　人	17 777	17 718	…	17 711	7
医　療　法　人	－	－	…	－	－
公益法人・日赤	－	－	…	－	－
営利法人（会社）	－	－	…	－	－
その他の法人	－	－	…	－	－
そ　　の　　他	－	－	…	－	－
救　護　施　設	16 528	16 650	…	16 650	－
公　　　　　　　　営	1 086	895	…	895	－
国・独立行政法人	－	－	…	－	－
都　道　府　県	－	－	…	－	－
市　区　町　村	532	378	…	378	－
一部事務組合・広域連合	554	517	…	517	－
私　　　　　　　　営	15 442	15 755	…	15 755	－
社　会　福　祉　法　人	15 442	15 755	…	15 755	－
医　療　法　人	－	－	…	－	－
公益法人・日赤	－	－	…	－	－
営利法人（会社）	－	－	…	－	－
その他の法人	－	－	…	－	－
そ　　の　　他	－	－	…	－	－
更　生　施　設	1 497	1 411	…	1 411	－
公　　　　　　　　営	162	64	…	64	－
国・独立行政法人	－	－	…	－	－
都　道　府　県	－	－	…	－	－
市　区　町　村	162	64	…	64	－
一部事務組合・広域連合	－	－	…	－	－
私　　　　　　　　営	1 335	1 347	…	1 347	－
社　会　福　祉　法　人	1 335	1 347	…	1 347	－
医　療　法　人	－	－	…	－	－
公益法人・日赤	－	－	…	－	－
営利法人（会社）	－	－	…	－	－
その他の法人	－	－	…	－	－
そ　　の　　他	－	－	…	－	－
授　産　施　設	490	343	…	293	50
公　　　　　　　　営	150	75	…	30	45
国・独立行政法人	－	－	…	－	－
都　道　府　県	－	－	…	－	－
市　区　町　村	150	75	…	30	45
一部事務組合・広域連合	－	－	…	－	－
私　　　　　　　　営	340	268	…	263	5
社　会　福　祉　法　人	340	268	…	263	5
医　療　法　人	－	－	…	－	－
公益法人・日赤	－	－	…	－	－
営利法人（会社）	－	－	…	－	－
その他の法人	－	－	…	－	－
そ　　の　　他	－	－	…	－	－
宿　所　提　供　施　設	660	348	…	346	2
公　　　　　　　　営	－	－	…	－	－
国・独立行政法人	－	－	…	－	－
都　道　府　県	－	－	…	－	－
市　区　町　村	－	－	…	－	－
一部事務組合・広域連合	－	－	…	－	－
私　　　　　　　　営	660	348	…	346	2
社　会　福　祉　法　人	660	348	…	346	2
医　療　法　人	－	－	…	－	－
公益法人・日赤	－	－	…	－	－
営利法人（会社）	－	－	…	－	－
その他の法人	－	－	…	－	－

注：在所者を調査していない施設は除く。

施設の種類・経営主体、在所者の種類別

施設の種類 経営主体	定員	在所者数			
		総数	契約による者	被措置者	その他
老 人 福 祉 施 設	152 819	140 173	…	55 678	84 495
公　　　　　　　　　　　営	9 452	7 146	…	6 772	374
国 ・ 独 立 行 政 法 人	－	－	…	－	－
都　　道　　府　　県	－	－	…	－	－
市　　区　　町　　村	4 816	3 313	…	3 041	272
一部事務組合・広域連合	4 636	3 833	…	3 731	102
私　　　　　　　　　　　営	143 367	133 027	…	48 906	84 121
社　会　福　祉　法　人	140 633	130 531	…	48 786	81 745
医　　療　　法　　人	1 663	1 484	…	－	1 484
公 益 法 人 ・ 日 赤	100	100	…	80	20
営 利 法 人 （ 会 社 ）	908	850	…	40	810
そ　の　他　の　法　人	63	62	…	－	62
そ　　　　の　　　　他	－	－	…	－	－
養 護 老 人 ホ ー ム （ 一 般 ）	59 106	52 935	…	52 935	－
公　　　　　　　　　　　営	8 942	6 772	…	6 772	－
国 ・ 独 立 行 政 法 人	－	－	…	－	－
都　　道　　府　　県	－	－	…	－	－
市　　区　　町　　村	4 426	3 041	…	3 041	－
一部事務組合・広域連合	4 516	3 731	…	3 731	－
私　　　　　　　　　　　営	50 164	46 163	…	46 163	－
社　会　福　祉　法　人	50 034	46 043	…	46 043	－
医　　療　　法　　人	－	－	…	－	－
公 益 法 人 ・ 日 赤	80	80	…	80	－
営 利 法 人 （ 会 社 ）	50	40	…	40	－
そ　の　他　の　法　人	－	－	…	－	－
そ　　　　の　　　　他	－	－	…	－	－
養 護 老 人 ホ ー ム （ 盲 ）	2 934	2 743	…	2 743	－
公　　　　　　　　　　　営	－	－	…	－	－
国 ・ 独 立 行 政 法 人	－	－	…	－	－
都　　道　　府　　県	－	－	…	－	－
市　　区　　町　　村	－	－	…	－	－
一部事務組合・広域連合	－	－	…	－	－
私　　　　　　　　　　　営	2 934	2 743	…	2 743	－
社　会　福　祉　法　人	2 934	2 743	…	2 743	－
医　　療　　法　　人	－	－	…	－	－
公 益 法 人 ・ 日 赤	－	－	…	－	－
営 利 法 人 （ 会 社 ）	－	－	…	－	－
そ　の　他　の　法　人	－	－	…	－	－
そ　　　　の	－	－	…	－	－
軽 費 老 人 ホ ー ム 　 A 型	11 146	10 467	…	－	10 467
公　　　　　　　　　　　営	100	59	…	－	59
国 ・ 独 立 行 政 法 人	－	－	…	－	－
都　　道　　府　　県	－	－	…	－	－
市　　区　　町　　村	100	59	…	－	59
一部事務組合・広域連合	－	－	…	－	－
私　　　　　　　　　　　営	11 046	10 408	…	－	10 408
社　会　福　祉　法　人	11 046	10 408	…	－	10 408
医　　療　　法　　人	－	－	…	－	－
公 益 法 人 ・ 日 赤	－	－	…	－	－
営 利 法 人 （ 会 社 ）	－	－	…	－	－
そ　の　他　の　法　人	－	－	…	－	－
そ　　　　の	－	－	…	－	－
軽 費 老 人 ホ ー ム 　 B 型	568	379	…	－	379
公　　　　　　　　　　　営	150	94	…	－	94
国 ・ 独 立 行 政 法 人	－	－	…	－	－
都　　道　　府　　県	－	－	…	－	－
市　　区　　町　　村	150	94	…	－	94
一部事務組合・広域連合	－	－	…	－	－
私　　　　　　　　　　　営	418	285	…	－	285
社　会　福　祉　法　人	418	285	…	－	285
医　　療　　法　　人	－	－	…	－	－
公 益 法 人 ・ 日 赤	－	－	…	－	－
営 利 法 人 （ 会 社 ）	－	－	…	－	－
そ　の　他　の　法　人	－	－	…	－	－
そ　　　　の	－	－	…	－	－

第8表　社会福祉施設等の定員・在所者数,

（単位：人）

施設の種類／経営主体	定員	在所者数 総数	契約による者	被措置者	その他
軽費老人ホーム（ケアハウス）	77 923	72 579	…	-	72 579
公営	260	221	…	-	221
国・独立行政法人	-	-	…		-
都道府県	-	-	…		
市区町村	140	119	…	-	119
一部事務組合・広域連合	120	102	…	-	102
私営	77 663	72 358	…	-	72 358
社会福祉法人	75 765	70 647	…	-	70 647
医療法人	1 595	1 420	…	-	1 420
公益法人・日赤	20	20	…	-	20
営利法人（会社）	249	237	…	-	237
その他の法人	34	34	…	-	34
その他	-	-	…		-
都市型軽費老人ホーム	1 142	1 070	…	-	1 070
公営	-	-	…		-
国・独立行政法人	-	-	…		-
都道府県	-	-	…		-
市区町村	-	-	…		-
一部事務組合・広域連合	-	-	…		-
私営	1 142	1 070	…	-	1 070
社会福祉法人	436	405	…	-	405
医療法人	68	64	…	-	64
公益法人・日赤	-	-	…		-
営利法人（会社）	609	573	…	-	573
その他の法人	29	28	…	-	28
その他	-	-	…		-
障害者支援施設等	131 286	145 639	…	123 426	22 213
公営	4 331	3 450	…	3 058	392
国・独立行政法人	1 068	651	…	491	160
都道府県	1 773	1 348	…	1 234	114
市区町村	720	679	…	605	74
一部事務組合・広域連合	770	772	…	728	44
私営	126 955	142 189	…	120 368	21 821
社会福祉法人	126 314	141 736	…	119 915	21 821
医療法人	277	223	…	223	
公益法人・日赤	240	143	…	143	-
営利法人（会社）	55	39	…	39	-
その他の法人	53	40	…	40	-
その他	16	8	…	8	-
障害者支援施設	129 558	144 238	…	122 025	22 213
公営	4 321	3 450	…	3 058	392
国・独立行政法人	1 068	651	…	491	160
都道府県	1 773	1 348	…	1 234	114
市区町村	710	679	…	605	74
一部事務組合・広域連合	770	772	…	728	44
私営	125 237	140 788	…	118 967	21 821
社会福祉法人	124 997	140 645	…	118 824	21 821
医療法人	-	-	…		
公益法人・日赤	240	143	…	143	-
営利法人（会社）	-	-	…		-
その他の法人	-	-	…		-
その他	-	-	…		-
福祉ホーム	1 728	1 401	…	1 401	-
公営	10	-	…	-	-
国・独立行政法人	-	-	…		-
都道府県	-	-	…		-
市区町村	10	-	…	-	-
一部事務組合・広域連合	-	-	…		-
私営	1 718	1 401	…	1 401	-
社会福祉法人	1 317	1 091	…	1 091	-
医療法人	277	223	…	223	-
公益法人・日赤	-	-	…		-
営利法人（会社）	55	39	…	39	-
その他の法人	53	40	…	40	-
その他	16	8	…	8	-

注：障害者関係施設の被措置者は入所人員、その他は通所人員である。

施設の種類・経営主体、在所者の種類別

施設の種類／経営主体	定員	在所者数 総数	契約による者	被措置者	その他
婦人保護施設	1 220	358	…	358	–
公営	284	24	…	24	–
国・独立行政法人	–	–	…	–	–
都道府県	284	24	…	24	–
市区町村	–	–	…	–	–
一部事務組合・広域連合					
私営	936	334	…	334	–
社会福祉法人	936	334	…	334	–
医療法人	–	–	…	–	–
公益法人・日赤	–	–	…	–	–
営利法人（会社）	–	–	…	–	–
その他の法人	–	–	…	–	–
その他	–	–	…	–	–
児童福祉施設等（母子生活支援施設を除く）	2 640 266	2 520 165	43 153	2 476 438	574
公営	869 796	755 868	12 924	742 871	73
国・独立行政法人	4 305	1 288	979	308	1
都道府県	6 843	3 543	1 761	1 741	41
市区町村	857 739	750 166	9 744	740 391	31
一部事務組合・広域連合	909	871	440	431	–
私営	1 770 470	1 764 297	30 229	1 733 567	501
社会福祉法人	1 473 210	1 474 724	25 999	1 448 229	496
医療法人	1 377	1 934	790	1 144	–
公益法人・日赤	6 123	5 915	456	5 456	3
営利法人（会社）	120 871	113 749	327	113 422	–
その他の法人	154 003	153 950	2 611	151 337	2
その他	14 886	14 025	46	13 979	–
乳児院	3 744	2 851	…	2 705	146
公営	102	43	…	32	11
国・独立行政法人	–	–	…	–	–
都道府県	82	35	…	24	11
市区町村	–	–	…	–	–
一部事務組合・広域連合	20	8	…	8	–
私営	3 642	2 808	…	2 673	135
社会福祉法人	3 349	2 592	…	2 460	132
医療法人	–	–	…	–	–
公益法人・日赤	293	216	…	213	3
営利法人（会社）	–	–	…	–	–
その他の法人	–	–	…	–	–
その他	–	–	…	–	–
母子生活支援施設	4 509	8 100	…	7 999	101
公営	497	437	…	436	1
国・独立行政法人	–	–	…	–	–
都道府県	–	–	…	–	–
市区町村	437	322	…	321	1
一部事務組合・広域連合	60	115	…	115	–
私営	4 012	7 663	…	7 563	100
社会福祉法人	3 857	7 412	…	7 312	100
医療法人	–	–	…	–	–
公益法人・日赤	155	251	…	251	–
営利法人（会社）	–	–	…	–	–
その他の法人	–	–	…	–	–
その他	–	–	…	–	–
保育所等	2 505 390	2 397 504	3 780	2 393 724	・
公営	851 145	742 492	2 374	740 118	・
国・独立行政法人	120	120	–	120	・
都道府県					
市区町村	850 695	742 056	2 374	739 682	・
一部事務組合・広域連合	330	316	–	316	・
私営	1 654 245	1 655 012	1 406	1 653 606	・
社会福祉法人	1 399 646	1 409 104	684	1 408 420	・
医療法人	892	860	–	860	・
公益法人・日赤	5 012	4 943	–	4 943	・
営利法人（会社）	97 754	90 966	120	90 846	・
その他の法人	143 312	142 158	602	141 556	・
その他	7 629	6 981	–	6 981	・

注：1）母子生活支援施設の定員は世帯数である。
　　2）保育所等（幼保連携型認定こども園、保育所型認定こども園、保育所）及び小規模保育事業所（Ａ型、Ｂ型、Ｃ型）の契約による者は、保育認定がない利用児童のうちの私的契約人員である。また、被措置者は、保育認定のある利用児童及び保育認定がない利用児童のうちの措置人員である。

第8表　社会福祉施設等の定員・在所者数，

（単位：人）

施設の種類／経営主体	定員	在所者数			
		総数	契約による者	被措置者	その他
幼保連携型認定こども園	341 649	331 292	586	330 706	・
公営	52 543	46 610	-	46 610	・
国・独立行政法人	-	-	-	-	・
都道府県	-	-	-	-	・
市区町村	52 543	46 610	-	46 610	・
一部事務組合・広域連合	-	-	-	-	・
私営	289 106	284 682	586	284 096	・
社会福祉法人	208 397	202 887	30	202 857	・
医療法人	-	-	-	-	・
公益法人・日赤	-	-	-	-	・
営利法人（会社）	-	-	-	-	・
その他の法人	80 659	81 756	556	81 200	・
その他	50	39		39	・
保育所型認定こども園	61 973	51 905	25	51 880	・
公営	21 721	16 078	-	16 078	・
国・独立行政法人	60	60	-	60	・
都道府県	-	-	-	-	・
市区町村	21 661	16 018	-	16 018	・
一部事務組合・広域連合	-	-	-	-	・
私営	40 252	35 827	25	35 802	・
社会福祉法人	31 873	28 479	13	28 466	・
医療法人	230	193	-	193	・
公益法人・日赤	590	586	-	586	・
営利法人（会社）	2 771	2 527	3	2 524	・
その他の法人	4 179	3 464	9	3 455	・
その他	609	578		578	・
保育所	2 101 768	2 014 307	3 169	2 011 138	・
公営	776 881	679 804	2 374	677 430	・
国・独立行政法人	60	60	-	60	・
都道府県	-	-	-	-	・
市区町村	776 491	679 428	2 374	677 054	・
一部事務組合・広域連合	330	316	-	316	・
私営	1 324 887	1 334 503	795	1 333 708	・
社会福祉法人	1 159 376	1 177 738	641	1 177 097	・
医療法人	662	667	-	667	・
公益法人・日赤	4 422	4 357	-	4 357	・
営利法人（会社）	94 983	88 439	117	88 322	・
その他の法人	58 474	56 938	37	56 901	・
その他	6 970	6 364	-	6 364	・
小規模保育事業所	48 937	47 402	108	47 294	・
公営	670	356	2	354	・
国・独立行政法人	12	-	-	-	・
都道府県	-	-	-	-	・
市区町村	658	356	2	354	・
一部事務組合・広域連合	-	-	-	-	・
私営	48 267	47 046	106	46 940	・
社会福祉法人	7 590	7 287	2	7 285	・
医療法人	285	283	-	283	・
公益法人・日赤	113	108	-	108	・
営利法人（会社）	23 092	22 606	31	22 575	・
その他の法人	10 060	9 792	39	9 753	・
その他	7 127	6 970	34	6 936	・
小規模保育事業所A型	38 830	37 645	60	37 585	・
公営	501	243	-	243	・
国・独立行政法人	12	-	-	-	・
都道府県	-	-	-	-	・
市区町村	489	243	-	243	・
一部事務組合・広域連合	-	-	-	-	・
私営	38 329	37 402	60	37 342	・
社会福祉法人	6 693	6 410	2	6 408	・
医療法人	255	254	-	254	・
公益法人・日赤	98	96	-	96	・
営利法人（会社）	18 981	18 612	25	18 587	・
その他の法人	8 171	7 949	16	7 933	・
その他	4 131	4 081	17	4 064	・

注：保育所等（幼保連携型認定こども園、保育所型認定こども園、保育所）及び小規模保育事業所（A型、B型、C型）の契約による者は、保育認定がない利用児童のうちの私的契約人員である。また、被措置者は、保育認定のある利用児童及び保育認定がない利用児童のうちの措置人員である。

施設の種類・経営主体、在所者の種類別

施設の種類／経営主体	定員	在所者数 総数	契約による者	被措置者	その他
小 規 模 保 育 事 業 所 B 型	9 229	8 885	43	8 842	・
公営	169	113	2	111	・
国・独立行政法人	－	－	－	－	・
都道府県	－	－	－	－	・
市区町村	169	113	2	111	・
一部事務組合・広域連合	－	－	－	－	・
私営	9 060	8 772	41	8 731	・
社会福祉法人	809	792	－	792	・
医療法人	30	29	－	29	・
公益法人・日赤	15	12	－	12	・
営利法人（会社）	3 891	3 772	6	3 766	・
その他の法人	1 716	1 679	23	1 656	・
その他	2 599	2 488	12	2 476	・
小 規 模 保 育 事 業 所 C 型	878	872	5	867	・
公営	－	－	－	－	・
国・独立行政法人	－	－	－	－	・
都道府県	－	－	－	－	・
市区町村	－	－	－	－	・
一部事務組合・広域連合	－	－	－	－	・
私営	878	872	5	867	・
社会福祉法人	88	85	－	85	・
医療法人	－	－	－	－	・
公益法人・日赤	－	－	－	－	・
営利法人（会社）	220	222	－	222	・
その他の法人	173	164	－	164	・
その他	397	401	5	396	・
児 童 養 護 施 設	31 414	25 636	…	25 391	245
公営	387	277	…	275	2
国・独立行政法人	－	－	…	－	－
都道府県	126	108	…	108	－
市区町村	191	126	…	124	2
一部事務組合・広域連合	70	43	…	43	－
私営	31 027	25 359	…	25 116	243
社会福祉法人	30 757	25 124	…	24 881	243
医療法人	－	－	…	－	－
公益法人・日赤	170	159	…	159	－
営利法人（会社）	－	－	…	－	－
その他の法人	30	25	…	25	－
その他	70	51	…	51	－
障 害 児 入 所 施 設（福祉型）	8 893	6 774	2 999	3 740	35
公営	1 621	1 016	518	487	11
国・独立行政法人	100	29	12	17	－
都道府県	965	571	220	349	2
市区町村	296	226	160	57	9
一部事務組合・広域連合	260	190	126	64	－
私営	7 272	5 758	2 481	3 253	24
社会福祉法人	7 167	5 675	2 413	3 238	24
医療法人	－	－	－	－	－
公益法人・日赤	105	83	68	15	－
営利法人（会社）	－	－	－	－	－
その他の法人	－	－	－	－	－
その他	－	－	－	－	－
障 害 児 入 所 施 設（医療型）	17 774	7 432	6 478	888	66
公営	5 765	1 994	1 706	264	24
国・独立行政法人	3 838	986	861	124	1
都道府県	1 877	1 005	844	138	23
市区町村	50	3	1	2	－
一部事務組合・広域連合	－	－	－	－	－
私営	12 009	5 438	4 772	624	42
社会福祉法人	11 627	5 309	4 673	594	42
医療法人	40	6	5	1	－
公益法人・日赤	282	100	82	18	－
営利法人（会社）	－	－	－	－	－
その他の法人	－	－	－	－	－
その他	60	23	12	11	－

第8表　社会福祉施設等の定員・在所者数，

（単位：人）

施　設　の　種　類 経　営　主　体	定　員	在　　所　　者　　数			
		総　数	契約による者	被　措　置　者	そ　の　他
児童発達支援センター（福祉型）	15 524	27 460	27 367	70	23
公　　　　　　　　　　営	4 855	7 050	7 026	11	13
国・独立行政法人	－	－	－	－	－
都　道　府　県	220	192	192	－	－
市　区　町　村	4 456	6 606	6 582	11	13
一部事務組合・広域連合	179	252	252	－	－
私　　　　　　　　　　営	10 669	20 410	20 341	59	10
社　会　福　祉　法　人	9 815	17 231	17 168	55	8
医　療　法　人	160	785	785	－	－
公益法人・日赤	68	242	242	－	－
営利法人（会社）	25	177	176	1	－
その他の法人	601	1 975	1 970	3	2
そ　　の　　他	－	－	－	－	－
児童発達支援センター（医療型）	3 027	2 468	2 421	2	45
公　　　　　　　　　　営	1 567	1 306	1 298	2	6
国・独立行政法人	95	107	106	1	－
都　道　府　県	517	505	505	－	－
市　区　町　村	905	632	625	1	6
一部事務組合・広域連合	50	62	62	－	－
私　　　　　　　　　　営	1 460	1 162	1 123	－	39
社　会　福　祉　法　人	1 380	1 098	1 059	－	39
医　療　法　人	－	－	－	－	－
公益法人・日赤	80	64	64	－	－
営利法人（会社）	－	－	－	－	－
その他の法人	－	－	－	－	－
そ　　の　　他	－	－	－	－	－
児童心理治療施設	1 914	1 374	…	1 365	9
公　　　　　　　　　　営	170	96	…	95	1
国・独立行政法人	－	－	…	－	－
都　道　府　県	92	55	…	55	－
市　区　町　村	78	41	…	40	1
一部事務組合・広域連合	－	－	…	－	－
私　　　　　　　　　　営	1 744	1 278	…	1 270	8
社　会　福　祉　法　人	1 744	1 278	…	1 270	8
医　療　法　人	－	－	…	－	－
公益法人・日赤	－	－	…	－	－
営利法人（会社）	－	－	…	－	－
その他の法人	－	－	…	－	－
そ　　の　　他	－	－	…	－	－
児童自立支援施設	3 649	1 264	…	1 259	5
公　　　　　　　　　　営	3 514	1 238	…	1 233	5
国・独立行政法人	140	46	…	46	－
都　道　府　県	2 964	1 072	…	1 067	5
市　区　町　村	410	120	…	120	－
一部事務組合・広域連合	－	－	…	－	－
私　　　　　　　　　　営	135	26	…	26	－
社　会　福　祉　法　人	135	26	…	26	－
医　療　法　人	－	－	…	－	－
公益法人・日赤	－	－	…	－	－
営利法人（会社）	－	－	…	－	－
その他の法人	－	－	…	－	－
そ　　の　　他	－	－	…	－	－

施設の種類・経営主体、在所者の種類別

施設の種類 経営主体	定員	在所者数			
		総数	契約による者	被措置者	その他
その他の社会福祉施設等	460 837	387 866	…	8 402	379 464
公 営	1 025	713	…	363	350
国・独立行政法人	−	−	…	−	−
都 道 府 県	−	−	…	−	−
市 区 町 村	1 025	713	…	363	350
一部事務組合・広域連合	−	−	…	−	−
私 営	459 812	387 153	…	8 039	379 114
社 会 福 祉 法 人	28 518	23 116	…	917	22 199
医 療 法 人	36 063	30 321	…	6	30 315
公 益 法 人 ・ 日 赤	1 772	1 488	…	44	1 444
営 利 法 人 (会 社)	368 379	311 289	…	670	310 619
そ の 他 の 法 人	24 404	20 374	…	6 236	14 138
そ の 他	676	565	…	166	399
授 産 施 設	2 029	1 662	…	1 025	637
公 営	860	654	…	363	291
国・独立行政法人	−	−	…	−	−
都 道 府 県	−	−	…	−	−
市 区 町 村	860	654	…	363	291
一部事務組合・広域連合	−	−	…	−	−
私 営	1 169	1 008	…	662	346
社 会 福 祉 法 人	793	699	…	526	173
医 療 法 人	−	−	…	−	−
公 益 法 人 ・ 日 赤	186	127	…	28	99
営 利 法 人 (会 社)	−	−	…	−	−
そ の 他 の 法 人	190	182	…	108	74
そ の 他	−	−	…	−	−
宿 所 提 供 施 設	10 888	9 070	…	7 334	1 736
公 営	151	51	…	−	51
国・独立行政法人	−	−	…	−	−
都 道 府 県	−	−	…	−	−
市 区 町 村	151	51	…	−	51
一部事務組合・広域連合	−	−	…	−	−
私 営	10 737	9 019	…	7 334	1 685
社 会 福 祉 法 人	1 218	581	…	391	190
医 療 法 人	11	17	…	6	11
公 益 法 人 ・ 日 赤	133	64	…	16	48
営 利 法 人 (会 社)	1 319	1 094	…	627	467
そ の 他 の 法 人	7 836	7 062	…	6 128	934
そ の 他	220	201	…	166	35
有料老人ホーム（サービス付き高齢者向け住宅以外）	447 920	377 134	…	43	377 091
公 営	14	8	…	−	8
国・独立行政法人	−	−	…	−	−
都 道 府 県	−	−	…	−	−
市 区 町 村	14	8	…	−	8
一部事務組合・広域連合	−	−	…	−	−
私 営	447 906	377 126	…	43	377 083
社 会 福 祉 法 人	26 507	21 836	…	−	21 836
医 療 法 人	36 052	30 304	…	−	30 304
公 益 法 人 ・ 日 赤	1 453	1 297	…	−	1 297
営 利 法 人 (会 社)	367 060	310 195	…	43	310 152
そ の 他 の 法 人	16 378	13 130	…	−	13 130
そ の 他	456	364	…	−	364

第9表　社会福祉施設等（児童福祉施設等・障害者支援施設等を除く）

（単位：人）

年　齢　階　級	保　　　　　護　　　　　施　　　　　設														
	総　　　　数			救　護　施　設			更　生　施　設			授　産　施　設			宿　所　提　供　施　設		
	総数	公営	私営	総数	公営	私営	総数	公営	私営	総数	公営	私営	総数	公営	私営
総　　　　　数	18 752	1 034	17 718	16 650	895	15 755	1 411	64	1 347	343	75	268	348	-	348
19 歳 以 下	102	-	102	4	-	4	2	-	2	1	-	1	95	-	95
20 ～ 24	115	4	111	41	-	41	27	-	27	12	4	8	35	-	35
25 ～ 29	125	4	121	65	1	64	41	1	40	6	2	4	13	-	13
30 ～ 34	235	13	222	134	6	128	66	2	64	19	5	14	16	-	16
35 ～ 39	325	15	310	203	4	199	72	2	70	29	9	20	21	-	21
40 ～ 44	658	32	626	471	14	457	130	10	120	35	8	27	22	-	22
45 ～ 49	1 021	37	984	785	29	756	182	2	180	20	6	14	34	-	34
50 ～ 54	1 486	67	1 419	1 224	58	1 166	200	4	196	35	5	30	27	-	27
55 ～ 59	2 095	113	1 982	1 821	95	1 726	198	7	191	55	11	44	21	-	21
60 ～ 64	3 045	168	2 877	2 765	136	2 629	203	12	191	61	20	41	16	-	16
65 ～ 69	3 937	230	3 707	3 703	211	3 492	172	16	156	34	3	31	28	-	28
70 ～ 74	2 545	149	2 396	2 448	145	2 303	73	4	69	17	-	17	7	-	7
75 ～ 79	1 678	105	1 573	1 623	101	1 522	34	3	31	13	1	12	8	-	8
80 ～ 84	900	52	848	879	50	829	10	1	9	6	1	5	5	-	5
85 ～ 89	360	33	327	359	33	326	1	-	1	-	-	-	-	-	-
90 歳 以 上	125	12	113	125	12	113	-	-	-	-	-	-	-	-	-
不　　　　　詳	-	-	-	-	-	-	-	-	-	-	-	-	-	-	-

年　齢　階　級	老　　人　　福　　祉　　施　　設									婦　人　保　護　施　設		
	軽費老人ホーム　B型			軽費老人ホーム（ケアハウス）			都 市 型 軽 費 老 人 ホ ー ム			総数	公営	私営
	総数	公営	私営	総数	公営	私営	総数	公営	私営			
総　　　　　数	379	94	285	72 579	221	72 358	1 070	-	1 070	358	24	334
19 歳 以 下	-	-	-	-	-	-	-	-	-	28	3	25
20 ～ 24	-	-	-	-	-	-	-	-	-	33	1	32
25 ～ 29	-	-	-	-	-	-	-	-	-	32	3	29
30 ～ 34	-	-	-	-	-	-	-	-	-	28	3	25
35 ～ 39	-	-	-	-	-	-	-	-	-	24	3	21
40 ～ 44	-	-	-	-	-	-	-	-	-	36	4	32
45 ～ 49	-	-	-	-	-	-	-	-	-	44	6	38
50 ～ 54	-	-	-	39	-	39	-	-	-	24	-	24
55 ～ 59	-	-	-	29	-	29	-	-	-	27	-	27
60 ～ 64	7	3	4	501	1	500	28	-	28	21	-	21
65 ～ 69	30	11	19	2 210	8	2 202	94	-	94	18	1	17
70 ～ 74	57	18	39	3 911	11	3 900	158	-	158	11	-	11
75 ～ 79	73	25	48	8 067	29	8 038	224	-	224	16	-	16
80 ～ 84	96	17	79	15 430	52	15 378	256	-	256	10	-	10
85 ～ 89	73	13	60	21 220	59	21 161	179	-	179	4	-	4
90 歳 以 上	43	7	36	20 930	61	20 869	131	-	131	2	-	2
不　　　　　詳	-	-	-	242	-	242	-	-	-	-	-	-

注：1）平成29年9月末日の在所者を対象とした。
　　2）在所者数を調査していない施設は除く。

平成29年10月 1 日

| 老　人　福　祉　施　設 | | | | | | | | | | | | 年　齢　階　級 |
| 総　　数 | | | 養護老人ホーム（一般） | | | 養護老人ホーム（盲） | | | 軽費老人ホーム　A型 | | | |
総　数	公　営	私　営	総　数	公　営	私　営	総　数	公　営	私　営	総　数	公　営	私　営	
140 173	7 146	133 027	52 935	6 772	46 163	2 743	–	2 743	10 467	59	10 408	**総　　数**
–	–	–	–	–	–	–	–	–	–	–	–	19 歳 以 下
–	–	–	–	–	–	–	–	–	–	–	–	20 ～ 24
–	–	–	–	–	–	–	–	–	–	–	–	25 ～ 29
–	–	–	–	–	–	–	–	–	–	–	–	30 ～ 34
–	–	–	–	–	–	–	–	–	–	–	–	35 ～ 39
–	–	–	–	–	–	–	–	–	–	–	–	40 ～ 44
–	–	–	–	–	–	–	–	–	–	–	–	45 ～ 49
62	–	62	16	–	16	–	–	–	7	–	7	50 ～ 54
61	2	59	23	2	21	5	–	5	4	–	4	55 ～ 59
1 051	68	983	361	61	300	40	–	40	114	3	111	60 ～ 64
6 376	467	5 909	3 310	443	2 867	202	–	202	530	5	525	65 ～ 69
11 475	723	10 752	5 961	687	5 274	362	–	362	1 026	7	1 019	70 ～ 74
19 860	1 161	18 699	9 298	1 098	8 200	535	–	535	1 663	9	1 654	75 ～ 79
30 302	1 450	28 852	11 456	1 371	10 085	631	–	631	2 433	10	2 423	80 ～ 84
35 686	1 596	34 090	11 079	1 510	9 569	557	–	557	2 578	14	2 564	85 ～ 89
35 010	1 679	33 331	11 383	1 600	9 783	411	–	411	2 112	11	2 101	90 歳 以 上
290	–	290	48	–	48	–	–	–	–	–	–	不　　詳

| そ　の　他　の　社　会　福　祉　施　設　等 | | | | | | | | | | | | 年　齢　階　級 |
| 総　　数 | | | 授　産　施　設 | | | 宿　所　提　供　施　設 | | | 有料老人ホーム（サービス付き高齢者向け住宅以外） | | | |
総　数	公　営	私　営	総　数	公　営	私　営	総　数	公　営	私　営	総　数	公　営	私　営	
387 866	713	387 153	1 662	654	1 008	9 070	51	9 019	377 134	8	377 126	**総　　数**
119	4	115	10	4	6	109	–	109	–	–	–	19 歳 以 下
108	5	103	33	4	29	75	1	74	–	–	–	20 ～ 24
176	12	164	43	11	32	133	1	132	–	–	–	25 ～ 29
245	27	218	58	27	31	187	–	187	–	–	–	30 ～ 34
337	32	305	71	29	42	266	3	263	–	–	–	35 ～ 39
1 490	43	1 447	103	37	66	401	6	395	986	–	986	40 ～ 44
1 345	45	1 300	101	42	59	637	3	634	607	–	607	45 ～ 49
1 932	62	1 870	131	58	73	777	4	773	1 024	–	1 024	50 ～ 54
3 491	76	3 415	150	71	79	1 062	5	1 057	2 279	–	2 279	55 ～ 59
6 416	99	6 317	211	92	119	1 423	7	1 416	4 782	–	4 782	60 ～ 64
14 994	126	14 868	247	119	128	1 871	7	1 864	12 876	–	12 876	65 ～ 69
20 662	66	20 596	173	57	116	1 183	9	1 174	19 306	–	19 306	70 ～ 74
36 404	58	36 346	172	55	117	585	3	582	35 647	–	35 647	75 ～ 79
71 514	37	71 477	109	34	75	271	2	269	71 134	1	71 133	80 ～ 84
110 267	13	110 254	39	11	28	70	–	70	110 158	2	110 156	85 ～ 89
115 725	8	115 717	11	3	8	20	–	20	115 694	5	115 689	90 歳 以 上
2 641	–	2 641	–	–	–	–	–	–	2 641	–	2 641	不　　詳

第10表　児童福祉施設等の在所者数，

（単位：人）

年齢各歳	総数 総数	総数 公営	総数 私営	乳児院 総数	乳児院 公営	乳児院 私営	母子生活支援施設 総数	母子生活支援施設 公営	母子生活支援施設 私営	保育 総数 総数	保育 総数 公営	保育 総数 私営	幼保連携型認定こども園 総数	幼保連携型認定こども園 公営	幼保連携型認定こども園 私営
総　数	2 520 165	755 868	1 764 297	2 851	43	2 808	8 100	437	7 663	2 397 504	742 492	1 655 012	331 292	46 610	284 682
0　歳	75 103	11 549	63 554	819	20	799	186	17	169	66 317	11 490	54 827	9 450	744	8 706
1	343 154	82 614	260 540	1 021	13	1 008	314	11	303	322 729	82 342	240 387	45 172	5 168	40 004
2	507 014	137 520	369 494	691	8	683	379	18	361	484 475	136 648	347 827	72 157	9 157	63 000
3	372 506	118 665	253 841	224	2	222	415	23	392	364 589	116 728	247 861	43 086	6 291	36 795
4	480 783	159 875	320 908	66	-	66	436	26	410	471 485	157 489	313 996	64 523	9 766	54 757
5	467 746	160 126	307 620	24	-	24	378	19	359	457 954	157 688	300 266	63 156	10 073	53 083
6	234 730	80 966	153 764	6	-	6	402	11	391	229 955	80 107	149 848	33 748	5 411	28 337
7	2 051	138	1 913	-	-	-	345	14	331	・	・	・	・	・	・
8	2 283	145	2 138	-	-	-	358	21	337	・	・	・	・	・	・
9	2 438	190	2 248	-	-	-	312	14	298	・	・	・	・	・	・
10	2 523	183	2 340	-	-	-	269	18	251	・	・	・	・	・	・
11	2 647	217	2 430	-	-	-	243	12	231	・	・	・	・	・	・
12	2 810	279	2 531	-	-	-	219	10	209	・	・	・	・	・	・
13	3 085	401	2 684	-	-	-	196	13	183	・	・	・	・	・	・
14	3 619	615	3 004	-	-	-	198	12	186	・	・	・	・	・	・
15	3 714	571	3 143	-	-	-	151	8	143	・	・	・	・	・	・
16	3 356	323	3 033	-	-	-	120	11	109	・	・	・	・	・	・
17	3 087	264	2 823	-	-	-	96	6	90	・	・	・	・	・	・
18 歳 以 上	7 425	1 207	6 218	-	-	-	3 083	173	2 910	・	・	・	・	・	・
不　詳	91	20	71	-	-	-	-	-	-	-	-	-	-	-	-

年齢各歳	小規模保育事業所B型 総数	小規模保育事業所B型 公営	小規模保育事業所B型 私営	小規模保育事業所C型 総数	小規模保育事業所C型 公営	小規模保育事業所C型 私営	児童養護施設 総数	児童養護施設 公営	児童養護施設 私営	障害児入所施設（福祉型） 総数	障害児入所施設（福祉型） 公営	障害児入所施設（福祉型） 私営	障害児入所施設（医療型） 総数	障害児入所施設（医療型） 公営	障害児入所施設（医療型） 私営
総　数	8 885	113	8 772	872	-	872	25 636	277	25 359	6 774	1 016	5 758	7 432	1 994	5 438
0　歳	1 472	3	1 469	124	-	124	1	1	-	-	-	-	11	5	6
1	3 506	24	3 482	369	-	369	14	1	13	1	1	-	32	10	22
2	3 588	40	3 548	334	-	334	337	6	331	20	16	4	65	19	46
3	229	10	219	29	-	29	779	11	768	62	35	27	82	28	54
4	40	18	22	8	-	8	1 055	11	1 044	97	25	72	124	38	86
5	36	14	22	4	-	4	1 219	12	1 207	131	15	116	150	61	89
6	14	4	10	4	-	4	1 269	13	1 256	130	18	112	156	63	93
7	・	・	・	・	・	・	1 261	9	1 252	163	20	143	155	56	99
8	・	・	・	・	・	・	1 460	7	1 453	209	27	182	161	61	100
9	・	・	・	・	・	・	1 627	16	1 611	244	40	204	184	74	110
10	・	・	・	・	・	・	1 675	16	1 659	289	41	248	196	74	122
11	・	・	・	・	・	・	1 733	19	1 714	312	41	271	187	73	114
12	・	・	・	・	・	・	1 815	16	1 799	390	64	326	204	80	124
13	・	・	・	・	・	・	1 917	17	1 900	479	79	400	222	87	135
14	・	・	・	・	・	・	2 134	30	2 104	545	87	458	223	86	137
15	・	・	・	・	・	・	2 139	22	2 117	748	118	630	235	76	159
16	・	・	・	・	・	・	2 028	32	1 996	892	126	766	219	79	140
17	・	・	・	・	・	・	1 912	24	1 888	796	127	669	226	82	144
18 歳 以 上	・	・	・	・	・	・	1 261	14	1 247	1 266	136	1 130	4 562	942	3 620
不　詳	・	・	・	・	・	・	-	-	-	-	-	-	38	-	38

注：1）平成29年9月末日の在所者を対象とした。
　　2）在所者数を調査していない施設は除く。
　　3）総数には母子生活支援施設の在所者数を含まない。
　　4）母子生活支援施設の在所者数は世帯人員である。
　　5）保育所等及び小規模保育事業所の6歳の数値には就学前の6歳以上を含む。

年齢各歳、施設の種類・経営主体の公営－私営別

所 等						小 規 模 保 育 事 業 所						年 齢 各 歳
保育所型認定こども園			保 育 所			総 数			小規模保育事業所A型			
総 数	公 営	私 営	総 数	公 営	私 営	総 数	公 営	私 営	総 数	公 営	私 営	
51 905	16 078	35 827	2 014 307	679 804	1 334 503	47 402	356	47 046	37 645	243	37 402	総 数
1 438	262	1 176	55 429	10 484	44 945	7 878	8	7 870	6 282	5	6 277	0 歳
6 495	1 680	4 815	271 062	75 494	195 568	18 795	69	18 726	14 920	45	14 875	1
10 594	3 056	7 538	401 724	124 435	277 289	19 056	110	18 946	15 134	70	15 064	2
7 756	2 434	5 322	313 747	108 003	205 744	1 300	44	1 256	1 042	34	1 008	3
10 243	3 394	6 849	396 719	144 329	252 390	147	48	99	99	30	69	4
10 200	3 483	6 717	384 598	144 132	240 466	145	49	96	105	35	70	5
5 179	1 769	3 410	191 028	72 927	118 101	81	28	53	63	24	39	6
・	・	・	・	・	・	・	・	・	・	・	・	7
・	・	・	・	・	・	・	・	・	・	・	・	8
・	・	・	・	・	・	・	・	・	・	・	・	9
・	・	・	・	・	・	・	・	・	・	・	・	10
・	・	・	・	・	・	・	・	・	・	・	・	11
・	・	・	・	・	・	・	・	・	・	・	・	12
・	・	・	・	・	・	・	・	・	・	・	・	13
・	・	・	・	・	・	・	・	・	・	・	・	14
・	・	・	・	・	・	・	・	・	・	・	・	15
・	・	・	・	・	・	・	・	・	・	・	・	16
・	・	・	・	・	・	・	・	・	・	・	・	17
・	・	・	・	・	・	・	・	・	・	・	・	18 歳 以 上
－	－	－	－	・	－	－	－	－	－	－	－	不 詳

児童発達支援センター（福祉型）			児童発達支援センター（医療型）			児童心理治療施設			児童自立支援施設			年 齢 各 歳
総 数	公 営	私 営	総 数	公 営	私 営	総 数	公 営	私 営	総 数	公 営	私 営	
27 460	7 050	20 410	2 468	1 306	1 162	1 374	96	1 278	1 264	1 238	26	総 数
70	18	52	7	7	－	－	－	－	－	－	－	0 歳
409	98	311	153	80	73	－	－	－	－	－	－	1
1 961	487	1 474	409	226	183	－	－	－	－	－	－	2
4 952	1 528	3 424	517	289	228	1	－	1	－	－	－	3
7 268	2 004	5 264	541	260	281	－	－	－	－	－	－	4
7 662	2 074	5 588	460	227	233	1	－	1	－	－	－	5
2 971	652	2 319	155	85	70	7	－	7	－	－	－	6
435	43	392	10	2	8	27	8	19	－	－	－	7
379	31	348	8	5	3	64	12	52	2	2	－	8
267	34	233	16	7	9	92	11	81	8	8	－	9
214	18	196	5	2	3	120	8	112	24	24	－	10
191	4	187	9	4	5	151	14	137	64	62	2	11
107	1	106	2	－	2	186	14	172	106	104	2	12
89	－	89	1	1	－	164	10	154	213	207	6	13
88	－	88	1	1	－	220	12	208	408	399	9	14
78	5	73	5	4	1	164	5	159	345	341	4	15
72	18	54	3	2	1	75	2	73	67	64	3	16
65	12	53	4	4	－	69	－	69	15	15	－	17
129	3	126	162	100	62	33	－	33	12	12	－	18 歳 以 上
53	20	33	－	－	－	－	－	－	－	－	－	不 詳

第11表　障害者支援施設等の在所者数，年齢階級、施設の種類・経営主体の公営－私営別

（単位：人）

平成29年10月1日

年 齢 階 級	総 数			障 害 者 支 援 施 設			福 祉 ホ ー ム		
	総 数	公 営	私 営	総 数	公 営	私 営	総 数	公 営	私 営
総　　　数	145 639	3 450	142 189	144 238	3 450	140 788	1 401	－	1 401
17 歳 以 下	517	110	407	517	110	407	－	－	－
18 ・ 19	1 584	77	1 507	1 569	77	1 492	15	－	15
20 ～ 24	5 857	162	5 695	5 801	162	5 639	56	－	56
25 ～ 29	6 884	171	6 713	6 811	171	6 640	73	－	73
30 ～ 34	8 460	220	8 240	8 381	220	8 161	79	－	79
35 ～ 39	10 920	260	10 660	10 822	260	10 562	98	－	98
40 ～ 44	16 177	421	15 756	16 037	421	15 616	140	－	140
45 ～ 49	17 595	458	17 137	17 428	458	16 970	167	－	167
50 ～ 54	15 349	382	14 967	15 172	382	14 790	177	－	177
55 ～ 59	15 101	310	14 791	14 941	310	14 631	160	－	160
60 ～ 64	15 677	304	15 373	15 507	304	15 203	170	－	170
65 ～ 69	14 570	253	14 317	14 418	253	14 165	152	－	152
70 ～ 74	7 944	115	7 829	7 885	115	7 770	59	－	59
75 ～ 79	4 613	57	4 556	4 585	57	4 528	28	－	28
80 ～ 84	1 814	27	1 787	1 806	27	1 779	8	－	8
85 ～ 89	557	11	546	551	11	540	6	－	6
90 歳 以 上	102	2	100	100	2	98	2	－	2
不　　　詳	1 918	110	1 808	1 907	110	1 797	11	－	11

注：1）平成29年9月末日の在所者を対象とした。
　　2）在所者数を調査していない施設は除く。

第12表　保育所等・小規模保育事業所の利用児童数，

（単位：人）

都 道 府 県	保 育 所 等							
	総 数							
	総　　数	0　　歳	1　　歳	2　　歳	3　　歳	4　　歳	5　　歳	6 歳 以 上（未就学児）
全　　　　　国	2 397 504	66 317	322 729	484 475	364 589	471 485	457 954	229 955
北　海　道	37 379	965	4 723	7 771	5 216	7 399	7 386	3 919
青　　　森	20 908	1 028	3 261	4 206	3 014	3 741	3 681	1 977
岩　　　手	22 228	748	3 009	4 578	3 151	4 254	4 193	2 295
宮　　　城	19 008	587	2 693	3 806	2 984	3 664	3 516	1 758
秋　　　田	16 744	715	2 371	3 367	2 247	3 043	3 288	1 713
山　　　形	23 918	1 028	3 372	4 840	3 436	4 504	4 355	2 383
福　　　島	18 829	643	3 002	4 409	2 885	3 251	3 040	1 599
茨　　　城	52 726	1 435	6 842	10 731	8 016	10 450	10 072	5 180
栃　　　木	26 506	692	3 658	5 262	3 909	5 073	5 041	2 871
群　　　馬	28 011	699	3 556	5 742	4 237	5 436	5 502	2 839
埼　　　玉	76 954	1 899	10 103	15 148	12 486	15 322	14 607	7 389
千　　　葉	59 841	1 516	7 931	12 198	9 233	11 675	11 459	5 829
東　　　京	216 101	5 529	30 724	45 136	35 116	41 250	38 888	19 458
神　奈　川	38 535	832	5 261	7 719	5 773	7 587	7 483	3 880
新　　　潟	38 794	830	4 386	7 501	5 431	8 217	8 132	4 297
富　　　山	18 796	342	2 542	3 939	2 776	3 606	3 696	1 895
石　　　川	22 749	633	3 188	4 688	3 359	4 321	4 310	2 250
福　　　井	25 559	515	3 160	5 362	3 762	5 089	5 095	2 576
山　　　梨	19 860	459	2 435	3 888	2 992	3 979	4 078	2 029
長　　　野	41 704	450	3 349	6 314	6 362	10 004	10 045	5 180
岐　　　阜	33 559	423	3 037	5 592	5 127	7 774	7 729	3 877
静　　　岡	35 573	758	4 584	7 203	5 316	7 177	7 054	3 481
愛　　　知	85 014	878	7 482	13 226	13 164	19 665	20 141	10 458
三　　　重	38 530	714	4 416	7 368	6 125	8 123	7 932	3 852
滋　　　賀	23 794	431	2 717	4 536	3 560	5 080	4 964	2 506
京　　　都	25 013	532	3 208	5 086	3 718	5 005	4 919	2 545
大　　　阪	61 760	1 720	8 390	12 646	9 486	11 904	11 606	6 008
兵　　　庫	45 231	904	5 414	9 068	6 915	9 330	9 044	4 556
奈　　　良	18 103	428	2 260	3 644	2 799	3 588	3 598	1 786
和　歌　山	12 658	167	1 158	2 329	1 987	2 696	2 868	1 453
鳥　　　取	17 616	525	2 415	3 362	2 785	3 415	3 345	1 769
島　　　根	22 406	876	3 455	4 928	3 170	3 980	4 000	1 997
岡　　　山	16 567	420	2 290	3 272	2 509	3 238	3 289	1 549
広　　　島	20 664	418	2 519	4 008	3 031	4 207	4 272	2 209
山　　　口	18 964	491	2 519	3 943	2 522	3 780	3 694	2 015
徳　　　島	15 422	498	2 399	3 789	2 610	2 909	2 230	987
香　　　川	11 893	334	1 836	2 907	1 798	2 159	1 921	938
愛　　　媛	17 792	327	2 120	3 666	2 595	3 570	3 611	1 903
高　　　知	9 903	183	1 226	2 047	1 550	2 011	1 923	963
福　　　岡	49 456	1 464	7 153	9 968	7 363	9 385	9 406	4 717
佐　　　賀	21 711	609	3 024	4 380	3 171	4 213	4 253	2 061
長　　　崎	19 667	817	2 967	4 098	2 849	3 562	3 532	1 842
熊　　　本	32 966	1 287	4 691	6 640	4 848	6 182	6 267	3 051
大　　　分	15 077	509	2 574	3 475	2 276	2 888	2 342	1 013
宮　　　崎	18 638	926	2 872	4 070	2 611	3 246	3 295	1 618
鹿　児　島	27 493	972	3 893	5 938	3 902	5 059	5 118	2 611
沖　　　縄	35 350	1 544	5 803	7 977	6 268	7 379	4 808	1 571

注：1）指定都市及び中核市は別掲である。
　　2）平成29年9月末日の利用児童を対象とした。

都道府県－指定都市－中核市、年齢各歳別

指定都市 中核市	保育所等 総数							
	総　数	0　歳	1　歳	2　歳	3　歳	4　歳	5　歳	6 歳 以 上 （未就学児）
指定都市（別掲）								
札幌市	26 613	1 202	4 045	5 555	3 897	4 887	4 711	2 316
仙台市	16 757	469	2 486	3 438	2 573	3 315	3 015	1 461
さいたま市	17 104	400	2 301	3 546	2 751	3 438	3 127	1 541
千葉市	13 912	292	1 904	2 864	2 080	2 782	2 662	1 328
横浜市	54 124	1 661	7 887	11 840	7 954	10 187	9 865	4 730
川崎市	23 884	442	3 594	5 457	3 499	4 581	4 305	2 006
相模原市	10 185	247	1 384	1 965	1 742	1 986	1 841	1 020
新潟市	21 488	604	3 004	4 178	3 528	4 144	3 890	2 140
静岡市	12 473	338	1 591	2 559	1 680	2 504	2 447	1 354
浜松市	12 082	384	1 931	2 766	1 596	2 207	2 138	1 060
名古屋市	40 400	1 502	5 430	7 837	7 088	8 142	7 942	2 459
京都市	27 795	1 081	4 180	5 796	4 211	5 207	4 963	2 357
大阪市	44 693	1 216	6 359	8 920	7 138	8 557	8 246	4 257
堺市	15 508	580	2 244	3 138	2 187	2 969	2 887	1 503
神戸市	23 629	556	3 373	4 810	3 578	4 599	4 406	2 307
岡山市	14 253	302	1 973	2 850	2 127	2 755	2 818	1 428
広島市	25 721	755	3 532	5 380	3 626	4 992	4 953	2 483
北九州市	15 586	553	2 486	3 241	2 242	2 876	2 784	1 404
福岡市	30 301	1 083	4 414	5 962	4 836	5 861	5 616	2 529
熊本市	19 186	637	2 858	3 990	2 560	3 691	3 532	1 918
中核市（別掲）								
旭川市	5 715	252	776	1 187	863	1 087	1 018	532
函館市	3 524	161	569	760	410	599	650	375
青森市	6 329	288	900	1 245	939	1 163	1 125	669
八戸市	5 706	284	882	1 218	840	994	977	511
盛岡市	6 073	272	959	1 368	816	1 041	1 063	554
秋田市	6 490	405	1 072	1 425	886	1 101	1 055	546
郡山市	3 633	97	562	830	581	655	577	331
いわき市	5 197	168	724	996	851	995	943	520
宇都宮市	8 015	345	1 281	1 761	1 066	1 446	1 382	734
前橋市	7 052	179	966	1 402	1 045	1 410	1 329	721
高崎市	7 901	236	1 069	1 633	1 179	1 512	1 452	820
川越市	4 180	87	571	818	700	870	758	376
越谷市	4 196	79	478	720	716	831	913	459
船橋市	10 316	588	1 577	1 972	1 814	1 902	1 457	1 006
柏市	6 133	262	978	1 283	962	1 124	1 038	486
八王子市	10 487	261	1 369	2 188	1 566	2 049	2 074	980
横須賀市	4 116	107	591	850	579	781	784	424
富山市	10 740	230	1 474	2 207	1 560	2 130	2 078	1 061
金沢市	11 404	320	1 674	2 313	1 693	2 138	2 168	1 098
長野市	8 340	172	946	1 541	1 239	1 772	1 831	839
岐阜市	5 498	91	686	1 115	871	1 073	1 058	604
豊橋市	8 790	94	956	1 609	1 306	1 885	1 932	1 008
豊田市	7 114	59	607	1 163	1 039	1 700	1 714	832
岡崎市	7 027	40	636	1 206	1 112	1 616	1 528	889
大津市	7 305	156	929	1 453	1 132	1 517	1 474	644
高槻市	5 222	134	674	1 003	885	1 021	1 014	491
東大阪市	7 714	176	889	1 461	1 140	1 556	1 599	893
豊中市	6 222	223	890	1 350	976	1 148	1 087	548
枚方市	7 539	209	1 139	1 417	1 336	1 385	1 353	700
姫路市	10 781	130	1 050	2 112	1 570	2 362	2 305	1 252
西宮市	6 103	156	845	1 434	757	1 150	1 165	596
尼崎市	7 024	277	1 161	1 485	1 092	1 222	1 186	601
奈良市	5 732	264	847	1 167	808	1 109	1 047	490
和歌山市	6 658	130	779	1 260	1 051	1 385	1 390	663
倉敷市	10 864	335	1 618	2 265	1 429	2 038	2 047	1 132
福山市	12 023	433	1 565	2 324	2 168	2 444	2 422	667
呉市	3 840	88	560	895	474	744	732	347
下関市	5 288	111	644	1 049	843	1 063	1 086	492
高松市	8 688	407	1 341	1 753	1 298	1 482	1 629	778
松山市	6 597	115	952	1 517	849	1 214	1 290	660
高知市	9 336	228	1 339	1 904	1 496	1 766	1 731	872
久留米市	8 715	333	1 237	1 801	1 312	1 600	1 651	781
長崎市	9 566	411	1 484	1 948	1 410	1 752	1 727	834
佐世保市	6 258	347	1 030	1 393	814	1 115	1 048	511
大分市	8 665	236	1 346	1 812	1 330	1 625	1 574	742
宮崎市	10 830	504	1 771	2 344	1 503	1 936	1 828	944
鹿児島市	12 298	480	1 949	2 723	1 611	2 233	2 138	1 164
那覇市	8 596	353	1 423	1 932	1 339	1 674	1 351	524

第12表　保育所等・小規模保育事業所の利用児童数，

（単位：人）

都 道 府 県	保 育 所 等							
	幼 保 連 携 型 認 定 こ ど も 園							
	総　　数	0　歳	1　歳	2　歳	3　歳	4　歳	5　歳	6 歳 以 上（未就学児）
全　　　　　国	331 292	9 450	45 172	72 157	43 086	64 523	63 156	33 748
北　海　道	6 676	219	1 020	1 608	764	1 275	1 171	619
青　　　森	8 438	422	1 323	1 780	1 138	1 536	1 468	771
岩　　　手	3 355	138	425	682	418	648	625	419
宮　　　城	857	9	99	197	93	186	172	101
秋　　　田	4 022	174	546	941	435	762	752	412
山　　　形	3 682	140	488	743	432	714	722	443
福　　　島	4 671	116	625	1 071	609	880	908	462
茨　　　城	9 529	237	1 203	2 125	1 180	1 903	1 876	1 005
栃　　　木	5 089	144	631	1 070	574	1 009	967	694
群　　　馬	5 851	155	734	1 323	740	1 150	1 088	661
埼　　　玉	3 876	100	528	850	479	810	719	390
千　　　葉	3 420	96	456	681	454	664	702	367
東　　　京	2 576	55	313	583	347	532	516	230
神　奈　川	1 685	27	209	395	151	368	356	179
新　　　潟	3 689	107	497	949	444	679	662	351
富　　　山	3 248	76	449	778	447	559	624	315
石　　　川	6 306	178	923	1 321	901	1 217	1 144	622
福　　　井	8 680	192	1 134	2 036	1 154	1 677	1 689	798
山　　　梨	3 264	83	447	706	467	614	604	343
長　　　野	1 342	31	153	349	165	268	249	127
岐　　　阜	3 696	51	312	621	474	858	853	527
静　　　岡	4 316	96	545	977	485	900	851	462
愛　　　知	2 209	46	242	485	263	438	480	255
三　　　重	2 096	52	274	492	255	429	382	212
滋　　　賀	5 708	114	667	1 134	741	1 218	1 215	619
京　　　都	3 300	81	422	772	368	652	645	360
大　　　阪	23 729	616	3 248	4 890	3 540	4 692	4 396	2 347
兵　　　庫	14 937	299	1 642	3 138	1 893	3 118	3 196	1 651
奈　　　良	2 156	58	270	409	318	435	433	233
和　歌　山	991	21	112	204	143	181	223	107
鳥　　　取	2 900	65	363	586	432	558	603	293
島　　　根	1 187	24	177	335	106	220	226	99
岡　　　山	1 886	35	263	358	262	380	402	186
広　　　島	2 482	79	355	575	263	492	485	233
山　　　口	96	－	12	26	11	23	17	7
徳　　　島	2 937	68	439	615	512	562	514	227
香　　　川	1 077	13	139	254	133	225	217	96
愛　　　媛	1 086	19	160	274	131	198	193	111
高　　　知	482	25	83	124	27	102	79	42
福　　　岡	1 377	43	200	328	154	250	250	152
佐　　　賀	4 437	94	614	1 089	535	854	819	432
長　　　崎	2 939	154	465	658	346	539	486	291
熊　　　本	1 680	101	271	407	242	269	272	118
大　　　分	3 611	148	632	885	423	613	595	315
宮　　　崎	4 961	311	889	1 181	601	801	773	405
鹿　児　島	6 309	229	1 035	1 548	772	1 073	1 070	582
沖　　　縄	1 874	45	269	439	248	360	332	181

都道府県－指定都市－中核市、年齢各歳別

指定都市 / 中核市	保 育 所 等 — 幼保連携型認定こども園							
	総　数	0 歳	1 歳	2 歳	3 歳	4 歳	5 歳	6 歳以上（未就学児）
指定都市（別掲）								
札幌市	2 602	129	408	638	243	477	434	273
仙台市	903	13	126	182	129	205	188	60
さいたま市	371	3	49	88	37	95	66	33
千葉市	702	12	66	144	78	156	160	86
横浜市	1 035	39	168	264	102	183	192	87
川崎市	226	－	22	54	22	62	50	16
相模原市	592	19	80	125	111	101	108	48
新潟市	2 523	88	442	607	311	456	368	251
静岡市	7 006	111	767	1 327	936	1 512	1 528	825
浜松市	4 979	158	855	1 208	587	862	846	463
名古屋市	3 813	116	507	805	542	772	743	328
京都市	2 334	57	326	567	282	457	434	211
大阪市	3 480	102	491	748	436	719	646	338
堺市	12 832	463	1 831	2 565	1 770	2 488	2 455	1 260
神戸市	10 907	190	1 575	2 406	1 508	2 111	2 060	1 057
岡山市	1 333	33	165	271	178	264	282	140
広島市	2 182	70	296	481	298	405	407	225
北九州市	－	－	－	－	－	－	－	－
福岡市	259	5	42	62	36	47	43	24
熊本市	6 304	232	988	1 371	691	1 192	1 166	664
中核市（別掲）								
旭川市	652	37	96	159	83	112	105	60
函館市	1 041	42	177	262	81	171	208	100
青森市	1 841	64	255	364	280	317	359	202
八戸市	3 573	147	561	815	506	618	591	335
盛岡市	1 099	53	180	233	161	186	199	87
秋田市	1 407	56	191	313	151	252	286	158
郡山市	－	－	－	－	－	－	－	－
いわき市	333	20	58	70	34	69	52	30
宇都宮市	1 052	43	154	216	106	218	198	117
前橋市	2 788	73	385	590	378	562	501	299
高崎市	2 291	92	331	493	308	439	376	252
川越市	28	3	10	4	－	3	4	4
越谷市	414	4	52	67	55	87	104	45
船橋市	263	3	31	51	52	53	46	27
柏市	551	26	85	130	90	107	71	42
八王子市	－	－	－	－	－	－	－	－
横須賀市	875	41	132	181	138	165	152	66
富山市	6 868	135	942	1 445	959	1 362	1 324	701
金沢市	3 084	93	460	603	411	583	604	330
長野市	626	14	63	132	83	136	149	49
岐阜市	844	32	117	169	100	182	163	81
豊橋市	1 940	31	215	395	246	417	419	217
豊田市	433	12	64	105	24	88	83	57
岡崎市	10	－	－	－	4	6	－	－
大津市	1 126	9	134	251	146	239	240	107
高槻市	1 835	52	246	366	281	366	361	163
東大阪市	3 725	72	400	708	565	784	810	386
豊中市	3 583	54	363	611	627	790	744	394
枚方市	394	4	49	77	52	72	88	52
姫路市	4 389	41	388	885	572	997	970	536
西宮市	861	37	116	180	106	150	148	124
尼崎市	381	11	61	102	58	56	60	33
奈良市	1 828	53	243	392	247	357	359	177
和歌山市	2 408	55	308	549	321	469	474	232
倉敷市	807	10	51	137	74	158	193	184
福山市	2 801	71	368	630	410	527	507	288
呉市	724	21	109	171	97	138	127	61
下関市	1 247	25	137	250	189	244	273	129
高松市	1 207	45	170	240	142	264	223	123
松山市	922	33	158	254	77	149	166	85
高知市	339	3	38	82	58	71	58	29
久留米市	292	33	62	70	54	24	41	8
長崎市	1 937	78	327	432	225	366	344	165
佐世保市	858	30	123	222	64	177	165	77
大分市	2 631	69	403	582	357	500	477	243
宮崎市	3 297	165	540	728	461	585	527	291
鹿児島市	1 817	32	283	502	208	321	287	184
那覇市	772	－	29	34	78	131	323	177

第12表　保育所等・小規模保育事業所の利用児童数，

（単位：人）

| 都道府県 | 保育所等 | | | | | | | |
| | 保育所型認定こども園 | | | | | | | |
	総数	0歳	1歳	2歳	3歳	4歳	5歳	6歳以上（未就学児）
全　　　国	51 905	1 438	6 495	10 594	7 756	10 243	10 200	5 179
北　海　道	2 836	57	294	591	406	572	599	317
青　　　森	837	45	124	170	118	161	135	84
岩　　　手	354	3	37	58	39	88	78	51
宮　　　城	236	14	36	40	42	41	54	9
秋　　　田	671	18	76	151	106	115	146	59
山　　　形	207	12	27	36	40	18	23	51
福　　　島	171	2	20	26	28	34	42	19
茨　　　城	1 141	44	141	237	168	219	214	118
栃　　　木	94	4	19	32	23	6	7	3
群　　　馬	191	5	14	36	16	46	43	31
埼　　　玉	259	24	40	42	39	49	53	12
千　　　葉	959	31	121	185	180	161	178	103
東　　　京	4 017	122	604	895	589	758	727	322
神　奈　川	295	2	43	70	36	58	59	27
新　　　潟	673	27	75	172	81	135	111	72
富　　　山	594	14	69	118	99	108	129	57
石　　　川	3 195	87	402	630	519	628	607	322
福　　　井	115	2	15	20	23	21	21	13
山　　　梨	517	16	61	93	72	129	96	50
長　　　野	2 360	18	120	319	341	604	646	312
岐　　　阜	2 299	20	174	399	367	492	558	289
静　　　岡	575	7	65	121	72	125	101	84
愛　　　知	462	9	56	92	51	86	108	60
三　　　重	526	13	56	84	108	100	101	64
滋　　　賀	169	1	8	36	21	32	44	27
京　　　都	－	－	－	－	－	－	－	－
大　　　阪	571	19	82	112	93	120	93	52
兵　　　庫	1 467	30	160	290	262	277	295	153
奈　　　良	138	12	23	24	25	27	27	－
和　歌　山	1 522	16	148	314	240	308	338	158
鳥　　　取	649	18	128	163	97	102	108	33
島　　　根	1 219	37	169	263	184	222	225	119
岡　　　山	1 006	24	126	211	136	190	215	104
広　　　島	1 404	30	151	291	176	283	301	172
山　　　口	－	－	－	－	－	－	－	－
徳　　　島	804	17	113	187	135	182	121	49
香　　　川	211	7	28	45	34	39	41	17
愛　　　媛	146	－	21	26	13	37	30	19
高　　　知	64	3	8	21	8	10	11	3
福　　　岡	966	28	159	245	110	180	168	76
佐　　　賀	379	5	53	68	62	78	72	41
長　　　崎	833	31	121	181	129	155	145	71
熊　　　本	283	9	37	55	44	55	43	40
大　　　分	892	39	147	211	99	162	154	80
宮　　　崎	746	33	114	183	96	125	119	76
鹿　児　島	547	23	69	106	108	101	99	41
沖　　　縄	342	30	48	61	64	59	57	23

平成29年10月1日

指定都市 / 中核市	保育所等（保育所型認定こども園）							
	総数	0歳	1歳	2歳	3歳	4歳	5歳	6歳以上（未就学児）
指定都市（別掲）								
札幌市	172	8	23	46	18	26	34	17
仙台市	-	-	-	-	-	-	-	-
さいたま市	-	-	-	-	-	-	-	-
千葉市	196	-	25	37	27	33	51	23
横浜市	-	-	-	-	-	-	-	-
川崎市	-	-	-	-	-	-	-	-
相模原市	-	-	-	-	-	-	-	-
新潟市	409	31	83	85	73	55	53	29
静岡市	-	-	-	-	-	-	-	-
浜松市	172	1	20	43	18	30	37	23
名古屋市	3 151	35	344	548	585	712	666	261
京都市	263	5	44	68	27	42	57	20
大阪市	272	4	20	53	53	64	66	12
堺市	395	25	61	65	79	72	62	31
神戸市	-	-	-	-	-	-	-	-
岡山市	-	-	-	-	-	-	-	-
広島市	643	24	109	149	82	107	120	52
北九州市	-	-	-	-	-	-	-	-
福岡市	-	-	-	-	-	-	-	-
熊本市	-	-	-	-	-	-	-	-
中核市（別掲）								
旭川市	1 089	37	135	258	139	222	181	117
函館市	1 187	59	224	223	165	201	182	133
青森市	48	1	8	9	6	6	7	11
八戸市	932	56	136	180	135	171	175	79
盛岡市	-	-	-	-	-	-	-	-
秋田市	-	-	-	-	-	-	-	-
郡山市	-	-	-	-	-	-	-	-
いわき市	-	-	-	-	-	-	-	-
宇都宮市	77	2	12	19	8	16	12	8
前橋市	-	-	-	-	-	-	-	-
高崎市	32	-	-	5	8	8	8	3
川越市	-	-	-	-	-	-	-	-
越谷市	-	-	-	-	-	-	-	-
船橋市	-	-	-	-	-	-	-	-
柏市	-	-	-	-	-	-	-	-
八王子市	103	2	18	29	10	15	17	12
横須賀市	-	-	-	-	-	-	-	-
富山市	196	1	33	37	32	39	31	23
金沢市	1 129	36	191	234	173	210	188	97
長野市	20	-	1	6	2	4	3	4
岐阜市	-	-	-	-	-	-	-	-
豊橋市	-	-	-	-	-	-	-	-
豊田市	-	-	-	-	-	-	-	-
岡崎市	124	1	7	21	18	39	19	19
大津市	-	-	-	-	-	-	-	-
高槻市	-	-	-	-	-	-	-	-
東大阪市	-	-	-	-	-	-	-	-
豊中市	-	-	-	-	-	-	-	-
枚方市	-	-	-	-	-	-	-	-
姫路市	1 436	17	150	305	159	336	323	146
西宮市	-	-	-	-	-	-	-	-
尼崎市	-	-	-	-	-	-	-	-
奈良市	-	-	-	-	-	-	-	-
和歌山市	-	-	-	-	-	-	-	-
倉敷市	295	11	42	86	26	47	53	30
福山市	-	-	-	-	-	-	-	-
呉市	95	-	12	18	22	19	16	8
下関市	-	-	-	-	-	-	-	-
高松市	544	6	70	144	72	95	101	56
高知市	545	27	63	122	85	102	113	33
久留米市	252	19	23	67	23	37	57	26
長崎市	186	22	39	27	12	37	26	23
佐世保市	-	-	-	-	-	-	-	-
大分市	-	-	-	-	-	-	-	-
宮崎市	-	-	-	-	-	-	-	-
鹿児島市	-	-	-	-	-	-	-	-
那覇市	-	-	-	-	-	-	-	-

第12表　保育所等・小規模保育事業所の利用児童数，

（単位：人）

都道府県	保育所等							
	保育所							
	総　数	0　歳	1　歳	2　歳	3　歳	4　歳	5　歳	6 歳 以 上（未就学児）
全　　　　国	2 014 307	55 429	271 062	401 724	313 747	396 719	384 598	191 028
北　海　道	27 867	689	3 409	5 572	4 046	5 552	5 616	2 983
青　　　森	11 633	561	1 814	2 256	1 758	2 044	2 078	1 122
岩　　　手	18 519	607	2 547	3 838	2 694	3 518	3 490	1 825
宮　　　城	17 915	564	2 558	3 569	2 849	3 437	3 290	1 648
秋　　　田	12 051	523	1 749	2 275	1 706	2 166	2 390	1 242
山　　　形	20 029	876	2 857	4 061	2 964	3 772	3 610	1 889
福　　　島	13 987	525	2 357	3 312	2 248	2 337	2 090	1 118
茨　　　城	42 056	1 154	5 498	8 369	6 668	8 328	7 982	4 057
栃　　　木	21 323	544	3 008	4 160	3 312	4 058	4 067	2 174
群　　　馬	21 969	539	2 808	4 383	3 481	4 240	4 371	2 147
埼　　　玉	72 819	1 775	9 535	14 256	11 968	14 463	13 835	6 987
千　　　葉	55 462	1 389	7 354	11 332	8 599	10 850	10 579	5 359
東　　　京	209 508	5 352	29 807	43 658	34 180	39 960	37 645	18 906
神　奈　川	36 555	803	5 009	7 254	5 586	7 161	7 068	3 674
新　　　潟	34 432	696	3 814	6 380	4 906	7 403	7 359	3 874
富　　　山	14 954	252	2 024	3 043	2 230	2 939	2 943	1 523
石　　　川	13 248	368	1 863	2 737	1 939	2 476	2 559	1 306
福　　　井	16 764	321	2 011	3 306	2 585	3 391	3 385	1 765
山　　　梨	16 079	360	1 927	3 089	2 453	3 236	3 378	1 636
長　　　野	38 002	401	3 076	5 646	5 856	9 132	9 150	4 741
岐　　　阜	27 564	352	2 551	4 572	4 286	6 424	6 318	3 061
静　　　岡	30 682	655	3 974	6 105	4 759	6 152	6 102	2 935
愛　　　知	82 343	823	7 184	12 649	12 850	19 141	19 553	10 143
三　　　重	35 908	649	4 086	6 792	5 762	7 594	7 449	3 576
滋　　　賀	17 917	316	2 042	3 366	2 798	3 830	3 705	1 860
京　　　都	21 713	451	2 786	4 314	3 350	4 353	4 274	2 185
大　　　阪	37 460	1 085	5 060	7 644	5 853	7 092	7 117	3 609
兵　　　庫	28 827	575	3 612	5 640	4 760	5 935	5 553	2 752
奈　　　良	15 809	358	1 967	3 211	2 456	3 126	3 138	1 553
和　歌　山	10 145	130	898	1 811	1 604	2 207	2 307	1 188
鳥　　　取	14 067	442	1 924	2 613	2 256	2 755	2 634	1 443
島　　　根	20 000	815	3 109	4 330	2 880	3 538	3 549	1 779
岡　　　山	13 675	361	1 901	2 703	2 111	2 668	2 672	1 259
広　　　島	16 778	309	2 013	3 142	2 592	3 432	3 486	1 804
山　　　口	18 868	491	2 507	3 917	2 511	3 757	3 677	2 008
徳　　　島	11 681	413	1 847	2 987	1 963	2 165	1 595	711
香　　　川	10 605	314	1 669	2 608	1 631	1 895	1 663	825
愛　　　媛	16 560	308	1 939	3 366	2 451	3 335	3 388	1 773
高　　　知	9 357	155	1 135	1 902	1 515	1 899	1 833	918
福　　　岡	47 113	1 393	6 794	9 395	7 099	8 955	8 988	4 489
佐　　　賀	16 895	510	2 357	3 223	2 574	3 281	3 362	1 588
長　　　崎	15 895	632	2 381	3 259	2 374	2 868	2 901	1 480
熊　　　本	31 003	1 177	4 383	6 178	4 562	5 858	5 952	2 893
大　　　分	10 574	322	1 795	2 379	1 754	2 113	1 593	618
宮　　　崎	12 931	582	1 869	2 706	1 914	2 320	2 403	1 137
鹿　児　島	20 637	720	2 789	4 284	3 022	3 885	3 949	1 988
沖　　　縄	33 134	1 469	5 486	7 477	5 956	6 960	4 419	1 367

都道府県－指定都市－中核市、年齢各歳別

指定都市 中核市	保育所等 保育所 総数	0 歳	1 歳	2 歳	3 歳	4 歳	5 歳	6 歳以上 （未就学児）
指定都市（別掲）								
札幌市	23 839	1 065	3 614	4 871	3 636	4 384	4 243	2 026
仙台市	15 854	456	2 360	3 256	2 444	3 110	2 827	1 401
さいたま市	16 733	397	2 252	3 458	2 714	3 343	3 061	1 508
千葉市	13 014	280	1 813	2 683	1 975	2 593	2 451	1 219
横浜市	53 089	1 622	7 719	11 576	7 852	10 004	9 673	4 643
川崎市	23 658	442	3 572	5 403	3 477	4 519	4 255	1 990
相模原市	9 593	228	1 304	1 840	1 631	1 885	1 733	972
新潟市	18 556	485	2 479	3 486	3 144	3 633	3 469	1 860
静岡市	5 467	227	824	1 232	744	992	919	529
浜松市	6 931	225	1 056	1 515	991	1 315	1 255	574
名古屋市	33 436	1 351	4 579	6 484	5 961	6 658	6 533	1 870
京都市	25 198	1 019	3 810	5 161	3 902	4 708	4 472	2 126
大阪市	40 941	1 110	5 848	8 119	6 649	7 774	7 534	3 907
堺市	2 281	92	352	508	338	409	370	212
神戸市	12 722	366	1 798	2 404	2 070	2 488	2 346	1 250
岡山市	12 920	269	1 808	2 579	1 949	2 491	2 536	1 288
広島市	22 896	661	3 127	4 750	3 246	4 480	4 426	2 206
北九州市	15 586	553	2 486	3 241	2 242	2 876	2 784	1 404
福岡市	30 042	1 078	4 372	5 900	4 800	5 814	5 573	2 505
熊本市	12 882	405	1 870	2 619	1 869	2 499	2 366	1 254
中核市（別掲）								
旭川市	3 974	178	545	770	641	753	732	355
函館市	1 296	60	168	275	164	227	260	142
青森市	4 440	223	637	872	653	840	759	456
八戸市	1 201	81	185	223	199	205	211	97
盛岡市	4 974	219	779	1 135	655	855	864	467
秋田市	5 083	349	881	1 112	735	849	769	388
郡山市	3 633	97	562	830	581	655	577	331
いわき市	4 864	148	666	926	817	926	891	490
宇都宮市	6 886	300	1 115	1 526	952	1 212	1 172	609
前橋市	4 264	106	581	812	667	848	828	422
高崎市	5 578	144	738	1 135	863	1 065	1 068	565
川越市	4 152	84	561	814	700	867	754	372
越谷市	3 782	75	426	653	661	744	809	414
船橋市	10 053	585	1 546	1 921	1 762	1 849	1 411	979
柏市	5 582	236	893	1 153	872	1 017	967	444
八王子市	10 384	259	1 351	2 159	1 556	2 034	2 057	968
横須賀市	3 241	66	459	669	441	616	632	358
富山市	3 676	94	499	725	569	729	723	337
金沢市	7 191	191	1 023	1 476	1 109	1 345	1 376	671
長野市	7 694	158	882	1 403	1 154	1 632	1 679	786
岐阜市	4 654	59	569	946	771	891	895	523
豊橋市	6 850	63	741	1 214	1 060	1 468	1 513	791
豊田市	6 681	47	543	1 058	1 015	1 612	1 631	775
岡崎市	6 893	39	629	1 185	1 090	1 571	1 509	870
大津市	6 179	147	795	1 202	986	1 278	1 234	537
高槻市	3 387	82	428	637	604	655	653	328
東大阪市	3 989	104	489	753	575	772	789	507
豊中市	2 639	169	527	739	349	358	343	154
枚方市	7 145	205	1 090	1 340	1 284	1 313	1 265	648
姫路市	4 956	72	512	922	839	1 029	1 012	570
西宮市	5 242	119	729	1 254	651	1 000	1 017	472
尼崎市	6 643	266	1 100	1 383	1 034	1 166	1 126	568
奈良市	3 904	211	604	775	561	752	688	313
和歌山市	4 250	75	471	711	730	916	916	431
倉敷市	9 762	314	1 525	2 042	1 329	1 833	1 801	918
福山市	9 222	362	1 197	1 694	1 758	1 917	1 915	379
呉市	3 021	67	439	706	355	587	589	278
下関市	4 041	86	507	799	654	819	813	363
高松市	7 481	362	1 171	1 513	1 156	1 218	1 406	655
松山市	5 131	76	724	1 119	700	970	1 023	519
高知市	8 452	198	1 238	1 700	1 353	1 593	1 560	810
久留米市	8 171	281	1 152	1 664	1 235	1 539	1 553	747
長崎市	7 629	333	1 157	1 516	1 185	1 386	1 383	669
佐世保市	5 214	295	868	1 144	738	901	857	411
大分市	6 034	167	943	1 230	973	1 125	1 097	499
宮崎市	7 533	339	1 231	1 616	1 042	1 351	1 301	653
鹿児島市	10 481	448	1 666	2 221	1 403	1 912	1 851	980
那覇市	7 824	353	1 394	1 898	1 261	1 543	1 028	347

第12表　保育所等・小規模保育事業所の利用児童数，

（単位：人）

都道府県	小規模保育事業所							
	総数							
	総　数	0　歳	1　歳	2　歳	3　歳	4　歳	5　歳	6歳以上（未就学児）
全　　　　国	47 402	7 878	18 795	19 056	1 300	147	145	81
北　海　道	330	60	134	129	2	5	－	－
青　　　森	26	4	6	8	2	－	4	2
岩　　　手	284	54	112	101	12	4	1	－
宮　　　城	1 087	170	393	466	45	7	4	2
秋　　　田	35	5	19	11	－	－	－	－
山　　　形	354	62	141	140	11	－	－	－
福　　　島	582	105	188	202	48	17	13	9
茨　　　城	533	109	203	193	20	2	－	6
栃　　　木	597	102	218	255	9	7	2	4
群　　　馬	17	3	7	7	－	－	－	－
埼　　　玉	3 719	608	1 437	1 568	106	－	－	－
千　　　葉	－	－	－	－	－	－	－	－
東　　　京	5 478	906	2 245	2 224	103	－	－	－
神　奈　川	1 010	163	411	404	32	－	－	－
新　　　潟	280	41	143	90	6	－	－	－
富　　　山	－	－	－	－	－	－	－	－
石　　　川	36	3	17	16	－	－	－	－
福　　　井	86	9	13	23	9	12	12	8
山　　　梨	172	22	68	82	－	－	－	－
長　　　野	115	31	44	40	－	－	－	－
岐　　　阜	247	40	88	113	6	－	－	－
静　　　岡	1 073	167	419	443	29	7	4	4
愛　　　知	895	170	343	352	30	－	－	－
三　　　重	244	40	95	96	6	1	3	3
滋　　　賀	411	59	186	144	21	－	1	－
京　　　都	252	30	114	97	5	2	4	－
大　　　阪	1 446	222	603	589	32	－	－	－
兵　　　庫	571	88	222	230	28	3	－	－
奈　　　良	140	12	45	48	13	7	11	4
和　歌　山	59	－	18	22	14	1	2	2
鳥　　　取	397	95	167	128	7	－	－	－
島　　　根	75	6	18	21	8	9	12	1
岡　　　山	37	－	18	19	－	－	－	－
広　　　島	68	12	18	30	3	1	2	2
山　　　口	233	32	88	108	5	－	－	－
徳　　　島	40	6	18	14	2	－	－	－
香　　　川	89	28	42	19	－	－	－	－
愛　　　媛	150	25	44	54	9	2	6	10
高　　　知	115	31	43	31	6	3	1	－
福　　　岡	－	－	－	－	－	－	－	－
佐　　　賀	428	80	174	153	15	2	3	1
長　　　崎	282	41	99	128	3	3	7	1
熊　　　本	259	37	100	111	11	－	－	－
大　　　分	104	13	25	30	8	13	12	3
宮　　　崎	199	31	77	45	15	12	16	3
鹿　児　島	373	81	148	133	6	2	2	1
沖　　　縄	1 378	297	542	515	20	4	－	－

都道府県－指定都市－中核市、年齢各歳別

指定都市 中核市	小規模保育事業所 総数							
	総数	0 歳	1 歳	2 歳	3 歳	4 歳	5 歳	6 歳以上 (未就学児)
指定都市（別掲）								
札　幌　市	977	154	408	388	27	-	-	-
仙　台　市	1 118	210	439	416	52	1	-	-
さ い た ま 市	1 446	280	576	554	36	-	-	-
千　葉　市	573	78	204	283	8	-	-	-
横　浜　市	1 932	255	795	876	6	-	-	-
川　崎　市	484	75	166	241	2	-	-	-
相 模 原 市	521	88	200	222	11	-	-	-
新　潟　市	90	17	36	29	8	-	-	-
静　岡　市	500	114	182	178	24	1	-	1
浜　松　市	383	67	162	150	4	-	-	-
名 古 屋 市	1 423	231	600	551	41	-	-	-
京　都　市	1 206	203	510	486	3	1	2	1
大　阪　市	1 703	261	705	696	41	-	-	-
堺　　　市	508	82	191	212	22	1	-	-
神　戸　市	1 306	124	530	562	87	1	2	-
岡　山　市	199	19	80	99	1	-	-	-
広　島　市	364	89	141	129	5	-	-	-
北 九 州 市	513	77	210	210	16	-	-	-
福　岡　市	1 393	217	596	536	43	1	-	-
熊　本　市	876	220	317	329	10	-	-	-
中核市（別掲）								
旭　川　市	266	61	87	98	7	4	7	2
函　館　市	-	-	-	-	-	-	-	-
青　森　市	19	-	8	11	-	-	-	-
八　戸　市	-	-	-	-	-	-	-	-
盛　岡　市	120	12	53	55	-	-	-	-
秋　田　市	161	38	57	59	5	2	-	-
郡　山　市	192	35	79	74	4	-	-	-
い わ き 市	57	18	22	17	-	-	-	-
宇 都 宮 市	325	48	127	141	2	3	3	1
前　橋　市	-	-	-	-	-	-	-	-
高　崎　市	-	-	-	-	-	-	-	-
川　越　市	185	24	81	80	-	-	-	-
越　谷　市	416	73	170	162	11	-	-	-
船　橋　市	259	43	102	103	11	-	-	-
柏　　　市	107	5	36	53	13	-	-	-
八 王 子 市	41	12	16	13	-	-	-	-
横 須 賀 市	18	6	6	6	-	-	-	-
富　山　市	18	5	6	7	-	-	-	-
金　沢　市	-	-	-	-	-	-	-	-
長　野　市	18	4	12	2	-	-	-	-
岐　阜　市	255	24	113	117	1	-	-	-
豊　橋　市	-	-	-	-	-	-	-	-
豊　田　市	38	1	11	26	-	-	-	-
岡　崎　市	-	-	-	-	-	-	-	-
大　津　市	136	38	56	42	-	-	-	-
高　槻　市	318	57	116	142	2	1	-	-
東 大 阪 市	221	47	73	101	-	-	-	-
豊　中　市	163	11	60	92	-	-	-	-
枚　方　市	95	5	37	48	5	-	-	-
姫　路　市	-	-	-	-	-	-	-	-
西　宮　市	462	51	193	192	26	-	-	-
尼　崎　市	315	34	139	126	16	-	-	-
奈　良　市	58	18	25	14	1	-	-	-
和 歌 山 市	-	-	-	-	-	-	-	-
倉　敷　市	183	43	68	65	7	-	-	-
福　山　市	139	20	47	72	-	-	-	-
呉　　　市	38	9	18	11	-	-	-	-
下　関　市	117	23	48	35	3	-	2	6
高　松　市	347	53	138	139	17	-	-	-
高　知　市	138	29	61	40	8	-	-	-
久 留 米 市	-	-	-	-	-	-	-	-
長　崎　市	8	-	3	2	2	-	1	-
佐 世 保 市	23	-	1	4	3	5	6	4
大　分　市	119	28	42	49	-	-	-	-
宮　崎　市	78	14	32	32	-	-	-	-
鹿 児 島 市	-	-	-	-	-	-	-	-
那　覇　市	128	28	51	47	2	-	-	-

第12表　保育所等・小規模保育事業所の利用児童数，

（単位：人）

都　道　府　県	小　規　模　保　育　事　業　所							
	小　規　模　保　育　事　業　所　Ａ　型							
	総　　数	0　歳	1　歳	2　歳	3　歳	4　歳	5　歳	6 歳 以 上 （未就学児）
全　　　　国	37 645	6 282	14 920	15 134	1 042	99	105	63
北　海　道	300	55	120	118	2	5	－	－
青　　　森	16	4	5	7	－	－	－	－
岩　　　手	167	41	65	51	5	4	1	－
宮　　　城	770	117	281	340	24	2	4	2
秋　　　田	21	1	14	6	－	－	－	－
山　　　形	181	28	70	72	11	－	－	－
福　　　島	475	78	149	168	43	15	13	9
茨　　　城	473	94	184	170	18	1	－	6
栃　　　木	519	84	188	226	8	7	2	4
群　　　馬	17	3	7	7	－	－	－	－
埼　　　玉	1 800	294	709	751	46	－	－	－
千　　　葉	－	－	－	－	－	－	－	－
東　　　京	4 149	699	1 701	1 675	74	－	－	－
神　奈　川	915	149	367	370	29	－	－	－
新　　　潟	140	16	71	47	6	－	－	－
富　　　山	－	－	－	－	－	－	－	－
石　　　川	36	3	17	16	－	－	－	－
福　　　井	55	9	12	19	5	3	5	2
山　　　梨	155	20	60	75	－	－	－	－
長　　　野	115	31	44	40	－	－	－	－
岐　　　阜	207	36	75	93	3	－	－	－
静　　　岡	732	118	293	300	21	－	－	－
愛　　　知	790	155	297	308	30	－	－	－
三　　　重	110	21	44	45	－	－	－	－
滋　　　賀	324	47	153	108	16	－	－	－
京　　　都	232	27	99	95	5	2	4	－
大　　　阪	1 381	213	576	561	31	－	－	－
兵　　　庫	562	87	215	229	28	3	－	－
奈　　　良	135	12	45	48	10	5	11	4
和　歌　山	59	－	18	22	14	1	2	2
鳥　　　取	370	93	153	120	4	－	－	－
島　　　根	65	6	18	19	8	5	8	1
岡　　　山	9	－	7	2	－	－	－	－
広　　　島	60	8	17	28	2	1	2	2
山　　　口	172	23	64	80	5	－	－	－
徳　　　島	40	6	18	14	2	－	－	－
香　　　川	38	14	12	12	－	－	－	－
愛　　　媛	114	12	32	43	9	2	6	10
高　　　知	49	16	24	3	2	3	1	－
福　　　岡	－	－	－	－	－	－	－	－
佐　　　賀	271	49	117	94	11	－	－	－
長　　　崎	225	37	81	93	3	3	7	1
熊　　　本	195	33	77	79	6	－	－	－
大　　　分	92	9	18	29	8	13	12	3
宮　　　崎	100	22	58	12	2	1	3	2
鹿　児　島	195	54	63	74	1	1	2	－
沖　　　縄	867	198	314	334	17	4	－	－

平成29年10月 1 日

指定都市 中核市	小　規　模　保　育　事　業　所 小規模保育事業所Ａ型							
	総数	0 歳	1 歳	2 歳	3 歳	4 歳	5 歳	6歳以上（未就学児）
指定都市（別掲）								
札幌市	944	148	394	377	25	-	-	-
仙台市	760	146	294	277	42	1	-	-
さいたま市	1 238	239	495	474	30	-	-	-
千葉市	453	58	165	222	8	-	-	-
横浜市	1 623	215	662	741	5	-	-	-
川崎市	238	39	89	108	2	-	-	-
相模原市	235	37	93	98	7	-	-	-
新潟市	90	17	36	29	8	-	-	-
静岡市	500	114	182	178	24	1	-	1
浜松市	383	67	162	150	4	-	-	-
名古屋市	1 048	170	428	418	32	-	-	-
京都市	1 077	178	456	436	3	1	2	1
大阪市	1 467	223	607	600	37	-	-	-
堺市	496	82	185	206	22	1	-	-
神戸市	1 306	124	530	562	87	1	2	-
岡山市	199	19	80	99	1	-	-	-
広島市	294	81	113	100	-	-	-	-
北九州市	513	77	210	210	16	-	-	-
福岡市	1 280	208	545	488	38	1	-	-
熊本市	876	220	317	329	10	-	-	-
中核市（別掲）								
旭川市	266	61	87	98	7	4	7	2
函館市	-	-	-	-	-	-	-	-
青森市	19	-	8	11	-	-	-	-
八戸市	-	-	-	-	-	-	-	-
盛岡市	91	7	41	43	-	-	-	-
秋田市	27	7	11	9	-	-	-	-
郡山市	192	35	79	74	4	-	-	-
いわき市	57	18	22	17	-	-	-	-
宇都宮市	287	45	113	122	2	2	2	1
前橋市	-	-	-	-	-	-	-	-
高崎市	-	-	-	-	-	-	-	-
川越市	153	23	66	64	-	-	-	-
越谷市	283	49	104	122	8	-	-	-
船橋市	259	43	102	103	11	-	-	-
柏市	107	5	36	53	13	-	-	-
八王子市	41	12	16	13	-	-	-	-
横須賀市	18	6	6	6	-	-	-	-
富山市	18	5	6	7	-	-	-	-
金沢市	-	-	-	-	-	-	-	-
長野市	18	4	12	2	-	-	-	-
岐阜市	255	24	113	117	1	-	-	-
豊橋市	-	-	-	-	-	-	-	-
豊田市	38	1	11	26	-	-	-	-
岡崎市	-	-	-	-	-	-	-	-
大津市	67	18	31	18	-	-	-	-
高槻市	318	57	116	142	2	1	-	-
東大阪市	221	47	73	101	-	-	-	-
豊中市	163	11	60	92	-	-	-	-
枚方市	49	-	17	27	5	-	-	-
姫路市	-	-	-	-	-	-	-	-
西宮市	351	37	150	144	20	-	-	-
尼崎市	315	34	139	126	16	-	-	-
奈良市	58	18	25	14	1	-	-	-
和歌山市	-	-	-	-	-	-	-	-
倉敷市	183	43	68	65	7	-	-	-
福山市	139	20	47	72	-	-	-	-
呉市	38	9	18	11	-	-	-	-
下関市	-	-	-	-	-	-	-	-
高松市	117	23	48	35	3	-	2	6
松山市	347	53	138	139	17	-	-	-
高知市	76	13	33	22	8	-	-	-
久留米市	8	-	3	2	2	-	1	-
長崎市	23	-	1	4	3	5	6	4
佐世保市	-	-	-	-	-	-	-	-
大分市	119	28	42	49	-	-	-	-
宮崎市	78	14	32	32	-	-	-	-
鹿児島市	-	-	-	-	-	-	-	-
那覇市	128	28	51	47	2	-	-	-

第12表　保育所等・小規模保育事業所の利用児童数，

（単位：人）

都 道 府 県	小 規 模 保 育 事 業 所							
	小 規 模 保 育 事 業 所 Ｂ 型							
	総 数	０ 歳	１ 歳	２ 歳	３ 歳	４ 歳	５ 歳	６ 歳 以 上（未就学児）
全　　　　国	8 885	1 472	3 506	3 588	229	40	36	14
北　海　道	30	5	14	11	-	-	-	-
青　　　森	10	-	1	1	2	-	4	2
岩　　　手	117	13	47	50	7	-	-	-
宮　　　城	273	50	92	105	21	5	-	-
秋　　　田	14	4	5	5	-	-	-	-
山　　　形	173	34	71	68	-	-	-	-
福　　　島	100	25	38	30	5	2	-	-
茨　　　城	45	14	12	19	-	-	-	-
栃　　　木	78	18	30	29	1	-	-	-
群　　　馬	-	-	-	-	-	-	-	-
埼　　　玉	1 909	314	724	813	58	-	-	-
千　　　葉	-	-	-	-	-	-	-	-
東　　　京	1 171	177	472	496	26	-	-	-
神　奈　川	95	14	44	34	3	-	-	-
新　　　潟	130	19	68	43	-	-	-	-
富　　　山	-	-	-	-	-	-	-	-
石　　　川	-	-	-	-	-	-	-	-
福　　　井	31	-	1	4	4	9	7	6
山　　　梨	-	-	-	-	-	-	-	-
長　　　野	-	-	-	-	-	-	-	-
岐　　　阜	40	4	13	20	3	-	-	-
静　　　岡	236	43	90	103	-	-	-	-
愛　　　知	105	15	46	44	-	-	-	-
三　　　重	124	17	44	50	6	1	3	3
滋　　　賀	87	12	33	36	5	-	1	-
京　　　都	11	-	9	2	-	-	-	-
大　　　阪	65	9	27	28	1	-	-	-
兵　　　庫	9	1	7	1	-	-	-	-
奈　　　良	5	-	-	-	3	2	-	-
和　歌　山	-	-	-	-	-	-	-	-
鳥　　　取	27	2	14	8	3	-	-	-
島　　　根	10	-	-	2	-	4	4	-
岡　　　山	28	-	11	17	-	-	-	-
広　　　島	8	4	1	2	1	-	-	-
山　　　口	61	9	24	28	-	-	-	-
徳　　　島	-	-	-	-	-	-	-	-
香　　　川	51	14	30	7	-	-	-	-
愛　　　媛	36	13	12	11	-	-	-	-
高　　　知	66	15	19	28	4	-	-	-
福　　　岡	-	-	-	-	-	-	-	-
佐　　　賀	157	31	57	59	4	2	3	1
長　　　崎	57	4	18	35	-	-	-	-
熊　　　本	54	3	20	26	5	-	-	-
大　　　分	12	4	7	1	-	-	-	-
宮　　　崎	99	9	19	33	13	11	13	1
鹿　児　島	178	27	85	59	5	1	-	1
沖　　　縄	511	99	228	181	3	-	-	-

平成29年10月1日

指定都市／中核市	小規模保育事業所（小規模保育事業所B型）							
	総数	0 歳	1 歳	2 歳	3 歳	4 歳	5 歳	6 歳 以 上（未就学児）
指定都市（別掲）								
札幌市	21	4	9	6	2	－	－	－
仙台市	275	50	108	112	5	－	－	－
さいたま市	208	41	81	80	6	－	－	－
千葉市	120	20	39	61	1	－	－	－
横浜市	267	39	113	114	1	－	－	－
川崎市	207	29	64	114	－	－	－	－
相模原市	279	50	102	123	4	－	－	－
新潟市	－	－	－	－	－	－	－	－
静岡市	－	－	－	－	－	－	－	－
浜松市								
名古屋市	375	61	172	133	9	－	－	－
京都市	80	17	33	30	－	－	－	－
大阪市	75	16	30	29	－	－	－	－
堺市	12	－	6	6	－	－	－	－
神戸市	－	－	－	－	－	－	－	－
岡山市	70	8	28	29	5	－	－	－
広島市	－	－	－	－	－	－	－	－
北九州市	76	5	41	30	－	－	－	－
福岡市								
熊本市	－	－	－	－	－	－	－	－
中核市（別掲）								
旭川市	－	－	－	－	－	－	－	－
函館市	－	－	－	－	－	－	－	－
青森市	－	－	－	－	－	－	－	－
八戸市	－	－	－	－	－	－	－	－
盛岡市	19	4	7	8	－	－	－	－
秋田市	134	31	46	50	5	2	－	－
郡山市	－	－	－	－	－	－	－	－
いわき市	－	－	－	－	－	－	－	－
宇都宮市	38	3	14	19	－	－	1	1
前橋市	－	－	－	－	－	－	－	－
高崎市	－	－	－	－	－	－	－	－
川越市	32	1	15	16	－	－	－	－
越谷市	133	24	66	40	3	－	－	－
船橋市	－	－	－	－	－	－	－	－
柏市								
八王子市	－	－	－	－	－	－	－	－
横須賀市	－	－	－	－	－	－	－	－
富山市	－	－	－	－	－	－	－	－
金沢市	－	－	－	－	－	－	－	－
長野市	－	－	－	－	－	－	－	－
岐阜市	－	－	－	－	－	－	－	－
豊橋市	－	－	－	－	－	－	－	－
豊田市	－	－	－	－	－	－	－	－
岡崎市	－	－	－	－	－	－	－	－
大津市	40	14	12	14	－	－	－	－
高槻市	－	－	－	－	－	－	－	－
東大阪市	－	－	－	－	－	－	－	－
豊中市	－	－	－	－	－	－	－	－
枚方市	46	5	20	21	－	－	－	－
姫路市	－	－	－	－	－	－	－	－
西宮市	103	12	39	46	6	－	－	－
尼崎市	－	－	－	－	－	－	－	－
奈良市	－	－	－	－	－	－	－	－
和歌山市	－	－	－	－	－	－	－	－
倉敷市	－	－	－	－	－	－	－	－
福山市	－	－	－	－	－	－	－	－
呉市	－	－	－	－	－	－	－	－
下関市	－	－	－	－	－	－	－	－
高松市	－	－	－	－	－	－	－	－
松山市								
高知市	62	16	28	18	－	－	－	－
久留米市	－	－	－	－	－	－	－	－
長崎市	－	－	－	－	－	－	－	－
佐世保市	－	－	－	－	－	－	－	－
大分市								
宮崎市	－	－	－	－	－	－	－	－
鹿児島市	－	－	－	－	－	－	－	－
那覇市								

第12表　保育所等・小規模保育事業所の利用児童数，

（単位：人）

都道府県	小規模保育事業所 小規模保育事業所Ｃ型							
	総数	0歳	1歳	2歳	3歳	4歳	5歳	6歳以上（未就学児）
全　国	872	124	369	334	29	8	4	4
北海道	-	-	-	-	-	-	-	-
青森	-	-	-	-	-	-	-	-
岩手	-	-	-	-	-	-	-	-
宮城	44	3	20	21	-	-	-	-
秋田	-	-	-	-	-	-	-	-
山形	-	-	-	-	-	-	-	-
福島	7	2	1	4	-	-	-	-
茨城	15	1	7	4	2	1	-	-
栃木	-	-	-	-	-	-	-	-
群馬	-	-	-	-	-	-	-	-
埼玉	10	-	4	4	2	-	-	-
千葉	-	-	-	-	-	-	-	-
東京	158	30	72	53	3	-	-	-
神奈川	-	-	-	-	-	-	-	-
新潟	10	6	4	-	-	-	-	-
富山	-	-	-	-	-	-	-	-
石川	-	-	-	-	-	-	-	-
福井	-	-	-	-	-	-	-	-
山梨	17	2	8	7	-	-	-	-
長野	-	-	-	-	-	-	-	-
岐阜	-	-	-	-	-	-	-	-
静岡	105	6	36	40	8	7	4	4
愛知	-	-	-	-	-	-	-	-
三重	10	2	7	1	-	-	-	-
滋賀	-	-	-	-	-	-	-	-
京都	9	3	6	-	-	-	-	-
大阪	-	-	-	-	-	-	-	-
兵庫	-	-	-	-	-	-	-	-
奈良	-	-	-	-	-	-	-	-
和歌山	-	-	-	-	-	-	-	-
鳥取	-	-	-	-	-	-	-	-
島根	-	-	-	-	-	-	-	-
岡山	-	-	-	-	-	-	-	-
広島	-	-	-	-	-	-	-	-
山口	-	-	-	-	-	-	-	-
徳島	-	-	-	-	-	-	-	-
香川	-	-	-	-	-	-	-	-
愛媛	-	-	-	-	-	-	-	-
高知	-	-	-	-	-	-	-	-
福岡	-	-	-	-	-	-	-	-
佐賀	-	-	-	-	-	-	-	-
長崎	-	-	-	-	-	-	-	-
熊本	10	1	3	6	-	-	-	-
大分	-	-	-	-	-	-	-	-
宮崎	-	-	-	-	-	-	-	-
鹿児島	-	-	-	-	-	-	-	-
沖縄	-	-	-	-	-	-	-	-

都道府県－指定都市－中核市、年齢各歳別

平成29年10月1日

指定都市 / 中核市	小規模保育事業所							
	小規模保育事業所 C 型							
	総数	0 歳	1 歳	2 歳	3 歳	4 歳	5 歳	6 歳以上（未就学児）
指定都市（別掲）								
札 幌 市	12	2	5	5	-	-	-	-
仙 台 市	83	14	37	27	5	-	-	-
さ い た ま 市	-	-	-	-	-	-	-	-
千 葉 市	-	-	-	-	-	-	-	-
横 浜 市	42	1	20	21	-	-	-	-
川 崎 市	39	7	13	19	-	-	-	-
相 模 原 市	7	1	5	1	-	-	-	-
新 潟 市	-	-	-	-	-	-	-	-
静 岡 市	-	-	-	-	-	-	-	-
浜 松 市	-	-	-	-	-	-	-	-
名 古 屋 市	49	8	21	20	-	-	-	-
京 都 市	161	22	68	67	4	-	-	-
大 阪 市	-	-	-	-	-	-	-	-
堺 市	-	-	-	-	-	-	-	-
神 戸 市	-	-	-	-	-	-	-	-
岡 山 市	-	-	-	-	-	-	-	-
広 島 市	-	-	-	-	-	-	-	-
北 九 州 市	-	-	-	-	-	-	-	-
福 岡 市	37	4	10	18	5	-	-	-
熊 本 市	-	-	-	-	-	-	-	-
中 核 市（別掲）								
旭 川 市	-	-	-	-	-	-	-	-
函 館 市	-	-	-	-	-	-	-	-
青 森 市	-	-	-	-	-	-	-	-
八 戸 市	-	-	-	-	-	-	-	-
盛 岡 市	10	1	5	4	-	-	-	-
秋 田 市	-	-	-	-	-	-	-	-
郡 山 市	-	-	-	-	-	-	-	-
い わ き 市	-	-	-	-	-	-	-	-
宇 都 宮 市	-	-	-	-	-	-	-	-
前 橋 市	-	-	-	-	-	-	-	-
高 崎 市	-	-	-	-	-	-	-	-
川 越 市	-	-	-	-	-	-	-	-
越 谷 市	-	-	-	-	-	-	-	-
船 橋 市	-	-	-	-	-	-	-	-
柏 市	-	-	-	-	-	-	-	-
八 王 子 市	-	-	-	-	-	-	-	-
横 須 賀 市	-	-	-	-	-	-	-	-
富 山 市	-	-	-	-	-	-	-	-
金 沢 市	-	-	-	-	-	-	-	-
長 野 市	-	-	-	-	-	-	-	-
岐 阜 市	-	-	-	-	-	-	-	-
豊 橋 市	-	-	-	-	-	-	-	-
豊 田 市	-	-	-	-	-	-	-	-
岡 崎 市	-	-	-	-	-	-	-	-
大 津 市	29	6	13	10	-	-	-	-
高 槻 市	-	-	-	-	-	-	-	-
東 大 阪 市	-	-	-	-	-	-	-	-
豊 中 市	-	-	-	-	-	-	-	-
枚 方 市	-	-	-	-	-	-	-	-
姫 路 市	-	-	-	-	-	-	-	-
西 宮 市	8	2	4	2	-	-	-	-
尼 崎 市	-	-	-	-	-	-	-	-
奈 良 市	-	-	-	-	-	-	-	-
和 歌 山 市	-	-	-	-	-	-	-	-
倉 敷 市	-	-	-	-	-	-	-	-
福 山 市	-	-	-	-	-	-	-	-
呉 市	-	-	-	-	-	-	-	-
下 関 市	-	-	-	-	-	-	-	-
高 松 市	-	-	-	-	-	-	-	-
松 山 市	-	-	-	-	-	-	-	-
高 知 市	-	-	-	-	-	-	-	-
久 留 米 市	-	-	-	-	-	-	-	-
長 崎 市	-	-	-	-	-	-	-	-
佐 世 保 市	-	-	-	-	-	-	-	-
大 分 市	-	-	-	-	-	-	-	-
宮 崎 市	-	-	-	-	-	-	-	-
鹿 児 島 市	-	-	-	-	-	-	-	-
那 覇 市	-	-	-	-	-	-	-	-

都道府県－指定都市－中核市、年齢各歳別

第13表　社会福祉施設等の常勤換算従事者数,

（単位：人）

国 都道府県	総　数			保　　護　　施　　設									
				総　　　数			救　護　施　設			更　生　施　設		
	総　数	公　営	私　営	総　数	公　営	私　営	総　数	公　営	私　営	総　数	公　営	私　営
全　　　　　国	1 007 414	203 953	803 461	6 293	381	5 913	5 915	346	5 569	278	18	260
国	906	896	10	－	－	－	－	－	－	－	－	－
北　海　道	23 350	5 599	17 751	74	－	74	69	－	69	－	－	－
青　　　森	9 870	488	9 382	158	－	158	158	－	158	－	－	－
岩　　　手	9 256	1 783	7 472	24	－	24	24	－	24	－	－	－
宮　　　城	7 799	2 956	4 843	－	－	－	－	－	－	－	－	－
秋　　　田	8 264	1 487	6 777	25	－	25	22	－	22	－	－	－
山　　　形	10 391	1 951	8 440	116	－	116	114	－	114	－	－	－
福　　　島	8 778	2 771	6 007	125	5	120	118	－	118	－	－	－
茨　　　城	19 689	3 878	15 811	103	－	103	103	－	103	－	－	－
栃　　　木	10 995	2 581	8 414	2	－	2	－	－	－	－	－	－
群　　　馬	10 919	1 646	9 273	82	－	82	82	－	82	－	－	－
埼　　　玉	35 485	6 849	28 636	91	－	91	91	－	91	－	－	－
千　　　葉	26 492	6 689	19 803	116	－	116	116	－	116	－	－	－
東　　　京	102 112	22 542	79 570	528	－	528	360	－	360	144	－	144
神　奈　川	20 449	3 208	17 241	57	－	57	57	－	57	－	－	－
新　　　潟	14 343	5 752	8 591	172	38	134	172	38	134	－	－	－
富　　　山	5 594	2 026	3 569	－	－	－	－	－	－	－	－	－
石　　　川	7 194	2 080	5 115	35	－	35	35	－	35	－	－	－
福　　　井	7 694	2 098	5 596	49	－	49	49	－	49	－	－	－
山　　　梨	6 922	2 181	4 741	88	－	88	88	－	88	－	－	－
長　　　野	14 754	7 360	7 395	159	58	101	159	58	101	－	－	－
岐　　　阜	10 790	3 525	7 265	18	－	18	18	－	18	－	－	－
静　　　岡	14 697	3 273	11 424	31	－	31	31	－	31	－	－	－
愛　　　知	24 738	11 846	12 892	60	－	60	60	－	60	－	－	－
三　　　重	13 759	5 151	8 607	93	－	93	93	－	93	－	－	－
滋　　　賀	8 337	3 284	5 052	121	－	121	121	－	121	－	－	－
京　　　都	8 924	3 059	5 865	25	－	25	25	－	25	－	－	－
大　　　阪	25 562	5 262	20 300	113	－	113	113	－	113	－	－	－
兵　　　庫	17 734	3 956	13 778	45	－	45	45	－	45	－	－	－
奈　　　良	6 819	2 326	4 493	42	－	42	42	－	42	－	－	－
和　歌　山	4 715	1 707	3 007	62	－	62	62	－	62	－	－	－
鳥　　　取	7 070	2 383	4 687	63	－	63	63	－	63	－	－	－
島　　　根	8 743	939	7 804	99	－	99	99	－	99	－	－	－
岡　　　山	6 502	2 185	4 317	120	38	81	113	38	75	－	－	－
広　　　島	8 537	2 175	6 362	33	－	33	33	－	33	－	－	－
山　　　口	8 831	1 700	7 131	125	20	105	125	20	105	－	－	－
徳　　　島	7 273	2 379	4 894	65	－	65	65	－	65	－	－	－
香　　　川	5 903	2 932	2 971	77	－	77	77	－	77	－	－	－
愛　　　媛	8 373	2 812	5 561	50	20	30	50	20	30	－	－	－
高　　　知	4 823	1 928	2 895	－	－	－	－	－	－	－	－	－
福　　　岡	20 650	2 538	18 113	68	－	68	68	－	68	－	－	－
佐　　　賀	9 255	922	8 334	66	－	66	66	－	66	－	－	－
長　　　崎	8 391	663	7 728	－	－	－	－	－	－	－	－	－
熊　　　本	13 839	1 308	12 531	140	14	126	140	14	126	－	－	－
大　　　分	8 436	720	7 717	79	－	79	76	－	76	－	－	－
宮　　　崎	9 751	808	8 943	28	－	28	28	－	28	－	－	－
鹿　児　島	13 319	1 081	12 238	－	－	－	－	－	－	－	－	－
沖　　　縄	14 681	1 687	12 994	31	－	31	31	－	31	－	－	－

注：1）指定都市及び中核市は別掲である。
　　2）常勤換算従事者数の小数点以下第1位を四捨五入している。なお、「0」は常勤換算従事者数が0.5未満の場合である。
　　3）詳細票の調査を実施していない施設は除く。

平成29年10月1日

指定都市 / 中核市	総数			保護施設 総数			救護施設			更生施設		
	総数	公営	私営	総数	公営	私営	総数	公営	私営	総数	公営	私営
指定都市（別掲）												
札幌市	13 404	557	12 847	155	－	155	155	－	155	－	－	－
仙台市	8 134	913	7 221	65	－	65	65	－	65	－	－	－
さいたま市	8 677	1 280	7 398	－	－	－	－	－	－	－	－	－
千葉市	7 192	1 772	5 420	22	－	22	22	－	22	－	－	－
横浜市	26 938	2 297	24 641	169	－	169	129	－	129	40	－	40
川崎市	11 402	813	10 589	27	－	27	27	－	27	－	－	－
相模原市	4 735	546	4 189	－	－	－	－	－	－	－	－	－
新潟市	6 744	1 792	4 952	36	－	36	36	－	36	－	－	－
静岡市	5 387	1 460	3 927	47	－	47	47	－	47	－	－	－
浜松市	5 062	463	4 598	120	－	120	117	－	117	－	－	－
名古屋市	15 983	2 791	13 192	89	65	24	55	55	－	25	10	15
京都市	10 167	608	9 559	11	－	11	－	－	－	11	－	11
大阪市	17 497	1 120	16 377	346	－	346	313	－	313	33	－	33
堺市	5 691	688	5 004	27	－	27	27	－	27	－	－	－
神戸市	11 818	1 553	10 265	138	22	115	130	14	115	8	8	－
岡山市	5 755	1 247	4 508	36	－	36	36	－	36	－	－	－
広島市	8 599	2 355	6 243	20	－	20	20	－	20	－	－	－
北九州市	7 522	483	7 039	67	－	67	67	－	67	－	－	－
福岡市	11 080	415	10 665	16	－	16	16	－	16	－	－	－
熊本市	7 585	367	7 219	25	－	25	25	－	25	－	－	－
中核市（別掲）												
旭川市	4 812	148	4 665	－	－	－	－	－	－	－	－	－
函館市	2 272	124	2 148	107	－	107	107	－	107	－	－	－
青森市	3 384	110	3 274	－	－	－	－	－	－	－	－	－
八戸市	2 678	83	2 595	－	－	－	－	－	－	－	－	－
盛岡市	3 165	248	2 917	－	－	－	－	－	－	－	－	－
秋田市	2 953	189	2 764	40	－	40	40	－	40	－	－	－
郡山市	1 434	400	1 034	30	－	30	30	－	30	－	－	－
いわき市	2 177	509	1 668	40	7	33	33	－	33	－	－	－
宇都宮市	3 068	117	2 952	33	－	33	33	－	33	－	－	－
前橋市	3 070	355	2 715	－	－	－	－	－	－	－	－	－
高崎市	3 417	485	2 932	－	－	－	－	－	－	－	－	－
川越市	2 009	557	1 452	6	6	－	－	－	－	－	－	－
越谷市	2 086	536	1 551	－	－	－	－	－	－	－	－	－
船橋市	4 022	1 100	2 923	－	－	－	－	－	－	－	－	－
柏市	2 560	754	1 806	－	－	－	－	－	－	－	－	－
八王子市	4 752	407	4 345	105	－	105	105	－	105	－	－	－
横須賀市	2 534	236	2 299	－	－	－	－	－	－	－	－	－
富山市	3 359	720	2 639	61	－	61	61	－	61	－	－	－
金沢市	4 107	361	3 745	75	－	75	75	－	75	－	－	－
長野市	3 082	661	2 422	64	－	64	64	－	64	－	－	－
岐阜市	2 180	512	1 668	－	－	－	－	－	－	－	－	－
豊橋市	2 461	232	2 229	－	－	－	－	－	－	－	－	－
豊田市	2 202	1 033	1 169	－	－	－	－	－	－	－	－	－
岡崎市	1 776	642	1 134	23	－	23	－	－	－	17	－	17
大津市	2 687	439	2 248	34	－	34	34	－	34	－	－	－
高槻市	2 184	400	1 785	73	－	73	73	－	73	－	－	－
東大阪市	3 233	395	2 838	32	－	32	32	－	32	－	－	－
豊中市	2 665	603	2 062	－	－	－	－	－	－	－	－	－
枚方市	3 363	458	2 905	－	－	－	－	－	－	－	－	－
姫路市	2 953	605	2 348	32	－	32	32	－	32	－	－	－
西宮市	2 956	735	2 221	38	－	38	38	－	38	－	－	－
尼崎市	2 873	380	2 493	－	－	－	－	－	－	－	－	－
奈良市	2 626	642	1 984	41	－	41	38	－	38	－	－	－
和歌山市	2 393	388	2 005	20	－	20	20	－	20	－	－	－
倉敷市	3 564	489	3 075	26	－	26	20	－	20	－	－	－
福山市	3 428	966	2 462	－	－	－	－	－	－	－	－	－
呉市	1 418	198	1 219	29	－	29	29	－	29	－	－	－
下関市	2 028	360	1 668	15	－	15	15	－	15	－	－	－
高松市	3 223	826	2 398	－	－	－	－	－	－	－	－	－
松山市	4 238	457	3 781	92	37	55	92	37	55	－	－	－
高知市	3 386	697	2 689	56	31	25	56	31	25	－	－	－
久留米市	2 933	218	2 715	－	－	－	－	－	－	－	－	－
長崎市	3 974	458	3 516	59	－	59	52	－	52	－	－	－
佐世保市	2 866	67	2 799	20	－	20	20	－	20	－	－	－
大分市	3 627	237	3 390	－	－	－	－	－	－	－	－	－
宮崎市	5 123	78	5 045	32	－	32	31	－	31	－	－	－
鹿児島市	5 901	229	5 672	20	20	－	20	20	－	－	－	－
那覇市	3 138	226	2 912	20	－	20	20	－	20	－	－	－

第13表　社会福祉施設等の常勤換算従事者数，

（単位：人）

都 道 府 県	保　護　施　設						老　人　福　祉　施　設								
	授 産 施 設			宿 所 提 供 施 設			総　　数			養護老人ホーム（一般）			養護老人ホーム（盲）		
	総 数	公 営	私 営	総 数	公 営	私 営	総 数	公 営	私 営	総 数	公 営	私 営	総 数	公 営	私 営
全　　　　　国	68	17	51	32	－	32	44 719	4 350	40 369	15 602	2 374	13 228	1 044	－	1 044
国	－	－	－	－	－	－	－	－	－	－	－	－	－	－	－
北　海　道	5	－	5	－	－	－	1 995	351	1 644	796	195	601	33	－	33
青　　　森	－	－	－	－	－	－	373	66	307	120	－	120	25	－	25
岩　　　手	－	－	－	－	－	－	546	11	535	262	－	262	13	－	13
宮　　　城	－	－	－	－	－	－	514	40	475	120	－	120	14	－	14
秋　　　田	3	－	3	－	－	－	503	136	367	249	102	147	－	－	－
山　　　形	－	－	－	2	－	2	420	43	377	219	42	177	13	－	13
福　　　島	7	5	2	－	－	－	507	79	429	251	44	207	18	－	18
茨　　　城	－	－	－	－	－	－	830	109	721	214	43	172	34	－	34
栃　　　木	2	－	2	－	－	－	361	13	348	138	－	138	13	－	13
群　　　馬	－	－	－	－	－	－	409	47	363	147	25	122	－	－	－
埼　　　玉	－	－	－	－	－	－	1 129	93	1 036	176	－	176	33	－	33
千　　　葉	－	－	－	－	－	－	999	97	902	287	34	253	18	－	18
東　　　京	－	－	－	25	－	25	2 729	405	2 324	633	－	633	30	－	30
神　奈　川	－	－	－	－	－	－	440	51	389	115	－	115	－	－	－
新　　　潟	－	－	－	－	－	－	699	144	555	261	102	159	32	－	32
富　　　山	－	－	－	－	－	－	214	53	161	48	48	－	－	－	－
石　　　川	－	－	－	－	－	－	481	14	467	85	－	85	20	－	20
福　　　井	－	－	－	－	－	－	341	9	332	73	－	73	16	－	16
山　　　梨	－	－	－	－	－	－	396	99	297	179	64	116	23	－	23
長　　　野	－	－	－	－	－	－	794	196	597	393	153	240	25	－	25
岐　　　阜	－	－	－	－	－	－	666	93	573	266	50	216	－	－	－
静　　　岡	－	－	－	－	－	－	791	22	769	278	12	266	－	－	－
愛　　　知	－	－	－	－	－	－	1 048	92	956	260	12	248	29	－	29
三　　　重	－	－	－	－	－	－	879	166	713	317	87	230	17	－	17
滋　　　賀	－	－	－	－	－	－	182	11	171	67	－	67	15	－	15
京　　　都	－	－	－	－	－	－	570	46	524	156	17	139	－	－	－
大　　　阪	－	－	－	－	－	－	1 042	52	990	268	－	268	－	－	－
兵　　　庫	－	－	－	－	－	－	1 168	50	1 118	392	29	363	20	－	20
奈　　　良	－	－	－	－	－	－	426	50	376	128	20	108	21	－	21
和　歌　山	－	－	－	－	－	－	325	78	247	157	77	80	－	－	－
鳥　　　取	－	－	－	－	－	－	426	4	422	82	－	82	－	－	－
島　　　根	－	－	－	－	－	－	648	19	630	385	14	372	18	－	18
岡　　　山	7	－	7	－	－	－	625	119	506	235	109	125	－	－	－
広　　　島	－	－	－	－	－	－	554	45	509	238	－	238	22	－	22
山　　　口	－	－	－	－	－	－	792	114	678	293	106	188	－	－	－
徳　　　島	－	－	－	－	－	－	602	119	484	287	111	176	21	－	21
香　　　川	－	－	－	－	－	－	376	40	336	145	37	108	17	－	17
愛　　　媛	－	－	－	－	－	－	724	206	518	408	173	235	－	－	－
高　　　知	－	－	－	－	－	－	550	58	492	145	52	93	24	－	24
福　　　岡	－	－	－	－	－	－	1 267	77	1 190	421	51	370	44	－	44
佐　　　賀	－	－	－	－	－	－	424	46	378	207	36	172	28	－	28
長　　　崎	－	－	－	－	－	－	549	45	505	296	41	255	20	－	20
熊　　　本	－	－	－	－	－	－	628	26	602	430	20	411	－	－	－
大　　　分	3	－	3	－	－	－	507	21	486	288	17	271	28	－	28
宮　　　崎	－	－	－	－	－	－	653	50	603	508	44	464	－	－	－
鹿　児　島	－	－	－	－	－	－	1 093	237	856	701	155	546	58	－	58
沖　　　縄	－	－	－	－	－	－	331	19	312	54	－	54	－	－	－

国−都道府県−指定都市−中核市、施設の種類・経営主体の公営−私営別

平成29年10月1日

指定都市 中核市	保護施設 授産施設 総数	公営	私営	宿所提供施設 総数	公営	私営	老人福祉施設 総数	公営	私営	養護老人ホーム（一般） 総数	公営	私営	養護老人ホーム（盲） 総数	公営	私営
指定都市（別掲）															
札幌市	-	-	-	-	-	-	371	-	371	65	-	65	-	-	-
仙台市	-	-	-	-	-	-	209	-	209	35	-	35	-	-	-
さいたま市	-	-	-	-	-	-	167	-	167	50	-	50	-	-	-
千葉市	-	-	-	-	-	-	271	-	271	28	-	28	-	-	-
横浜市	-	-	-	-	-	-	440	41	399	137	41	96	-	-	-
川崎市	-	-	-	-	-	-	191	-	191	32	-	32	-	-	-
相模原市	-	-	-	-	-	-	76	1	75	21	-	21	-	-	-
新潟市	-	-	-	-	-	-	197	-	197	13	-	13	-	-	-
静岡市	-	-	-	-	-	-	139	-	139	43	-	43	-	-	-
浜松市	-	-	-	3	-	3	337	1	335	98	-	98	26	-	26
名古屋市	6	-	6	3	-	3	403	-	403	138	-	138	18	-	18
京都市	-	-	-	-	-	-	379	-	379	202	-	202	16	-	16
大阪市	-	-	-	-	-	-	401	-	401	172	-	172	-	-	-
堺市	-	-	-	-	-	-	178	-	178	38	-	38	-	-	-
神戸市	-	-	-	-	-	-	792	31	761	114	23	92	14	-	14
岡山市	-	-	-	-	-	-	305	28	278	69	20	49	-	-	-
広島市	-	-	-	-	-	-	224	-	224	117	-	117	-	-	-
北九州市	-	-	-	-	-	-	454	-	454	134	-	134	-	-	-
福岡市	-	-	-	-	-	-	274	-	274	51	-	51	23	-	23
熊本市	-	-	-	-	-	-	355	8	347	146	-	146	13	-	13
中核市（別掲）															
旭川市	-	-	-	-	-	-	176	-	176	42	-	42	20	-	20
函館市	-	-	-	-	-	-	83	-	83	36	-	36	-	-	-
青森市	-	-	-	-	-	-	103	1	102	31	-	31	-	-	-
八戸市	-	-	-	-	-	-	55	-	55	15	-	15	-	-	-
盛岡市	-	-	-	-	-	-	173	-	173	29	-	29	-	-	-
秋田市	-	-	-	-	-	-	171	-	171	40	-	40	18	-	18
郡山市	-	-	-	-	-	-	56	-	56	15	-	15	-	-	-
いわき市	7	7	-	-	-	-	94	32	62	58	32	26	-	-	-
宇都宮市	-	-	-	-	-	-	268	-	268	34	-	34	-	-	-
前橋市	-	-	-	-	-	-	121	-	121	17	-	17	15	-	15
高崎市	-	-	-	-	-	-	185	31	154	56	-	56	-	-	-
川越市	6	6	-	-	-	-	56	-	56	14	-	14	-	-	-
越谷市	-	-	-	-	-	-	56	-	56	14	-	14	-	-	-
船橋市	-	-	-	-	-	-	117	-	117	19	-	19	-	-	-
柏市	-	-	-	-	-	-	49	-	49	24	-	24	-	-	-
八王子市	-	-	-	-	-	-	179	41	138	138	-	138	-	-	-
横須賀市	-	-	-	-	-	-	66	-	66	19	-	19	11	-	11
富山市	-	-	-	-	-	-	156	-	156	33	-	33	-	-	-
金沢市	-	-	-	-	-	-	184	-	184	37	-	37	-	-	-
長野市	-	-	-	-	-	-	114	15	99	19	12	7	-	-	-
岐阜市	-	-	-	-	-	-	112	-	112	38	-	38	-	-	-
豊橋市	-	-	-	-	-	-	64	13	52	13	13	-	-	-	-
豊田市	-	-	-	-	-	-	51	-	51	13	-	13	-	-	-
岡崎市	6	-	6	-	-	-	67	-	67	15	-	15	-	-	-
大津市	-	-	-	-	-	-	62	-	62	26	-	26	-	-	-
高槻市	-	-	-	-	-	-	165	-	165	23	-	23	19	-	19
東大阪市	-	-	-	-	-	-	103	22	81	24	-	24	-	-	-
豊中市	-	-	-	-	-	-	86	-	86	13	-	13	-	-	-
枚方市	-	-	-	-	-	-	83	1	82	21	-	21	-	-	-
姫路市	-	-	-	-	-	-	122	5	117	67	-	67	-	-	-
西宮市	-	-	-	-	-	-	59	23	37	23	23	-	-	-	-
尼崎市	-	-	-	-	-	-	51	-	51	7	-	7	-	-	-
奈良市	4	-	4	-	-	-	161	-	161	23	-	23	-	-	-
和歌山市	-	-	-	-	-	-	158	-	158	51	-	51	31	-	31
倉敷市	6	-	6	-	-	-	121	-	121	29	-	29	-	-	-
福山市	-	-	-	-	-	-	162	-	162	32	-	32	-	-	-
呉市	-	-	-	-	-	-	114	-	114	42	-	42	25	-	25
下関市	-	-	-	-	-	-	162	-	162	45	-	45	25	-	25
高松市	-	-	-	-	-	-	168	-	168	41	-	41	-	-	-
松山市	-	-	-	-	-	-	183	39	143	39	39	-	15	-	15
高知市	-	-	-	-	-	-	163	8	155	51	-	51	-	-	-
久留米市	-	-	-	-	-	-	94	-	94	32	-	32	-	-	-
長崎市	7	-	7	-	-	-	323	11	312	125	11	114	-	-	-
佐世保市	-	-	-	-	-	-	154	-	154	75	-	75	-	-	-
大分市	-	-	-	-	-	-	83	-	83	12	-	12	-	-	-
宮崎市	1	-	1	-	-	-	239	-	239	84	-	84	15	-	15
鹿児島市	-	-	-	-	-	-	219	42	177	57	42	15	-	-	-
那覇市	-	-	-	-	-	-	47	-	47	12	-	12	-	-	-

第13表　社会福祉施設等の常勤換算従事者数，

（単位：人）

国都道府県	軽費老人ホーム A型			軽費老人ホーム B型			軽費老人ホーム（ケアハウス）			都市型軽費老人ホーム			老人福祉センター（特A型）		
	総数	公営	私営	総数	公営	私営	総数	公営	私営	総数	公営	私営	総数	公営	私営
全　　国	2 574	34	2 540	38	9	29	18 267	40	18 227	402	－	402	949	348	601
国	－	－	－	－	－	－	－	－	－	－	－	－	－	－	－
北　海　道	117	17	100	1	1	－	863	3	860	－	－	－	69	56	14
青　　森	15	－	15	－	－	－	84	－	84	－	－	－	28	17	10
岩　　手	－	－	－	－	－	－	248	－	248	－	－	－	8	4	5
宮　　城	15	－	15	－	－	－	251	－	251	－	－	－	58	38	20
秋　　田	15	－	15	－	－	－	185	1	184	－	－	－	5	5	－
山　　形	13	－	13	－	－	－	104	－	104	－	－	－	－	－	－
福　　島	16	－	16	－	－	－	136	－	136	－	－	－	17	12	5
茨　　城	21	－	21	－	－	－	319	－	319	－	－	－	46	－	46
栃　　木	－	－	－	－	－	－	150	－	150	－	－	－	9	1	8
群　　馬	7	－	7	－	－	－	184	－	184	－	－	－	3	－	3
埼　　玉	89	－	89	－	－	－	557	－	557	－	－	－	－	－	－
千　　葉	41	－	41	－	－	－	466	5	461	－	－	－	5	－	5
東　　京	120	－	120	5	－	5	658	－	658	399	－	399	－	－	－
神　奈　川	80	－	80	－	－	－	125	－	125	－	－	－	22	6	16
新　　潟	30	17	13	－	－	－	245	－	245	－	－	－	8	－	8
富　　山	11	－	11	－	－	－	98	－	98	－	－	－	8	2	6
石　　川	21	－	21	－	－	－	287	－	287	－	－	－	17	2	15
福　　井	15	－	15	－	－	－	202	－	202	－	－	－	3	－	3
山　　梨	43	－	43	－	－	－	85	－	85	－	－	－	20	－	20
長　　野	31	－	31	－	－	－	218	－	218	－	－	－	14	7	7
岐　　阜	－	－	－	－	－	－	231	－	231	－	－	－	20	14	6
静　　岡	13	－	13	－	－	－	430	－	430	－	－	－	－	－	－
愛　　知	32	－	32	－	－	－	494	－	494	－	－	－	78	20	59
三　　重	53	－	53	3	－	3	310	－	310	－	－	－	121	61	61
滋　　賀	－	－	－	－	－	－	57	－	57	－	－	－	5	5	－
京　　都	25	－	25	－	－	－	333	－	333	－	－	－	9	8	1
大　　阪	154	－	154	－	－	－	450	－	450	－	－	－	34	－	34
兵　　庫	15	－	15	－	－	－	620	－	620	－	－	－	29	4	25
奈　　良	61	－	61	－	－	－	160	3	157	－	－	－	34	19	15
和　歌　山	－	－	－	－	－	－	166	－	166	－	－	－	1	0	1
鳥　　取	47	－	47	－	－	－	196	－	196	－	－	－	28	0	27
島　　根	－	－	－	－	－	－	218	－	218	－	－	－	3	－	3
岡　　山	30	－	30	－	－	－	297	－	297	－	－	－	7	7	－
広　　島	23	－	23	－	－	－	187	4	183	－	－	－	23	17	6
山　　口	95	－	95	－	－	－	376	－	376	－	－	－	－	－	－
徳　　島	27	－	27	－	－	－	236	－	236	－	－	－	4	2	2
香　　川	14	－	14	4	－	4	146	－	146	－	－	－	19	－	19
愛　　媛	13	－	13	－	－	－	247	16	231	－	－	－	2	1	1
高　　知	－	－	－	－	－	－	370	－	370	－	－	－	－	－	－
福　　岡	201	－	201	－	－	－	515	－	515	－	－	－	8	－	8
佐　　賀	10	－	10	－	－	－	137	－	137	－	－	－	5	－	5
長　　崎	43	－	43	－	－	－	165	－	165	－	－	－	－	－	－
熊　　本	29	－	29	1	－	1	117	－	117	－	－	－	21	3	18
大　　分	32	－	32	－	－	－	107	－	107	－	－	－	3	3	－
宮　　崎	－	－	－	－	－	－	110	－	110	－	－	－	－	－	－
鹿　児　島	93	－	93	3	3	－	90	－	90	－	－	－	34	17	17
沖　　縄	14	－	14	－	－	－	193	－	193	－	－	－	13	－	13

平成29年10月1日

指定都市 中核市	老人福祉施設														
	軽費老人ホーム A型			軽費老人ホーム B型			軽費老人ホーム（ケアハウス）			都市型軽費老人ホーム			老人福祉センター（特A型）		
	総数	公営	私営	総数	公営	私営	総数	公営	私営	総数	公営	私営	総数	公営	私営
指定都市（別掲）															
札幌市	64	－	64	6	－	6	205	－	205	－	－	－	－	－	－
仙台市	15	－	15	－	－	－	120	－	120	－	－	－	－	－	－
さいたま市	－	－	－	－	－	－	36	－	36	－	－	－	－	－	－
千葉市	34	－	34	－	－	－	116	－	116	－	－	－	－	－	－
横浜市	79	－	79	－	－	－	114	－	114	－	－	－	8	－	8
川崎市	－	－	－	－	－	－	118	－	118	－	－	－	－	－	－
相模原市	－	－	－	－	－	－	35	－	35	－	－	－	－	－	－
新潟市	17	－	17	－	－	－	140	－	140	－	－	－	－	－	－
静岡市	－	－	－	－	－	－	68	－	68	－	－	－	－	－	－
浜松市	25	－	25	－	－	－	137	－	137	－	－	－	24	－	24
名古屋市	70	－	70	－	－	－	89	－	89	－	－	－	－	－	－
京都市	－	－	－	－	－	－	115	－	115	－	－	－	－	－	－
大阪市	13	－	13	－	－	－	110	－	110	－	－	－	4	－	4
堺市	15	－	15	－	－	－	89	－	89	－	－	－	－	－	－
神戸市	－	－	－	－	－	－	664	9	655	－	－	－	－	－	－
岡山市	－	－	－	5	5	－	227	－	227	－	－	－	－	－	－
広島市	12	－	12	－	－	－	89	－	89	－	－	－	－	－	－
北九州市	73	－	73	－	－	－	227	－	227	－	－	－	20	－	20
福岡市	34	－	34	－	－	－	137	－	137	－	－	－	－	－	－
熊本市	29	－	29	－	－	－	110	－	110	－	－	－	－	－	－
中核市（別掲）															
旭川市	33	－	33	－	－	－	74	－	74	－	－	－	－	－	－
函館市	－	－	－	－	－	－	31	－	31	－	－	－	－	－	－
青森市	15	－	15	－	－	－	50	－	50	－	－	－	－	－	－
八戸市	－	－	－	－	－	－	35	－	35	－	－	－	－	－	－
盛岡市	14	－	14	2	－	2	58	－	58	－	－	－	－	－	－
秋田市	15	－	15	－	－	－	65	－	65	－	－	－	－	－	－
郡山市	11	－	11	－	－	－	22	－	22	－	－	－	－	－	－
いわき市	11	－	11	－	－	－	20	－	20	－	－	－	－	－	－
宇都宮市	－	－	－	－	－	－	216	－	216	－	－	－	－	－	－
前橋市	14	－	14	－	－	－	42	－	42	－	－	－	3	－	3
高崎市	16	－	16	－	－	－	53	－	53	－	－	－	18	18	－
川越市	16	－	16	－	－	－	12	－	12	－	－	－	－	－	－
越谷市	－	－	－	－	－	－	12	－	12	－	－	－	－	－	－
船橋市	13	－	13	－	－	－	46	－	46	－	－	－	－	－	－
柏市	－	－	－	－	－	－	18	－	18	－	－	－	－	－	－
八王子市	－	－	－	－	－	－	－	－	－	－	－	－	－	－	－
横須賀市	－	－	－	－	－	－	20	－	20	－	－	－	－	－	－
富山市	10	－	10	－	－	－	83	－	83	－	－	－	－	－	－
金沢市	－	－	－	－	－	－	137	－	137	－	－	－	－	－	－
長野市	10	－	10	－	－	－	54	－	54	－	－	－	－	－	－
岐阜市	－	－	－	－	－	－	58	－	58	－	－	－	－	－	－
豊橋市	14	－	14	－	－	－	31	－	31	－	－	－	－	－	－
豊田市	－	－	－	－	－	－	15	－	15	－	－	－	1	－	1
岡崎市	－	－	－	－	－	－	26	－	26	－	－	－	－	－	－
大津市	－	－	－	－	－	－	19	－	19	－	－	－	5	－	5
高槻市	－	－	－	－	－	－	105	－	105	－	－	－	－	－	－
東大阪市	－	－	－	－	－	－	50	－	50	－	－	－	－	－	－
豊中市	－	－	－	－	－	－	73	－	73	－	－	－	－	－	－
枚方市	10	－	10	－	－	－	43	－	43	－	－	－	－	－	－
姫路市	－	－	－	－	－	－	45	－	45	－	－	－	－	－	－
西宮市	－	－	－	－	－	－	29	－	29	3	－	3	－	－	－
尼崎市	－	－	－	－	－	－	19	－	19	－	－	－	7	－	7
奈良市	28	－	28	－	－	－	89	－	89	－	－	－	－	－	－
和歌山市	－	－	－	－	－	－	76	－	76	－	－	－	－	－	－
倉敷市	－	－	－	－	－	－	79	－	79	－	－	－	3	－	3
福山市	12	－	12	－	－	－	104	－	104	－	－	－	5	－	5
呉市	－	－	－	－	－	－	41	－	41	－	－	－	－	－	－
下関市	21	－	21	－	－	－	68	－	68	－	－	－	－	－	－
高松市	－	－	－	－	－	－	120	－	120	－	－	－	－	－	－
松山市	－	－	－	5	－	5	113	－	113	－	－	－	－	－	－
高知市	15	－	15	－	－	－	89	－	89	－	－	－	－	－	－
久留米市	10	－	10	－	－	－	42	－	42	－	－	－	10	－	10
長崎市	47	－	47	－	－	－	125	－	125	－	－	－	－	－	－
佐世保市	－	－	－	－	－	－	68	－	68	－	－	－	－	－	－
大分市	10	－	10	－	－	－	61	－	61	－	－	－	－	－	－
宮崎市	28	－	28	－	－	－	104	－	104	－	－	－	－	－	－
鹿児島市	－	－	－	3	－	3	134	－	134	－	－	－	－	－	－
那覇市	－	－	－	－	－	－	24	－	24	－	－	－	3	－	3

国－都道府県－指定都市－中核市、施設の種類・経営主体の公営－私営別

第13表　社会福祉施設等の常勤換算従事者数，

（単位：人）

国都道府県	老人福祉施設						障害者支援施設等								
	老人福祉センター（A型）			老人福祉センター（B型）			総　数			障害者支援施設			地域活動支援センター		
	総数	公営	私営	総数	公営	私営	総数	公営	私営	総数	公営	私営	総数	公営	私営
全　国	4 654	1 081	3 573	1 189	465	724	101 443	3 412	98 030	91 138	2 990	88 148	10 043	423	9 621
国	-	-	-	-	-	-	746	746	-	746	746	-	-	-	-
北　海　道	109	75	34	6	5	1	5 675	34	5 642	5 400	30	5 370	262	4	258
青　森	93	47	46	8	2	6	1 464	141	1 323	1 369	138	1 232	86	4	83
岩　手	15	7	8	-	-	-	1 515	-	1 515	1 346	-	1 346	169	-	169
宮　城	57	2	55	1	-	1	835	28	808	642	-	642	191	28	163
秋　田	50	28	22	-	-	-	1 972	79	1 893	1 939	79	1 861	29	-	29
山　形	68	2	66	3	-	3	1 272	-	1 272	1 200	-	1 200	65	-	65
福　島	69	20	48	2	2	-	975	-	975	943	-	943	30	-	30
茨　城	174	61	113	23	5	17	2 575	471	2 104	2 296	415	1 882	278	56	222
栃　木	51	12	39	-	-	-	1 701	58	1 643	1 611	47	1 564	87	11	76
群　馬	68	21	47	-	-	-	1 435	27	1 408	1 223	-	1 223	211	27	184
埼　玉	238	74	164	36	19	17	3 699	91	3 608	3 323	81	3 242	376	11	366
千　葉	108	37	72	73	22	52	3 252	75	3 177	2 866	-	2 866	385	75	310
東　京	358	126	233	526	279	247	4 887	42	4 845	4 041	-	4 041	811	42	769
神　奈　川	74	24	51	25	22	3	2 589	356	2 234	2 331	356	1 976	258	-	258
新　潟	123	25	98	-	-	-	1 721	330	1 390	1 477	328	1 149	241	2	238
富　山	50	4	46	-	-	-	476	-	476	428	-	428	48	-	48
石　川	39	7	32	12	5	7	713	-	713	668	-	668	42	-	42
福　井	33	9	24	-	-	-	1 053	-	1 053	969	-	969	82	-	82
山　梨	46	35	11	1	1	-	1 115	5	1 111	999	-	999	110	5	106
長　野	94	35	59	19	1	18	2 041	99	1 942	1 833	60	1 774	208	39	168
岐　阜	113	26	87	36	3	33	1 675	-	1 675	1 604	-	1 604	71	-	71
静　岡	67	10	57	3	-	3	1 735	95	1 640	1 613	95	1 518	122	-	122
愛　知	123	34	89	32	27	5	2 036	16	2 021	1 764	-	1 764	267	16	252
三　重	47	11	36	11	7	3	1 187	-	1 187	1 161	-	1 161	25	-	25
滋　賀	38	7	31	-	-	-	819	66	753	769	66	703	50	-	50
京　都	36	18	19	11	4	7	1 269	2	1 267	1 194	-	1 194	74	2	73
大　阪	86	18	68	50	34	16	2 107	179	1 928	1 919	167	1 752	188	11	176
兵　庫	75	13	62	18	4	13	2 343	-	2 343	2 069	-	2 069	272	-	272
奈　良	22	7	15	-	-	-	867	2	865	814	-	814	50	2	48
和　歌　山	-	-	-	-	-	-	780	-	780	756	-	756	24	-	24
鳥　取	72	3	69	-	-	-	852	-	852	814	-	814	38	-	38
島　根	22	5	18	2	0	1	1 064	-	1 064	975	-	975	90	-	90
岡　山	47	2	45	10	1	10	1 069	13	1 055	895	-	895	171	13	158
広　島	61	24	36	1	0	1	1 227	6	1 221	1 153	-	1 153	66	6	61
山　口	28	8	20	-	-	-	1 348	-	1 348	1 284	-	1 284	63	-	63
徳　島	25	6	19	2	-	2	1 108	-	1 108	994	-	994	108	-	108
香　川	31	3	28	0	-	0	579	48	532	540	48	492	34	-	34
愛　媛	54	16	38	-	-	-	1 276	71	1 205	1 190	56	1 134	85	15	70
高　知	11	6	5	-	-	-	751	18	733	728	18	710	20	-	20
福　岡	79	26	53	-	-	-	2 858	-	2 858	2 717	-	2 717	141	-	141
佐　賀	37	10	27	-	-	-	973	25	948	928	23	905	40	2	38
長　崎	22	0	22	4	4	-	917	8	909	857	-	857	60	8	52
熊　本	28	1	27	2	2	-	2 066	-	2 066	1 835	-	1 835	224	-	224
大　分	50	1	49	-	-	-	1 109	-	1 109	1 035	-	1 035	63	-	63
宮　崎	33	6	28	2	1	1	951	-	951	867	-	867	83	-	83
鹿　児　島	113	60	52	3	2	1	2 007	-	2 007	1 818	-	1 818	185	-	185
沖　縄	55	19	36	2	0	2	1 504	10	1 495	1 427	-	1 427	77	10	67

国－都道府県－指定都市－中核市、施設の種類・経営主体の公営－私営別

指定都市 中核市	老人福祉施設						障害者支援施設等								
	老人福祉センター（A型）			老人福祉センター（B型）			総　数			障害者支援施設			地域活動支援センター		
	総数	公営	私営	総数	公営	私営	総数	公営	私営	総数	公営	私営	総数	公営	私営
指定都市（別掲）															
札幌市	32	－	32	－	－	－	1 087	－	1 087	975	－	975	110	－	110
仙台市	39	－	39	－	－	－	454	－	454	412	－	412	40	－	40
さいたま市	57	－	57	23	－	23	295	－	295	219	－	219	76	－	76
千葉市	53	－	53	39	－	39	488	－	488	422	－	422	66	－	66
横浜市	102	－	102	－	－	－	1 829	99	1 731	1 046	98	948	774	－	774
川崎市	41	－	41	－	－	－	514	－	514	305	－	305	205	－	205
相模原市	8	1	8	11	－	11	274	－	274	223	－	223	51	－	51
新潟市	20	－	20	6	－	6	469	5	465	353	－	353	115	5	110
静岡市	25	－	25	3	－	3	363	－	363	324	－	324	37	－	37
浜松市	27	1	26	－	－	－	586	－	586	568	－	568	19	－	19
名古屋市	87	－	87	－	－	－	581	－	581	520	－	520	35	－	35
京都市	28	－	28	18	－	18	418	25	394	412	25	387	5	－	5
大阪市	103	－	103	－	－	－	773	－	773	624	－	624	149	－	149
堺市	12	－	12	24	－	24	271	－	271	208	－	208	61	－	61
神戸市							742	51	691	689	51	638	52	－	52
岡山市	4	3	1	－	－	－	572	－	572	468	－	468	101	－	101
広島市	3	－	3	2	－	2	581	21	560	466	21	445	103	－	103
北九州市	－	－	－	－	－	－	415	－	415	386	－	386	25	－	25
福岡市	29	－	29	－	－	－	572	－	572	484	－	484	88	－	88
熊本市	38	8	30	19	－	19	488	－	488	458	－	458	27	－	27
中核市（別掲）															
旭川市	7	－	7	－	－	－	355	－	355	345	－	345	11	－	11
函館市	14	－	14	2	－	2	209	－	209	187	－	187	21	－	21
青森市	7	1	6	－	－	－	441	－	441	407	－	407	32	－	32
八戸市	4	－	4	－	－	－	280	－	280	271	－	271	9	－	9
盛岡市	12	－	12	58	－	58	182	－	182	106	－	106	76	－	76
秋田市	32	－	32	－	－	－	304	1	303	285	－	285	19	1	18
郡山市	7	－	7	－	－	－	138	－	138	115	－	115	24	－	24
いわき市	－	－	－	6	－	6	169	－	169	144	－	144	20	－	20
宇都宮市	18	－	18	－	－	－	194	－	194	145	－	145	47	－	47
前橋市	30	－	30	－	－	－	249	－	249	203	－	203	46	－	46
高崎市	39	13	26	3	－	3	395	－	395	366	－	366	28	－	28
川越市	9	－	9	5	－	5	308	－	308	274	－	274	33	－	33
越谷市	30	－	30	－	－	－	108	－	108	93	－	93	15	－	15
船橋市	39	－	39	－	－	－	290	－	290	241	－	241	46	－	46
柏市	7	－	7	－	－	－	105	－	105	92	－	92	13	－	13
八王子市	41	41	－	－	－	－	409	－	409	398	－	398	10	－	10
横須賀市	16	－	16	－	－	－	264	－	264	224	－	224	40	－	40
富山市	29	－	29	－	－	－	325	－	325	298	－	298	27	－	27
金沢市	10	－	10	0	－	0	413	2	412	389	－	389	23	2	21
長野市	24	0	24	7	3	4	206	－	206	156	－	156	50	－	50
岐阜市	7	－	7	10	－	10	151	52	99	118	45	74	33	8	26
豊橋市	7	－	7	－	－	－	250	－	250	240	－	240	10	－	10
豊田市	22	－	22	－	－	－	195	－	195	175	－	175	19	－	19
岡崎市	26	－	26	－	－	－	166	－	166	161	－	161	6	－	6
大津市	12	－	12	－	－	－	57	－	57	52	－	52	5	－	5
高槻市	19	－	19	－	－	－	156	－	156	135	－	135	21	－	21
東大阪市	15	15	－	14	6	8	124	21	103	74	－	74	50	21	29
豊中市	－	－	－	－	－	－	30	－	30	25	－	25	5	－	5
枚方市	8	－	8	1	1	－	181	－	181	158	－	158	24	－	24
姫路市	10	5	5	－	－	－	223	－	223	196	－	196	27	－	27
西宮市	4	－	4	－	－	－	333	－	333	300	－	300	32	－	32
尼崎市	18	－	18	－	－	－	112	－	112	18	－	18	94	－	94
奈良市	21	－	21	－	－	－	260	－	260	253	－	253	8	－	8
和歌山市				－	－	－	148	－	148	127	－	127	21	－	21
倉敷市	10	－	10	－	－	－	190	－	190	137	－	137	53	－	53
福山市	8	－	8	2	－	2	343	－	343	332	－	332	11	－	11
呉市	6	－	6	0	－	0	80	－	80	68	－	68	12	－	12
下関市	3	－	3	－	－	－	236	－	236	227	－	227	8	－	8
松山市	6	－	6	－	－	－	271	－	271	250	－	250	21	－	21
高松市	9	－	9	1	－	1	418	－	418	414	－	414	4	－	4
高知市	4	4	－	4	4	－	162	－	162	150	－	150	13	－	13
久留米市	－	－	－	－	－	－	381	－	381	356	－	356	25	－	25
長崎市	20	－	20	6	－	6	284	－	284	263	－	263	22	－	22
佐世保市	9	－	9	2	－	2	329	－	329	326	－	326	3	－	3
大分市	－	－	－	－	－	－	173	－	173	150	－	150	23	－	23
宮崎市	5	－	5	2	－	2	236	－	236	210	－	210	25	－	25
鹿児島市	25	－	25	－	－	－	559	－	559	481	－	481	71	－	71
那覇市	9	－	9	－	－	－	91	－	91	73	－	73	18	－	18

第13表　社会福祉施設等の常勤換算従事者数，

（単位：人）

都道府県	障害者支援施設等 福祉ホーム			身体障害者社会参加支援施設 総数			身体障害者福祉センター（A型）			身体障害者福祉センター（B型）			障害者更生センター		
	総数	公営	私営	総数	公営	私営	総数	公営	私営	総数	公営	私営	総数	公営	私営
全国	262	0	262	2 796	286	2 510	613	41	572	618	146	472	74	-	74
国	-	-	-	10	-	10	10	-	10	-	-	-	-	-	-
北海道	13	-	13	28	-	28	-	-	-	17	-	17	-	-	-
青森	9	-	9	28	-	28	9	-	9	4	-	4	-	-	-
岩手	-	-	-	12	-	12	-	-	-	12	-	12	-	-	-
宮城	3	-	3	23	-	23	7	-	7	-	-	-	-	-	-
秋田	4	-	4	19	1	18	5	-	5	1	1	-	-	-	-
山形	7	-	7	12	2	10	-	-	-	2	2	-	-	-	-
福島	1	-	1	34	-	34	-	-	-	3	-	3	-	-	-
茨城	-	-	-	17	-	17	-	-	-	-	-	-	-	-	-
栃木	3	-	3	24	-	24	-	-	-	-	-	-	12	-	12
群馬	1	-	1	40	-	40	-	-	-	18	-	18	-	-	-
埼玉	-	-	-	83	38	45	30	-	30	2	-	2	7	-	7
千葉	1	-	1	48	24	24	-	-	-	27	24	3	-	-	-
東京	35	-	35	394	22	373	76	-	76	22	5	16	-	-	-
神奈川	-	-	-	68	6	62	-	-	-	-	-	-	-	-	-
新潟	3	-	3	33	-	33	16	-	16	7	-	7	-	-	-
富山	-	-	-	-	-	-	-	-	-	-	-	-	-	-	-
石川	3	-	3	-	-	-	-	-	-	-	-	-	-	-	-
福井	2	-	2	7	-	7	1	-	1	-	-	-	-	-	-
山梨	6	-	6	14	-	14	-	-	-	-	-	-	-	-	-
長野	-	-	-	44	3	41	29	-	29	3	-	3	-	-	-
岐阜	1	-	1	7	-	7	-	-	-	2	-	2	-	-	-
静岡	-	-	-	39	-	39	3	-	3	1	-	1	-	-	-
愛知	6	-	6	31	1	30	-	-	-	25	1	24	-	-	-
三重	2	-	2	34	-	34	16	-	16	-	-	-	-	-	-
滋賀	-	-	-	63	2	61	16	-	16	2	2	-	-	-	-
京都	1	-	1	61	-	61	-	-	-	24	-	24	-	-	-
大阪	-	-	-	79	5	75	28	-	28	22	5	18	-	-	-
兵庫	2	-	2	94	7	87	-	-	-	29	7	22	22	-	22
奈良	2	-	2	11	11	-	5	5	-	-	-	-	-	-	-
和歌山	-	-	-	-	-	-	-	-	-	-	-	-	-	-	-
鳥取	-	-	-	6	-	6	-	-	-	-	-	-	-	-	-
島根	-	-	-	33	-	33	-	-	-	-	-	-	-	-	-
岡山	2	-	2	12	-	12	-	-	-	-	-	-	-	-	-
広島	8	-	8	29	-	29	21	-	21	2	-	2	-	-	-
山口	1	-	1	19	11	7	8	8	-	2	-	2	-	-	-
徳島	6	-	6	12	-	12	-	-	-	-	-	-	-	-	-
香川	5	-	5	35	-	35	22	-	22	-	-	-	-	-	-
愛媛	1	-	1	48	-	48	9	-	9	7	-	7	18	-	18
高知	3	-	3	-	-	-	-	-	-	-	-	-	-	-	-
福岡	-	-	-	-	-	-	-	-	-	-	-	-	-	-	-
佐賀	5	-	5	9	0	9	-	-	-	2	0	2	-	-	-
長崎	-	-	-	11	-	11	-	-	-	-	-	-	-	-	-
熊本	6	-	6	22	3	18	5	-	5	-	-	-	-	-	-
大分	11	-	11	19	-	19	8	-	8	-	-	-	-	-	-
宮崎	-	-	-	27	-	27	-	-	-	12	-	12	-	-	-
鹿児島	4	-	4	9	-	9	-	-	-	-	-	-	-	-	-
沖縄	-	-	-	8	-	8	-	-	-	-	-	-	-	-	-

国－都道府県－指定都市－中核市、施設の種類・経営主体の公営－私営別

平成29年10月1日

指定都市 中核市	障害者支援施設等 福祉ホーム			身体障害者社会参加支援施設 総数			身体障害者福祉センター（A型）			身体障害者福祉センター（B型）			障害者更生センター		
	総数	公営	私営	総数	公営	私営	総数	公営	私営	総数	公営	私営	総数	公営	私営
指定都市（別掲）															
札幌市	3	－	3	80	9	71	13	－	13	13	－	13	－	－	－
仙台市	3	－	3	21	－	21	－	－	－	－	－	－	－	－	－
さいたま市	－	－	－	8	－	8	－	－	－	2	－	2	－	－	－
千葉市	19	－	19	42	－	42	－	－	－	18	－	18	－	－	－
横浜市	9	0	9	141	－	141	57	－	57	－	－	－	15	－	15
川崎市	3	－	3	45	－	45	－	－	－	23	－	23	－	－	－
相模原市	－	－	－	－	－	－	－	－	－	－	－	－	－	－	－
新潟市	1	－	1	－	－	－	－	－	－	－	－	－	－	－	－
静岡市	3	－	3	4	－	4	－	－	－	4	－	4	－	－	－
浜松市	－	－	－	－	－	－	－	－	－	－	－	－	－	－	－
名古屋市	27	－	27	114	－	114	39	－	39	31	－	31	－	－	－
京都市	1	－	1	84	13	70	35	13	21	10	－	10	－	－	－
大阪市	－	－	－	64	－	64	54	－	54	－	－	－	－	－	－
堺市	2	－	2	25	－	25	10	－	10	－	－	－	－	－	－
神戸市	1	－	1	26	5	21	5	5	－	－	－	－	－	－	－
岡山市	4	－	4	－	－	－	－	－	－	－	－	－	－	－	－
広島市	13	－	13	－	－	－	－	－	－	－	－	－	－	－	－
北九州市	4	－	4	31	－	31	－	－	－	14	－	14	－	－	－
福岡市	1	－	1	62	－	62	35	－	35	20	－	20	－	－	－
熊本市	4	－	4	15	－	15	－	－	－	15	－	15	－	－	－
中核市（別掲）															
旭川市	－	－	－	5	－	5	－	－	－	－	－	－	－	－	－
函館市	2	－	2	4	－	4	－	－	－	4	－	4	－	－	－
青森市	2	－	2	6	－	6	－	－	－	6	－	6	－	－	－
八戸市	－	－	－	3	－	3	－	－	－	3	－	3	－	－	－
盛岡市	－	－	－	－	－	－	－	－	－	－	－	－	－	－	－
秋田市	－	－	－	－	－	－	－	－	－	－	－	－	－	－	－
郡山市	－	－	－	2	－	2	－	－	－	2	－	2	－	－	－
いわき市	5	－	5	21	－	21	8	－	8	－	－	－	－	－	－
宇都宮市	20	－	20	5	5	－	－	－	－	5	5	－	－	－	－
前橋市	－	－	－	－	－	－	－	－	－	－	－	－	－	－	－
高崎市	1	－	1	19	－	19	－	－	－	19	－	19	－	－	－
川越市	－	－	－	5	－	5	－	－	－	5	－	5	－	－	－
越谷市	－	－	－	－	－	－	－	－	－	－	－	－	－	－	－
船橋市	3	－	3	－	－	－	－	－	－	－	－	－	－	－	－
柏市	－	－	－	－	－	－	－	－	－	－	－	－	－	－	－
八王子市	1	－	1	45	41	5	－	－	－	45	41	5	－	－	－
横須賀市	－	－	－	5	5	－	－	－	－	－	－	－	－	－	－
富山市	1	－	1	21	－	21	－	－	－	10	－	10	－	－	－
金沢市	1	－	1	18	－	18	－	－	－	－	－	－	－	－	－
長野市	－	－	－	3	－	3	－	－	－	3	－	3	－	－	－
岐阜市	－	－	－	2	－	2	－	－	－	－	－	－	－	－	－
豊橋市	－	－	－	9	9	－	9	9	－	－	－	－	－	－	－
豊田市	1	－	1	3	－	3	－	－	－	3	－	3	－	－	－
岡崎市	－	－	－	－	－	－	－	－	－	－	－	－	－	－	－
大津市	－	－	－	－	－	－	－	－	－	－	－	－	－	－	－
高槻市	－	－	－	47	21	27	－	－	－	21	21	－	－	－	－
東大阪市	－	－	－	33	33	－	－	－	－	33	33	－	－	－	－
豊中市	－	－	－	－	－	－	－	－	－	－	－	－	－	－	－
枚方市	－	－	－	－	－	－	－	－	－	－	－	－	－	－	－
姫路市	0	－	0	－	－	－	－	－	－	－	－	－	－	－	－
西宮市	0	－	0	26	－	26	26	－	26	－	－	－	－	－	－
尼崎市	－	－	－	7	－	7	－	－	－	7	－	7	－	－	－
奈良市	－	－	－	19	－	19	－	－	－	19	－	19	－	－	－
和歌山市	－	－	－	12	－	12	－	－	－	－	－	－	－	－	－
倉敷市	－	－	－	－	－	－	－	－	－	－	－	－	－	－	－
福山市	1	－	1	－	－	－	－	－	－	－	－	－	－	－	－
呉市	－	－	－	5	－	5	－	－	－	5	－	5	－	－	－
下関市	－	－	－	10	－	10	－	－	－	5	－	5	－	－	－
高松市	－	－	－	5	－	5	－	－	－	5	－	5	－	－	－
松山市	－	－	－	1	－	1	－	－	－	1	－	1	－	－	－
高知市	－	－	－	21	10	11	－	－	－	7	－	7	－	－	－
久留米市	－	－	－	3	－	3	－	－	－	3	－	3	－	－	－
長崎市	－	－	－	－	－	－	－	－	－	－	－	－	－	－	－
佐世保市	－	－	－	－	－	－	－	－	－	－	－	－	－	－	－
大分市	－	－	－	－	－	－	－	－	－	－	－	－	－	－	－
宮崎市	2	－	2	－	－	－	－	－	－	－	－	－	－	－	－
鹿児島市	8	－	8	6	－	6	－	－	－	6	－	6	－	－	－
那覇市	－	－	－	15	－	15	－	－	－	7	－	7	－	－	－

国－都道府県－指定都市－中核市、施設の種類・経営主体の公営－私営別

第13表　社会福祉施設等の常勤換算従事者数，

（単位：人）

都道府県	身体障害者社会参加支援施設														
	補装具製作施設			盲導犬訓練施設			点字図書館			点字出版施設			聴覚障害者情報提供施設		
	総数	公営	私営	総数	公営	私営	総数	公営	私営	総数	公営	私営	総数	公営	私営
全　国	190	45	145	211	－	211	618	55	563	118	－	118	354	－	354
国	－	－	－	－	－	－	－	－	－	－	－	－	－	－	－
北海道	－	－	－	－	－	－	11	－	11	－	－	－	－	－	－
青森	－	－	－	－	－	－	8	－	8	－	－	－	7	－	7
岩手	－	－	－	－	－	－	－	－	－	－	－	－	－	－	－
宮城	－	－	－	－	－	－	9	－	9	－	－	－	8	－	8
秋田	－	－	－	－	－	－	8	－	8	－	－	－	5	－	5
山形	－	－	－	－	－	－	7	－	7	－	－	－	3	－	3
福島	26	－	26	－	－	－	5	－	5	－	－	－	－	－	－
茨城	－	－	－	3	－	3	9	－	9	－	－	－	5	－	5
栃木	－	－	－	－	－	－	6	－	6	－	－	－	5	－	5
群馬	5	－	5	－	－	－	9	－	9	－	－	－	8	－	8
埼玉	38	38	－	－	－	－	7	－	7	－	－	－	－	－	－
千葉	5	－	5	－	－	－	14	－	14	2	－	2	－	－	－
東京	64	－	64	－	－	－	150	16	134	71	－	71	11	－	11
神奈川	6	－	6	－	－	－	42	6	36	－	－	－	20	－	20
新潟	－	－	－	－	－	－	7	－	7	－	－	－	4	－	4
富山	－	－	－	－	－	－	－	－	－	－	－	－	－	－	－
石川	－	－	－	－	－	－	－	－	－	－	－	－	－	－	－
福井	－	－	－	－	－	－	5	－	5	－	－	－	1	－	1
山梨	－	－	－	－	－	－	7	－	7	－	－	－	7	－	7
長野	3	3	－	－	－	－	5	－	5	－	－	－	4	－	4
岐阜	－	－	－	－	－	－	－	－	－	－	－	－	5	－	5
静岡	－	－	－	22	－	22	7	－	7	－	－	－	5	－	5
愛知	－	－	－	－	－	－	6	－	6	－	－	－	－	－	－
三重	－	－	－	－	－	－	13	－	13	－	－	－	4	－	4
滋賀	－	－	－	－	－	－	13	－	13	－	－	－	33	－	33
京都	－	－	－	19	－	19	6	－	6	－	－	－	12	－	12
大阪	－	－	－	18	－	18	8	－	8	－	－	－	3	－	3
兵庫	29	－	29	－	－	－	6	－	6	－	－	－	8	－	8
奈良	－	－	－	－	－	－	6	6	－	－	－	－	－	－	－
和歌山	－	－	－	－	－	－	－	－	－	－	－	－	－	－	－
鳥取	－	－	－	－	－	－	6	－	6	－	－	－	－	－	－
島根	－	－	－	14	－	14	13	－	13	－	－	－	6	－	6
岡山	－	－	－	－	－	－	6	－	6	－	－	－	6	－	6
広島	－	－	－	－	－	－	6	－	6	－	－	－	－	－	－
山口	－	－	－	－	－	－	3	3	－	－	－	－	6	－	6
徳島	－	－	－	－	－	－	8	－	8	－	－	－	5	－	5
香川	－	－	－	－	－	－	7	－	7	－	－	－	6	－	6
愛媛	－	－	－	－	－	－	6	－	6	－	－	－	7	－	7
高知	－	－	－	－	－	－	－	－	－	－	－	－	－	－	－
福岡	－	－	－	－	－	－	－	－	－	－	－	－	－	－	－
佐賀	－	－	－	－	－	－	6	－	6	－	－	－	1	－	1
長崎	－	－	－	－	－	－	6	－	6	－	－	－	5	－	5
熊本	3	3	－	－	－	－	6	－	6	－	－	－	7	－	7
大分	－	－	－	－	－	－	6	－	6	－	－	－	5	－	5
宮崎	－	－	－	－	－	－	8	－	8	－	－	－	7	－	7
鹿児島	－	－	－	－	－	－	4	－	4	－	－	－	5	－	5
沖縄	－	－	－	－	－	－	－	－	－	－	－	－	8	－	8

国－都道府県－指定都市－中核市、施設の種類・経営主体の公営－私営別

指定都市 中核市	身体障害者社会参加支援施設 補装具製作施設			盲導犬訓練施設			点字図書館			点字出版施設			聴覚障害者情報提供施設		
	総数	公営	私営	総数	公営	私営	総数	公営	私営	総数	公営	私営	総数	公営	私営
指定都市（別掲）															
札幌 市	-	-	-	28	-	28	14	9	5	-	-	-	13	-	13
仙台 市	-	-	-	21	-	21	5	-	5	-	-	-	-	-	-
さいたま市	-	-	-	-	-	-	-	-	-	-	-	-	20	-	20
千葉 市	4	-	4	-	-	-	-	-	-	-	-	-	19	-	19
横浜 市	2	-	2	49	-	49	-	-	-	-	-	-	19	-	19
川崎 市	-	-	-	-	-	-	12	-	12	-	-	-	11	-	11
相模原 市	-	-	-	-	-	-	-	-	-	-	-	-	-	-	-
新潟 市	-	-	-	-	-	-	-	-	-	-	-	-	-	-	-
静岡 市	-	-	-	-	-	-	-	-	-	-	-	-	-	-	-
浜松 市	-	-	-	-	-	-	-	-	-	-	-	-	-	-	-
名古屋 市	3	-	3	11	-	11	21	-	21	-	-	-	9	-	9
京都 市	-	-	-	-	-	-	11	-	11	12	-	12	16	-	16
大阪 市	-	-	-	-	-	-	10	-	10	-	-	-	7	-	7
堺 市	-	-	-	-	-	-	7	-	7	-	-	-	-	-	-
神戸 市	-	-	-	13	-	13	8	-	8	-	-	-	-	-	-
岡山 市	-	-	-	-	-	-	-	-	-	-	-	-	-	-	-
広島 市	-	-	-	-	-	-	-	-	-	-	-	-	-	-	-
北九州 市	-	-	-	-	-	-	9	-	9	-	-	-	8	-	8
福岡 市	-	-	-	-	-	-	7	-	7	-	-	-	-	-	-
熊本 市	-	-	-	-	-	-	-	-	-	-	-	-	-	-	-
中核市（別掲）															
旭川 市	-	-	-	-	-	-	5	-	5	-	-	-	-	-	-
函館 市	-	-	-	-	-	-	-	-	-	-	-	-	-	-	-
青森 市	-	-	-	-	-	-	-	-	-	-	-	-	-	-	-
八戸 市	-	-	-	-	-	-	-	-	-	-	-	-	-	-	-
盛岡 市	-	-	-	-	-	-	-	-	-	-	-	-	-	-	-
秋田 市	-	-	-	-	-	-	-	-	-	-	-	-	-	-	-
郡山 市	-	-	-	-	-	-	-	-	-	-	-	-	-	-	-
山形 市	-	-	-	-	-	-	-	-	-	-	-	-	-	-	-
いわき 市	-	-	-	13	-	13	-	-	-	-	-	-	-	-	-
宇都宮 市	-	-	-	-	-	-	-	-	-	-	-	-	-	-	-
前橋 市	-	-	-	-	-	-	-	-	-	-	-	-	-	-	-
高崎 市	-	-	-	-	-	-	-	-	-	-	-	-	-	-	-
川越 市	-	-	-	-	-	-	-	-	-	-	-	-	-	-	-
越谷 市	-	-	-	-	-	-	-	-	-	-	-	-	-	-	-
船橋 市	-	-	-	-	-	-	-	-	-	-	-	-	-	-	-
柏 市	-	-	-	-	-	-	-	-	-	-	-	-	-	-	-
八王子 市	-	-	-	-	-	-	5	5	-	-	-	-	-	-	-
横須賀 市	-	-	-	-	-	-	5	-	5	-	-	-	6	-	6
富山 市	-	-	-	-	-	-	8	-	8	7	-	7	4	-	4
金沢 市	-	-	-	-	-	-	-	-	-	-	-	-	-	-	-
長野 市	-	-	-	-	-	-	-	-	-	-	-	-	-	-	-
岐阜 市	-	-	-	-	-	-	2	-	2	-	-	-	-	-	-
豊橋 市	-	-	-	-	-	-	-	-	-	-	-	-	-	-	-
豊田 市	-	-	-	-	-	-	-	-	-	-	-	-	-	-	-
岡崎 市	-	-	-	-	-	-	-	-	-	-	-	-	-	-	-
大津 市	-	-	-	-	-	-	-	-	-	-	-	-	-	-	-
高槻 市	-	-	-	-	-	-	-	-	-	27	-	27	-	-	-
東大阪 市	-	-	-	-	-	-	-	-	-	-	-	-	-	-	-
豊中 市	-	-	-	-	-	-	-	-	-	-	-	-	-	-	-
枚方 市	-	-	-	-	-	-	-	-	-	-	-	-	-	-	-
姫路 市	-	-	-	-	-	-	-	-	-	-	-	-	-	-	-
西宮 市	-	-	-	-	-	-	-	-	-	-	-	-	-	-	-
尼崎 市	-	-	-	-	-	-	-	-	-	-	-	-	-	-	-
奈良 市	-	-	-	-	-	-	5	-	5	-	-	-	5	-	5
和歌山 市	2	-	2	-	-	-	-	-	-	-	-	-	-	-	-
倉敷 市	-	-	-	-	-	-	-	-	-	-	-	-	-	-	-
福山 市	-	-	-	-	-	-	-	-	-	-	-	-	-	-	-
呉 市	-	-	-	-	-	-	-	-	-	-	-	-	-	-	-
下関 市	-	-	-	-	-	-	5	-	5	-	-	-	-	-	-
高松 市	-	-	-	-	-	-	-	-	-	-	-	-	-	-	-
松山 市	-	-	-	-	-	-	-	-	-	-	-	-	-	-	-
高知 市	-	-	-	-	-	-	10	10	-	-	-	-	4	-	4
久留米 市	-	-	-	-	-	-	-	-	-	-	-	-	-	-	-
長崎 市	-	-	-	-	-	-	-	-	-	-	-	-	-	-	-
佐世保 市	-	-	-	-	-	-	-	-	-	-	-	-	-	-	-
大分 市	-	-	-	-	-	-	-	-	-	-	-	-	-	-	-
宮崎 市	-	-	-	-	-	-	-	-	-	-	-	-	-	-	-
鹿児島 市	-	-	-	-	-	-	-	-	-	-	-	-	-	-	-
那覇 市	-	-	-	-	-	-	8	-	8	-	-	-	-	-	-

国－都道府県－指定都市－中核市、施設の種類・経営主体の公営－私営別

第13表　社会福祉施設等の常勤換算従事者数，

（単位：人）

国		都 道 府 県	婦 人 保 護 施 設			児 童 福 祉 施 設 等								
						総		数	乳 児 院			母 子 生 活 支 援 施 設		
			総 数	公 営	私 営	総 数	公 営	私 営	総 数	公 営	私 営	総 数	公 営	私 営
全		国	370	86	284	682 841	192 946	489 895	4 921	117	4 803	1 994	142	1 852
	国		-	-	-	150	150	-	-	-	-	-	-	-
北 海		道	5	5	-	12 861	5 171	7 690	-	-	-	6	-	6
青		森	-	-	-	6 242	280	5 962	46	-	46	3	-	3
岩		手	-	-	-	6 654	1 773	4 881	-	-	-	-	-	-
宮		城	7	-	7	5 938	2 889	3 049	-	-	-	20	8	12
秋		田	6	-	6	5 012	1 272	3 740	-	-	-	34	-	34
山		形	9	9	-	6 842	1 897	4 945	-	-	-	9	-	9
福		島	11	11	-	6 189	2 676	3 513	26	26	-	16	2	14
茨		城	0	0	-	13 983	3 277	10 706	92	-	92	16	-	16
栃		木	6	6	-	8 086	2 480	5 606	39	-	39	14	-	14
群		馬	5	5	-	6 936	1 555	5 381	50	-	50	12	-	12
埼		玉	2	2	-	24 223	6 611	17 612	233	-	233	28	-	28
千		葉	43	-	43	16 158	6 476	9 682	160	27	132	20	-	20
東		京	84	-	84	73 592	22 058	51 534	661	-	661	354	-	354
神 奈		川	16	-	16	11 391	2 794	8 597	142	46	96	-	-	-
新		潟	1	1	-	10 678	5 236	5 442	34	-	34	11	3	8
富		山	-	-	-	4 684	1 972	2 711	27	-	27	-	-	-
石		川	4	4	-	5 548	2 062	3 486	13	-	13	4	-	4
福		井	2	2	-	6 059	2 076	3 983	35	-	35	6	-	6
山		梨	1	1	-	5 026	2 076	2 950	50	-	50	4	-	4
長		野	7	7	-	9 515	6 774	2 741	43	-	43	16	5	11
岐		阜	8	-	8	7 489	3 421	4 068	29	-	29	8	-	8
静		岡	5	-	5	9 792	3 133	6 659	57	-	57	12	-	12
愛		知	-	-	-	18 224	11 722	6 502	69	-	69	38	9	29
三		重	-	-	-	9 955	4 863	5 092	66	-	66	42	1	41
滋		賀	7	7	-	6 776	3 092	3 685	-	-	-	13	-	13
京		都	1	1	-	6 459	2 915	3 544	56	-	56	10	-	10
大		阪	29	-	29	17 938	4 943	12 995	97	-	97	44	-	44
兵		庫	-	-	-	12 481	3 761	8 720	76	-	76	30	-	30
奈		良	-	-	-	4 529	2 176	2 353	48	-	48	21	-	21
和 歌		山	2	2	-	3 214	1 539	1 675	55	-	55	23	23	-
鳥		取	-	-	-	5 068	2 288	2 781	74	-	74	64	-	64
島		根	-	-	-	6 200	889	5 311	83	-	83	8	-	8
岡		山	-	-	-	4 127	1 980	2 147	-	-	-	-	-	-
広		島	-	-	-	5 708	2 070	3 638	27	-	27	37	-	37
山		口	3	3	-	5 094	1 506	3 587	-	-	-	11	-	11
徳		島	4	4	-	4 961	2 155	2 806	39	-	39	11	11	-
香		川	2	2	-	4 404	2 790	1 614	33	-	33	-	-	-
愛		媛	1	1	-	4 981	2 446	2 535	18	18	-	20	15	6
高		知	-	-	-	3 195	1 780	1 416	-	-	-	4	-	4
福		岡	10	-	10	12 559	2 324	10 235	115	-	115	55	4	51
佐		賀	6	-	6	6 153	826	5 327	33	-	33	14	3	11
長		崎	1	1	-	6 345	602	5 743	52	-	52	4	4	-
熊		本	-	-	-	9 014	1 226	7 788	28	-	28	-	-	-
大		分	2	2	-	4 845	666	4 179	34	-	34	19	-	19
宮		崎	8	8	-	5 956	750	5 207	-	-	-	1	-	1
鹿 児		島	-	-	-	8 573	844	7 729	22	-	22	17	13	4
沖		縄	8	-	8	10 771	1 658	9 113	32	-	32	13	4	10

国－都道府県－指定都市－中核市、施設の種類・経営主体の公営－私営別

平成29年10月1日

指定都市 中核市	婦人保護施設 総数	公営	私営	児童福祉施設等 総数	公営	私営	乳児院 総数	公営	私営	母子生活支援施設 総数	公営	私営
指定都市（別掲）												
札幌市	-	-	-	8 737	540	8 197	49	-	49	47	-	47
仙台市	-	-	-	6 286	913	5 373	90	-	90	21	-	21
さいたま市	-	-	-	5 067	1 280	3 787	50	-	50	7	-	7
千葉市	-	-	-	4 175	1 772	2 403	29	-	29	10	-	10
横浜市	-	-	-	17 864	2 157	15 707	-	-	-	0	-	0
川崎市	-	-	-	7 402	813	6 589	74	-	74	8	-	8
相模原市	-	-	-	3 058	545	2 513	32	-	32	13	-	13
新潟市	-	-	-	5 458	1 787	3 671	24	-	24	10	-	10
静岡市	-	-	-	3 925	1 460	2 465	33	-	33	14	-	14
浜松市	-	-	-	3 450	457	2 993	20	-	20	13	-	13
名古屋市	16	-	16	10 496	2 710	7 787	120	-	120	63	-	63
京都市	-	-	-	8 364	570	7 794	76	-	76	37	-	37
大阪市	-	-	-	11 677	1 120	10 558	305	-	305	72	-	72
堺市	-	-	-	4 147	624	3 523	-	-	-	14	-	14
神戸市	8	-	8	7 438	1 431	6 007	102	-	102	72	-	72
岡山市	-	-	-	3 974	1 185	2 788	39	-	39	5	5	-
広島市	-	-	-	6 391	2 322	4 069	41	-	41	36	-	36
北九州市	-	-	-	4 528	430	4 098	38	-	38	20	-	20
福岡市	-	-	-	7 304	380	6 924	89	-	89	34	-	34
熊本市	-	-	-	4 941	348	4 593	69	-	69	20	-	20
中核市（別掲）												
旭川市	-	-	-	2 268	144	2 124	-	-	-	14	-	14
函館市	-	-	-	1 234	124	1 110	28	-	28	21	-	21
青森市	-	-	-	1 862	109	1 753	21	-	21	6	-	6
八戸市	-	-	-	1 885	83	1 803	-	-	-	7	-	7
盛岡市	9	-	9	2 127	248	1 879	66	-	66	5	-	5
秋田市	-	-	-	2 169	188	1 981	36	-	36	36	-	36
郡山市	-	-	-	976	400	576	-	-	-	5	-	5
いわき市	-	-	-	1 322	471	851	72	-	72	10	-	10
宇都宮市	-	-	-	2 353	117	2 236	-	-	-	8	-	8
前橋市	-	-	-	1 801	348	1 453	-	-	-	-	-	-
高崎市	-	-	-	2 026	445	1 581	30	-	30	6	6	-
川越市	-	-	-	1 414	551	862	-	-	-	-	-	-
越谷市	-	-	-	1 248	536	712	-	-	-	-	-	-
船橋市	-	-	-	2 813	1 099	1 714	-	-	-	10	-	10
柏市	-	-	-	1 752	754	999	-	-	-	-	-	-
八王子市	-	-	-	3 096	326	2 771	-	-	-	12	-	12
横須賀市	-	-	-	1 293	231	1 063	32	-	32	3	-	3
富山市	-	-	-	2 603	720	1 883	-	-	-	9	-	9
金沢市	-	-	-	2 788	360	2 428	29	-	29	5	-	5
長野市	-	-	-	2 246	630	1 616	25	-	25	5	-	5
岐阜市	-	-	-	1 415	459	957	38	-	38	20	-	20
豊橋市	-	-	-	1 921	210	1 710	65	-	65	12	-	12
豊田市	-	-	-	1 719	1 033	685	-	-	-	10	-	10
岡崎市	-	-	-	1 268	642	626	31	-	31	12	-	12
大津市	-	-	-	2 128	439	1 689	46	-	46	10	-	10
高槻市	-	-	-	1 544	393	1 152	-	-	-	-	-	-
東大阪市	-	-	-	2 253	308	1 945	41	-	41	-	-	-
豊中市	-	-	-	1 899	560	1 338	-	-	-	-	-	-
枚方市	-	-	-	2 028	457	1 570	-	-	-	-	-	-
姫路市	9	-	9	2 306	568	1 738	58	-	58	7	-	7
西宮市	-	-	-	1 997	704	1 292	-	-	-	11	-	11
尼崎市	-	-	-	2 009	380	1 628	-	-	-	7	-	7
奈良市	-	-	-	1 582	622	960	-	-	-	9	-	9
和歌山市	-	-	-	1 553	351	1 202	-	-	-	11	-	11
倉敷市	-	-	-	2 504	475	2 029	-	-	-	8	-	8
福山市	-	-	-	2 571	925	1 645	-	-	-	4	4	-
呉市	11	-	11	1 079	183	895	-	-	-	8	-	8
下関市	-	-	-	1 197	360	837	43	-	43	3	-	3
高松市	-	-	-	2 050	812	1 239	-	-	-	6	6	-
松山市	-	-	-	2 428	365	2 063	47	-	47	-	-	-
高知市	-	-	-	2 594	630	1 964	47	-	47	10	-	10
久留米市	-	-	-	2 012	213	1 799	-	-	-	7	7	-
長崎市	-	-	-	2 862	447	2 414	-	-	-	5	-	5
佐世保市	-	-	-	1 711	67	1 644	-	-	-	10	10	-
大分市	-	-	-	2 094	237	1 857	-	-	-	-	-	-
宮崎市	-	-	-	3 105	78	3 027	37	-	37	-	-	-
鹿児島市	10	-	10	4 047	160	3 886	55	-	55	46	-	46
那覇市	-	-	-	2 438	226	2 213	-	-	-	15	-	15

国－都道府県－指定都市－中核市、施設の種類・経営主体の公営－私営別

第13表　社会福祉施設等の常勤換算従事者数，

（単位：人）

国 都道府県	児童福祉施設等 保育所等											
	総数			幼保連携型認定こども園			保育所型認定こども園			保育所		
	総数	公営	私営	総数	公営	私営	総数	公営	私営	総数	公営	私営
全　　　　国	577 577	170 076	407 501	91 568	12 645	78 923	12 857	3 927	8 930	473 152	153 504	319 648
国	-	-	-	-	-	-	-	-	-	-	-	-
北　海　道	10 229	3 935	6 294	2 361	338	2 023	794	341	453	7 074	3 256	3 818
青　　　森	5 640	133	5 508	2 380	72	2 309	267	-	267	2 993	61	2 932
岩　　　手	5 898	1 650	4 248	986	128	858	101	88	13	4 811	1 434	3 377
宮　　　城	4 720	2 455	2 265	242	130	112	59	-	59	4 420	2 325	2 095
秋　　　田	4 627	1 104	3 524	1 198	293	905	215	41	174	3 214	769	2 445
山　　　形	6 002	1 498	4 503	1 023	25	998	68	14	54	4 911	1 459	3 452
福　　　島	5 017	2 161	2 856	1 427	414	1 012	34	34	-	3 556	1 713	1 843
茨　　　城	12 307	2 985	9 322	2 823	350	2 473	258	80	178	9 226	2 555	6 671
栃　　　木	6 831	2 308	4 523	1 694	81	1 613	39	10	29	5 098	2 217	2 881
群　　　馬	5 988	1 257	4 731	1 416	77	1 338	40	25	14	4 533	1 155	3 378
埼　　　玉	19 601	6 176	13 425	1 280	-	1 280	51	-	51	18 270	6 176	12 094
千　　　葉	14 413	5 931	8 483	970	417	553	243	55	188	13 200	5 459	7 742
東　　　京	61 737	18 720	43 017	984	291	693	1 241	427	814	59 513	18 002	41 511
神　奈　川	9 060	2 136	6 923	556	254	302	63	-	63	8 441	1 882	6 559
新　　　潟	9 692	4 905	4 787	1 375	189	1 187	170	42	129	8 147	4 675	3 472
富　　　山	4 209	1 740	2 469	904	95	809	100	18	82	3 205	1 627	1 578
石　　　川	5 150	1 952	3 198	1 546	-	1 546	678	568	110	2 926	1 384	1 542
福　　　井	5 439	1 872	3 567	1 926	250	1 676	23	-	23	3 490	1 622	1 868
山　　　梨	4 293	1 748	2 545	866	-	866	124	104	19	3 303	1 644	1 659
長　　　野	8 345	6 446	1 899	432	29	402	427	427	-	7 486	5 989	1 497
岐　　　阜	6 572	3 171	3 401	826	356	470	565	115	450	5 181	2 700	2 481
静　　　岡	8 279	2 821	5 458	1 336	424	912	145	22	123	6 799	2 375	4 423
愛　　　知	15 451	10 579	4 872	560	8	552	115	95	19	14 777	10 475	4 302
三　　　重	8 513	4 156	4 357	525	141	384	110	59	51	7 878	3 955	3 923
滋　　　賀	5 898	2 755	3 143	1 674	1 092	582	75	75	-	4 149	1 588	2 561
京　　　都	5 673	2 608	3 065	754	31	724	-	-	-	4 918	2 577	2 341
大　　　阪	14 818	4 339	10 479	5 696	437	5 259	130	37	93	8 992	3 865	5 127
兵　　　庫	10 624	3 234	7 391	3 545	931	2 615	345	-	345	6 734	2 303	4 431
奈　　　良	3 837	1 885	1 953	560	303	256	27	-	27	3 251	1 581	1 670
和　歌　山	2 658	1 390	1 268	233	60	174	321	61	260	2 104	1 269	834
鳥　　　取	4 132	1 978	2 154	740	245	495	204	149	55	3 188	1 583	1 605
島　　　根	5 751	825	4 927	311	76	235	319	101	218	5 121	648	4 473
岡　　　山	3 788	1 889	1 899	501	394	107	236	178	58	3 051	1 317	1 734
広　　　島	4 842	2 029	2 813	783	73	710	319	161	159	3 740	1 795	1 945
山　　　口	4 297	1 390	2 907	39	-	39	-	-	-	4 259	1 390	2 869
徳　　　島	4 234	1 962	2 273	809	308	501	251	225	26	3 174	1 429	1 746
香　　　川	2 889	1 547	1 342	278	236	41	38	38	-	2 573	1 273	1 301
愛　　　媛	4 345	2 183	2 162	499	113	386	36	19	18	3 809	2 051	1 758
高　　　知	2 686	1 711	975	158	120	38	19	-	19	2 509	1 591	918
福　　　岡	10 855	1 960	8 894	421	142	278	228	21	207	10 206	1 797	8 409
佐　　　賀	5 090	722	4 368	1 304	-	1 304	89	-	89	3 698	722	2 975
長　　　崎	5 126	427	4 699	872	45	828	221	11	209	4 033	371	3 662
熊　　　本	7 742	1 075	6 667	569	-	569	67	-	67	7 107	1 075	6 032
大　　　分	4 033	568	3 465	1 072	83	988	256	55	200	2 706	430	2 276
宮　　　崎	5 151	563	4 588	1 548	-	1 548	248	21	227	3 355	542	2 813
鹿　児　島	7 415	609	6 806	2 022	79	1 943	181	82	99	5 213	449	4 764
沖　　　縄	9 052	1 306	7 746	548	39	509	79	-	79	8 425	1 267	7 158

平成29年10月1日

指定都市 中核市	児童福祉施設等											
	保育所等											
	総数			幼保連携型認定こども園			保育所型認定こども園			保育所		
	総数	公営	私営	総数	公営	私営	総数	公営	私営	総数	公営	私営
指定都市（別掲）												
札幌市	6 905	441	6 464	1 112	25	1 087	47	－	47	5 745	416	5 330
仙台市	4 435	913	3 521	311	－	311	－	－	－	4 124	913	3 211
さいたま市	3 993	1 228	2 764	152	－	152	－	－	－	3 841	1 228	2 612
千葉市	3 548	1 576	1 972	202	－	202	53	53	－	3 294	1 523	1 770
横浜市	15 702	2 133	13 569	723	－	723	－	－	－	14 980	2 133	12 847
川崎市	6 382	813	5 569	92	－	92	－	－	－	6 290	813	5 477
相模原市	2 433	421	2 012	223	22	202	－	－	－	2 209	399	1 810
新潟市	5 148	1 639	3 508	959	－	959	113	－	113	4 075	1 639	2 436
静岡市	3 214	1 278	1 936	1 925	1 278	647	－	－	－	1 289	－	1 289
浜松市	2 830	450	2 380	1 238	－	1 238	36	－	36	1 556	450	1·106
名古屋市	8 735	2 454	6 281	844	－	844	533	－	533	7 357	2 454	4 903
京都市	6 387	554	5 833	527	－	527	73	－	73	5 787	554	5 233
大阪市	9 290	1 060	8 230	927	－	927	49	－	49	8 313	1 060	7 254
堺市	3 612	624	2 988	2 999	624	2 376	91	－	91	522	－	522
神戸市	5 415	1 281	4 134	2 626	－	2 626	－	－	－	2 789	1 281	1 508
岡山市	2 913	1 124	1 790	317	163	154	－	－	－	2 596	961	1 635
広島市	5 457	1 996	3 461	699	－	699	135	13	122	4 623	1 983	2 640
北九州市	3 490	430	3 060	－	－	－	－	－	－	3 490	430	3 060
福岡市	5 994	250	5 744	75	－	75	－	－	－	5 919	250	5 669
熊本市	3 982	320	3 663	1 424	－	1 424	－	－	－	2 558	320	2 238
中核市（別掲）												
旭川市	1 505	76	1 429	182	－	182	307	－	307	1 017	76	941
函館市	1 005	34	971	360	－	360	353	11	342	291	22	269
青森市	1 585	－	1 585	460	－	460	16	－	16	1 108	－	1 108
八戸市	1 611	－	1 611	995	－	995	258	－	258	358	－	358
盛岡市	1 709	248	1 461	375	－	375	－	－	－	1 334	248	1 086
秋田市	1 817	115	1 703	477	－	477	－	－	－	1 341	115	1 226
郡山市	801	389	412	－	－	－	－	－	－	801	389	412
いわき市	1 257	471	787	126	－	126	－	－	－	1 132	471	661
宇都宮市	2 009	72	1 938	418	－	418	23	－	23	1 568	72	1 496
前橋市	1 692	333	1 359	745	－	745	－	－	－	947	333	613
高崎市	1 867	438	1 429	638	－	638	11	－	11	1 218	438	779
川越市	1 209	519	690	18	－	18	－	－	－	1 190	519	672
越谷市	995	473	522	130	－	130	－	－	－	865	473	392
船橋市	2 470	997	1 473	62	－	62	－	－	－	2 408	997	1 411
柏市	1 532	697	835	150	－	150	－	－	－	1 383	697	685
八王子市	2 830	272	2 558	－	－	－	30	－	30	2 800	272	2 528
横須賀市	1 108	231	877	279	－	279	－	－	－	829	231	599
富山市	2 492	720	1 772	1 654	－	1 654	49	－	49	789	720	68
金沢市	2 492	239	2 253	713	－	713	265	－	265	1 514	239	1 275
長野市	1 893	618	1 275	204	－	204	8	8	－	1 680	609	1 071
岐阜市	1 073	393	680	154	－	154	－	－	－	920	393	527
豊橋市	1 687	155	1 532	465	42	423	－	－	－	1 222	113	1 109
豊田市	1 574	1 033	541	180	－	180	－	－	－	1 394	1 033	361
岡崎市	1 079	642	438	34	34	－	26	26	－	1 020	582	438
大津市	1 851	366	1 485	285	－	285	－	－	－	1 565	366	1 199
高槻市	1 196	393	803	462	37	425	－	－	－	734	355	378
東大阪市	1 829	256	1 573	980	25	955	－	－	－	849	231	618
豊中市	1 728	484	1 243	868	484	384	－	－	－	859	－	859
枚方市	1 941	416	1 526	183	－	183	－	－	－	1 759	416	1 343
姫路市	2 029	541	1 488	890	119	771	257	－	257	882	422	460
西宮市	1 492	642	850	199	－	199	－	－	－	1 293	642	651
尼崎市	1 756	380	1 375	159	－	159	－	－	－	1 596	380	1 216
奈良市	1 339	600	739	469	209	260	－	－	－	870	391	479
和歌山市	1 283	282	1 001	496	－	496	－	－	－	787	282	505
倉敷市	2 284	475	1 808	159	93	65	67	－	67	2 058	382	1 676
福山市	2 508	922	1 586	620	－	620	－	－	－	1 887	922	966
呉市	925	183	742	217	－	217	22	－	22	686	183	503
下関市	1 048	351	696	290	124	166	－	－	－	758	227	531
高松市	1 880	786	1 094	287	148	138	－	－	－	1 593	638	955
松山市	1 869	359	1 510	470	－	470	149	16	133	1 250	343	907
高知市	2 283	608	1 675	147	－	147	138	－	138	1 998	608	1 390
久留米市	1 922	206	1 716	183	－	183	62	－	62	1 677	206	1 471
長崎市	2 450	151	2 299	646	13	633	－	－	－	1 805	138	1 667
佐世保市	1 602	50	1 552	231	－	231	67	－	67	1 304	50	1 254
大分市	1 936	224	1 711	611	－	611	－	－	－	1 325	224	1 100
宮崎市	2 807	78	2 729	970	－	970	－	－	－	1 837	78	1 759
鹿児島市	3 254	160	3 093	811	－	811	－	－	－	2 443	160	2 283
那覇市	2 265	224	2 041	172	36	136	－	－	－	2 092	188	1 904

国－都道府県－指定都市－中核市、施設の種類・経営主体の公営－私営別

第13表　社会福祉施設等の常勤換算従事者数，

（単位：人）

国都道府県	児童福祉施設等												児童養護施設		
	小規模保育事業所														
	総数			小規模保育事業所A型			小規模保育事業所B型			小規模保育事業所C型					
	総数	公営	私営	総数	公営	私営	総数	公営	私営	総数	公営	私営	総数	公営	私営
全国	23 999	236	23 763	18 817	165	18 652	4 558	71	4 487	624	－	624	17 883	237	17 646
国	－	－	－	－	－	－	－	－	－	－	－	－	－	－	－
北海道	178	－	178	160	－	160	18	－	18	－	－	－	408	－	408
青森	11	－	11	8	－	8	3	－	3	－	－	－	132	－	132
岩手	134	－	134	73	－	73	61	－	61	－	－	－	105	－	105
宮城	542	－	542	379	－	379	132	－	132	31	－	31	34	－	34
秋田	18	－	18	11	－	11	7	－	7	－	－	－	62		62
山形	148	－	148	74	－	74	74	－	74	－	－	－	145	－	145
福島	282	－	282	207	－	207	68	－	68	7	－	7	173	－	173
茨城	254	－	254	214	－	214	35	－	35	5	－	5	496	－	496
栃木	318	13	305	269	13	256	49	－	49	－	－	－	247	－	247
群馬	8	－	8	8	－	8	－	－	－	－	－	－	97		97
埼玉	1 868	－	1 868	890	－	890	970	－	970	7	－	7	704	－	704
千葉	－	－	－	－	－	－	－	－	－	－	－	－	484	58	425
東京	2 933	－	2 933	2 218	－	2 218	596	－	596	119	－	119	1 961	－	1 961
神奈川	542	－	542	483	－	483	60	－	60	－	－	－	515	－	515
新潟	147	－	147	81	－	81	60	－	60	7	－	7	71	48	23
富山	－	－	－	－	－	－	－	－	－	－	－	－	22	－	22
石川	17	－	17	17	－	17	－	－	－	－	－	－	75	－	75
福井	49	12	37	33	5	28	16	7	9	－	－	－	109	－	109
山梨	99	－	99	91	－	91	－	－	－	8	－	8	149	－	149
長野	59	－	59	59	－	59	－	－	－	－	－	－	316	－	316
岐阜	110	－	110	85	－	85	25	－	25	－	－	－	255	－	255
静岡	563	－	563	373	－	373	124	－	124	66	－	66	279	－	279
愛知	419	3	416	366	－	366	52	3	50	－	－	－	400	－	400
三重	133	－	133	56	－	56	71	－	71	6	－	6	290	－	290
滋賀	171	7	163	139	7	132	31	－	31	－	－	－	50	－	50
京都	118	－	118	110	－	110	2	－	2	6	－	6	154	－	154
大阪	703	－	703	661	－	661	43	－	43	－	－	－	633	－	633
兵庫	270	－	270	267	－	267	4	－	4	－	－	－	290	－	290
奈良	58	22	37	55	18	37	3	3	－	－	－	－	184	－	184
和歌山	27	7	20	27	7	20	－	－	－	－	－	－	100	20	80
鳥取	187	－	187	173	－	173	14	－	14	－	－	－	177	－	177
島根	55	27	28	41	13	28	14	14	－	－	－	－	85	－	85
岡山	14	－	14	5	－	5	9	－	9	－	－	－	133	－	133
広島	27	2	25	22	2	21	5	－	5	－	－	－	175	－	175
山口	96	－	96	71	－	71	26	－	26	－	－	－	218	－	218
徳島	17	－	17	17	－	17	－	－	－	－	－	－	147	－	147
香川	63	－	63	30	－	30	32	－	32	－	－	－	50	－	50
愛媛	69	8	61	54	8	46	15	－	15	－	－	－	127	28	99
高知	54	5	50	27	5	22	27	－	27	－	－	－	92	－	92
福岡	－	－	－	－	－	－	－	－	－	－	－	－	310	－	310
佐賀	228	－	228	147	－	147	81	－	81	－	－	－	126		126
長崎	161	－	161	132	－	132	29	－	29	－	－	－	177		177
熊本	144	－	144	111	－	111	26	－	26	6	－	6	249	－	249
大分	51	13	37	46	13	32	5	－	5	－	－	－	214	－	214
宮崎	96	39	57	48	7	41	48	32	15	－	－	－	163		163
鹿児島	170	11	159	87	－	87	82	11	71	－	－	－	289	－	289
沖縄	746	－	746	471	－	471	275	－	275	－	－	－	216	－	216

平成29年10月 1 日

指定都市 中核市	児童福祉施設等 小規模保育事業所 総数			小規模保育事業所Ａ型			小規模保育事業所Ｂ型			小規模保育事業所Ｃ型			児童養護施設		
	総数	公営	私営	総数	公営	私営	総数	公営	私営	総数	公営	私営	総数	公営	私営
指定都市（別掲）															
札幌市	466	－	466	458	－	458	7	－	7	2	－	2	178	－	178
仙台市	656	－	656	407	－	407	166	－	166	84	－	84	162	－	162
さいたま市	743	－	743	642	－	642	102	－	102	－	－	－	60	－	60
千葉市	272	－	272	212	－	212	60	－	60	－	－	－	93	－	93
横浜市	1 086	－	1 086	927	－	927	130	－	130	29	－	29	92	－	92
川崎市	239	－	239	113	－	113	100	－	100	26	－	26	147	－	147
相模原市	258	－	258	117	－	117	136	－	136	5	－	5	51	－	51
新潟市	51	－	51	51	－	51	－	－	－	－	－	－	24	－	24
静岡市	260	27	233	260	27	233	－	－	－	－	－	－	37	－	37
浜松市	195	－	195	195	－	195	－	－	－	－	－	－	97	－	97
名古屋市	647	－	647	477	－	477	170	－	170	－	－	－	405	46	359
京都市	642	－	642	554	－	554	41	－	41	47	－	47	232	－	232
大阪市	886	－	886	741	－	741	31	－	31	113	－	113	371	18	353
堺市	236	－	236	231	－	231	6	－	6	－	－	－	153	－	153
神戸市	589	－	589	589	－	589	－	－	－	－	－	－	320	－	320
岡山市	76	－	76	76	－	76	－	－	－	－	－	－	142	18	123
広島市	183	－	183	148	－	148	36	－	36	－	－	－	125	－	125
北九州市	232	－	232	232	－	232	－	－	－	－	－	－	184	－	184
福岡市	627	－	627	567	－	567	31	－	31	30	－	30	121	－	121
熊本市	418	－	418	418	－	418	－	－	－	－	－	－	147	－	147
中核市（別掲）															
旭川市	137	－	137	137	－	137	－	－	－	－	－	－	42	－	42
函館市	－	－	－	－	－	－	－	－	－	－	－	－	53	－	53
青森市	7	－	7	7	－	7	－	－	－	－	－	－	46	－	46
八戸市	－	－	－	－	－	－	－	－	－	－	－	－	22	－	22
盛岡市	54	－	54	43	－	43	8	－	8	3	－	3	111	－	111
秋田市	118	－	118	19	－	19	99	－	99	－	－	－	62	－	62
郡山市	121	－	121	121	－	121	－	－	－	－	－	－	－	－	－
いわき市	31	－	31	31	－	31	－	－	－	－	－	－	24	－	24
宇都宮市	160	－	160	141	－	141	18	－	18	－	－	－	57	－	57
前橋市	－	－	－	－	－	－	－	－	－	－	－	－	62	－	62
高崎市	－	－	－	－	－	－	－	－	－	－	－	－	94	－	94
川越市	97	－	97	83	－	83	14	－	14	－	－	－	－	－	－
越谷市	190	－	190	120	－	120	71	－	71	－	－	－	29	－	29
船橋市	143	－	143	143	－	143	－	－	－	－	－	－	－	－	－
柏市	61	－	61	61	－	61	－	－	－	－	－	－	－	－	－
八王子市	23	－	23	23	－	23	－	－	－	－	－	－	117	－	117
横須賀市	11	－	11	11	－	11	－	－	－	－	－	－	64	－	64
富山市	5	－	5	5	－	5	－	－	－	－	－	－	54	－	54
金沢市	－	－	－	－	－	－	－	－	－	－	－	－	99	－	99
長野市	20	－	20	20	－	20	－	－	－	－	－	－	79	－	79
岐阜市	136	16	120	136	16	120	－	－	－	－	－	－	40	－	40
豊橋市	－	－	－	－	－	－	－	－	－	－	－	－	62	－	62
豊田市	28	－	28	28	－	28	－	－	－	－	－	－	30	－	30
岡崎市	－	－	－	－	－	－	－	－	－	－	－	－	57	－	57
大津市	64	－	64	34	－	34	14	－	14	16	－	16	79	－	79
高槻市	161	－	161	161	－	161	－	－	－	－	－	－	90	－	90
東大阪市	114	－	114	114	－	114	－	－	－	－	－	－	145	－	145
豊中市	95	－	95	95	－	95	－	－	－	－	－	－	－	－	－
枚方市	66	21	45	34	21	12	32	－	32	－	－	－	－	－	－
姫路市	－	－	－	－	－	－	－	－	－	－	－	－	111	－	111
西宮市	219	－	219	155	－	155	61	－	61	3	－	3	56	－	56
尼崎市	131	－	131	131	－	131	－	－	－	－	－	－	59	－	59
奈良市	26	－	26	26	－	26	－	－	－	－	－	－	－	－	－
和歌山市	－	－	－	－	－	－	－	－	－	－	－	－	92	－	92
倉敷市	67	－	67	67	－	67	－	－	－	－	－	－	21	－	21
福山市	59	－	59	59	－	59	－	－	－	－	－	－	－	－	－
呉市	17	－	17	17	－	17	－	－	－	－	－	－	84	－	84
下関市	－	－	－	－	－	－	－	－	－	－	－	－	70	－	70
高松市	60	3	57	60	3	57	－	－	－	－	－	－	34	－	34
松山市	192	－	192	192	－	192	－	－	－	－	－	－	141	－	141
高知市	84	－	84	47	－	47	37	－	37	－	－	－	136	－	136
久留米市	－	－	－	－	－	－	－	－	－	－	－	－	36	－	36
長崎市	5	－	5	5	－	5	－	－	－	－	－	－	83	－	83
佐世保市	9	－	9	9	－	9	－	－	－	－	－	－	55	－	55
大分市	57	－	57	57	－	57	－	－	－	－	－	－	82	－	82
宮崎市	40	－	40	40	－	40	－	－	－	－	－	－	133	－	133
鹿児島市	－	－	－	－	－	－	－	－	－	－	－	－	154	－	154
那覇市	74	－	74	74	－	74	－	－	－	－	－	－	－	－	－

第13表　社会福祉施設等の常勤換算従事者数，

（単位：人）

国 都道府県	児童福祉施設等														
	障害児入所施設（福祉型）			障害児入所施設（医療型）			児童発達支援センター（福祉型）			児童発達支援センター（医療型）			児童心理治療施設		
	総数	公営	私営	総数	公営	私営	総数	公営	私営	総数	公営	私営	総数	公営	私営
全国	5 736	1 281	4 455	19 384	6 597	12 787	8 286	2 552	5 734	1 382	796	586	1 309	139	1 170
国	81	81	-	-	-	-	-	-	-	-	-	-	-	-	-
北海道	191	-	191	976	582	394	161	62	99	-	-	-	28	-	28
青森	120	65	55	-	-	-	46	-	46	5	5	-	-	-	-
岩手	143	27	117	147	-	147	11	-	11	20	-	20	-	-	-
宮城	50	-	50	120	120	-	68	39	29	-	-	-	-	-	-
秋田	46	-	46	69	69	-	6	6	-	12	12	-	-	-	-
山形	134	134	-	59	59	-	61	35	27	5	5	-	-	-	-
福島	128	59	70	212	212	-	49	-	49	17	17	-	-	-	-
茨城	120	-	120	325	94	231	31	9	22	-	-	-	35	-	35
栃木	73	-	73	288	34	254	6	6	-	13	13	-	19	-	19
群馬	75	45	30	313	72	241	33	-	33	-	-	-	24	-	24
埼玉	78	-	78	730	-	730	306	179	127	-	-	-	33	-	33
千葉	244	37	207	175	-	175	295	199	96	45	37	8	23	-	23
東京	332	-	332	1 304	254	1 050	516	240	276	161	139	22	-	-	-
神奈川	303	83	220	400	308	92	234	32	202	-	-	-	71	71	-
新潟	140	100	40	234	41	193	49	28	22	18	18	-	-	-	-
富山	100	100	-	119	50	69	28	15	13	22	3	19	-	-	-
石川	8	-	8	75	-	75	11	-	11	-	-	-	-	-	-
福井	19	-	19	22	22	-	40	23	18	-	-	-	-	-	-
山梨	44	44	-	36	36	-	60	-	60	16	16	-	-	-	-
長野	40	-	40	66	44	22	87	18	69	14	-	14	37	-	37
岐阜	57	-	57	90	90	-	52	37	15	16	9	7	28	-	28
静岡	167	113	54	73	-	73	239	110	129	-	-	-	30	30	-
愛知	77	28	49	428	194	234	232	175	57	12	-	12	50	-	50
三重	53	-	53	578	558	20	64	23	42	-	-	-	23	-	23
滋賀	89	66	22	264	75	189	121	102	19	11	11	-	39	-	39
京都	34	-	34	224	175	49	13	-	13	9	-	9	23	-	23
大阪	150	-	150	581	28	553	480	306	173	118	68	50	74	-	74
兵庫	99	-	99	676	276	401	121	54	67	63	63	-	43	-	43
奈良	84	57	27	-	-	-	52	-	52	103	97	6	-	-	-
和歌山	17	-	17	132	-	132	98	-	98	-	-	-	-	-	-
鳥取	70	59	11	95	95	-	40	28	13	55	55	-	40	-	40
島根	63	-	63	21	-	21	60	-	60	-	-	-	23	-	23
岡山	20	-	20	18	18	-	87	11	76	6	6	-	-	-	-
広島	75	-	75	254	-	254	158	-	158	28	-	28	16	-	16
山口	40	-	40	182	64	118	100	-	100	-	-	-	34	-	34
徳島	58	-	58	132	103	29	150	-	150	-	-	-	-	-	-
香川	37	26	11	1 175	1 145	30	21	-	21	9	-	9	-	-	-
愛媛	56	17	39	137	45	91	32	15	17	-	-	-	-	-	-
高知	210	-	210	29	-	29	31	8	23	7	7	-	17	-	17
福岡	90	-	90	646	152	494	212	-	212	-	-	-	34	-	34
佐賀	51	27	24	481	-	481	51	17	34	-	-	-	-	-	-
長崎	20	-	20	628	109	519	55	-	55	-	-	-	39	-	39
熊本	103	19	83	550	52	498	71	11	60	7	7	-	36	-	36
大分	54	-	54	231	-	231	54	-	54	10	-	10	-	-	-
宮崎	77	-	77	185	59	126	119	-	119	7	7	-	-	-	-
鹿児島	56	-	56	328	113	215	182	43	139	-	-	-	-	-	-
沖縄	43	-	43	396	136	260	-	-	-	16	-	16	-	-	-

国－都道府県－指定都市－中核市、施設の種類・経営主体の公営－私営別

平成29年10月 1 日

指定都市 中核市	児童福祉施設等 障害児入所施設（福祉型）			障害児入所施設（医療型）			児童発達支援センター（福祉型）			児童発達支援センター（医療型）			児童心理治療施設		
	総数	公営	私営	総数	公営	私営	総数	公営	私営	総数	公営	私営	総数	公営	私営
指定都市（別掲）															
札幌市	73	19	54	224	－	224	109	36	73	26	26	－	19	19	－
仙台市	－	－	－	130	－	130	79	－	79	－	－	－	24	－	24
さいたま市	26	－	26	－	－	－	66	31	35	20	20	－	－	－	－
千葉市	－	－	－	170	170	－	27	18	9	16	8	8	－	－	－
横浜市	151	－	151	373	－	373	187	－	187	121	－	121	35	－	35
川崎市	－	－	－	103	－	103	55	－	55	17	－	17	42	－	42
相模原市	33	－	33	97	－	97	33	16	17	23	23	－	－	－	－
新潟市	－	－	－	108	108	－	35	35	－	－	－	－	－	－	－
静岡市	13	－	13	287	155	132	33	－	33	－	－	－	－	－	－
浜松市	45	－	45	179	－	179	58	－	58	－	－	－	－	－	－
名古屋市	89	77	13	116	－	116	174	85	88	7	7	－	20	20	－
京都市	47	－	47	18	－	18	124	16	108	－	－	－	46	－	46
大阪市	134	－	134	360	－	360	134	－	134	7	－	7	56	－	56
堺市	－	－	－	70	－	70	42	－	42	15	－	15	－	－	－
神戸市	56	－	56	－	－	－	163	109	54	－	－	－	24	－	24
岡山市	69	－	69	556	－	556	62	－	62	－	－	－	19	－	19
広島市	38	－	38	－	－	－	108	－	108	46	－	46	26	－	26
北九州市	54	－	54	116	－	116	128	－	128	－	－	－	－	－	－
福岡市	36	－	36	130	130	－	198	－	198	46	－	46	－	－	－
熊本市	43	－	43	185	－	185	45	－	45	－	－	－	－	－	－
中核市（別掲）															
旭川市	－	－	－	463	－	463	76	52	24	15	15	－	－	－	－
函館市	－	－	－	－	－	－	24	－	24	11	11	－	－	－	－
青森市	17	－	17	109	109	－	－	－	－	－	－	－	27	－	27
八戸市	36	－	36	136	83	54	34	－	34	3	－	3	－	－	－
盛岡市	－	－	－	－	－	－	－	－	－	－	－	－	34	－	34
秋田市	16	－	16	－	－	－	11	－	11	－	－	－	－	－	－
郡山市	28	－	28	－	－	－	18	11	7	－	－	－	－	－	－
いわき市	－	－	－	－	－	－	－	－	－	－	－	－	－	－	－
宇都宮市	－	－	－	－	－	－	31	31	－	12	12	－	－	－	－
前橋市	－	－	－	－	－	－	20	－	20	－	－	－	－	－	－
高崎市	－	－	－	－	－	－	23	23	－	－	－	－	－	－	－
川越市	－	－	－	76	－	76	44	44	－	－	－	－	－	－	－
越谷市	－	－	－	－	－	－	60	－	60	－	－	－	－	－	－
船橋市	－	－	－	－	－	－	－	－	－	－	－	－	－	－	－
柏市	6	－	6	98	－	98	28	28	－	14	14	－	－	－	－
八王子市	35	－	35	－	－	－	24	－	24	－	－	－	－	－	－
横須賀市	－	－	－	48	－	48	21	－	21	10	－	10	－	－	－
富山市	－	－	－	2	－	2	20	－	20	－	－	－	－	－	－
金沢市	17	－	17	13	13	－	12	－	12	－	－	－	－	－	－
長野市	－	－	－	13	13	－	33	－	33	－	－	－	－	－	－
岐阜市	－	－	－	13	13	－	33	23	10	13	13	－	－	－	－
豊橋市	24	－	24	34	34	－	33	21	11	－	－	－	－	－	－
豊田市	24	－	24	－	－	－	39	－	39	14	－	14	－	－	－
岡崎市	15	－	15	－	－	－	73	－	73	－	－	－	－	－	－
大津市	－	－	－	－	－	－	41	41	－	－	－	－	－	－	－
高槻市	－	－	－	－	－	－	37	－	37	18	－	18	43	－	43
東大阪市	24	－	24	－	－	－	36	－	36	13	－	13	－	－	－
豊中市	－	－	－	－	－	－	31	31	－	30	30	－	－	－	－
枚方市	－	－	－	－	－	－	20	20	－	20	20	－	－	－	－
姫路市	－	－	－	23	－	23	25	25	－	－	－	－	－	－	－
西宮市	25	－	25	105	－	105	52	31	21	－	－	－	－	－	－
尼崎市	－	－	－	－	－	－	30	－	30	21	－	21	－	－	－
奈良市	－	－	－	120	－	120	65	－	65	－	－	－	－	－	－
和歌山市	25	－	25	－	－	－	48	－	48	－	－	－	22	－	22
倉敷市	－	－	－	－	－	－	94	－	94	4	－	4	－	－	－
福山市	－	－	－	－	－	－	19	－	19	－	－	－	－	－	－
呉市	－	－	－	16	－	16	24	－	24	－	－	－	－	－	－
下関市	－	－	－	－	－	－	24	－	24	－	－	－	－	－	－
高松市	－	－	－	－	－	－	24	－	24	－	－	－	22	－	22
松山市	34	－	34	－	－	－	94	－	94	－	－	－	－	－	－
高知市	－	－	－	－	－	－	4	－	4	－	－	－	－	－	－
久留米市	－	－	－	38	－	38	10	－	10	－	－	－	－	－	－
長崎市	－	－	－	288	288	－	21	－	21	－	－	－	－	－	－
佐世保市	－	－	－	－	－	－	17	17	－	－	－	－	－	－	－
大分市	7	－	7	－	－	－	－	－	－	－	－	－	－	－	－
宮崎市	31	－	31	－	－	－	－	－	－	－	－	－	－	－	－
鹿児島市	46	－	46	339	－	339	111	－	111	－	－	－	32	－	32
那覇市	－	－	－	31	－	31	－	－	－	13	－	13	－	－	－

第13表　社会福祉施設等の常勤換算従事者数，

（単位：人）

都道府県	児童福祉施設等											
	児童自立支援施設			児童家庭支援センター			小型児童館			児童センター		
	総数	公営	私営	総数	公営	私営	総数	公営	私営	総数	公営	私営
全　　　　国	1 838	1 768	70	390	-	390	9 596	5 219	4 377	7 829	3 536	4 292
国	69	69	-	-	-	-	-	-	-	-	-	-
北　海　道	72	49	23	16	-	16	276	249	28	300	275	25
青　　　森	27	27	-	3	-	3	127	40	87	82	11	71
岩　　　手	21	21	-	6	-	6	126	75	51	28	-	28
宮　　　城	32	32	-	2	-	2	201	129	72	109	81	28
秋　　　田	25	25	-	-	-	-	75	43	32	26	13	12
山　　　形	22	22	-	8	-	8	81	38	43	167	106	62
福　　　島	33	33	-	-	-	-	135	113	22	76	37	39
茨　　　城	39	39	-	8	-	8	207	138	69	33	8	26
栃　　　木	27	27	-	4	-	4	103	52	52	58	27	32
群　　　馬	38	38	-	3	-	3	178	71	107	98	72	26
埼　　　玉	43	43	-	10	-	10	219	127	92	373	86	287
千　　　葉	45	45	-	21	-	21	104	63	41	115	77	38
東　　　京	188	188	-	-	-	-	1 893	1 539	354	1 553	979	574
神　奈　川	50	50	-	-	-	-	41	35	6	5	5	-
新　　　潟	26	26	-	-	-	-	128	45	83	27	19	9
富　　　山	21	21	-	-	-	-	66	40	26	52	5	47
石　　　川	18	18	-	3	-	3	98	72	26	50	20	31
福　　　井	18	18	-	11	-	11	183	55	129	75	49	27
山　　　梨	39	39	-	3	-	3	145	123	23	67	50	18
長　　　野	20	20	-	4	-	4	267	184	84	195	56	139
岐　　　阜	26	26	-	10	-	10	146	72	74	90	15	75
静　　　岡	37	37	-	13	-	13	33	15	17	13	8	6
愛　　　知	45	45	-	-	-	-	372	256	117	607	434	173
三　　　重	16	16	-	9	-	9	91	67	24	53	43	10
滋　　　賀	26	26	-	-	-	-	61	45	17	19	4	15
京　　　都	24	24	-	6	-	6	87	81	7	28	28	-
大　　　阪	95	95	-	5	-	5	94	90	5	35	17	19
兵　　　庫	29	29	-	12	-	12	96	66	30	24	13	11
奈　　　良	19	19	-	12	-	12	64	50	15	47	47	-
和　歌　山	22	22	-	-	-	-	62	62	-	21	16	6
鳥　　　取	22	22	-	10	-	10	80	43	37	23	8	15
島　　　根	37	37	-	-	-	-	9	1	9	4	-	4
岡　　　山	14	14	-	-	-	-	39	35	4	-	-	-
広　　　島	-	-	-	3	-	3	35	32	3	31	8	24
山　　　口	30	30	-	12	-	12	58	23	35	16	-	16
徳　　　島	29	29	-	4	-	4	141	50	91	-	-	-
香　　　川	25	25	-	2	-	2	62	45	17	12	2	10
愛　　　媛	28	28	-	3	-	3	97	78	19	28	11	17
高　　　知	25	25	-	7	-	7	28	19	9	8	5	3
福　　　岡	53	53	-	3	-	3	86	65	21	92	80	12
佐　　　賀	23	23	-	3	-	3	31	18	13	24	16	8
長　　　崎	24	24	-	3	-	3	47	33	14	4	-	4
熊　　　本	21	21	-	4	-	4	43	30	13	16	10	6
大　　　分	35	35	-	5	-	5	98	45	54	-	-	-
宮　　　崎	22	22	-	-	-	-	124	60	65	11	-	11
鹿　児　島	29	29	-	5	-	5	42	26	15	18	-	18
沖　　　縄	39	39	-	7	-	7	113	86	27	97	88	10

国－都道府県－指定都市－中核市、施設の種類・経営主体の公営－私営別

指定都市 中核市	児童福祉施設等 児童自立支援施設 総数	公営	私営	児童家庭支援センター 総数	公営	私営	小型児童館 総数	公営	私営	児童センター 総数	公営	私営
指定都市（別掲）												
札幌市	－	－	－	14	－	14	12	－	12	615	－	615
仙台市	－	－	－	－	－	－	588	－	588	101	－	101
さいたま市	－	－	－	－	－	－	11	－	11	91	－	91
千葉市	－	－	－	10	－	10	－	－	－	－	－	－
横浜市	71	24	47	45	－	45	－	－	－	－	－	－
川崎市	－	－	－	8	－	8	329	－	329	－	－	－
相模原市	－	－	－	－	－	－	63	63	－	23	23	－
新潟市	－	－	－	－	－	－	31	1	31	28	5	23
静岡市	－	－	－	－	－	－	15	－	15	18	－	18
浜松市	－	－	－	2	－	2	10	7	3	－	－	－
名古屋市	21	21	－	3	－	3	－	－	－	97	－	97
京都市	－	－	－	－	－	－	718	－	718	35	－	35
大阪市	42	42	－	4	－	4	6	－	6	6	－	6
堺市	－	－	－	5	－	5	－	－	－	－	－	－
神戸市	39	39	－	8	－	8	152	－	152	497	3	495
岡山市	－	－	－	－	－	－	80	26	54	12	12	－
広島市	－	－	－	－	－	－	85	85	－	239	239	－
北九州市	－	－	－	2	－	2	－	－	－	264	－	264
福岡市	－	－	－	7	－	7	22	－	22	－	－	－
熊本市	－	－	－	－	－	－	8	7	2	25	22	3
中核市（別掲）												
旭川市	－	－	－	－	－	－	－	－	－	15	－	15
函館市	－	－	－	2	－	2	35	32	3	43	34	9
青森市	－	－	－	－	－	－	41	－	41	5	－	5
八戸市	－	－	－	－	－	－	16	－	16	21	－	21
盛岡市	－	－	－	－	－	－	20	－	20	126	－	126
秋田市	－	－	－	－	－	－	31	31	－	43	43	－
郡山市	－	－	－	－	－	－	－	－	－	4	－	4
いわき市	－	－	－	－	－	－	6	－	6	4	－	4
宇都宮市	－	－	－	－	－	－	1	1	－	1	－	1
前橋市	－	－	－	－	－	－	10	9	1	9	6	3
高崎市	－	－	－	4	－	4	15	－	15	10	－	10
川越市	－	－	－	－	－	－	4	4	－	5	5	－
越谷市	－	－	－	－	－	－	－	－	－	18	18	－
船橋市	－	－	－	－	－	－	－	－	－	102	102	－
柏市	－	－	－	－	－	－	5	5	－	－	－	－
八王子市	－	－	－	－	－	－	54	54	－	－	－	－
横須賀市	－	－	－	－	－	－	6	－	6	22	－	22
富山市	－	－	－	3	－	3	21	21	－	92	87	4
金沢市	－	－	－	－	－	－	37	－	37	141	－	141
長野市	－	－	－	－	－	－	－	－	－	－	－	－
岐阜市	－	－	－	3	－	3	11	－	11	35	－	35
豊橋市	－	－	－	－	－	－	－	－	－	4	－	4
豊田市	－	－	－	－	－	－	－	－	－	－	－	－
岡崎市	－	－	－	－	－	－	－	－	－	－	－	－
大津市	－	－	－	6	－	6	32	32	－	－	－	－
高槻市	－	－	－	－	－	－	0	0	－	－	－	－
東大阪市	－	－	－	－	－	－	17	17	－	19	19	－
豊中市	－	－	－	－	－	－	15	15	－	－	－	－
枚方市	－	－	－	－	－	－	－	－	－	－	－	－
姫路市	－	－	－	3	－	3	2	2	－	35	－	35
西宮市	－	－	－	－	－	－	19	15	4	17	17	－
尼崎市	－	－	－	4	－	4	－	－	－	1	－	1
奈良市	－	－	－	－	－	－	22	22	－	－	－	－
和歌山市	－	－	－	3	－	3	12	12	－	57	57	－
倉敷市	－	－	－	－	－	－	23	－	23	5	－	5
福山市	－	－	－	－	－	－	－	－	－	0	－	0
呉市	－	－	－	3	－	3	7	－	7	－	－	－
下関市	－	－	－	5	－	5	9	9	－	5	5	－
松山市	－	－	－	－	－	－	23	18	5	23	－	23
高松市	－	－	－	－	－	－	22	－	22	－	－	－
高知市	－	－	－	8	－	8	7	7	－	16	16	－
久留米市	－	－	－	－	－	－	－	－	－	2	－	2
長崎市	－	－	－	－	－	－	6	6	－	29	－	29
佐世保市	－	－	－	－	－	－	2	2	－	0	－	0
大分市	－	－	－	－	－	－	－	－	－	－	－	－
宮崎市	－	－	－	－	－	－	34	－	34	22	－	22
鹿児島市	－	－	－	－	－	－	－	－	－	10	－	10
那覇市	－	－	－	－	－	－	13	2	11	28	－	28

第13表　社会福祉施設等の常勤換算従事者数，

（単位：人）

国 都道府県	児童福祉施設等											
	大型児童館A型			大型児童館B型			大型児童館C型			その他の児童館		
	総数	公営	私営	総数	公営	私営	総数	公営	私営	総数	公営	私営
全国	314	48	266	68	–	68	–	–	–	336	201	135
国	–	–	–	–	–	–	–	–	–	–	–	–
北海道	2	2	–	–	–	–	–	–	–	18	18	–
青森	–	–	–	–	–	–	–	–	–	–	–	–
岩手	15	–	15	–	–	–	–	–	–	–	–	–
宮城	–	–	–	–	–	–	–	–	–	41	26	15
秋田	11	–	11	–	–	–	–	–	–	–	–	–
山形	–	–	–	–	–	–	–	–	–	–	–	–
福島	–	–	–	–	–	–	–	–	–	26	17	9
茨城	–	–	–	15	–	15	–	–	–	4	4	–
栃木	45	–	45	–	–	–	–	–	–	–	–	–
群馬	21	–	21	–	–	–	–	–	–	–	–	–
埼玉	–	–	–	–	–	–	–	–	–	–	–	–
千葉	–	–	–	–	–	–	–	–	–	16	3	13
東京	–	–	–	–	–	–	–	–	–	–	–	–
神奈川	–	–	–	–	–	–	–	–	–	28	28	–
新潟	–	–	–	24	–	24	–	–	–	77	4	73
富山	19	–	19	–	–	–	–	–	–	–	–	–
石川	25	–	25	–	–	–	–	–	–	–	–	–
福井	43	18	25	–	–	–	–	–	–	9	9	–
山梨	–	–	–	–	–	–	–	–	–	20	20	–
長野	–	–	–	–	–	–	–	–	–	8	3	5
岐阜	–	–	–	–	–	–	–	–	–	2	2	–
静岡	–	–	–	–	–	–	–	–	–	–	–	–
愛知	24	–	24	–	–	–	–	–	–	–	–	–
三重	24	–	24	–	–	–	–	–	–	–	–	–
滋賀	–	–	–	15	–	15	–	–	–	–	–	–
京都	–	–	–	–	–	–	–	–	–	1	–	1
大阪	11	–	11	–	–	–	–	–	–	–	–	–
兵庫	28	28	–	–	–	–	–	–	–	–	–	–
奈良	–	–	–	–	–	–	–	–	–	–	–	–
和歌山	–	–	–	–	–	–	–	–	–	–	–	–
鳥取	–	–	–	–	–	–	–	–	–	–	–	–
島根	–	–	–	–	–	–	–	–	–	–	–	–
岡山	–	–	–	–	–	–	–	–	–	6	6	–
広島	–	–	–	–	–	–	–	–	–	–	–	–
山口	–	–	–	–	–	–	–	–	–	–	–	–
徳島	–	–	–	–	–	–	–	–	–	–	–	–
香川	26	–	26	–	–	–	–	–	–	–	–	–
愛媛	21	–	21	–	–	–	–	–	–	–	–	–
高知	–	–	–	–	–	–	–	–	–	–	–	–
福岡	–	–	–	–	–	–	–	–	–	10	10	–
佐賀	–	–	–	–	–	–	–	–	–	–	–	–
長崎	–	–	–	–	–	–	–	–	–	5	5	–
熊本	–	–	–	–	–	–	–	–	–	–	–	–
大分	–	–	–	–	–	–	–	–	–	9	5	4
宮崎	–	–	–	–	–	–	–	–	–	–	–	–
鹿児島	–	–	–	–	–	–	–	–	–	–	–	–
沖縄	–	–	–	–	–	–	–	–	–	–	–	–

国－都道府県－指定都市－中核市、施設の種類・経営主体の公営－私営別

指定都市 中核市	児童福祉施設等											
	大型児童館Ａ型			大型児童館Ｂ型			大型児童館Ｃ型			その他の児童館		
	総数	公営	私営	総数	公営	私営	総数	公営	私営	総数	公営	私営
指定都市（別掲）												
札　幌　市	－	－	－	－	－	－	－	－	－	－	－	－
仙　台　市	－	－	－	－	－	－	－	－	－	－	－	－
さいたま市	－	－	－	－	－	－	－	－	－	－	－	－
千　葉　市	－	－	－	－	－	－	－	－	－	－	－	－
横　浜　市	－	－	－	－	－	－	－	－	－	－	－	－
川　崎　市	－	－	－	－	－	－	－	－	－	－	－	－
相模原市	－	－	－	－	－	－	－	－	－	－	－	－
新　潟　市	－	－	－	－	－	－	－	－	－	－	－	－
静　岡　市	－	－	－	－	－	－	－	－	－	－	－	－
浜　松　市	－	－	－	－	－	－	－	－	－	－	－	－
名古屋市	－	－	－	－	－	－	－	－	－	3	－	3
京　都　市	－	－	－	－	－	－	－	－	－	3	－	3
大　阪　市	－	－	－	－	－	－	－	－	－	－	－	－
堺　　市	－	－	－	－	－	－	－	－	－	－	－	－
神　戸　市	－	－	－	－	－	－	－	－	－	－	－	－
岡　山　市	－	－	－	－	－	－	－	－	－	2	－	2
広　島　市	－	－	－	－	－	－	－	－	－	7	2	5
北九州市	－	－	－	－	－	－	－	－	－	－	－	－
福　岡　市	－	－	－	－	－	－	－	－	－	－	－	－
熊　本　市	－	－	－	－	－	－	－	－	－	－	－	－
中核市（別掲）												
旭　川　市	－	－	－	－	－	－	－	－	－	13	13	－
函　館　市	－	－	－	－	－	－	－	－	－	－	－	－
青　森　市	－	－	－	－	－	－	－	－	－	－	－	－
八　戸　市	－	－	－	－	－	－	－	－	－	2	－	2
盛　岡　市	－	－	－	－	－	－	－	－	－	－	－	－
秋　田　市	－	－	－	－	－	－	－	－	－	－	－	－
郡　山　市	－	－	－	－	－	－	－	－	－	－	－	－
いわき市	－	－	－	－	－	－	－	－	－	－	－	－
宇都宮市	－	－	－	－	－	－	－	－	－	－	－	－
前　橋　市	－	－	－	－	－	－	－	－	－	－	－	－
高　崎　市	－	－	－	－	－	－	－	－	－	－	－	－
川　越　市	－	－	－	－	－	－	－	－	－	－	－	－
越　谷　市	－	－	－	－	－	－	－	－	－	－	－	－
船　橋　市	－	－	－	－	－	－	－	－	－	－	－	－
柏　　市	－	－	－	－	－	－	－	－	－	10	10	－
八王子市	－	－	－	－	－	－	－	－	－	－	－	－
横須賀市	－	－	－	－	－	－	－	－	－	－	－	－
富　山　市	－	－	－	－	－	－	－	－	－	－	－	－
金　沢　市	－	－	－	－	－	－	－	－	－	－	－	－
長　野　市	－	－	－	－	－	－	－	－	－	－	－	－
岐　阜　市	－	－	－	－	－	－	－	－	－	－	－	－
豊　橋　市	－	－	－	－	－	－	－	－	－	－	－	－
豊　田　市	－	－	－	－	－	－	－	－	－	－	－	－
岡　崎　市	－	－	－	－	－	－	－	－	－	－	－	－
大　津　市	－	－	－	－	－	－	－	－	－	－	－	－
高　槻　市	－	－	－	－	－	－	－	－	－	17	17	－
東大阪市	－	－	－	－	－	－	－	－	－	－	－	－
豊　中　市	－	－	－	－	－	－	－	－	－	－	－	－
枚　方　市	－	－	－	14	－	14	－	－	－	－	－	－
姫　路　市	－	－	－	－	－	－	－	－	－	－	－	－
西　宮　市	－	－	－	－	－	－	－	－	－	－	－	－
尼　崎　市	－	－	－	－	－	－	－	－	－	－	－	－
奈　良　市	－	－	－	－	－	－	－	－	－	－	－	－
和歌山市	－	－	－	－	－	－	－	－	－	－	－	－
倉　敷　市	－	－	－	－	－	－	－	－	－	－	－	－
福　山　市	－	－	－	－	－	－	－	－	－	－	－	－
呉　　市	－	－	－	－	－	－	－	－	－	－	－	－
下　関　市	－	－	－	－	－	－	－	－	－	－	－	－
高　松　市	－	－	－	－	－	－	－	－	－	－	－	－
松　山　市	－	－	－	－	－	－	－	－	－	－	－	－
高　知　市	－	－	－	－	－	－	－	－	－	－	－	－
久留米市	－	－	－	－	－	－	－	－	－	2	－	2
長　崎　市	－	－	－	－	－	－	－	－	－	－	－	－
佐世保市	－	－	－	－	－	－	－	－	－	－	－	－
大　分　市	－	－	－	－	－	－	－	－	－	－	－	－
宮　崎　市	－	－	－	－	－	－	－	－	－	－	－	－
鹿児島市	－	－	－	－	－	－	－	－	－	－	－	－
那　覇　市	－	－	－	－	－	－	－	－	－	－	－	－

第13表　社会福祉施設等の常勤換算従事者数，

（単位：人）

国 都 道 府 県	母 子 ・ 父 子 福 祉 施 設									その他の社会福祉施設等					
	総　　　数			母子・父子福祉センター			母子・父子休養ホーム			総　　　数			授　産　施　設		
	総数	公営	私営	総数	公営	私営	総数	公営	私営	総数	公営	私営	総数	公営	私営
全　　　　国	206	10	196	205	10	196	1	1	0	168 747	2 482	166 265	360	168	192
国	-	-	-	-	-	-	-	-	-	-	-	-	-	-	-
北　海　道	11	-	11	11	-	11	-	-	-	2 701	38	2 662	15	-	15
青　　　森	-	-	-	-	-	-	-	-	-	1 605	-	1 605	-	-	-
岩　　　手	-	-	-	-	-	-	-	-	-	505	-	505	-	-	-
宮　　　城	6	-	6	6	-	6	-	-	-	476	-	476	-	-	-
秋　　　田	-	-	-	-	-	-	-	-	-	727	-	727	5	-	5
山　　　形	1	-	1	1	-	1	-	-	-	1 720	-	1 720	-	-	-
福　　　島	-	-	-	-	-	-	-	-	-	937	-	937	12	-	12
茨　　　城	1	-	1	1	-	1	-	-	-	2 180	21	2 159	-	-	-
栃　　　木	-	-	-	-	-	-	-	-	-	815	24	791	5	-	5
群　　　馬	-	-	-	-	-	-	-	-	-	2 013	12	2 000	-	-	-
埼　　　玉	3	3	-	3	3	-	-	-	-	6 254	10	6 243	-	-	-
千　　　葉	4	4	-	4	4	-	-	-	-	5 873	14	5 860	-	-	-
東　　　京	-	-	-	-	-	-	-	-	-	19 897	16	19 881	43	-	43
神　奈　川	-	-	-	-	-	-	-	-	-	5 887	2	5 886	-	-	-
新　　　潟	-	-	-	-	-	-	-	-	-	1 040	3	1 037	-	-	-
富　　　山	-	-	-	-	-	-	-	-	-	221	-	221	-	-	-
石　　　川	3	-	3	3	-	3	-	-	-	410	-	410	-	-	-
福　　　井	2	-	2	2	-	2	-	-	-	182	11	171	-	-	-
山　　　梨	3	-	3	3	-	3	-	-	-	279	-	279	-	-	-
長　　　野	-	-	-	-	-	-	-	-	-	2 195	222	1 973	196	157	39
岐　　　阜	4	-	4	4	-	4	-	-	-	923	11	912	-	-	-
静　　　岡	-	-	-	-	-	-	-	-	-	2 304	23	2 281	-	-	-
愛　　　知	3	-	3	3	-	3	-	-	-	3 336	16	3 320	-	-	-
三　　　重	4	-	4	4	-	4	-	-	-	1 606	122	1 484	-	-	-
滋　　　賀	0	-	0	0	-	0	-	-	-	369	107	262	-	-	-
京　　　都	-	-	-	-	-	-	-	-	-	540	95	445	-	-	-
大　　　阪	-	-	-	-	-	-	-	-	-	4 254	83	4 171	-	-	-
兵　　　庫	33	1	32	33	1	32	-	-	-	1 569	136	1 432	-	-	-
奈　　　良	-	-	-	-	-	-	-	-	-	946	88	858	-	-	-
和　歌　山	-	-	-	-	-	-	-	-	-	333	89	244	-	-	-
鳥　　　取	-	-	-	-	-	-	-	-	-	655	92	562	-	-	-
島　　　根	5	-	5	5	-	5	-	-	-	693	32	662	-	-	-
岡　　　山	-	-	-	-	-	-	-	-	-	550	34	516	-	-	-
広　　　島	2	-	2	2	-	2	-	-	-	984	54	931	-	-	-
山　　　口	4	-	4	4	-	4	-	-	-	1 446	45	1 402	-	-	-
徳　　　島	-	-	-	-	-	-	-	-	-	521	102	419	-	-	-
香　　　川	-	-	-	-	-	-	-	-	-	431	53	378	-	-	-
愛　　　媛	-	-	-	-	-	-	-	-	-	1 294	67	1 227	-	-	-
高　　　知	-	-	-	-	-	-	-	-	-	327	73	254	-	-	-
福　　　岡	3	-	3	3	-	3	-	-	-	3 885	137	3 749	7	-	7
佐　　　賀	5	-	5	5	-	5	-	-	-	1 619	25	1 595	4	4	-
長　　　崎	-	-	-	-	-	-	-	-	-	566	6	560	-	-	-
熊　　　本	-	-	-	-	-	-	-	-	-	1 970	39	1 931	-	-	-
大　　　分	5	-	5	5	-	5	-	-	-	1 869	31	1 838	7	-	7
宮　　　崎	-	-	-	-	-	-	-	-	-	2 128	-	2 128	-	-	-
鹿　児　島	-	-	-	-	-	-	-	-	-	1 638	-	1 638	-	-	-
沖　　　縄	-	-	-	-	-	-	-	-	-	2 028	-	2 028	-	-	-

国－都道府県－指定都市－中核市、施設の種類・経営主体の公営－私営別

平成29年10月1日

指定都市 中核市	母子・父子福祉施設 総数 総数	公営	私営	母子・父子福祉センター 総数	公営	私営	母子・父子休養ホーム 総数	公営	私営	その他の社会福祉施設等 総数 総数	公営	私営	授産施設 総数	公営	私営
指定都市（別掲）															
札幌市	23	－	23	23	－	23	－	－	－	2 951	9	2 943	－	－	－
仙台市	－	－	－	－	－	－	－	－	－	1 099	－	1 099	－	－	－
さいたま市	－	－	－	－	－	－	－	－	－	3 141	－	3 141	－	－	－
千葉市	－	－	－	－	－	－	－	－	－	2 193	－	2 193	－	－	－
横浜市	－	－	－	－	－	－	－	－	－	6 494	－	6 494	－	－	－
川崎市	2	－	2	2	－	2	－	－	－	3 222	－	3 222	－	－	－
相模原市	－	－	－	－	－	－	－	－	－	1 327	－	1 327	－	－	－
新潟市	－	－	－	－	－	－	－	－	－	584	－	584	－	－	－
静岡市	－	－	－	－	－	－	－	－	－	910	－	910	－	－	－
浜松市	－	－	－	－	－	－	－	－	－	569	5	564	－	－	－
名古屋市	－	－	－	－	－	－	－	－	－	4 284	17	4 268	－	－	－
京都市	5	－	5	5	－	5	－	－	－	907	－	907	－	－	－
大阪市	23	－	23	23	－	23	－	－	－	4 212	－	4 212	－	－	－
堺市	－	－	－	－	－	－	－	－	－	1 043	64	980	－	－	－
神戸市	3	－	3	3	－	3	－	－	－	2 672	13	2 659	－	－	－
岡山市	－	－	－	－	－	－	－	－	－	868	34	834	－	－	－
広島市	－	－	－	－	－	－	－	－	－	1 383	13	1 371	－	－	－
北九州市	7	－	7	7	－	7	－	－	－	2 021	53	1 967	－	－	－
福岡市	11	－	11	11	－	11	－	－	－	2 842	35	2 806	－	－	－
熊本市	7	－	7	7	－	7	－	－	－	1 755	11	1 744	5	－	5
中核市（別掲）															
旭川市	－	－	－	－	－	－	－	－	－	2 008	4	2 004	－	－	－
函館市	1	－	1	1	－	1	－	－	－	634	－	634	－	－	－
青森市	－	－	－	－	－	－	－	－	－	972	－	972	－	－	－
八戸市	－	－	－	－	－	－	－	－	－	455	－	455	－	－	－
盛岡市	－	－	－	－	－	－	－	－	－	675	－	675	－	－	－
秋田市	－	－	－	－	－	－	－	－	－	270	－	270	－	－	－
郡山市	2	－	2	2	－	2	－	－	－	230	－	230	－	－	－
いわき市	－	－	－	－	－	－	－	－	－	553	－	553	－	－	－
宇都宮市	－	－	－	－	－	－	－	－	－	200	－	200	－	－	－
前橋市	－	－	－	－	－	－	－	－	－	894	2	893	－	－	－
高崎市	－	－	－	－	－	－	－	－	－	793	10	784	－	－	－
川越市	－	－	－	－	－	－	－	－	－	221	－	221	－	－	－
越谷市	－	－	－	－	－	－	－	－	－	674	－	674	－	－	－
船橋市	1	1	－	1	1	－	－	－	－	801	－	801	－	－	－
柏市	－	－	－	－	－	－	－	－	－	653	－	653	5	－	5
八王子市	－	－	－	－	－	－	－	－	－	918	－	918	－	－	－
横須賀市	－	－	－	－	－	－	－	－	－	906	－	906	－	－	－
富山市	－	－	－	－	－	－	－	－	－	194	－	194	－	－	－
金沢市	－	－	－	－	－	－	－	－	－	629	－	629	－	－	－
長野市	1	1	－	－	－	－	1	1	－	449	15	434	44	7	38
岐阜市	2	－	2	2	－	2	－	－	－	497	1	496	－	－	－
豊橋市	－	－	－	－	－	－	－	－	－	217	－	217	－	－	－
豊田市	－	－	－	－	－	－	－	－	－	234	－	234	－	－	－
岡崎市	－	－	－	－	－	－	－	－	－	252	－	252	－	－	－
大津市	6	－	6	6	－	6	0	－	0	400	－	400	－	－	－
高槻市	－	－	－	－	－	－	－	－	－	246	7	239	－	－	－
東大阪市	－	－	－	－	－	－	－	－	－	675	24	651	－	－	－
豊中市	3	－	3	3	－	3	－	－	－	614	10	604	－	－	－
枚方市	－	－	－	－	－	－	－	－	－	1 071	－	1 071	－	－	－
姫路市	－	－	－	－	－	－	－	－	－	261	31	230	－	－	－
西宮市	－	－	－	－	－	－	－	－	－	504	8	496	－	－	－
尼崎市	－	－	－	－	－	－	－	－	－	695	－	695	－	－	－
奈良市	－	－	－	－	－	－	－	－	－	562	20	542	－	－	－
和歌山市	－	－	－	－	－	－	－	－	－	502	38	464	－	－	－
倉敷市	－	－	－	－	－	－	－	－	－	723	14	709	6	－	6
福山市	－	－	－	－	－	－	－	－	－	353	41	312	－	－	－
呉市	－	－	－	－	－	－	－	－	－	100	15	85	－	－	－
下関市	－	－	－	－	－	－	－	－	－	410	0	410	－	－	－
高松市	－	－	－	－	－	－	－	－	－	730	14	716	－	－	－
松山市	－	－	－	－	－	－	－	－	－	1 116	16	1 100	－	－	－
高知市	1	－	1	1	－	1	－	－	－	390	18	372	－	－	－
久留米市	－	－	－	－	－	－	－	－	－	441	5	436	－	－	－
長崎市	－	－	－	－	－	－	－	－	－	446	－	446	－	－	－
佐世保市	－	－	－	－	－	－	－	－	－	653	－	653	5	－	5
大分市	－	－	－	－	－	－	－	－	－	1 277	－	1 277	－	－	－
宮崎市	－	－	－	－	－	－	－	－	－	1 511	－	1 511	－	－	－
鹿児島市	4	－	4	4	－	4	－	－	－	1 037	6	1 031	－	－	－
那覇市	2	－	2	2	－	2	－	－	－	524	－	524	－	－	－

第13表　社会福祉施設等の常勤換算従事者数，

（単位：人）

国 都道府県	宿所提供施設 総数	公営	私営	盲人ホーム 総数	公営	私営	隣保館 総数	公営	私営	へき地保健福祉館 総数	公営	私営	有料老人ホーム（サービス付き高齢者向け住宅以外） 総数	公営	私営
全　　国	849	13	836	40	−	40	2 485	2 278	206	7	7	−	165 006	16	164 989
国	−	−	−	−	−	−	−	−	−	−	−	−	−		−
北海道	−	−	−	−	−	−	37	37	0	2	2	−	2 647	−	2 647
青森	−	−	−	−	−	−	−	−	−	−	−	−	1 605	−	1 605
岩手	−	−	−	−	−	−	−	−	−	−	−	−	505		505
宮城	−	−	−	−	−	−	−	−	−	−	−	−	476		476
秋田	−	−	−	−	−	−	−	−	−	−	−	−	723		723
山形	1	−	1	−	−	−	−	−	−	−	−	−	1 719	−	1 719
福島	−	−	−	−	−	−	−	−	−	−	−	−	925		925
茨城	67	−	67	−	−	−	21	21	−	−	−	−	2 092	−	2 092
栃木	−	−	−	−	−	−	24	24	−	−	−	−	786		786
群馬	2	−	2	−	−	−	12	12	−	−	−	−	1 999		1 999
埼玉	−	−	−	6	−	6	10	10	−	−	−	−	6 237	−	6 237
千葉	−	−	−	−	−	−	14	14	−	−	−	−	5 860	−	5 860
東京	362	−	362	11	−	11	−	−	−	−	−	−	19 482	16	19 465
神奈川	70	−	70	−	−	−	2	2	−	−	−	−	5 816	−	5 816
新潟	−	−	−	−	−	−	3	3	−	−	−	−	1 037	−	1 037
富山	−	−	−	−	−	−	−	−	−	−	−	−	221	−	221
石川	−	−	−	−	−	−	−	−	−	−	−	−	410	−	410
福井	−	−	−	1	−	1	11	11	−	−	−	−	170	−	170
山梨	−	−	−	2	−	2	−	−	−	−	−	−	277	−	277
長野	0	0	−	2	−	2	65	65	−	−	−	−	1 932	−	1 932
岐阜	−	−	−	−	−	−	11	11	−	−	−	−	912	−	912
静岡	5	−	5	−	−	−	23	23	−	−	−	−	2 276	−	2 276
愛知	−	−	−	2	−	2	16	16	−	0	0	−	3 318	−	3 318
三重	−	−	−	3	−	3	122	122	−	−	−	−	1 481	−	1 481
滋賀	−	−	−	−	−	−	120	107	13	−	−	−	249		249
京都	−	−	−	−	−	−	95	95	−	−	−	−	445	−	445
大阪	25	−	25	−	−	−	132	83	49	−	−	−	4 097	−	4 097
兵庫	−	−	−	−	−	−	136	136	−	−	−	−	1 432	−	1 432
奈良	−	−	−	−	−	−	100	88	12	−	−	−	846		846
和歌山	−	−	−	−	−	−	89	89	−	−	−	−	244		244
鳥取	−	−	−	2	−	2	92	92	−	−	−	−	561	−	561
島根	−	−	−	−	−	−	32	32	−	−	−	−	662	−	662
岡山	−	−	−	−	−	−	34	34	−	−	−	−	516		516
広島	−	−	−	−	−	−	57	54	3	−	−	−	927		927
山口	2	−	2	−	−	−	45	45	−	0	0	−	1 400	−	1 400
徳島	−	−	−	−	−	−	102	102	−	−	−	−	419		419
香川	−	−	−	−	−	−	53	53	−	−	−	−	378		378
愛媛	−	−	−	−	−	−	67	67	−	−	−	−	1 227	−	1 227
高知	−	−	−	−	−	−	73	73	−	−	−	−	254		254
福岡	1	−	1	−	−	−	140	134	6	3	3	−	3 735	−	3 735
佐賀	−	−	−	−	−	−	20	20	−	−	−	−	1 595	−	1 595
長崎	−	−	−	−	−	−	5	5	−	1	1	−	560		560
熊本	−	−	−	−	−	−	39	39	−	−	−	−	1 931	−	1 931
大分	1	−	1	−	−	−	31	31	−	−	−	−	1 831	−	1 831
宮崎	−	−	−	1	−	1	−	−	−	−	−	−	2 127		2 127
鹿児島	−	−	−	−	−	−	−	−	−	−	−	−	1 638	−	1 638
沖縄	−	−	−	−	−	−	−	−	−	−	−	−	2 028	−	2 028

国－都道府県－指定都市－中核市、施設の種類・経営主体の公営－私営別

指定都市 中核市	その他の社会福祉施設等 宿所提供施設 総数	公営	私営	盲人ホーム 総数	公営	私営	隣保館 総数	公営	私営	へき地保健福祉館 総数	公営	私営	有料老人ホーム（サービス付き高齢者向け住宅以外） 総数	公営	私営
指定都市（別掲）															
札幌市	－	－	－	－	－	－	9	9	－	－	－	－	2 943	－	2 943
仙台市	－	－	－	－	－	－	－	－	－	－	－	－	1 099	－	1 099
さいたま市	－	－	－	1	－	1	－	－	－	－	－	－	3 140	－	3 140
千葉市	110	－	110	－	－	－	－	－	－	－	－	－	2 083	－	2 083
横浜市	87	－	87	－	－	－	35	－	35	－	－	－	6 373	－	6 373
川崎市	－	－	－	－	－	－	－	－	－	－	－	－	3 222	－	3 222
相模原市	－	－	－	－	－	－	－	－	－	－	－	－	1 327	－	1 327
新潟市	－	－	－	－	－	－	－	－	－	－	－	－	584	－	584
静岡市	－	－	－	1	－	1	－	－	－	－	－	－	909	－	909
浜松市	10	－	10	－	－	－	5	5	－	－	－	－	554	－	554
名古屋市	－	－	－	－	－	－	17	17	－	－	－	－	4 268	－	4 268
京都市	6	－	6	2	－	2	－	－	－	－	－	－	900	－	900
大阪市	31	－	31	2	－	2	23	－	23	－	－	－	4 157	－	4 157
堺市	－	－	－	－	－	－	64	64	－	－	－	－	980	－	980
神戸市	13	13	－	－	－	－	3	－	3	－	－	－	2 657	－	2 657
岡山市	－	－	－	－	－	－	34	34	－	－	－	－	834	－	834
広島市	－	－	－	－	－	－	13	13	－	－	－	－	1 371	－	1 371
北九州市	14	－	14	－	－	－	53	53	－	－	－	－	1 953	－	1 953
福岡市	－	－	－	－	－	－	34	34	－	1	1	－	2 806	－	2 806
熊本市	－	－	－	－	－	－	11	11	－	－	－	－	1 739	－	1 739
中核市（別掲）															
旭川市	－	－	－	－	－	－	4	4	－	－	－	－	2 004	－	2 004
函館市	－	－	－	－	－	－	－	－	－	－	－	－	634	－	634
青森市	－	－	－	－	－	－	－	－	－	－	－	－	972	－	972
八戸市	－	－	－	－	－	－	－	－	－	－	－	－	455	－	455
盛岡市	－	－	－	－	－	－	－	－	－	－	－	－	675	－	675
秋田市	－	－	－	－	－	－	－	－	－	－	－	－	270	－	270
郡山市	－	－	－	－	－	－	－	－	－	－	－	－	230	－	230
いわき市	－	－	－	－	－	－	－	－	－	－	－	－	553	－	553
宇都宮市	－	－	－	－	－	－	－	－	－	－	－	－	200	－	200
前橋市	－	－	－	－	－	－	2	2	－	－	－	－	893	－	893
高崎市	－	－	－	－	－	－	10	10	－	－	－	－	784	－	784
川越市	18	－	18	－	－	－	－	－	－	－	－	－	204	－	204
越谷市	7	－	7	－	－	－	－	－	－	－	－	－	667	－	667
船橋市	6	－	6	－	－	－	－	－	－	－	－	－	795	－	795
柏市	－	－	－	－	－	－	－	－	－	－	－	－	648	－	648
八王子市	13	－	13	－	－	－	－	－	－	－	－	－	906	－	906
横須賀市	－	－	－	－	－	－	4	－	4	－	－	－	903	－	903
富山市	－	－	－	1	－	1	－	－	－	－	－	－	193	－	193
金沢市	－	－	－	－	－	－	12	－	12	－	－	－	617	－	617
長野市	－	－	－	－	－	－	9	9	－	－	－	－	396	－	396
岐阜市	－	－	－	2	－	2	1	1	－	－	－	－	494	－	494
豊橋市	－	－	－	－	－	－	－	－	－	－	－	－	217	－	217
豊田市	－	－	－	－	－	－	－	－	－	－	－	－	234	－	234
岡崎市	－	－	－	－	－	－	－	－	－	－	－	－	252	－	252
大津市	－	－	－	－	－	－	－	－	－	－	－	－	400	－	400
高槻市	－	－	－	－	－	－	7	7	－	－	－	－	239	－	239
東大阪市	2	－	2	－	－	－	24	24	－	－	－	－	649	－	649
豊中市	－	－	－	－	－	－	10	10	－	－	－	－	604	－	604
枚方市	－	－	－	－	－	－	－	－	－	－	－	－	1 071	－	1 071
姫路市	－	－	－	－	－	－	31	31	－	－	－	－	230	－	230
西宮市	－	－	－	2	－	2	8	8	－	－	－	－	494	－	494
尼崎市	－	－	－	－	－	－	48	－	48	－	－	－	647	－	647
奈良市	－	－	－	－	－	－	20	20	－	－	－	－	542	－	542
和歌山市	－	－	－	－	－	－	38	38	－	－	－	－	464	－	464
倉敷市	－	－	－	－	－	－	14	14	－	－	－	－	703	－	703
福山市	－	－	－	－	－	－	41	41	－	－	－	－	312	－	312
呉市	－	－	－	－	－	－	15	15	－	－	－	－	85	－	85
下関市	1	－	1	－	－	－	－	－	－	0	0	－	409	－	409
高松市	－	－	－	－	－	－	14	14	－	－	－	－	716	－	716
松山市	－	－	－	－	－	－	16	16	－	－	－	－	1 100	－	1 100
高知市	－	－	－	－	－	－	18	18	－	－	－	－	372	－	372
久留米市	－	－	－	－	－	－	5	5	－	－	－	－	436	－	436
長崎市	－	－	－	－	－	－	－	－	－	－	－	－	446	－	446
佐世保市	－	－	－	－	－	－	－	－	－	－	－	－	647	－	647
大分市	－	－	－	－	－	－	－	－	－	－	－	－	1 277	－	1 277
宮崎市	－	－	－	－	－	－	－	－	－	－	－	－	1 511	－	1 511
鹿児島市	－	－	－	－	－	－	6	6	－	－	－	－	1 031	－	1 031
那覇市	－	－	－	－	－	－	－	－	－	－	－	－	524	－	524

国－都道府県－指定都市－中核市、施設の種類・経営主体の公営－私営別

第14表－1　社会福祉施設等（保育所等・小規模保育事業所を除く）の

（単位：人）

職種 / 常勤－非常勤	総数	総数（公営）	国・独立行政法人	都道府県	市区町村	一部事務組合・広域連合	総数（私営）	社会福祉法人	医療法人	公益法人及び日赤	営利法人（会社）	その他の法人	その他
総数	405 837	33 641	5 645	6 417	19 395	2 183	372 196	200 861	12 999	4 089	140 991	12 203	1 055
常勤	326 140	26 465	5 130	5 588	13 882	1 866	299 674	173 981	10 602	3 218	102 129	8 940	804
非常勤	79 698	7 176	515	830	5 514	317	72 522	26 879	2 397	871	38 861	3 263	250
施設長	21 067	2 803	33	114	2 570	86	18 264	8 037	731	397	7 124	1 803	171
常勤	20 112	2 324	33	114	2 091	86	17 788	7 841	717	387	6 987	1 715	142
非常勤	955	479	－	0	479	0	476	196	15	10	138	88	29
サービス管理責任者	3 828	162	52	62	28	21	3 666	3 461	7	3	11	180	5
常勤	3 790	156	52	56	28	21	3 633	3 441	7	3	11	168	5
非常勤	39	6	－	6	－	－	33	20	－	－	1	12	－
生活・児童指導員、生活相談員、生活支援員、児童自立支援専門員	84 463	5 191	522	2 176	1 912	582	79 272	70 572	696	325	5 561	2 038	80
常勤	75 045	4 449	495	1 995	1 449	511	70 596	62 923	645	291	5 209	1 467	61
非常勤	9 418	742	27	181	463	71	8 676	7 649	51	34	352	571	19
職業・作業指導員	4 107	438	91	54	252	41	3 669	2 311	46	82	312	888	30
常勤	3 277	368	78	38	217	36	2 909	1 892	40	76	265	611	24
非常勤	830	70	13	17	36	5	760	419	5	6	47	277	6
セラピスト	6 216	970	220	404	336	11	5 247	3 617	178	63	1 278	102	8
常勤	5 360	839	213	366	250	10	4 521	3 220	155	57	1 004	77	8
非常勤	857	131	6	38	86	1	726	397	23	6	274	26	－
理学療法士	2 047	359	112	155	89	4	1 688	1 120	68	24	451	21	3
常勤	1 784	345	111	151	80	4	1 439	1 015	58	23	325	16	3
非常勤	263	14	1	4	10	－	249	105	11	1	126	6	－
作業療法士	1 409	257	60	110	86	1	1 152	830	47	13	234	27	1
常勤	1 247	231	60	104	66	1	1 017	766	40	12	178	20	1
非常勤	162	26	0	5	21	－	136	65	6	1	56	7	－
その他の療法員	2 760	353	48	139	161	6	2 406	1 666	63	26	592	54	5
常勤	2 328	263	43	111	105	5	2 065	1 439	57	22	501	41	5
非常勤	432	90	5	29	56	1	342	228	6	4	92	13	－
心理・職能判定員	67	19	7	7	5	－	49	30	5	－	2	12	－
常勤	53	17	7	6	4	－	36	22	4	－	2	9	－
非常勤	14	2	－	1	1	－	12	8	1	－	0	3	－
医師	1 807	544	271	209	52	12	1 264	1 177	20	11	45	9	2
常勤	942	426	241	165	20	1	516	484	12	6	12	3	1
非常勤	865	118	30	44	33	11	747	694	8	5	33	6	1
保健師・助産師・看護師	34 244	4 708	2 859	1 163	560	126	29 536	14 125	1 336	180	13 384	473	37
常勤	27 539	4 449	2 770	1 118	446	114	23 090	12 435	1 060	166	9 067	329	32
非常勤	6 705	259	89	45	113	12	6 446	1 689	276	14	4 317	144	5
精神保健福祉士	1 145	13	4	－	7	2	1 132	510	230	33	102	250	8
常勤	1 005	12	4	－	6	2	992	449	218	31	67	218	8
非常勤	140	1	－	－	1	－	140	61	12	2	34	31	0
保育士	16 836	3 163	146	583	2 334	101	13 673	12 904	29	279	123	300	38
常勤	15 374	2 717	125	521	1 976	96	12 657	12 021	26	266	95	218	31
非常勤	1 463	446	21	62	358	5	1 016	883	3	13	28	82	7
児童生活支援員	609	199	5	155	37	2	411	392	－	19	－	－	－
常勤	579	183	5	143	33	2	396	378	－	18	－	－	－
非常勤	30	16	－	12	4	－	14	14	－	－	－	－	－
児童厚生員	10 843	5 151	－	22	5 128	1	5 691	3 009	－	1 343	408	653	279
常勤	7 124	3 048	－	7	3 041	－	4 075	2 202	－	874	313	494	193
非常勤	3 719	2 103	－	15	2 087	1	1 616	807	－	469	96	158	86
母子支援員	674	49	－	－	41	8	624	606	－	19	－	－	－
常勤	637	40	－	－	32	8	597	580	－	17	－	－	－
非常勤	36	9	－	－	9	－	27	25	－	2	－	－	－
介護職員	134 258	1 497	35	11	896	555	132 761	36 040	7 532	258	85 864	2 984	84
常勤	104 175	1 255	31	7	742	476	102 920	30 645	6 187	218	63 696	2 097	77
非常勤	30 083	241	4	4	154	80	29 841	5 395	1 345	40	22 168	887	7
栄養士	7 527	415	58	106	167	84	7 112	5 675	196	35	1 124	79	4
常勤	7 154	370	54	91	148	78	6 783	5 513	184	29	987	67	3
非常勤	373	45	4	16	19	6	328	162	11	6	136	13	1
調理員	26 001	1 135	97	277	495	266	24 866	13 451	759	112	9 824	678	42
常勤	17 857	804	78	157	367	202	17 053	10 685	447	71	5 476	345	29
非常勤	8 145	331	19	120	128	64	7 814	2 767	312	41	4 348	334	13
事務員	23 148	3 011	356	459	2 034	162	20 137	12 023	623	337	6 378	683	94
常勤	19 340	2 343	242	402	1 550	150	16 997	10 765	539	294	4 829	497	73
非常勤	3 808	668	114	57	485	12	3 140	1 258	83	43	1 549	186	21
児童発達支援管理責任者	989	259	26	67	150	16	730	675	9	11	5	29	1
常勤	986	258	26	67	149	16	728	673	9	11	5	29	1
非常勤	3	1	－	－	1	－	1	1	－	－	－	－	－
その他の職員	28 009	3 915	866	548	2 392	109	24 095	12 248	605	582	9 446	1 043	172
常勤	15 794	2 408	676	336	1 335	60	13 386	7 812	353	402	4 106	596	117
非常勤	12 216	1 507	190	212	1 057	49	10 709	4 436	253	180	5 340	446	54

注：1）常勤換算従事者数の小数点以下第1位を四捨五入している。なお、「0」は常勤換算従事者数が0.5未満である。
　　2）詳細票の調査を実施していない施設は除く。
　　3）総数には保育所等及び小規模保育事業所の常勤換算従事者数は含まない。

常勤換算従事者数，職種・常勤－非常勤、施設の種類・経営主体別

保 護 施 設 数

職　種／常勤－非常勤	総数	公営 総数	国・独立行政法人	都道府県	市区町村	一部事務組合・広域連合	私営 総数	社会福祉法人	医療法人	公益法人及び日赤	営利法人（会社）	その他の法人	その他
総数	6 293	381	-	-	208	173	5 913	5 913	-	-	-	-	-
常勤	5 763	348	-	-	192	156	5 414	5 414	-	-	-	-	-
非常勤	531	32	-	-	16	17	498	498	-	-	-	-	-
施設長	211	14	-	-	9	6	197	197	-	-	-	-	-
常勤	211	14	-	-	9	6	196	196	-	-	-	-	-
非常勤	1	-	-	-	-	-	1	1	-	-	-	-	-
サービス管理責任者	…	…	…	…	…	…	…	…	…	…	…	…	…
常勤	…	…	…	…	…	…	…	…	…	…	…	…	…
非常勤	…	…	…	…	…	…	…	…	…	…	…	…	…
生活・児童指導員、生活相談員、生活支援員、児童自立支援専門員	753	35	-	-	23	12	718	718	-	-	-	-	-
常勤	726	32	-	-	22	10	694	694	-	-	-	-	-
非常勤	27	3	-	-	1	2	25	25	-	-	-	-	-
職業・作業指導員	75	12	-	-	12	-	63	63	-	-	-	-	-
常勤	73	12	-	-	12	-	61	61	-	-	-	-	-
非常勤	3	-	-	-	-	-	3	3	-	-	-	-	-
セラピスト	7	1	-	-	1	-	5	5	-	-	-	-	-
常勤	4	1	-	-	1	-	3	3	-	-	-	-	-
非常勤	3	0	-	-	0	-	2	2	-	-	-	-	-
理学療法士	2	0	-	-	0	-	2	2	-	-	-	-	-
常勤	-	-	-	-	-	-	-	-	-	-	-	-	-
非常勤	2	0	-	-	0	-	2	2	-	-	-	-	-
作業療法士	3	1	-	-	1	-	2	2	-	-	-	-	-
常勤	3	1	-	-	1	-	2	2	-	-	-	-	-
非常勤	0	-	-	-	-	-	0	0	-	-	-	-	-
その他の療法員	1	-	-	-	-	-	1	1	-	-	-	-	-
常勤	1	-	-	-	-	-	1	1	-	-	-	-	-
非常勤	0	-	-	-	-	-	0	0	-	-	-	-	-
心理・職能判定員	…	…	…	…	…	…	…	…	…	…	…	…	…
常勤	…	…	…	…	…	…	…	…	…	…	…	…	…
非常勤	…	…	…	…	…	…	…	…	…	…	…	…	…
医師	28	2	-	-	1	1	26	26	-	-	-	-	-
常勤	4	-	-	-	-	-	4	4	-	-	-	-	-
非常勤	24	2	-	-	1	1	22	22	-	-	-	-	-
保健師・助産師・看護師	417	26	-	-	14	12	391	391	-	-	-	-	-
常勤	379	21	-	-	11	10	358	358	-	-	-	-	-
非常勤	38	5	-	-	3	2	33	33	-	-	-	-	-
精神保健福祉士	97	2	-	-	1	1	95	95	-	-	-	-	-
常勤	95	1	-	-	-	1	94	94	-	-	-	-	-
非常勤	2	1	-	-	1	-	1	1	-	-	-	-	-
保育士	…	…	…	…	…	…	…	…	…	…	…	…	…
常勤	…	…	…	…	…	…	…	…	…	…	…	…	…
非常勤	…	…	…	…	…	…	…	…	…	…	…	…	…
児童生活支援員	…	…	…	…	…	…	…	…	…	…	…	…	…
常勤	…	…	…	…	…	…	…	…	…	…	…	…	…
非常勤	…	…	…	…	…	…	…	…	…	…	…	…	…
児童厚生員	…	…	…	…	…	…	…	…	…	…	…	…	…
常勤	…	…	…	…	…	…	…	…	…	…	…	…	…
非常勤	…	…	…	…	…	…	…	…	…	…	…	…	…
母子支援員	…	…	…	…	…	…	…	…	…	…	…	…	…
常勤	…	…	…	…	…	…	…	…	…	…	…	…	…
非常勤	…	…	…	…	…	…	…	…	…	…	…	…	…
介護職員	3 264	219	-	-	101	119	3 045	3 045	-	-	-	-	-
常勤	3 058	205	-	-	96	109	2 853	2 853	-	-	-	-	-
非常勤	206	14	-	-	5	10	192	192	-	-	-	-	-
栄養士	198	11	-	-	6	6	187	187	-	-	-	-	-
常勤	197	11	-	-	6	6	186	186	-	-	-	-	-
非常勤	1	-	-	-	-	-	1	1	-	-	-	-	-
調理員	548	17	-	-	14	4	531	531	-	-	-	-	-
常勤	458	15	-	-	12	3	443	443	-	-	-	-	-
非常勤	91	3	-	-	2	1	88	88	-	-	-	-	-
事務員	448	25	-	-	14	12	423	423	-	-	-	-	-
常勤	426	24	-	-	13	11	402	402	-	-	-	-	-
非常勤	21	1	-	-	0	1	21	21	-	-	-	-	-
児童発達支援管理責任者	…	…	…	…	…	…	…	…	…	…	…	…	…
常勤	…	…	…	…	…	…	…	…	…	…	…	…	…
非常勤	…	…	…	…	…	…	…	…	…	…	…	…	…
その他の職員	247	16	-	-	14	3	231	231	-	-	-	-	-
常勤	131	12	-	-	11	1	120	120	-	-	-	-	-
非常勤	116	5	-	-	3	2	111	111	-	-	-	-	-

第14表－1　社会福祉施設等（保育所等・小規模保育事業所を除く）の

（単位：人）

職種　常勤－非常勤	総数	救護施設 公営 総数	国・独立行政法人	都道府県	市区町村	一部事務組合・広域連合	私 総数	社会福祉法人	医療法人	公益法人及び日赤	営利法人（会社）	その他の法人	その他
総数	5 915	346	–	–	173	173	5 569	5 569	–	–	–	–	–
常勤	5 430	316	–	–	160	156	5 114	5 114	–	–	–	–	–
非常勤	485	29	–	–	13	17	456	456	–	–	–	–	–
施設長	174	11	–	–	5	6	163	163	–	–	–	–	–
常勤	174	11	–	–	5	6	163	163	–	–	–	–	–
非常勤	–	–	–	–	–	–	–	–	–	–	–	–	–
サービス管理責任者	…	…	…	…	…	…	…	…	…	…	…	…	…
常勤	…	…	…	…	…	…	…	…	…	…	…	…	…
非常勤	…	…	…	…	…	…	…	…	…	…	…	…	…
生活・児童指導員、生活相談員、生活支援員、児童自立支援専門員	571	23	–	–	11	12	548	548	–	–	–	–	–
常勤	563	21	–	–	11	10	542	542	–	–	–	–	–
非常勤	7	2	–	–	–	2	6	6	–	–	–	–	–
職業・作業指導員	37	–	–	–	–	–	37	37	–	–	–	–	–
常勤	37	–	–	–	–	–	37	37	–	–	–	–	–
非常勤	1	–	–	–	–	–	1	1	–	–	–	–	–
セラピスト	7	1	–	–	1	–	5	5	–	–	–	–	–
常勤	4	1	–	–	1	–	3	3	–	–	–	–	–
非常勤	3	0	–	–	0	–	2	2	–	–	–	–	–
理学療法士	2	0	–	–	0	–	2	2	–	–	–	–	–
常勤	–	–	–	–	–	–	–	–	–	–	–	–	–
非常勤	2	0	–	–	0	–	2	2	–	–	–	–	–
作業療法士	3	1	–	–	1	–	2	2	–	–	–	–	–
常勤	3	1	–	–	1	–	2	2	–	–	–	–	–
非常勤	0	–	–	–	–	–	0	0	–	–	–	–	–
その他の療法員	1	–	–	–	–	–	1	1	–	–	–	–	–
常勤	1	–	–	–	–	–	1	1	–	–	–	–	–
非常勤	0	–	–	–	–	–	0	0	–	–	–	–	–
心理・職能判定員	…	…	…	…	…	…	…	…	…	…	…	…	…
常勤	…	…	…	…	…	…	…	…	…	…	…	…	…
非常勤	…	…	…	…	…	…	…	…	…	…	…	…	…
医師	24	2	–	–	1	1	23	23	–	–	–	–	–
常勤	4	–	–	–	–	–	4	4	–	–	–	–	–
非常勤	20	2	–	–	1	1	19	19	–	–	–	–	–
保健師・助産師・看護師	397	25	–	–	13	12	372	372	–	–	–	–	–
常勤	362	20	–	–	10	10	342	342	–	–	–	–	–
非常勤	35	5	–	–	3	2	30	30	–	–	–	–	–
精神保健福祉士	97	1	–	–	0	1	95	95	–	–	–	–	–
常勤	95	1	–	–	–	1	94	94	–	–	–	–	–
非常勤	1	0	–	–	0	–	1	1	–	–	–	–	–
保育士	…	…	…	…	…	…	…	…	…	…	…	…	…
常勤	…	…	…	…	…	…	…	…	…	…	…	…	…
非常勤	…	…	…	…	…	…	…	…	…	…	…	…	…
児童生活支援員	…	…	…	…	…	…	…	…	…	…	…	…	…
常勤	…	…	…	…	…	…	…	…	…	…	…	…	…
非常勤	…	…	…	…	…	…	…	…	…	…	…	…	…
児童厚生員	…	…	…	…	…	…	…	…	…	…	…	…	…
常勤	…	…	…	…	…	…	…	…	…	…	…	…	…
非常勤	…	…	…	…	…	…	…	…	…	…	…	…	…
母子支援員	…	…	…	…	…	…	…	…	…	…	…	…	…
常勤	…	…	…	…	…	…	…	…	…	…	…	…	…
非常勤	…	…	…	…	…	…	…	…	…	…	…	…	…
介護職員	3 264	219	–	–	101	119	3 045	3 045	–	–	–	–	–
常勤	3 058	205	–	–	96	109	2 853	2 853	–	–	–	–	–
非常勤	206	14	–	–	5	10	192	192	–	–	–	–	–
栄養士	180	11	–	–	5	6	169	169	–	–	–	–	–
常勤	179	11	–	–	5	6	168	168	–	–	–	–	–
非常勤	1	–	–	–	–	–	1	1	–	–	–	–	–
調理員	526	17	–	–	14	4	508	508	–	–	–	–	–
常勤	440	15	–	–	12	3	425	425	–	–	–	–	–
非常勤	86	3	–	–	2	1	83	83	–	–	–	–	–
事務員	413	23	–	–	11	12	390	390	–	–	–	–	–
常勤	393	22	–	–	11	11	372	372	–	–	–	–	–
非常勤	19	1	–	–	0	1	19	19	–	–	–	–	–
児童発達支援管理責任者	…	…	…	…	…	…	…	…	…	…	…	…	…
常勤	…	…	…	…	…	…	…	…	…	…	…	…	…
非常勤	…	…	…	…	…	…	…	…	…	…	…	…	…
その他の職員	227	14	–	–	11	3	213	213	–	–	–	–	–
常勤	121	10	–	–	9	1	111	111	–	–	–	–	–
非常勤	106	3	–	–	1	2	103	103	–	–	–	–	–

常勤換算従事者数，職種・常勤－非常勤、施設の種類・経営主体別

職種 常勤－非常勤	総数	公営 総数	国・独立行政法人	都道府県	市区町村	一部事務組合・広域連合	私営 総数	社会福祉法人	医療法人	公益法人及び日赤	営利法人（会社）	その他の法人	その他
総数	278	18	-	-	18	-	260	260	-	-	-	-	-
常勤	240	16	-	-	16	-	224	224	-	-	-	-	-
非常勤	38	3	-	-	3	-	36	36	-	-	-	-	-
施設長	19	1	-	-	1	-	18	18	-	-	-	-	-
常勤	19	1	-	-	1	-	18	18	-	-	-	-	-
非常勤	-	-	-	-	-	-	-	-	-	-	-	-	-
サービス管理責任者	…	…	…	…	…	…	…	…	…	…	…	…	…
常勤	…	…	…	…	…	…	…	…	…	…	…	…	…
非常勤	…	…	…	…	…	…	…	…	…	…	…	…	…
生活・児童指導員、生活相談員、生活支援員、児童自立支援専門員	159	11	-	-	11	-	148	148	-	-	-	-	-
常勤	142	10	-	-	10	-	132	132	-	-	-	-	-
非常勤	17	1	-	-	1	-	16	16	-	-	-	-	-
職業・作業指導員	2	1	-	-	1	-	1	1	-	-	-	-	-
常勤	1	1	-	-	1	-	-	-	-	-	-	-	-
非常勤	1	-	-	-	-	-	1	1	-	-	-	-	-
セラピスト	-	-	-	-	-	-	-	-	-	-	-	-	-
常勤	-	-	-	-	-	-	-	-	-	-	-	-	-
非常勤	-	-	-	-	-	-	-	-	-	-	-	-	-
理学療法士	-	-	-	-	-	-	-	-	-	-	-	-	-
常勤	-	-	-	-	-	-	-	-	-	-	-	-	-
非常勤	-	-	-	-	-	-	-	-	-	-	-	-	-
作業療法士	-	-	-	-	-	-	-	-	-	-	-	-	-
常勤	-	-	-	-	-	-	-	-	-	-	-	-	-
非常勤	-	-	-	-	-	-	-	-	-	-	-	-	-
その他の療法員	-	-	-	-	-	-	-	-	-	-	-	-	-
常勤	-	-	-	-	-	-	-	-	-	-	-	-	-
非常勤	-	-	-	-	-	-	-	-	-	-	-	-	-
心理・職能判定員	…	…	…	…	…	…	…	…	…	…	…	…	…
常勤	…	…	…	…	…	…	…	…	…	…	…	…	…
非常勤	…	…	…	…	…	…	…	…	…	…	…	…	…
医師	3	0	-	-	0	-	3	3	-	-	-	-	-
常勤	-	-	-	-	-	-	-	-	-	-	-	-	-
非常勤	3	0	-	-	0	-	3	3	-	-	-	-	-
保健師・助産師・看護師	20	1	-	-	1	-	19	19	-	-	-	-	-
常勤	17	1	-	-	1	-	16	16	-	-	-	-	-
非常勤	3	0	-	-	0	-	3	3	-	-	-	-	-
精神保健福祉士	0	0	-	-	0	-	-	-	-	-	-	-	-
常勤	-	-	-	-	-	-	-	-	-	-	-	-	-
非常勤	0	0	-	-	0	-	-	-	-	-	-	-	-
保育士	…	…	…	…	…	…	…	…	…	…	…	…	…
常勤	…	…	…	…	…	…	…	…	…	…	…	…	…
非常勤	…	…	…	…	…	…	…	…	…	…	…	…	…
児童生活支援員	…	…	…	…	…	…	…	…	…	…	…	…	…
常勤	…	…	…	…	…	…	…	…	…	…	…	…	…
非常勤	…	…	…	…	…	…	…	…	…	…	…	…	…
児童厚生員	…	…	…	…	…	…	…	…	…	…	…	…	…
常勤	…	…	…	…	…	…	…	…	…	…	…	…	…
非常勤	…	…	…	…	…	…	…	…	…	…	…	…	…
母子支援員	…	…	…	…	…	…	…	…	…	…	…	…	…
常勤	…	…	…	…	…	…	…	…	…	…	…	…	…
非常勤	…	…	…	…	…	…	…	…	…	…	…	…	…
介護職員	-	-	-	-	-	-	-	-	-	-	-	-	-
常勤	-	-	-	-	-	-	-	-	-	-	-	-	-
非常勤	-	-	-	-	-	-	-	-	-	-	-	-	-
栄養士	19	0	-	-	0	-	18	18	-	-	-	-	-
常勤	19	0	-	-	0	-	18	18	-	-	-	-	-
非常勤	-	-	-	-	-	-	-	-	-	-	-	-	-
調理員	23	-	-	-	-	-	23	23	-	-	-	-	-
常勤	18	-	-	-	-	-	18	18	-	-	-	-	-
非常勤	5	-	-	-	-	-	5	5	-	-	-	-	-
事務員	22	2	-	-	2	-	20	20	-	-	-	-	-
常勤	20	2	-	-	2	-	18	18	-	-	-	-	-
非常勤	2	-	-	-	-	-	2	2	-	-	-	-	-
児童発達支援管理責任者	…	…	…	…	…	…	…	…	…	…	…	…	…
常勤	…	…	…	…	…	…	…	…	…	…	…	…	…
非常勤	…	…	…	…	…	…	…	…	…	…	…	…	…
その他の職員	12	1	-	-	1	-	12	12	-	-	-	-	-
常勤	4	-	-	-	-	-	4	4	-	-	-	-	-
非常勤	8	1	-	-	1	-	8	8	-	-	-	-	-

第14表－1　社会福祉施設等（保育所等・小規模保育事業所を除く）の

（単位：人）

保護施設 ＞ 授産施設

職種　常勤－非常勤	総数	公営 総数	国・独立行政法人	都道府県	市区町村	一部事務組合・広域連合	私営 総数	社会福祉法人	医療法人	公益法人及び日赤	営利法人（会社）	その他の法人	その他
総数	68	17	-	-	17	-	51	51	-	-	-	-	-
常勤	65	17	-	-	17	-	49	49	-	-	-	-	-
非常勤	3	1	-	-	1	-	2	2	-	-	-	-	-
施設長	11	3	-	-	3	-	8	8	-	-	-	-	-
常勤	10	3	-	-	3	-	8	8	-	-	-	-	-
非常勤	1	-	-	-	-	-	1	1	-	-	-	-	-
サービス管理責任者	…	…	…	…	…	…	…	…	…	…	…	…	…
常勤	…	…	…	…	…	…	…	…	…	…	…	…	…
非常勤	…	…	…	…	…	…	…	…	…	…	…	…	…
生活・児童指導員、生活相談員、生活支援員、児童自立支援専門員	6	1	-	-	1	-	5	5	-	-	-	-	-
常勤	6	1	-	-	1	-	5	5	-	-	-	-	-
非常勤	-	-	-	-	-	-	-	-	-	-	-	-	-
職業・作業指導員	36	11	-	-	11	-	25	25	-	-	-	-	-
常勤	35	11	-	-	11	-	24	24	-	-	-	-	-
非常勤	1	-	-	-	-	-	1	1	-	-	-	-	-
セラピスト	-	-	-	-	-	-	-	-	-	-	-	-	-
常勤	-	-	-	-	-	-	-	-	-	-	-	-	-
非常勤	-	-	-	-	-	-	-	-	-	-	-	-	-
理学療法士	-	-	-	-	-	-	-	-	-	-	-	-	-
常勤	-	-	-	-	-	-	-	-	-	-	-	-	-
非常勤	-	-	-	-	-	-	-	-	-	-	-	-	-
作業療法士	-	-	-	-	-	-	-	-	-	-	-	-	-
常勤	-	-	-	-	-	-	-	-	-	-	-	-	-
非常勤	-	-	-	-	-	-	-	-	-	-	-	-	-
その他の療法員	-	-	-	-	-	-	-	-	-	-	-	-	-
常勤	-	-	-	-	-	-	-	-	-	-	-	-	-
非常勤	-	-	-	-	-	-	-	-	-	-	-	-	-
心理・職能判定員	…	…	…	…	…	…	…	…	…	…	…	…	…
常勤	…	…	…	…	…	…	…	…	…	…	…	…	…
非常勤	…	…	…	…	…	…	…	…	…	…	…	…	…
医師	0	-	-	-	-	-	0	0	-	-	-	-	-
常勤	-	-	-	-	-	-	-	-	-	-	-	-	-
非常勤	0	-	-	-	-	-	0	0	-	-	-	-	-
保健師・助産師・看護師	-	-	-	-	-	-	-	-	-	-	-	-	-
常勤	-	-	-	-	-	-	-	-	-	-	-	-	-
非常勤	-	-	-	-	-	-	-	-	-	-	-	-	-
精神保健福祉士	-	-	-	-	-	-	-	-	-	-	-	-	-
常勤	-	-	-	-	-	-	-	-	-	-	-	-	-
非常勤	-	-	-	-	-	-	-	-	-	-	-	-	-
保育士	…	…	…	…	…	…	…	…	…	…	…	…	…
常勤	…	…	…	…	…	…	…	…	…	…	…	…	…
非常勤	…	…	…	…	…	…	…	…	…	…	…	…	…
児童生活支援員	…	…	…	…	…	…	…	…	…	…	…	…	…
常勤	…	…	…	…	…	…	…	…	…	…	…	…	…
非常勤	…	…	…	…	…	…	…	…	…	…	…	…	…
児童厚生員	…	…	…	…	…	…	…	…	…	…	…	…	…
常勤	…	…	…	…	…	…	…	…	…	…	…	…	…
非常勤	…	…	…	…	…	…	…	…	…	…	…	…	…
母子支援員	…	…	…	…	…	…	…	…	…	…	…	…	…
常勤	…	…	…	…	…	…	…	…	…	…	…	…	…
非常勤	…	…	…	…	…	…	…	…	…	…	…	…	…
介護職員	-	-	-	-	-	-	-	-	-	-	-	-	-
常勤	-	-	-	-	-	-	-	-	-	-	-	-	-
非常勤	-	-	-	-	-	-	-	-	-	-	-	-	-
栄養士	-	-	-	-	-	-	-	-	-	-	-	-	-
常勤	-	-	-	-	-	-	-	-	-	-	-	-	-
非常勤	-	-	-	-	-	-	-	-	-	-	-	-	-
調理員	-	-	-	-	-	-	-	-	-	-	-	-	-
常勤	-	-	-	-	-	-	-	-	-	-	-	-	-
非常勤	-	-	-	-	-	-	-	-	-	-	-	-	-
事務員	9	1	-	-	1	-	9	9	-	-	-	-	-
常勤	9	1	-	-	1	-	8	8	-	-	-	-	-
非常勤	1	-	-	-	1	-	1	1	-	-	-	-	-
児童発達支援管理責任者	…	…	…	…	…	…	…	…	…	…	…	…	…
常勤	…	…	…	…	…	…	…	…	…	…	…	…	…
非常勤	…	…	…	…	…	…	…	…	…	…	…	…	…
その他の職員	6	2	-	-	2	-	4	4	-	-	-	-	-
常勤	6	2	-	-	2	-	4	4	-	-	-	-	-
非常勤	1	1	-	-	1	-	-	-	-	-	-	-	-

常勤換算従事者数，職種・常勤－非常勤、施設の種類・経営主体別

平成29年10月 1 日

職種 / 常勤－非常勤	保 護 施 設 宿 所 提 供 施 設												
	総数	公営 総数	国・独立行政法人	都道府県	市区町村	一部事務組合・広域連合	私営 総数	社会福祉法人	医療法人	公益法人及び日赤	営利法人（会社）	その他の法人	その他
総数	32	－	－	－	－	－	32	32	－	－	－	－	－
常　　勤	28	－	－	－	－	－	28	28	－	－	－	－	－
非　常　勤	4	－	－	－	－	－	4	4	－	－	－	－	－
施　設　長	8	－	－	－	－	－	8	8	－	－	－	－	－
常　　勤	8	－	－	－	－	－	8	8	－	－	－	－	－
非　常　勤	－	－	－	－	－	－	－	－	－	－	－	－	－
サービス管理責任者	…	…	…	…	…	…	…	…	…	…	…	…	…
常　　勤	…	…	…	…	…	…	…	…	…	…	…	…	…
非　常　勤	…	…	…	…	…	…	…	…	…	…	…	…	…
生活・児童指導員、生活相談員、生活支援員、児童自立支援専門員	18	－	－	－	－	－	18	18	－	－	－	－	－
常　　勤	15	－	－	－	－	－	15	15	－	－	－	－	－
非　常　勤	3	－	－	－	－	－	3	3	－	－	－	－	－
職業・作業指導員	－	－	－	－	－	－	－	－	－	－	－	－	－
常　　勤	－	－	－	－	－	－	－	－	－	－	－	－	－
非　常　勤	－	－	－	－	－	－	－	－	－	－	－	－	－
セ ラ ピ ス ト	－	－	－	－	－	－	－	－	－	－	－	－	－
常　　勤	－	－	－	－	－	－	－	－	－	－	－	－	－
非　常　勤	－	－	－	－	－	－	－	－	－	－	－	－	－
理 学 療 法 士	－	－	－	－	－	－	－	－	－	－	－	－	－
常　　勤	－	－	－	－	－	－	－	－	－	－	－	－	－
非　常　勤	－	－	－	－	－	－	－	－	－	－	－	－	－
作 業 療 法 士	－	－	－	－	－	－	－	－	－	－	－	－	－
常　　勤	－	－	－	－	－	－	－	－	－	－	－	－	－
非　常　勤	－	－	－	－	－	－	－	－	－	－	－	－	－
その他の療法員	－	－	－	－	－	－	－	－	－	－	－	－	－
常　　勤	－	－	－	－	－	－	－	－	－	－	－	－	－
非　常　勤	－	－	－	－	－	－	－	－	－	－	－	－	－
心理・職能判定員	…	…	…	…	…	…	…	…	…	…	…	…	…
常　　勤	…	…	…	…	…	…	…	…	…	…	…	…	…
非　常　勤	…	…	…	…	…	…	…	…	…	…	…	…	…
医　　　師	－	－	－	－	－	－	－	－	－	－	－	－	－
常　　勤	－	－	－	－	－	－	－	－	－	－	－	－	－
非　常　勤	－	－	－	－	－	－	－	－	－	－	－	－	－
保健師・助産師・看護師	－	－	－	－	－	－	－	－	－	－	－	－	－
常　　勤	－	－	－	－	－	－	－	－	－	－	－	－	－
非　常　勤	－	－	－	－	－	－	－	－	－	－	－	－	－
精神保健福祉士	－	－	－	－	－	－	－	－	－	－	－	－	－
常　　勤	－	－	－	－	－	－	－	－	－	－	－	－	－
非　常　勤	－	－	－	－	－	－	－	－	－	－	－	－	－
保　育　士	…	…	…	…	…	…	…	…	…	…	…	…	…
常　　勤	…	…	…	…	…	…	…	…	…	…	…	…	…
非　常　勤	…	…	…	…	…	…	…	…	…	…	…	…	…
児童生活支援員	…	…	…	…	…	…	…	…	…	…	…	…	…
常　　勤	…	…	…	…	…	…	…	…	…	…	…	…	…
非　常　勤	…	…	…	…	…	…	…	…	…	…	…	…	…
児 童 厚 生 員	…	…	…	…	…	…	…	…	…	…	…	…	…
常　　勤	…	…	…	…	…	…	…	…	…	…	…	…	…
非　常　勤	…	…	…	…	…	…	…	…	…	…	…	…	…
母 子 支 援 員	…	…	…	…	…	…	…	…	…	…	…	…	…
常　　勤	…	…	…	…	…	…	…	…	…	…	…	…	…
非　常　勤	…	…	…	…	…	…	…	…	…	…	…	…	…
介 護 職 員	－	－	－	－	－	－	－	－	－	－	－	－	－
常　　勤	－	－	－	－	－	－	－	－	－	－	－	－	－
非　常　勤	－	－	－	－	－	－	－	－	－	－	－	－	－
栄　養　士	－	－	－	－	－	－	－	－	－	－	－	－	－
常　　勤	－	－	－	－	－	－	－	－	－	－	－	－	－
非　常　勤	－	－	－	－	－	－	－	－	－	－	－	－	－
調　理　員	－	－	－	－	－	－	－	－	－	－	－	－	－
常　　勤	－	－	－	－	－	－	－	－	－	－	－	－	－
非　常　勤	－	－	－	－	－	－	－	－	－	－	－	－	－
事　務　員	4	－	－	－	－	－	4	4	－	－	－	－	－
常　　勤	4	－	－	－	－	－	4	4	－	－	－	－	－
非　常　勤	－	－	－	－	－	－	－	－	－	－	－	－	－
児童発達支援管理責任者	…	…	…	…	…	…	…	…	…	…	…	…	…
常　　勤	…	…	…	…	…	…	…	…	…	…	…	…	…
非　常　勤	…	…	…	…	…	…	…	…	…	…	…	…	…
その他の職員	2	－	－	－	－	－	2	2	－	－	－	－	－
常　　勤	1	－	－	－	－	－	1	1	－	－	－	－	－
非　常　勤	1	－	－	－	－	－	1	1	－	－	－	－	－

第14表－1　社会福祉施設等（保育所等・小規模保育事業所を除く）の

（単位：人）

職種　常勤－非常勤	総数	老人福祉施設　数 総 公営 総数	国・独立行政法人	都道府県	市区町村	一部事務組合・広域連合	私 総数	社会福祉法人	医療法人	公益法人及び日赤	私営 営利法人(会社)	その他の法人	その他
総数	44 719	4 350	－	－	3 215	1 136	40 369	38 288	656	213	787	263	163
常勤	36 846	3 349	－	－	2 387	963	33 497	31 981	585	159	486	168	116
非常勤	7 873	1 001	－	－	828	173	6 872	6 307	71	53	301	95	46
施設長	3 331	384	－	－	335	49	2 946	2 686	38	42	91	55	35
常勤	3 208	323	－	－	274	49	2 884	2 639	38	40	89	52	27
非常勤	123	61	－	－	61	0	62	47	1	2	2	3	8
サービス管理責任者	…	…	…	…	…	…	…	…	…	…	…	…	…
常勤	…	…	…	…	…	…	…	…	…	…	…	…	…
非常勤	…	…	…	…	…	…	…	…	…	…	…	…	…
生活・児童指導員、生活相談員、生活支援員、児童自立支援専門員	4 613	333	－	－	194	139	4 280	4 177	55	7	25	8	8
常勤	4 490	313	－	－	177	136	4 177	4 079	55	7	25	5	7
非常勤	124	21	－	－	18	3	103	98	－	－	1	4	1
職業・作業指導員	133	30	－	－	15	15	103	90	－	－	8	2	3
常勤	106	24	－	－	10	14	83	77	－	－	3	1	2
非常勤	27	7	－	－	6	1	20	14	－	－	5	1	1
セラピスト	132	6	－	－	6	－	126	116	9	1	1	－	－
常勤	105	2	－	－	2	－	103	95	7	1	1	－	－
非常勤	27	4	－	－	4	－	23	21	2	－	1	－	－
理学療法士	35	1	－	－	1	－	34	31	3	－	0	－	－
常勤	23	－	－	－	－	－	23	21	2	－	－	－	－
非常勤	12	1	－	－	1	－	11	10	1	－	0	－	－
作業療法士	21	1	－	－	1	－	20	19	1	－	1	－	－
常勤	18	1	－	－	1	－	17	16	1	－	－	－	－
非常勤	3	0	－	－	0	－	3	3	－	－	1	－	－
その他の療法員	76	4	－	－	4	－	72	66	5	1	1	－	－
常勤	65	1	－	－	1	－	63	58	4	1	1	－	－
非常勤	11	3	－	－	3	－	9	8	1	－	－	－	－
心理・職能判定員	…	…	…	…	…	…	…	…	…	…	…	…	…
常勤	…	…	…	…	…	…	…	…	…	…	…	…	…
非常勤	…	…	…	…	…	…	…	…	…	…	…	…	…
医師	135	15	－	－	8	7	120	119	0	0	0	1	－
常勤	14	4	－	－	3	1	10	10	－	－	－	－	－
非常勤	121	11	－	－	5	6	110	109	0	0	0	1	－
保健師・助産師・看護師	2 834	373	－	－	287	86	2 461	2 367	39	9	27	9	10
常勤	2 316	313	－	－	233	80	2 003	1 944	34	3	13	4	6
非常勤	518	60	－	－	54	6	458	422	6	6	15	6	4
精神保健福祉士	25	3	－	－	3	－	22	20	－	1	－	1	－
常勤	12	3	－	－	3	－	9	7	－	1	－	1	－
非常勤	13	－	－	－	－	－	13	13	－	－	－	－	－
保育士	…	…	…	…	…	…	…	…	…	…	…	…	…
常勤	…	…	…	…	…	…	…	…	…	…	…	…	…
非常勤	…	…	…	…	…	…	…	…	…	…	…	…	…
児童生活支援員	…	…	…	…	…	…	…	…	…	…	…	…	…
常勤	…	…	…	…	…	…	…	…	…	…	…	…	…
非常勤	…	…	…	…	…	…	…	…	…	…	…	…	…
児童厚生員	…	…	…	…	…	…	…	…	…	…	…	…	…
常勤	…	…	…	…	…	…	…	…	…	…	…	…	…
非常勤	…	…	…	…	…	…	…	…	…	…	…	…	…
母子支援員	…	…	…	…	…	…	…	…	…	…	…	…	…
常勤	…	…	…	…	…	…	…	…	…	…	…	…	…
非常勤	…	…	…	…	…	…	…	…	…	…	…	…	…
介護職員	17 805	1 091	－	－	655	436	16 714	15 991	395	17	280	17	13
常勤	14 791	906	－	－	539	367	13 886	13 335	346	17	164	11	12
非常勤	3 014	186	－	－	116	70	2 829	2 656	49	0	116	6	1
栄養士	2 065	145	－	－	90	54	1 920	1 884	28	1	4	3	－
常勤	2 007	137	－	－	86	52	1 870	1 835	28	1	4	2	－
非常勤	57	7	－	－	4	3	50	49	0	－	－	1	－
調理員	4 811	445	－	－	250	195	4 366	4 268	35	1	50	7	6
常勤	3 761	358	－	－	205	153	3 403	3 334	30	1	35	4	－
非常勤	1 050	87	－	－	45	42	963	933	6	－	15	3	6
事務員	4 815	781	－	－	690	91	4 035	3 748	25	60	80	71	51
常勤	4 086	608	－	－	522	86	3 478	3 255	22	50	59	54	38
非常勤	729	173	－	－	168	5	557	494	3	11	21	17	13
児童発達支援管理責任者	…	…	…	…	…	…	…	…	…	…	…	…	…
常勤	…	…	…	…	…	…	…	…	…	…	…	…	…
非常勤	…	…	…	…	…	…	…	…	…	…	…	…	…
その他の職員	4 020	744	－	－	681	63	3 276	2 822	31	74	221	89	38
常勤	1 950	359	－	－	333	26	1 591	1 371	26	40	95	35	24
非常勤	2 070	385	－	－	348	37	1 685	1 451	5	34	126	55	14

職種／常勤－非常勤	総数	公営 総数	国・独立行政法人	都道府県	市区町村	一部事務組合・広域連合	私営 総数	社会福祉法人	医療法人	公益法人及び日赤	営利法人（会社）	その他の法人	その他
総数 総数	15 602	2 374	–	–	1 276	1 098	13 228	13 189	–	25	14	–	–
常勤	13 341	2 045	–	–	1 116	929	11 296	11 260	–	25	11	–	–
非常勤	2 262	329	–	–	160	169	1 932	1 929	–	–	3	–	–
施設長 総数	711	103	–	–	58	45	607	606	–	1	1	–	–
常勤	711	103	–	–	58	45	607	606	–	1	1	–	–
非常勤	0	0	–	–	–	0	–	–	–	–	–	–	–
サービス管理責任者 総数	…	…	…	…	…	…	…	…	…	…	…	…	…
常勤	…	…	…	…	…	…	…	…	…	…	…	…	…
非常勤	…	…	…	…	…	…	…	…	…	…	…	…	…
生活指導員、生活相談員、生活支援員、児童自立支援専門員 総数	1 835	262	–	–	128	134	1 573	1 568	–	3	2	–	–
常勤	1 799	251	–	–	120	131	1 547	1 542	–	3	2	–	–
非常勤	36	11	–	–	7	3	26	26	–	–	–	–	–
職業・作業指導員 総数	50	15	–	–	–	15	35	35	–	–	–	–	–
常勤	48	14	–	–	–	14	34	34	–	–	–	–	–
非常勤	2	1	–	–	–	1	2	2	–	–	–	–	–
セラピスト 総数	12	0	–	–	0	–	12	12	–	–	–	–	–
常勤	8	–	–	–	–	–	8	8	–	–	–	–	–
非常勤	4	0	–	–	0	–	4	4	–	–	–	–	–
理学療法士 総数	3	0	–	–	0	–	3	3	–	–	–	–	–
常勤	1	–	–	–	–	–	1	1	–	–	–	–	–
非常勤	3	0	–	–	0	–	3	3	–	–	–	–	–
作業療法士 総数	3	–	–	–	–	–	3	3	–	–	–	–	–
常勤	2	–	–	–	–	–	2	2	–	–	–	–	–
非常勤	1	–	–	–	–	–	1	1	–	–	–	–	–
その他の療法員 総数	6	–	–	–	–	–	6	6	–	–	–	–	–
常勤	5	–	–	–	–	–	5	5	–	–	–	–	–
非常勤	1	–	–	–	–	–	1	1	–	–	–	–	–
心理・職能判定員 総数	…	…	…	…	…	…	…	…	…	…	…	…	…
常勤	…	…	…	…	…	…	…	…	…	…	…	…	…
非常勤	…	…	…	…	…	…	…	…	…	…	…	…	…
医師 総数	87	12	–	–	5	7	75	75	–	–	0	–	–
常勤	7	2	–	–	1	1	6	6	–	–	0	–	–
非常勤	80	10	–	–	4	6	69	69	–	–	0	–	–
保健師・助産師・看護師 総数	1 251	178	–	–	92	86	1 073	1 072	–	1	–	–	–
常勤	1 091	166	–	–	86	80	925	924	–	1	–	–	–
非常勤	160	12	–	–	7	6	148	148	–	–	–	–	–
精神保健福祉士 総数	2	–	–	–	–	–	2	1	–	1	–	–	–
常勤	2	–	–	–	–	–	2	1	–	1	–	–	–
非常勤	–	–	–	–	–	–	–	–	–	–	–	–	–
保育士 総数	…	…	…	…	…	…	…	…	…	…	…	…	…
常勤	…	…	…	…	…	…	…	…	…	…	…	…	…
非常勤	…	…	…	…	…	…	…	…	…	…	…	…	…
児童生活支援員 総数	…	…	…	…	…	…	…	…	…	…	…	…	…
常勤	…	…	…	…	…	…	…	…	…	…	…	…	…
非常勤	…	…	…	…	…	…	…	…	…	…	…	…	…
児童厚生員 総数	…	…	…	…	…	…	…	…	…	…	…	…	…
常勤	…	…	…	…	…	…	…	…	…	…	…	…	…
非常勤	…	…	…	…	…	…	…	…	…	…	…	…	…
母子支援員 総数	…	…	…	…	…	…	…	…	…	…	…	…	…
常勤	…	…	…	…	…	…	…	…	…	…	…	…	…
非常勤	…	…	…	…	…	…	…	…	…	…	…	…	…
介護職員 総数	6 661	961	–	–	530	431	5 700	5 678	–	16	6	–	–
常勤	5 611	824	–	–	462	363	4 787	4 767	–	16	4	–	–
非常勤	1 050	137	–	–	68	69	913	912	–	–	2	–	–
栄養士 総数	829	119	–	–	65	54	710	708	–	1	1	–	–
常勤	810	115	–	–	64	51	695	693	–	1	1	–	–
非常勤	19	4	–	–	1	3	16	16	–	–	–	–	–
調理員 総数	2 185	416	–	–	227	189	1 769	1 765	–	–	4	–	–
常勤	1 780	334	–	–	188	147	1 446	1 443	–	–	3	–	–
非常勤	405	81	–	–	39	42	323	322	–	–	1	–	–
事務員 総数	1 185	168	–	–	87	81	1 017	1 015	–	2	–	–	–
常勤	1 089	155	–	–	79	76	934	932	–	2	–	–	–
非常勤	97	13	–	–	8	5	83	83	–	–	–	–	–
児童発達支援管理責任者 総数	…	…	…	…	…	…	…	…	…	…	…	…	…
常勤	…	…	…	…	…	…	…	…	…	…	…	…	…
非常勤	…	…	…	…	…	…	…	…	…	…	…	…	…
その他の職員 総数	794	140	–	–	84	56	654	654	–	–	–	–	–
常勤	386	80	–	–	58	22	306	306	–	–	–	–	–
非常勤	409	60	–	–	26	34	349	349	–	–	–	–	–

老人福祉施設（一般）

第14表－1　社会福祉施設等（保育所等・小規模保育事業所を除く）の

（単位：人）

職種　常勤－非常勤	総数	老人福祉施設 養護老人ホーム（盲）											
		公営					私営						
		総数	国・独立行政法人	都道府県	市区町村	一部事務組合・広域連合	総数	社会福祉法人	医療法人	公益法人及び日赤	営利法人（会社）	その他の法人	その他
総数	1 044	－	－	－	－	－	1 044	1 044	－	－	－	－	－
常勤	911	－	－	－	－	－	911	911	－	－	－	－	－
非常勤	133	－	－	－	－	－	133	133	－	－	－	－	－
施設長	42	－	－	－	－	－	42	42	－	－	－	－	－
常勤	42	－	－	－	－	－	42	42	－	－	－	－	－
非常勤	－	－	－	－	－	－	－	－	－	－	－	－	－
サービス管理責任者	…	…	…	…	…	…	…	…	…	…	…	…	…
常勤	…	…	…	…	…	…	…	…	…	…	…	…	…
非常勤	…	…	…	…	…	…	…	…	…	…	…	…	…
生活・児童指導員、生活相談員、生活支援員、児童自立支援専門員	127	－	－	－	－	－	127	127	－	－	－	－	－
常勤	124	－	－	－	－	－	124	124	－	－	－	－	－
非常勤	3	－	－	－	－	－	3	3	－	－	－	－	－
職業・作業指導員	－	－	－	－	－	－	－	－	－	－	－	－	－
常勤	－	－	－	－	－	－	－	－	－	－	－	－	－
非常勤	－	－	－	－	－	－	－	－	－	－	－	－	－
セラピスト	3	－	－	－	－	－	3	3	－	－	－	－	－
常勤	3	－	－	－	－	－	3	3	－	－	－	－	－
非常勤	0	－	－	－	－	－	0	0	－	－	－	－	－
理学療法士	2	－	－	－	－	－	2	2	－	－	－	－	－
常勤	2	－	－	－	－	－	2	2	－	－	－	－	－
非常勤	0	－	－	－	－	－	0	0	－	－	－	－	－
作業療法士	1	－	－	－	－	－	1	1	－	－	－	－	－
常勤	1	－	－	－	－	－	1	1	－	－	－	－	－
非常勤	－	－	－	－	－	－	－	－	－	－	－	－	－
その他の療法員	－	－	－	－	－	－	－	－	－	－	－	－	－
常勤	－	－	－	－	－	－	－	－	－	－	－	－	－
非常勤	－	－	－	－	－	－	－	－	－	－	－	－	－
心理・職能判定員	…	…	…	…	…	…	…	…	…	…	…	…	…
常勤	…	…	…	…	…	…	…	…	…	…	…	…	…
非常勤	…	…	…	…	…	…	…	…	…	…	…	…	…
医師	6	－	－	－	－	－	6	6	－	－	－	－	－
常勤	1	－	－	－	－	－	1	1	－	－	－	－	－
非常勤	5	－	－	－	－	－	5	5	－	－	－	－	－
保健師・助産師・看護師	92	－	－	－	－	－	92	92	－	－	－	－	－
常勤	86	－	－	－	－	－	86	86	－	－	－	－	－
非常勤	6	－	－	－	－	－	6	6	－	－	－	－	－
精神保健福祉士	－	－	－	－	－	－	－	－	－	－	－	－	－
常勤	－	－	－	－	－	－	－	－	－	－	－	－	－
非常勤	－	－	－	－	－	－	－	－	－	－	－	－	－
保育士	…	…	…	…	…	…	…	…	…	…	…	…	…
常勤	…	…	…	…	…	…	…	…	…	…	…	…	…
非常勤	…	…	…	…	…	…	…	…	…	…	…	…	…
児童生活支援員	…	…	…	…	…	…	…	…	…	…	…	…	…
常勤	…	…	…	…	…	…	…	…	…	…	…	…	…
非常勤	…	…	…	…	…	…	…	…	…	…	…	…	…
児童厚生員	…	…	…	…	…	…	…	…	…	…	…	…	…
常勤	…	…	…	…	…	…	…	…	…	…	…	…	…
非常勤	…	…	…	…	…	…	…	…	…	…	…	…	…
母子支援員	…	…	…	…	…	…	…	…	…	…	…	…	…
常勤	…	…	…	…	…	…	…	…	…	…	…	…	…
非常勤	…	…	…	…	…	…	…	…	…	…	…	…	…
介護職員	485	－	－	－	－	－	485	485	－	－	－	－	－
常勤	415	－	－	－	－	－	415	415	－	－	－	－	－
非常勤	70	－	－	－	－	－	70	70	－	－	－	－	－
栄養士	45	－	－	－	－	－	45	45	－	－	－	－	－
常勤	45	－	－	－	－	－	45	45	－	－	－	－	－
非常勤	1	－	－	－	－	－	1	1	－	－	－	－	－
調理員	109	－	－	－	－	－	109	109	－	－	－	－	－
常勤	96	－	－	－	－	－	96	96	－	－	－	－	－
非常勤	13	－	－	－	－	－	13	13	－	－	－	－	－
事務員	84	－	－	－	－	－	84	84	－	－	－	－	－
常勤	77	－	－	－	－	－	77	77	－	－	－	－	－
非常勤	8	－	－	－	－	－	8	8	－	－	－	－	－
児童発達支援管理責任者	…	…	…	…	…	…	…	…	…	…	…	…	…
常勤	…	…	…	…	…	…	…	…	…	…	…	…	…
非常勤	…	…	…	…	…	…	…	…	…	…	…	…	…
その他の職員	51	－	－	－	－	－	51	51	－	－	－	－	－
常勤	24	－	－	－	－	－	24	24	－	－	－	－	－
非常勤	27	－	－	－	－	－	27	27	－	－	－	－	－

平成29年10月1日

職種／常勤－非常勤	老人福祉施設 軽費老人ホームA型												
		公営					私				営		
	総数	総数	国・独立行政法人	都道府県	市区町村	一部事務組合・広域連合	総数	社会福祉法人	医療法人	公益法人及び日赤	営利法人（会社）	その他の法人	その他
総数	2 574	34	–	–	34	–	2 540	2 540	–	–	–	–	–
常勤	2 259	32	–	–	32	–	2 228	2 228	–	–	–	–	–
非常勤	315	2	–	–	2	–	313	313	–	–	–	–	–
施設長	180	2	–	–	2	–	178	178	–	–	–	–	–
常勤	180	2	–	–	2	–	178	178	–	–	–	–	–
非常勤	–	–	–	–	–	–	–	–	–	–	–	–	–
サービス管理責任者	…	…	…	…	…	…	…	…	…	…	…	…	…
常勤	…	…	…	…	…	…	…	…	…	…	…	…	…
非常勤	…	…	…	…	…	…	…	…	…	…	…	…	…
生活・児童指導員、生活相談員、生活支援員、児童自立支援専門員	202	1	–	–	1	–	201	201	–	–	–	–	–
常勤	201	1	–	–	1	–	200	200	–	–	–	–	–
非常勤	1	–	–	–	–	–	1	1	–	–	–	–	–
職業・作業指導員	–	–	–	–	–	–	–	–	–	–	–	–	–
常勤	–	–	–	–	–	–	–	–	–	–	–	–	–
非常勤	–	–	–	–	–	–	–	–	–	–	–	–	–
セラピスト	2	–	–	–	–	–	2	2	–	–	–	–	–
常勤	1	–	–	–	–	–	1	1	–	–	–	–	–
非常勤	1	–	–	–	–	–	1	1	–	–	–	–	–
理学療法士	1	–	–	–	–	–	1	1	–	–	–	–	–
常勤	–	–	–	–	–	–	–	–	–	–	–	–	–
非常勤	1	–	–	–	–	–	1	1	–	–	–	–	–
作業療法士	–	–	–	–	–	–	–	–	–	–	–	–	–
常勤	–	–	–	–	–	–	–	–	–	–	–	–	–
非常勤	–	–	–	–	–	–	–	–	–	–	–	–	–
その他の療法員	1	–	–	–	–	–	1	1	–	–	–	–	–
常勤	1	–	–	–	–	–	1	1	–	–	–	–	–
非常勤	0	–	–	–	–	–	0	0	–	–	–	–	–
心理・職能判定員	…	…	…	…	…	…	…	…	…	…	…	…	…
常勤	…	…	…	…	…	…	…	…	…	…	…	…	…
非常勤	…	…	…	…	…	…	…	…	…	…	…	…	…
医師	16	–	–	–	–	–	16	16	–	–	–	–	–
常勤	1	–	–	–	–	–	1	1	–	–	–	–	–
非常勤	15	–	–	–	–	–	15	15	–	–	–	–	–
保健師・助産師・看護師	189	4	–	–	4	–	186	186	–	–	–	–	–
常勤	179	3	–	–	3	–	176	176	–	–	–	–	–
非常勤	10	1	–	–	1	–	10	10	–	–	–	–	–
精神保健福祉士	–	–	–	–	–	–	–	–	–	–	–	–	–
常勤	–	–	–	–	–	–	–	–	–	–	–	–	–
非常勤	–	–	–	–	–	–	–	–	–	–	–	–	–
保育士	…	…	…	…	…	…	…	…	…	…	…	…	…
常勤	…	…	…	…	…	…	…	…	…	…	…	…	…
非常勤	…	…	…	…	…	…	…	…	…	…	…	…	…
児童生活支援員	…	…	…	…	…	…	…	…	…	…	…	…	…
常勤	…	…	…	…	…	…	…	…	…	…	…	…	…
非常勤	…	…	…	…	…	…	…	…	…	…	…	…	…
児童厚生員	…	…	…	…	…	…	…	…	…	…	…	…	…
常勤	…	…	…	…	…	…	…	…	…	…	…	…	…
非常勤	…	…	…	…	…	…	…	…	…	…	…	…	…
母子支援員	…	…	…	…	…	…	…	…	…	…	…	…	…
常勤	…	…	…	…	…	…	…	…	…	…	…	…	…
非常勤	…	…	…	…	…	…	…	…	…	…	…	…	…
介護職員	859	8	–	–	8	–	851	851	–	–	–	–	–
常勤	776	8	–	–	8	–	768	768	–	–	–	–	–
非常勤	83	–	–	–	–	–	83	83	–	–	–	–	–
栄養士	185	2	–	–	2	–	183	183	–	–	–	–	–
常勤	182	2	–	–	2	–	180	180	–	–	–	–	–
非常勤	3	–	–	–	–	–	3	3	–	–	–	–	–
調理員	499	9	–	–	9	–	490	490	–	–	–	–	–
常勤	409	8	–	–	8	–	401	401	–	–	–	–	–
非常勤	90	1	–	–	1	–	89	89	–	–	–	–	–
事務員	312	3	–	–	3	–	309	309	–	–	–	–	–
常勤	288	3	–	–	3	–	285	285	–	–	–	–	–
非常勤	25	–	–	–	–	–	25	25	–	–	–	–	–
児童発達支援管理責任者	…	…	…	…	…	…	…	…	…	…	…	…	…
常勤	…	…	…	…	…	…	…	…	…	…	…	…	…
非常勤	…	…	…	…	…	…	…	…	…	…	…	…	…
その他の職員	131	6	–	–	6	–	125	125	–	–	–	–	–
常勤	43	5	–	–	5	–	38	38	–	–	–	–	–
非常勤	88	1	–	–	1	–	87	87	–	–	–	–	–

第14表－1　社会福祉施設等（保育所等・小規模保育事業所を除く）の

（単位：人）

職種　常勤－非常勤	総数	軽費老人ホームB型 公営 総数	国・独立行政法人	都道府県	市区町村	一部事務組合・広域連合	私営 総数	社会福祉法人	医療法人	公益法人及び日赤	営利法人（会社）	その他の法人	その他
総　数	38	9	－	－	9	－	29	29	－	－	－	－	－
常　勤	25	2	－	－	2	－	23	23	－	－	－	－	－
非常勤	13	7	－	－	7	－	6	6	－	－	－	－	－
施設長	9	2	－	－	2	－	7	7	－	－	－	－	－
常　勤	8	1	－	－	1	－	7	7	－	－	－	－	－
非常勤	1	1	－	－	1	－	－	－	－	－	－	－	－
サービス管理責任者	…	…	…	…	…	…	…	…	…	…	…	…	…
常　勤	…	…	…	…	…	…	…	…	…	…	…	…	…
非常勤	…	…	…	…	…	…	…	…	…	…	…	…	…
生活・児童指導員、生活相談員、生活支援員、児童自立支援専門員	6	1	－	－	1	－	5	5	－	－	－	－	－
常　勤	6	1	－	－	1	－	5	5	－	－	－	－	－
非常勤	－	－	－	－	－	－	－	－	－	－	－	－	－
職業・作業指導員	－	－	－	－	－	－	－	－	－	－	－	－	－
常　勤	－	－	－	－	－	－	－	－	－	－	－	－	－
非常勤	－	－	－	－	－	－	－	－	－	－	－	－	－
セラピスト	－	－	－	－	－	－	－	－	－	－	－	－	－
常　勤	－	－	－	－	－	－	－	－	－	－	－	－	－
非常勤	－	－	－	－	－	－	－	－	－	－	－	－	－
理学療法士	－	－	－	－	－	－	－	－	－	－	－	－	－
常　勤	－	－	－	－	－	－	－	－	－	－	－	－	－
非常勤	－	－	－	－	－	－	－	－	－	－	－	－	－
作業療法士	－	－	－	－	－	－	－	－	－	－	－	－	－
常　勤	－	－	－	－	－	－	－	－	－	－	－	－	－
非常勤	－	－	－	－	－	－	－	－	－	－	－	－	－
その他の療法員	－	－	－	－	－	－	－	－	－	－	－	－	－
常　勤	－	－	－	－	－	－	－	－	－	－	－	－	－
非常勤	－	－	－	－	－	－	－	－	－	－	－	－	－
心理・職能判定員	…	…	…	…	…	…	…	…	…	…	…	…	…
常　勤	…	…	…	…	…	…	…	…	…	…	…	…	…
非常勤	…	…	…	…	…	…	…	…	…	…	…	…	…
医師	3	0	－	－	0	－	3	3	－	－	－	－	－
常　勤	－	－	－	－	－	－	－	－	－	－	－	－	－
非常勤	3	0	－	－	0	－	3	3	－	－	－	－	－
保健師・助産師・看護師	－	－	－	－	－	－	－	－	－	－	－	－	－
常　勤	－	－	－	－	－	－	－	－	－	－	－	－	－
非常勤	－	－	－	－	－	－	－	－	－	－	－	－	－
精神保健福祉士	－	－	－	－	－	－	－	－	－	－	－	－	－
常　勤	－	－	－	－	－	－	－	－	－	－	－	－	－
非常勤	－	－	－	－	－	－	－	－	－	－	－	－	－
保育士	…	…	…	…	…	…	…	…	…	…	…	…	…
常　勤	…	…	…	…	…	…	…	…	…	…	…	…	…
非常勤	…	…	…	…	…	…	…	…	…	…	…	…	…
児童生活支援員	…	…	…	…	…	…	…	…	…	…	…	…	…
常　勤	…	…	…	…	…	…	…	…	…	…	…	…	…
非常勤	…	…	…	…	…	…	…	…	…	…	…	…	…
児童厚生員	…	…	…	…	…	…	…	…	…	…	…	…	…
常　勤	…	…	…	…	…	…	…	…	…	…	…	…	…
非常勤	…	…	…	…	…	…	…	…	…	…	…	…	…
母子支援員	…	…	…	…	…	…	…	…	…	…	…	…	…
常　勤	…	…	…	…	…	…	…	…	…	…	…	…	…
非常勤	…	…	…	…	…	…	…	…	…	…	…	…	…
介護職員	10	－	－	－	－	－	10	10	－	－	－	－	－
常　勤	8	－	－	－	－	－	8	8	－	－	－	－	－
非常勤	3	－	－	－	－	－	3	3	－	－	－	－	－
栄養士	－	－	－	－	－	－	－	－	－	－	－	－	－
常　勤	－	－	－	－	－	－	－	－	－	－	－	－	－
非常勤	－	－	－	－	－	－	－	－	－	－	－	－	－
調理員	－	－	－	－	－	－	－	－	－	－	－	－	－
常　勤	－	－	－	－	－	－	－	－	－	－	－	－	－
非常勤	－	－	－	－	－	－	－	－	－	－	－	－	－
事務員	2	0	－	－	0	－	2	2	－	－	－	－	－
常　勤	2	0	－	－	0	－	2	2	－	－	－	－	－
非常勤	0	0	－	－	－	－	－	－	－	－	－	－	－
児童発達支援管理責任者	…	…	…	…	…	…	…	…	…	…	…	…	…
常　勤	…	…	…	…	…	…	…	…	…	…	…	…	…
非常勤	…	…	…	…	…	…	…	…	…	…	…	…	…
その他の職員	8	6	－	－	6	－	3	3	－	－	－	－	－
常　勤	2	－	－	－	－	－	2	2	－	－	－	－	－
非常勤	7	6	－	－	6	－	1	1	－	－	－	－	－

常勤換算従事者数，職種・常勤－非常勤、施設の種類・経営主体別

平成29年10月 1 日

職種 常勤－非常勤	総数	老人福祉施設 軽費老人ホーム（ケアハウス） 公営					私営						
		総数	国・独立行政法人	都道府県	市区町村	一部事務組合・広域連合	総数	社会福祉法人	医療法人	公益法人及び日赤	営利法人（会社）	その他の法人	その他
総数	18 267	40	–	–	19	21	18 227	17 426	622	4	160	15	–
常勤	15 329	38	–	–	18	20	15 291	14 620	562	4	94	11	–
非常勤	2 938	3	–	–	2	1	2 936	2 806	59	0	66	4	–
施設長	1 297	2	–	–	1	1	1 294	1 255	34	1	4	1	–
常勤	1 293	2	–	–	1	1	1 290	1 251	34	1	4	1	–
非常勤	4	–	–	–	–	–	4	4	–	–	–	–	–
サービス管理責任者	…	…	…	…	…	…	…	…	…	…	…	…	…
常勤	…	…	…	…	…	…	…	…	…	…	…	…	…
非常勤	…	…	…	…	…	…	…	…	…	…	…	…	…
生活・児童指導員、生活相談員、生活支援員、児童自立支援専門員	1 984	10	–	–	5	5	1 974	1 914	54	1	5	1	–
常勤	1 967	10	–	–	5	5	1 957	1 897	54	1	5	1	–
非常勤	17	–	–	–	–	–	17	17	–	–	–	–	–
職業・作業指導員	20	–	–	–	–	–	20	19	–	–	1	0	–
常勤	17	–	–	–	–	–	17	17	–	–	–	–	–
非常勤	3	–	–	–	–	–	3	2	–	–	1	0	–
セラピスト	97	–	–	–	–	–	97	89	8	–	0	–	–
常勤	85	–	–	–	–	–	85	78	7	–	–	–	–
非常勤	13	–	–	–	–	–	13	11	2	–	0	–	–
理学療法士	23	–	–	–	–	–	23	20	3	–	0	–	–
常勤	17	–	–	–	–	–	17	16	2	–	–	–	–
非常勤	5	–	–	–	–	–	5	4	1	–	0	–	–
作業療法士	15	–	–	–	–	–	15	14	1	–	–	–	–
常勤	13	–	–	–	–	–	13	12	1	–	–	–	–
非常勤	2	–	–	–	–	–	2	2	–	–	–	–	–
その他の療法員	60	–	–	–	–	–	60	55	5	–	–	–	–
常勤	54	–	–	–	–	–	54	50	4	–	–	–	–
非常勤	6	–	–	–	–	–	6	5	1	–	–	–	–
心理・職能判定員	…	…	…	…	…	…	…	…	…	…	…	…	…
常勤	…	…	…	…	…	…	…	…	…	…	…	…	…
非常勤	…	…	…	…	…	…	…	…	…	…	…	…	…
医師	10	0	–	–	–	0	10	10	0	–	–	–	–
常勤	3	–	–	–	–	–	3	3	–	–	–	–	–
非常勤	8	0	–	–	–	0	8	8	0	–	–	–	–
保健師・助産師・看護師	872	–	–	–	–	–	872	821	39	–	11	1	–
常勤	692	–	–	–	–	–	692	653	34	–	5	1	–
非常勤	179	–	–	–	–	–	179	167	6	–	6	–	–
精神保健福祉士	15	–	–	–	–	–	15	15	–	–	–	–	–
常勤	2	–	–	–	–	–	2	2	–	–	–	–	–
非常勤	13	–	–	–	–	–	13	13	–	–	–	–	–
保育士	…	…	…	…	…	…	…	…	…	…	…	…	…
常勤	…	…	…	…	…	…	…	…	…	…	…	…	…
非常勤	…	…	…	…	…	…	…	…	…	…	…	…	…
児童生活支援員	…	…	…	…	…	…	…	…	…	…	…	…	…
常勤	…	…	…	…	…	…	…	…	…	…	…	…	…
非常勤	…	…	…	…	…	…	…	…	…	…	…	…	…
児童厚生員	…	…	…	…	…	…	…	…	…	…	…	…	…
常勤	…	…	…	…	…	…	…	…	…	…	…	…	…
非常勤	…	…	…	…	…	…	…	…	…	…	…	…	…
母子支援員	…	…	…	…	…	…	…	…	…	…	…	…	…
常勤	…	…	…	…	…	…	…	…	…	…	…	…	…
非常勤	…	…	…	…	…	…	…	…	…	…	…	…	…
介護職員	9 032	11	–	–	7	5	9 020	8 523	375	1	114	7	–
常勤	7 512	10	–	–	6	4	7 502	7 096	332	1	67	6	–
非常勤	1 520	1	–	–	1	1	1 518	1 427	43	0	47	1	–
栄養士	973	1	–	–	0	1	972	941	28	–	3	1	–
常勤	945	1	–	–	0	1	944	913	28	–	3	–	–
非常勤	29	–	–	–	–	–	29	28	0	–	–	1	–
調理員	1 916	8	–	–	2	6	1 908	1 852	35	1	17	3	–
常勤	1 413	8	–	–	2	6	1 405	1 364	30	1	10	2	–
非常勤	503	0	–	–	0	–	503	488	6	–	8	1	–
事務員	1 097	6	–	–	3	3	1 091	1 067	20	1	3	1	–
常勤	989	6	–	–	3	3	983	962	19	1	2	–	–
非常勤	108	0	–	–	0	–	108	105	1	–	1	1	–
児童発達支援管理責任者	…	…	…	…	…	…	…	…	…	…	…	…	…
常勤	…	…	…	…	…	…	…	…	…	…	…	…	…
非常勤	…	…	…	…	…	…	…	…	…	…	…	…	…
その他の職員	954	2	–	–	2	0	952	921	28	–	3	–	–
常勤	412	1	–	–	1	0	411	385	26	–	–	–	–
非常勤	542	1	–	–	1	–	541	536	2	–	3	–	–

第14表ー1　社会福祉施設等（保育所等・小規模保育事業所を除く）の

（単位：人）

職種 常勤ー非常勤	総数	老人福祉施設 都市型軽費老人ホーム										
		公営					私			営		
		総数	国・独立行政法人	都道府県	市区町村	一部事務組合・広域連合	総数	社会福祉法人	医療法人	公益法人及び日赤	営利法人（会社）	その他の法人	その他
総数	402	－	－	－	－	－	402	150	25	－	215	12	－
常勤	271	－	－	－	－	－	271	106	19	－	138	9	－
非常勤	132	－	－	－	－	－	132	45	6	－	78	4	－
施設長	45	－	－	－	－	－	45	15	3	－	26	2	－
常勤	45	－	－	－	－	－	45	15	3	－	26	2	－
非常勤	－	－	－	－	－	－	－	－	－	－	－	－	－
サービス管理責任者	…	…	…	…	…	…	…	…	…	…	…	…	…
常勤	…	…	…	…	…	…	…	…	…	…	…	…	…
非常勤	…	…	…	…	…	…	…	…	…	…	…	…	…
生活・児童指導員、生活相談員、生活支援員、児童自立支援専門員	41	－	－	－	－	－	41	24	2	－	15	1	－
常勤	41	－	－	－	－	－	41	24	2	－	15	1	－
非常勤	－	－	－	－	－	－	－	－	－	－	－	－	－
職業・作業指導員	－	－	－	－	－	－	－	－	－	－	－	－	－
常勤	－	－	－	－	－	－	－	－	－	－	－	－	－
非常勤	－	－	－	－	－	－	－	－	－	－	－	－	－
セラピスト	0	－	－	－	－	－	0	－	－	－	0	－	－
常勤	－	－	－	－	－	－	－	－	－	－	－	－	－
非常勤	0	－	－	－	－	－	0	－	－	－	0	－	－
理学療法士	0	－	－	－	－	－	0	－	－	－	0	－	－
常勤	－	－	－	－	－	－	－	－	－	－	－	－	－
非常勤	0	－	－	－	－	－	0	－	－	－	0	－	－
作業療法士	－	－	－	－	－	－	－	－	－	－	－	－	－
常勤	－	－	－	－	－	－	－	－	－	－	－	－	－
非常勤	－	－	－	－	－	－	－	－	－	－	－	－	－
その他の療法員	－	－	－	－	－	－	－	－	－	－	－	－	－
常勤	－	－	－	－	－	－	－	－	－	－	－	－	－
非常勤	－	－	－	－	－	－	－	－	－	－	－	－	－
心理・職能判定員	…	…	…	…	…	…	…	…	…	…	…	…	…
常勤	…	…	…	…	…	…	…	…	…	…	…	…	…
非常勤	…	…	…	…	…	…	…	…	…	…	…	…	…
医師	－	－	－	－	－	－	－	－	－	－	－	－	－
常勤	－	－	－	－	－	－	－	－	－	－	－	－	－
非常勤	－	－	－	－	－	－	－	－	－	－	－	－	－
保健師・助産師・看護師	－	－	－	－	－	－	－	－	－	－	－	－	－
常勤	－	－	－	－	－	－	－	－	－	－	－	－	－
非常勤	－	－	－	－	－	－	－	－	－	－	－	－	－
精神保健福祉士	1	－	－	－	－	－	1	－	－	－	－	1	－
常勤	1	－	－	－	－	－	1	－	－	－	－	1	－
非常勤	－	－	－	－	－	－	－	－	－	－	－	－	－
保育士	…	…	…	…	…	…	…	…	…	…	…	…	…
常勤	…	…	…	…	…	…	…	…	…	…	…	…	…
非常勤	…	…	…	…	…	…	…	…	…	…	…	…	…
児童生活支援員	…	…	…	…	…	…	…	…	…	…	…	…	…
常勤	…	…	…	…	…	…	…	…	…	…	…	…	…
非常勤	…	…	…	…	…	…	…	…	…	…	…	…	…
児童厚生員	…	…	…	…	…	…	…	…	…	…	…	…	…
常勤	…	…	…	…	…	…	…	…	…	…	…	…	…
非常勤	…	…	…	…	…	…	…	…	…	…	…	…	…
母子支援員	…	…	…	…	…	…	…	…	…	…	…	…	…
常勤	…	…	…	…	…	…	…	…	…	…	…	…	…
非常勤	…	…	…	…	…	…	…	…	…	…	…	…	…
介護職員	276	－	－	－	－	－	276	89	20	－	161	6	－
常勤	166	－	－	－	－	－	166	54	14	－	93	5	－
非常勤	110	－	－	－	－	－	110	35	6	－	67	1	－
栄養士	2	－	－	－	－	－	2	2	－	－	－	－	－
常勤	2	－	－	－	－	－	2	2	－	－	－	－	－
非常勤	－	－	－	－	－	－	－	－	－	－	－	－	－
調理員	10	－	－	－	－	－	10	－	－	－	9	1	－
常勤	3	－	－	－	－	－	3	－	－	－	3	－	－
非常勤	7	－	－	－	－	－	7	－	－	－	6	1	－
事務員	11	－	－	－	－	－	11	7	－	－	4	－	－
常勤	8	－	－	－	－	－	8	7	－	－	1	－	－
非常勤	3	－	－	－	－	－	3	1	－	－	3	－	－
児童発達支援管理責任者	…	…	…	…	…	…	…	…	…	…	…	…	…
常勤	…	…	…	…	…	…	…	…	…	…	…	…	…
非常勤	…	…	…	…	…	…	…	…	…	…	…	…	…
その他の職員	17	－	－	－	－	－	17	13	1	－	2	1	－
常勤	5	－	－	－	－	－	5	4	1	－	－	－	－
非常勤	12	－	－	－	－	－	12	9	－	－	2	1	－

常勤換算従事者数，職種・常勤－非常勤、施設の種類・経営主体別

平成29年10月 1 日

職　種　 常勤－非常勤	総　数	老　人　福　祉　施　設　（特　A　型） 老人福祉センター（特A型） 公営 総数	国・独立 行政法人	都道府県	市区町村	一部事務 組合・ 広域連合	私営 総数	社会福祉 法　人	医療法人	公益法人 及び日赤	営利法人 （会社）	その他の 法　人	その他
総　　　数	949	348	－	－	348	－	601	483	10	13	42	35	18
常　　勤	739	283	－	－	283	－	456	389	5	7	36	17	3
非　常　勤	210	65	－	－	65	－	145	94	5	6	6	19	15
施　設　長	109	38	－	－	38	－	71	50	2	2	9	5	3
常　　勤	103	37	－	－	37	－	66	48	1	2	9	5	2
非　常　勤	6	2	－	－	2	－	5	2	1	－	－	0	1
サービス管理責任者	…	…	…	…	…	…	…	…	…	…	…	…	…
常　　勤	…	…	…	…	…	…	…	…	…	…	…	…	…
非　常　勤	…	…	…	…	…	…	…	…	…	…	…	…	…
生活・児童指導員、生活相談員、生活支援員、児童自立支援専門員	61	22	－	－	22	－	39	39	－	－	－	－	1
常　　勤	57	21	－	－	21	－	36	36	－	－	－	－	－
非　常　勤	4	1	－	－	1	－	4	3	－	－	－	－	1
職業・作業指導員	10	3	－	－	3	－	8	8	－	－	－	－	－
常　　勤	10	2	－	－	2	－	8	8	－	－	－	－	－
非　常　勤	1	1	－	－	1	－	0	0	－	－	－	－	－
セ　ラ　ピ　ス　ト	3	3	－	－	3	－	0	0	0	－	－	－	－
常　　勤	1	1	－	－	1	－	－	－	－	－	－	－	－
非　常　勤	2	2	－	－	2	－	0	0	0	－	－	－	－
理　学　療　法　士	1	1	－	－	1	－	－	－	－	－	－	－	－
常　　勤	－	－	－	－	－	－	－	－	－	－	－	－	－
非　常　勤	1	1	－	－	1	－	－	－	－	－	－	－	－
作　業　療　法　士	1	1	－	－	1	－	0	0	－	－	－	－	－
常　　勤	1	1	－	－	1	－	－	－	－	－	－	－	－
非　常　勤	0	－	－	－	－	－	0	0	－	－	－	－	－
その他の療法員	1	1	－	－	1	－	0	－	0	－	－	－	－
常　　勤	－	－	－	－	－	－	－	－	－	－	－	－	－
非　常　勤	1	1	－	－	1	－	0	－	0	－	－	－	－
心理・職能判定員	…	…	…	…	…	…	…	…	…	…	…	…	…
常　　勤	…	…	…	…	…	…	…	…	…	…	…	…	…
非　常　勤	…	…	…	…	…	…	…	…	…	…	…	…	…
医　　　師	9	1	－	－	1	－	8	7	－	－	0	1	－
常　　勤	1	1	－	－	1	－	－	－	－	－	－	－	－
非　常　勤	8	0	－	－	0	－	8	7	－	－	0	1	－
保健師・助産師・看護師	97	67	－	－	67	－	30	23	0	－	3	3	1
常　　勤	81	62	－	－	62	－	19	18	－	－	1	－	－
非　常　勤	15	5	－	－	5	－	10	4	0	－	2	3	1
精神保健福祉士	2	1	－	－	1	－	1	1	－	－	－	－	－
常　　勤	2	1	－	－	1	－	1	1	－	－	－	－	－
非　常　勤	－	－	－	－	－	－	－	－	－	－	－	－	－
保　　育　　士	…	…	…	…	…	…	…	…	…	…	…	…	…
常　　勤	…	…	…	…	…	…	…	…	…	…	…	…	…
非　常　勤	…	…	…	…	…	…	…	…	…	…	…	…	…
児童生活支援員	…	…	…	…	…	…	…	…	…	…	…	…	…
常　　勤	…	…	…	…	…	…	…	…	…	…	…	…	…
非　常　勤	…	…	…	…	…	…	…	…	…	…	…	…	…
児　童　厚　生　員	…	…	…	…	…	…	…	…	…	…	…	…	…
常　　勤	…	…	…	…	…	…	…	…	…	…	…	…	…
非　常　勤	…	…	…	…	…	…	…	…	…	…	…	…	…
母　子　支　援　員	…	…	…	…	…	…	…	…	…	…	…	…	…
常　　勤	…	…	…	…	…	…	…	…	…	…	…	…	…
非　常　勤	…	…	…	…	…	…	…	…	…	…	…	…	…
介　護　職　員	70	22	－	－	22	－	47	46	－	－	0	1	－
常　　勤	41	14	－	－	14	－	28	27	－	－	－	1	－
非　常　勤	28	9	－	－	9	－	20	19	－	－	0	1	－
栄　　養　　士	11	11	－	－	11	－	－	－	－	－	－	－	－
常　　勤	10	10	－	－	10	－	－	－	－	－	－	－	－
非　常　勤	1	1	－	－	1	－	－	－	－	－	－	－	－
調　　理　　員	13	－	－	－	－	－	13	1	－	－	7	－	6
常　　勤	6	－	－	－	－	－	6	－	－	－	6	－	－
非　常　勤	7	－	－	－	－	－	7	1	－	－	1	－	6
事　　務　　員	359	119	－	－	119	－	240	211	5	6	4	10	4
常　　勤	303	98	－	－	98	－	206	186	3	5	3	7	1
非　常　勤	55	21	－	－	21	－	34	25	2	1	1	3	3
児童発達支援管理責任者	…	…	…	…	…	…	…	…	…	…	…	…	…
常　　勤	…	…	…	…	…	…	…	…	…	…	…	…	…
非　常　勤	…	…	…	…	…	…	…	…	…	…	…	…	…
その他の職員	204	60	－	－	60	－	144	98	3	5	20	16	3
常　　勤	124	38	－	－	38	－	86	65	－	－	17	4	－
非　常　勤	80	23	－	－	23	－	58	33	3	5	3	12	3

第14表－1　社会福祉施設等（保育所等・小規模保育事業所を除く）の

（単位：人）

職種／常勤－非常勤	総数	老人福祉施設 老人福祉センター（A型） 公営 総数	国・独立行政法人	都道府県	市区町村	一部事務組合・広域連合	私営 総数	社会福祉法人	医療法人	公益法人及び日赤	営利法人（会社）	その他の法人	その他
総数	4 654	1 081	－	－	1 064	16	3 573	2 876	－	150	302	138	106
常勤	3 365	756	－	－	742	14	2 610	2 140	－	107	179	97	87
非常勤	1 288	325	－	－	323	2	963	736	－	43	124	42	19
施設長	729	145	－	－	142	3	584	452	－	35	42	31	23
常勤	681	130	－	－	127	3	551	427	－	34	40	31	19
非常勤	48	15	－	－	15	0	33	26	－	2	2	－	3
サービス管理責任者	…	…	…	…	…	…	…	…	…	…	…	…	…
常勤	…	…	…	…	…	…	…	…	…	…	…	…	…
非常勤	…	…	…	…	…	…	…	…	…	…	…	…	…
生活・児童指導員、生活相談員、生活支援員、児童自立支援専門員	264	30	－	－	30	－	234	220	－	2	4	3	6
常勤	222	25	－	－	25	－	197	183	－	2	3	3	6
非常勤	42	5	－	－	5	－	37	37	－	－	1	－	0
職業・作業指導員	32	4	－	－	4	－	28	17	－	－	7	2	2
常勤	20	2	－	－	2	－	18	12	－	－	3	1	2
非常勤	12	2	－	－	2	－	9	5	－	－	4	1	0
セラピスト	11	2	－	－	2	－	9	7	－	1	1	－	－
常勤	5	－	－	－	－	－	5	4	－	1	1	－	－
非常勤	6	2	－	－	2	－	4	4	－	－	1	－	－
理学療法士	3	0	－	－	0	－	3	3	－	－	－	－	－
常勤	1	－	－	－	－	－	1	1	－	－	－	－	－
非常勤	2	0	－	－	0	－	2	2	－	－	－	－	－
作業療法士	2	0	－	－	0	－	2	1	－	－	1	－	－
常勤	1	－	－	－	－	－	1	1	－	－	－	－	－
非常勤	1	0	－	－	0	－	1	0	－	－	1	－	－
その他の療法員	6	2	－	－	2	－	5	3	－	1	1	－	－
常勤	3	－	－	－	－	－	3	1	－	1	1	－	－
非常勤	3	2	－	－	2	－	2	2	－	－	－	－	－
心理・職能判定員	…	…	…	…	…	…	…	…	…	…	…	…	…
常勤	…	…	…	…	…	…	…	…	…	…	…	…	…
非常勤	…	…	…	…	…	…	…	…	…	…	…	…	…
医師	3	1	－	－	1	－	2	2	－	0	－	－	－
常勤	1	1	－	－	1	－	－	－	－	－	－	－	－
非常勤	2	0	－	－	0	－	2	2	－	0	－	－	－
保健師・助産師・看護師	277	110	－	－	110	－	168	135	－	8	14	3	8
常勤	162	70	－	－	70	－	92	76	－	2	7	2	6
非常勤	115	40	－	－	40	－	76	59	－	6	7	2	2
精神保健福祉士	5	2	－	－	2	－	3	3	－	－	－	－	－
常勤	5	2	－	－	2	－	3	3	－	－	－	－	－
非常勤	－	－	－	－	－	－	－	－	－	－	－	－	－
保育士	…	…	…	…	…	…	…	…	…	…	…	…	…
常勤	…	…	…	…	…	…	…	…	…	…	…	…	…
非常勤	…	…	…	…	…	…	…	…	…	…	…	…	…
児童生活支援員	…	…	…	…	…	…	…	…	…	…	…	…	…
常勤	…	…	…	…	…	…	…	…	…	…	…	…	…
非常勤	…	…	…	…	…	…	…	…	…	…	…	…	…
児童厚生員	…	…	…	…	…	…	…	…	…	…	…	…	…
常勤	…	…	…	…	…	…	…	…	…	…	…	…	…
非常勤	…	…	…	…	…	…	…	…	…	…	…	…	…
母子支援員	…	…	…	…	…	…	…	…	…	…	…	…	…
常勤	…	…	…	…	…	…	…	…	…	…	…	…	…
非常勤	…	…	…	…	…	…	…	…	…	…	…	…	…
介護職員	315	73	－	－	73	－	242	238	－	－	－	1	3
常勤	216	42	－	－	42	－	174	172	－	－	－	－	2
非常勤	98	31	－	－	31	－	68	65	－	－	－	1	1
栄養士	17	11	－	－	11	－	6	4	－	－	－	2	－
常勤	12	8	－	－	8	－	4	2	－	－	－	2	－
非常勤	4	2	－	－	2	－	2	2	－	－	－	1	－
調理員	74	12	－	－	12	－	62	51	－	－	9	3	－
常勤	49	7	－	－	7	－	42	31	－	－	9	2	－
非常勤	25	5	－	－	5	－	20	19	－	－	－	1	－
事務員	1 499	370	－	－	363	7	1 130	937	－	43	65	50	36
常勤	1 169	261	－	－	254	7	908	754	－	34	49	40	30
非常勤	330	109	－	－	109	－	222	182	－	8	15	10	6
児童発達支援管理責任者	…	…	…	…	…	…	…	…	…	…	…	…	…
常勤	…	…	…	…	…	…	…	…	…	…	…	…	…
非常勤	…	…	…	…	…	…	…	…	…	…	…	…	…
その他の職員	1 428	323	－	－	316	6	1 105	812	－	61	161	44	28
常勤	823	208	－	－	204	4	615	476	－	35	67	16	21
非常勤	605	115	－	－	112	2	490	336	－	26	95	27	7

常勤換算従事者数， 職種・常勤－非常勤、施設の種類・経営主体別

職種 / 常勤－非常勤	総数	老人福祉施設（B型）老人福祉センター 公営					私営						
		総数	国・独立行政法人	都道府県	市区町村	一部事務組合・広域連合	総数	社会福祉法人	医療法人	公益法人及び日赤	営利法人（会社）	その他の法人	その他
総数	1 189	465	-	-	465	-	724	549	-	21	54	62	38
常勤	607	195	-	-	195	-	412	304	-	17	29	36	27
非常勤	583	270	-	-	270	-	312	246	-	4	25	26	12
施設長	210	92	-	-	92	-	118	81	-	3	10	15	9
常勤	146	49	-	-	49	-	97	66	-	3	10	13	6
非常勤	64	43	-	-	43	-	21	15	-	0	-	2	3
サービス管理責任者	...	...	...	...	...	...	...	...	...	...	...	...	...
常勤	...	...	...	...	...	...	...	...	...	...	...	...	...
非常勤	...	...	...	...	...	...	...	...	...	...	...	...	...
生活・児童指導員、生活相談員、生活支援員、児童自立支援専門員	93	9	-	-	9	-	85	79	-	1	-	4	1
常勤	73	4	-	-	4	-	69	67	-	1	-	0	1
非常勤	20	5	-	-	5	-	15	12	-	-	-	4	-
職業・作業指導員	20	8	-	-	8	-	12	11	-	-	-	-	0
常勤	12	6	-	-	6	-	6	6	-	-	-	-	-
非常勤	8	3	-	-	3	-	6	5	-	-	-	-	0
セラピスト	4	1	-	-	1	-	3	3	-	-	-	-	-
常勤	3	1	-	-	1	-	2	2	-	-	-	-	-
非常勤	1	-	-	-	-	-	1	1	-	-	-	-	-
理学療法士	3	-	-	-	-	-	3	3	-	-	-	-	-
常勤	2	-	-	-	-	-	2	2	-	-	-	-	-
非常勤	1	-	-	-	-	-	1	1	-	-	-	-	-
作業療法士	0	-	-	-	-	-	0	0	-	-	-	-	-
常勤	0	-	-	-	-	-	0	0	-	-	-	-	-
非常勤	-	-	-	-	-	-	-	-	-	-	-	-	-
その他の療法員	1	1	-	-	1	-	0	0	-	-	-	-	-
常勤	1	1	-	-	1	-	0	0	-	-	-	-	-
非常勤	0	-	-	-	-	-	0	0	-	-	-	-	-
心理・職能判定員	...	...	...	...	...	...	...	...	...	...	...	...	...
常勤	...	...	...	...	...	...	...	...	...	...	...	...	...
非常勤	...	...	...	...	...	...	...	...	...	...	...	...	...
医師	1	0	-	-	0	-	1	1	-	-	-	-	-
常勤	-	-	-	-	-	-	-	-	-	-	-	-	-
非常勤	1	0	-	-	0	-	1	1	-	-	-	-	-
保健師・助産師・看護師	56	14	-	-	14	-	42	40	-	-	-	2	-
常勤	25	12	-	-	12	-	13	11	-	-	-	1	-
非常勤	32	3	-	-	3	-	29	28	-	-	-	1	-
精神保健福祉士	0	-	-	-	-	-	0	0	-	-	-	-	-
常勤	-	-	-	-	-	-	-	-	-	-	-	-	-
非常勤	0	-	-	-	-	-	0	0	-	-	-	-	-
保育士	...	...	...	...	...	...	...	...	...	...	...	...	...
常勤	...	...	...	...	...	...	...	...	...	...	...	...	...
非常勤	...	...	...	...	...	...	...	...	...	...	...	...	...
児童生活支援員	...	...	...	...	...	...	...	...	...	...	...	...	...
常勤	...	...	...	...	...	...	...	...	...	...	...	...	...
非常勤	...	...	...	...	...	...	...	...	...	...	...	...	...
児童厚生員	...	...	...	...	...	...	...	...	...	...	...	...	...
常勤	...	...	...	...	...	...	...	...	...	...	...	...	...
非常勤	...	...	...	...	...	...	...	...	...	...	...	...	...
母子支援員	...	...	...	...	...	...	...	...	...	...	...	...	...
常勤	...	...	...	...	...	...	...	...	...	...	...	...	...
非常勤	...	...	...	...	...	...	...	...	...	...	...	...	...
介護職員	99	16	-	-	16	-	83	71	-	-	-	2	10
常勤	47	8	-	-	8	-	39	29	-	-	-	-	10
非常勤	53	8	-	-	8	-	44	43	-	-	-	2	-
栄養士	3	1	-	-	1	-	2	2	-	-	-	-	-
常勤	2	1	-	-	1	-	1	1	-	-	-	-	-
非常勤	1	-	-	-	-	-	1	1	-	-	-	-	-
調理員	6	1	-	-	1	-	5	1	-	-	4	-	-
常勤	5	1	-	-	1	-	4	-	-	-	4	-	-
非常勤	1	-	-	-	-	-	1	1	-	-	-	-	-
事務員	265	115	-	-	115	-	150	115	-	9	4	11	11
常勤	162	86	-	-	86	-	76	50	-	8	4	7	7
非常勤	103	29	-	-	29	-	74	65	-	1	1	4	4
児童発達支援管理責任者	...	...	...	...	...	...	...	...	...	...	...	...	...
常勤	...	...	...	...	...	...	...	...	...	...	...	...	...
非常勤	...	...	...	...	...	...	...	...	...	...	...	...	...
その他の職員	433	208	-	-	208	-	225	146	-	8	35	29	8
常勤	133	28	-	-	28	-	105	72	-	5	11	15	3
非常勤	300	180	-	-	180	-	120	74	-	3	24	14	5

第14表－1　社会福祉施設等（保育所等・小規模保育事業所を除く）の

（単位：人）

職種／常勤－非常勤	障害者支援施設等 総数	公営 総数	国・独立行政法人	都道府県	市区町村	一部事務組合・広域連合	私営 総数	社会福祉法人	医療法人	公益法人及び日赤	営利法人（会社）	その他の法人	その他
総数	101 443	3 412	755	1 279	879	499	98 030	92 650	578	290	185	4 234	93
常勤	87 784	2 919	689	1 114	698	418	84 865	80 691	524	261	149	3 164	78
非常勤	13 658	493	66	165	181	82	13 165	11 959	54	30	36	1 071	15
施設長	3 688	78	7	13	46	13	3 610	2 470	105	24	30	958	24
常勤	3 591	76	7	13	44	13	3 515	2 439	102	24	30	899	22
非常勤	98	2	-	-	2	-	96	32	3	0	-	59	2
サービス管理責任者	3 828	162	52	62	28	21	3 666	3 461	7	3	11	180	5
常勤	3 790	156	52	56	28	21	3 633	3 441	7	3	11	168	5
非常勤	39	6	-	6	-	-	33	20	-	-	1	12	-
生活・児童指導員、生活相談員、生活支援員、児童自立支援専門員	57 597	1 922	304	826	454	338	55 675	53 852	174	111	61	1 452	25
常勤	50 144	1 687	292	754	357	283	48 457	47 164	151	95	45	982	20
非常勤	7 453	235	12	72	97	55	7 218	6 689	23	16	17	469	5
職業・作業指導員	2 720	192	87	34	57	15	2 528	1 630	14	22	23	818	22
常勤	2 067	151	74	26	41	11	1 915	1 294	12	20	18	555	16
非常勤	653	41	13	8	16	4	613	335	2	2	5	263	5
セラピスト	929	95	35	32	28	-	834	791	8	2	2	31	-
常勤	793	83	34	29	20	-	710	679	7	2	2	20	-
非常勤	136	12	1	3	8	-	124	112	1	-	-	11	-
理学療法士	465	34	12	11	11	-	431	427	0	1	-	4	-
常勤	401	31	12	11	8	-	370	366	0	1	-	3	-
非常勤	65	3	-	0	3	-	62	61	0	-	-	1	-
作業療法士	304	44	16	17	11	-	260	239	8	1	-	12	-
常勤	270	41	16	17	9	-	228	213	7	1	-	8	-
非常勤	34	3	-	-	3	-	31	26	1	-	-	4	-
その他の療法員	160	17	7	4	6	-	143	126	-	-	2	16	-
常勤	122	11	6	1	4	-	112	100	-	-	2	10	-
非常勤	38	6	1	3	3	-	31	26	-	-	-	6	-
心理・職能判定員	67	19	7	7	5	-	49	30	5	-	2	12	-
常勤	53	17	7	6	4	-	36	22	4	-	2	9	-
非常勤	14	2	-	1	1	-	12	8	1	-	0	3	-
医師	302	21	8	8	3	2	281	275	1	2	0	3	0
常勤	68	12	8	4	-	2	55	53	0	1	-	1	-
非常勤	234	8	0	4	3	2	226	222	1	1	0	2	0
保健師・助産師・看護師	4 870	198	48	85	45	19	4 673	4 602	16	12	5	36	1
常勤	4 180	180	48	80	36	16	4 001	3 947	14	11	4	25	1
非常勤	690	18	0	5	10	3	672	656	3	1	2	11	0
精神保健福祉士	879	8	4	-	3	1	871	387	192	32	4	248	8
常勤	791	8	4	-	3	1	782	342	183	30	4	216	8
非常勤	88	0	-	-	0	-	88	46	9	2	-	31	0
保育士	…	…	…	…	…	…	…	…	…	…	…	…	…
常勤	…	…	…	…	…	…	…	…	…	…	…	…	…
非常勤	…	…	…	…	…	…	…	…	…	…	…	…	…
児童生活支援員	…	…	…	…	…	…	…	…	…	…	…	…	…
常勤	…	…	…	…	…	…	…	…	…	…	…	…	…
非常勤	…	…	…	…	…	…	…	…	…	…	…	…	…
児童厚生員	…	…	…	…	…	…	…	…	…	…	…	…	…
常勤	…	…	…	…	…	…	…	…	…	…	…	…	…
非常勤	…	…	…	…	…	…	…	…	…	…	…	…	…
母子支援員	…	…	…	…	…	…	…	…	…	…	…	…	…
常勤	…	…	…	…	…	…	…	…	…	…	…	…	…
非常勤	…	…	…	…	…	…	…	…	…	…	…	…	…
介護職員	12 019	144	35	11	98	-	11 875	11 673	17	42	28	113	3
常勤	10 449	120	31	7	82	-	10 329	10 185	17	39	22	64	2
非常勤	1 570	24	4	4	17	-	1 546	1 488	0	3	6	48	1
栄養士	2 301	47	8	15	10	13	2 254	2 239	3	3	-	9	-
常勤	2 236	43	8	14	9	12	2 193	2 181	3	3	-	7	-
非常勤	65	4	-	2	1	1	61	59	-	-	-	3	-
調理員	4 735	143	20	60	30	34	4 592	4 521	0	9	7	52	3
常勤	3 781	93	16	33	20	24	3 688	3 647	-	9	6	24	3
非常勤	954	50	4	27	10	10	904	873	0	-	1	29	-
事務員	4 911	264	107	84	42	32	4 647	4 475	7	15	6	144	1
常勤	4 424	226	89	73	36	29	4 198	4 096	4	13	4	81	0
非常勤	487	38	18	11	6	3	449	379	3	2	1	64	1
児童発達支援管理責任者	…	…	…	…	…	…	…	…	…	…	…	…	…
常勤	…	…	…	…	…	…	…	…	…	…	…	…	…
非常勤	…	…	…	…	…	…	…	…	…	…	…	…	…
その他の職員	2 597	120	34	43	31	13	2 477	2 244	30	14	7	179	3
常勤	1 420	67	19	19	20	9	1 353	1 202	22	10	4	113	1
非常勤	1 177	53	14	24	11	4	1 124	1 041	8	4	3	66	2

常勤換算従事者数，職種・常勤－非常勤、施設の種類・経営主体別

職種／常勤－非常勤	総数	障害者支援施設等 障害者支援施設 公営 総数	国・独立行政法人	都道府県	市区町村	一部事務組合・広域連合	私営 総数	社会福祉法人	医療法人	公益法人及び日赤	営利法人（会社）	その他の法人	その他
総数	91 138	2 990	746	1 279	471	494	88 148	88 001	－	147	－	－	－
常勤	79 804	2 619	681	1 114	411	413	77 186	77 040	－	145	－	－	－
非常勤	11 333	371	66	165	59	82	10 962	10 961	－	2	－	－	－
施設長	1 926	43	7	13	11	13	1 884	1 881	－	2	－	－	－
常勤	1 911	43	7	13	11	13	1 868	1 866	－	2	－	－	－
非常勤	15	－	－	－	－	－	15	15	－	－	－	－	－
サービス管理責任者	3 486	151	51	62	17	21	3 336	3 334	－	2	－	－	－
常勤	3 460	145	51	56	17	21	3 315	3 313	－	2	－	－	－
非常勤	26	6	－	6	－	－	20	20	－	－	－	－	－
生活・児童指導員、生活相談員、生活支援員、児童自立支援専門員	53 631	1 723	296	826	266	335	51 908	51 859	－	49	－	－	－
常勤	47 215	1 550	284	754	231	280	45 665	45 616	－	49	－	－	－
非常勤	6 416	173	12	72	35	55	6 242	6 242	－	－	－	－	－
職業・作業指導員	1 299	137	87	34	2	15	1 162	1 144	－	18	－	－	－
常勤	1 058	112	74	26	2	11	946	928	－	18	－	－	－
非常勤	241	25	13	8	0	4	216	216	－	－	－	－	－
セラピスト	828	76	35	32	9	－	752	751	－	1	－	－	－
常勤	724	72	34	29	9	－	651	650	－	1	－	－	－
非常勤	105	4	1	3	0	－	101	101	－	－	－	－	－
理学療法士	435	27	12	11	3	－	409	408	－	1	－	－	－
常勤	377	26	12	11	3	－	351	350	－	1	－	－	－
非常勤	58	1	－	0	0	－	57	57	－	－	－	－	－
作業療法士	262	37	16	17	4	－	225	225	－	－	－	－	－
常勤	241	37	16	17	4	－	204	204	－	－	－	－	－
非常勤	21	－	－	－	－	－	21	21	－	－	－	－	－
その他の療法員	131	13	7	4	2	－	118	118	－	－	－	－	－
常勤	105	9	6	1	2	－	96	96	－	－	－	－	－
非常勤	26	3	1	3	－	－	22	22	－	－	－	－	－
心理・職能判定員	40	16	7	7	2	－	24	24	－	－	－	－	－
常勤	34	15	7	6	2	－	19	19	－	－	－	－	－
非常勤	7	1	－	1	－	－	6	6	－	－	－	－	－
医師	288	19	8	8	1	2	269	268	－	1	－	－	－
常勤	64	12	8	4	－	－	51	51	－	0	－	－	－
非常勤	225	7	0	4	1	2	218	217	－	1	－	－	－
保健師・助産師・看護師	4 633	174	48	85	22	19	4 459	4 450	－	9	－	－	－
常勤	4 025	164	48	80	20	16	3 861	3 853	－	8	－	－	－
非常勤	608	10	－	5	2	3	598	597	－	1	－	－	－
精神保健福祉士	45	4	4	－	－	－	41	41	－	－	－	－	－
常勤	34	4	4	－	－	－	30	30	－	－	－	－	－
非常勤	10	－	－	－	－	－	10	10	－	－	－	－	－
保育士	…	…	…	…	…	…	…	…	…	…	…	…	…
常勤	…	…	…	…	…	…	…	…	…	…	…	…	…
非常勤	…	…	…	…	…	…	…	…	…	…	…	…	…
児童生活支援員	…	…	…	…	…	…	…	…	…	…	…	…	…
常勤	…	…	…	…	…	…	…	…	…	…	…	…	…
非常勤	…	…	…	…	…	…	…	…	…	…	…	…	…
児童厚生員	…	…	…	…	…	…	…	…	…	…	…	…	…
常勤	…	…	…	…	…	…	…	…	…	…	…	…	…
非常勤	…	…	…	…	…	…	…	…	…	…	…	…	…
母子支援員	…	…	…	…	…	…	…	…	…	…	…	…	…
常勤	…	…	…	…	…	…	…	…	…	…	…	…	…
非常勤	…	…	…	…	…	…	…	…	…	…	…	…	…
介護職員	11 448	112	35	11	66	－	11 336	11 300	－	36	－	－	－
常勤	10 077	100	31	7	62	－	9 977	9 941	－	36	－	－	－
非常勤	1 371	12	4	4	4	－	1 359	1 359	－	－	－	－	－
栄養士	2 268	47	8	15	10	13	2 221	2 218	－	3	－	－	－
常勤	2 212	43	8	14	9	12	2 169	2 166	－	3	－	－	－
非常勤	56	3	－	2	1	1	53	53	－	－	－	－	－
調理員	4 608	142	20	60	29	34	4 466	4 457	－	9	－	－	－
常勤	3 724	93	16	33	20	24	3 631	3 622	－	9	－	－	－
非常勤	884	50	4	27	9	10	835	835	－	－	－	－	－
事務員	4 616	240	107	84	19	31	4 376	4 365	－	11	－	－	－
常勤	4 231	207	89	73	17	28	4 024	4 014	－	11	－	－	－
非常勤	385	33	18	11	2	3	351	351	－	－	－	－	－
児童発達支援管理責任者	…	…	…	…	…	…	…	…	…	…	…	…	…
常勤	…	…	…	…	…	…	…	…	…	…	…	…	…
非常勤	…	…	…	…	…	…	…	…	…	…	…	…	…
その他の職員	2 022	107	34	43	17	13	1 916	1 910	－	5	－	－	－
常勤	1 036	59	19	19	12	9	977	972	－	5	－	－	－
非常勤	986	47	14	24	5	4	939	939	－	－	－	－	－

第14表－1　社会福祉施設等（保育所等・小規模保育事業所を除く）の

（単位：人）

職種 常勤－非常勤	総数	障害者支援施設等 地域活動支援センター											
		公営					私営						
		総数	国・独立行政法人	都道府県	市区町村	一部事務組合・広域連合	総数	社会福祉法人	医療法人	公益法人及び日赤	営利法人（会社）	その他の法人	その他
総数	10 043	423	9	－	409	5	9 621	4 441	549	143	174	4 224	90
常勤	7 778	301	9	－	287	5	7 477	3 489	502	115	142	3 155	75
非常勤	2 266	122	0	－	122	－	2 144	952	47	28	32	1 069	15
施設長	1 685	35	0	－	35	－	1 650	538	87	21	28	953	23
常勤	1 606	33	0	－	33	－	1 572	523	86	21	28	894	21
非常勤	79	2	－	－	2	－	77	15	1	0	－	59	2
サービス管理責任者	337	11	1	－	11	－	326	123	7	1	11	180	5
常勤	325	11	1	－	11	－	313	123	7	1	11	168	5
非常勤	13	－	－	－	－	－	13	0	－	－	1	12	－
生活・児童指導員、生活相談員、生活支援員、児童自立支援専門員	3 898	198	8	－	187	3	3 700	1 939	169	62	55	1 449	25
常勤	2 877	137	8	－	126	3	2 740	1 502	150	46	42	980	20
非常勤	1 022	62	－	－	62	－	960	436	20	16	14	469	5
職業・作業指導員	1 420	55	－	－	55	－	1 366	486	13	4	23	818	22
常勤	1 008	39	－	－	39	－	969	366	12	2	18	555	16
非常勤	412	16	－	－	16	－	396	119	2	2	5	263	5
セラピスト	101	19	－	－	19	－	82	40	8	1	2	31	－
常勤	69	11	－	－	11	－	58	29	7	1	2	20	－
非常勤	32	8	－	－	8	－	24	11	1	－	－	11	－
理学療法士	30	7	－	－	7	－	23	19	0	－	－	4	－
常勤	23	5	－	－	5	－	18	16	－	－	－	3	－
非常勤	7	2	－	－	2	－	4	3	0	－	－	1	－
作業療法士	42	7	－	－	7	－	35	14	8	1	－	12	－
常勤	29	5	－	－	5	－	24	9	7	1	－	8	－
非常勤	13	3	－	－	3	－	11	5	1	－	－	4	－
その他の療法員	29	4	－	－	4	－	25	8	－	－	2	16	－
常勤	17	2	－	－	2	－	16	5	－	－	2	10	－
非常勤	12	3	－	－	3	－	9	3	－	－	－	6	－
心理・職能判定員	27	3	－	－	3	－	24	5	5	－	2	12	－
常勤	19	2	－	－	2	－	17	3	4	－	2	9	－
非常勤	8	1	－	－	1	－	7	2	1	－	0	3	－
医師	12	1	－	－	1	－	11	7	1	1	0	3	0
常勤	4	－	－	－	－	－	4	2	－	1	－	1	0
非常勤	9	1	－	－	1	－	7	5	1	－	0	2	－
保健師・助産師・看護師	236	24	0	－	24	－	212	151	16	3	5	36	1
常勤	154	16	－	－	16	－	138	92	13	3	4	25	1
非常勤	82	8	0	－	8	－	74	59	3	0	2	11	0
精神保健福祉士	832	4	－	－	3	1	828	347	190	32	4	248	8
常勤	755	4	－	－	3	1	751	311	181	30	4	216	8
非常勤	78	0	－	－	0	－	78	36	9	2	－	31	0
保育士	…	…	…	…	…	…	…	…	…	…	…	…	…
常勤	…	…	…	…	…	…	…	…	…	…	…	…	…
非常勤	…	…	…	…	…	…	…	…	…	…	…	…	…
児童生活支援員	…	…	…	…	…	…	…	…	…	…	…	…	…
常勤	…	…	…	…	…	…	…	…	…	…	…	…	…
非常勤	…	…	…	…	…	…	…	…	…	…	…	…	…
児童厚生員	…	…	…	…	…	…	…	…	…	…	…	…	…
常勤	…	…	…	…	…	…	…	…	…	…	…	…	…
非常勤	…	…	…	…	…	…	…	…	…	…	…	…	…
母子支援員	…	…	…	…	…	…	…	…	…	…	…	…	…
常勤	…	…	…	…	…	…	…	…	…	…	…	…	…
非常勤	…	…	…	…	…	…	…	…	…	…	…	…	…
介護職員	535	33	－	－	33	－	503	341	15	6	25	113	3
常勤	345	20	－	－	20	－	325	221	15	4	20	64	2
非常勤	190	13	－	－	13	－	178	120	－	3	6	48	1
栄養士	31	0	－	－	0	－	31	19	3	－	－	9	－
常勤	23	0	－	－	0	－	23	14	3	－	－	7	－
非常勤	8	0	－	－	0	－	8	6	－	－	－	2	－
調理員	115	1	－	－	1	－	115	56	0	－	7	51	1
常勤	53	－	－	－	－	－	53	23	－	－	6	24	1
非常勤	63	1	－	－	1	－	62	33	0	－	1	28	－
事務員	288	24	－	－	23	1	264	104	7	4	5	144	1
常勤	188	19	－	－	18	1	168	77	4	2	4	81	0
非常勤	100	5	－	－	5	－	96	27	3	2	0	64	1
児童発達支援管理責任者	…	…	…	…	…	…	…	…	…	…	…	…	…
常勤	…	…	…	…	…	…	…	…	…	…	…	…	…
非常勤	…	…	…	…	…	…	…	…	…	…	…	…	…
その他の職員	525	14	－	－	14	－	511	285	29	9	7	177	3
常勤	354	8	－	－	8	－	346	202	22	5	4	112	3
非常勤	171	6	－	－	6	－	165	84	7	4	3	65	2

常勤換算従事者数， 職種・常勤－非常勤、施設の種類・経営主体別

平成29年10月 1 日

職種／常勤－非常勤	総数	公営 総数	国・独立行政法人	都道府県	市区町村	一部事務組合・広域連合	私営 総数	社会福祉法人	医療法人	公益法人及び日赤	営利法人（会社）	その他の法人	その他
総数	262	0	-	-	-	0	-	262	208	29	-	11	10	3
常勤	202	-	-	-	-	-	-	202	162	22	-	7	9	3
非常勤	60	0	-	-	-	0	-	59	46	7	-	4	2	-
施設長	77	0	-	-	-	0	-	77	51	18	-	2	6	1
常勤	74	-	-	-	-	-	-	74	50	16	-	2	6	1
非常勤	3	0	-	-	-	0	-	3	1	2	-	-	-	-
サービス管理責任者	5	-	-	-	-	-	-	5	5	-	-	-	-	-
常勤	5	-	-	-	-	-	-	5	5	-	-	-	-	-
非常勤	-	-	-	-	-	-	-	-	-	-	-	-	-	-
生活・児童指導員、生活相談員、生活支援員、児童自立支援専門員	68	-	-	-	-	-	-	68	55	4	-	6	2	-
常勤	52	-	-	-	-	-	-	52	46	2	-	3	2	0
非常勤	16	-	-	-	-	-	-	16	10	3	-	3	0	-
職業・作業指導員	1	-	-	-	-	-	-	1	-	1	-	-	-	-
常勤	-	-	-	-	-	-	-	-	-	-	-	-	-	-
非常勤	1	-	-	-	-	-	-	1	-	1	-	-	-	-
セラピスト	-	-	-	-	-	-	-	-	-	-	-	-	-	-
常勤	-	-	-	-	-	-	-	-	-	-	-	-	-	-
非常勤	-	-	-	-	-	-	-	-	-	-	-	-	-	-
理学療法士	-	-	-	-	-	-	-	-	-	-	-	-	-	-
常勤	-	-	-	-	-	-	-	-	-	-	-	-	-	-
非常勤	-	-	-	-	-	-	-	-	-	-	-	-	-	-
作業療法士	-	-	-	-	-	-	-	-	-	-	-	-	-	-
常勤	-	-	-	-	-	-	-	-	-	-	-	-	-	-
非常勤	-	-	-	-	-	-	-	-	-	-	-	-	-	-
その他の療法員	-	-	-	-	-	-	-	-	-	-	-	-	-	-
常勤	-	-	-	-	-	-	-	-	-	-	-	-	-	-
非常勤	-	-	-	-	-	-	-	-	-	-	-	-	-	-
心理・職能判定員	-	-	-	-	-	-	-	-	-	-	-	-	-	-
常勤	-	-	-	-	-	-	-	-	-	-	-	-	-	-
非常勤	-	-	-	-	-	-	-	-	-	-	-	-	-	-
医師	1	-	-	-	-	-	-	1	0	1	-	-	-	-
常勤	0	-	-	-	-	-	-	0	-	0	-	-	-	-
非常勤	1	-	-	-	-	-	-	1	0	0	-	-	-	-
保健師・助産師・看護師	2	-	-	-	-	-	-	2	1	1	-	-	-	-
常勤	2	-	-	-	-	-	-	2	1	1	-	-	-	-
非常勤	-	-	-	-	-	-	-	-	-	-	-	-	-	-
精神保健福祉士	2	-	-	-	-	-	-	2	-	2	-	-	-	-
常勤	2	-	-	-	-	-	-	2	-	2	-	-	-	-
非常勤	1	-	-	-	-	-	-	1	-	1	-	-	-	-
保育士	...	...	...	...	...	...	...	...	...	...	...	...	...	...
常勤	...	...	...	...	...	...	...	...	...	...	...	...	...	...
非常勤	...	...	...	...	...	...	...	...	...	...	...	...	...	...
児童生活支援員	...	...	...	...	...	...	...	...	...	...	...	...	...	...
常勤	...	...	...	...	...	...	...	...	...	...	...	...	...	...
非常勤	...	...	...	...	...	...	...	...	...	...	...	...	...	...
児童厚生員	...	...	...	...	...	...	...	...	...	...	...	...	...	...
常勤	...	...	...	...	...	...	...	...	...	...	...	...	...	...
非常勤	...	...	...	...	...	...	...	...	...	...	...	...	...	...
母子支援員	...	...	...	...	...	...	...	...	...	...	...	...	...	...
常勤	...	...	...	...	...	...	...	...	...	...	...	...	...	...
非常勤	...	...	...	...	...	...	...	...	...	...	...	...	...	...
介護職員	36	-	-	-	-	-	-	36	31	2	-	3	-	-
常勤	27	-	-	-	-	-	-	27	23	2	-	2	-	-
非常勤	9	-	-	-	-	-	-	9	8	0	-	1	-	-
栄養士	2	-	-	-	-	-	-	2	2	-	-	-	0	-
常勤	2	-	-	-	-	-	-	2	2	-	-	-	-	-
非常勤	1	-	-	-	-	-	-	1	0	-	-	-	0	-
調理員	12	-	-	-	-	-	-	12	9	-	-	-	1	2
常勤	5	-	-	-	-	-	-	5	3	-	-	-	-	2
非常勤	7	-	-	-	-	-	-	7	6	-	-	-	1	-
事務員	7	-	-	-	-	-	-	7	6	-	-	1	-	-
常勤	5	-	-	-	-	-	-	5	5	-	-	-	-	-
非常勤	2	-	-	-	-	-	-	2	1	-	-	1	-	-
児童発達支援管理責任者	...	...	...	...	...	...	...	...	...	...	...	...	...	...
常勤	...	...	...	...	...	...	...	...	...	...	...	...	...	...
非常勤	...	...	...	...	...	...	...	...	...	...	...	...	...	...
その他の職員	50	-	-	-	-	-	-	50	48	1	-	-	1	-
常勤	30	-	-	-	-	-	-	30	29	-	-	-	1	-
非常勤	20	-	-	-	-	-	-	20	19	1	-	-	0	-

第14表－1　社会福祉施設等（保育所等・小規模保育事業所を除く）の

（単位：人）

職種　常勤－非常勤	総数	身体障害者社会参加支援施設 総数 公営 総数	国・独立行政法人	都道府県	市区町村	一部事務組合・広域連合	私 総数	社会福祉法人	医療法人	営 公益法人及び日赤	営利法人（会社）	その他の法人	その他
総数	2 796	286	-	67	219	-	2 510	1 807	-	519	7	140	37
常勤	2 287	200	-	51	149	-	2 088	1 489	-	446	5	119	29
非常勤	509	87	-	16	70	-	423	319	-	74	2	21	8
施設長	216	20	-	3	17	-	196	142	-	30	1	20	2
常勤	210	20	-	3	17	-	190	139	-	29	1	19	2
非常勤	7	1	-	-	1	-	6	3	-	1	-	2	0
サービス管理責任者	...	...	...	...	...	...	...	...	...	...	...	...	...
常勤	...	...	...	...	...	...	...	...	...	...	...	...	...
非常勤	...	...	...	...	...	...	...	...	...	...	...	...	...
生活・児童指導員、生活相談員、生活支援員、児童自立支援専門員	270	56	-	20	36	-	214	159	-	40	-	14	1
常勤	233	37	-	14	23	-	196	146	-	37	-	14	-
非常勤	37	19	-	6	14	-	18	13	-	4	-	0	1
職業・作業指導員	111	6	-	6	-	-	105	75	-	26	-	4	-
常勤	90	2	-	2	-	-	88	59	-	25	-	4	-
非常勤	20	4	-	4	-	-	17	15	-	1	-	0	-
セラピスト	74	22	-	9	13	-	52	41	-	10	-	1	-
常勤	65	19	-	9	11	-	46	37	-	9	-	0	-
非常勤	9	3	-	1	2	-	7	5	-	1	-	0	-
理学療法士	25	8	-	3	5	-	17	14	-	3	-	0	-
常勤	22	8	-	3	5	-	15	13	-	2	-	-	-
非常勤	3	1	-	1	-	-	3	1	-	1	-	0	-
作業療法士	23	9	-	6	4	-	14	14	-	-	-	0	-
常勤	21	9	-	6	3	-	13	13	-	-	-	-	-
非常勤	2	0	-	-	0	-	2	1	-	-	-	0	-
その他の療法員	26	5	-	1	4	-	21	14	-	7	-	0	-
常勤	22	3	-	1	3	-	19	12	-	7	-	0	-
非常勤	4	2	-	-	2	-	2	2	-	-	-	-	-
心理・職能判定員	...	...	...	...	...	...	...	...	...	...	...	...	...
常勤	...	...	...	...	...	...	...	...	...	...	...	...	...
非常勤	...	...	...	...	...	...	...	...	...	...	...	...	...
医師	6	0	-	0	0	-	6	3	-	2	-	0	0
常勤	3	0	-	0	-	-	3	2	-	1	-	-	-
非常勤	4	0	-	-	0	-	4	2	-	1	-	0	0
保健師・助産師・看護師	78	27	-	4	23	-	51	41	-	7	-	2	1
常勤	54	19	-	4	15	-	35	29	-	5	-	1	-
非常勤	24	8	-	-	8	-	16	12	-	2	-	1	1
精神保健福祉士	2	-	-	-	-	-	2	2	-	-	-	-	-
常勤	2	-	-	-	-	-	2	2	-	-	-	-	-
非常勤	-	-	-	-	-	-	-	-	-	-	-	-	-
保育士	...	...	...	...	...	...	...	...	...	...	...	...	...
常勤	...	...	...	...	...	...	...	...	...	...	...	...	...
非常勤	...	...	...	...	...	...	...	...	...	...	...	...	...
児童生活支援員	...	...	...	...	...	...	...	...	...	...	...	...	...
常勤	...	...	...	...	...	...	...	...	...	...	...	...	...
非常勤	...	...	...	...	...	...	...	...	...	...	...	...	...
児童厚生員	...	...	...	...	...	...	...	...	...	...	...	...	...
常勤	...	...	...	...	...	...	...	...	...	...	...	...	...
非常勤	...	...	...	...	...	...	...	...	...	...	...	...	...
母子支援員	...	...	...	...	...	...	...	...	...	...	...	...	...
常勤	...	...	...	...	...	...	...	...	...	...	...	...	...
非常勤	...	...	...	...	...	...	...	...	...	...	...	...	...
介護職員	96	21	-	-	21	-	75	71	-	2	-	3	-
常勤	60	10	-	-	10	-	50	49	-	1	-	-	-
非常勤	36	11	-	-	11	-	25	21	-	1	-	3	-
栄養士	6	3	-	2	1	-	3	2	-	0	-	-	-
常勤	4	2	-	1	1	-	2	2	-	-	-	-	-
非常勤	2	1	-	1	-	-	1	1	-	0	-	-	-
調理員	16	-	-	-	-	-	16	12	-	1	3	-	-
常勤	10	-	-	-	-	-	10	8	-	-	2	-	-
非常勤	6	-	-	-	-	-	6	4	-	1	1	-	-
事務員	587	76	-	5	71	-	510	345	-	115	1	43	7
常勤	496	53	-	5	48	-	444	296	-	101	1	39	7
非常勤	90	24	-	1	23	-	67	49	-	13	-	4	0
児童発達支援管理責任者	...	...	...	...	...	...	...	...	...	...	...	...	...
常勤	...	...	...	...	...	...	...	...	...	...	...	...	...
非常勤	...	...	...	...	...	...	...	...	...	...	...	...	...
その他の職員	1 336	54	-	19	35	-	1 282	913	-	287	2	54	26
常勤	1 061	37	-	14	24	-	1 023	721	-	238	2	43	20
非常勤	275	17	-	5	12	-	258	193	-	49	1	11	6

常勤換算従事者数，職種・常勤－非常勤、施設の種類・経営主体別

平成29年10月1日

表頭：身体障害者社会参加支援施設 ＞ 身体障害者福祉センター（A型）（公営／私営）

職種　常勤－非常勤	総数	公営 総数	国・独立行政法人	都道府県	市区町村	一部事務組合・広域連合	私営 総数	社会福祉法人	医療法人	公益法人及び日赤	営利法人（会社）	その他の法人	その他
総数	613	41	－	13	28	－	572	400	－	136	－	9	28
常勤	490	27	－	8	19	－	463	325	－	107	－	8	23
非常勤	123	14	－	5	9	－	109	75	－	28	－	1	5
施設長	30	4	－	2	3	－	26	18	－	5	－	1	1
常勤	30	4	－	2	3	－	26	18	－	5	－	1	1
非常勤	0	－	－	－	－	－	0	0	－	－	－	－	－
サービス管理責任者	…	…	…	…	…	…	…	…	…	…	…	…	…
常勤	…	…	…	…	…	…	…	…	…	…	…	…	…
非常勤	…	…	…	…	…	…	…	…	…	…	…	…	…
生活・児童指導員、生活相談員、生活支援員、児童自立支援専門員	48	1	－	－	1	－	47	47	－	0	－	－	－
常勤	47	－	－	－	－	－	47	47	－	0	－	－	－
非常勤	1	1	－	－	1	－	0	－	－	0	－	－	－
職業・作業指導員	25	－	－	－	－	－	25	25	－	－	－	－	－
常勤	19	－	－	－	－	－	19	19	－	－	－	－	－
非常勤	6	－	－	－	－	－	6	6	－	－	－	－	－
セラピスト	24	7	－	2	5	－	17	17	－	0	－	－	－
常勤	22	7	－	2	5	－	15	15	－	0	－	－	－
非常勤	3	1	－	1	－	－	2	2	－	0	－	－	－
理学療法士	9	3	－	1	2	－	6	6	－	0	－	－	－
常勤	8	3	－	1	2	－	5	5	－	－	－	－	－
非常勤	1	1	－	1	－	－	1	1	－	0	－	－	－
作業療法士	10	3	－	1	2	－	8	8	－	－	－	－	－
常勤	10	3	－	1	2	－	7	7	－	－	－	－	－
非常勤	1	－	－	－	－	－	1	1	－	－	－	－	－
その他の療法員	5	2	－	1	1	－	3	3	－	－	－	－	－
常勤	5	2	－	1	1	－	3	3	－	－	－	－	－
非常勤	0	－	－	－	－	－	0	0	－	－	－	－	－
心理・職能判定員	…	…	…	…	…	…	…	…	…	…	…	…	…
常勤	…	…	…	…	…	…	…	…	…	…	…	…	…
非常勤	…	…	…	…	…	…	…	…	…	…	…	…	…
医師	3	0	－	－	0	－	3	2	－	0	－	－	0
常勤	2	0	－	－	－	－	2	2	－	0	－	－	0
非常勤	1	0	－	－	0	－	1	1	－	0	－	－	0
保健師・助産師・看護師	22	1	－	－	1	－	21	14	－	6	－	－	1
常勤	17	1	－	－	1	－	16	12	－	4	－	－	1
非常勤	5	－	－	－	－	－	5	2	－	2	－	－	1
精神保健福祉士	1	－	－	－	－	－	1	1	－	－	－	－	－
常勤	1	－	－	－	－	－	1	1	－	－	－	－	－
非常勤	－	－	－	－	－	－	－	－	－	－	－	－	－
保育士	…	…	…	…	…	…	…	…	…	…	…	…	…
常勤	…	…	…	…	…	…	…	…	…	…	…	…	…
非常勤	…	…	…	…	…	…	…	…	…	…	…	…	…
児童生活支援員	…	…	…	…	…	…	…	…	…	…	…	…	…
常勤	…	…	…	…	…	…	…	…	…	…	…	…	…
非常勤	…	…	…	…	…	…	…	…	…	…	…	…	…
児童厚生員	…	…	…	…	…	…	…	…	…	…	…	…	…
常勤	…	…	…	…	…	…	…	…	…	…	…	…	…
非常勤	…	…	…	…	…	…	…	…	…	…	…	…	…
母子支援員	…	…	…	…	…	…	…	…	…	…	…	…	…
常勤	…	…	…	…	…	…	…	…	…	…	…	…	…
非常勤	…	…	…	…	…	…	…	…	…	…	…	…	…
介護職員	5	－	－	－	－	－	5	5	－	－	－	－	－
常勤	5	－	－	－	－	－	5	5	－	－	－	－	－
非常勤	－	－	－	－	－	－	－	－	－	－	－	－	－
栄養士	2	－	－	－	－	－	2	1	－	0	－	－	－
常勤	1	－	－	－	－	－	1	1	－	0	－	－	－
非常勤	1	－	－	－	－	－	1	1	－	0	－	－	－
調理員	－	－	－	－	－	－	－	－	－	－	－	－	－
常勤	－	－	－	－	－	－	－	－	－	－	－	－	－
非常勤	－	－	－	－	－	－	－	－	－	－	－	－	－
事務員	139	14	－	3	11	－	126	74	－	40	－	7	5
常勤	121	11	－	3	8	－	111	64	－	35	－	7	5
非常勤	18	3	－	－	3	－	15	10	－	5	－	－	－
児童発達支援管理責任者	…	…	…	…	…	…	…	…	…	…	…	…	…
常勤	…	…	…	…	…	…	…	…	…	…	…	…	…
非常勤	…	…	…	…	…	…	…	…	…	…	…	…	…
その他の職員	315	14	－	7	7	－	301	195	－	84	－	1	22
常勤	227	5	－	3	3	－	222	142	－	63	－	－	17
非常勤	88	9	－	4	5	－	80	54	－	21	－	1	5

第14表－1　社会福祉施設等（保育所等・小規模保育事業所を除く）の

（単位：人）

職　種／常勤－非常勤	総数	身体障害者福祉センター（B型）公営 総数	国・独立行政法人	都道府県	市区町村	一部事務組合・広域連合	私営 総数	社会福祉法人	医療法人	公益法人及び日赤	営利法人（会社）	その他の法人	その他
総　数	618	146	－	0	146	－	472	408	－	36	－	25	4
常　勤	465	89	－	0	89	－	376	323	－	32	－	19	1
非常勤	154	57	－	－	57	－	97	85	－	3	－	6	3
施　設　長	58	10	－	－	10	－	48	40	－	4	－	4	0
常　勤	56	10	－	－	10	－	47	39	－	4	－	4	－
非常勤	2	1	－	－	1	－	2	1	－	－	－	－	0
サービス管理責任者	…	…	…	…	…	…	…	…	…	…	…	…	…
常　勤	…	…	…	…	…	…	…	…	…	…	…	…	…
非常勤	…	…	…	…	…	…	…	…	…	…	…	…	…
生活・児童指導員、生活相談員、生活支援員、児童自立支援専門員	118	28	－	－	28	－	91	82	－	1	－	8	1
常　勤	96	16	－	－	16	－	80	72	－	1	－	8	－
非常勤	22	12	－	－	12	－	10	10	－	－	－	－	1
職業・作業指導員	16	－	－	－	－	－	16	14	－	2	－	0	－
常　勤	15	－	－	－	－	－	15	13	－	2	－	0	－
非常勤	1	－	－	－	－	－	1	1	－	－	－	0	－
セラピスト	24	8	－	－	8	－	16	15	－	0	－	0	－
常　勤	18	6	－	－	6	－	12	12	－	－	－	0	－
非常勤	6	2	－	－	2	－	4	3	－	0	－	0	－
理学療法士	10	3	－	－	3	－	7	6	－	0	－	0	－
常　勤	9	3	－	－	3	－	6	6	－	－	－	0	－
非常勤	1	－	－	－	－	－	1	1	－	0	－	0	－
作業療法士	7	2	－	－	2	－	5	5	－	－	－	0	－
常　勤	5	1	－	－	1	－	4	4	－	－	－	－	－
非常勤	1	0	－	－	0	－	1	1	－	－	－	0	－
その他の療法員	8	3	－	－	3	－	4	4	－	－	－	0	－
常　勤	4	2	－	－	2	－	3	3	－	－	－	－	－
非常勤	4	2	－	－	2	－	2	2	－	－	－	0	－
心理・職能判定員	…	…	…	…	…	…	…	…	…	…	…	…	…
常　勤	…	…	…	…	…	…	…	…	…	…	…	…	…
非常勤	…	…	…	…	…	…	…	…	…	…	…	…	…
医　師	1	－	－	－	－	－	1	1	－	－	－	0	－
常　勤	－	－	－	－	－	－	－	－	－	－	－	－	－
非常勤	1	－	－	－	－	－	1	1	－	－	－	0	－
保健師・助産師・看護師	51	22	－	－	22	－	29	27	－	0	－	2	－
常　勤	32	14	－	－	14	－	18	17	－	－	－	1	－
非常勤	19	8	－	－	8	－	11	10	－	0	－	1	－
精神保健福祉士	1	－	－	－	－	－	1	1	－	－	－	－	－
常　勤	1	－	－	－	－	－	1	1	－	－	－	－	－
非常勤	－	－	－	－	－	－	－	－	－	－	－	－	－
保　育　士	…	…	…	…	…	…	…	…	…	…	…	…	…
常　勤	…	…	…	…	…	…	…	…	…	…	…	…	…
非常勤	…	…	…	…	…	…	…	…	…	…	…	…	…
児童生活支援員	…	…	…	…	…	…	…	…	…	…	…	…	…
常　勤	…	…	…	…	…	…	…	…	…	…	…	…	…
非常勤	…	…	…	…	…	…	…	…	…	…	…	…	…
児童厚生員	…	…	…	…	…	…	…	…	…	…	…	…	…
常　勤	…	…	…	…	…	…	…	…	…	…	…	…	…
非常勤	…	…	…	…	…	…	…	…	…	…	…	…	…
母子支援員	…	…	…	…	…	…	…	…	…	…	…	…	…
常　勤	…	…	…	…	…	…	…	…	…	…	…	…	…
非常勤	…	…	…	…	…	…	…	…	…	…	…	…	…
介護職員	89	21	－	－	21	－	68	65	－	－	－	3	－
常　勤	53	10	－	－	10	－	43	43	－	－	－	－	－
非常勤	35	11	－	－	11	－	24	21	－	－	－	3	－
栄養士	2	1	－	－	1	－	1	1	－	－	－	－	－
常　勤	2	1	－	－	1	－	1	1	－	－	－	－	－
非常勤	－	－	－	－	－	－	－	－	－	－	－	－	－
調理員	5	－	－	－	－	－	5	5	－	－	－	－	－
常　勤	1	－	－	－	－	－	1	1	－	－	－	－	－
非常勤	4	－	－	－	－	－	4	4	－	－	－	－	－
事　務　員	148	44	－	－	44	－	104	85	－	15	－	2	1
常　勤	114	27	－	－	27	－	88	72	－	14	－	1	1
非常勤	34	18	－	－	18	－	17	14	－	2	－	1	0
児童発達支援管理責任者	…	…	…	…	…	…	…	…	…	…	…	…	…
常　勤	…	…	…	…	…	…	…	…	…	…	…	…	…
非常勤	…	…	…	…	…	…	…	…	…	…	…	…	…
その他の職員	105	11	－	0	11	－	94	73	－	13	－	7	1
常　勤	76	6	－	0	6	－	71	53	－	12	－	6	1
非常勤	29	6	－	－	6	－	23	20	－	1	－	1	1

常勤換算従事者数, 職種・常勤－非常勤、施設の種類・経営主体別

身体障害者社会参加支援施設／障害者更生センター

職種／常勤－非常勤	総数	公営 総数	国・独立行政法人	都道府県	市区町村	一部事務組合・広域連合	私営 総数	社会福祉法人	医療法人	公益法人及び日赤	営利法人（会社）	その他の法人	その他
総数	74	–	–	–	–	–	74	67	–	–	7	–	–
常勤	61	–	–	–	–	–	61	55	–	–	5	–	–
非常勤	14	–	–	–	–	–	14	12	–	–	2	–	–
施設長	5	–	–	–	–	–	5	4	–	–	1	–	–
常勤	5	–	–	–	–	–	5	4	–	–	1	–	–
非常勤	–	–	–	–	–	–	–	–	–	–	–	–	–
サービス管理責任者	...	...	...	...	...	...	...	...	...	...	...	...	...
常勤	...	...	...	...	...	...	...	...	...	...	...	...	...
非常勤	...	...	...	...	...	...	...	...	...	...	...	...	...
生活・児童指導員、生活相談員、生活支援員、児童自立支援専門員	–	–	–	–	–	–	–	–	–	–	–	–	–
常勤	–	–	–	–	–	–	–	–	–	–	–	–	–
非常勤	–	–	–	–	–	–	–	–	–	–	–	–	–
職業・作業指導員	–	–	–	–	–	–	–	–	–	–	–	–	–
常勤	–	–	–	–	–	–	–	–	–	–	–	–	–
非常勤	–	–	–	–	–	–	–	–	–	–	–	–	–
セラピスト	–	–	–	–	–	–	–	–	–	–	–	–	–
常勤	–	–	–	–	–	–	–	–	–	–	–	–	–
非常勤	–	–	–	–	–	–	–	–	–	–	–	–	–
理学療法士	–	–	–	–	–	–	–	–	–	–	–	–	–
常勤	–	–	–	–	–	–	–	–	–	–	–	–	–
非常勤	–	–	–	–	–	–	–	–	–	–	–	–	–
作業療法士	–	–	–	–	–	–	–	–	–	–	–	–	–
常勤	–	–	–	–	–	–	–	–	–	–	–	–	–
非常勤	–	–	–	–	–	–	–	–	–	–	–	–	–
その他の療法員	–	–	–	–	–	–	–	–	–	–	–	–	–
常勤	–	–	–	–	–	–	–	–	–	–	–	–	–
非常勤	–	–	–	–	–	–	–	–	–	–	–	–	–
心理・職能判定員	...	...	...	...	...	...	...	...	...	...	...	...	...
常勤	...	...	...	...	...	...	...	...	...	...	...	...	...
非常勤	...	...	...	...	...	...	...	...	...	...	...	...	...
医師	–	–	–	–	–	–	–	–	–	–	–	–	–
常勤	–	–	–	–	–	–	–	–	–	–	–	–	–
非常勤	–	–	–	–	–	–	–	–	–	–	–	–	–
保健師・助産師・看護師	–	–	–	–	–	–	–	–	–	–	–	–	–
常勤	–	–	–	–	–	–	–	–	–	–	–	–	–
非常勤	–	–	–	–	–	–	–	–	–	–	–	–	–
精神保健福祉士	–	–	–	–	–	–	–	–	–	–	–	–	–
常勤	–	–	–	–	–	–	–	–	–	–	–	–	–
非常勤	–	–	–	–	–	–	–	–	–	–	–	–	–
保育士	...	...	...	...	...	...	...	...	...	...	...	...	...
常勤	...	...	...	...	...	...	...	...	...	...	...	...	...
非常勤	...	...	...	...	...	...	...	...	...	...	...	...	...
児童生活支援員	...	...	...	...	...	...	...	...	...	...	...	...	...
常勤	...	...	...	...	...	...	...	...	...	...	...	...	...
非常勤	...	...	...	...	...	...	...	...	...	...	...	...	...
児童厚生員	...	...	...	...	...	...	...	...	...	...	...	...	...
常勤	...	...	...	...	...	...	...	...	...	...	...	...	...
非常勤	...	...	...	...	...	...	...	...	...	...	...	...	...
母子支援員	...	...	...	...	...	...	...	...	...	...	...	...	...
常勤	...	...	...	...	...	...	...	...	...	...	...	...	...
非常勤	...	...	...	...	...	...	...	...	...	...	...	...	...
介護職員	–	–	–	–	–	–	–	–	–	–	–	–	–
常勤	–	–	–	–	–	–	–	–	–	–	–	–	–
非常勤	–	–	–	–	–	–	–	–	–	–	–	–	–
栄養士	–	–	–	–	–	–	–	–	–	–	–	–	–
常勤	–	–	–	–	–	–	–	–	–	–	–	–	–
非常勤	–	–	–	–	–	–	–	–	–	–	–	–	–
調理員	11	–	–	–	–	–	11	8	–	–	3	–	–
常勤	9	–	–	–	–	–	9	7	–	–	2	–	–
非常勤	2	–	–	–	–	–	2	1	–	–	1	–	–
事務員	15	–	–	–	–	–	15	14	–	–	1	–	–
常勤	14	–	–	–	–	–	14	14	–	–	1	–	–
非常勤	1	–	–	–	–	–	1	1	–	–	–	–	–
児童発達支援管理責任者	...	...	...	...	...	...	...	...	...	...	...	...	...
常勤	...	...	...	...	...	...	...	...	...	...	...	...	...
非常勤	...	...	...	...	...	...	...	...	...	...	...	...	...
その他の職員	44	–	–	–	–	–	44	42	–	–	2	–	–
常勤	33	–	–	–	–	–	33	31	–	–	2	–	–
非常勤	12	–	–	–	–	–	12	11	–	–	1	–	–

第14表－1　社会福祉施設等（保育所等・小規模保育事業所を除く）の

（単位：人）

職　種 常勤－非常勤	総　数	身　体　障　害　者　社　会　参　加　支　援　施　設											
		補　装　具　製　作　施　設											
		公　営					私　営						
		総　数	国・独立 行政法人	都道府県	市区町村	一部事務 組合・ 広域連合	総　数	社会福祉 法　人	医療法人	公益法人 及び日赤	営利法人 （会社）	その他の 法　人	その他
総　　　　　数	190	45	－	45	－	－	145	73	－	63	－	9	－
常　　　　勤	170	35	－	35	－	－	136	66	－	61	－	9	－
非　常　勤	20	10	－	10	－	－	10	8	－	2	－	－	－
施　設　長	7	0	－	0	－	－	7	4	－	3	－	1	－
常　　　　勤	7	0	－	0	－	－	7	4	－	3	－	1	－
非　常　勤	－	－	－	－	－	－	－	－	－	－	－	－	－
サービス管理責任者	…	…	…	…	…	…	…	…	…	…	…	…	…
常　　　　勤	…	…	…	…	…	…	…	…	…	…	…	…	…
非　常　勤	…	…	…	…	…	…	…	…	…	…	…	…	…
生活・児童指導員、生活相談員、 生活支援員、児童自立支援専門員	21	20	－	20	－	－	1	－	－	1	－	－	－
常　　　　勤	15	14	－	14	－	－	1	－	－	1	－	－	－
非　常　勤	6	6	－	6	－	－	－	－	－	－	－	－	－
職業・作業指導員	6	6	－	6	－	－	－	－	－	－	－	－	－
常　　　　勤	2	2	－	2	－	－	－	－	－	－	－	－	－
非　常　勤	4	4	－	4	－	－	－	－	－	－	－	－	－
セ ラ ピ ス ト	14	7	－	7	－	－	7	5	－	3	－	－	－
常　　　　勤	14	7	－	7	－	－	7	5	－	2	－	－	－
非　常　勤	1	－	－	－	－	－	1	－	－	1	－	－	－
理 学 療 法 士	7	2	－	2	－	－	5	2	－	3	－	－	－
常　　　　勤	6	2	－	2	－	－	4	2	－	2	－	－	－
非　常　勤	1	－	－	－	－	－	1	－	－	1	－	－	－
作 業 療 法 士	7	5	－	5	－	－	2	2	－	－	－	－	－
常　　　　勤	7	5	－	5	－	－	2	2	－	－	－	－	－
非　常　勤	－	－	－	－	－	－	－	－	－	－	－	－	－
その他の療法員	1	－	－	－	－	－	1	1	－	－	－	－	－
常　　　　勤	1	－	－	－	－	－	1	1	－	－	－	－	－
非　常　勤	－	－	－	－	－	－	－	－	－	－	－	－	－
心理・職能判定員	…	…	…	…	…	…	…	…	…	…	…	…	…
常　　　　勤	…	…	…	…	…	…	…	…	…	…	…	…	…
非　常　勤	…	…	…	…	…	…	…	…	…	…	…	…	…
医　　　　師	2	0	－	0	－	－	2	－	－	2	－	－	－
常　　　　勤	1	0	－	0	－	－	1	－	－	1	－	－	－
非　常　勤	1	－	－	－	－	－	1	－	－	1	－	－	－
保健師・助産師・看護師	5	4	－	4	－	－	1	－	－	1	－	－	－
常　　　　勤	5	4	－	4	－	－	1	－	－	1	－	－	－
非　常　勤	0	－	－	－	－	－	0	－	－	0	－	－	－
精 神 保 健 福 祉 士	－	－	－	－	－	－	－	－	－	－	－	－	－
常　　　　勤	－	－	－	－	－	－	－	－	－	－	－	－	－
非　常　勤	－	－	－	－	－	－	－	－	－	－	－	－	－
保　育　士	…	…	…	…	…	…	…	…	…	…	…	…	…
常　　　　勤	…	…	…	…	…	…	…	…	…	…	…	…	…
非　常　勤	…	…	…	…	…	…	…	…	…	…	…	…	…
児 童 生 活 支 援 員	…	…	…	…	…	…	…	…	…	…	…	…	…
常　　　　勤	…	…	…	…	…	…	…	…	…	…	…	…	…
非　常　勤	…	…	…	…	…	…	…	…	…	…	…	…	…
児 童 厚 生 員	…	…	…	…	…	…	…	…	…	…	…	…	…
常　　　　勤	…	…	…	…	…	…	…	…	…	…	…	…	…
非　常　勤	…	…	…	…	…	…	…	…	…	…	…	…	…
母 子 支 援 員	…	…	…	…	…	…	…	…	…	…	…	…	…
常　　　　勤	…	…	…	…	…	…	…	…	…	…	…	…	…
非　常　勤	…	…	…	…	…	…	…	…	…	…	…	…	…
介 護 職 員	1	－	－	－	－	－	1	1	－	－	－	－	－
常　　　　勤	1	－	－	－	－	－	1	1	－	－	－	－	－
非　常　勤	－	－	－	－	－	－	－	－	－	－	－	－	－
栄　養　士	2	2	－	2	－	－	－	－	－	－	－	－	－
常　　　　勤	1	1	－	1	－	－	－	－	－	－	－	－	－
非　常　勤	1	1	－	1	－	－	－	－	－	－	－	－	－
調　理　員	－	－	－	－	－	－	－	－	－	－	－	－	－
常　　　　勤	－	－	－	－	－	－	－	－	－	－	－	－	－
非　常　勤	－	－	－	－	－	－	－	－	－	－	－	－	－
事　務　員	33	－	－	－	－	－	33	18	－	14	－	1	－
常　　　　勤	29	－	－	－	－	－	29	14	－	14	－	1	－
非　常　勤	5	－	－	－	－	－	5	4	－	0	－	－	－
児童発達支援管理責任者	…	…	…	…	…	…	…	…	…	…	…	…	…
常　　　　勤	…	…	…	…	…	…	…	…	…	…	…	…	…
非　常　勤	…	…	…	…	…	…	…	…	…	…	…	…	…
その他の職員	99	6	－	6	－	－	93	46	－	40	－	8	－
常　　　　勤	96	6	－	6	－	－	90	43	－	39	－	8	－
非　常　勤	4	－	－	－	－	－	4	3	－	1	－	－	－

常勤換算従事者数，職種・常勤－非常勤、施設の種類・経営主体別

職　種　　常勤－非常勤	総　数	身　体　障　害　者　社　会　参　加　支　援　施　設											
		盲　導　犬　訓　練　施　設											
		総　数	公　　　　営				私　　　　営						
			国・独立行政法人	都道府県	市区町村	一部事務組合・広域連合	総　数	社会福祉法人	医療法人	公益法人及び日赤	営利法人（会社）	その他の法人	その他
総　　　　数	211	－	－	－	－	－	211	42	－	165	－	3	－
常　　　勤	192	－	－	－	－	－	192	41	－	149	－	2	－
非　常　勤	19	－	－	－	－	－	19	1	－	16	－	1	－
施　設　長	12	－	－	－	－	－	12	3	－	8	－	1	－
常　　　勤	12	－	－	－	－	－	12	3	－	8	－	1	－
非　常　勤	－	－	－	－	－	－	－	－	－	－	－	－	－
サービス管理責任者	…	…	…	…	…	…	…	…	…	…	…	…	…
常　　　勤	…	…	…	…	…	…	…	…	…	…	…	…	…
非　常　勤	…	…	…	…	…	…	…	…	…	…	…	…	…
生活・児童指導員、生活相談員、生活支援員、児童自立支援専門員	37	－	－	－	－	－	37	－	－	37	－	－	－
常　　　勤	34	－	－	－	－	－	34	－	－	34	－	－	－
非　常　勤	3	－	－	－	－	－	3	－	－	3	－	－	－
職業・作業指導員	19	－	－	－	－	－	19	－	－	19	－	－	－
常　　　勤	18	－	－	－	－	－	18	－	－	18	－	－	－
非　常　勤	1	－	－	－	－	－	1	－	－	1	－	－	－
セ　ラ　ピ　ス　ト	－	－	－	－	－	－	－	－	－	－	－	－	－
常　　　勤	－	－	－	－	－	－	－	－	－	－	－	－	－
非　常　勤	－	－	－	－	－	－	－	－	－	－	－	－	－
理　学　療　法　士	－	－	－	－	－	－	－	－	－	－	－	－	－
常　　　勤	－	－	－	－	－	－	－	－	－	－	－	－	－
非　常　勤	－	－	－	－	－	－	－	－	－	－	－	－	－
作　業　療　法　士	－	－	－	－	－	－	－	－	－	－	－	－	－
常　　　勤	－	－	－	－	－	－	－	－	－	－	－	－	－
非　常　勤	－	－	－	－	－	－	－	－	－	－	－	－	－
その他の療法員	－	－	－	－	－	－	－	－	－	－	－	－	－
常　　　勤	－	－	－	－	－	－	－	－	－	－	－	－	－
非　常　勤	－	－	－	－	－	－	－	－	－	－	－	－	－
心理・職能判定員	…	…	…	…	…	…	…	…	…	…	…	…	…
常　　　勤	…	…	…	…	…	…	…	…	…	…	…	…	…
非　常　勤	…	…	…	…	…	…	…	…	…	…	…	…	…
医　　　　師	0	－	－	－	－	－	0	－	－	0	－	－	－
常　　　勤	－	－	－	－	－	－	－	－	－	－	－	－	－
非　常　勤	0	－	－	－	－	－	0	－	－	0	－	－	－
保健師・助産師・看護師	－	－	－	－	－	－	－	－	－	－	－	－	－
常　　　勤	－	－	－	－	－	－	－	－	－	－	－	－	－
非　常　勤	－	－	－	－	－	－	－	－	－	－	－	－	－
精神保健福祉士	－	－	－	－	－	－	－	－	－	－	－	－	－
常　　　勤	－	－	－	－	－	－	－	－	－	－	－	－	－
非　常　勤	－	－	－	－	－	－	－	－	－	－	－	－	－
保　　育　　士	…	…	…	…	…	…	…	…	…	…	…	…	…
常　　　勤	…	…	…	…	…	…	…	…	…	…	…	…	…
非　常　勤	…	…	…	…	…	…	…	…	…	…	…	…	…
児童生活支援員	…	…	…	…	…	…	…	…	…	…	…	…	…
常　　　勤	…	…	…	…	…	…	…	…	…	…	…	…	…
非　常　勤	…	…	…	…	…	…	…	…	…	…	…	…	…
児童厚生員	…	…	…	…	…	…	…	…	…	…	…	…	…
常　　　勤	…	…	…	…	…	…	…	…	…	…	…	…	…
非　常　勤	…	…	…	…	…	…	…	…	…	…	…	…	…
母子支援員	…	…	…	…	…	…	…	…	…	…	…	…	…
常　　　勤	…	…	…	…	…	…	…	…	…	…	…	…	…
非　常　勤	…	…	…	…	…	…	…	…	…	…	…	…	…
介　護　職　員	－	－	－	－	－	－	－	－	－	－	－	－	－
常　　　勤	－	－	－	－	－	－	－	－	－	－	－	－	－
非　常　勤	－	－	－	－	－	－	－	－	－	－	－	－	－
栄　　養　　士	－	－	－	－	－	－	－	－	－	－	－	－	－
常　　　勤	－	－	－	－	－	－	－	－	－	－	－	－	－
非　常　勤	－	－	－	－	－	－	－	－	－	－	－	－	－
調　・　理　　員	1	－	－	－	－	－	1	－	－	1	－	－	－
常　　　勤	－	－	－	－	－	－	－	－	－	－	－	－	－
非　常　勤	1	－	－	－	－	－	1	－	－	1	－	－	－
事　　務　　員	40	－	－	－	－	－	40	10	－	29	－	1	－
常　　　勤	34	－	－	－	－	－	34	9	－	25	－	－	－
非　常　勤	6	－	－	－	－	－	6	1	－	4	－	1	－
児童発達支援管理責任者	…	…	…	…	…	…	…	…	…	…	…	…	…
常　　　勤	…	…	…	…	…	…	…	…	…	…	…	…	…
非　常　勤	…	…	…	…	…	…	…	…	…	…	…	…	…
その他の職員	103	－	－	－	－	－	103	30	－	72	－	1	－
常　　　勤	94	－	－	－	－	－	94	29	－	64	－	1	0
非　常　勤	9	－	－	－	－	－	9	1	－	8	－	0	－

第14表－1　社会福祉施設等（保育所等・小規模保育事業所を除く）の

（単位：人）

職種／常勤－非常勤	総数	点字図書館 公営 総数	国・独立行政法人	都道府県	市区町村	一部事務組合・広域連合	私営 総数	社会福祉法人	医療法人	公益法人及び日赤	営利法人（会社）	その他の法人	その他
総数	618	55	－	9	46	－	563	459	－	71	－	33	－
常勤	513	49	－	8	41	－	464	379	－	54	－	30	－
非常勤	105	6	－	1	5	－	99	80	－	17	－	3	－
施設長	59	6	－	1	5	－	53	44	－	5	－	5	－
常勤	57	6	－	1	5	－	52	43	－	4	－	5	－
非常勤	2	－	－	－	－	－	2	1	－	0	－	0	－
サービス管理責任者	…	…	…	…	…	…	…	…	…	…	…	…	…
常勤	…	…	…	…	…	…	…	…	…	…	…	…	…
非常勤	…	…	…	…	…	…	…	…	…	…	…	…	…
生活・児童指導員、生活相談員、生活支援員、児童自立支援専門員	26	8	－	－	8	－	19	16	－	1	－	2	－
常勤	25	7	－	－	7	－	18	15	－	1	－	2	－
非常勤	1	1	－	－	1	－	1	1	－	－	－	－	－
職業・作業指導員	10	－	－	－	－	－	10	6	－	－	－	4	－
常勤	8	－	－	－	－	－	8	4	－	－	－	4	－
非常勤	2	－	－	－	－	－	2	2	－	－	－	－	－
セラピスト	－	－	－	－	－	－	－	－	－	－	－	－	－
常勤	－	－	－	－	－	－	－	－	－	－	－	－	－
非常勤	－	－	－	－	－	－	－	－	－	－	－	－	－
理学療法士	－	－	－	－	－	－	－	－	－	－	－	－	－
常勤	－	－	－	－	－	－	－	－	－	－	－	－	－
非常勤	－	－	－	－	－	－	－	－	－	－	－	－	－
作業療法士	－	－	－	－	－	－	－	－	－	－	－	－	－
常勤	－	－	－	－	－	－	－	－	－	－	－	－	－
非常勤	－	－	－	－	－	－	－	－	－	－	－	－	－
その他の療法員	－	－	－	－	－	－	－	－	－	－	－	－	－
常勤	－	－	－	－	－	－	－	－	－	－	－	－	－
非常勤	－	－	－	－	－	－	－	－	－	－	－	－	－
心理・職能判定員	…	…	…	…	…	…	…	…	…	…	…	…	…
常勤	…	…	…	…	…	…	…	…	…	…	…	…	…
非常勤	…	…	…	…	…	…	…	…	…	…	…	…	…
医師	－	－	－	－	－	－	－	－	－	－	－	－	－
常勤	－	－	－	－	－	－	－	－	－	－	－	－	－
非常勤	－	－	－	－	－	－	－	－	－	－	－	－	－
保健師・助産師・看護師	－	－	－	－	－	－	－	－	－	－	－	－	－
常勤	－	－	－	－	－	－	－	－	－	－	－	－	－
非常勤	－	－	－	－	－	－	－	－	－	－	－	－	－
精神保健福祉士	－	－	－	－	－	－	－	－	－	－	－	－	－
常勤	－	－	－	－	－	－	－	－	－	－	－	－	－
非常勤	－	－	－	－	－	－	－	－	－	－	－	－	－
保育士	…	…	…	…	…	…	…	…	…	…	…	…	…
常勤	…	…	…	…	…	…	…	…	…	…	…	…	…
非常勤	…	…	…	…	…	…	…	…	…	…	…	…	…
児童生活支援員	…	…	…	…	…	…	…	…	…	…	…	…	…
常勤	…	…	…	…	…	…	…	…	…	…	…	…	…
非常勤	…	…	…	…	…	…	…	…	…	…	…	…	…
児童厚生員	…	…	…	…	…	…	…	…	…	…	…	…	…
常勤	…	…	…	…	…	…	…	…	…	…	…	…	…
非常勤	…	…	…	…	…	…	…	…	…	…	…	…	…
母子支援員	…	…	…	…	…	…	…	…	…	…	…	…	…
常勤	…	…	…	…	…	…	…	…	…	…	…	…	…
非常勤	…	…	…	…	…	…	…	…	…	…	…	…	…
介護職員	－	－	－	－	－	－	－	－	－	－	－	－	－
常勤	－	－	－	－	－	－	－	－	－	－	－	－	－
非常勤	－	－	－	－	－	－	－	－	－	－	－	－	－
栄養士	－	－	－	－	－	－	－	－	－	－	－	－	－
常勤	－	－	－	－	－	－	－	－	－	－	－	－	－
非常勤	－	－	－	－	－	－	－	－	－	－	－	－	－
調理員	－	－	－	－	－	－	－	－	－	－	－	－	－
常勤	－	－	－	－	－	－	－	－	－	－	－	－	－
非常勤	－	－	－	－	－	－	－	－	－	－	－	－	－
事務員	88	19	－	2	17	－	70	54	－	7	－	9	－
常勤	77	16	－	2	14	－	61	47	－	6	－	9	－
非常勤	11	3	－	－	3	－	8	8	－	1	－	－	－
児童発達支援管理責任者	…	…	…	…	…	…	…	…	…	…	…	…	…
常勤	…	…	…	…	…	…	…	…	…	…	…	…	…
非常勤	…	…	…	…	…	…	…	…	…	…	…	…	…
その他の職員	435	23	－	6	17	－	412	339	－	59	－	14	－
常勤	346	21	－	5	16	－	325	271	－	43	－	11	－
非常勤	89	2	－	1	1	－	87	68	－	16	－	3	－

常勤換算従事者数，職種・常勤－非常勤、施設の種類・経営主体別

職種 / 常勤－非常勤	総数	身体障害者社会参加支援施設 点字出版施設 公営 総数	国・独立行政法人	都道府県	市区町村	一部事務組合・広域連合	私営 総数	社会福祉法人	医療法人	公益法人及び日赤	営利法人（会社）	その他の法人	その他
総数	118	－	－	－	－	－	118	118	－	－	－	－	－
常勤	96	－	－	－	－	－	96	96	－	－	－	－	－
非常勤	22	－	－	－	－	－	22	22	－	－	－	－	－
施設長	6	－	－	－	－	－	6	6	－	－	－	－	－
常勤	6	－	－	－	－	－	6	6	－	－	－	－	－
非常勤	1	－	－	－	－	－	1	1	－	－	－	－	－
サービス管理責任者	…	…	…	…	…	…	…	…	…	…	…	…	…
常勤	…	…	…	…	…	…	…	…	…	…	…	…	…
非常勤	…	…	…	…	…	…	…	…	…	…	…	…	…
生活・児童指導員、生活相談員、生活支援員、児童自立支援専門員	4	－	－	－	－	－	4	4	－	－	－	－	－
常勤	4	－	－	－	－	－	4	4	－	－	－	－	－
非常勤	－	－	－	－	－	－	－	－	－	－	－	－	－
職業・作業指導員	1	－	－	－	－	－	1	1	－	－	－	－	－
常勤	1	－	－	－	－	－	1	1	－	－	－	－	－
非常勤	－	－	－	－	－	－	－	－	－	－	－	－	－
セラピスト													
常勤	－	－	－	－	－	－	－	－	－	－	－	－	－
非常勤	－	－	－	－	－	－	－	－	－	－	－	－	－
理学療法士													
常勤	－	－	－	－	－	－	－	－	－	－	－	－	－
非常勤	－	－	－	－	－	－	－	－	－	－	－	－	－
作業療法士													
常勤	－	－	－	－	－	－	－	－	－	－	－	－	－
非常勤	－	－	－	－	－	－	－	－	－	－	－	－	－
その他の療法員													
常勤	－	－	－	－	－	－	－	－	－	－	－	－	－
非常勤	－	－	－	－	－	－	－	－	－	－	－	－	－
心理・職能判定員	…	…	…	…	…	…	…	…	…	…	…	…	…
常勤	…	…	…	…	…	…	…	…	…	…	…	…	…
非常勤	…	…	…	…	…	…	…	…	…	…	…	…	…
医師													
常勤	－	－	－	－	－	－	－	－	－	－	－	－	－
非常勤	－	－	－	－	－	－	－	－	－	－	－	－	－
保健師・助産師・看護師													
常勤	－	－	－	－	－	－	－	－	－	－	－	－	－
非常勤	－	－	－	－	－	－	－	－	－	－	－	－	－
精神保健福祉士													
常勤	－	－	－	－	－	－	－	－	－	－	－	－	－
非常勤	－	－	－	－	－	－	－	－	－	－	－	－	－
保育士	…	…	…	…	…	…	…	…	…	…	…	…	…
常勤	…	…	…	…	…	…	…	…	…	…	…	…	…
非常勤	…	…	…	…	…	…	…	…	…	…	…	…	…
児童生活支援員	…	…	…	…	…	…	…	…	…	…	…	…	…
常勤	…	…	…	…	…	…	…	…	…	…	…	…	…
非常勤	…	…	…	…	…	…	…	…	…	…	…	…	…
児童厚生員	…	…	…	…	…	…	…	…	…	…	…	…	…
常勤	…	…	…	…	…	…	…	…	…	…	…	…	…
非常勤	…	…	…	…	…	…	…	…	…	…	…	…	…
母子支援員	…	…	…	…	…	…	…	…	…	…	…	…	…
常勤	…	…	…	…	…	…	…	…	…	…	…	…	…
非常勤	…	…	…	…	…	…	…	…	…	…	…	…	…
介護職員	－	－	－	－	－	－	－	－	－	－	－	－	－
常勤	－	－	－	－	－	－	－	－	－	－	－	－	－
非常勤	－	－	－	－	－	－	－	－	－	－	－	－	－
栄養士	－	－	－	－	－	－	－	－	－	－	－	－	－
常勤	－	－	－	－	－	－	－	－	－	－	－	－	－
非常勤	－	－	－	－	－	－	－	－	－	－	－	－	－
調理員	－	－	－	－	－	－	－	－	－	－	－	－	－
常勤	－	－	－	－	－	－	－	－	－	－	－	－	－
非常勤	－	－	－	－	－	－	－	－	－	－	－	－	－
事務員	41	－	－	－	－	－	41	41	－	－	－	－	－
常勤	34	－	－	－	－	－	34	34	－	－	－	－	－
非常勤	7	－	－	－	－	－	7	7	－	－	－	－	－
児童発達支援管理責任者	…	…	…	…	…	…	…	…	…	…	…	…	…
常勤	…	…	…	…	…	…	…	…	…	…	…	…	…
非常勤	…	…	…	…	…	…	…	…	…	…	…	…	…
その他の職員	66	－	－	－	－	－	66	66	－	－	－	－	－
常勤	51	－	－	－	－	－	51	51	－	－	－	－	－
非常勤	15	－	－	－	－	－	15	15	－	－	－	－	－

第14表－1　社会福祉施設等（保育所等・小規模保育事業所を除く）の

（単位：人）

職　種　常勤－非常勤	総数	身体障害者社会参加支援施設 聴覚障害者情報提供施設 公営					私営						
		総数	国・独立行政法人	都道府県	市区町村	一部事務組合・広域連合	総数	社会福祉法人	医療法人	公益法人及び日赤	営利法人（会社）	その他の法人	その他
総　数	354	－	－	－	－	－	354	240	－	48	－	61	5
常　勤	301	－	－	－	－	－	301	204	－	42	－	50	5
非　常　勤	53	－	－	－	－	－	53	35	－	7	－	11	－
施　設　長	39	－	－	－	－	－	39	23	－	5	－	10	1
常　勤	37	－	－	－	－	－	37	23	－	4	－	8	1
非　常　勤	2	－	－	－	－	－	2	－	－	0	－	1	－
サービス管理責任者	…	…	…	…	…	…	…	…	…	…	…	…	…
常　勤	…	…	…	…	…	…	…	…	…	…	…	…	…
非　常　勤	…	…	…	…	…	…	…	…	…	…	…	…	…
生活・児童指導員、生活相談員、生活支援員、児童自立支援専門員	15	－	－	－	－	－	15	10	－	1	－	4	
常　勤	12	－	－	－	－	－	12	8	－	－	－	4	
非　常　勤	4	－	－	－	－	－	4	3	－	1	－	0	
職業・作業指導員	35	－	－	－	－	－	35	29	－	5	－	－	－
常　勤	27	－	－	－	－	－	27	22	－	5	－	－	－
非　常　勤	8	－	－	－	－	－	8	7	－	0	－	－	－
セ　ラ　ピ　ス　ト	12	－	－	－	－	－	12	5	－	7	－	0	
常　勤	12	－	－	－	－	－	12	5	－	7	－	0	
非　常　勤	－	－	－	－	－	－	－	－	－	－	－	－	
理　学　療　法　士	－	－	－	－	－	－	－	－	－	－	－	－	
常　勤	－	－	－	－	－	－	－	－	－	－	－	－	
非　常　勤	－	－	－	－	－	－	－	－	－	－	－	－	
作　業　療　法　士	－	－	－	－	－	－	－	－	－	－	－	－	
常　勤	－	－	－	－	－	－	－	－	－	－	－	－	
非　常　勤	－	－	－	－	－	－	－	－	－	－	－	－	
そ　の　他　の　療　法　員	12	－	－	－	－	－	12	5	－	7	－	0	
常　勤	12	－	－	－	－	－	12	5	－	7	－	0	
非　常　勤	－	－	－	－	－	－	－	－	－	－	－	－	
心理・職能判定員	…	…	…	…	…	…	…	…	…	…	…	…	…
常　勤	…	…	…	…	…	…	…	…	…	…	…	…	…
非　常　勤	…	…	…	…	…	…	…	…	…	…	…	…	…
医　　師	0	－	－	－	－	－	0	0	－	－	－	－	
常　勤	－	－	－	－	－	－	－	－	－	－	－	－	
非　常　勤	0	－	－	－	－	－	0	0	－	－	－	－	
保健師・助産師・看護師	－	－	－	－	－	－	－	－	－	－	－	－	
常　勤	－	－	－	－	－	－	－	－	－	－	－	－	
非　常　勤	－	－	－	－	－	－	－	－	－	－	－	－	
精　神　保　健　福　祉　士	－	－	－	－	－	－	－	－	－	－	－	－	
常　勤	－	－	－	－	－	－	－	－	－	－	－	－	
非　常　勤	－	－	－	－	－	－	－	－	－	－	－	－	
保　育　士	…	…	…	…	…	…	…	…	…	…	…	…	…
常　勤	…	…	…	…	…	…	…	…	…	…	…	…	…
非　常　勤	…	…	…	…	…	…	…	…	…	…	…	…	…
児　童　生　活　支　援　員	…	…	…	…	…	…	…	…	…	…	…	…	…
常　勤	…	…	…	…	…	…	…	…	…	…	…	…	…
非　常　勤	…	…	…	…	…	…	…	…	…	…	…	…	…
児　童　厚　生　員	…	…	…	…	…	…	…	…	…	…	…	…	…
常　勤	…	…	…	…	…	…	…	…	…	…	…	…	…
非　常　勤	…	…	…	…	…	…	…	…	…	…	…	…	…
母　子　支　援　員	…	…	…	…	…	…	…	…	…	…	…	…	…
常　勤	…	…	…	…	…	…	…	…	…	…	…	…	…
非　常　勤	…	…	…	…	…	…	…	…	…	…	…	…	…
介　護　職　員	2	－	－	－	－	－	2	－	－	2	－	－	－
常　勤	1	－	－	－	－	－	1	－	－	1	－	－	－
非　常　勤	1	－	－	－	－	－	1	－	－	1	－	－	－
栄　養　士	－	－	－	－	－	－	－	－	－	－	－	－	
常　勤	－	－	－	－	－	－	－	－	－	－	－	－	
非　常　勤	－	－	－	－	－	－	－	－	－	－	－	－	
調　理　員	－	－	－	－	－	－	－	－	－	－	－	－	
常　勤	－	－	－	－	－	－	－	－	－	－	－	－	
非　常　勤	－	－	－	－	－	－	－	－	－	－	－	－	
事　務　員	82	－	－	－	－	－	82	49	－	9	－	24	1
常　勤	74	－	－	－	－	－	74	44	－	8	－	21	1
非　常　勤	9	－	－	－	－	－	9	5	－	2	－	2	－
児童発達支援管理責任者	…	…	…	…	…	…	…	…	…	…	…	…	…
常　勤	…	…	…	…	…	…	…	…	…	…	…	…	…
非　常　勤	…	…	…	…	…	…	…	…	…	…	…	…	…
そ　の　他　の　職　員	169	－	－	－	－	－	169	123	－	20	－	23	3
常　勤	139	－	－	－	－	－	139	103	－	17	－	16	3
非　常　勤	30	－	－	－	－	－	30	21	－	3	－	7	－

常勤換算従事者数, 職種・常勤－非常勤、施設の種類・経営主体別

職種／常勤－非常勤	総数	公営 総数	国・独立行政法人	都道府県	市区町村	一部事務組合・広域連合	私営 総数	社会福祉法人	医療法人	公益法人及び日赤	営利法人（会社）	その他の法人	その他
総数	370	86	-	86	-	-	284	284	-	-	-	-	-
常勤	271	45	-	45	-	-	226	226	-	-	-	-	-
非常勤	99	41	-	41	-	-	58	58	-	-	-	-	-
施設長	28	5	-	5	-	-	23	23	-	-	-	-	-
常勤	28	5	-	5	-	-	23	23	-	-	-	-	-
非常勤	0	0	-	0	-	-	-	-	-	-	-	-	-
サービス管理責任者	...	...	...	...	...	...	...	...	...	...	...	...	...
常勤	...	...	...	...	...	...	...	...	...	...	...	...	...
非常勤	...	...	...	...	...	...	...	...	...	...	...	...	...
生活・児童指導員、生活相談員、生活支援員、児童自立支援専門員	143	33	-	33	-	-	111	111	-	-	-	-	-
常勤	111	20	-	20	-	-	92	92	-	-	-	-	-
非常勤	32	13	-	13	-	-	19	19	-	-	-	-	-
職業・作業指導員	11	2	-	2	-	-	10	10	-	-	-	-	-
常勤	8	1	-	1	-	-	7	7	-	-	-	-	-
非常勤	4	1	-	1	-	-	3	3	-	-	-	-	-
セラピスト	7	2	-	2	-	-	5	5	-	-	-	-	-
常勤	3	1	-	1	-	-	2	2	-	-	-	-	-
非常勤	4	1	-	1	-	-	3	3	-	-	-	-	-
理学療法士	-	-	-	-	-	-	-	-	-	-	-	-	-
常勤	-	-	-	-	-	-	-	-	-	-	-	-	-
非常勤	-	-	-	-	-	-	-	-	-	-	-	-	-
作業療法士	-	-	-	-	-	-	-	-	-	-	-	-	-
常勤	-	-	-	-	-	-	-	-	-	-	-	-	-
非常勤	-	-	-	-	-	-	-	-	-	-	-	-	-
その他の療法員	7	2	-	2	-	-	5	5	-	-	-	-	-
常勤	3	1	-	1	-	-	2	2	-	-	-	-	-
非常勤	4	1	-	1	-	-	3	3	-	-	-	-	-
心理・職能判定員	...	...	...	...	...	...	...	...	...	...	...	...	...
常勤	...	...	...	...	...	...	...	...	...	...	...	...	...
非常勤	...	...	...	...	...	...	...	...	...	...	...	...	...
医師	5	3	-	3	-	-	2	2	-	-	-	-	-
常勤	-	-	-	-	-	-	-	-	-	-	-	-	-
非常勤	5	3	-	3	-	-	2	2	-	-	-	-	-
保健師・助産師・看護師	23	4	-	4	-	-	19	19	-	-	-	-	-
常勤	21	3	-	3	-	-	18	18	-	-	-	-	-
非常勤	2	1	-	1	-	-	1	1	-	-	-	-	-
精神保健福祉士	-	-	-	-	-	-	-	-	-	-	-	-	-
常勤	-	-	-	-	-	-	-	-	-	-	-	-	-
非常勤	-	-	-	-	-	-	-	-	-	-	-	-	-
保育士	...	...	...	...	...	...	...	...	...	...	...	...	...
常勤	...	...	...	...	...	...	...	...	...	...	...	...	...
非常勤	...	...	...	...	...	...	...	...	...	...	...	...	...
児童生活支援員	...	...	...	...	...	...	...	...	...	...	...	...	...
常勤	...	...	...	...	...	...	...	...	...	...	...	...	...
非常勤	...	...	...	...	...	...	...	...	...	...	...	...	...
児童厚生員	...	...	...	...	...	...	...	...	...	...	...	...	...
常勤	...	...	...	...	...	...	...	...	...	...	...	...	...
非常勤	...	...	...	...	...	...	...	...	...	...	...	...	...
母子支援員	...	...	...	...	...	...	...	...	...	...	...	...	...
常勤	...	...	...	...	...	...	...	...	...	...	...	...	...
非常勤	...	...	...	...	...	...	...	...	...	...	...	...	...
介護職員	2	-	-	-	-	-	2	2	-	-	-	-	-
常勤	-	-	-	-	-	-	-	-	-	-	-	-	-
非常勤	2	-	-	-	-	-	2	2	-	-	-	-	-
栄養士	17	1	-	1	-	-	16	16	-	-	-	-	-
常勤	17	1	-	1	-	-	16	16	-	-	-	-	-
非常勤	0	0	-	0	-	-	-	-	-	-	-	-	-
調理員	52	6	-	6	-	-	46	46	-	-	-	-	-
常勤	34	1	-	1	-	-	34	34	-	-	-	-	-
非常勤	18	5	-	5	-	-	12	12	-	-	-	-	-
事務員	38	9	-	9	-	-	29	29	-	-	-	-	-
常勤	35	9	-	9	-	-	26	26	-	-	-	-	-
非常勤	3	1	-	1	-	-	3	3	-	-	-	-	-
児童発達支援管理責任者	...	...	...	...	...	...	...	...	...	...	...	...	...
常勤	...	...	...	...	...	...	...	...	...	...	...	...	...
非常勤	...	...	...	...	...	...	...	...	...	...	...	...	...
その他の職員	43	22	-	22	-	-	21	21	-	-	-	-	-
常勤	13	5	-	5	-	-	8	8	-	-	-	-	-
非常勤	29	16	-	16	-	-	13	13	-	-	-	-	-

第14表－1　社会福祉施設等（保育所等・小規模保育事業所を除く）の

（単位：人）

職　種　常勤－非常勤	総　数	児童福祉施設数 総 公営					私営						
		総　数	国・独立行政法人	都道府県	市区町村	一部事務組合・広域連合	総　数	社会福祉法人	医療法人	公益法人及び日赤	営利法人（会社）	その他の法人	その他
総　　数	81 264	22 634	4 890	4 983	12 385	376	58 631	52 793	104	2 632	848	1 668	586
常　勤	69 236	17 799	4 441	4 377	8 652	330	51 437	46 984	95	2 028	660	1 245	425
非常勤	12 029	4 835	449	606	3 733	46	7 194	5 809	9	604	188	423	162
施　設　長	4 375	1 624	26	93	1 486	19	2 751	2 063	4	282	110	209	84
常　勤	3 972	1 364	26	93	1 226	19	2 608	1 957	4	278	108	198	65
非常勤	403	260	－	0	260	0	143	107	－	5	2	11	19
サービス管理責任者	…	…	…	…	…	…	…	…	…	…	…	…	…
常　勤	…	…	…	…	…	…	…	…	…	…	…	…	…
非常勤	…	…	…	…	…	…	…	…	…	…	…	…	…
生活・児童指導員、生活相談員、生活支援員、児童自立支援専門員	13 828	2 373	218	1 297	765	93	11 454	11 048	20	146	62	145	34
常　勤	12 680	2 067	202	1 207	576	82	10 613	10 282	20	137	49	104	21
非常勤	1 148	306	15	91	189	11	842	766	0	9	13	41	13
職業・作業指導員	454	65	4	13	36	11	389	342	－	31	5	9	3
常　勤	405	57	4	9	32	11	348	302	－	31	5	7	3
非常勤	49	8	－	4	4	－	41	40	－	－	－	1	－
セラピスト	3 526	841	185	361	285	11	2 685	2 579	14	44	10	32	6
常　勤	3 159	729	179	327	213	10	2 430	2 335	14	41	8	26	6
非常勤	367	112	5	34	72	1	255	244	1	4	2	6	－
理学療法士	961	316	100	140	72	4	646	619	3	18	3	2	2
常　勤	923	306	99	137	66	4	616	592	3	18	2	1	2
非常勤	39	10	1	3	6	－	29	27	－	0	1	1	－
作業療法士	772	201	44	87	69	1	571	544	1	10	3	12	1
常　勤	714	178	44	82	52	1	536	511	1	10	3	10	1
非常勤	58	23	0	5	18	－	35	33	－	1	－	2	－
その他の療法員	1 792	324	41	133	144	6	1 468	1 416	10	16	4	19	4
常　勤	1 522	245	37	108	96	5	1 277	1 233	10	13	3	15	4
非常勤	270	79	4	25	49	1	191	184	1	3	1	3	－
心理・職能判定員	…	…	…	…	…	…	…	…	…	…	…	…	…
常　勤	…	…	…	…	…	…	…	…	…	…	…	…	…
非常勤	…	…	…	…	…	…	…	…	…	…	…	…	…
医　　師	1 249	501	262	198	38	2	749	736	1	7	0	3	1
常　勤	824	410	233	160	16	－	415	410	1	4	－	1	1
非常勤	425	91	30	38	21	2	334	327	0	3	0	3	1
保健師・助産師・看護師	10 181	4 053	2 811	1 070	162	10	6 128	5 951	19	128	4	9	17
常　勤	9 591	3 890	2 722	1 031	129	8	5 700	5 535	17	126	2	3	17
非常勤	590	163	89	39	34	2	427	415	2	2	2	6	－
精神保健福祉士	…	…	…	…	…	…	…	…	…	…	…	…	…
常　勤	…	…	…	…	…	…	…	…	…	…	…	…	…
非常勤	…	…	…	…	…	…	…	…	…	…	…	…	…
保　育　士	16 830	3 163	146	583	2 334	101	13 667	12 903	29	276	123	297	38
常　勤	15 371	2 717	125	521	1 976	96	12 654	12 020	26	264	95	218	31
非常勤	1 459	446	21	62	358	5	1 013	883	3	12	28	79	7
児童生活支援員	609	199	5	155	37	2	411	392	－	19	－	－	－
常　勤	579	183	5	143	33	2	396	378	－	18	－	－	－
非常勤	30	16	－	12	4	－	14	14	－	1	－	－	－
児童厚生員	10 843	5 151	－	22	5 128	1	5 691	3 009	－	1 343	408	653	279
常　勤	7 124	3 048	－	7	3 041	－	4 075	2 202	－	874	313	494	193
非常勤	3 719	2 103	－	15	2 087	1	1 616	807	－	469	96	158	86
母子支援員	674	49	－	－	41	8	624	606	－	19	－	－	－
常　勤	637	40	－	－	32	8	597	580	－	17	－	－	－
非常勤	36	9	－	－	9	－	27	25	－	2	－	－	－
介護職員	…	…	…	…	…	…	…	…	…	…	…	…	…
常　勤	…	…	…	…	…	…	…	…	…	…	…	…	…
非常勤	…	…	…	…	…	…	…	…	…	…	…	…	…
栄　養　士	1 439	207	50	89	57	11	1 233	1 194	2	25	2	7	3
常　勤	1 354	174	46	75	44	8	1 181	1 151	2	21	1	4	3
非常勤	85	33	4	13	13	2	52	43	1	4	1	3	－
調　理　員	3 968	521	77	212	199	34	3 448	3 359	3	57	5	16	8
常　勤	3 191	335	62	123	128	22	2 855	2 787	0	49	4	8	8
非常勤	778	186	15	88	71	11	592	573	2	8	1	8	－
事　務　員	3 787	1 117	249	361	481	27	2 669	2 485	3	67	26	63	25
常　勤	3 293	888	153	315	396	23	2 405	2 257	3	60	21	44	19
非常勤	494	229	95	45	85	4	265	228	－	7	5	19	6
児童発達支援管理責任者	989	259	26	67	150	16	730	675	9	11	5	29	1
常　勤	986	258	26	67	149	16	728	673	9	11	5	29	1
非常勤	3	1	－	－	1	－	1	1	－	－	－	－	－
その他の職員	8 514	2 511	832	462	1 186	30	6 003	5 453	1	178	88	197	86
常　勤	6 071	1 640	657	298	661	25	4 431	4 116	1	99	50	108	57
非常勤	2 443	871	175	164	525	6	1 572	1 337	－	79	38	89	29

注：児童福祉施設の総数には保育所等及び小規模保育事業所の常勤換算従事者数は含まない。

常勤換算従事者数，職種・常勤－非常勤、施設の種類・経営主体別

職種 常勤－非常勤	総数	公営 総数	国・独立行政法人	都道府県	市区町村	一部事務組合・広域連合	私 総数	社会福祉法人	医療法人	公益法人及び日赤	営利法人（会社）	その他の法人	その他
総数	4 921	117	-	99	-	18	4 803	4 451	-	352	-	-	-
常勤	4 566	99	-	81	-	18	4 467	4 125	-	342	-	-	-
非常勤	355	18	-	18	-	0	337	326	-	10	-	-	-
施設長	123	4	-	3	-	1	119	113	-	5	-	-	-
常勤	123	4	-	3	-	1	119	113	-	5	-	-	-
非常勤	0	-	-	-	-	-	0	-	-	0	-	-	-
サービス管理責任者	…	…	…	…	…	…	…	…	…	…	…	…	…
常勤	…	…	…	…	…	…	…	…	…	…	…	…	…
非常勤	…	…	…	…	…	…	…	…	…	…	…	…	…
生活・児童指導員、生活相談員、生活支援員、児童自立支援専門員	330	4	-	4	-	-	326	320	-	6	-	-	-
常勤	307	2	-	2	-	-	305	299	-	6	-	-	-
非常勤	23	2	-	2	-	-	21	21	-	-	-	-	-
職業・作業指導員	1	-	-	-	-	-	1	1	-	-	-	-	-
常勤	1	-	-	-	-	-	1	1	-	-	-	-	-
非常勤	-	-	-	-	-	-	-	-	-	-	-	-	-
セラピスト	65	4	-	4	-	-	60	55	-	5	-	-	-
常勤	56	3	-	3	-	-	53	48	-	5	-	-	-
非常勤	9	1	-	1	-	-	7	7	-	0	-	-	-
理学療法士	1	-	-	-	-	-	1	1	-	-	-	-	-
常勤	1	-	-	-	-	-	1	1	-	-	-	-	-
非常勤	0	-	-	-	-	-	0	0	-	-	-	-	-
作業療法士	3	-	-	-	-	-	3	3	-	-	-	-	-
常勤	2	-	-	-	-	-	2	2	-	-	-	-	-
非常勤	1	-	-	-	-	-	1	1	-	-	-	-	-
その他の療法員	61	4	-	4	-	-	57	52	-	5	-	-	-
常勤	53	3	-	3	-	-	50	45	-	5	-	-	-
非常勤	8	1	-	1	-	-	7	7	-	0	-	-	-
心理・職能判定員	…	…	…	…	…	…	…	…	…	…	…	…	…
常勤	…	…	…	…	…	…	…	…	…	…	…	…	…
非常勤	…	…	…	…	…	…	…	…	…	…	…	…	…
医師	18	2	-	2	-	0	16	13	-	2	-	-	-
常勤	4	2	-	2	-	-	2	0	-	1	-	-	-
非常勤	14	0	-	0	-	0	14	13	-	1	-	-	-
保健師・助産師・看護師	649	31	-	29	-	2	618	563	-	54	-	-	-
常勤	591	28	-	26	-	2	563	509	-	54	-	-	-
非常勤	58	3	-	3	-	-	55	54	-	0	-	-	-
精神保健福祉士	…	…	…	…	…	…	…	…	…	…	…	…	…
常勤	…	…	…	…	…	…	…	…	…	…	…	…	…
非常勤	…	…	…	…	…	…	…	…	…	…	…	…	…
保育士	2 622	36	-	28	-	8	2 586	2 390	-	196	-	-	-
常勤	2 504	31	-	23	-	8	2 473	2 281	-	193	-	-	-
非常勤	118	5	-	5	-	-	113	110	-	3	-	-	-
児童生活支援員	-	-	-	-	-	-	-	-	-	-	-	-	-
常勤	-	-	-	-	-	-	-	-	-	-	-	-	-
非常勤	-	-	-	-	-	-	-	-	-	-	-	-	-
児童厚生員	-	-	-	-	-	-	-	-	-	-	-	-	-
常勤	-	-	-	-	-	-	-	-	-	-	-	-	-
非常勤	-	-	-	-	-	-	-	-	-	-	-	-	-
母子支援員	-	-	-	-	-	-	-	-	-	-	-	-	-
常勤	-	-	-	-	-	-	-	-	-	-	-	-	-
非常勤	-	-	-	-	-	-	-	-	-	-	-	-	-
介護職員	…	…	…	…	…	…	…	…	…	…	…	…	…
常勤	…	…	…	…	…	…	…	…	…	…	…	…	…
非常勤	…	…	…	…	…	…	…	…	…	…	…	…	…
栄養士	166	5	-	4	-	1	161	148	-	13	-	-	-
常勤	165	5	-	4	-	1	160	148	-	13	-	-	-
非常勤	1	-	-	-	-	-	1	1	-	-	-	-	-
調理員	417	7	-	3	-	4	410	384	-	25	-	-	-
常勤	380	4	-	-	-	4	376	352	-	24	-	-	-
非常勤	36	3	-	3	-	-	33	32	-	1	-	-	-
事務員	197	12	-	11	-	1	185	171	-	14	-	-	-
常勤	185	11	-	10	-	1	174	160	-	14	-	-	-
非常勤	13	1	-	1	-	-	11	11	-	1	-	-	-
児童発達支援管理責任者	-	-	-	-	-	-	-	-	-	-	-	-	-
常勤	-	-	-	-	-	-	-	-	-	-	-	-	-
非常勤	-	-	-	-	-	-	-	-	-	-	-	-	-
その他の職員	335	11	-	10	-	1	323	292	-	32	-	-	-
常勤	251	9	-	8	-	1	241	213	-	28	-	-	-
非常勤	84	2	-	2	-	0	82	78	-	4	-	-	-

第14表－1　社会福祉施設等（保育所等・小規模保育事業所を除く）の

（単位：人）

職　種／常勤－非常勤	総数	母子生活支援施設 公営 総数	国・独立行政法人	都道府県	市区町村	一部事務組合・広域連合	私営 総数	社会福祉法人	医療法人	公益法人及び日赤	営利法人（会社）	その他の法人	その他
総数	1 994	142	-	-	119	23	1 852	1 792	-	60	-	-	-
常勤	1 769	113	-	-	91	22	1 656	1 606	-	50	-	-	-
非常勤	225	30	-	-	29	1	196	186	-	10	-	-	-
施設長	205	27	-	-	24	3	178	172	-	6	-	-	-
常勤	202	26	-	-	23	3	176	171	-	5	-	-	-
非常勤	3	1	-	-	1	-	2	1	-	1	-	-	-
サービス管理責任者	…	…	…	…	…	…	…	…	…	…	…	…	…
常勤	…	…	…	…	…	…	…	…	…	…	…	…	…
非常勤	…	…	…	…	…	…	…	…	…	…	…	…	…
生活・児童指導員、生活相談員、生活支援員、児童自立支援専門員	102	7	-	-	3	4	95	95	-	-	-	-	-
常勤	98	7	-	-	3	4	91	91	-	-	-	-	-
非常勤	3	-	-	-	-	-	3	3	-	-	-	-	-
職業・作業指導員	-	-	-	-	-	-	-	-	-	-	-	-	-
常勤	-	-	-	-	-	-	-	-	-	-	-	-	-
非常勤	-	-	-	-	-	-	-	-	-	-	-	-	-
セラピスト	45	1	-	-	1	1	44	43	-	0	-	-	-
常勤	28	-	-	-	-	-	28	28	-	-	-	-	-
非常勤	17	1	-	-	1	1	16	15	-	0	-	-	-
理学療法士	1	-	-	-	-	-	1	1	-	-	-	-	-
常勤	1	-	-	-	-	-	1	1	-	-	-	-	-
非常勤	0	-	-	-	-	-	0	0	-	-	-	-	-
作業療法士	0	-	-	-	-	-	0	0	-	-	-	-	-
常勤	-	-	-	-	-	-	-	-	-	-	-	-	-
非常勤	0	-	-	-	-	-	0	0	-	-	-	-	-
その他の療法員	44	1	-	-	1	1	42	42	-	0	-	-	-
常勤	27	-	-	-	-	-	27	27	-	-	-	-	-
非常勤	17	1	-	-	1	1	15	15	-	0	-	-	-
心理・職能判定員	…	…	…	…	…	…	…	…	…	…	…	…	…
常勤	…	…	…	…	…	…	…	…	…	…	…	…	…
非常勤	…	…	…	…	…	…	…	…	…	…	…	…	…
医師	18	2	-	-	2	-	17	16	-	1	-	-	-
常勤	1	-	-	-	-	-	1	1	-	-	-	-	-
非常勤	17	2	-	-	2	-	16	15	-	1	-	-	-
保健師・助産師・看護師	0	-	-	-	-	-	0	0	-	-	-	-	-
常勤	-	-	-	-	-	-	-	-	-	-	-	-	-
非常勤	0	-	-	-	-	-	0	0	-	-	-	-	-
精神保健福祉士	…	…	…	…	…	…	…	…	…	…	…	…	…
常勤	…	…	…	…	…	…	…	…	…	…	…	…	…
非常勤	…	…	…	…	…	…	…	…	…	…	…	…	…
保育士	178	4	-	-	2	2	174	168	-	6	-	-	-
常勤	161	4	-	-	2	2	158	152	-	6	-	-	-
非常勤	16	1	-	-	1	-	16	16	-	-	-	-	-
児童生活支援員	423	23	-	-	21	2	400	381	-	19	-	-	-
常勤	406	19	-	-	17	2	387	369	-	18	-	-	-
非常勤	17	4	-	-	4	-	13	12	-	1	-	-	-
児童厚生員	-	-	-	-	-	-	-	-	-	-	-	-	-
常勤	-	-	-	-	-	-	-	-	-	-	-	-	-
非常勤	-	-	-	-	-	-	-	-	-	-	-	-	-
母子支援員	674	49	-	-	41	8	624	606	-	19	-	-	-
常勤	637	40	-	-	32	8	597	580	-	17	-	-	-
非常勤	36	9	-	-	9	-	27	25	-	2	-	-	-
介護職員	…	…	…	…	…	…	…	…	…	…	…	…	…
常勤	…	…	…	…	…	…	…	…	…	…	…	…	…
非常勤	…	…	…	…	…	…	…	…	…	…	…	…	…
栄養士	1	-	-	-	-	-	1	1	-	-	-	-	-
常勤	1	-	-	-	-	-	1	1	-	-	-	-	-
非常勤	-	-	-	-	-	-	-	-	-	-	-	-	-
調理員	64	7	-	-	6	1	58	56	-	2	-	-	-
常勤	54	5	-	-	4	1	49	49	-	-	-	-	-
非常勤	10	2	-	-	2	-	9	7	-	2	-	-	-
事務員	41	3	-	-	3	-	38	37	-	1	-	-	-
常勤	30	3	-	-	3	-	27	27	-	-	-	-	-
非常勤	11	0	-	-	0	-	11	10	-	1	-	-	-
児童発達支援管理責任者	-	-	-	-	-	-	-	-	-	-	-	-	-
常勤	-	-	-	-	-	-	-	-	-	-	-	-	-
非常勤	-	-	-	-	-	-	-	-	-	-	-	-	-
その他の職員	244	20	-	-	17	3	224	217	-	7	-	-	-
常勤	151	10	-	-	8	2	141	137	-	4	-	-	-
非常勤	93	10	-	-	9	1	84	81	-	3	-	-	-

常勤換算従事者数，職種・常勤－非常勤、施設の種類・経営主体別

職種／常勤－非常勤	児童福祉施設 児童養護施設 総数	公営 総数	国・独立行政法人	都道府県	市区町村	一部事務組合・広域連合	私営 総数	社会福祉法人	医療法人	公益法人及び日赤	営利法人（会社）	その他の法人	その他
総数	17 883	237	–	81	119	36	17 646	17 439	–	150	–	28	29
常勤	16 611	214	–	79	99	36	16 397	16 212	–	131	–	25	29
非常勤	1 271	23	–	2	20	0	1 249	1 226	–	19	–	3	–
施設長	560	9	–	2	5	2	551	545	–	4	–	1	1
常勤	560	9	–	2	5	2	551	545	–	4	–	1	1
非常勤	1	–	–	–	–	–	1	1	–	–	–	–	–
サービス管理責任者	…	…	…	…	…	…	…	…	…	…	…	…	…
常勤	…	…	…	…	…	…	…	…	…	…	…	…	…
非常勤	…	…	…	…	…	…	…	…	…	…	…	…	…
生活・児童指導員、生活相談員、生活支援員、児童自立支援専門員	6 369	75	–	33	34	9	6 294	6 196	–	80	–	9	9
常勤	6 116	73	–	33	31	9	6 043	5 954	–	73	–	7	9
非常勤	254	3	–	–	3	–	251	242	–	7	–	2	–
職業・作業指導員	83	3	–	–	–	3	80	80	–	–	–	–	–
常勤	82	3	–	–	–	3	79	79	–	–	–	–	–
非常勤	2	–	–	–	–	–	2	2	–	–	–	–	–
セラピスト	432	3	–	1	3	–	428	419	–	6	–	1	2
常勤	353	1	–	–	1	–	352	346	–	3	–	1	2
非常勤	78	2	–	1	2	–	76	73	–	3	–	–	–
理学療法士	13	–	–	–	–	–	13	12	–	0	–	–	–
常勤	9	–	–	–	–	–	9	9	–	0	–	–	–
非常勤	4	–	–	–	–	–	4	3	–	0	–	–	–
作業療法士	10	–	–	–	–	–	10	9	–	0	–	–	–
常勤	8	–	–	–	–	–	8	8	–	–	–	–	–
非常勤	2	–	–	–	–	–	2	1	–	0	–	–	–
その他の療法員	409	3	–	1	3	–	406	398	–	6	–	1	2
常勤	336	1	–	–	1	–	335	329	–	3	–	1	2
非常勤	73	2	–	1	2	–	71	68	–	3	–	–	–
心理・職能判定員	…	…	…	…	…	…	…	…	…	…	…	…	…
常勤	…	…	…	…	…	…	…	…	…	…	…	…	…
非常勤	…	…	…	…	…	…	…	…	…	…	…	…	…
医師	57	1	–	1	0	0	56	55	–	1	–	–	–
常勤	9	1	–	1	–	–	8	8	–	–	–	–	–
非常勤	48	1	–	0	0	0	47	47	–	1	–	–	–
保健師・助産師・看護師	164	4	–	3	1	–	160	160	–	–	–	–	–
常勤	154	4	–	3	1	–	151	151	–	–	–	–	–
非常勤	10	–	–	–	–	–	10	10	–	–	–	–	–
精神保健福祉士	…	…	…	…	…	…	…	…	…	…	…	…	…
常勤	…	…	…	…	…	…	…	…	…	…	…	…	…
非常勤	…	…	…	…	…	…	…	…	…	…	…	…	…
保育士	5 950	80	–	29	39	12	5 870	5 821	–	27	–	12	10
常勤	5 748	73	–	29	32	12	5 675	5 629	–	25	–	11	10
非常勤	202	7	–	–	7	–	195	192	–	2	–	1	–
児童生活支援員	–	–	–	–	–	–	–	–	–	–	–	–	–
常勤	–	–	–	–	–	–	–	–	–	–	–	–	–
非常勤	–	–	–	–	–	–	–	–	–	–	–	–	–
児童厚生員	–	–	–	–	–	–	–	–	–	–	–	–	–
常勤	–	–	–	–	–	–	–	–	–	–	–	–	–
非常勤	–	–	–	–	–	–	–	–	–	–	–	–	–
母子支援員	–	–	–	–	–	–	–	–	–	–	–	–	–
常勤	–	–	–	–	–	–	–	–	–	–	–	–	–
非常勤	–	–	–	–	–	–	–	–	–	–	–	–	–
介護職員	…	…	…	…	…	…	…	…	…	…	…	…	…
常勤	…	…	…	…	…	…	…	…	…	…	…	…	…
非常勤	…	…	…	…	…	…	…	…	…	…	…	…	…
栄養士	562	5	–	2	3	–	557	551	–	4	–	0	2
常勤	546	5	–	2	3	–	541	535	–	4	–	–	2
非常勤	16	–	–	–	–	–	16	16	–	–	–	0	–
調理員	1 863	27	–	3	15	8	1 837	1 814	–	15	–	4	4
常勤	1 582	23	–	3	13	8	1 559	1 542	–	9	–	4	4
非常勤	281	3	–	1	3	–	278	272	–	6	–	–	–
事務員	859	14	–	4	8	2	845	835	–	8	–	1	1
常勤	787	12	–	4	6	2	774	765	–	7	–	1	1
非常勤	72	1	–	–	1	–	71	70	–	1	–	–	–
児童発達支援管理責任者	–	–	–	–	–	–	–	–	–	–	–	–	–
常勤	–	–	–	–	–	–	–	–	–	–	–	–	–
非常勤	–	–	–	–	–	–	–	–	–	–	–	–	–
その他の職員	985	16	–	4	12	–	969	962	–	7	–	–	–
常勤	675	11	–	4	7	–	664	658	–	6	–	–	–
非常勤	310	5	–	1	4	–	305	304	–	1	–	–	–

第14表－1　社会福祉施設等（保育所等・小規模保育事業所を除く）の

（単位：人）

職　　種 常勤－非常勤	児　童　福　祉　施　設												
	障　害　児　入　所　施　設（福　祉　型）												
	総　数	公　　　営					私				営		
		総　数	国・独立 行政法人	都道府県	市区町村	一部事務 組合・ 広域連合	総　数	社会福祉 法　人	医療法人	公益法人 及び日赤	営利法人 （会社）	その他の 法　人	その他
総　　　　数	5 736	1 281	81	805	198	198	4 455	4 357	－	98	－	－	－
常　　　勤	5 250	1 148	79	722	174	173	4 102	4 006	－	97	－	－	－
非　常　勤	485	133	1	83	24	26	352	352	－	1	－	－	－
施　　設　　長	178	31	1	17	6	8	147	145	－	2	－	－	－
常　　　勤	177	31	1	17	6	8	146	144	－	2	－	－	－
非　常　勤	1	－	－	－	－	－	1	1	－	－	－	－	－
サービス管理責任者	…	…	…	…	…	…	…	…	…	…	…	…	…
常　　　勤	…	…	…	…	…	…	…	…	…	…	…	…	…
非　常　勤	…	…	…	…	…	…	…	…	…	…	…	…	…
生活・児童指導員、生活相談員、 生活支援員、児童自立支援専門員	1 828	388	46	242	36	65	1 440	1 391	－	49	－	－	－
常　　　勤	1 718	356	46	225	28	57	1 363	1 314	－	49	－	－	－
非　常　勤	110	32	－	16	8	8	78	78	－	－	－	－	－
職業・作業指導員	103	13	－	4	1	8	89	71	－	18	－	－	－
常　　　勤	103	13	－	4	1	8	89	71	－	18	－	－	－
非　常　勤	－	－	－	－	－	－	－	－	－	－	－	－	－
セ　ラ　ピ　ス　ト	60	20	3	6	11	－	40	40	－	－	－	－	－
常　　　勤	52	15	3	4	8	－	37	37	－	－	－	－	－
非　常　勤	7	5	－	2	3	－	3	3	－	－	－	－	－
理　学　療　法　士	6	1	－	0	1	－	5	5	－	－	－	－	－
常　　　勤	6	0	－	0	1	－	5	5	－	－	－	－	－
非　常　勤	0	0	－	－	－	－	0	0	－	－	－	－	－
作　業　療　法　士	7	4	1	－	3	－	3	3	－	－	－	－	－
常　　　勤	6	3	1	－	2	－	3	3	－	－	－	－	－
非　常　勤	1	1	－	－	1	－	－	－	－	－	－	－	－
その他の療法員	46	15	2	6	7	－	32	32	－	－	－	－	－
常　　　勤	40	11	2	4	5	－	29	29	－	－	－	－	－
非　常　勤	7	4	－	2	2	－	3	3	－	－	－	－	－
心理・職能判定員	…	…	…	…	…	…	…	…	…	…	…	…	…
常　　　勤	…	…	…	…	…	…	…	…	…	…	…	…	…
非　常　勤	…	…	…	…	…	…	…	…	…	…	…	…	…
医　　　　　師	36	7	0	5	1	1	29	28	－	1	－	－	－
常　　　勤	10	3	0	3	0	－	7	7	－	－	－	－	－
非　常　勤	27	4	－	3	0	1	22	22	－	1	－	－	－
保健師・助産師・看護師	265	45	6	27	8	4	220	217	－	2	－	－	－
常　　　勤	243	41	6	26	6	4	201	199	－	2	－	－	－
非　常　勤	23	4	－	1	3	－	19	19	－	－	－	－	－
精神保健福祉士	…	…	…	…	…	…	…	…	…	…	…	…	…
常　　　勤	…	…	…	…	…	…	…	…	…	…	…	…	…
非　常　勤	…	…	…	…	…	…	…	…	…	…	…	…	…
保　　育　　士	1 391	377	9	260	66	42	1 014	1 014	－	－	－	－	－
常　　　勤	1 333	357	9	248	61	40	975	975	－	－	－	－	－
非　常　勤	58	20	－	13	5	2	39	39	－	－	－	－	－
児童生活支援員	－	－	－	－	－	－	－	－	－	－	－	－	－
常　　　勤	－	－	－	－	－	－	－	－	－	－	－	－	－
非　常　勤	－	－	－	－	－	－	－	－	－	－	－	－	－
児　童　厚　生　員	－	－	－	－	－	－	－	－	－	－	－	－	－
常　　　勤	－	－	－	－	－	－	－	－	－	－	－	－	－
非　常　勤	－	－	－	－	－	－	－	－	－	－	－	－	－
母　子　支　援　員	－	－	－	－	－	－	－	－	－	－	－	－	－
常　　　勤	－	－	－	－	－	－	－	－	－	－	－	－	－
非　常　勤	－	－	－	－	－	－	－	－	－	－	－	－	－
介　護　職　員	…	…	…	…	…	…	…	…	…	…	…	…	…
常　　　勤	…	…	…	…	…	…	…	…	…	…	…	…	…
非　常　勤	…	…	…	…	…	…	…	…	…	…	…	…	…
栄　　養　　士	158	24	1	16	2	5	134	132	－	2	－	－	－
常　　　勤	151	19	1	13	2	3	132	130	－	2	－	－	－
非　常　勤	7	5	－	3	1	2	3	3	－	－	－	－	－
調　　理　　員	390	74	5	51	3	15	316	308	－	8	－	－	－
常　　　勤	297	51	4	35	3	9	246	238	－	8	－	－	－
非　常　勤	93	23	1	16	－	5	70	70	－	－	－	－	－
事　　務　　員	348	78	6	47	7	18	270	262	－	8	－	－	－
常　　　勤	320	70	6	42	5	16	250	242	－	8	－	－	－
非　常　勤	28	8	0	4	2	2	20	20	－	－	－	－	－
児童発達支援管理責任者	218	37	1	20	5	10	181	179	－	2	－	－	－
常　　　勤	217	37	1	20	5	10	181	179	－	2	－	－	－
非　常　勤	0	－	－	－	－	－	0	0	－	－	－	－	－
その他の職員	761	187	2	110	53	23	575	569	－	5	－	－	－
常　　　勤	630	154	2	86	49	18	476	471	－	5	－	－	－
非　常　勤	131	33	－	24	4	5	99	99	－	－	－	－	－

常勤換算従事者数，職種・常勤－非常勤、施設の種類・経営主体別

平成29年10月 1 日

児 童 福 祉 施 設 （医 療 型）／障 害 児 入 所 施 設

職種／常勤－非常勤	総数	公営 総数	国・独立行政法人	都道府県	市区町村	一部事務組合・広域連合	私 総数	社会福祉法人	医療法人	公益法人及び日赤	営利法人(会社)	その他の法人	その他
総数	19 384	6 597	4 637	1 907	53	-	12 787	12 592	23	135	-	-	38
常勤	17 749	6 013	4 203	1 768	43	-	11 736	11 545	23	131	-	-	37
非常勤	1 635	584	434	140	11	-	1 051	1 046	-	4	-	-	1
施設長	108	36	22	13	1	-	71	70	0	2	-	-	0
常勤	106	36	22	13	1	-	70	68	0	2	-	-	-
非常勤	2	0	-	0	-	-	2	2	-	-	-	-	0
サービス管理責任者	…	…	…	…	…	…	…	…	…	…	…	…	…
常勤	…	…	…	…	…	…	…	…	…	…	…	…	…
非常勤	…	…	…	…	…	…	…	…	…	…	…	…	…
生活・児童指導員、生活相談員、生活支援員、児童自立支援専門員	1 349	176	128	47	1	-	1 173	1 168	1	2	-	-	2
常勤	1 274	160	115	44	1	-	1 115	1 110	1	2	-	-	2
非常勤	75	17	14	3	-	-	58	58	-	-	-	-	-
職業・作業指導員	165	4	4	-	-	-	161	161	-	-	-	-	-
常勤	132	4	4	-	-	-	128	128	-	-	-	-	-
非常勤	33	-	-	-	-	-	33	33	-	-	-	-	-
セラピスト	1 700	420	179	240	2	-	1 280	1 247	1	28	-	-	4
常勤	1 638	403	173	229	1	-	1 235	1 201	1	28	-	-	4
非常勤	62	17	5	11	1	-	45	45	-	-	-	-	-
理学療法士	726	208	100	107	1	-	519	500	1	16	-	-	2
常勤	712	206	99	106	1	-	506	488	1	16	-	-	2
非常勤	15	2	1	1	-	-	12	12	-	-	-	-	-
作業療法士	524	110	43	67	-	-	414	405	-	8	-	-	1
常勤	507	106	43	64	-	-	401	391	-	8	-	-	1
非常勤	17	3	0	3	-	-	14	14	-	-	-	-	-
その他の療法員	450	103	36	66	1	-	347	342	-	4	-	-	2
常勤	420	91	32	59	-	-	328	322	-	4	-	-	2
非常勤	31	11	4	6	1	-	19	19	-	-	-	-	-
心理・職能判定員	…	…	…	…	…	…	…	…	…	…	…	…	…
常勤	…	…	…	…	…	…	…	…	…	…	…	…	…
非常勤	…	…	…	…	…	…	…	…	…	…	…	…	…
医師	947	402	256	142	4	-	544	541	0	2	-	-	1
常勤	707	349	228	121	1	-	358	356	0	1	-	-	1
非常勤	240	53	29	21	3	-	187	186	-	0	-	-	1
保健師・助産師・看護師	8 629	3 780	2 802	955	24	-	4 849	4 747	16	69	-	-	17
常勤	8 265	3 673	2 715	936	22	-	4 592	4 491	16	69	-	-	17
非常勤	364	107	87	19	2	-	257	257	-	-	-	-	-
精神保健福祉士	…	…	…	…	…	…	…	…	…	…	…	…	…
常勤	…	…	…	…	…	…	…	…	…	…	…	…	…
非常勤	…	…	…	…	…	…	…	…	…	…	…	…	…
保育士	1 144	291	130	158	3	-	853	837	1	12	-	-	2
常勤	1 076	254	114	139	2	-	822	810	1	9	-	-	2
非常勤	68	36	16	20	1	-	31	28	-	4	-	-	-
児童生活支援員	-	-	-	-	-	-	-	-	-	-	-	-	-
常勤	-	-	-	-	-	-	-	-	-	-	-	-	-
非常勤	-	-	-	-	-	-	-	-	-	-	-	-	-
児童厚生員	-	-	-	-	-	-	-	-	-	-	-	-	-
常勤	-	-	-	-	-	-	-	-	-	-	-	-	-
非常勤	-	-	-	-	-	-	-	-	-	-	-	-	-
母子支援員	-	-	-	-	-	-	-	-	-	-	-	-	-
常勤	-	-	-	-	-	-	-	-	-	-	-	-	-
非常勤	-	-	-	-	-	-	-	-	-	-	-	-	-
介護職員	…	…	…	…	…	…	…	…	…	…	…	…	…
常勤	…	…	…	…	…	…	…	…	…	…	…	…	…
非常勤	…	…	…	…	…	…	…	…	…	…	…	…	…
栄養士	234	71	47	23	1	-	164	162	0	1	-	-	1
常勤	224	66	43	22	1	-	158	156	0	1	-	-	1
非常勤	11	5	3	1	-	-	6	6	-	-	-	-	-
調理員	560	95	65	30	-	-	465	457	-	4	-	-	4
常勤	473	69	52	17	-	-	404	396	-	4	-	-	4
非常勤	87	25	13	12	-	-	61	61	-	-	-	-	-
事務員	1 126	335	225	106	5	-	791	781	1	6	-	-	3
常勤	969	230	132	95	3	-	739	729	1	6	-	-	3
非常勤	157	106	93	11	2	-	52	52	-	-	-	-	-
児童発達支援管理責任者	185	52	25	26	1	-	133	127	1	4	-	-	1
常勤	185	52	25	26	1	-	133	127	1	4	-	-	1
非常勤	-	-	-	-	-	-	-	-	-	-	-	-	-
その他の職員	3 238	935	755	168	13	-	2 303	2 294	1	6	-	-	3
常勤	2 700	717	580	127	10	-	1 984	1 974	1	6	-	-	3
非常勤	538	218	175	41	3	-	319	319	-	-	-	-	-

第14表－1　社会福祉施設等（保育所等・小規模保育事業所を除く）の

（単位：人）

職種 / 常勤－非常勤	総数	児童福祉施設 児童発達支援センター（福祉型） 公営 総数	国・独立行政法人	都道府県	市区町村	一部事務組合・広域連合	私営 総数	社会福祉法人	医療法人	公益法人及び日赤	営利法人（会社）	その他の法人	その他
総数	8 286	2 552	－	75	2 393	83	5 734	5 230	81	48	34	342	－
常勤	6 657	2 071	－	60	1 942	69	4 586	4 201	72	41	25	247	－
非常勤	1 630	481	－	15	451	15	1 149	1 029	9	7	9	95	－
施設長	347	92	－	1	88	3	255	227	3	2	1	21	－
常勤	344	91	－	1	87	3	253	227	3	1	1	21	－
非常勤	3	1	－	0	1	－	1	－	－	1	－	1	－
サービス管理責任者	…	…	…	…	…	…	…	…	…	…	…	…	…
常勤	…	…	…	…	…	…	…	…	…	…	…	…	…
非常勤	…	…	…	…	…	…	…	…	…	…	…	…	…
生活・児童指導員、生活相談員、生活支援員、児童自立支援専門員	1 463	310	－	18	277	14	1 153	1 019	19	9	5	101	－
常勤	1 206	243	－	18	214	11	962	861	19	6	4	72	－
非常勤	258	67	－	1	63	3	191	158	0	2	1	29	－
職業・作業指導員	10	7	－	－	7	－	3	3	－	－	－	－	－
常勤	9	7	－	－	7	－	2	2	－	－	－	－	－
非常勤	1	－	－	－	－	－	1	1	－	－	－	－	－
セラピスト	586	176	－	8	163	5	410	360	13	2	8	27	－
常勤	456	125	－	8	112	5	331	289	13	1	7	22	－
非常勤	130	51	－	0	51	－	79	72	1	0	1	5	－
理学療法士	84	32	－	1	29	1	52	45	2	1	3	2	－
常勤	70	27	－	1	25	1	42	37	2	1	2	1	－
非常勤	15	5	－	－	5	－	10	8	－		1	1	－
作業療法士	138	41	－	2	39	－	97	82	1	1	3	10	－
常勤	108	29	－	2	27	－	79	66	1	0	3	9	－
非常勤	30	12	－	－	12	－	18	16	－	0	－	2	－
その他の療法員	363	102	－	5	94	4	261	233	10	－	2	15	－
常勤	278	68	－	5	60	4	210	186	10	－	2	13	－
非常勤	85	34	－	0	34	－	51	48	1			3	－
心理・職能判定員	…	…	…	…	…	…	…	…	…	…	…	…	…
常勤	…	…	…	…	…	…	…	…	…	…	…	…	…
非常勤	…	…	…	…	…	…	…	…	…	…	…	…	…
医師	62	16	－	1	15	－	46	42	1	0	0	3	－
常勤	24	7	－	1	6	－	16	15	0	0	－	1	－
非常勤	38	9	－	0	9	－	29	26	0	－	0	3	－
保健師・助産師・看護師	257	91	－	2	86	3	166	151	3	2	4	6	－
常勤	168	70	－	2	65	2	99	92	1	1	2	3	－
非常勤	89	22	－	0	21	1	67	59	2	1	2	3	－
精神保健福祉士	…	…	…	…	…	…	…	…	…	…	…	…	…
常勤	…	…	…	…	…	…	…	…	…	…	…	…	…
非常勤	…	…	…	…	…	…	…	…	…	…	…	…	…
保育士	3 508	1 278	－	27	1 216	36	2 230	2 083	28	23	5	92	－
常勤	2 890	1 103	－	18	1 052	33	1 788	1 672	25	21	4	66	－
非常勤	618	176	－	9	164	3	443	411	3	2	1	26	－
児童生活支援員	－	－	－	－	－	－	－	－	－	－	－	－	－
常勤	－	－	－	－	－	－	－	－	－	－	－	－	－
非常勤	－	－	－	－	－	－	－	－	－	－	－	－	－
児童厚生員	－	－	－	－	－	－	－	－	－	－	－	－	－
常勤	－	－	－	－	－	－	－	－	－	－	－	－	－
非常勤	－	－	－	－	－	－	－	－	－	－	－	－	－
母子支援員	－	－	－	－	－	－	－	－	－	－	－	－	－
常勤	－	－	－	－	－	－	－	－	－	－	－	－	－
非常勤	－	－	－	－	－	－	－	－	－	－	－	－	－
介護職員	…	…	…	…	…	…	…	…	…	…	…	…	…
常勤	…	…	…	…	…	…	…	…	…	…	…	…	…
非常勤	…	…	…	…	…	…	…	…	…	…	…	…	…
栄養士	202	43	－	3	35	5	159	149	2	2	1	6	－
常勤	173	32	－	2	26	4	141	133	1	1	1	4	－
非常勤	29	11	－	0	9	1	18	15	1	1	－	2	－
調理員	386	144	－	5	134	5	242	223	3	3	1	12	－
常勤	208	86	－	2	84	－	122	115	0	3	－	4	－
非常勤	178	58	－	3	50	5	120	109	2	－	1	8	－
事務員	340	87	－	4	78	5	253	225	2	2	4	20	－
常勤	273	64	－	3	57	4	209	192	2	2	1	13	－
非常勤	67	23	－	1	22	1	43	33	－		3	7	－
児童発達支援管理責任者	514	134	－	5	124	5	380	335	8	4	5	29	－
常勤	512	132	－	5	122	5	379	334	8	4	5	29	－
非常勤	2	1	－	－	1	－	1	1					－
その他の職員	612	175	－	2	170	2	437	413	0	－	－	24	－
常勤	395	112	－	1	110	2	282	269	0	－	－	13	－
非常勤	217	62	－	2	61	－	155	144	－			11	－

常勤換算従事者数, 職種・常勤－非常勤、施設の種類・経営主体別

職種 / 常勤－非常勤	総数	児童福祉施設（医療型）児童発達支援センター 公営 総数	国・独立行政法人	都道府県	市区町村	一部事務組合・広域連合	私営 総数	社会福祉法人	医療法人	公益法人及び日赤	営利法人（会社）	その他の法人	その他
総数	1 382	796	104	314	365	13	586	576	－	10	－	－	－
常勤	1 176	659	92	264	293	10	517	507	－	10	－	－	－
非常勤	206	138	12	51	72	3	69	69	－	－	－	－	－
施設長	41	22	1	7	13	1	19	18	－	0	－	－	－
常勤	41	22	1	7	13	1	19	18	－	0	－	－	－
非常勤	0	0	－	－	0	－	－	－	－	－	－	－	－
サービス管理責任者	…	…	…	…	…	…	…	…	…	…	…	…	…
常勤	…	…	…	…	…	…	…	…	…	…	…	…	…
非常勤	…	…	…	…	…	…	…	…	…	…	…	…	…
生活・児童指導員、生活相談員、生活支援員、児童自立支援専門員	127	52	3	21	27	1	75	75	－	0	－	－	－
常勤	120	46	2	19	23	1	74	74	－	0	－	－	－
非常勤	7	6	1	2	4	－	1	1	－	－	－	－	－
職業・作業指導員	－	－	－	－	－	－	－	－	－	－	－	－	－
常勤	－	－	－	－	－	－	－	－	－	－	－	－	－
非常勤	－	－	－	－	－	－	－	－	－	－	－	－	－
セラピスト	287	164	0	67	91	5	124	121	－	3	－	－	－
常勤	262	143	0	61	77	5	120	117	－	3	－	－	－
非常勤	25	21	－	7	14	0	4	4	－	－	－	－	－
理学療法士	129	75	0	31	41	3	54	53	－	1	－	－	－
常勤	124	72	0	30	39	3	52	51	－	1	－	－	－
非常勤	5	3	－	2	1	－	2	2	－	－	－	－	－
作業療法士	89	47	0	19	27	1	43	42	－	1	－	－	－
常勤	82	40	0	17	22	1	42	41	－	1	－	－	－
非常勤	7	7	－	2	4	－	1	1	－	－	－	－	－
その他の療法員	69	42	0	17	24	1	27	27	－	1	－	－	－
常勤	57	31	0	14	16	1	26	26	－	1	－	－	－
非常勤	13	11	－	3	8	0	1	1	－	－	－	－	－
心理・職能判定員	…	…	…	…	…	…	…	…	…	…	…	…	…
常勤	…	…	…	…	…	…	…	…	…	…	…	…	…
非常勤	…	…	…	…	…	…	…	…	…	…	…	…	…
医師	72	52	5	37	10	1	20	19	－	1	－	－	－
常勤	54	40	5	30	5	－	14	13	－	1	－	－	－
非常勤	18	12	0	7	5	1	6	6	－	－	－	－	－
保健師・助産師・看護師	125	57	3	25	29	1	68	68	－	0	－	－	－
常勤	99	44	0	20	23	－	55	55	－	0	－	－	－
非常勤	26	13	2	5	6	1	13	13	－	－	－	－	－
精神保健福祉士	…	…	…	…	…	…	…	…	…	…	…	…	…
常勤	…	…	…	…	…	…	…	…	…	…	…	…	…
非常勤	…	…	…	…	…	…	…	…	…	…	…	…	…
保育士	342	191	7	73	110	1	152	151	－	1	－	－	－
常勤	277	150	2	58	90	1	127	126	－	1	－	－	－
非常勤	65	40	5	15	20	－	25	25	－	－	－	－	－
児童生活支援員	－	－	－	－	－	－	－	－	－	－	－	－	－
常勤	－	－	－	－	－	－	－	－	－	－	－	－	－
非常勤	－	－	－	－	－	－	－	－	－	－	－	－	－
児童厚生員	－	－	－	－	－	－	－	－	－	－	－	－	－
常勤	－	－	－	－	－	－	－	－	－	－	－	－	－
非常勤	－	－	－	－	－	－	－	－	－	－	－	－	－
母子支援員	－	－	－	－	－	－	－	－	－	－	－	－	－
常勤	－	－	－	－	－	－	－	－	－	－	－	－	－
非常勤	－	－	－	－	－	－	－	－	－	－	－	－	－
介護職員	…	…	…	…	…	…	…	…	…	…	…	…	…
常勤	…	…	…	…	…	…	…	…	…	…	…	…	…
非常勤	…	…	…	…	…	…	…	…	…	…	…	…	…
栄養士	26	16	1	7	8	－	10	10	－	0	－	－	－
常勤	23	14	0	7	7	－	9	9	－	0	－	－	－
非常勤	3	2	1	－	1	－	1	1	－	－	－	－	－
調理員	58	38	2	11	24	1	20	20	－	1	－	－	－
常勤	32	17	1	4	12	－	14	14	－	1	－	－	－
非常勤	26	20	0	7	13	1	6	6	－	－	－	－	－
事務員	103	68	9	37	22	1	34	32	－	2	－	－	－
常勤	83	54	6	31	17	－	29	27	－	2	－	－	－
非常勤	19	14	2	6	5	1	5	5	－	－	－	－	－
児童発達支援管理責任者	72	37	－	16	20	1	35	34	－	1	－	－	－
常勤	72	37	－	16	20	1	35	34	－	1	－	－	－
非常勤	－	－	－	－	－	－	－	－	－	－	－	－	－
その他の職員	130	101	75	14	11	1	29	29	－	1	－	－	－
常勤	113	92	74	11	6	1	21	21	－	1	－	－	－
非常勤	17	9	1	3	5	－	8	8	－	－	－	－	－

第14表－1　社会福祉施設等（保育所等・小規模保育事業所を除く）の

（単位：人）

| 職種 常勤－非常勤 | 総数 | 児童福祉施設　児童心理治療施設 | | | | | | | | | | | |
| | | 公営 | | | | | 私営 | | | | | | |
		総数	国・独立行政法人	都道府県	市区町村	一部事務組合・広域連合	総数	社会福祉法人	医療法人	公益法人及び日赤	営利法人（会社）	その他の法人	その他
総数	1 309	139	－	100	39	－	1 170	1 170	－	－	－	－	－
常勤	1 226	120	－	81	39	－	1 106	1 106	－	－	－	－	－
非常勤	83	19	－	19	－	－	63	63	－	－	－	－	－
施設長	39	3	－	2	1	－	36	36	－	－	－	－	－
常勤	39	3	－	2	1	－	36	36	－	－	－	－	－
非常勤	－	－	－	－	－	－	－	－	－	－	－	－	－
サービス管理責任者	…	…	…	…	…	…	…	…	…	…	…	…	…
常勤	…	…	…	…	…	…	…	…	…	…	…	…	…
非常勤	…	…	…	…	…	…	…	…	…	…	…	…	…
生活・児童指導員、生活相談員、生活支援員、児童自立支援専門員	533	62	－	48	14	－	471	471	－	－	－	－	－
常勤	507	55	－	41	14	－	452	452	－	－	－	－	－
非常勤	26	7	－	7	－	－	19	19	－	－	－	－	－
職業・作業指導員	1	－	－	－	－	－	1	1	－	－	－	－	－
常勤	1	－	－	－	－	－	1	1	－	－	－	－	－
非常勤	－	－	－	－	－	－	－	－	－	－	－	－	－
セラピスト	250	22	－	14	8	－	228	228	－	－	－	－	－
常勤	241	20	－	12	8	－	221	221	－	－	－	－	－
非常勤	9	2	－	2	－	－	7	7	－	－	－	－	－
理学療法士	－	－	－	－	－	－	－	－	－	－	－	－	－
常勤	－	－	－	－	－	－	－	－	－	－	－	－	－
非常勤	－	－	－	－	－	－	－	－	－	－	－	－	－
作業療法士	0	－	－	－	－	－	0	0	－	－	－	－	－
常勤	－	－	－	－	－	－	－	－	－	－	－	－	－
非常勤	0	－	－	－	－	－	0	0	－	－	－	－	－
その他の療法員	250	22	－	14	8	－	228	228	－	－	－	－	－
常勤	241	20	－	12	8	－	221	221	－	－	－	－	－
非常勤	9	2	－	2	－	－	7	7	－	－	－	－	－
心理・職能判定員	…	…	…	…	…	…	…	…	…	…	…	…	…
常勤	…	…	…	…	…	…	…	…	…	…	…	…	…
非常勤	…	…	…	…	…	…	…	…	…	…	…	…	…
医師	24	3	－	2	1	－	21	21	－	－	－	－	－
常勤	12	3	－	2	1	－	9	9	－	－	－	－	－
非常勤	12	0	－	0	－	－	12	12	－	－	－	－	－
保健師・助産師・看護師	46	8	－	6	2	－	39	39	－	－	－	－	－
常勤	44	8	－	6	2	－	37	37	－	－	－	－	－
非常勤	2	－	－	－	－	－	2	2	－	－	－	－	－
精神保健福祉士	…	…	…	…	…	…	…	…	…	…	…	…	…
常勤	…	…	…	…	…	…	…	…	…	…	…	…	…
非常勤	…	…	…	…	…	…	…	…	…	…	…	…	…
保育士	167	12	－	1	11	－	155	155	－	－	－	－	－
常勤	166	11	－	－	11	－	155	155	－	－	－	－	－
非常勤	1	1	－	1	－	－	－	－	－	－	－	－	－
児童生活支援員	－	－	－	－	－	－	－	－	－	－	－	－	－
常勤	－	－	－	－	－	－	－	－	－	－	－	－	－
非常勤	－	－	－	－	－	－	－	－	－	－	－	－	－
児童厚生員	－	－	－	－	－	－	－	－	－	－	－	－	－
常勤	－	－	－	－	－	－	－	－	－	－	－	－	－
非常勤	－	－	－	－	－	－	－	－	－	－	－	－	－
母子支援員													
常勤													
非常勤													
介護職員	…	…	…	…	…	…	…	…	…	…	…	…	…
常勤	…	…	…	…	…	…	…	…	…	…	…	…	…
非常勤	…	…	…	…	…	…	…	…	…	…	…	…	…
栄養士	33	4	－	3	1	－	29	29	－	－	－	－	－
常勤	32	3	－	2	1	－	29	29	－	－	－	－	－
非常勤	1	1	－	1	－	－	0	0	－	－	－	－	－
調理員	86	－	－	－	－	－	86	86	－	－	－	－	－
常勤	76	－	－	－	－	－	76	76	－	－	－	－	－
非常勤	10	－	－	－	－	－	10	10	－	－	－	－	－
事務員	62	11	－	10	1	－	51	51	－	－	－	－	－
常勤	56	9	－	8	1	－	48	48	－	－	－	－	－
非常勤	5	2	－	2	－	－	3	3	－	－	－	－	－
児童発達支援管理責任者	－	－	－	－	－	－	－	－	－	－	－	－	－
常勤	－	－	－	－	－	－	－	－	－	－	－	－	－
非常勤	－	－	－	－	－	－	－	－	－	－	－	－	－
その他の職員	67	14	－	14	0	－	53	53	－	－	－	－	－
常勤	51	8	－	8	0	－	43	43	－	－	－	－	－
非常勤	16	6	－	6	－	－	10	10	－	－	－	－	－

常勤換算従事者数，職種・常勤－非常勤、施設の種類・経営主体別

平成29年10月1日

職種	常勤－非常勤	総数	児童自立支援施設											
			公営					私営						
			総数	国・独立行政法人	都道府県	市区町村	一部事務組合・広域連合	総数	社会福祉法人	医療法人	公益法人及び日赤	営利法人（会社）	その他の法人	その他
総数		1 838	1 768	69	1 573	126	–	70	70	–	–	–	–	–
	常勤	1 562	1 497	67	1 310	119	–	65	65	–	–	–	–	–
	非常勤	276	272	2	263	7	–	5	5	–	–	–	–	–
施設長		55	53	2	47	4	–	2	2	–	–	–	–	–
	常勤	55	53	2	47	4	–	2	2	–	–	–	–	–
	非常勤	–	–	–	–	–	–	–	–	–	–	–	–	–
サービス管理責任者		…	…	…	…	…	…	…	…	…	…	…	…	…
	常勤	…	…	…	…	…	…	…	…	…	…	…	…	…
	非常勤	…	…	…	…	…	…	…	…	…	…	…	…	…
生活・児童指導員、生活相談員、生活支援員、児童自立支援専門員		1 015	986	40	885	61	–	29	29	–	–	–	–	–
	常勤	952	923	40	825	59	–	29	29	–	–	–	–	–
	非常勤	63	63	1	61	2	–	–	–	–	–	–	–	–
職業・作業指導員		12	9	–	9	–	–	3	3	–	–	–	–	–
	常勤	8	5	–	5	–	–	3	3	–	–	–	–	–
	非常勤	4	4	–	4	–	–	–	–	–	–	–	–	–
セラピスト		30	27	3	20	4	–	4	4	–	–	–	–	–
	常勤	20	17	3	11	3	–	3	3	–	–	–	–	–
	非常勤	11	10	–	9	1	–	1	1	–	–	–	–	–
理学療法士		–	–	–	–	–	–	–	–	–	–	–	–	–
	常勤	–	–	–	–	–	–	–	–	–	–	–	–	–
	非常勤	–	–	–	–	–	–	–	–	–	–	–	–	–
作業療法士		–	–	–	–	–	–	–	–	–	–	–	–	–
	常勤	–	–	–	–	–	–	–	–	–	–	–	–	–
	非常勤	–	–	–	–	–	–	–	–	–	–	–	–	–
その他の療法員		30	27	3	20	4	–	4	4	–	–	–	–	–
	常勤	20	17	3	11	3	–	3	3	–	–	–	–	–
	非常勤	11	10	–	9	1	–	1	1	–	–	–	–	–
心理・職能判定員		…	…	…	…	…	…	…	…	…	…	…	…	…
	常勤	…	…	…	…	…	…	…	…	…	…	…	…	…
	非常勤	…	…	…	…	…	…	…	…	…	…	…	…	…
医師		9	9	1	7	0	–	–	–	–	–	–	–	–
	常勤	2	2	1	1	–	–	–	–	–	–	–	–	–
	非常勤	7	7	1	6	0	–	–	–	–	–	–	–	–
保健師・助産師・看護師		29	29	1	24	4	–	–	–	–	–	–	–	–
	常勤	16	16	1	12	3	–	–	–	–	–	–	–	–
	非常勤	12	12	–	11	1	–	–	–	–	–	–	–	–
精神保健福祉士		…	…	…	…	…	…	…	…	…	…	…	…	…
	常勤	…	…	…	…	…	…	…	…	…	…	…	…	…
	非常勤	…	…	…	…	…	…	…	…	…	…	…	…	…
保育士		8	8	–	7	1	–	–	–	–	–	–	–	–
	常勤	8	8	–	7	1	–	–	–	–	–	–	–	–
	非常勤													
児童生活支援員		186	176	5	155	16	–	11	11	–	–	–	–	–
	常勤	173	164	5	143	16	–	9	9	–	–	–	–	–
	非常勤	13	12	–	12	–	–	2	2	–	–	–	–	–
児童厚生員		–	–	–	–	–	–	–	–	–	–	–	–	–
	常勤	–	–	–	–	–	–	–	–	–	–	–	–	–
	非常勤	–	–	–	–	–	–	–	–	–	–	–	–	–
母子支援員		–	–	–	–	–	–	–	–	–	–	–	–	–
	常勤	–	–	–	–	–	–	–	–	–	–	–	–	–
	非常勤	–	–	–	–	–	–	–	–	–	–	–	–	–
介護職員		…	…	…	…	…	…	…	…	…	…	…	…	…
	常勤	…	…	…	…	…	…	…	…	…	…	…	…	…
	非常勤	…	…	…	…	…	…	…	…	…	…	…	…	…
栄養士		38	35	2	32	2	–	3	3	–	–	–	–	–
	常勤	29	26	2	23	1	–	3	3	–	–	–	–	–
	非常勤	9	9	–	8	1	–	–	–	–	–	–	–	–
調理員		126	124	5	109	10	–	2	2	–	–	–	–	–
	常勤	76	76	5	63	9	–	–	–	–	–	–	–	–
	非常勤	50	48	1	47	1	–	2	2	–	–	–	–	–
事務員		160	155	10	138	8	–	5	5	–	–	–	–	–
	常勤	141	136	10	119	8	–	5	5	–	–	–	–	–
	非常勤	19	19	–	19	–	–	0	0	–	–	–	–	–
児童発達支援管理責任者		–	–	–	–	–	–	–	–	–	–	–	–	–
	常勤	–	–	–	–	–	–	–	–	–	–	–	–	–
	非常勤	–	–	–	–	–	–	–	–	–	–	–	–	–
その他の職員		171	159	1	141	17	–	12	12	–	–	–	–	–
	常勤	82	71	1	55	15	–	11	11	–	–	–	–	–
	非常勤	88	88	0	85	2	–	1	1	–	–	–	–	–

第14表－1　社会福祉施設等（保育所等・小規模保育事業所を除く）の

（単位：人）

職　種　常勤－非常勤	総　数	児　童　家　庭　支　援　セ　ン　タ　ー											
		公　営					私　営						
		総　数	国・独立行政法人	都道府県	市区町村	一部事務組合・広域連合	総　数	社会福祉法人	医療法人	公益法人及び日赤	営利法人（会社）	その他の法人	その他
総　　　　数	390	－	－	－	－	－	390	373	－	－	－	17	－
常　　勤	315	－	－	－	－	－	315	302	－	－	－	13	－
非　常　勤	75	－	－	－	－	－	75	71	－	－	－	4	－
施　設　長	53	－	－	－	－	－	53	51	－	－	－	3	－
常　　勤	51	－	－	－	－	－	51	49	－	－	－	2	－
非　常　勤	3	－	－	－	－	－	3	2	－	－	－	1	－
サービス管理責任者	…	…	…	…	…	…	…	…	…	…	…	…	…
常　　勤	…	…	…	…	…	…	…	…	…	…	…	…	…
非　常　勤	…	…	…	…	…	…	…	…	…	…	…	…	…
生活・児童指導員、生活相談員、生活支援員、児童自立支援専門員	42	－	－	－	－	－	42	42	－	－	－	－	－
常　　勤	36	－	－	－	－	－	36	36	－	－	－	－	－
非　常　勤	6	－	－	－	－	－	6	6	－	－	－	－	－
職業・作業指導員	－						－						
常　　勤	－						－						
非　常　勤	－						－						
セ　ラ　ピ　ス　ト	60	－	－	－	－	－	60	57	－	－	－	2	－
常　　勤	47	－	－	－	－	－	47	45	－	－	－	2	－
非　常　勤	13	－	－	－	－	－	13	13	－	－	－	1	－
理　学　療　法　士	1	－	－	－	－	－	1	1	－	－	－	－	－
常　　勤	－						－	－					
非　常　勤	1	－	－	－	－	－	1	1	－	－	－	－	－
作　業　療　法　士	－						－						
常　　勤	－						－						
非　常　勤	－						－						
その他の療法員	59	－	－	－	－	－	59	57	－	－	－	2	－
常　　勤	47	－	－	－	－	－	47	45	－	－	－	2	－
非　常　勤	12	－	－	－	－	－	12	12	－	－	－	1	－
心理・職能判定員	…	…	…	…	…	…	…	…	…	…	…	…	…
常　　勤	…	…	…	…	…	…	…	…	…	…	…	…	…
非　常　勤	…	…	…	…	…	…	…	…	…	…	…	…	…
医　　　師	0	－	－	－	－	－	0	－	－	－	－	0	－
常　　勤	－						－						
非　常　勤	0	－	－	－	－	－	0	－	－	－	－	0	－
保健師・助産師・看護師	2	－	－	－	－	－	2	2	－	－	－	－	－
常　　勤	1	－	－	－	－	－	1	1	－	－	－	－	－
非　常　勤	1	－	－	－	－	－	1	1	－	－	－	－	－
精神保健福祉士	…	…	…	…	…	…	…	…	…	…	…	…	…
常　　勤	…	…	…	…	…	…	…	…	…	…	…	…	…
非　常　勤	…	…	…	…	…	…	…	…	…	…	…	…	…
保　育　士	23	－	－	－	－	－	23	23	－	－	－	－	－
常　　勤	23	－	－	－	－	－	23	23	－	－	－	－	－
非　常　勤	1	－	－	－	－	－	1	1	－	－	－	－	－
児童生活支援員	－						－						
常　　勤	－						－						
非　常　勤	－						－						
児　童　厚　生　員	－						－						
常　　勤	－						－						
非　常　勤	－						－						
母　子　支　援　員	－						－						
常　　勤	－						－						
非　常　勤	－						－						
介　護　職　員	…	…	…	…	…	…	…	…	…	…	…	…	…
常　　勤	…	…	…	…	…	…	…	…	…	…	…	…	…
非　常　勤	…	…	…	…	…	…	…	…	…	…	…	…	…
栄　養　士	－						－						
常　　勤	－						－						
非　常　勤	－						－						
調　理　員	－						－						
常　　勤	－						－						
非　常　勤	－						－						
事　務　員	10	－	－	－	－	－	10	6	－	－	－	3	－
常　　勤	7	－	－	－	－	－	7	5	－	－	－	3	－
非　常　勤	2	－	－	－	－	－	2	2	－	－	－	1	－
児童発達支援管理責任者	－						－						
常　　勤	－						－						
非　常　勤	－						－						
その他の職員	200	－	－	－	－	－	200	192	－	－	－	8	－
常　　勤	151	－	－	－	－	－	151	144	－	－	－	7	－
非　常　勤	49	－	－	－	－	－	49	48	－	－	－	2	－

常勤換算従事者数，職種・常勤－非常勤、施設の種類・経営主体別

平成29年10月1日

児童福祉施設 ＞ 小型児童館

職種／常勤－非常勤	総数	公営					私営						
		総数	国・独立行政法人	都道府県	市区町村	一部事務組合・広域連合	総数	社会福祉法人	医療法人	公益法人及び日赤	営利法人（会社）	その他の法人	その他
総数	9 596	5 219	–	–	5 216	3	4 377	2 333	–	797	321	770	156
常勤	6 685	3 417	–	–	3 415	2	3 268	1 783	–	537	258	584	107
非常勤	2 910	1 802	–	–	1 800	1	1 109	550	–	261	64	186	49
施設長	1 442	770	–	–	769	1	672	355	–	120	51	118	28
常勤	1 263	648	–	–	647	1	616	315	–	117	51	109	24
非常勤	179	122	–	–	122	0	56	40	–	3	1	9	4
サービス管理責任者	…	…	…	…	…	…	…	…	…	…	…	…	…
常勤	…	…	…	…	…	…	…	…	…	…	…	…	…
非常勤	…	…	…	…	…	…	…	…	…	…	…	…	…
生活・児童指導員、生活相談員、生活支援員、児童自立支援専門員	327	169	–	–	169	–	158	92	–	–	40	22	4
常勤	203	108	–	–	108	–	95	39	–	–	36	17	3
非常勤	124	61	–	–	61	–	63	53	–	–	4	5	1
職業・作業指導員	37	23	–	–	23	–	14	2	–	–	5	7	–
常勤	33	19	–	–	19	–	13	2	–	–	5	6	–
非常勤	5	4	–	–	4	–	1	–	–	–	–	1	–
セラピスト	8	1	–	–	1	–	7	5	–	–	1	2	–
常勤	3	0	–	–	0	–	3	–	–	–	1	2	–
非常勤	5	1	–	–	1	–	5	5	–	–	–	–	–
理学療法士	–	–	–	–	–	–	–	–	–	–	–	–	–
常勤	–	–	–	–	–	–	–	–	–	–	–	–	–
非常勤	–	–	–	–	–	–	–	–	–	–	–	–	–
作業療法士	2	0	–	–	0	–	2	–	–	–	–	2	–
常勤	2	–	–	–	–	–	2	–	–	–	–	2	–
非常勤	0	0	–	–	0	–	–	–	–	–	–	–	–
その他の療法員	6	1	–	–	＊1	–	6	5	–	–	–	1	–
常勤	1	1	–	–	0	–	1	–	–	–	–	1	–
非常勤	5	0	–	–	0	–	5	5	–	–	–	–	–
心理・職能判定員	…	…	…	…	…	…	…	…	…	…	…	…	…
常勤	…	…	…	…	…	…	…	…	…	…	…	…	…
非常勤	…	…	…	…	…	…	…	…	…	…	…	…	…
医師	5	5	–	–	5	–	1	1	–	–	–	–	–
常勤	3	3	–	–	3	–	0	0	–	–	–	–	–
非常勤	2	2	–	–	2	–	0	0	–	–	–	–	–
保健師・助産師・看護師	7	4	–	–	4	–	3	3	–	–	–	1	–
常勤	4	3	–	–	3	–	1	1	–	–	–	–	–
非常勤	3	1	–	–	1	–	2	1	–	–	–	1	–
精神保健福祉士	…	…	…	…	…	…	…	…	…	…	…	…	…
常勤	…	…	…	…	…	…	…	…	…	…	…	…	…
非常勤	…	…	…	…	…	…	…	…	…	…	…	…	…
保育士	830	526	–	–	526	–	304	130	–	7	49	111	8
常勤	667	434	–	–	434	–	233	95	–	6	39	87	6
非常勤	163	92	–	–	92	–	71	35	–	1	9	24	3
児童生活支援員	–	–	–	–	–	–	–	–	–	–	–	–	–
常勤	–	–	–	–	–	–	–	–	–	–	–	–	–
非常勤	–	–	–	–	–	–	–	–	–	–	–	–	–
児童厚生員	5 865	3 038	–	–	3 037	1	2 827	1 528	–	634	159	408	98
常勤	3 914	1 791	–	–	1 791	–	2 123	1 228	–	409	116	308	63
非常勤	1 951	1 247	–	–	1 246	1	704	301	–	225	43	100	35
母子支援員	–	–	–	–	–	–	–	–	–	–	–	–	–
常勤	–	–	–	–	–	–	–	–	–	–	–	–	–
非常勤	–	–	–	–	–	–	–	–	–	–	–	–	–
介護職員	…	…	…	…	…	…	…	…	…	…	…	…	…
常勤	…	…	…	…	…	…	…	…	…	…	…	…	…
非常勤	…	…	…	…	…	…	…	…	…	…	…	…	…
栄養士	17	5	–	–	5	–	12	8	–	4	0	1	–
常勤	10	4	–	–	4	–	6	6	–	–	–	–	–
非常勤	8	1	–	–	1	–	7	2	–	4	0	1	–
調理員	9	6	–	–	6	–	4	4	–	–	–	–	–
常勤	5	4	–	–	4	–	2	2	–	–	–	–	–
非常勤	4	2	–	–	2	–	2	2	–	–	–	–	–
事務員	252	216	–	–	216	–	36	13	–	–	0	18	4
常勤	213	185	–	–	185	–	28	10	–	–	–	15	3
非常勤	38	31	–	–	31	–	8	3	–	–	0	3	1
児童発達支援管理責任者	–	–	–	–	–	–	–	–	–	–	–	–	–
常勤	–	–	–	–	–	–	–	–	–	–	–	–	–
非常勤	–	–	–	–	–	–	–	–	–	–	–	–	–
その他の職員	797	459	–	–	458	1	338	194	–	33	16	82	14
常勤	368	220	–	–	219	1	149	85	–	5	10	40	9
非常勤	429	239	–	–	239	–	190	109	–	28	6	42	5

第14表－1　社会福祉施設等（保育所等・小規模保育事業所を除く）の

（単位：人）

職種　常勤－非常勤	総数	児童福祉施設　児童センター 公営					私営						その他
		総数	国・独立行政法人	都道府県	市区町村	一部事務組合・広域連合	総数	社会福祉法人	医療法人	公益法人及び日赤	営利法人（会社）	その他の法人	その他
総　　数	7 829	3 536	-	-	3 536	-	4 292	2 312	-	798	436	475	272
常　勤	5 145	2 301	-	-	2 301	-	2 844	1 446	-	546	323	343	186
非常勤	2 684	1 236	-	-	1 236	-	1 448	865	-	252	113	132	86
施　設　長	1 168	553	-	-	553	-	615	323	-	132	55	61	44
常　勤	965	424	-	-	424	-	541	262	-	132	54	60	32
非常勤	203	129	-	-	129	-	74	61	-	-	1	1	12
サービス管理責任者	...	...	...	...	...	...	...	...	...	...	...	...	...
常　勤	...	...	...	...	...	...	...	...	...	...	...	...	...
非常勤	...	...	...	...	...	...	...	...	...	...	...	...	...
生活・児童指導員、生活相談員、生活支援員、児童自立支援専門員	332	136	-	-	136	-	196	150	-	-	17	11	19
常　勤	136	89	-	-	89	-	46	23	-	-	9	8	7
非常勤	196	47	-	-	47	-	150	127	-	-	8	3	12
職業・作業指導員	24	5	-	-	5	-	19	15	-	-	-	1	3
常　勤	22	5	-	-	5	-	17	13	-	-	1	1	3
非常勤	2	-	-	-	-	-	2	2	-	-	-	0	-
セ ラ ピ ス ト	4	4	-	-	4	-	-	-	-	-	-	-	-
常　勤	3	3	-	-	3	-	-	-	-	-	-	-	-
非常勤	1	1	-	-	1	-	-	-	-	-	-	-	-
理 学 療 法 士	-	-	-	-	-	-	-	-	-	-	-	-	-
常　勤	-	-	-	-	-	-	-	-	-	-	-	-	-
非常勤	-	-	-	-	-	-	-	-	-	-	-	-	-
作 業 療 法 士	-	-	-	-	-	-	-	-	-	-	-	-	-
常　勤	-	-	-	-	-	-	-	-	-	-	-	-	-
非常勤	-	-	-	-	-	-	-	-	-	-	-	-	-
その他の療法員	4	4	-	-	4	-	-	-	-	-	-	-	-
常　勤	3	3	-	-	3	-	-	-	-	-	-	-	-
非常勤	1	1	-	-	1	-	-	-	-	-	-	-	-
心理・職能判定員	...	...	...	...	...	...	...	...	...	...	...	...	...
常　勤	...	...	...	...	...	...	...	...	...	...	...	...	...
非常勤	...	...	...	...	...	...	...	...	...	...	...	...	...
医　　師	1	1	-	-	1	-	0	0	-	-	-	-	0
常　勤	-	-	-	-	-	-	-	-	-	-	-	-	-
非常勤	1	1	-	-	1	-	0	0	-	-	-	-	0
保健師・助産師・看護師	7	5	-	-	5	-	2	0	-	-	-	2	-
常　勤	4	4	-	-	4	-	-	-	-	-	-	-	-
非常勤	3	1	-	-	1	-	2	0	-	-	-	2	-
精神保健福祉士	...	...	...	...	...	...	...	...	...	...	...	...	...
常　勤	...	...	...	...	...	...	...	...	...	...	...	...	...
非常勤	...	...	...	...	...	...	...	...	...	...	...	...	...
保　育　士	620	326	-	-	326	-	294	126	-	5	70	79	14
常　勤	482	268	-	-	268	-	214	98	-	4	52	51	10
非常勤	138	58	-	-	58	-	80	28	-	1	18	28	5
児童生活支援員	-	-	-	-	-	-	-	-	-	-	-	-	-
常　勤	-	-	-	-	-	-	-	-	-	-	-	-	-
非常勤	-	-	-	-	-	-	-	-	-	-	-	-	-
児 童 厚 生 員	4 627	1 976	-	-	1 976	-	2 651	1 425	-	640	232	232	122
常　勤	2 963	1 189	-	-	1 189	-	1 774	929	-	399	179	175	92
非常勤	1 664	787	-	-	787	-	878	496	-	241	53	57	30
母 子 支 援 員	-	-	-	-	-	-	-	-	-	-	-	-	-
常　勤	-	-	-	-	-	-	-	-	-	-	-	-	-
非常勤	-	-	-	-	-	-	-	-	-	-	-	-	-
介 護 職 員	...	...	...	...	...	...	...	...	...	...	...	...	...
常　勤	...	...	...	...	...	...	...	...	...	...	...	...	...
非常勤	...	...	...	...	...	...	...	...	...	...	...	...	...
栄　養　士	3	1	-	-	1	-	2	1	-	-	1	-	-
常　勤	1	-	-	-	-	-	1	1	-	-	-	-	-
非常勤	2	1	-	-	1	-	1	-	-	-	1	-	-
調　理　員	-	-	-	-	-	-	-	-	-	-	-	-	-
常　勤	-	-	-	-	-	-	-	-	-	-	-	-	-
非常勤	-	-	-	-	-	-	-	-	-	-	-	-	-
事　務　員	227	128	-	-	128	-	99	52	-	7	12	17	12
常　勤	171	106	-	-	106	-	64	33	-	4	10	10	8
非常勤	57	22	-	-	22	-	35	19	-	3	2	7	4
児童発達支援管理責任者	-	-	-	-	-	-	-	-	-	-	-	-	-
常　勤	-	-	-	-	-	-	-	-	-	-	-	-	-
非常勤	-	-	-	-	-	-	-	-	-	-	-	-	-
その他の職員	817	403	-	-	403	-	414	221	-	13	49	71	59
常　勤	398	212	-	-	212	-	187	88	-	7	18	38	36
非常勤	418	191	-	-	191	-	227	134	-	6	31	33	23

常勤換算従事者数，職種・常勤－非常勤、施設の種類・経営主体別

職　種／常勤－非常勤	総数	児童福祉施設A型 大型児童館 公営 総数	国・独立行政法人	都道府県	市区町村	一部事務組合・広域連合	私営 総数	社会福祉法人	医療法人	公益法人及び日赤	営利法人（会社）	その他の法人	その他
総　数	314	48	-	28	20	-	266	40	-	184	21	21	-
常　勤	249	31	-	11	20	-	218	36	-	143	20	19	-
非常勤	65	17	-	17	-	-	48	4	-	41	1	2	-
施　設　長	14	1	-	1	0	-	13	2	-	9	1	1	-
常　勤	13	1	-	1	0	-	12	2	-	9	-	1	-
非常勤	1	-	-	-	-	-	1	-	-	-	1	-	-
サービス管理責任者	…	…	…	…	…	…	…	…	…	…	…	…	…
常　勤	…	…	…	…	…	…	…	…	…	…	…	…	…
非常勤	…	…	…	…	…	…	…	…	…	…	…	…	…
生活・児童指導員、生活相談員、生活支援員、児童自立支援専門員	-	-	-	-	-	-	-	-	-	-	-	-	-
常　勤	-	-	-	-	-	-	-	-	-	-	-	-	-
非常勤	-	-	-	-	-	-	-	-	-	-	-	-	-
職業・作業指導員	13	-	-	-	-	-	13	-	-	13	-	-	-
常　勤	13	-	-	-	-	-	13	-	-	13	-	-	-
非常勤	-	-	-	-	-	-	-	-	-	-	-	-	-
セ ラ ピ ス ト	1	-	-	-	-	-	1	-	-	-	1	-	-
常　勤	-	-	-	-	-	-	-	-	-	-	-	-	-
非常勤	1	-	-	-	-	-	1	-	-	-	1	-	-
理 学 療 法 士	-	-	-	-	-	-	-	-	-	-	-	-	-
常　勤	-	-	-	-	-	-	-	-	-	-	-	-	-
非常勤	-	-	-	-	-	-	-	-	-	-	-	-	-
作 業 療 法 士	-	-	-	-	-	-	-	-	-	-	-	-	-
常　勤	-	-	-	-	-	-	-	-	-	-	-	-	-
非常勤	-	-	-	-	-	-	-	-	-	-	-	-	-
その他の療法員	1	-	-	-	-	-	1	-	-	-	1	-	-
常　勤	-	-	-	-	-	-	-	-	-	-	-	-	-
非常勤	1	-	-	-	-	-	1	-	-	-	1	-	-
心理・職能判定員	…	…	…	…	…	…	…	…	…	…	…	…	…
常　勤	…	…	…	…	…	…	…	…	…	…	…	…	…
非常勤	…	…	…	…	…	…	…	…	…	…	…	…	…
医　師	-	-	-	-	-	-	-	-	-	-	-	-	-
常　勤	-	-	-	-	-	-	-	-	-	-	-	-	-
非常勤	-	-	-	-	-	-	-	-	-	-	-	-	-
保健師・助産師・看護師	1	-	-	-	-	-	1	-	-	-	-	1	-
常　勤	-	-	-	-	-	-	-	-	-	-	-	-	-
非常勤	1	-	-	-	-	-	1	-	-	-	-	1	-
精神保健福祉士	…	…	…	…	…	…	…	…	…	…	…	…	…
常　勤	…	…	…	…	…	…	…	…	…	…	…	…	…
非常勤	…	…	…	…	…	…	…	…	…	…	…	…	…
保　育　士	3	-	-	-	-	-	3	-	-	-	-	3	-
常　勤	3	-	-	-	-	-	3	-	-	-	-	3	-
非常勤	0	-	-	-	-	-	0	-	-	-	-	0	-
児童生活支援員	-	-	-	-	-	-	-	-	-	-	-	-	-
常　勤	-	-	-	-	-	-	-	-	-	-	-	-	-
非常勤	-	-	-	-	-	-	-	-	-	-	-	-	-
児童厚生員	142	27	-	22	5	-	115	25	-	69	11	11	-
常　勤	121	12	-	7	5	-	109	22	-	66	11	10	-
非常勤	22	15	-	15	-	-	6	3	-	3	-	1	-
母 子 支 援 員	-	-	-	-	-	-	-	-	-	-	-	-	-
常　勤	-	-	-	-	-	-	-	-	-	-	-	-	-
非常勤	-	-	-	-	-	-	-	-	-	-	-	-	-
介 護 職 員	…	…	…	…	…	…	…	…	…	…	…	…	…
常　勤	…	…	…	…	…	…	…	…	…	…	…	…	…
非常勤	…	…	…	…	…	…	…	…	…	…	…	…	…
栄　養　士	-	-	-	-	-	-	-	-	-	-	-	-	-
常　勤	-	-	-	-	-	-	-	-	-	-	-	-	-
非常勤	-	-	-	-	-	-	-	-	-	-	-	-	-
調　理　員	-	-	-	-	-	-	-	-	-	-	-	-	-
常　勤	-	-	-	-	-	-	-	-	-	-	-	-	-
非常勤	-	-	-	-	-	-	-	-	-	-	-	-	-
事　務　員	42	6	-	4	2	-	35	10	-	18	6	1	-
常　勤	39	5	-	3	2	-	34	10	-	17	6	1	-
非常勤	3	1	-	1	-	-	1	-	-	1	-	-	-
児童発達支援管理責任者	-	-	-	-	-	-	-	-	-	-	-	-	-
常　勤	-	-	-	-	-	-	-	-	-	-	-	-	-
非常勤	-	-	-	-	-	-	-	-	-	-	-	-	-
その他の職員	98	13	-	-	13	-	85	3	-	75	3	5	-
常　勤	60	13	-	-	13	-	47	2	-	38	3	4	-
非常勤	38	-	-	-	-	-	38	1	-	37	-	1	-

第14表－1　社会福祉施設等（保育所等・小規模保育事業所を除く）の

（単位：人）

職種　常勤－非常勤	総数	児童福祉施設　大型児童館 B型 公営					児童福祉施設　大型児童館 B型 私営						
		総数	国・独立行政法人	都道府県	市区町村	一部事務組合・広域連合	総数	社会福祉法人	医療法人	公益法人及び日赤	営利法人（会社）	その他の法人	その他
総数	68	－	－	－	－	－	68	31	－	－	24	－	14
常勤	59	－	－	－	－	－	59	22	－	－	23	－	14
非常勤	9	－	－	－	－	－	9	9	－	－	1	－	－
施設長	4	－	－	－	－	－	4	2	－	－	1	－	1
常勤	4	－	－	－	－	－	4	2	－	－	1	－	1
非常勤	－	－	－	－	－	－	－	－	－	－	－	－	－
サービス管理責任者	…	…	…	…	…	…	…	…	…	…	…	…	…
常勤	…	…	…	…	…	…	…	…	…	…	…	…	…
非常勤	…	…	…	…	…	…	…	…	…	…	…	…	…
生活・児童指導員、生活相談員、生活支援員、児童自立支援専門員	－	－	－	－	－	－	－	－	－	－	－	－	－
常勤	－	－	－	－	－	－	－	－	－	－	－	－	－
非常勤	－	－	－	－	－	－	－	－	－	－	－	－	－
職業・作業指導員	5	－	－	－	－	－	5	5	－	－	－	－	－
常勤	2	－	－	－	－	－	2	2	－	－	－	－	－
非常勤	3	－	－	－	－	－	3	3	－	－	－	－	－
セラピスト	－	－	－	－	－	－	－	－	－	－	－	－	－
常勤	－	－	－	－	－	－	－	－	－	－	－	－	－
非常勤	－	－	－	－	－	－	－	－	－	－	－	－	－
理学療法士	－	－	－	－	－	－	－	－	－	－	－	－	－
常勤	－	－	－	－	－	－	－	－	－	－	－	－	－
非常勤	－	－	－	－	－	－	－	－	－	－	－	－	－
作業療法士	－	－	－	－	－	－	－	－	－	－	－	－	－
常勤	－	－	－	－	－	－	－	－	－	－	－	－	－
非常勤	－	－	－	－	－	－	－	－	－	－	－	－	－
その他の療法員	－	－	－	－	－	－	－	－	－	－	－	－	－
常勤	－	－	－	－	－	－	－	－	－	－	－	－	－
非常勤	－	－	－	－	－	－	－	－	－	－	－	－	－
心理・職能判定員	…	…	…	…	…	…	…	…	…	…	…	…	…
常勤	…	…	…	…	…	…	…	…	…	…	…	…	…
非常勤	…	…	…	…	…	…	…	…	…	…	…	…	…
医師	－	－	－	－	－	－	－	－	－	－	－	－	－
常勤	－	－	－	－	－	－	－	－	－	－	－	－	－
非常勤	－	－	－	－	－	－	－	－	－	－	－	－	－
保健師・助産師・看護師	－	－	－	－	－	－	－	－	－	－	－	－	－
常勤	－	－	－	－	－	－	－	－	－	－	－	－	－
非常勤	－	－	－	－	－	－	－	－	－	－	－	－	－
精神保健福祉士	…	…	…	…	…	…	…	…	…	…	…	…	…
常勤	…	…	…	…	…	…	…	…	…	…	…	…	…
非常勤	…	…	…	…	…	…	…	…	…	…	…	…	…
保育士	3	－	－	－	－	－	3	3	－	－	－	－	－
常勤	3	－	－	－	－	－	3	3	－	－	－	－	－
非常勤	－	－	－	－	－	－	－	－	－	－	－	－	－
児童生活支援員	－	－	－	－	－	－	－	－	－	－	－	－	－
常勤	－	－	－	－	－	－	－	－	－	－	－	－	－
非常勤	－	－	－	－	－	－	－	－	－	－	－	－	－
児童厚生員	16	－	－	－	－	－	16	7	－	－	6	－	3
常勤	16	－	－	－	－	－	16	7	－	－	6	－	3
非常勤	－	－	－	－	－	－	－	－	－	－	－	－	－
母子支援員	－	－	－	－	－	－	－	－	－	－	－	－	－
常勤	－	－	－	－	－	－	－	－	－	－	－	－	－
非常勤	－	－	－	－	－	－	－	－	－	－	－	－	－
介護職員	…	…	…	…	…	…	…	…	…	…	…	…	…
常勤	…	…	…	…	…	…	…	…	…	…	…	…	…
非常勤	…	…	…	…	…	…	…	…	…	…	…	…	…
栄養士	－	－	－	－	－	－	－	－	－	－	－	－	－
常勤	－	－	－	－	－	－	－	－	－	－	－	－	－
非常勤	－	－	－	－	－	－	－	－	－	－	－	－	－
調理員	9	－	－	－	－	－	9	5	－	－	4	－	－
常勤	7	－	－	－	－	－	7	3	－	－	4	－	－
非常勤	2	－	－	－	－	－	2	2	－	－	－	－	－
事務員	9	－	－	－	－	－	9	6	－	－	2	－	1
常勤	8	－	－	－	－	－	8	5	－	－	2	－	1
非常勤	1	－	－	－	－	－	1	1	－	－	－	－	－
児童発達支援管理責任者	－	－	－	－	－	－	－	－	－	－	－	－	－
常勤	－	－	－	－	－	－	－	－	－	－	－	－	－
非常勤	－	－	－	－	－	－	－	－	－	－	－	－	－
その他の職員	23	－	－	－	－	－	23	4	－	－	11	－	9
常勤	19	－	－	－	－	－	19	－	－	－	10	－	9
非常勤	4	－	－	－	－	－	4	4	－	－	1	－	－

常勤換算従事者数，職種・常勤－非常勤、施設の種類・経営主体別

職種／常勤－非常勤	総数	大型児童館 C型 総数	公営 総数	国・独立行政法人	都道府県	市区町村	一部事務組合・広域連合	私営 総数	社会福祉法人	医療法人	公益法人及び日赤	営利法人（会社）	その他の法人	その他
総　数	－	－	－	－	－	－	－	－	－	－	－	－	－	－
常　勤	－	－	－	－	－	－	－	－	－	－	－	－	－	－
非常勤	－	－	－	－	－	－	－	－	－	－	－	－	－	－
施　設　長	－	－	－	－	－	－	－	－	－	－	－	－	－	－
常　勤	－	－	－	－	－	－	－	－	－	－	－	－	－	－
非常勤	－	－	－	－	－	－	－	－	－	－	－	－	－	－
サービス管理責任者	…	…	…	…	…	…	…	…	…	…	…	…	…	…
常　勤	…	…	…	…	…	…	…	…	…	…	…	…	…	…
非常勤	…	…	…	…	…	…	…	…	…	…	…	…	…	…
生活・児童指導員、生活相談員、生活支援員、児童自立支援専門員	－	－	－	－	－	－	－	－	－	－	－	－	－	－
常　勤	－	－	－	－	－	－	－	－	－	－	－	－	－	－
非常勤	－	－	－	－	－	－	－	－	－	－	－	－	－	－
職業・作業指導員	－	－	－	－	－	－	－	－	－	－	－	－	－	－
常　勤	－	－	－	－	－	－	－	－	－	－	－	－	－	－
非常勤	－	－	－	－	－	－	－	－	－	－	－	－	－	－
セ ラ ピ ス ト	－	－	－	－	－	－	－	－	－	－	－	－	－	－
常　勤	－	－	－	－	－	－	－	－	－	－	－	－	－	－
非常勤	－	－	－	－	－	－	－	－	－	－	－	－	－	－
理 学 療 法 士	－	－	－	－	－	－	－	－	－	－	－	－	－	－
常　勤	－	－	－	－	－	－	－	－	－	－	－	－	－	－
非常勤	－	－	－	－	－	－	－	－	－	－	－	－	－	－
作 業 療 法 士	－	－	－	－	－	－	－	－	－	－	－	－	－	－
常　勤	－	－	－	－	－	－	－	－	－	－	－	－	－	－
非常勤	－	－	－	－	－	－	－	－	－	－	－	－	－	－
その他の療法員	－	－	－	－	－	－	－	－	－	－	－	－	－	－
常　勤	－	－	－	－	－	－	－	－	－	－	－	－	－	－
非常勤	－	－	－	－	－	－	－	－	－	－	－	－	－	－
心理・職能判定員	…	…	…	…	…	…	…	…	…	…	…	…	…	…
常　勤	…	…	…	…	…	…	…	…	…	…	…	…	…	…
非常勤	…	…	…	…	…	…	…	…	…	…	…	…	…	…
医　　　師	－	－	－	－	－	－	－	－	－	－	－	－	－	－
常　勤	－	－	－	－	－	－	－	－	－	－	－	－	－	－
非常勤	－	－	－	－	－	－	－	－	－	－	－	－	－	－
保健師・助産師・看護師	－	－	－	－	－	－	－	－	－	－	－	－	－	－
常　勤	－	－	－	－	－	－	－	－	－	－	－	－	－	－
非常勤	－	－	－	－	－	－	－	－	－	－	－	－	－	－
精 神 保 健 福 祉 士	…	…	…	…	…	…	…	…	…	…	…	…	…	…
常　勤	…	…	…	…	…	…	…	…	…	…	…	…	…	…
非常勤	…	…	…	…	…	…	…	…	…	…	…	…	…	…
保　育　士	－	－	－	－	－	－	－	－	－	－	－	－	－	－
常　勤	－	－	－	－	－	－	－	－	－	－	－	－	－	－
非常勤	－	－	－	－	－	－	－	－	－	－	－	－	－	－
児 童 生 活 支 援 員	－	－	－	－	－	－	－	－	－	－	－	－	－	－
常　勤	－	－	－	－	－	－	－	－	－	－	－	－	－	－
非常勤	－	－	－	－	－	－	－	－	－	－	－	－	－	－
児 童 厚 生 員	－	－	－	－	－	－	－	－	－	－	－	－	－	－
常　勤	－	－	－	－	－	－	－	－	－	－	－	－	－	－
非常勤	－	－	－	－	－	－	－	－	－	－	－	－	－	－
母 子 支 援 員	－	－	－	－	－	－	－	－	－	－	－	－	－	－
常　勤	－	－	－	－	－	－	－	－	－	－	－	－	－	－
非常勤	－	－	－	－	－	－	－	－	－	－	－	－	－	－
介 護 職 員	…	…	…	…	…	…	…	…	…	…	…	…	…	…
常　勤	…	…	…	…	…	…	…	…	…	…	…	…	…	…
非常勤	…	…	…	…	…	…	…	…	…	…	…	…	…	…
栄　養　士	－	－	－	－	－	－	－	－	－	－	－	－	－	－
常　勤	－	－	－	－	－	－	－	－	－	－	－	－	－	－
非常勤	－	－	－	－	－	－	－	－	－	－	－	－	－	－
調　理　員	－	－	－	－	－	－	－	－	－	－	－	－	－	－
常　勤	－	－	－	－	－	－	－	－	－	－	－	－	－	－
非常勤	－	－	－	－	－	－	－	－	－	－	－	－	－	－
事　務　員	－	－	－	－	－	－	－	－	－	－	－	－	－	－
常　勤	－	－	－	－	－	－	－	－	－	－	－	－	－	－
非常勤	－	－	－	－	－	－	－	－	－	－	－	－	－	－
児童発達支援管理責任者	－	－	－	－	－	－	－	－	－	－	－	－	－	－
常　勤	－	－	－	－	－	－	－	－	－	－	－	－	－	－
非常勤	－	－	－	－	－	－	－	－	－	－	－	－	－	－
その他の職員	－	－	－	－	－	－	－	－	－	－	－	－	－	－
常　勤	－	－	－	－	－	－	－	－	－	－	－	－	－	－
非常勤	－	－	－	－	－	－	－	－	－	－	－	－	－	－

第14表－1 社会福祉施設等（保育所等・小規模保育事業所を除く）の

（単位：人）

職種／常勤－非常勤	児童福祉施設 その他の児童館 総数	公営 総数	国・独立行政法人	都道府県	市区町村	一部事務組合・広域連合	私営 総数	社会福祉法人	医療法人	公益法人及び日赤	営利法人（会社）	その他の法人	その他
総数	336	201	－	－	201	－	135	31	－	－	13	15	77
常勤	216	117	－	－	117	－	99	22	－	－	12	14	52
非常勤	120	84	－	－	84	－	36	8	－	－	1	1	26
施設長	40	22	－	－	22	－	18	3	－	－	1	4	10
常勤	30	16	－	－	16	－	14	3	－	－	1	4	7
非常勤	10	6	－	－	6	－	4	0	－	－	－	－	3
サービス管理責任者	…	…	…	…	…	…	…	…	…	…	…	…	…
常勤	…	…	…	…	…	…	…	…	…	…	…	…	…
非常勤	…	…	…	…	…	…	…	…	…	…	…	…	…
生活・児童指導員、生活相談員、生活支援員、児童自立支援専門員	11	9	－	－	9	－	2	－	－	－	－	1	1
常勤	7	6	－	－	6	－	1	－	－	－	－	1	1
非常勤	4	3	－	－	3	－	1	－	－	－	－	1	－
職業・作業指導員	－	－	－	－	－	－	－	－	－	－	－	－	－
常勤	－	－	－	－	－	－	－	－	－	－	－	－	－
非常勤	－	－	－	－	－	－	－	－	－	－	－	－	－
セラピスト	－	－	－	－	－	－	－	－	－	－	－	－	－
常勤	－	－	－	－	－	－	－	－	－	－	－	－	－
非常勤	－	－	－	－	－	－	－	－	－	－	－	－	－
理学療法士	－	－	－	－	－	－	－	－	－	－	－	－	－
常勤	－	－	－	－	－	－	－	－	－	－	－	－	－
非常勤	－	－	－	－	－	－	－	－	－	－	－	－	－
作業療法士	－	－	－	－	－	－	－	－	－	－	－	－	－
常勤	－	－	－	－	－	－	－	－	－	－	－	－	－
非常勤	－	－	－	－	－	－	－	－	－	－	－	－	－
その他の療法員	－	－	－	－	－	－	－	－	－	－	－	－	－
常勤	－	－	－	－	－	－	－	－	－	－	－	－	－
非常勤	－	－	－	－	－	－	－	－	－	－	－	－	－
心理・職能判定員	…	…	…	…	…	…	…	…	…	…	…	…	…
常勤	…	…	…	…	…	…	…	…	…	…	…	…	…
非常勤	…	…	…	…	…	…	…	…	…	…	…	…	…
医師	－	－	－	－	－	－	－	－	－	－	－	－	－
常勤	－	－	－	－	－	－	－	－	－	－	－	－	－
非常勤	－	－	－	－	－	－	－	－	－	－	－	－	－
保健師・助産師・看護師	0	0	－	－	0	－	0	－	－	－	0	－	－
常勤	－	－	－	－	－	－	－	－	－	－	－	－	－
非常勤	0	0	－	－	0	－	0	－	－	－	0	－	－
精神保健福祉士	…	…	…	…	…	…	…	…	…	…	…	…	…
常勤	…	…	…	…	…	…	…	…	…	…	…	…	…
非常勤	…	…	…	…	…	…	…	…	…	…	…	…	…
保育士	41	35	－	－	35	－	6	2	－	－	－	－	4
常勤	30	24	－	－	24	－	6	2	－	－	－	－	4
非常勤	11	11	－	－	11	－	－	－	－	－	－	－	－
児童生活支援員	－	－	－	－	－	－	－	－	－	－	－	－	－
常勤	－	－	－	－	－	－	－	－	－	－	－	－	－
非常勤	－	－	－	－	－	－	－	－	－	－	－	－	－
児童厚生員	192	111	－	－	111	－	81	24	－	－	－	2	56
常勤	110	56	－	－	56	－	54	17	－	－	－	2	35
非常勤	83	55	－	－	55	－	28	7	－	－	－	－	21
母子支援員	－	－	－	－	－	－	－	－	－	－	－	－	－
常勤	－	－	－	－	－	－	－	－	－	－	－	－	－
非常勤	－	－	－	－	－	－	－	－	－	－	－	－	－
介護職員	…	…	…	…	…	…	…	…	…	…	…	…	…
常勤	…	…	…	…	…	…	…	…	…	…	…	…	…
非常勤	…	…	…	…	…	…	…	…	…	…	…	…	…
栄養士	－	－	－	－	－	－	－	－	－	－	－	－	－
常勤	－	－	－	－	－	－	－	－	－	－	－	－	－
非常勤	－	－	－	－	－	－	－	－	－	－	－	－	－
調理員	2	1	－	－	1	－	1	1	－	－	－	－	0
常勤	1	1	－	－	1	－	1	1	－	－	－	－	0
非常勤	1	1	－	－	1	－	－	－	－	－	－	－	－
事務員	13	4	－	－	4	－	9	1	－	－	2	2	4
常勤	10	3	－	－	3	－	7	－	－	－	2	2	3
非常勤	2	1	－	－	1	－	2	1	－	－	－	－	1
児童発達支援管理責任者	－	－	－	－	－	－	－	－	－	－	－	－	－
常勤	－	－	－	－	－	－	－	－	－	－	－	－	－
非常勤	－	－	－	－	－	－	－	－	－	－	－	－	－
その他の職員	37	20	－	－	20	－	18	0	－	－	9	6	2
常勤	28	12	－	－	12	－	16	－	－	－	9	6	1
非常勤	9	7	－	－	7	－	2	0	－	－	－	0	1

常勤換算従事者数，職種・常勤－非常勤、施設の種類・経営主体別

母子・父子福祉施設　総数

職種	常勤－非常勤	総数	公営 総数	国・独立行政法人	都道府県	市区町村	一部事務組合・広域連合	私営 総数	社会福祉法人	医療法人	公益法人及び日赤	営利法人（会社）	その他の法人	その他
総数	総数	206	10	－	3	7	－	196	101	－	41	－	54	－
	常勤	155	4	－	1	3	－	151	84	－	29	－	38	－
	非常勤	51	6	－	2	4	－	45	17	－	12	－	15	－
施設長	総数	24	1	－	0	1	－	23	12	－	3	－	8	－
	常勤	19	1	－	0	1	－	18	10	－	2	－	6	－
	非常勤	5	－	－	－	－	－	5	2	－	1	－	2	－
サービス管理責任者	総数	…	…	…	…	…	…	…	…	…	…	…	…	…
	常勤	…	…	…	…	…	…	…	…	…	…	…	…	…
	非常勤	…	…	…	…	…	…	…	…	…	…	…	…	…
生活・児童指導員、生活相談員、生活支援員、児童自立支援専門員	総数	3	－	－	－	－	－	3	－	－	－	－	3	－
	常勤	3	－	－	－	－	－	3	－	－	－	－	3	－
	非常勤	－	－	－	－	－	－	－	－	－	－	－	－	－
職業・作業指導員	総数	4	－	－	－	－	－	4	－	－	－	－	4	－
	常勤	2	－	－	－	－	－	2	－	－	－	－	2	－
	非常勤	2	－	－	－	－	－	2	－	－	－	－	2	－
セラピスト	総数	－	－	－	－	－	－	－	－	－	－	－	－	－
	常勤	－	－	－	－	－	－	－	－	－	－	－	－	－
	非常勤	－	－	－	－	－	－	－	－	－	－	－	－	－
理学療法士	総数	－	－	－	－	－	－	－	－	－	－	－	－	－
	常勤	－	－	－	－	－	－	－	－	－	－	－	－	－
	非常勤	－	－	－	－	－	－	－	－	－	－	－	－	－
作業療法士	総数	－	－	－	－	－	－	－	－	－	－	－	－	－
	常勤	－	－	－	－	－	－	－	－	－	－	－	－	－
	非常勤	－	－	－	－	－	－	－	－	－	－	－	－	－
その他の療法員	総数	－	－	－	－	－	－	－	－	－	－	－	－	－
	常勤	－	－	－	－	－	－	－	－	－	－	－	－	－
	非常勤	－	－	－	－	－	－	－	－	－	－	－	－	－
心理・職能判定員	総数	…	…	…	…	…	…	…	…	…	…	…	…	…
	常勤	…	…	…	…	…	…	…	…	…	…	…	…	…
	非常勤	…	…	…	…	…	…	…	…	…	…	…	…	…
医師	総数	－	－	－	－	－	－	－	－	－	－	－	－	－
	常勤	－	－	－	－	－	－	－	－	－	－	－	－	－
	非常勤	－	－	－	－	－	－	－	－	－	－	－	－	－
保健師・助産師・看護師	総数	－	－	－	－	－	－	－	－	－	－	－	－	－
	常勤	－	－	－	－	－	－	－	－	－	－	－	－	－
	非常勤	－	－	－	－	－	－	－	－	－	－	－	－	－
精神保健福祉士	総数	…	…	…	…	…	…	…	…	…	…	…	…	…
	常勤	…	…	…	…	…	…	…	…	…	…	…	…	…
	非常勤	…	…	…	…	…	…	…	…	…	…	…	…	…
保育士	総数	6	－	－	－	－	－	6	1	－	3	－	2	－
	常勤	3	－	－	－	－	－	3	1	－	2	－	－	－
	非常勤	3	－	－	－	－	－	3	0	－	1	－	2	－
児童生活支援員	総数	－	－	－	－	－	－	－	－	－	－	－	－	－
	常勤	－	－	－	－	－	－	－	－	－	－	－	－	－
	非常勤	－	－	－	－	－	－	－	－	－	－	－	－	－
児童厚生員	総数	－	－	－	－	－	－	－	－	－	－	－	－	－
	常勤	－	－	－	－	－	－	－	－	－	－	－	－	－
	非常勤	－	－	－	－	－	－	－	－	－	－	－	－	－
母子支援員	総数	－	－	－	－	－	－	－	－	－	－	－	－	－
	常勤	－	－	－	－	－	－	－	－	－	－	－	－	－
	非常勤	－	－	－	－	－	－	－	－	－	－	－	－	－
介護職員	総数	…	…	…	…	…	…	…	…	…	…	…	…	…
	常勤	…	…	…	…	…	…	…	…	…	…	…	…	…
	非常勤	…	…	…	…	…	…	…	…	…	…	…	…	…
栄養士	総数	－	－	－	－	－	－	－	－	－	－	－	－	－
	常勤	－	－	－	－	－	－	－	－	－	－	－	－	－
	非常勤	－	－	－	－	－	－	－	－	－	－	－	－	－
調理員	総数	7	－	－	－	－	－	7	7	－	－	－	－	－
	常勤	7	－	－	－	－	－	7	7	－	－	－	－	－
	非常勤	－	－	－	－	－	－	－	－	－	－	－	－	－
事務員	総数	74	4	－	0	3	－	71	31	－	25	－	15	－
	常勤	62	2	－	0	2	－	60	25	－	23	－	12	－
	非常勤	12	1	－	0	1	－	11	6	－	2	－	2	－
児童発達支援管理責任者	総数	－	－	－	－	－	－	－	－	－	－	－	－	－
	常勤	－	－	－	－	－	－	－	－	－	－	－	－	－
	非常勤	－	－	－	－	－	－	－	－	－	－	－	－	－
その他の職員	総数	87	5	－	2	3	－	82	50	－	10	－	22	－
	常勤	58	－	－	－	－	－	58	41	－	2	－	15	－
	非常勤	29	5	－	2	3	－	24	9	－	8	－	7	－

第14表－1　社会福祉施設等（保育所等・小規模保育事業所を除く）の

（単位：人）

母子・父子福祉施設 ― 母子・父子福祉センター

職種 常勤－非常勤	総数	公営 総数	国・独立行政法人	都道府県	市区町村	一部事務組合・広域連合	私営 総数	社会福祉法人	医療法人	公益法人及び日赤	営利法人（会社）	その他の法人	その他
総数 総数	205	10	–	3	7	–	196	101	–	41	–	54	–
常勤	155	4	–	1	3	–	151	84	–	29	–	38	–
非常勤	50	6	–	2	4	–	44	17	–	12	–	15	–
施設長 総数	24	1	–	0	1	–	23	12	–	3	–	8	–
常勤	19	1	–	0	1	–	18	10	–	2	–	6	–
非常勤	5	–	–	–	–	–	5	2	–	1	–	2	–
サービス管理責任者 総数	…	…	…	…	…	…	…	…	…	…	…	…	…
常勤	…	…	…	…	…	…	…	…	…	…	…	…	…
非常勤	…	…	…	…	…	…	…	…	…	…	…	…	…
生活・児童指導員、生活相談員、生活支援員、児童自立支援専門員 総数	3	–	–	–	–	–	3	–	–	–	–	3	–
常勤	3	–	–	–	–	–	3	–	–	–	–	3	–
非常勤	–	–	–	–	–	–	–	–	–	–	–	–	–
職業・作業指導員 総数	4	–	–	–	–	–	4	–	–	–	–	4	–
常勤	2	–	–	–	–	–	2	–	–	–	–	2	–
非常勤	2	–	–	–	–	–	2	–	–	–	–	2	–
セラピスト 総数	–	–	–	–	–	–	–	–	–	–	–	–	–
常勤	–	–	–	–	–	–	–	–	–	–	–	–	–
非常勤	–	–	–	–	–	–	–	–	–	–	–	–	–
理学療法士 総数	–	–	–	–	–	–	–	–	–	–	–	–	–
常勤	–	–	–	–	–	–	–	–	–	–	–	–	–
非常勤	–	–	–	–	–	–	–	–	–	–	–	–	–
作業療法士 総数	–	–	–	–	–	–	–	–	–	–	–	–	–
常勤	–	–	–	–	–	–	–	–	–	–	–	–	–
非常勤	–	–	–	–	–	–	–	–	–	–	–	–	–
その他の療法員 総数	–	–	–	–	–	–	–	–	–	–	–	–	–
常勤	–	–	–	–	–	–	–	–	–	–	–	–	–
非常勤	–	–	–	–	–	–	–	–	–	–	–	–	–
心理・職能判定員 総数	…	…	…	…	…	…	…	…	…	…	…	…	…
常勤	…	…	…	…	…	…	…	…	…	…	…	…	…
非常勤	…	…	…	…	…	…	…	…	…	…	…	…	…
医師 総数	–	–	–	–	–	–	–	–	–	–	–	–	–
常勤	–	–	–	–	–	–	–	–	–	–	–	–	–
非常勤	–	–	–	–	–	–	–	–	–	–	–	–	–
保健師・助産師・看護師 総数	–	–	–	–	–	–	–	–	–	–	–	–	–
常勤	–	–	–	–	–	–	–	–	–	–	–	–	–
非常勤	–	–	–	–	–	–	–	–	–	–	–	–	–
精神保健福祉士 総数	…	…	…	…	…	…	…	…	…	…	…	…	…
常勤	…	…	…	…	…	…	…	…	…	…	…	…	…
非常勤	…	…	…	…	…	…	…	…	…	…	…	…	…
保育士 総数	6	–	–	–	–	–	6	1	–	3	–	2	–
常勤	3	–	–	–	–	–	3	1	–	2	–	0	–
非常勤	3	–	–	–	–	–	3	0	–	1	–	2	–
児童生活支援員 総数	–	–	–	–	–	–	–	–	–	–	–	–	–
常勤	–	–	–	–	–	–	–	–	–	–	–	–	–
非常勤	–	–	–	–	–	–	–	–	–	–	–	–	–
児童厚生員 総数	–	–	–	–	–	–	–	–	–	–	–	–	–
常勤	–	–	–	–	–	–	–	–	–	–	–	–	–
非常勤	–	–	–	–	–	–	–	–	–	–	–	–	–
母子支援員 総数	–	–	–	–	–	–	–	–	–	–	–	–	–
常勤	–	–	–	–	–	–	–	–	–	–	–	–	–
非常勤	–	–	–	–	–	–	–	–	–	–	–	–	–
介護職員 総数	…	…	…	…	…	…	…	…	…	…	…	…	…
常勤	…	…	…	…	…	…	…	…	…	…	…	…	…
非常勤	…	…	…	…	…	…	…	…	…	…	…	…	…
栄養士 総数	–	–	–	–	–	–	–	–	–	–	–	–	–
常勤	–	–	–	–	–	–	–	–	–	–	–	–	–
非常勤	–	–	–	–	–	–	–	–	–	–	–	–	–
調理員 総数	7	–	–	–	–	–	7	7	–	–	–	–	–
常勤	7	–	–	–	–	–	7	7	–	–	–	–	–
非常勤	–	–	–	–	–	–	–	–	–	–	–	–	–
事務員 総数	74	4	–	0	3	–	71	31	–	25	–	15	–
常勤	62	2	–	0	2	–	60	25	–	23	–	12	–
非常勤	12	1	–	–	1	–	11	6	–	2	–	2	–
児童発達支援管理責任者 総数	–	–	–	–	–	–	–	–	–	–	–	–	–
常勤	–	–	–	–	–	–	–	–	–	–	–	–	–
非常勤	–	–	–	–	–	–	–	–	–	–	–	–	–
その他の職員 総数	87	5	–	2	2	–	82	50	–	10	–	22	–
常勤	58	0	–	0	2	–	58	41	–	2	–	15	–
非常勤	29	5	–	2	2	–	24	9	–	8	–	7	–

常勤換算従事者数，職種・常勤－非常勤、施設の種類・経営主体別

職種 常勤－非常勤	総数	母子・父子福祉施設／母子・父子休養ホーム 公営 総数	国・独立行政法人	都道府県	市区町村	一部事務組合・広域連合	私営 総数	社会福祉法人	医療法人	公益法人及び日赤	営利法人（会社）	その他の法人	その他
総数　常勤	1	1	-	-	1	-	0	0	-	-	-	-	-
非常勤	1	1	-	-	1	-	0	0	-	-	-	-	-
施設長　常勤	-	-	-	-	-	-	-	-	-	-	-	-	-
非常勤	-	-	-	-	-	-	-	-	-	-	-	-	-
サービス管理責任者　常勤	…	…	…	…	…	…	…	…	…	…	…	…	…
非常勤	…	…	…	…	…	…	…	…	…	…	…	…	…
生活・児童指導員、生活相談員、生活支援員、児童自立支援専門員　常勤	-	-	-	-	-	-	-	-	-	-	-	-	-
非常勤	-	-	-	-	-	-	-	-	-	-	-	-	-
職業・作業指導員　常勤	-	-	-	-	-	-	-	-	-	-	-	-	-
非常勤	-	-	-	-	-	-	-	-	-	-	-	-	-
セラピスト　常勤	-	-	-	-	-	-	-	-	-	-	-	-	-
非常勤	-	-	-	-	-	-	-	-	-	-	-	-	-
理学療法士　常勤	-	-	-	-	-	-	-	-	-	-	-	-	-
非常勤	-	-	-	-	-	-	-	-	-	-	-	-	-
作業療法士　常勤	-	-	-	-	-	-	-	-	-	-	-	-	-
非常勤	-	-	-	-	-	-	-	-	-	-	-	-	-
その他の療法員　常勤	-	-	-	-	-	-	-	-	-	-	-	-	-
非常勤	-	-	-	-	-	-	-	-	-	-	-	-	-
心理・職能判定員　常勤	…	…	…	…	…	…	…	…	…	…	…	…	…
非常勤	…	…	…	…	…	…	…	…	…	…	…	…	…
医師　常勤	-	-	-	-	-	-	-	-	-	-	-	-	-
非常勤	-	-	-	-	-	-	-	-	-	-	-	-	-
保健師・助産師・看護師　常勤	-	-	-	-	-	-	-	-	-	-	-	-	-
非常勤	-	-	-	-	-	-	-	-	-	-	-	-	-
精神保健福祉士　常勤	…	…	…	…	…	…	…	…	…	…	…	…	…
非常勤	…	…	…	…	…	…	…	…	…	…	…	…	…
保育士　常勤	-	-	-	-	-	-	-	-	-	-	-	-	-
非常勤	-	-	-	-	-	-	-	-	-	-	-	-	-
児童生活支援員　常勤	-	-	-	-	-	-	-	-	-	-	-	-	-
非常勤	-	-	-	-	-	-	-	-	-	-	-	-	-
児童厚生員　常勤	-	-	-	-	-	-	-	-	-	-	-	-	-
非常勤	-	-	-	-	-	-	-	-	-	-	-	-	-
母子支援員　常勤	-	-	-	-	-	-	-	-	-	-	-	-	-
非常勤	-	-	-	-	-	-	-	-	-	-	-	-	-
介護職員　常勤	…	…	…	…	…	…	…	…	…	…	…	…	…
非常勤	…	…	…	…	…	…	…	…	…	…	…	…	…
栄養士　常勤	-	-	-	-	-	-	-	-	-	-	-	-	-
非常勤	-	-	-	-	-	-	-	-	-	-	-	-	-
調理員　常勤	-	-	-	-	-	-	-	-	-	-	-	-	-
非常勤	-	-	-	-	-	-	-	-	-	-	-	-	-
事務員　常勤	-	-	-	-	-	-	-	-	-	-	-	-	-
非常勤	-	-	-	-	-	-	-	-	-	-	-	-	-
児童発達支援管理責任者　常勤	-	-	-	-	-	-	-	-	-	-	-	-	-
非常勤	-	-	-	-	-	-	-	-	-	-	-	-	-
その他の職員　常勤	1	1	-	-	1	-	0	0	-	-	-	-	-
非常勤	1	1	-	-	1	-	0	0	-	-	-	-	-

第14表－1　社会福祉施設等（保育所等・小規模保育事業所を除く）の

（単位：人）

職種　　常勤－非常勤	その他の社会福祉施設等 総数												
	総数	公営 総数	国・独立行政法人	都道府県	市区町村	一部事務組合・広域連合	私営 総数	社会福祉法人	医療法人	公益法人及び日赤	営利法人（会社）	その他の法人	その他
総数	168 747	2 482	－	－	2 482	－	166 265	9 026	11 660	394	139 164	5 844	176
常勤	123 798	1 801	－	－	1 801	－	121 998	7 114	9 397	295	100 830	4 206	157
非常勤	44 948	681	－	－	681	－	44 267	1 913	2 263	99	38 334	1 638	20
施設長	9 194	676	－	－	676	－	8 519	444	585	17	6 893	553	27
常勤	8 874	520	－	－	520	－	8 354	438	574	15	6 759	542	26
非常勤	320	155	－	－	155	－	165	6	11	2	134	12	1
サービス管理責任者	…	…	…	…	…	…	…	…	…	…	…	…	…
常勤	…	…	…	…	…	…	…	…	…	…	…	…	…
非常勤	…	…	…	…	…	…	…	…	…	…	…	…	…
生活・児童指導員、生活相談員、生活支援員、児童自立支援専門員	7 256	440	－	－	440	－	6 817	508	447	21	5 413	416	12
常勤	6 659	294	－	－	294	－	6 364	467	419	16	5 091	359	12
非常勤	598	145	－	－	145	－	452	40	28	5	322	57	0
職業・作業指導員	600	132	－	－	132	－	468	102	32	3	276	53	3
常勤	527	122	－	－	122	－	405	93	29	－	239	42	3
非常勤	72	10	－	－	10	－	63	9	3	3	37	11	－
セラピスト	1 542	3	－	－	3	－	1 539	80	147	6	1 265	39	2
常勤	1 231	3	－	－	3	－	1 228	69	128	5	994	31	2
非常勤	311	－	－	－	－	－	311	11	19	1	272	8	－
理学療法士	559	1	－	－	1	－	558	28	63	2	448	16	1
常勤	417	1	－	－	1	－	416	24	54	2	323	13	1
非常勤	142	－	－	－	－	－	142	5	9	－	125	3	－
作業療法士	285	－	－	－	－	－	285	13	36	2	231	4	－
常勤	221	－	－	－	－	－	221	12	31	1	175	2	－
非常勤	64	－	－	－	－	－	64	2	5	1	56	1	－
その他の療法員	698	2	－	－	2	－	696	38	48	2	587	19	1
常勤	593	2	－	－	2	－	591	33	43	2	496	16	1
非常勤	105	－	－	－	－	－	105	5	5	1	91	4	－
心理・職能判定員	…	…	…	…	…	…	…	…	…	…	…	…	…
常勤	…	…	…	…	…	…	…	…	…	…	…	…	…
非常勤	…	…	…	…	…	…	…	…	…	…	…	…	…
医師	82	3	－	－	3	－	80	15	17	0	44	3	－
常勤	30	－	－	－	－	－	30	6	11	－	12	1	－
非常勤	53	3	－	－	3	－	50	10	6	0	33	1	－
保健師・助産師・看護師	15 841	27	－	－	27	－	15 814	754	1 262	25	13 348	416	9
常勤	10 998	23	－	－	23	－	10 975	604	995	21	9 050	296	8
非常勤	4 843	4	－	－	4	－	4 839	150	266	3	4 298	120	1
精神保健福祉士	142	－	－	－	－	－	142	5	38	－	98	1	－
常勤	105	－	－	－	－	－	105	4	36	－	64	1	－
非常勤	38	－	－	－	－	－	38	1	2	－	34	0	－
保育士	…	…	…	…	…	…	…	…	…	…	…	…	…
常勤	…	…	…	…	…	…	…	…	…	…	…	…	…
非常勤	…	…	…	…	…	…	…	…	…	…	…	…	…
児童生活支援員	…	…	…	…	…	…	…	…	…	…	…	…	…
常勤	…	…	…	…	…	…	…	…	…	…	…	…	…
非常勤	…	…	…	…	…	…	…	…	…	…	…	…	…
児童厚生員	…	…	…	…	…	…	…	…	…	…	…	…	…
常勤	…	…	…	…	…	…	…	…	…	…	…	…	…
非常勤	…	…	…	…	…	…	…	…	…	…	…	…	…
母子支援員	…	…	…	…	…	…	…	…	…	…	…	…	…
常勤	…	…	…	…	…	…	…	…	…	…	…	…	…
非常勤	…	…	…	…	…	…	…	…	…	…	…	…	…
介護職員	101 071	21	－	－	21	－	101 050	5 258	7 119	197	85 556	2 851	69
常勤	75 817	15	－	－	15	－	75 802	4 222	5 824	161	63 510	2 021	63
非常勤	25 254	6	－	－	6	－	25 248	1 036	1 295	36	22 046	830	5
栄養士	1 501	2	－	－	2	－	1 499	152	163	6	1 118	60	1
常勤	1 338	2	－	－	2	－	1 336	143	152	5	983	54	0
非常勤	163	－	－	－	－	－	163	9	11	2	135	6	1
調理員	11 864	3	－	－	3	－	11 861	708	721	45	9 759	603	26
常勤	6 615	2	－	－	2	－	6 613	425	417	13	5 430	309	19
非常勤	5 249	1	－	－	1	－	5 248	283	304	32	4 329	294	7
事務員	8 488	734	－	－	734	－	7 754	487	588	55	6 266	348	9
常勤	6 517	532	－	－	532	－	5 985	409	510	47	4 743	267	8
非常勤	1 971	202	－	－	202	－	1 769	78	78	8	1 523	81	1
児童発達支援管理責任者	…	…	…	…	…	…	…	…	…	…	…	…	…
常勤	…	…	…	…	…	…	…	…	…	…	…	…	…
非常勤	…	…	…	…	…	…	…	…	…	…	…	…	…
その他の職員	11 166	442	－	－	442	－	10 724	513	542	20	9 128	503	19
常勤	5 090	287	－	－	287	－	4 803	233	302	13	3 956	283	15
非常勤	6 077	155	－	－	155	－	5 922	281	240	7	5 172	219	3

常勤換算従事者数，職種・常勤－非常勤、施設の種類・経営主体別

平成29年10月1日

職種 / 常勤－非常勤	その他の社会福祉施設等												
	授産施設												
		公営					私営						
	総数	総数	国・独立行政法人	都道府県	市区町村	一部事務組合・広域連合	総数	社会福祉法人	医療法人	公益法人及び日赤	営利法人（会社）	その他の法人	その他
総数	360	168	－	－	168	－	192	145	－	10	－	38	－
常勤	332	155	－	－	155	－	178	137	－	4	－	38	－
非常勤	28	13	－	－	13	－	15	8	－	6	－	－	－
施設長	61	29	－	－	29	－	32	22	－	4	－	6	－
常勤	60	29	－	－	29	－	31	22	－	4	－	6	－
非常勤	1	－	－	－	－	－	1	0	－	1	－	－	－
サービス管理責任者	…	…	…	…	…	…	…	…	…	…	…	…	…
常勤	…	…	…	…	…	…	…	…	…	…	…	…	…
非常勤	…	…	…	…	…	…	…	…	…	…	…	…	…
生活・児童指導員、生活相談員、生活支援員、児童自立支援専門員	27	6	－	－	6	－	21	21	－	－	－	－	－
常勤	21	1	－	－	1	－	20	20	－	－	－	－	－
非常勤	6	5	－	－	5	－	1	1	－	－	－	－	－
職業・作業指導員	223	113	－	－	113	－	110	79	－	3	－	28	－
常勤	210	108	－	－	108	－	102	74	－	－	－	28	－
非常勤	13	4	－	－	4	－	8	5	－	3	－	－	－
セラピスト	－	－	－	－	－	－	－	－	－	－	－	－	－
常勤	－	－	－	－	－	－	－	－	－	－	－	－	－
非常勤	－	－	－	－	－	－	－	－	－	－	－	－	－
理学療法士	－	－	－	－	－	－	－	－	－	－	－	－	－
常勤	－	－	－	－	－	－	－	－	－	－	－	－	－
非常勤	－	－	－	－	－	－	－	－	－	－	－	－	－
作業療法士	－	－	－	－	－	－	－	－	－	－	－	－	－
常勤	－	－	－	－	－	－	－	－	－	－	－	－	－
非常勤	－	－	－	－	－	－	－	－	－	－	－	－	－
その他の療法員	－	－	－	－	－	－	－	－	－	－	－	－	－
常勤	－	－	－	－	－	－	－	－	－	－	－	－	－
非常勤	－	－	－	－	－	－	－	－	－	－	－	－	－
心理・職能判定員	…	…	…	…	…	…	…	…	…	…	…	…	…
常勤	…	…	…	…	…	…	…	…	…	…	…	…	…
非常勤	…	…	…	…	…	…	…	…	…	…	…	…	…
医師	1	－	－	－	－	－	1	0	－	0	－	－	－
常勤	－	－	－	－	－	－	－	－	－	－	－	－	－
非常勤	1	－	－	－	－	－	1	0	－	0	－	－	－
保健師・助産師・看護師	0	0	－	－	0	－	－	－	－	－	－	－	－
常勤	0	0	－	－	0	－	－	－	－	－	－	－	－
非常勤	－	－	－	－	－	－	－	－	－	－	－	－	－
精神保健福祉士	－	－	－	－	－	－	－	－	－	－	－	－	－
常勤	－	－	－	－	－	－	－	－	－	－	－	－	－
非常勤	－	－	－	－	－	－	－	－	－	－	－	－	－
保育士	…	…	…	…	…	…	…	…	…	…	…	…	…
常勤	…	…	…	…	…	…	…	…	…	…	…	…	…
非常勤	…	…	…	…	…	…	…	…	…	…	…	…	…
児童生活支援員	…	…	…	…	…	…	…	…	…	…	…	…	…
常勤	…	…	…	…	…	…	…	…	…	…	…	…	…
非常勤	…	…	…	…	…	…	…	…	…	…	…	…	…
児童厚生員	…	…	…	…	…	…	…	…	…	…	…	…	…
常勤	…	…	…	…	…	…	…	…	…	…	…	…	…
非常勤	…	…	…	…	…	…	…	…	…	…	…	…	…
母子支援員	…	…	…	…	…	…	…	…	…	…	…	…	…
常勤	…	…	…	…	…	…	…	…	…	…	…	…	…
非常勤	…	…	…	…	…	…	…	…	…	…	…	…	…
介護職員	－	－	－	－	－	－	－	－	－	－	－	－	－
常勤	－	－	－	－	－	－	－	－	－	－	－	－	－
非常勤	－	－	－	－	－	－	－	－	－	－	－	－	－
栄養士	－	－	－	－	－	－	－	－	－	－	－	－	－
常勤	－	－	－	－	－	－	－	－	－	－	－	－	－
非常勤	－	－	－	－	－	－	－	－	－	－	－	－	－
調理員	－	－	－	－	－	－	－	－	－	－	－	－	－
常勤	－	－	－	－	－	－	－	－	－	－	－	－	－
非常勤	－	－	－	－	－	－	－	－	－	－	－	－	－
事務員	36	14	－	－	14	－	22	17	－	2	－	4	－
常勤	33	13	－	－	13	－	20	16	－	－	－	4	－
非常勤	4	1	－	－	1	－	2	1	－	2	－	－	－
児童発達支援管理責任者	…	…	…	…	…	…	…	…	…	…	…	…	…
常勤	…	…	…	…	…	…	…	…	…	…	…	…	…
非常勤	…	…	…	…	…	…	…	…	…	…	…	…	…
その他の職員	13	7	－	－	7	－	7	6	－	1	－	－	－
常勤	9	4	－	－	4	－	5	5	－	－	－	－	－
非常勤	4	3	－	－	3	－	1	1	－	1	－	－	－

第14表－1　社会福祉施設等（保育所等・小規模保育事業所を除く）の

（単位：人）

その他の社会福祉施設等　―　宿所提供施設

職種　常勤－非常勤	総数	公営総数	国・独立行政法人	都道府県	市区町村	一部事務組合・広域連合	私営総数	社会福祉法人	医療法人	公益法人及び日赤	営利法人（会社）	その他の法人	その他
総数	849	13	-	-	13	-	836	66	23	17	117	573	40
常勤	684	9	-	-	9	-	675	43	20	6	111	457	38
非常勤	165	4	-	-	4	-	161	23	4	11	6	116	2
施設長	289	1	-	-	1	-	287	13	2	4	28	233	7
常勤	287	1	-	-	1	-	286	13	2	3	28	232	7
非常勤	2	1	-	-	1	-	1	-	-	1	-	1	-
サービス管理責任者	…	…	…	…	…	…	…	…	…	…	…	…	…
常勤	…	…	…	…	…	…	…	…	…	…	…	…	…
非常勤	…	…	…	…	…	…	…	…	…	…	…	…	…
生活・児童指導員、生活相談員、生活支援員、児童自立支援専門員	224	11	-	-	11	-	214	31	-	6	22	150	5
常勤	174	9	-	-	9	-	166	19	-	2	22	118	5
非常勤	50	2	-	-	2	-	48	12	-	5	-	32	-
職業・作業指導員	21	-	-	-	-	-	21	-	-	-	1	18	2
常勤	13	-	-	-	-	-	13	-	-	-	1	10	2
非常勤	8	-	-	-	-	-	8	-	-	-	-	8	-
セラピスト	2	-	-	-	-	-	2	-	2	-	-	-	-
常勤	1	-	-	-	-	-	1	-	1	-	-	-	-
非常勤	1	-	-	-	-	-	1	-	1	-	-	-	-
理学療法士	2	-	-	-	-	-	2	-	2	-	-	-	-
常勤	1	-	-	-	-	-	1	-	1	-	-	-	-
非常勤	1	-	-	-	-	-	1	-	1	-	-	-	-
作業療法士	-	-	-	-	-	-	-	-	-	-	-	-	-
常勤	-	-	-	-	-	-	-	-	-	-	-	-	-
非常勤	-	-	-	-	-	-	-	-	-	-	-	-	-
その他の療法員	-	-	-	-	-	-	-	-	-	-	-	-	-
常勤	-	-	-	-	-	-	-	-	-	-	-	-	-
非常勤	-	-	-	-	-	-	-	-	-	-	-	-	-
心理・職能判定員	…	…	…	…	…	…	…	…	…	…	…	…	…
常勤	…	…	…	…	…	…	…	…	…	…	…	…	…
非常勤	…	…	…	…	…	…	…	…	…	…	…	…	…
医師	1	0	-	-	0	-	1	-	1	-	-	-	-
常勤	1	-	-	-	-	-	1	-	1	-	-	-	-
非常勤	0	0	-	-	0	-	-	-	-	-	-	-	-
保健師・助産師・看護師	5	1	-	-	1	-	5	1	2	0	-	2	-
常勤	4	-	-	-	-	-	4	-	2	-	-	2	-
非常勤	2	1	-	-	1	-	1	1	-	0	-	-	-
精神保健福祉士	0	-	-	-	-	-	0	-	-	-	-	0	-
常勤	0	-	-	-	-	-	0	-	-	-	-	0	-
非常勤	-	-	-	-	-	-	-	-	-	-	-	-	-
保育士	…	…	…	…	…	…	…	…	…	…	…	…	…
常勤	…	…	…	…	…	…	…	…	…	…	…	…	…
非常勤	…	…	…	…	…	…	…	…	…	…	…	…	…
児童生活支援員	…	…	…	…	…	…	…	…	…	…	…	…	…
常勤	…	…	…	…	…	…	…	…	…	…	…	…	…
非常勤	…	…	…	…	…	…	…	…	…	…	…	…	…
児童厚生員	…	…	…	…	…	…	…	…	…	…	…	…	…
常勤	…	…	…	…	…	…	…	…	…	…	…	…	…
非常勤	…	…	…	…	…	…	…	…	…	…	…	…	…
母子支援員	…	…	…	…	…	…	…	…	…	…	…	…	…
常勤	…	…	…	…	…	…	…	…	…	…	…	…	…
非常勤	…	…	…	…	…	…	…	…	…	…	…	…	…
介護職員	37	-	-	-	-	-	37	5	11	-	6	11	4
常勤	32	-	-	-	-	-	32	5	11	-	6	7	3
非常勤	6	-	-	-	-	-	6	-	1	-	-	4	2
栄養士	1	-	-	-	-	-	1	-	-	1	-	1	-
常勤	-	-	-	-	-	-	-	-	-	-	-	-	-
非常勤	1	-	-	-	-	-	1	-	-	1	-	1	-
調理員	174	-	-	-	-	-	174	8	4	2	39	109	12
常勤	103	-	-	-	-	-	103	3	2	-	37	49	12
非常勤	71	-	-	-	-	-	71	5	2	2	2	61	0
事務員	33	0	-	-	0	-	33	3	-	1	9	17	3
常勤	28	-	-	-	-	-	28	3	-	1	9	13	3
非常勤	5	0	-	-	0	-	5	1	-	-	-	4	0
児童発達支援管理責任者	…	…	…	…	…	…	…	…	…	…	…	…	…
常勤	…	…	…	…	…	…	…	…	…	…	…	…	…
非常勤	…	…	…	…	…	…	…	…	…	…	…	…	…
その他の職員	61	-	-	-	-	-	61	5	1	3	13	32	7
常勤	42	-	-	-	-	-	42	-	1	-	9	25	7
非常勤	19	-	-	-	-	-	19	5	-	3	4	7	0

常勤換算従事者数，職種・常勤－非常勤、施設の種類・経営主体別

職種	常勤－非常勤	その他の社会福祉施設等 盲人ホーム 総数	公営 総数	国・独立行政法人	都道府県	市区町村	一部事務組合・広域連合	私営 総数	社会福祉法人	医療法人	公益法人及び日赤	営利法人（会社）	その他の法人	その他
総数		40	–	–	–	–	–	40	34	–	–	–	6	–
	常勤	27	–	–	–	–	–	27	23	–	–	–	3	–
	非常勤	14	–	–	–	–	–	14	11	–	–	–	3	–
施設長		13	–	–	–	–	–	13	11	–	–	–	2	–
	常勤	12	–	–	–	–	–	12	10	–	–	–	2	–
	非常勤	1	–	–	–	–	–	1	1	–	–	–	–	–
サービス管理責任者		…	…	…	…	…	…	…	…	…	…	…	…	…
	常勤	…	…	…	…	…	…	…	…	…	…	…	…	…
	非常勤	…	…	…	…	…	…	…	…	…	…	…	…	…
生活・児童指導員、生活相談員、生活支援員、児童自立支援専門員		3	–	–	–	–	–	3	3	–	–	–	–	–
	常勤	2	–	–	–	–	–	2	2	–	–	–	–	–
	非常勤	1	–	–	–	–	–	1	1	–	–	–	–	–
職業・作業指導員		11	–	–	–	–	–	11	10	–	–	–	1	–
	常勤	8	–	–	–	–	–	8	7	–	–	–	1	–
	非常勤	3	–	–	–	–	–	3	3	–	–	–	–	–
セラピスト		–	–	–	–	–	–	–	–	–	–	–	–	–
	常勤	–	–	–	–	–	–	–	–	–	–	–	–	–
	非常勤	–	–	–	–	–	–	–	–	–	–	–	–	–
理学療法士		–	–	–	–	–	–	–	–	–	–	–	–	–
	常勤	–	–	–	–	–	–	–	–	–	–	–	–	–
	非常勤	–	–	–	–	–	–	–	–	–	–	–	–	–
作業療法士		–	–	–	–	–	–	–	–	–	–	–	–	–
	常勤	–	–	–	–	–	–	–	–	–	–	–	–	–
	非常勤	–	–	–	–	–	–	–	–	–	–	–	–	–
その他の療法員		–	–	–	–	–	–	–	–	–	–	–	–	–
	常勤	–	–	–	–	–	–	–	–	–	–	–	–	–
	非常勤	–	–	–	–	–	–	–	–	–	–	–	–	–
心理・職能判定員		…	…	…	…	…	…	…	…	…	…	…	…	…
	常勤	…	…	…	…	…	…	…	…	…	…	…	…	…
	非常勤	…	…	…	…	…	…	…	…	…	…	…	…	…
医師		–	–	–	–	–	–	–	–	–	–	–	–	–
	常勤	–	–	–	–	–	–	–	–	–	–	–	–	–
	非常勤	–	–	–	–	–	–	–	–	–	–	–	–	–
保健師・助産師・看護師		–	–	–	–	–	–	–	–	–	–	–	–	–
	常勤	–	–	–	–	–	–	–	–	–	–	–	–	–
	非常勤	–	–	–	–	–	–	–	–	–	–	–	–	–
精神保健福祉士		–	–	–	–	–	–	–	–	–	–	–	–	–
	常勤	–	–	–	–	–	–	–	–	–	–	–	–	–
	非常勤	–	–	–	–	–	–	–	–	–	–	–	–	–
保育士		…	…	…	…	…	…	…	…	…	…	…	…	…
	常勤	…	…	…	…	…	…	…	…	…	…	…	…	…
	非常勤	…	…	…	…	…	…	…	…	…	…	…	…	…
児童生活支援員		…	…	…	…	…	…	…	…	…	…	…	…	…
	常勤	…	…	…	…	…	…	…	…	…	…	…	…	…
	非常勤	…	…	…	…	…	…	…	…	…	…	…	…	…
児童厚生員		…	…	…	…	…	…	…	…	…	…	…	…	…
	常勤	…	…	…	…	…	…	…	…	…	…	…	…	…
	非常勤	…	…	…	…	…	…	…	…	…	…	…	…	…
母子支援員		…	…	…	…	…	…	…	…	…	…	…	…	…
	常勤	…	…	…	…	…	…	…	…	…	…	…	…	…
	非常勤	…	…	…	…	…	…	…	…	…	…	…	…	…
介護職員		3	–	–	–	–	–	3	3	–	–	–	0	–
	常勤	0	–	–	–	–	–	0	–	–	–	–	0	–
	非常勤	3	–	–	–	–	–	3	3	–	–	–	–	–
栄養士		–	–	–	–	–	–	–	–	–	–	–	–	–
	常勤	–	–	–	–	–	–	–	–	–	–	–	–	–
	非常勤	–	–	–	–	–	–	–	–	–	–	–	–	–
調理員		1	–	–	–	–	–	1	1	–	–	–	–	–
	常勤	1	–	–	–	–	–	1	1	–	–	–	–	–
	非常勤	–	–	–	–	–	–	–	–	–	–	–	–	–
事務員		6	–	–	–	–	–	6	4	–	–	–	2	–
	常勤	1	–	–	–	–	–	1	1	–	–	–	0	–
	非常勤	5	–	–	–	–	–	5	3	–	–	–	2	–
児童発達支援管理責任者		…	…	…	…	…	…	…	…	…	…	…	…	…
	常勤	…	…	…	…	…	…	…	…	…	…	…	…	…
	非常勤	…	…	…	…	…	…	…	…	…	…	…	…	…
その他の職員		3	–	–	–	–	–	3	3	–	–	–	0	–
	常勤	2	–	–	–	–	–	2	2	–	–	–	0	–
	非常勤	1	–	–	–	–	–	1	1	–	–	–	–	–

第14表－1　社会福祉施設等（保育所等・小規模保育事業所を除く）の

（単位：人）

職種 常勤－非常勤	その他の社会福祉施設等 隣保館 総数	公営 総数	国・独立行政法人	都道府県	市区町村	一部事務組合・広域連合	私営 総数	社会福祉法人	医療法人	公益法人及び日赤	営利法人（会社）	その他の法人	その他
総数	2 485	2 278	-	-	2 278	-	206	87	-	8	6	105	0
常勤	1 791	1 620	-	-	1 620	-	171	66	-	6	6	94	-
非常勤	693	658	-	-	658	-	35	21	-	2	-	12	0
施設長	672	644	-	-	644	-	28	11	-	1	1	15	0
常勤	516	490	-	-	490	-	26	11	-	1	1	13	-
非常勤	156	155	-	-	155	-	2	0	-	-	-	2	0
サービス管理責任者	…	…	…	…	…	…	…	…	…	…	…	…	…
常勤	…	…	…	…	…	…	…	…	…	…	…	…	…
非常勤	…	…	…	…	…	…	…	…	…	…	…	…	…
生活・児童指導員、生活相談員、生活支援員、児童自立支援専門員	488	422	-	-	422	-	66	46	-	4	-	16	-
常勤	337	283	-	-	283	-	54	36	-	4	-	14	-
非常勤	151	139	-	-	139	-	12	10	-	-	-	2	-
職業・作業指導員	20	19	-	-	19	-	1	-	-	-	-	1	-
常勤	14	14	-	-	14	-	-	-	-	-	-	-	-
非常勤	7	6	-	-	6	-	1	-	-	-	-	1	-
セラピスト	2	2	-	-	2	-	-	-	-	-	-	-	-
常勤	2	2	-	-	2	-	-	-	-	-	-	-	-
非常勤	-	-	-	-	-	-	-	-	-	-	-	-	-
理学療法士	-	-	-	-	-	-	-	-	-	-	-	-	-
常勤	-	-	-	-	-	-	-	-	-	-	-	-	-
非常勤	-	-	-	-	-	-	-	-	-	-	-	-	-
作業療法士	-	-	-	-	-	-	-	-	-	-	-	-	-
常勤	-	-	-	-	-	-	-	-	-	-	-	-	-
非常勤	-	-	-	-	-	-	-	-	-	-	-	-	-
その他の療法員	2	2	-	-	2	-	-	-	-	-	-	-	-
常勤	2	2	-	-	2	-	-	-	-	-	-	-	-
非常勤	-	-	-	-	-	-	-	-	-	-	-	-	-
心理・職能判定員	…	…	…	…	…	…	…	…	…	…	…	…	…
常勤	…	…	…	…	…	…	…	…	…	…	…	…	…
非常勤	…	…	…	…	…	…	…	…	…	…	…	…	…
医師	3	3	-	-	3	-	-	-	-	-	-	-	-
常勤	-	-	-	-	-	-	-	-	-	-	-	-	-
非常勤	3	3	-	-	3	-	-	-	-	-	-	-	-
保健師・助産師・看護師	28	24	-	-	24	-	4	4	-	-	-	-	-
常勤	24	21	-	-	21	-	3	3	-	-	-	-	-
非常勤	4	4	-	-	4	-	1	1	-	-	-	-	-
精神保健福祉士	-	-	-	-	-	-	-	-	-	-	-	-	-
常勤	-	-	-	-	-	-	-	-	-	-	-	-	-
非常勤	-	-	-	-	-	-	-	-	-	-	-	-	-
保育士	…	…	…	…	…	…	…	…	…	…	…	…	…
常勤	…	…	…	…	…	…	…	…	…	…	…	…	…
非常勤	…	…	…	…	…	…	…	…	…	…	…	…	…
児童生活支援員	…	…	…	…	…	…	…	…	…	…	…	…	…
常勤	…	…	…	…	…	…	…	…	…	…	…	…	…
非常勤	…	…	…	…	…	…	…	…	…	…	…	…	…
児童厚生員	…	…	…	…	…	…	…	…	…	…	…	…	…
常勤	…	…	…	…	…	…	…	…	…	…	…	…	…
非常勤	…	…	…	…	…	…	…	…	…	…	…	…	…
母子支援員	…	…	…	…	…	…	…	…	…	…	…	…	…
常勤	…	…	…	…	…	…	…	…	…	…	…	…	…
非常勤	…	…	…	…	…	…	…	…	…	…	…	…	…
介護職員	12	9	-	-	9	-	3	3	-	-	-	-	-
常勤	9	7	-	-	7	-	2	2	-	-	-	-	-
非常勤	3	2	-	-	2	-	1	1	-	-	-	-	-
栄養士	1	1	-	-	1	-	-	-	-	-	-	-	-
常勤	1	1	-	-	1	-	-	-	-	-	-	-	-
非常勤	-	-	-	-	-	-	-	-	-	-	-	-	-
調理員	2	1	-	-	1	-	1	1	-	-	-	-	-
常勤	1	1	-	-	1	-	-	-	-	-	-	-	-
非常勤	1	0	-	-	0	-	1	1	-	-	-	-	-
事務員	769	720	-	-	720	-	49	13	-	2	-	34	-
常勤	558	519	-	-	519	-	39	10	-	-	-	29	-
非常勤	211	201	-	-	201	-	10	3	-	2	-	5	-
児童発達支援管理責任者	…	…	…	…	…	…	…	…	…	…	…	…	…
常勤	…	…	…	…	…	…	…	…	…	…	…	…	…
非常勤	…	…	…	…	…	…	…	…	…	…	…	…	…
その他の職員	488	433	-	-	433	-	55	8	-	1	5	40	0
常勤	330	283	-	-	283	-	48	4	-	1	5	38	-
非常勤	158	151	-	-	151	-	7	4	-	-	-	3	0

常勤換算従事者数, 職種・常勤－非常勤、施設の種類・経営主体別

平成29年10月 1 日

職種／常勤－非常勤	その他の社会福祉施設等 総数	へき地 総数	公営 国・独立行政法人	公営 都道府県	公営 市区町村	公営 一部事務組合・広域連合	保健福祉館 総数	私営 社会福祉法人	私営 医療法人	私営 公益法人及び日赤	私営 営利法人（会社）	私営 その他の法人	その他
総　数	7	7	—	—	7	—	—	—	—	—	—	—	—
常勤	5	5	—	—	5	—	—	—	—	—	—	—	—
非常勤	2	2	—	—	2	—	—	—	—	—	—	—	—
施設長	1	1	—	—	1	—	—	—	—	—	—	—	—
常勤	1	1	—	—	1	—	—	—	—	—	—	—	—
非常勤	—	—	—	—	—	—	—	—	—	—	—	—	—
サービス管理責任者	…	…	…	…	…	…	…	…	…	…	…	…	…
常勤	…	…	…	…	…	…	…	…	…	…	…	…	…
非常勤	…	…	…	…	…	…	…	…	…	…	…	…	…
生活・児童指導員、生活相談員、生活支援員、児童自立支援専門員	1	1	—	—	1	—	—	—	—	—	—	—	—
常勤	1	1	—	—	1	—	—	—	—	—	—	—	—
非常勤	—	—	—	—	—	—	—	—	—	—	—	—	—
職業・作業指導員	—	—	—	—	—	—	—	—	—	—	—	—	—
常勤	—	—	—	—	—	—	—	—	—	—	—	—	—
非常勤	—	—	—	—	—	—	—	—	—	—	—	—	—
セラピスト	0	0	—	—	0	—	—	—	—	—	—	—	—
常勤	0	0	—	—	0	—	—	—	—	—	—	—	—
非常勤	—	—	—	—	—	—	—	—	—	—	—	—	—
理学療法士	—	—	—	—	—	—	—	—	—	—	—	—	—
常勤	—	—	—	—	—	—	—	—	—	—	—	—	—
非常勤	—	—	—	—	—	—	—	—	—	—	—	—	—
作業療法士	—	—	—	—	—	—	—	—	—	—	—	—	—
常勤	—	—	—	—	—	—	—	—	—	—	—	—	—
非常勤	—	—	—	—	—	—	—	—	—	—	—	—	—
その他の療法員	0	0	—	—	0	—	—	—	—	—	—	—	—
常勤	0	0	—	—	0	—	—	—	—	—	—	—	—
非常勤	—	—	—	—	—	—	—	—	—	—	—	—	—
心理・職能判定員	…	…	…	…	…	…	…	…	…	…	…	…	…
常勤	…	…	…	…	…	…	…	…	…	…	…	…	…
非常勤	…	…	…	…	…	…	…	…	…	…	…	…	…
医師	—	—	—	—	—	—	—	—	—	—	—	—	—
常勤	—	—	—	—	—	—	—	—	—	—	—	—	—
非常勤	—	—	—	—	—	—	—	—	—	—	—	—	—
保健師・助産師・看護師	1	1	—	—	1	—	—	—	—	—	—	—	—
常勤	1	1	—	—	1	—	—	—	—	—	—	—	—
非常勤	0	0	—	—	0	—	—	—	—	—	—	—	—
精神保健福祉士	—	—	—	—	—	—	—	—	—	—	—	—	—
常勤	—	—	—	—	—	—	—	—	—	—	—	—	—
非常勤	—	—	—	—	—	—	—	—	—	—	—	—	—
保育士	…	…	…	…	…	…	…	…	…	…	…	…	…
常勤	…	…	…	…	…	…	…	…	…	…	…	…	…
非常勤	…	…	…	…	…	…	…	…	…	…	…	…	…
児童生活支援員	…	…	…	…	…	…	…	…	…	…	…	…	…
常勤	…	…	…	…	…	…	…	…	…	…	…	…	…
非常勤	…	…	…	…	…	…	…	…	…	…	…	…	…
児童厚生員	…	…	…	…	…	…	…	…	…	…	…	…	…
常勤	…	…	…	…	…	…	…	…	…	…	…	…	…
非常勤	…	…	…	…	…	…	…	…	…	…	…	…	…
母子支援員	…	…	…	…	…	…	…	…	…	…	…	…	…
常勤	…	…	…	…	…	…	…	…	…	…	…	…	…
非常勤	…	…	…	…	…	…	…	…	…	…	…	…	…
介護職員	1	1	—	—	1	—	—	—	—	—	—	—	—
常勤	1	1	—	—	1	—	—	—	—	—	—	—	—
非常勤	0	0	—	—	0	—	—	—	—	—	—	—	—
栄養士	—	—	—	—	—	—	—	—	—	—	—	—	—
常勤	—	—	—	—	—	—	—	—	—	—	—	—	—
非常勤	—	—	—	—	—	—	—	—	—	—	—	—	—
調理員	—	—	—	—	—	—	—	—	—	—	—	—	—
常勤	—	—	—	—	—	—	—	—	—	—	—	—	—
非常勤	—	—	—	—	—	—	—	—	—	—	—	—	—
事務員	0	0	—	—	0	—	—	—	—	—	—	—	—
常勤	0	0	—	—	0	—	—	—	—	—	—	—	—
非常勤	—	—	—	—	—	—	—	—	—	—	—	—	—
児童発達支援管理責任者	…	…	…	…	…	…	…	…	…	…	…	…	…
常勤	…	…	…	…	…	…	…	…	…	…	…	…	…
非常勤	…	…	…	…	…	…	…	…	…	…	…	…	…
その他の職員	2	2	—	—	2	—	—	—	—	—	—	—	—
常勤	2	2	—	—	2	—	—	—	—	—	—	—	—
非常勤	1	1	—	—	1	—	—	—	—	—	—	—	—

第14表－1　社会福祉施設等（保育所等・小規模保育事業所を除く）の常勤換算従事者数，職種・常勤－非常勤、施設の種類・経営主体別

（単位：人）　　平成29年10月1日

職種／常勤－非常勤	総数	その他の社会福祉施設等 有料老人ホーム（サービス付き高齢者向け住宅以外） 公営 総数	国・独立行政法人	都道府県	市区町村	一部事務組合・広域連合	私営 総数	社会福祉法人	医療法人	公益法人及び日赤	営利法人（会社）	その他の法人	その他
総数	165 006	16	-	-	16	-	164 989	8 695	11 637	359	139 041	5 122	136
常勤	120 958	11	-	-	11	-	120 947	6 845	9 377	279	100 713	3 615	118
非常勤	44 047	5	-	-	5	-	44 042	1 850	2 260	80	38 329	1 507	17
施設長	8 159	0	-	-	0	-	8 158	387	583	8	6 864	297	20
常勤	7 999	0	-	-	0	-	7 999	382	572	7	6 730	288	19
非常勤	160	-	-	-	-	-	160	5	11	1	134	9	1
サービス管理責任者	…	…	…	…	…	…	…	…	…	…	…	…	…
常勤	…	…	…	…	…	…	…	…	…	…	…	…	…
非常勤	…	…	…	…	…	…	…	…	…	…	…	…	…
生活・児童指導員、生活相談員、生活支援員、児童自立支援専門員	6 514	1	-	-	1	-	6 514	407	447	10	5 392	250	8
常勤	6 124	1	-	-	1	-	6 123	391	419	10	5 069	227	7
非常勤	390	-	-	-	-	-	390	17	28	0	322	23	0
職業・作業指導員	325	-	-	-	-	-	325	13	32	-	275	5	1
常勤	283	-	-	-	-	-	283	12	29	-	238	4	1
非常勤	42	-	-	-	-	-	42	1	3	-	37	1	-
セラピスト	1 537	1	-	-	1	-	1 537	80	145	6	1 265	39	2
常勤	1 227	1	-	-	1	-	1 227	69	127	5	994	31	2
非常勤	310	-	-	-	-	-	310	11	18	1	272	8	-
理学療法士	557	1	-	-	1	-	556	28	61	2	448	16	1
常勤	416	1	-	-	1	-	415	24	53	2	323	13	1
非常勤	141	-	-	-	-	-	141	5	8	-	125	3	-
作業療法士	285	-	-	-	-	-	285	13	36	2	231	4	-
常勤	221	-	-	-	-	-	221	12	31	1	175	2	-
非常勤	64	-	-	-	-	-	64	2	5	1	56	1	-
その他の療法員	696	-	-	-	-	-	696	38	48	2	587	19	1
常勤	591	-	-	-	-	-	591	33	43	2	496	16	1
非常勤	105	-	-	-	-	-	105	5	5	1	91	4	-
心理・職能判定員	…	…	…	…	…	…	…	…	…	…	…	…	…
常勤	…	…	…	…	…	…	…	…	…	…	…	…	…
非常勤	…	…	…	…	…	…	…	…	…	…	…	…	…
医師	78	-	-	-	-	-	78	15	16	-	44	3	-
常勤	29	-	-	-	-	-	29	6	10	-	12	1	-
非常勤	50	-	-	-	-	-	50	10	6	-	33	1	-
保健師・助産師・看護師	15 807	1	-	-	1	-	15 806	750	1 260	25	13 348	414	9
常勤	10 969	1	-	-	1	-	10 968	601	993	21	9 050	294	8
非常勤	4 837	-	-	-	-	-	4 837	149	266	3	4 298	120	1
精神保健福祉士	142	-	-	-	-	-	142	5	38	-	98	1	-
常勤	104	-	-	-	-	-	104	4	36	-	64	1	-
非常勤	38	-	-	-	-	-	38	1	2	-	34	0	-
保育士	…	…	…	…	…	…	…	…	…	…	…	…	…
常勤	…	…	…	…	…	…	…	…	…	…	…	…	…
非常勤	…	…	…	…	…	…	…	…	…	…	…	…	…
児童生活支援員	…	…	…	…	…	…	…	…	…	…	…	…	…
常勤	…	…	…	…	…	…	…	…	…	…	…	…	…
非常勤	…	…	…	…	…	…	…	…	…	…	…	…	…
児童厚生員	…	…	…	…	…	…	…	…	…	…	…	…	…
常勤	…	…	…	…	…	…	…	…	…	…	…	…	…
非常勤	…	…	…	…	…	…	…	…	…	…	…	…	…
母子支援員	…	…	…	…	…	…	…	…	…	…	…	…	…
常勤	…	…	…	…	…	…	…	…	…	…	…	…	…
非常勤	…	…	…	…	…	…	…	…	…	…	…	…	…
介護職員	101 017	12	-	-	12	-	101 006	5 247	7 108	197	85 550	2 840	64
常勤	75 775	7	-	-	7	-	75 768	4 215	5 813	161	63 504	2 014	61
非常勤	25 242	5	-	-	5	-	25 238	1 032	1 295	36	22 046	826	4
栄養士	1 499	1	-	-	1	-	1 498	152	163	6	1 118	60	1
常勤	1 337	1	-	-	1	-	1 336	143	152	5	983	54	0
非常勤	162	-	-	-	-	-	162	9	11	1	135	6	1
調理員	11 687	2	-	-	2	-	11 685	698	717	43	9 720	494	13
常勤	6 510	1	-	-	1	-	6 509	421	415	13	5 393	260	7
非常勤	5 177	1	-	-	1	-	5 176	277	302	30	4 328	233	7
事務員	7 643	0	-	-	0	-	7 643	450	588	50	6 258	291	6
常勤	5 897	0	-	-	0	-	5 897	379	510	46	4 735	221	5
非常勤	1 746	-	-	-	-	-	1 746	71	78	4	1 523	70	1
児童発達支援管理責任者	…	…	…	…	…	…	…	…	…	…	…	…	…
常勤	…	…	…	…	…	…	…	…	…	…	…	…	…
非常勤	…	…	…	…	…	…	…	…	…	…	…	…	…
その他の職員	10 599	-	-	-	-	-	10 599	491	541	15	9 110	430	11
常勤	4 706	-	-	-	-	-	4 706	221	301	12	3 942	221	8
非常勤	5 893	-	-	-	-	-	5 893	270	240	3	5 168	209	3

第14表－2　保育所等・小規模保育事業所の常勤換算
保育教諭のうち保育士資格保有者－保健師・

（単位：人）

職種／常勤－非常勤	保育所等 数												
	総数	公営 総数	国・独立行政法人	都道府県	市区町村	一部事務組合・広域連合	私営 総数	社会福祉法人	医療法人	公益法人・日赤	営利法人（会社）	その他の法人	その他
総数 総数	577 577	170 076	42	–	169 979	55	407 501	331 387	248	1 453	26 365	46 399	1 649
常勤	481 575	142 653	29	–	142 572	52	338 922	275 353	211	1 210	22 640	38 137	1 372
非常勤	96 002	27 423	13	–	27 407	3	68 579	56 034	38	243	3 725	8 262	277
施設長 総数	21 943	7 747	2	–	7 742	3	14 196	11 818	14	54	1 411	797	102
常勤	21 902	7 725	2	–	7 720	3	14 177	11 803	14	53	1 410	796	101
非常勤	41	22	–	–	22	–	19	15	–	1	1	1	1
保育士 総数	363 003	118 050	34	–	117 974	43	244 952	211 722	178	1 034	18 842	12 028	1 148
常勤	314 115	102 939	24	–	102 873	42	211 176	182 184	157	926	16 637	10 289	982
非常勤	48 888	15 112	10	–	15 101	1	33 776	29 537	22	107	2 205	1 739	166
うち幼稚園教諭免許保有者 総数	270 390	89 922	27	–	89 861	34	180 468	158 205	130	745	11 594	8 972	823
常勤	243 756	81 254	21	–	81 199	34	162 502	142 193	122	711	10 627	8 116	734
非常勤	26 634	8 668	6	–	8 662	0	17 966	16 012	8	34	967	856	89
医師 総数	1 265	336	0	–	336	–	929	760	1	4	54	104	6
常勤	60	3	–	–	3	–	57	39	–	–	19	–	–
非常勤	1 205	333	0	–	333	–	871	722	1	4	54	86	6
歯科医師 総数	1 153	303	0	–	303	–	849	698	1	3	49	94	5
常勤	58	3	–	–	3	–	55	39	–	–	16	–	–
非常勤	1 095	301	0	–	300	–	794	659	1	3	49	78	5
保健師・看護師 総数	9 488	2 123	1	–	2 122	–	7 365	5 989	6	35	782	544	11
常勤	7 355	1 794	1	–	1 793	–	5 561	4 480	6	32	662	373	8
非常勤	2 134	329	–	–	329	–	1 804	1 508	–	2	120	171	3
うち准看護師 総数	1 590	187	–	–	187	–	1 403	1 257	1	6	44	91	4
常勤	1 174	142	–	–	142	–	1 033	926	1	6	34	63	3
非常勤	416	45	–	–	45	–	370	331	–	1	10	28	1
園長 総数	3 283	512	–	–	512	–	2 771	1 748	–	–	–	1 021	2
常勤	3 268	506	–	–	506	–	2 762	1 746	–	–	–	1 015	2
非常勤	15	6	–	–	6	–	9	2	–	–	–	7	–
副園長 総数	2 189	402	–	–	402	–	1 788	1 015	–	–	–	773	–
常勤	2 172	399	–	–	399	–	1 773	1 007	–	–	–	767	–
非常勤	17	2	–	–	2	–	14	8	–	–	–	6	–
教頭 総数	359	28	–	–	28	–	331	168	–	–	–	163	–
常勤	357	28	–	–	28	–	330	168	–	–	–	162	–
非常勤	1	–	–	–	–	–	1	–	–	–	–	1	–
主幹保育教諭 総数	4 631	469	–	–	469	–	4 162	2 578	–	–	–	1 582	2
常勤	4 602	466	–	–	466	–	4 136	2 565	–	–	–	1 569	2
非常勤	29	3	–	–	3	–	26	14	–	–	–	13	–
うち保育士資格保有者 総数	4 261	424	–	–	424	–	3 837	2 401	–	–	–	1 435	2
常勤	4 240	421	–	–	421	–	3 819	2 389	–	–	–	1 428	2
非常勤	21	2	–	–	2	–	19	12	–	–	–	6	–
指導保育教諭 総数	2 549	297	–	–	297	–	2 252	1 381	–	–	–	869	2
常勤	2 436	291	–	–	291	–	2 145	1 304	–	–	–	839	2
非常勤	113	6	–	–	6	–	108	77	–	–	–	31	–
うち保育士資格保有者 総数	2 321	249	–	–	249	–	2 073	1 275	–	–	–	796	2
常勤	2 235	247	–	–	247	–	1 988	1 210	–	–	–	776	2
非常勤	86	2	–	–	2	–	84	65	–	–	–	19	–
保育教諭 総数	56 594	7 476	–	–	7 476	–	49 119	30 388	–	–	–	18 715	15
常勤	47 962	6 682	–	–	6 682	3	41 279	25 426	–	–	–	15 840	13
非常勤	8 633	793	–	–	793	–	7 839	4 962	–	–	–	2 875	2
うち保育士資格保有者 総数	51 229	6 562	–	–	6 562	–	44 668	27 635	–	–	–	17 019	14
常勤	44 074	5 892	–	–	5 892	–	38 182	23 537	–	–	–	14 632	13
非常勤	7 156	670	–	–	670	–	6 486	4 098	–	–	–	2 387	1
助保育教諭 総数	1 249	399	–	–	399	–	850	404	–	–	–	446	–
常勤	749	346	–	–	346	–	402	208	–	–	–	195	–
非常勤	500	53	–	–	53	–	447	197	–	–	–	251	–
うち保育士資格保有者 総数	882	313	–	–	313	–	569	263	–	–	–	306	–
常勤	535	275	–	–	275	–	260	150	–	–	–	110	–
非常勤	347	38	–	–	38	–	309	113	–	–	–	196	–
主幹養護教諭 総数	14	2	–	–	2	–	12	9	–	–	–	3	–
常勤	10	2	–	–	2	–	8	6	–	–	–	2	–
非常勤	4	–	–	–	–	–	4	3	–	–	–	1	–

注：常勤換算従事者数の小数点以下第1位を四捨五入している。なお、「0」は常勤換算従事者数が0.5未満である。

従事者数，職種－保育士のうち幼稚園教諭免許保有者－
看護師のうち准看護師・常勤－非常勤、経営主体別

職種／常勤－非常勤	総数	公営 総数	国・独立行政法人	都道府県	市区町村	一部事務組合・広域連合	私営 総数	社会福祉法人	医療法人	公益法人・日赤	営利法人（会社）	その他の法人	その他
養護教諭	94	20	–	–	20	–	74	37	–	–	–	37	–
常勤	77	19	–	–	19	–	58	27	–	–	–	32	–
非常勤	17	1	–	–	1	–	15	11	–	–	–	5	–
養護助教諭	11	1	–	–	1	–	10	10	–	–	–	–	–
常勤	10	1	–	–	1	–	9	9	–	–	–	–	–
非常勤	1	–	–	–	–	–	1	1	–	–	–	–	–
主幹栄養教諭	42	1	–	–	1	–	41	35	–	–	–	5	–
常勤	40	1	–	–	1	–	39	35	–	–	–	4	–
非常勤	2	–	–	–	–	–	2	–	–	–	–	2	–
栄養教諭	148	2	–	–	2	–	146	125	–	–	–	21	–
常勤	139	2	–	–	2	–	137	119	–	–	–	18	–
非常勤	9	0	–	–	0	–	9	6	–	–	–	3	–
講師	789	256	–	–	256	–	533	297	–	–	–	236	–
常勤	424	218	–	–	218	–	206	72	–	–	–	134	–
非常勤	365	38	–	–	38	–	327	225	–	–	–	103	–
うち保育士資格保有者	523	191	–	–	191	–	332	178	–	–	–	154	–
常勤	302	167	–	–	167	–	135	50	–	–	–	86	–
非常勤	222	25	–	–	25	–	197	128	–	–	–	69	–
教諭等	284	47	–	–	47	–	237	103	–	–	–	134	–
常勤	151	22	–	–	22	–	129	62	–	–	–	67	–
非常勤	133	25	–	–	25	–	108	42	–	–	–	67	–
教育・保育補助員	2 305	558	–	–	558	–	1 747	1 015	–	–	–	732	–
常勤	1 101	358	–	–	358	–	742	440	–	–	–	302	–
非常勤	1 205	200	–	–	200	–	1 005	575	–	–	–	430	–
養護職員（看護師等を除く）	23	2	–	–	2	–	22	11	–	–	–	10	–
常勤	13	2	–	–	2	–	12	7	–	–	–	5	–
非常勤	10	–	–	–	–	–	10	5	–	–	–	5	–
管理者	・	・	・	・	・	・	・	・	・	・	・	・	・
常勤	・	・	・	・	・	・	・	・	・	・	・	・	・
非常勤	・	・	・	・	・	・	・	・	・	・	・	・	・
保育従事者（保育士資格あり）	・	・	・	・	・	・	・	・	・	・	・	・	・
常勤	・	・	・	・	・	・	・	・	・	・	・	・	・
非常勤	・	・	・	・	・	・	・	・	・	・	・	・	・
保育従事者（保育士資格なし）	・	・	・	・	・	・	・	・	・	・	・	・	・
常勤	・	・	・	・	・	・	・	・	・	・	・	・	・
非常勤	・	・	・	・	・	・	・	・	・	・	・	・	・
家庭的保育者（保育士資格あり）	・	・	・	・	・	・	・	・	・	・	・	・	・
常勤	・	・	・	・	・	・	・	・	・	・	・	・	・
非常勤	・	・	・	・	・	・	・	・	・	・	・	・	・
家庭的保育者（保育士資格なし）	・	・	・	・	・	・	・	・	・	・	・	・	・
常勤	・	・	・	・	・	・	・	・	・	・	・	・	・
非常勤	・	・	・	・	・	・	・	・	・	・	・	・	・
家庭的保育補助者	・	・	・	・	・	・	・	・	・	・	・	・	・
常勤	・	・	・	・	・	・	・	・	・	・	・	・	・
非常勤	・	・	・	・	・	・	・	・	・	・	・	・	・
栄養士	17 120	1 529	2	–	1 527	–	15 591	12 386	14	69	1 857	1 206	60
常勤	16 059	1 265	2	–	1 263	–	14 794	11 772	11	67	1 777	1 110	57
非常勤	1 061	263	–	–	263	–	798	615	3	2	80	96	2
調理員	47 219	18 523	2	–	18 513	9	28 696	24 116	17	112	1 724	2 578	150
常勤	34 551	14 365	2	–	14 358	7	20 185	17 191	12	84	1 206	1 582	112
非常勤	12 669	4 158	2	–	4 154	2	8 511	6 926	5	28	518	996	38
事務員	13 271	775	1	–	775	–	12 495	9 715	5	31	622	2 067	57
常勤	10 640	470	–	–	470	–	10 171	7 910	4	19	433	1 759	45
非常勤	2 630	306	1	–	305	–	2 325	1 805	1	12	189	308	11
その他の職員	28 554	10 219	1	–	10 219	–	18 335	14 858	14	113	1 026	2 234	90
常勤	13 327	4 746	–	–	4 746	–	8 580	6 735	8	28	516	1 246	48
非常勤	15 227	5 473	1	–	5 472	–	9 754	8 123	7	84	510	988	43

第14表－2　保育所等・小規模保育事業所の常勤換算
保育教諭のうち保育士資格保有者－保健師・

（単位：人）

職　種 常勤－非常勤	総　数	保育所等 幼保連携型認定こども園 総　数	公営 国・独立行政法人	都道府県	市区町村	一部事務組合・広域連合	私 総　数	社会福祉法人	医療法人	公益法人・日赤	営利法人（会社）	その他の法人	その他
総　数	91 568	12 645	–	–	12 645	–	78 923	48 506	–	–	–	30 395	23
常　勤	75 373	10 985	–	–	10 985	–	64 388	39 664	–	–	–	24 705	19
非常勤	16 195	1 660	–	–	1 660	–	14 535	8 842	–	–	–	5 690	4
施設長	・	・	・	・	・	・	・	・	・	・	・	・	・
常　勤	・	・	・	・	・	・	・	・	・	・	・	・	・
非常勤	・	・	・	・	・	・	・	・	・	・	・	・	・
保育士	1 724	285	–	–	285	–	1 439	1 104	–	–	–	335	–
常　勤	1 166	207	–	–	207	–	959	768	–	–	–	192	–
非常勤	558	78	–	–	78	–	479	336	–	–	–	143	–
うち幼稚園教諭免許保有者	...	...	...	...	...	...	...	...	...	...	...	...	...
常　勤	...	...	...	...	...	...	...	...	...	...	...	...	...
非常勤	...	...	...	...	...	...	...	...	...	...	...	...	...
医師	232	22	–	–	22	–	210	146	–	–	–	64	0
常　勤	60	3	–	–	3	–	57	39	–	–	–	19	–
非常勤	171	19	–	–	19	–	152	107	–	–	–	46	0
歯科医師	217	19	–	–	19	–	198	140	–	–	–	57	0
常　勤	58	3	–	–	3	–	55	39	–	–	–	16	–
非常勤	159	17	–	–	17	–	143	101	–	–	–	42	0
保健師・看護師	1 319	153	–	–	153	–	1 166	884	–	–	–	282	–
常　勤	923	125	–	–	125	–	798	625	–	–	–	172	–
非常勤	397	28	–	–	28	–	369	259	–	–	–	110	–
うち准看護師	278	9	–	–	9	–	269	209	–	–	–	60	–
常　勤	202	7	–	–	7	–	195	155	–	–	–	40	–
非常勤	76	2	–	–	2	–	73	54	–	–	–	20	–
園長	3 283	512	–	–	512	–	2 771	1 748	–	–	–	1 021	2
常　勤	3 268	506	–	–	506	–	2 762	1 746	–	–	–	1 015	2
非常勤	15	6	–	–	6	–	9	2	–	–	–	7	–
副園長	2 189	402	–	–	402	–	1 788	1 015	–	–	–	773	–
常　勤	2 172	399	–	–	399	–	1 773	1 007	–	–	–	767	–
非常勤	17	2	–	–	2	–	14	8	–	–	–	6	–
教頭	359	28	–	–	28	–	331	168	–	–	–	163	–
常　勤	357	28	–	–	28	–	330	168	–	–	–	162	–
非常勤	1	–	–	–	–	–	1	–	–	–	–	1	–
主幹保育教諭	4 631	469	–	–	469	–	4 162	2 578	–	–	–	1 582	2
常　勤	4 602	466	–	–	466	–	4 136	2 565	–	–	–	1 569	2
非常勤	29	3	–	–	3	–	26	14	–	–	–	13	–
うち保育士資格保有者	4 261	424	–	–	424	–	3 837	2 401	–	–	–	1 435	2
常　勤	4 240	421	–	–	421	–	3 819	2 389	–	–	–	1 428	2
非常勤	21	2	–	–	2	–	19	12	–	–	–	6	–
指導保育教諭	2 549	297	–	–	297	–	2 252	1 381	–	–	–	869	2
常　勤	2 436	291	–	–	291	–	2 145	1 304	–	–	–	839	2
非常勤	113	6	–	–	6	–	108	77	–	–	–	31	–
うち保育士資格保有者	2 321	249	–	–	249	–	2 073	1 275	–	–	–	796	2
常　勤	2 235	247	–	–	247	–	1 988	1 210	–	–	–	776	2
非常勤	86	2	–	–	2	–	84	65	–	–	–	19	–
保育教諭	56 594	7 476	–	–	7 476	–	49 119	30 388	–	–	–	18 715	15
常　勤	47 962	6 682	–	–	6 682	–	41 279	25 426	–	–	–	15 840	13
非常勤	8 633	793	–	–	793	–	7 839	4 962	–	–	–	2 875	2
うち保育士資格保有者	51 229	6 562	–	–	6 562	–	44 668	27 635	–	–	–	17 019	14
常　勤	44 074	5 892	–	–	5 892	–	38 182	23 537	–	–	–	14 632	13
非常勤	7 156	670	–	–	670	–	6 486	4 098	–	–	–	2 387	1
助保育教諭	1 249	399	–	–	399	–	850	404	–	–	–	446	–
常　勤	749	346	–	–	346	–	402	208	–	–	–	195	–
非常勤	500	53	–	–	53	–	447	197	–	–	–	251	–
うち保育士資格保有者	882	313	–	–	313	–	569	263	–	–	–	306	–
常　勤	535	275	–	–	275	–	260	150	–	–	–	110	–
非常勤	347	38	–	–	38	–	309	113	–	–	–	196	–
主幹養護教諭	14	2	–	–	2	–	12	9	–	–	–	3	
常　勤	10	2	–	–	2	–	8	6	–	–	–	2	1
非常勤	4	–	–	–	–	–	4	3	–	–	–	1	

従事者数，職種－保育士のうち幼稚園教諭免許保有者－看護師のうち准看護師・常勤－非常勤、経営主体別

職種 / 常勤－非常勤	総数	公営 総数	国・独立行政法人	都道府県	市区町村	一部事務組合・広域連合	私営 総数	社会福祉法人	医療法人	公益法人・日赤	営利法人（会社）	その他の法人	その他
養護教諭	94	20	–	–	20	–	74	37	–	–	–	37	–
常勤	77	19	–	–	19	–	58	27	–	–	–	32	–
非常勤	17	1	–	–	1	–	15	11	–	–	–	5	–
養護助教諭	11	1	–	–	1	–	10	10	–	–	–	–	–
常勤	10	1	–	–	1	–	9	9	–	–	–	–	–
非常勤	1	–	–	–	–	–	1	1	–	–	–	–	–
主幹栄養教諭	42	1	–	–	1	–	41	35	–	–	–	5	–
常勤	40	1	–	–	1	–	39	35	–	–	–	4	–
非常勤	2	–	–	–	–	–	2	–	–	–	–	2	–
栄養教諭	148	2	–	–	2	–	146	125	–	–	–	21	–
常勤	139	2	–	–	2	–	137	119	–	–	–	18	–
非常勤	9	0	–	–	0	–	9	6	–	–	–	3	–
講師	789	256	–	–	256	–	533	297	–	–	–	236	–
常勤	424	218	–	–	218	–	206	72	–	–	–	134	–
非常勤	365	38	–	–	38	–	327	225	–	–	–	103	–
うち保育士資格保有者	523	191	–	–	191	–	332	178	–	–	–	154	–
常勤	302	167	–	–	167	–	135	50	–	–	–	86	–
非常勤	222	25	–	–	25	–	197	128	–	–	–	69	–
教諭等	284	47	–	–	47	–	237	103	–	–	–	134	–
常勤	151	22	–	–	22	–	129	62	–	–	–	67	–
非常勤	133	25	–	–	25	–	108	42	–	–	–	67	–
教育・保育補助員	2 305	558	–	–	558	–	1 747	1 015	–	–	–	732	–
常勤	1 101	358	–	–	358	–	742	440	–	–	–	302	–
非常勤	1 205	200	–	–	200	–	1 005	575	–	–	–	430	–
養護職員(看護師等を除く)	23	2	–	–	2	–	22	11	–	–	–	10	–
常勤	13	2	–	–	2	–	12	7	–	–	–	5	–
非常勤	10	–	–	–	–	–	10	5	–	–	–	5	–
管理者	・	・	・	・	・	・	・	・	・	・	・	・	・
常勤	・	・	・	・	・	・	・	・	・	・	・	・	・
非常勤	・	・	・	・	・	・	・	・	・	・	・	・	・
保育従事者(保育士資格あり)	・	・	・	・	・	・	・	・	・	・	・	・	・
常勤	・	・	・	・	・	・	・	・	・	・	・	・	・
非常勤	・	・	・	・	・	・	・	・	・	・	・	・	・
保育従事者(保育士資格なし)	・	・	・	・	・	・	・	・	・	・	・	・	・
常勤	・	・	・	・	・	・	・	・	・	・	・	・	・
非常勤	・	・	・	・	・	・	・	・	・	・	・	・	・
家庭的保育者(保育士資格あり)	・	・	・	・	・	・	・	・	・	・	・	・	・
常勤	・	・	・	・	・	・	・	・	・	・	・	・	・
非常勤	・	・	・	・	・	・	・	・	・	・	・	・	・
家庭的保育者(保育士資格なし)	・	・	・	・	・	・	・	・	・	・	・	・	・
常勤	・	・	・	・	・	・	・	・	・	・	・	・	・
非常勤	・	・	・	・	・	・	・	・	・	・	・	・	・
家庭的保育補助者	・	・	・	・	・	・	・	・	・	・	・	・	・
常勤	・	・	・	・	・	・	・	・	・	・	・	・	・
非常勤	・	・	・	・	・	・	・	・	・	・	・	・	・
栄養士	2 174	115	–	–	115	–	2 060	1 500	–	–	–	560	–
常勤	2 013	103	–	–	103	–	1 910	1 414	–	–	–	497	–
非常勤	162	12	–	–	12	–	150	87	–	–	–	63	–
調理員	5 603	1 140	–	–	1 140	–	4 462	3 109	–	–	–	1 354	–
常勤	3 776	911	–	–	911	–	2 865	2 126	–	–	–	739	–
非常勤	1 826	229	–	–	229	–	1 597	982	–	–	–	615	–
事務員	2 934	160	–	–	160	–	2 774	1 314	–	–	–	1 459	1
常勤	2 391	112	–	–	112	–	2 279	1 044	–	–	–	1 235	–
非常勤	543	48	–	–	48	–	494	269	–	–	–	224	1
その他の職員	2 803	281	–	–	281	–	2 522	985	–	–	–	1 537	0
常勤	1 477	178	–	–	178	–	1 299	410	–	–	–	889	–
非常勤	1 326	103	–	–	103	–	1 224	575	–	–	–	648	0

第14表－2 保育所等・小規模保育事業所の常勤換算
保育教諭のうち保育士資格保有者－保健師・

（単位：人）

職種　常勤－非常勤	総数	保育所型認定こども園 公営 総数	国・独立行政法人	都道府県	市区町村	一部事務組合・広域連合	私営 総数	社会福祉法人	医療法人	公益法人・日赤	営利法人（会社）	その他の法人	その他
総数	12 857	3 927	26	－	3 902	－	8 930	7 093	40	180	638	896	84
常勤	10 837	3 446	16	－	3 430	－	7 391	5 851	39	156	513	756	77
非常勤	2 021	481	10	－	472	－	1 539	1 243	1	24	124	140	7
施設長	561	205	1	－	204	－	356	282	1	6	25	38	4
常勤	560	204	1	－	203	－	355	281	1	6	25	38	4
非常勤	2	1	－	－	1	－	1	1	－	－	－	－	－
保育士	9 489	2 864	21	－	2 843	－	6 625	5 266	31	125	442	695	66
常勤	8 265	2 566	13	－	2 553	－	5 699	4 516	30	116	373	604	61
非常勤	1 224	298	8	－	290	－	926	750	1	10	69	92	5
うち幼稚園教諭免許保有者	7 993	2 435	16	－	2 419	－	5 559	4 412	30	105	341	615	57
常勤	7 221	2 252	12	－	2 240	－	4 969	3 929	29	103	301	552	56
非常勤	772	183	4	－	179	－	589	483	1	2	40	63	1
医師	28	10	0	－	9	－	19	15	0	0	2	2	0
常勤	－	－	－	－	－	－	－	－	－	－	－	－	－
非常勤	28	10	0	－	9	－	19	15	0	0	2	2	0
歯科医師	27	9	－	－	9	－	18	14	0	0	2	1	0
常勤	－	－	－	－	－	－	－	－	－	－	－	－	－
非常勤	27	9	－	－	9	－	18	14	0	0	2	1	0
保健師・看護師	223	48	1	－	47	－	175	143	1	5	13	11	1
常勤	169	44	1	－	43	－	125	100	1	5	11	7	1
非常勤	55	4	－	－	4	－	51	43	－	1	2	4	0
うち准看護師	50	6	－	－	6	－	44	36	－	2	4	1	1
常勤	36	3	－	－	3	－	33	27	－	2	3	－	1
非常勤	14	3	－	－	3	－	11	9	－	1	1	1	－
園長	…	…	…	…	…	…	…	…	…	…	…	…	…
常勤	…	…	…	…	…	…	…	…	…	…	…	…	…
非常勤	…	…	…	…	…	…	…	…	…	…	…	…	…
副園長	…	…	…	…	…	…	…	…	…	…	…	…	…
常勤	…	…	…	…	…	…	…	…	…	…	…	…	…
非常勤	…	…	…	…	…	…	…	…	…	…	…	…	…
教頭	…	…	…	…	…	…	…	…	…	…	…	…	…
常勤	…	…	…	…	…	…	…	…	…	…	…	…	…
非常勤	…	…	…	…	…	…	…	…	…	…	…	…	…
主幹保育教諭	…	…	…	…	…	…	…	…	…	…	…	…	…
常勤	…	…	…	…	…	…	…	…	…	…	…	…	…
非常勤	…	…	…	…	…	…	…	…	…	…	…	…	…
うち保育士資格保有者	…	…	…	…	…	…	…	…	…	…	…	…	…
常勤	…	…	…	…	…	…	…	…	…	…	…	…	…
非常勤	…	…	…	…	…	…	…	…	…	…	…	…	…
指導保育教諭	…	…	…	…	…	…	…	…	…	…	…	…	…
常勤	…	…	…	…	…	…	…	…	…	…	…	…	…
非常勤	…	…	…	…	…	…	…	…	…	…	…	…	…
うち保育士資格保有者	…	…	…	…	…	…	…	…	…	…	…	…	…
常勤	…	…	…	…	…	…	…	…	…	…	…	…	…
非常勤	…	…	…	…	…	…	…	…	…	…	…	…	…
保育教諭	…	…	…	…	…	…	…	…	…	…	…	…	…
常勤	…	…	…	…	…	…	…	…	…	…	…	…	…
非常勤	…	…	…	…	…	…	…	…	…	…	…	…	…
うち保育士資格保有者	…	…	…	…	…	…	…	…	…	…	…	…	…
常勤	…	…	…	…	…	…	…	…	…	…	…	…	…
非常勤	…	…	…	…	…	…	…	…	…	…	…	…	…
助保育教諭	…	…	…	…	…	…	…	…	…	…	…	…	…
常勤	…	…	…	…	…	…	…	…	…	…	…	…	…
非常勤	…	…	…	…	…	…	…	…	…	…	…	…	…
うち保育士資格保有者	…	…	…	…	…	…	…	…	…	…	…	…	…
常勤	…	…	…	…	…	…	…	…	…	…	…	…	…
非常勤	…	…	…	…	…	…	…	…	…	…	…	…	…
主幹養護教諭	…	…	…	…	…	…	…	…	…	…	…	…	…
常勤	…	…	…	…	…	…	…	…	…	…	…	…	…
非常勤	…	…	…	…	…	…	…	…	…	…	…	…	…

従事者数，職種－保育士のうち幼稚園教諭免許保有者－看護師のうち准看護師・常勤－非常勤、経営主体別

職種 常勤－非常勤	総数	保育所型認定こども園 公営 総数	国・独立行政法人	都道府県	市区町村	一部事務組合・広域連合	私営 総数	社会福祉法人	医療法人	公益法人・日赤	営利法人（会社）	その他の法人	その他
養護教諭 常勤	・	・	・	・	・	・	・	・	・	・	・	・	・
非常勤	・	・	・	・	・	・	・	・	・	・	・	・	・
養護助教諭 常勤	・	・	・	・	・	・	・	・	・	・	・	・	・
非常勤	・	・	・	・	・	・	・	・	・	・	・	・	・
主幹栄養教諭 常勤	・	・	・	・	・	・	・	・	・	・	・	・	・
非常勤	・	・	・	・	・	・	・	・	・	・	・	・	・
栄養教諭 常勤	・	・	・	・	・	・	・	・	・	・	・	・	・
非常勤	・	・	・	・	・	・	・	・	・	・	・	・	・
講師 常勤	・	・	・	・	・	・	・	・	・	・	・	・	・
非常勤	・	・	・	・	・	・	・	・	・	・	・	・	・
うち保育士資格保有者 常勤	・	・	・	・	・	・	・	・	・	・	・	・	・
非常勤	・	・	・	・	・	・	・	・	・	・	・	・	・
教諭等 常勤	・	・	・	・	・	・	・	・	・	・	・	・	・
非常勤	・	・	・	・	・	・	・	・	・	・	・	・	・
教育・保育補助員 常勤	・	・	・	・	・	・	・	・	・	・	・	・	・
非常勤	・	・	・	・	・	・	・	・	・	・	・	・	・
養護職員(看護師等を除く) 常勤	…	…	…	…	…	…	…	…	…	…	…	…	…
非常勤	…	…	…	…	…	…	…	…	…	…	…	…	…
管理者 常勤	・	・	・	・	・	・	・	・	・	・	・	・	・
非常勤	・	・	・	・	・	・	・	・	・	・	・	・	・
保育従事者(保育士資格あり) 常勤	・	・	・	・	・	・	・	・	・	・	・	・	・
非常勤	・	・	・	・	・	・	・	・	・	・	・	・	・
保育従事者(保育士資格なし) 常勤	・	・	・	・	・	・	・	・	・	・	・	・	・
非常勤	・	・	・	・	・	・	・	・	・	・	・	・	・
家庭的保育者(保育士資格あり) 常勤	・	・	・	・	・	・	・	・	・	・	・	・	・
非常勤	・	・	・	・	・	・	・	・	・	・	・	・	・
家庭的保育者(保育士資格なし) 常勤	・	・	・	・	・	・	・	・	・	・	・	・	・
非常勤	・	・	・	・	・	・	・	・	・	・	・	・	・
家庭的保育補助者 常勤	・	・	・	・	・	・	・	・	・	・	・	・	・
非常勤	・	・	・	・	・	・	・	・	・	・	・	・	・
栄養士	374	71	1	－	70	－	303	240	0	6	35	21	1
常勤	350	64	1	－	63	－	286	225	0	6	34	21	1
非常勤	24	7	－	－	7	－	17	16	－	－	1	0	－
調理員	1 086	427	－	－	427	－	659	533	4	14	43	56	10
常勤	811	368	－	－	368	－	443	355	4	12	27	39	8
非常勤	275	60	－	－	60	－	216	178	－	2	16	18	2
事務員	321	35	1	－	35	－	286	221	1	3	30	31	0
常勤	246	24	－	－	24	－	222	172	1	2	21	25	－
非常勤	75	11	1	－	11	－	64	49	－	1	9	6	0
その他の職員	748	258	1	－	258	－	489	378	2	20	46	40	2
常勤	437	176	－	－	176	－	261	201	2	10	23	24	2
非常勤	311	82	1	－	82	－	229	177	1	10	23	17	1

第14表－2　保育所等・小規模保育事業所の常勤換算
保育教諭のうち保育士資格保有者－保健師・

（単位：人）

職種 常勤－非常勤	保育所等												
	保育所									所			
	総数	公営					私営				営		
		総数	国・独立行政法人	都道府県	市区町村	一部事務組合・広域連合	総数	社会福祉法人	医療法人	公益法人・日赤	営利法人（会社）	その他の法人	その他
総数	473 152	153 504	16	－	153 433	55	319 648	275 788	208	1 273	25 728	15 109	1 542
常勤	395 365	128 223	13	－	128 158	52	267 143	229 838	172	1 054	22 127	12 676	1 276
非常勤	77 787	25 282	3	－	25 275	3	52 505	45 950	36	219	3 601	2 433	266
施設長	21 381	7 542	1	－	7 538	3	13 839	11 536	13	48	1 386	759	98
常勤	21 342	7 521	1	－	7 517	3	13 821	11 522	13	47	1 385	758	97
非常勤	39	21	－	－	21	－	18	14	－	1	1	1	1
保育士	351 790	114 901	13	－	114 846	43	236 889	205 352	148	909	18 400	10 998	1 083
常勤	304 684	100 166	11	－	100 113	42	204 518	176 901	127	811	16 264	9 494	921
非常勤	47 106	14 735	2	－	14 733	1	32 371	28 451	21	98	2 136	1 504	161
うち幼稚園教諭免許保有者	262 396	87 487	11	－	87 442	34	174 909	153 793	100	640	11 253	8 357	767
常勤	236 535	79 002	9	－	78 959	34	157 533	138 264	93	608	10 326	7 565	678
非常勤	25 862	8 485	2	－	8 484	0	17 376	15 529	8	32	928	793	88
医師	1 005	305	0	－	305	－	700	600	0	3	53	39	6
常勤	－	－	－	－	－	－	－	－	－	－	－	－	－
非常勤	1 005	305	0	－	305	－	700	600	0	3	53	39	6
歯科医師	909	275	0	－	275	－	634	543	0	3	47	35	5
常勤	－	－	－	－	－	－	－	－	－	－	－	－	－
非常勤	909	275	0	－	275	－	634	543	0	3	47	35	5
保健師・看護師	7 946	1 923	－	－	1 923	－	6 024	4 961	5	29	768	251	10
常勤	6 264	1 625	－	－	1 625	－	4 639	3 755	5	28	651	194	7
非常勤	1 683	298	－	－	298	－	1 385	1 207	－	2	117	57	3
うち准看護師	1 263	172	－	－	172	－	1 091	1 012	1	4	40	31	3
常勤	937	132	－	－	132	－	805	743	1	4	31	24	2
非常勤	326	40	－	－	40	－	286	269	－	－	9	7	1
園長	・	・	・	・	・	・	・	・	・	・	・	・	・
常勤	・	・	・	・	・	・	・	・	・	・	・	・	・
非常勤	・	・	・	・	・	・	・	・	・	・	・	・	・
副園長	・	・	・	・	・	・	・	・	・	・	・	・	・
常勤	・	・	・	・	・	・	・	・	・	・	・	・	・
非常勤	・	・	・	・	・	・	・	・	・	・	・	・	・
教頭	・	・	・	・	・	・	・	・	・	・	・	・	・
常勤	・	・	・	・	・	・	・	・	・	・	・	・	・
非常勤	・	・	・	・	・	・	・	・	・	・	・	・	・
主幹保育教諭	・	・	・	・	・	・	・	・	・	・	・	・	・
常勤	・	・	・	・	・	・	・	・	・	・	・	・	・
非常勤	・	・	・	・	・	・	・	・	・	・	・	・	・
うち保育士資格保有者	・	・	・	・	・	・	・	・	・	・	・	・	・
常勤	・	・	・	・	・	・	・	・	・	・	・	・	・
非常勤	・	・	・	・	・	・	・	・	・	・	・	・	・
指導保育教諭	・	・	・	・	・	・	・	・	・	・	・	・	・
常勤	・	・	・	・	・	・	・	・	・	・	・	・	・
非常勤	・	・	・	・	・	・	・	・	・	・	・	・	・
うち保育士資格保有者	・	・	・	・	・	・	・	・	・	・	・	・	・
常勤	・	・	・	・	・	・	・	・	・	・	・	・	・
非常勤	・	・	・	・	・	・	・	・	・	・	・	・	・
保育教諭	・	・	・	・	・	・	・	・	・	・	・	・	・
常勤	・	・	・	・	・	・	・	・	・	・	・	・	・
非常勤	・	・	・	・	・	・	・	・	・	・	・	・	・
うち保育士資格保有者	・	・	・	・	・	・	・	・	・	・	・	・	・
常勤	・	・	・	・	・	・	・	・	・	・	・	・	・
非常勤	・	・	・	・	・	・	・	・	・	・	・	・	・
助保育教諭	・	・	・	・	・	・	・	・	・	・	・	・	・
常勤	・	・	・	・	・	・	・	・	・	・	・	・	・
非常勤	・	・	・	・	・	・	・	・	・	・	・	・	・
うち保育士資格保有者	・	・	・	・	・	・	・	・	・	・	・	・	・
常勤	・	・	・	・	・	・	・	・	・	・	・	・	・
非常勤	・	・	・	・	・	・	・	・	・	・	・	・	・
主幹養護教諭	・	・	・	・	・	・	・	・	・	・	・	・	・
常勤	・	・	・	・	・	・	・	・	・	・	・	・	・
非常勤	・	・	・	・	・	・	・	・	・	・	・	・	・

従事者数, 職種－保育士のうち幼稚園教諭免許保有者－
看護師のうち准看護師・常勤－非常勤、経営主体別

平成29年10月1日

職種 / 常勤－非常勤	総数	保育所等 公営 総数	国・独立行政法人	都道府県	市区町村	一部事務組合・広域連合	私営 総数	社会福祉法人	医療法人	公益法人・日赤	営利法人(会社)	その他の法人	その他
養護教諭	・	・	・	・	・	・	・	・	・	・	・	・	・
常勤	・	・	・	・	・	・	・	・	・	・	・	・	・
非常勤	・	・	・	・	・	・	・	・	・	・	・	・	・
養護助教諭	・	・	・	・	・	・	・	・	・	・	・	・	・
常勤	・	・	・	・	・	・	・	・	・	・	・	・	・
非常勤	・	・	・	・	・	・	・	・	・	・	・	・	・
主幹栄養教諭	・	・	・	・	・	・	・	・	・	・	・	・	・
常勤	・	・	・	・	・	・	・	・	・	・	・	・	・
非常勤	・	・	・	・	・	・	・	・	・	・	・	・	・
栄養教諭	・	・	・	・	・	・	・	・	・	・	・	・	・
常勤	・	・	・	・	・	・	・	・	・	・	・	・	・
非常勤	・	・	・	・	・	・	・	・	・	・	・	・	・
講師	・	・	・	・	・	・	・	・	・	・	・	・	・
常勤	・	・	・	・	・	・	・	・	・	・	・	・	・
非常勤	・	・	・	・	・	・	・	・	・	・	・	・	・
うち保育士資格保有者	・	・	・	・	・	・	・	・	・	・	・	・	・
常勤	・	・	・	・	・	・	・	・	・	・	・	・	・
非常勤	・	・	・	・	・	・	・	・	・	・	・	・	・
教諭等	・	・	・	・	・	・	・	・	・	・	・	・	・
常勤	・	・	・	・	・	・	・	・	・	・	・	・	・
非常勤	・	・	・	・	・	・	・	・	・	・	・	・	・
教育・保育補助員	・	・	・	・	・	・	・	・	・	・	・	・	・
常勤	・	・	・	・	・	・	・	・	・	・	・	・	・
非常勤	・	・	・	・	・	・	・	・	・	・	・	・	・
養護職員(看護師等を除く)	…	…	…	…	…	…	…	…	…	…	…	…	…
常勤	…	…	…	…	…	…	…	…	…	…	…	…	…
非常勤	…	…	…	…	…	…	…	…	…	…	…	…	…
管理者	・	・	・	・	・	・	・	・	・	・	・	・	・
常勤	・	・	・	・	・	・	・	・	・	・	・	・	・
非常勤	・	・	・	・	・	・	・	・	・	・	・	・	・
保育従事者(保育士資格あり)	・	・	・	・	・	・	・	・	・	・	・	・	・
常勤	・	・	・	・	・	・	・	・	・	・	・	・	・
非常勤	・	・	・	・	・	・	・	・	・	・	・	・	・
保育従事者(保育士資格なし)	・	・	・	・	・	・	・	・	・	・	・	・	・
常勤	・	・	・	・	・	・	・	・	・	・	・	・	・
非常勤	・	・	・	・	・	・	・	・	・	・	・	・	・
家庭的保育者(保育士資格あり)	・	・	・	・	・	・	・	・	・	・	・	・	・
常勤	・	・	・	・	・	・	・	・	・	・	・	・	・
非常勤	・	・	・	・	・	・	・	・	・	・	・	・	・
家庭的保育者(保育士資格なし)	・	・	・	・	・	・	・	・	・	・	・	・	・
常勤	・	・	・	・	・	・	・	・	・	・	・	・	・
非常勤	・	・	・	・	・	・	・	・	・	・	・	・	・
家庭的保育補助者	・	・	・	・	・	・	・	・	・	・	・	・	・
常勤	・	・	・	・	・	・	・	・	・	・	・	・	・
非常勤	・	・	・	・	・	・	・	・	・	・	・	・	・
栄養士	14 572	1 343	1	－	1 342	－	13 229	10 646	14	63	1 822	626	59
常勤	13 696	1 098	1	－	1 097	－	12 598	10 134	11	62	1 743	593	56
非常勤	876	244	－	－	244	－	631	513	3	2	79	33	2
調理員	40 530	16 956	2	－	16 945	9	23 574	20 475	13	98	1 681	1 168	140
常勤	29 963	13 087	－	－	13 080	7	16 877	14 710	8	72	1 179	805	103
非常勤	10 567	3 869	2	－	3 866	2	6 698	5 766	5	26	502	363	37
事務員	10 016	580	－	－	580	－	9 436	8 180	4	28	592	577	56
常勤	8 003	334	－	－	334	－	7 670	6 694	3	17	412	499	45
非常勤	2 012	246	－	－	246	－	1 766	1 486	1	11	180	78	10
その他の職員	25 003	9 680	－	－	9 680	－	15 323	13 495	12	92	980	657	88
常勤	11 413	4 392	－	－	4 392	－	7 021	6 124	6	18	493	333	46
非常勤	13 590	5 288	－	－	5 288	－	8 302	7 371	6	74	486	323	42

第14表－2　保育所等・小規模保育事業所の常勤換算
保育教諭のうち保育士資格保有者－保健師・

（単位：人）

職　　種	小　　規　　模　　保　　育　　事　　業　　所												
常勤－非常勤	総　数	総					数						
		総　数	公		営		私					営	
			国・独立行政法人	都道府県	市区町村	一部事務組合・広域連合	総　数	社会福祉法人	医療法人	公益法人・日赤	営利法人（会社）	その他の法人	その他
総　　　　数　常　　　勤　非　　常　　勤	23 999 19 082 4 917	236 198 38	16 6 10	－ － －	220 192 28	－ － －	23 763 18 884 4 879	3 380 2 720 661	161 135 26	69 48 21	11 453 9 205 2 249	5 100 3 942 1 158	3 599 2 834 765
施　設　長　常　　　勤　非　　常　　勤	・ ・ ・	・ ・ ・	・ ・ ・	・ ・ ・	・ ・ ・	・ ・ ・	・ ・ ・	・ ・ ・	・ ・ ・	・ ・ ・	・ ・ ・	・ ・ ・	・ ・ ・
保　育　士　常　　　勤　非　　常　　勤	… … …	… … …	… … …	… … …	… … …	… … …	… … …	… … …	… … …	… … …	… … …	… … …	… … …
うち幼稚園教諭免許保有者　常　　　勤　非　　常　　勤	… … …	… … …	… … …	… … …	… … …	… … …	… … …	… … …	… … …	… … …	… … …	… … …	… … …
医　　　　師　常　　　勤　非　　常　　勤	97 － 97	1 － 1	0 － 0	－ － －	1 － 1	－ － －	95 － 95	14 － 14	0 － 0	0 － 0	46 － 46	21 － 21	14 － 14
歯　科　医　師　常　　　勤　非　　常　　勤	81 － 81	1 － 1	0 － 0	－ － －	1 － 1	－ － －	80 － 80	12 － 12	0 － 0	0 － 0	37 － 37	17 － 17	12 － 12
保健師・看護師　常　　　勤　非　　常　　勤	297 205 92	4 4 0	－ － －	－ － －	4 4 0	－ － －	292 201 91	50 35 15	1 1 0	1 1 0	112 74 38	81 55 26	48 36 12
うち准看護師　常　　　勤　非　　常　　勤	74 51 22	－ － －	－ － －	－ － －	－ － －	－ － －	74 51 22	17 13 3	－ － －	1 1 －	26 18 8	17 10 8	13 9 4
園　　　　長　常　　　勤　非　　常　　勤	・ ・ ・	・ ・ ・	・ ・ ・	・ ・ ・	・ ・ ・	・ ・ ・	・ ・ ・	・ ・ ・	・ ・ ・	・ ・ ・	・ ・ ・	・ ・ ・	・ ・ ・
副　園　長　常　　　勤　非　　常　　勤	・ ・ ・	・ ・ ・	・ ・ ・	・ ・ ・	・ ・ ・	・ ・ ・	・ ・ ・	・ ・ ・	・ ・ ・	・ ・ ・	・ ・ ・	・ ・ ・	・ ・ ・
教　　　　頭　常　　　勤　非　　常　　勤	・ ・ ・	・ ・ ・	・ ・ ・	・ ・ ・	・ ・ ・	・ ・ ・	・ ・ ・	・ ・ ・	・ ・ ・	・ ・ ・	・ ・ ・	・ ・ ・	・ ・ ・
主幹保育教諭　常　　　勤　非　　常　　勤	・ ・ ・	・ ・ ・	・ ・ ・	・ ・ ・	・ ・ ・	・ ・ ・	・ ・ ・	・ ・ ・	・ ・ ・	・ ・ ・	・ ・ ・	・ ・ ・	・ ・ ・
うち保育士資格保有者　常　　　勤　非　　常　　勤	・ ・ ・	・ ・ ・	・ ・ ・	・ ・ ・	・ ・ ・	・ ・ ・	・ ・ ・	・ ・ ・	・ ・ ・	・ ・ ・	・ ・ ・	・ ・ ・	・ ・ ・
指導保育教諭　常　　　勤　非　　常　　勤	・ ・ ・	・ ・ ・	・ ・ ・	・ ・ ・	・ ・ ・	・ ・ ・	・ ・ ・	・ ・ ・	・ ・ ・	・ ・ ・	・ ・ ・	・ ・ ・	・ ・ ・
うち保育士資格保有者　常　　　勤　非　　常　　勤	・ ・ ・	・ ・ ・	・ ・ ・	・ ・ ・	・ ・ ・	・ ・ ・	・ ・ ・	・ ・ ・	・ ・ ・	・ ・ ・	・ ・ ・	・ ・ ・	・ ・ ・
保　育　教　諭　常　　　勤　非　　常　　勤	・ ・ ・	・ ・ ・	・ ・ ・	・ ・ ・	・ ・ ・	・ ・ ・	・ ・ ・	・ ・ ・	・ ・ ・	・ ・ ・	・ ・ ・	・ ・ ・	・ ・ ・
うち保育士資格保有者　常　　　勤　非　　常　　勤	・ ・ ・	・ ・ ・	・ ・ ・	・ ・ ・	・ ・ ・	・ ・ ・	・ ・ ・	・ ・ ・	・ ・ ・	・ ・ ・	・ ・ ・	・ ・ ・	・ ・ ・
助保育教諭　常　　　勤　非　　常　　勤	・ ・ ・	・ ・ ・	・ ・ ・	・ ・ ・	・ ・ ・	・ ・ ・	・ ・ ・	・ ・ ・	・ ・ ・	・ ・ ・	・ ・ ・	・ ・ ・	・ ・ ・
うち保育士資格保有者　常　　　勤　非　　常　　勤	・ ・ ・	・ ・ ・	・ ・ ・	・ ・ ・	・ ・ ・	・ ・ ・	・ ・ ・	・ ・ ・	・ ・ ・	・ ・ ・	・ ・ ・	・ ・ ・	・ ・ ・
主幹養護教諭　常　　　勤　非　　常　　勤	・ ・ ・	・ ・ ・	・ ・ ・	・ ・ ・	・ ・ ・	・ ・ ・	・ ・ ・	・ ・ ・	・ ・ ・	・ ・ ・	・ ・ ・	・ ・ ・	・ ・ ・

従事者数，職種－保育士のうち幼稚園教諭免許保有者－看護師のうち准看護師・常勤－非常勤、経営主体別

平成29年10月1日

職種　常勤－非常勤	小規模保育事業所 総数	公営 総数	公営 国・独立行政法人	公営 都道府県	公営 市区町村	公営 一部事務組合・広域連合	私営 総数	私営 社会福祉法人	私営 医療法人	私営 公益法人・日赤	私営 営利法人（会社）	私営 その他の法人	私営 その他
養護教諭	・	・	・	・	・	・	・	・	・	・	・	・	・
常勤	・	・	・	・	・	・	・	・	・	・	・	・	・
非常勤	・	・	・	・	・	・	・	・	・	・	・	・	・
養護助教諭	・	・	・	・	・	・	・	・	・	・	・	・	・
常勤	・	・	・	・	・	・	・	・	・	・	・	・	・
非常勤	・	・	・	・	・	・	・	・	・	・	・	・	・
主幹栄養教諭	・	・	・	・	・	・	・	・	・	・	・	・	・
常勤	・	・	・	・	・	・	・	・	・	・	・	・	・
非常勤	・	・	・	・	・	・	・	・	・	・	・	・	・
栄養教諭	・	・	・	・	・	・	・	・	・	・	・	・	・
常勤	・	・	・	・	・	・	・	・	・	・	・	・	・
非常勤	・	・	・	・	・	・	・	・	・	・	・	・	・
講師	・	・	・	・	・	・	・	・	・	・	・	・	・
常勤	・	・	・	・	・	・	・	・	・	・	・	・	・
非常勤	・	・	・	・	・	・	・	・	・	・	・	・	・
うち保育士資格保有者	・	・	・	・	・	・	・	・	・	・	・	・	・
常勤	・	・	・	・	・	・	・	・	・	・	・	・	・
非常勤	・	・	・	・	・	・	・	・	・	・	・	・	・
教諭等	・	・	・	・	・	・	・	・	・	・	・	・	・
常勤	・	・	・	・	・	・	・	・	・	・	・	・	・
非常勤	・	・	・	・	・	・	・	・	・	・	・	・	・
教育・保育補助員	・	・	・	・	・	・	・	・	・	・	・	・	・
常勤	・	・	・	・	・	・	・	・	・	・	・	・	・
非常勤	・	・	・	・	・	・	・	・	・	・	・	・	・
養護職員（看護師等を除く）	…	…	…	…	…	…	…	…	…	…	…	…	…
常勤	…	…	…	…	…	…	…	…	…	…	…	…	…
非常勤	…	…	…	…	…	…	…	…	…	…	…	…	…
管理者	2 617	24	0	－	24	－	2 593	396	14	7	1 224	548	404
常勤	2 602	24	0	－	24	－	2 578	393	14	7	1 219	542	403
非常勤	15	0	－	－	0	－	14	3	－	－	4	6	1
保育従事者（保育士資格あり）	15 316	139	12	－	127	－	15 178	2 306	111	37	7 478	3 210	2 036
常勤	12 545	121	6	－	115	－	12 424	1 876	92	25	6 181	2 584	1 666
非常勤	2 772	18	6	－	12	－	2 754	430	19	12	1 297	626	370
保育従事者（保育士資格なし）	1 291	24	－	－	24	－	1 267	167	3	6	529	278	284
常勤	810	16	－	－	16	－	794	98	1	4	342	146	203
非常勤	481	8	－	－	8	－	473	69	2	2	187	132	82
家庭的保育者（保育士資格あり）	271	－	－	－	－	－	271	47	－	－	78	52	95
常勤	220	－	－	－	－	－	220	43	－	－	64	40	73
非常勤	51	－	－	－	－	－	51	4	－	－	14	11	22
家庭的保育者（保育士資格なし）	49	－	－	－	－	－	49	3	－	－	11	9	26
常勤	36	－	－	－	－	－	36	2	－	－	8	7	19
非常勤	13	－	－	－	－	－	13	1	－	－	3	2	7
家庭的保育補助者	110	－	－	－	－	－	110	2	－	－	30	20	58
常勤	61	－	－	－	－	－	61	－	－	－	18	15	28
非常勤	49	－	－	－	－	－	49	2	－	－	12	5	30
栄養士	803	5	0	－	4	－	798	88	5	1	468	164	72
常勤	622	4	0	－	4	－	618	76	5	1	367	122	48
非常勤	180	0	－	－	0	－	180	12	1	0	102	42	24
調理員	1 777	26	1	－	24	－	1 751	181	11	6	867	392	294
常勤	983	20	－	－	20	－	963	113	8	3	475	198	167
非常勤	793	5	1	－	4	－	788	67	3	3	392	195	127
事務員	517	5	2	－	3	－	511	25	3	4	213	160	105
常勤	381	3	－	－	3	－	378	18	3	2	158	119	79
非常勤	136	2	2	－	0	－	133	7	0	2	55	42	27
その他の職員	777	7	－	－	7	－	769	90	13	7	361	148	151
常勤	617	6	－	－	6	－	611	65	12	7	299	115	114
非常勤	159	2	－	－	2	－	158	25	1	1	61	33	37

第14表－2 保育所等・小規模保育事業所の常勤換算
保育教諭のうち保育士資格保有者－保健師・

（単位：人）

職　種 常勤－非常勤	総　数	小　規　模　保　育　事　業　所												
		小　規　模　保　育　事　業　所　Ａ　型												
		公　　営					私　　　　　　営							
		総　数	国・独立 行政法人	都道府県	市区町村	一部事務 組合・ 広域連合	総　数	社会福祉 法　　人	医療法人	公益法人 ・日赤	営利法人 （会社）	その他の 法　　人	その他
総　　　　　数	18 817	165	16	－	149	－	18 652	2 938	148	48	9 355	4 117	2 046
常　　勤	15 086	135	6	－	129	－	14 951	2 367	122	35	7 549	3 235	1 643
非　常　勤	3 731	30	10	－	20	－	3 701	571	26	13	1 806	882	403
施　設　長	・	・	・	・	・	・	・	・	・	・	・	・	・
常　　勤	・	・	・	・	・	・	・	・	・	・	・	・	・
非　常　勤	・	・	・	・	・	・	・	・	・	・	・	・	・
保　育　士	…	…	…	…	…	…	…	…	…	…	…	…	…
常　　勤	…	…	…	…	…	…	…	…	…	…	…	…	…
非　常　勤	…	…	…	…	…	…	…	…	…	…	…	…	…
うち幼稚園教諭免許保有者	…	…	…	…	…	…	…	…	…	…	…	…	…
常　　勤	…	…	…	…	…	…	…	…	…	…	…	…	…
非　常　勤	…	…	…	…	…	…	…	…	…	…	…	…	…
医　　　　　師	76	1	0	－	1	－	75	12	0	0	36	18	8
常　　勤	－	－	－	－	－	－	－	－	－	－	－	－	－
非　常　勤	76	1	0	－	1	－	75	12	0	0	36	18	8
歯　科　医　師	65	1	0	－	1	－	64	11	0	0	30	15	8
常　　勤	－	－	－	－	－	－	－	－	－	－	－	－	－
非　常　勤	65	1	0	－	1	－	64	11	0	0	30	15	8
保健師・看護師	249	3	－	－	3	－	246	46	1	1	95	70	33
常　　勤	171	3	－	－	3	－	168	31	1	1	60	48	27
非　常　勤	78	0	－	－	0	－	78	14	0	0	34	23	7
うち准看護師	57	－	－	－	－	－	57	15	－	1	23	11	7
常　　勤	39	－	－	－	－	－	39	12	－	1	16	5	5
非　常　勤	18	－	－	－	－	－	18	2	－	－	8	6	2
園　　　　　長	・	・	・	・	・	・	・	・	・	・	・	・	・
常　　勤	・	・	・	・	・	・	・	・	・	・	・	・	・
非　常　勤	・	・	・	・	・	・	・	・	・	・	・	・	・
副　園　長	・	・	・	・	・	・	・	・	・	・	・	・	・
常　　勤	・	・	・	・	・	・	・	・	・	・	・	・	・
非　常　勤	・	・	・	・	・	・	・	・	・	・	・	・	・
教　　　　　頭	・	・	・	・	・	・	・	・	・	・	・	・	・
常　　勤	・	・	・	・	・	・	・	・	・	・	・	・	・
非　常　勤	・	・	・	・	・	・	・	・	・	・	・	・	・
主幹保育教諭	・	・	・	・	・	・	・	・	・	・	・	・	・
常　　勤	・	・	・	・	・	・	・	・	・	・	・	・	・
非　常　勤	・	・	・	・	・	・	・	・	・	・	・	・	・
うち保育士資格保有者	・	・	・	・	・	・	・	・	・	・	・	・	・
常　　勤	・	・	・	・	・	・	・	・	・	・	・	・	・
非　常　勤	・	・	・	・	・	・	・	・	・	・	・	・	・
指導保育教諭	・	・	・	・	・	・	・	・	・	・	・	・	・
常　　勤	・	・	・	・	・	・	・	・	・	・	・	・	・
非　常　勤	・	・	・	・	・	・	・	・	・	・	・	・	・
うち保育士資格保有者	・	・	・	・	・	・	・	・	・	・	・	・	・
常　　勤	・	・	・	・	・	・	・	・	・	・	・	・	・
非　常　勤	・	・	・	・	・	・	・	・	・	・	・	・	・
保　育　教　諭	・	・	・	・	・	・	・	・	・	・	・	・	・
常　　勤	・	・	・	・	・	・	・	・	・	・	・	・	・
非　常　勤	・	・	・	・	・	・	・	・	・	・	・	・	・
うち保育士資格保有者	・	・	・	・	・	・	・	・	・	・	・	・	・
常　　勤	・	・	・	・	・	・	・	・	・	・	・	・	・
非　常　勤	・	・	・	・	・	・	・	・	・	・	・	・	・
助保育教諭	・	・	・	・	・	・	・	・	・	・	・	・	・
常　　勤	・	・	・	・	・	・	・	・	・	・	・	・	・
非　常　勤	・	・	・	・	・	・	・	・	・	・	・	・	・
うち保育士資格保有者	・	・	・	・	・	・	・	・	・	・	・	・	・
常　　勤	・	・	・	・	・	・	・	・	・	・	・	・	・
非　常　勤	・	・	・	・	・	・	・	・	・	・	・	・	・
主幹養護教諭	・	・	・	・	・	・	・	・	・	・	・	・	・
常　　勤	・	・	・	・	・	・	・	・	・	・	・	・	・
非　常　勤	・	・	・	・	・	・	・	・	・	・	・	・	・

従事者数，職種－保育士のうち幼稚園教諭免許保有者－
看護師のうち准看護師・常勤－非常勤、経営主体別

職種 / 常勤－非常勤	総数	小規模保育事業所 小規模保育事業所A型 公営 総数	国・独立行政法人	都道府県	市区町村	一部事務組合・広域連合	私営 総数	社会福祉法人	医療法人	公益法人・日赤	営利法人（会社）	その他の法人	その他
養護教諭 常勤	・	・	・	・	・	・	・	・	・	・	・	・	・
非常勤	・	・	・	・	・	・	・	・	・	・	・	・	・
養護助教諭 常勤	・	・	・	・	・	・	・	・	・	・	・	・	・
非常勤	・	・	・	・	・	・	・	・	・	・	・	・	・
主幹栄養教諭 常勤	・	・	・	・	・	・	・	・	・	・	・	・	・
非常勤	・	・	・	・	・	・	・	・	・	・	・	・	・
栄養教諭 常勤	・	・	・	・	・	・	・	・	・	・	・	・	・
非常勤	・	・	・	・	・	・	・	・	・	・	・	・	・
講師 常勤	・	・	・	・	・	・	・	・	・	・	・	・	・
非常勤	・	・	・	・	・	・	・	・	・	・	・	・	・
うち保育士資格保有者 常勤	・	・	・	・	・	・	・	・	・	・	・	・	・
非常勤	・	・	・	・	・	・	・	・	・	・	・	・	・
教諭等 常勤	・	・	・	・	・	・	・	・	・	・	・	・	・
非常勤	・	・	・	・	・	・	・	・	・	・	・	・	・
教育・保育補助員 常勤	・	・	・	・	・	・	・	・	・	・	・	・	・
非常勤	・	・	・	・	・	・	・	・	・	・	・	・	・
養護職員(看護師等を除く) 常勤	…	…	…	…	…	…	…	…	…	…	…	…	…
非常勤	…	…	…	…	…	…	…	…	…	…	…	…	…
管理者	2 075	22	0	－	22	－	2 054	354	12	6	1 000	445	237
常勤	2 065	22	0	－	22	－	2 044	351	12	6	997	441	237
非常勤	10	－	－	－	－	－	10	3	－	－	3	4	0
保育従事者(保育士資格あり)	12 866	104	12	－	92	－	12 762	2 096	100	26	6 430	2 749	1 361
常勤	10 546	88	6	－	82	－	10 458	1 701	82	18	5 313	2 230	1 114
非常勤	2 320	16	6	－	10	－	2 304	395	18	9	1 116	519	247
保育従事者(保育士資格なし)	486	7	－	－	7	－	479	88	2	0	213	119	56
常勤	278	5	－	－	5	－	273	46	0	－	131	61	35
非常勤	208	2	－	－	2	－	206	42	2	0	83	58	21
家庭的保育者(保育士資格あり) 常勤	－	－	－	－	－	－	－	－	－	－	－	－	－
非常勤	－	－	－	－	－	－	－	－	－	－	－	－	－
家庭的保育者(保育士資格なし) 常勤	－	－	－	－	－	－	－	－	－	－	－	－	－
非常勤	－	－	－	－	－	－	－	－	－	－	－	－	－
家庭的保育補助者 常勤	－	－	－	－	－	－	－	－	－	－	－	－	－
非常勤	－	－	－	－	－	－	－	－	－	－	－	－	－
栄養士	687	2	0	－	2	－	685	82	5	1	410	140	46
常勤	532	2	0	－	2	－	530	71	5	1	317	106	30
非常勤	155	0	－	－	0	－	155	11	1	0	93	35	16
調理員	1 408	19	1	－	18	－	1 389	153	11	5	722	319	178
常勤	788	14	－	－	14	－	774	97	8	3	393	166	108
非常勤	621	5	1	－	4	－	615	56	3	3	330	153	71
事務員	396	3	2	－	1	－	393	20	3	1	177	130	61
常勤	298	1	－	－	1	－	297	15	3	1	133	98	48
非常勤	98	2	2	－	0	－	95	6	0	－	44	32	13
その他の職員	509	2	－	－	2	－	506	77	13	7	242	111	57
常勤	409	1	－	－	1	－	408	55	12	6	204	86	45
非常勤	100	2	－	－	2	－	98	22	1	1	38	25	12

第14表－2　保育所等・小規模保育事業所の常勤換算
保育教諭のうち保育士資格保有者－保健師・

（単位：人）

| 職種　常勤－非常勤 | 総数 | 小規模保育事業所 B 型 | | | | | | | | | | | |
| | | 公営 | | | | | 私営 | | | | | | |
		総数	国・独立行政法人	都道府県	市区町村	一部事務組合・広域連合	総数	社会福祉法人	医療法人	公益法人・日赤	営利法人（会社）	その他の法人	その他
総数　総数	4 558	71	-	-	71	-	4 487	386	13	22	1 946	854	1 266
常勤	3 542	63	-	-	63	-	3 479	304	13	13	1 539	610	999
非常勤	1 016	8	-	-	8	-	1 008	82	0	8	407	244	267
施設長	・	・	・	・	・	・	・	・	・	・	・	・	・
常勤	・	・	・	・	・	・	・	・	・	・	・	・	・
非常勤	・	・	・	・	・	・	・	・	・	・	・	・	・
保育士	...	...	...	...	...	...	...	...	...	...	...	...	...
常勤	...	...	...	...	...	...	...	...	...	...	...	...	...
非常勤	...	...	...	...	...	...	...	...	...	...	...	...	...
うち幼稚園教諭免許保有者	...	...	...	...	...	...	...	...	...	...	...	...	...
常勤	...	...	...	...	...	...	...	...	...	...	...	...	...
非常勤	...	...	...	...	...	...	...	...	...	...	...	...	...
医師	18	0	-	-	0	-	18	2	-	0	8	3	5
常勤	-	-	-	-	-	-	-	-	-	-	-	-	-
非常勤	18	0	-	-	0	-	18	2	-	0	8	3	5
歯科医師	14	0	-	-	0	-	14	1	-	0	6	2	4
常勤	-	-	-	-	-	-	-	-	-	-	-	-	-
非常勤	14	0	-	-	0	-	14	1	-	0	6	2	4
保健師・看護師	47	1	-	-	1	-	46	5	-	-	17	10	14
常勤	34	1	-	-	1	-	33	4	-	-	14	7	9
非常勤	13	0	-	-	0	-	13	1	-	-	4	4	5
うち准看護師	17	-	-	-	-	-	17	2	-	-	3	6	6
常勤	12	-	-	-	-	-	12	1	-	-	3	5	4
非常勤	4	-	-	-	-	-	4	1	-	-	0	2	2
園長	・	・	・	・	・	・	・	・	・	・	・	・	・
常勤	・	・	・	・	・	・	・	・	・	・	・	・	・
非常勤	・	・	・	・	・	・	・	・	・	・	・	・	・
副園長	・	・	・	・	・	・	・	・	・	・	・	・	・
常勤	・	・	・	・	・	・	・	・	・	・	・	・	・
非常勤	・	・	・	・	・	・	・	・	・	・	・	・	・
教頭	・	・	・	・	・	・	・	・	・	・	・	・	・
常勤	・	・	・	・	・	・	・	・	・	・	・	・	・
非常勤	・	・	・	・	・	・	・	・	・	・	・	・	・
主幹保育教諭	・	・	・	・	・	・	・	・	・	・	・	・	・
常勤	・	・	・	・	・	・	・	・	・	・	・	・	・
非常勤	・	・	・	・	・	・	・	・	・	・	・	・	・
うち保育士資格保有者	・	・	・	・	・	・	・	・	・	・	・	・	・
常勤	・	・	・	・	・	・	・	・	・	・	・	・	・
非常勤	・	・	・	・	・	・	・	・	・	・	・	・	・
指導保育教諭	・	・	・	・	・	・	・	・	・	・	・	・	・
常勤	・	・	・	・	・	・	・	・	・	・	・	・	・
非常勤	・	・	・	・	・	・	・	・	・	・	・	・	・
うち保育士資格保有者	・	・	・	・	・	・	・	・	・	・	・	・	・
常勤	・	・	・	・	・	・	・	・	・	・	・	・	・
非常勤	・	・	・	・	・	・	・	・	・	・	・	・	・
保育教諭	・	・	・	・	・	・	・	・	・	・	・	・	・
常勤	・	・	・	・	・	・	・	・	・	・	・	・	・
非常勤	・	・	・	・	・	・	・	・	・	・	・	・	・
うち保育士資格保有者	・	・	・	・	・	・	・	・	・	・	・	・	・
常勤	・	・	・	・	・	・	・	・	・	・	・	・	・
非常勤	・	・	・	・	・	・	・	・	・	・	・	・	・
助保育教諭	・	・	・	・	・	・	・	・	・	・	・	・	・
常勤	・	・	・	・	・	・	・	・	・	・	・	・	・
非常勤	・	・	・	・	・	・	・	・	・	・	・	・	・
うち保育士資格保有者	・	・	・	・	・	・	・	・	・	・	・	・	・
常勤	・	・	・	・	・	・	・	・	・	・	・	・	・
非常勤	・	・	・	・	・	・	・	・	・	・	・	・	・
主幹養護教諭	・	・	・	・	・	・	・	・	・	・	・	・	・
常勤	・	・	・	・	・	・	・	・	・	・	・	・	・
非常勤	・	・	・	・	・	・	・	・	・	・	・	・	・

従事者数, 職種－保育士のうち幼稚園教諭免許保有者－ 看護師のうち准看護師・常勤－非常勤、経営主体別

職種 常勤－非常勤	総数	小規模保育事業所B型 公営 総数	国・独立行政法人	都道府県	市区町村	一部事務組合・広域連合	私営 総数	社会福祉法人	医療法人	公益法人・日赤	営利法人(会社)	その他の法人	その他
養護教諭													
常勤	・	・	・	・	・	・	・	・	・	・	・	・	・
非常勤	・	・	・	・	・	・	・	・	・	・	・	・	・
養護助教諭													
常勤	・	・	・	・	・	・	・	・	・	・	・	・	・
非常勤	・	・	・	・	・	・	・	・	・	・	・	・	・
主幹栄養教諭													
常勤	・	・	・	・	・	・	・	・	・	・	・	・	・
非常勤	・	・	・	・	・	・	・	・	・	・	・	・	・
栄養教諭													
常勤	・	・	・	・	・	・	・	・	・	・	・	・	・
非常勤	・	・	・	・	・	・	・	・	・	・	・	・	・
講師													
常勤	・	・	・	・	・	・	・	・	・	・	・	・	・
非常勤	・	・	・	・	・	・	・	・	・	・	・	・	・
うち保育士資格保有者													
常勤	・	・	・	・	・	・	・	・	・	・	・	・	・
非常勤	・	・	・	・	・	・	・	・	・	・	・	・	・
教諭等													
常勤	・	・	・	・	・	・	・	・	・	・	・	・	・
非常勤	・	・	・	・	・	・	・	・	・	・	・	・	・
教育・保育補助員													
常勤	・	・	・	・	・	・	・	・	・	・	・	・	・
非常勤	・	・	・	・	・	・	・	・	・	・	・	・	・
養護職員(看護師等を除く)													
常勤	…	…	…	…	…	…	…	…	…	…	…	…	…
非常勤	…	…	…	…	…	…	…	…	…	…	…	…	…
管理者	478	2	－	－	2	－	475	39	2	1	207	90	137
常勤	473	2	－	－	2	－	471	39	2	1	205	88	136
非常勤	4	0	－	－	0	－	4	－	－	－	2	1	1
保育従事者(保育士資格あり)	2 450	35	－	－	35	－	2 415	210	10	11	1 048	461	675
常勤	1 999	33	－	－	33	－	1 966	175	10	7	867	355	552
非常勤	452	2	－	－	2	－	450	35	0	4	181	107	123
保育従事者(保育士資格なし)	805	16	－	－	16	－	789	79	1	6	316	159	228
常勤	532	11	－	－	11	－	521	52	1	4	212	85	168
非常勤	273	5	－	－	5	－	267	27	－	2	105	74	60
家庭的保育者(保育士資格あり)	－	－	－	－	－	－	－	－	－	－	－	－	－
常勤	－	－	－	－	－	－	－	－	－	－	－	－	－
非常勤	－	－	－	－	－	－	－	－	－	－	－	－	－
家庭的保育者(保育士資格なし)	－	－	－	－	－	－	－	－	－	－	－	－	－
常勤	－	－	－	－	－	－	－	－	－	－	－	－	－
非常勤	－	－	－	－	－	－	－	－	－	－	－	－	－
家庭的保育補助者	－	－	－	－	－	－	－	－	－	－	－	－	－
常勤	－	－	－	－	－	－	－	－	－	－	－	－	－
非常勤	－	－	－	－	－	－	－	－	－	－	－	－	－
栄養士	111	2	－	－	2	－	109	6	－	－	56	23	25
常勤	88	2	－	－	2	－	86	5	－	－	47	16	18
非常勤	23	－	－	－	－	－	23	1	－	－	9	7	7
調理員	329	6	－	－	6	－	323	28	－	1	135	64	96
常勤	179	6	－	－	6	－	172	17	－	－	76	28	52
非常勤	151	－	－	－	－	－	151	12	－	1	59	36	44
事務員	109	2	－	－	2	－	107	4	－	3	35	26	39
常勤	76	2	－	－	2	－	74	3	－	1	24	18	28
非常勤	33	－	－	－	－	－	33	1	－	2	11	8	11
その他の職員	197	5	－	－	5	－	192	13	－	1	118	17	45
常勤	161	5	－	－	5	－	156	10	－	1	95	14	38
非常勤	36	－	－	－	－	－	36	3	－	－	23	3	7

第14表－2　保育所等・小規模保育事業所の常勤換算
保育教諭のうち保育士資格保有者－保健師・

（単位：人）

職種　常勤－非常勤	総数	小規模保育事業所 C型　公営					私営				営		
		総数	国・独立行政法人	都道府県	市区町村	一部事務組合・広域連合	総数	社会福祉法人	医療法人	公益法人・日赤	営利法人（会社）	その他の法人	その他
総　数	624	－	－	－	－	－	624	56	－	－	153	128	287
常　勤	455	－	－	－	－	－	455	49	－	－	117	96	192
非常勤	169	－	－	－	－	－	169	7	－	－	36	31	95
施　設　長	・	・	・	・	・	・	・	・	・	・	・	・	・
常　勤	・	・	・	・	・	・	・	・	・	・	・	・	・
非常勤	・	・	・	・	・	・	・	・	・	・	・	・	・
保　育　士	…	…	…	…	…	…	…	…	…	…	…	…	…
常　勤	…	…	…	…	…	…	…	…	…	…	…	…	…
非常勤	…	…	…	…	…	…	…	…	…	…	…	…	…
うち幼稚園教諭免許保有者	…	…	…	…	…	…	…	…	…	…	…	…	…
常　勤	…	…	…	…	…	…	…	…	…	…	…	…	…
非常勤	…	…	…	…	…	…	…	…	…	…	…	…	…
医　師	3	－	－	－	－	－	3	0	－	－	1	0	1
常　勤	－	－	－	－	－	－	－	－	－	－	－	－	－
非常勤	3	－	－	－	－	－	3	0	－	－	1	0	1
歯科医師	2	－	－	－	－	－	2	0	－	－	1	0	1
常　勤	－	－	－	－	－	－	－	－	－	－	－	－	－
非常勤	2	－	－	－	－	－	2	0	－	－	1	0	1
保健師・看護師	0	－	－	－	－	－	0	－	－	－	－	0	0
常　勤	－	－	－	－	－	－	－	－	－	－	－	－	－
非常勤	0	－	－	－	－	－	0	－	－	－	－	0	0
うち准看護師	－	－	－	－	－	－	－	－	－	－	－	－	－
常　勤	－	－	－	－	－	－	－	－	－	－	－	－	－
非常勤	－	－	－	－	－	－	－	－	－	－	－	－	－
園　長	・	・	・	・	・	・	・	・	・	・	・	・	・
常　勤	・	・	・	・	・	・	・	・	・	・	・	・	・
非常勤	・	・	・	・	・	・	・	・	・	・	・	・	・
副　園　長	・	・	・	・	・	・	・	・	・	・	・	・	・
常　勤	・	・	・	・	・	・	・	・	・	・	・	・	・
非常勤	・	・	・	・	・	・	・	・	・	・	・	・	・
教　頭	・	・	・	・	・	・	・	・	・	・	・	・	・
常　勤	・	・	・	・	・	・	・	・	・	・	・	・	・
非常勤	・	・	・	・	・	・	・	・	・	・	・	・	・
主幹保育教諭	・	・	・	・	・	・	・	・	・	・	・	・	・
常　勤	・	・	・	・	・	・	・	・	・	・	・	・	・
非常勤	・	・	・	・	・	・	・	・	・	・	・	・	・
うち保育士資格保有者	・	・	・	・	・	・	・	・	・	・	・	・	・
常　勤	・	・	・	・	・	・	・	・	・	・	・	・	・
非常勤	・	・	・	・	・	・	・	・	・	・	・	・	・
指導保育教諭	・	・	・	・	・	・	・	・	・	・	・	・	・
常　勤	・	・	・	・	・	・	・	・	・	・	・	・	・
非常勤	・	・	・	・	・	・	・	・	・	・	・	・	・
うち保育士資格保有者	・	・	・	・	・	・	・	・	・	・	・	・	・
常　勤	・	・	・	・	・	・	・	・	・	・	・	・	・
非常勤	・	・	・	・	・	・	・	・	・	・	・	・	・
保育教諭	・	・	・	・	・	・	・	・	・	・	・	・	・
常　勤	・	・	・	・	・	・	・	・	・	・	・	・	・
非常勤	・	・	・	・	・	・	・	・	・	・	・	・	・
うち保育士資格保有者	・	・	・	・	・	・	・	・	・	・	・	・	・
常　勤	・	・	・	・	・	・	・	・	・	・	・	・	・
非常勤	・	・	・	・	・	・	・	・	・	・	・	・	・
助保育教諭	・	・	・	・	・	・	・	・	・	・	・	・	・
常　勤	・	・	・	・	・	・	・	・	・	・	・	・	・
非常勤	・	・	・	・	・	・	・	・	・	・	・	・	・
うち保育士資格保有者	・	・	・	・	・	・	・	・	・	・	・	・	・
常　勤	・	・	・	・	・	・	・	・	・	・	・	・	・
非常勤	・	・	・	・	・	・	・	・	・	・	・	・	・
主幹養護教諭	・	・	・	・	・	・	・	・	・	・	・	・	・
常　勤	・	・	・	・	・	・	・	・	・	・	・	・	・
非常勤	・	・	・	・	・	・	・	・	・	・	・	・	・

従事者数，職種－保育士のうち幼稚園教諭免許保有者－
看護師のうち准看護師・常勤－非常勤、経営主体別

平成29年10月 1 日

職種／常勤－非常勤	総数	小規模保育事業所 小規模保育事業所C型 公営 総数	国・独立行政法人	都道府県	市区町村	一部事務組合・広域連合	私営 総数	社会福祉法人	医療法人	公益法人・日赤	営利法人（会社）	その他の法人	その他
養護教諭	・	・	・	・	・	・	・	・	・	・	・	・	・
常勤	・	・	・	・	・	・	・	・	・	・	・	・	・
非常勤	・	・	・	・	・	・	・	・	・	・	・	・	・
養護助教諭	・	・	・	・	・	・	・	・	・	・	・	・	・
常勤	・	・	・	・	・	・	・	・	・	・	・	・	・
非常勤	・	・	・	・	・	・	・	・	・	・	・	・	・
主幹栄養教諭	・	・	・	・	・	・	・	・	・	・	・	・	・
常勤	・	・	・	・	・	・	・	・	・	・	・	・	・
非常勤	・	・	・	・	・	・	・	・	・	・	・	・	・
栄養教諭	・	・	・	・	・	・	・	・	・	・	・	・	・
常勤	・	・	・	・	・	・	・	・	・	・	・	・	・
非常勤	・	・	・	・	・	・	・	・	・	・	・	・	・
講師	・	・	・	・	・	・	・	・	・	・	・	・	・
常勤	・	・	・	・	・	・	・	・	・	・	・	・	・
非常勤	・	・	・	・	・	・	・	・	・	・	・	・	・
うち保育士資格保有者	・	・	・	・	・	・	・	・	・	・	・	・	・
常勤	・	・	・	・	・	・	・	・	・	・	・	・	・
非常勤	・	・	・	・	・	・	・	・	・	・	・	・	・
教諭等	・	・	・	・	・	・	・	・	・	・	・	・	・
常勤	・	・	・	・	・	・	・	・	・	・	・	・	・
非常勤	・	・	・	・	・	・	・	・	・	・	・	・	・
教育・保育補助員	・	・	・	・	・	・	・	・	・	・	・	・	・
常勤	・	・	・	・	・	・	・	・	・	・	・	・	・
非常勤	・	・	・	・	・	・	・	・	・	・	・	・	・
養護職員（看護師等を除く）	…	…	…	…	…	…	…	…	…	…	…	…	…
常勤	…	…	…	…	…	…	…	…	…	…	…	…	…
非常勤	…	…	…	…	…	…	…	…	…	…	…	…	…
管理者	64	－	－	－	－	－	64	3	－	－	17	13	31
常勤	64	－	－	－	－	－	64	3	－	－	17	13	31
非常勤	0	－	－	－	－	－	0	－	－	－	－	0	－
保育従事者（保育士資格あり）	－	－	－	－	－	－	－	－	－	－	－	－	－
常勤	－	－	－	－	－	－	－	－	－	－	－	－	－
非常勤	－	－	－	－	－	－	－	－	－	－	－	－	－
保育従事者（保育士資格なし）	－	－	－	－	－	－	－	－	－	－	－	－	－
常勤	－	－	－	－	－	－	－	－	－	－	－	－	－
非常勤	－	－	－	－	－	－	－	－	－	－	－	－	－
家庭的保育者（保育士資格あり）	271	－	－	－	－	－	271	47	－	－	78	52	95
常勤	220	－	－	－	－	－	220	43	－	－	64	40	73
非常勤	51	－	－	－	－	－	51	4	－	－	14	11	22
家庭的保育者（保育士資格なし）	49	－	－	－	－	－	49	3	－	－	11	9	26
常勤	36	－	－	－	－	－	36	2	－	－	8	7	19
非常勤	13	－	－	－	－	－	13	1	－	－	3	2	7
家庭的保育補助者	110	－	－	－	－	－	110	2	－	－	30	20	58
常勤	61	－	－	－	－	－	61	－	－	－	18	15	28
非常勤	49	－	－	－	－	－	49	2	－	－	12	5	30
栄養士	4	－	－	－	－	－	4	1	－	－	3	0	1
常勤	3	－	－	－	－	－	3	1	－	－	2	－	0
非常勤	2	－	－	－	－	－	2	－	－	－	0	0	1
調理員	39	－	－	－	－	－	39	－	－	－	10	9	20
常勤	17	－	－	－	－	－	17	－	－	－	7	4	7
非常勤	22	－	－	－	－	－	22	－	－	－	3	5	13
事務員	12	－	－	－	－	－	12	1	－	－	2	4	5
常勤	7	－	－	－	－	－	7	1	－	－	1	3	3
非常勤	5	－	－	－	－	－	5	0	－	－	1	1	2
その他の職員	71	－	－	－	－	－	71	0	－	－	1	20	50
常勤	48	－	－	－	－	－	48	－	－	－	1	15	32
非常勤	23	－	－	－	－	－	23	0	－	－	－	5	18

第15表－1　保育所等の常勤保育士数－うち常勤幼稚園教諭免許

（単位：人）

都道府県	総数 総数	総数 公営	総数 私営	総数 法人営（再掲）	うち幼稚園教諭免許保有者 総数	公営	私営	法人営（再掲）	幼保連携型認定こども園 総数	公営	私営	法人営（再掲）
全国	318 566	104 527	214 039	213 041	246 191	82 105	164 086	163 338	1 184	212	972	972
北海道	4 945	2 275	2 670	2 651	3 748	1 732	2 016	2 002	67	4	63	63
青森	2 138	38	2 100	2 096	1 750	36	1 714	1 711	35	–	35	35
岩手	3 118	909	2 209	2 194	2 640	798	1 842	1 837	–	–	–	–
宮城	3 005	1 471	1 534	1 534	2 326	1 124	1 202	1 202	1	–	1	1
秋田	2 196	490	1 706	1 695	1 914	405	1 509	1 499	20	16	4	4
山形	3 279	897	2 382	2 377	2 538	753	1 785	1 781	12	–	12	12
福島	2 624	1 284	1 340	1 340	2 281	1 143	1 138	1 138	21	3	18	18
茨城	6 022	1 831	4 191	4 191	4 970	1 584	3 386	3 386	26	3	23	23
栃木	3 474	1 575	1 899	1 899	2 537	1 091	1 446	1 446	8	–	8	8
群馬	2 978	792	2 186	2 186	2 132	552	1 580	1 580	17	–	17	17
埼玉	12 140	4 399	7 741	7 741	9 155	3 505	5 650	5 650	7	–	7	7
千葉	8 735	3 707	5 028	5 019	7 132	3 134	3 998	3 992	4	1	3	3
東京	38 576	12 157	26 419	26 307	26 517	8 135	18 382	18 296	25	16	9	9
神奈川	5 552	1 253	4 299	4 299	4 299	1 055	3 244	3 244	2	2	–	–
新潟	4 816	2 508	2 308	2 308	3 797	1 943	1 854	1 854	12	–	12	12
富山	2 183	1 046	1 137	1 137	1 717	846	871	871	102	–	102	102
石川	2 301	1 260	1 041	1 037	1 870	1 017	853	852	11	–	11	11
福井	2 272	1 008	1 264	1 264	1 995	901	1 094	1 094	12	3	9	9
山梨	2 286	1 210	1 076	988	1 835	941	894	811	6	–	6	6
長野	5 314	4 410	904	904	4 126	3 432	694	694	6	–	6	6
岐阜	3 848	2 087	1 761	1 755	3 168	1 724	1 444	1 438	6	2	4	4
静岡	4 585	1 736	2 849	2 835	3 653	1 401	2 252	2 239	11	5	6	6
愛知	9 365	6 710	2 655	2 648	8 107	5 856	2 251	2 245	6	–	6	6
三重	5 290	2 671	2 619	2 619	4 445	2 249	2 196	2 196	–	–	–	–
滋賀	2 828	1 123	1 705	1 705	2 228	965	1 263	1 263	31	28	3	3
京都	3 256	1 713	1 543	1 543	2 550	1 345	1 205	1 205	2	–	2	2
大阪	6 384	2 808	3 576	3 576	4 670	2 047	2 623	2 623	183	22	161	161
兵庫	4 698	1 687	3 011	3 011	3 836	1 369	2 467	2 467	47	34	13	13
奈良	2 449	1 245	1 204	1 187	2 104	1 082	1 022	1 006	2	1	1	1
和歌山	1 749	992	757	737	1 344	785	559	541	2	–	2	2
鳥取	2 247	1 067	1 180	1 180	1 674	778	896	896	3	1	2	2
島根	3 629	490	3 139	3 135	2 842	431	2 411	2 407	59	–	59	59
岡山	2 236	1 049	1 187	1 187	1 821	899	922	922	3	3	–	–
広島	2 753	1 366	1 387	1 387	2 313	1 124	1 189	1 189	6	–	6	6
山口	2 766	934	1 832	1 688	2 216	716	1 500	1 399	–	–	–	–
徳島	2 392	1 174	1 218	1 218	2 061	1 046	1 015	1 015	7	6	1	1
香川	1 759	902	857	857	1 463	745	718	718	13	13	–	–
愛媛	2 472	1 311	1 161	1 151	1 886	1 016	870	870	1	–	1	1
高知	1 640	1 035	605	598	1 241	754	487	482	5	3	2	2
福岡	7 000	1 343	5 657	5 581	5 184	949	4 235	4 180	3	1	2	2
佐賀	2 498	468	2 030	2 021	1 992	317	1 675	1 675	26	–	26	26
長崎	2 609	238	2 371	2 371	2 234	202	2 032	2 032	–	–	–	–
熊本	4 545	624	3 921	3 921	3 252	474	2 778	2 778	6	–	6	6
大分	1 925	307	1 618	1 618	1 539	233	1 306	1 306	14	–	14	14
宮崎	2 258	359	1 899	1 899	1 707	243	1 464	1 464	10	–	10	10
鹿児島	3 243	366	2 877	2 877	2 525	236	2 289	2 289	13	–	13	13
沖縄	5 662	923	4 739	4 739	4 180	809	3 371	3 371	2	1	1	1

注：1）指定都市及び中核市は別掲である。
　　2）常勤専従及び常勤兼務をあわせた人数である。（換算数ではない。）
　　3）「法人営」とは、社会福祉法人、医療法人、公益法人、日本赤十字社、一般社団・財団法人、農業協同組合及び連合会、消費生活協同組合及び連合会、営利法人（会社）、特定非営利活動法人（NPO）及びその他の法人を経営主体とする保育所等である。
　　4）幼保連携型認定こども園は「うち幼稚園教諭免許保有者」を調査していない。

保有者数，都道府県−指定都市−中核市、経営主体の公営−私営（法人営　再掲）別

指定都市 中核市	総数								幼保連携型認定こども園			
	総数				うち幼稚園教諭免許保有者				総数	公営	私営	法人営（再掲）
	総数	公営	私営	法人営（再掲）	総数	公営	私営	法人営（再掲）				
指定都市（別掲）												
札幌市	4 100	325	3 775	3 763	3 256	216	3 040	3 030	4	2	2	2
仙台市	2 920	637	2 283	2 283	2 141	402	1 739	1 739	2	-	2	2
さいたま市	2 581	951	1 630	1 621	1 932	811	1 121	1 115	2	-	2	2
千葉市	1 767	614	1 153	1 153	1 360	504	856	856	-	-	-	-
横浜市	9 560	1 401	8 159	8 110	6 709	985	5 724	5 682	18	-	18	18
川崎市	4 097	574	3 523	3 523	2 775	488	2 287	2 287	-	-	-	-
相模原市	1 516	318	1 198	1 198	1 252	268	984	984	-	-	-	-
新潟市	2 735	978	1 757	1 752	2 028	710	1 318	1 313	10	-	10	10
静岡市	824	8	816	775	667	-	667	644	11	8	3	3
浜松市	1 103	378	725	725	923	341	582	582	7	-	7	7
名古屋市	4 879	1 128	3 751	3 649	3 862	678	3 184	3 098	5	-	5	5
京都市	4 031	438	3 593	3 540	2 730	299	2 431	2 396	10	-	10	10
大阪市	5 774	734	5 040	5 040	4 422	602	3 820	3 820	39	-	39	39
堺市	409	6	403	403	339	-	339	339	18	6	12	12
神戸市	1 832	853	979	976	1 527	703	824	821	13	-	13	13
岡山市	1 776	654	1 122	1 122	1 466	560	906	906	1	1	-	-
広島市	3 275	1 348	1 927	1 901	2 469	1 074	1 395	1 377	-	-	-	-
北九州市	2 552	357	2 195	2 195	2 056	238	1 818	1 818	-	-	-	-
福岡市	4 087	177	3 910	3 910	3 124	161	2 963	2 963	13	-	13	13
熊本市	1 634	222	1 412	1 412	1 221	153	1 068	1 068	10	-	10	10
中核市（別掲）												
旭川市	882	51	831	831	641	28	613	613	5	-	5	5
函館市	466	24	442	442	416	17	399	399	1	-	1	1
青森市	719	-	719	709	640	-	640	630	1	-	1	1
八戸市	395	-	395	395	319	-	319	319	6	-	6	6
盛岡市	853	141	712	712	726	140	586	586	-	-	-	-
秋田市	920	70	850	850	731	67	664	664	-	-	-	-
郡山市	569	274	295	295	473	208	265	265	-	-	-	-
いわき市	836	353	483	483	626	250	376	376	2	-	2	2
宇都宮市	1 089	52	1 037	1 037	832	46	786	786	2	-	2	2
前橋市	579	211	368	368	425	147	278	278	3	-	3	3
高崎市	615	114	501	501	443	89	354	354	5	-	5	5
川越市	760	341	419	419	582	270	312	312	-	-	-	-
越谷市	602	312	290	290	475	244	231	231	2	-	2	2
船橋市	1 464	513	951	951	1 083	391	692	692	-	-	-	-
柏市	896	444	452	452	627	329	298	298	-	-	-	-
八王子市	1 710	178	1 532	1 498	1 248	115	1 133	1 123	-	-	-	-
横須賀市	511	118	393	393	453	106	347	347	-	-	-	-
富山市	584	508	76	76	461	396	65	65	7	-	7	7
金沢市	1 246	165	1 081	1 081	956	110	846	846	8	-	8	8
長野市	1 092	377	715	703	872	293	579	568	2	-	2	2
岐阜市	620	289	331	313	494	235	259	242	-	-	-	-
豊橋市	902	96	806	806	777	84	693	693	3	3	-	-
豊田市	998	740	258	258	901	651	250	250	-	-	-	-
岡崎市	687	378	309	309	589	338	251	251	-	-	-	-
大津市	1 087	251	836	836	803	187	616	616	10	-	10	10
高槻市	507	261	246	246	307	138	169	169	3	-	3	3
東大阪市	674	178	496	496	544	139	405	405	45	20	25	25
豊中市	582	-	582	582	488	-	488	488	1	-	1	1
枚方市	1 113	263	850	850	903	231	672	672	2	-	2	2
姫路市	709	278	431	431	627	251	376	376	19	-	19	19
西宮市	895	437	458	458	775	393	382	382	-	-	-	-
尼崎市	1 128	269	859	859	746	72	674	674	-	-	-	-
奈良市	661	289	372	372	531	227	304	304	2	1	1	1
和歌山市	530	205	325	325	456	188	268	268	3	-	3	3
倉敷市	1 461	308	1 153	1 153	1 244	282	962	962	-	-	-	-
福山市	1 117	540	577	577	961	505	456	456	2	-	2	2
呉市	457	124	333	333	368	101	267	267	3	-	3	3
下関市	499	159	340	305	395	123	272	244	-	-	-	-
高松市	1 125	503	622	622	967	462	505	505	-	-	-	-
松山市	910	268	642	642	759	232	527	527	3	-	3	3
高知市	1 431	385	1 046	1 046	1 245	348	897	897	-	-	-	-
久留米市	1 162	90	1 072	1 072	916	54	862	862	-	-	-	-
長崎市	1 137	100	1 037	1 037	957	90	867	867	10	3	7	7
佐世保市	852	32	820	820	742	20	722	722	1	-	1	1
大分市	862	164	698	698	737	151	586	586	1	-	1	1
宮崎市	1 138	45	1 093	1 085	854	26	828	820	9	-	9	9
鹿児島市	1 594	103	1 491	1 491	1 189	75	1 114	1 114	5	-	5	5
那覇市	1 448	177	1 271	1 271	1 114	141	973	973	-	-	-	-

第15表－1　保育所等の常勤保育士数－うち常勤幼稚園教諭免許

（単位：人）

都道府県	保育所型認定こども園 総数				うち幼稚園教諭免許保有者				保育所 総数				うち幼稚園教諭免許保有者			
	総数	公営	私営	法人営(再掲)	総数	公営	私営	法人営(再掲)	総数	公営	私営	法人営(再掲)	総数	公営	私営	法人営(再掲)
全　国	8 334	2 590	5 744	5 683	7 258	2 270	4 988	4 932	309 048	101 725	207 323	206 386	238 933	79 835	159 098	158 406
北海道	489	218	271	271	409	180	229	229	4 389	2 053	2 336	2 317	3 339	1 552	1 787	1 773
青森	171	-	171	171	146	-	146	146	1 932	38	1 894	1 890	1 604	36	1 568	1 565
岩手	51	42	9	9	49	40	9	9	3 067	867	2 200	2 185	2 591	758	1 833	1 828
宮城	39	-	39	39	37	-	37	37	2 965	1 471	1 494	1 494	2 289	1 124	1 165	1 165
秋田	131	26	105	105	125	26	99	99	2 045	448	1 597	1 586	1 789	379	1 410	1 400
山形	49	9	40	40	40	9	31	31	3 218	888	2 330	2 325	2 498	744	1 754	1 750
福島	30	30	-	-	30	30	-	-	2 573	1 251	1 322	1 322	2 251	1 113	1 138	1 138
茨城	186	61	125	125	130	59	71	71	5 810	1 767	4 043	4 043	4 840	1 525	3 315	3 315
栃木	24	6	18	18	22	4	18	18	3 442	1 569	1 873	1 873	2 515	1 087	1 428	1 428
群馬	27	17	10	10	24	15	9	9	2 934	775	2 159	2 159	2 108	537	1 571	1 571
埼玉	31	-	31	31	22	-	22	22	12 102	4 399	7 703	7 703	9 133	3 505	5 628	5 628
千葉	156	40	116	116	118	39	79	79	8 575	3 666	4 909	4 900	7 014	3 095	3 919	3 913
東京	834	290	544	544	686	237	449	449	37 717	11 851	25 866	25 754	25 831	7 898	17 933	17 847
神奈川	39	-	39	39	37	-	37	37	5 511	1 251	4 260	4 260	4 262	1 055	3 207	3 207
新潟	120	30	90	90	108	26	82	82	4 684	2 478	2 206	2 206	3 689	1 917	1 772	1 772
富山	68	11	57	57	49	11	38	38	2 013	1 035	978	978	1 668	835	833	833
石川	405	337	68	68	345	282	63	63	1 885	923	962	958	1 525	735	790	789
福井	19	-	19	19	19	-	19	19	2 241	1 005	1 236	1 236	1 976	901	1 075	1 075
山梨	85	70	15	15	70	56	14	14	2 195	1 140	1 055	967	1 765	885	880	797
長野	328	328	-	-	287	287	-	-	4 980	4 082	898	898	3 839	3 145	694	694
岐阜	347	83	264	264	324	71	253	253	3 495	2 002	1 493	1 487	2 844	1 653	1 191	1 185
静岡	87	16	71	71	79	15	64	64	4 487	1 715	2 772	2 758	3 574	1 386	2 188	2 175
愛知	49	37	12	12	37	37	-	-	9 310	6 673	2 637	2 630	8 070	5 819	2 251	2 245
三重	81	45	36	36	71	37	34	34	5 209	2 626	2 583	2 583	4 374	2 212	2 162	2 162
滋賀	58	58	-	-	55	55	-	-	2 739	1 037	1 702	1 702	2 173	910	1 263	1 263
京都	-	-	-	-	-	-	-	-	3 254	1 713	1 541	1 541	2 550	1 345	1 205	1 205
大阪	84	30	54	54	80	30	50	50	6 117	2 756	3 361	3 361	4 590	2 017	2 573	2 573
兵庫	201	-	201	201	156	-	156	156	4 450	1 653	2 797	2 797	3 680	1 369	2 311	2 311
奈良	20	-	20	20	20	-	20	20	2 427	1 244	1 183	1 166	2 084	1 082	1 002	986
和歌山	239	46	193	193	178	42	136	136	1 508	946	562	542	1 166	743	423	405
鳥取	129	92	37	37	109	76	33	33	2 115	974	1 141	1 141	1 565	702	863	863
島根	183	57	126	126	168	50	118	118	3 387	433	2 954	2 950	2 674	381	2 293	2 289
岡山	156	115	41	41	134	106	28	28	2 077	931	1 146	1 146	1 687	793	894	894
広島	222	124	98	98	208	115	93	93	2 525	1 242	1 283	1 283	2 105	1 009	1 096	1 096
山口	-	-	-	-	-	-	-	-	2 766	934	1 832	1 688	2 216	716	1 500	1 399
徳島	172	158	14	14	167	153	14	14	2 213	1 010	1 203	1 203	1 894	893	1 001	1 001
香川	22	22	-	-	22	22	-	-	1 724	867	857	857	1 441	723	718	718
愛媛	22	12	10	10	21	11	10	10	2 449	1 299	1 150	1 140	1 865	1 005	860	860
高知	9	-	9	9	9	-	9	9	1 626	1 032	594	587	1 232	754	478	473
福岡	138	16	122	122	131	16	115	115	6 859	1 326	5 533	5 457	5 053	933	4 120	4 065
佐賀	67	-	67	67	65	-	65	65	2 405	468	1 937	1 928	1 927	317	1 610	1 610
長崎	141	7	134	134	132	7	125	125	2 468	231	2 237	2 237	2 102	195	1 907	1 907
熊本	42	-	42	42	38	-	38	38	4 497	624	3 873	3 873	3 214	474	2 740	2 740
大分	158	38	120	120	137	24	113	113	1 753	269	1 484	1 484	1 402	209	1 193	1 193
宮崎	155	13	142	142	140	12	128	128	2 093	346	1 747	1 747	1 567	231	1 336	1 336
鹿児島	98	45	53	53	87	39	48	48	3 132	321	2 811	2 811	2 438	197	2 241	2 241
沖縄	49	-	49	49	45	-	45	45	5 611	922	4 689	4 689	4 135	809	3 326	3 326

保有者数，都道府県－指定都市－中核市、経営主体の公営－私営（法人営　再掲）別

指定都市 中核市	保育所型認定こども園 総数				保育所型認定こども園 うち幼稚園教諭免許保有者				保育所 総数				保育所 うち幼稚園教諭免許保有者			
	総数	公営	私営	法人営(再掲)	総数	公営	私営	法人営(再掲)	総数	公営	私営	法人営(再掲)	総数	公営	私営	法人営(再掲)
指定都市（別掲）																
札幌市	33	-	33	33	29	-	29	29	4 063	323	3 740	3 728	3 227	216	3 011	3 001
仙台市	-	-	-	-	-	-	-	-	2 918	637	2 281	2 281	2 141	402	1 739	1 739
さいたま市	-	-	-	-	-	-	-	-	2 579	951	1 628	1 619	1 932	811	1 121	1 115
千葉市	18	18	-	-	18	18	-	-	1 749	596	1 153	1 153	1 342	486	856	856
横浜市	-	-	-	-	-	-	-	-	9 542	1 401	8 141	8 092	6 709	985	5 724	5 682
川崎市	-	-	-	-	-	-	-	-	4 097	574	3 523	3 523	2 775	488	2 287	2 287
相模原市	-	-	-	-	-	-	-	-	1 516	318	1 198	1 198	1 252	268	984	984
新潟市	74	-	74	74	69	-	69	69	2 651	978	1 673	1 668	1 959	710	1 249	1 244
静岡市	-	-	-	-	-	-	-	-	813	-	813	772	667	-	667	644
浜松市	23	-	23	23	22	-	22	22	1 073	378	695	695	901	341	560	560
名古屋市	396	-	396	335	379	-	379	323	4 478	1 128	3 350	3 309	3 483	678	2 805	2 775
京都市	51	-	51	51	40	-	40	40	3 970	438	3 532	3 479	2 690	299	2 391	2 356
大阪市	37	-	37	37	18	-	18	18	5 698	734	4 964	4 964	4 404	602	3 802	3 802
堺市	67	-	67	67	58	-	58	58	324	-	324	324	281	-	281	281
神戸市	-	-	-	-	-	-	-	-	1 819	853	966	963	1 527	703	824	821
岡山市	-	-	-	-	-	-	-	-	1 775	653	1 122	1 122	1 466	560	906	906
広島市	93	6	87	87	86	6	80	80	3 182	1 342	1 840	1 814	2 383	1 068	1 315	1 297
北九州市	-	-	-	-	-	-	-	-	2 552	357	2 195	2 195	2 056	238	1 818	1 818
福岡市	-	-	-	-	-	-	-	-	4 074	177	3 897	3 897	3 124	161	2 963	2 963
熊本市	-	-	-	-	-	-	-	-	1 624	222	1 402	1 402	1 221	153	1 068	1 068
中核市（別掲）																
旭川市	202	-	202	202	172	-	172	172	675	51	624	624	469	28	441	441
函館市	243	6	237	237	209	-	209	209	222	18	204	204	207	17	190	190
青森市	9	-	9	9	-	-	-	-	709	-	709	699	640	-	640	630
八戸市	169	-	169	169	159	-	159	159	220	-	220	220	160	-	160	160
盛岡市	-	-	-	-	-	-	-	-	853	141	712	712	726	140	586	586
秋田市	-	-	-	-	-	-	-	-	920	70	850	850	731	67	664	664
郡山市	-	-	-	-	-	-	-	-	569	274	295	295	473	208	265	265
いわき市	-	-	-	-	-	-	-	-	834	353	481	481	626	250	376	376
宇都宮市	15	-	15	15	15	-	15	15	1 072	52	1 020	1 020	817	46	771	771
前橋市	-	-	-	-	-	-	-	-	576	211	365	365	425	147	278	278
高崎市	4	-	4	4	3	-	3	3	606	114	492	492	440	89	351	351
川越市	-	-	-	-	-	-	-	-	760	341	419	419	582	270	312	312
越谷市	-	-	-	-	-	-	-	-	600	312	288	288	475	244	231	231
船橋市	-	-	-	-	-	-	-	-	1 464	513	951	951	1 083	391	692	692
柏市	-	-	-	-	-	-	-	-	896	444	452	452	627	329	298	298
八王子市	21	-	21	21	21	-	21	21	1 689	178	1 511	1 477	1 227	115	1 112	1 102
横須賀市	-	-	-	-	-	-	-	-	511	118	393	393	453	106	347	347
富山市	22	-	22	22	22	-	22	22	555	508	47	47	439	396	43	43
金沢市	176	-	176	176	143	-	143	143	1 062	165	897	897	813	110	703	703
長野市	5	5	-	-	4	4	-	-	1 085	372	713	701	868	289	579	568
岐阜市	-	-	-	-	-	-	-	-	620	289	331	313	494	235	259	242
豊橋市	-	-	-	-	-	-	-	-	899	93	806	806	777	84	693	693
豊田市	-	-	-	-	-	-	-	-	998	740	258	258	901	651	250	250
岡崎市	16	16	-	-	16	16	-	-	671	362	309	309	573	322	251	251
大津市	-	-	-	-	-	-	-	-	1 077	251	826	826	803	187	616	616
高槻市	-	-	-	-	-	-	-	-	504	261	243	243	307	138	169	169
東大阪市	-	-	-	-	-	-	-	-	629	158	471	471	544	139	405	405
豊中市	-	-	-	-	-	-	-	-	581	-	581	581	488	-	488	488
枚方市	-	-	-	-	-	-	-	-	1 111	263	848	848	903	231	672	672
姫路市	153	-	153	153	136	-	136	136	537	278	259	259	491	251	240	240
西宮市	-	-	-	-	-	-	-	-	895	437	458	458	775	393	382	382
尼崎市	-	-	-	-	-	-	-	-	1 128	269	859	859	746	72	674	674
奈良市	-	-	-	-	-	-	-	-	659	288	371	371	531	227	304	304
和歌山市	-	-	-	-	-	-	-	-	527	205	322	322	456	188	268	268
倉敷市	38	-	38	38	35	-	35	35	1 423	308	1 115	1 115	1 209	282	927	927
福山市	-	-	-	-	-	-	-	-	1 115	540	575	575	961	505	456	456
呉市	11	-	11	11	11	-	11	11	443	124	319	319	357	101	256	256
下関市	-	-	-	-	-	-	-	-	499	159	340	305	395	123	272	244
高松市	-	-	-	-	-	-	-	-	1 125	503	622	622	967	462	505	505
松山市	76	10	66	66	68	7	61	61	831	258	573	573	691	225	466	466
高知市	86	-	86	86	82	-	82	82	1 345	385	960	960	1 163	348	815	815
久留米市	43	-	43	43	41	-	41	41	1 119	90	1 029	1 029	875	54	821	821
長崎市	-	-	-	-	-	-	-	-	1 127	97	1 030	1 030	957	90	867	867
佐世保市	42	-	42	42	36	-	36	36	809	32	777	777	706	20	686	686
大分市	-	-	-	-	-	-	-	-	861	164	697	697	737	151	586	586
宮崎市	-	-	-	-	-	-	-	-	1 129	45	1 084	1 076	854	26	828	820
鹿児島市	-	-	-	-	-	-	-	-	1 589	103	1 486	1 486	1 189	75	1 114	1 114
那覇市	-	-	-	-	-	-	-	-	1 448	177	1 271	1 271	1 114	141	973	973

保有者数，都道府県－指定都市－中核市、経営主体の公営－私営（法人営　再掲）別

第15表－2　幼保連携型認定こども園の常勤
都道府県－指定都市－中核市、

（単位：人）

都 道 府 県		総 数								主 幹 保 育 教 諭							
		総 数				うち保育士資格保有者				総 数				うち保育士資格保有者			
		総数	公営	私営	法人営（再掲）	総数	公営	私営	法人営（再掲）	総数	公営	私営	法人営（再掲）	総数	公営	私営	法人営（再掲）
全	国	57 068	8 135	48 933	48 916	52 055	7 077	44 978	44 961	4 670	472	4 198	4 196	4 295	426	3 869	3 867
北 海 道		1 385	221	1 164	1 164	1 323	218	1 105	1 105	119	13	106	106	111	12	99	99
青 森		1 427	44	1 383	1 383	1 334	44	1 290	1 290	145	6	139	139	137	6	131	131
岩 手		644	87	557	557	598	77	521	521	38	1	37	37	35	1	34	34
宮 城		138	63	75	75	120	48	72	72	13	6	7	7	13	6	7	7
秋 田		681	144	537	537	623	143	480	480	51	4	47	47	49	4	45	45
山 形		670	13	657	657	654	13	641	641	53	3	50	50	51	3	48	48
福 島		943	267	676	676	855	265	590	590	72	19	53	53	65	19	46	46
茨 城		1 653	219	1 434	1 434	1 532	207	1 325	1 325	148	14	134	134	130	13	117	117
栃 木		1 021	70	951	951	914	44	870	870	94	2	92	92	87	1	86	86
群 馬		921	60	861	861	849	60	789	789	83	3	80	80	77	3	74	74
埼 玉		819	－	819	819	779	－	779	779	52	－	52	52	49	－	49	49
千 葉		601	275	326	326	545	264	281	281	31	5	26	26	29	5	24	24
東 京		586	161	425	425	543	133	410	410	29	4	25	25	27	4	23	23
神 奈 川		389	187	202	185	304	136	168	151	22	6	16	14	19	4	15	13
新 潟		861	94	767	767	785	89	696	696	77	5	72	72	71	5	66	66
富 山		472	59	413	413	426	59	367	367	40	1	39	39	37	1	36	36
石 川		908	－	908	908	809	－	809	809	78	－	78	78	71	－	71	71
福 井		1 198	188	1 010	1 010	1 093	144	949	949	122	14	108	108	118	11	107	107
山 梨		554	－	554	554	535	－	535	535	55	－	55	55	49	－	49	49
長 野		242	19	223	223	218	19	199	199	29	2	27	27	28	2	26	26
岐 阜		452	175	277	277	426	156	270	270	50	17	33	33	50	17	33	33
静 岡		865	286	579	579	828	262	566	566	67	21	46	46	56	14	42	42
愛 知		339	4	335	335	330	4	326	326	23	－	23	23	21	－	21	21
三 重		355	86	269	269	336	81	255	255	24	4	20	20	23	4	19	19
滋 賀		1 087	716	371	371	938	624	314	314	64	29	35	35	58	26	32	32
京 都		491	16	475	475	457	14	443	443	32	1	31	31	27	－	27	27
大 阪		3 673	321	3 352	3 352	3 145	264	2 881	2 881	312	14	298	298	270	14	256	256
兵 庫		2 154	581	1 573	1 573	1 964	528	1 436	1 436	178	37	141	141	161	31	130	130
奈 良		403	226	177	177	303	172	131	131	17	6	11	11	15	6	9	9
和 歌 山		165	41	124	124	152	41	111	111	13	2	11	11	13	2	11	11
鳥 取		482	148	334	334	465	135	330	330	35	13	22	22	35	13	22	22
島 根		166	56	110	110	153	48	105	105	11	2	9	9	10	1	9	9
岡 山		320	259	61	61	274	222	52	52	20	17	3	3	17	15	2	2
広 島		465	56	409	409	425	52	373	373	35	1	34	34	32	1	31	31
山 口		26	－	26	26	26	－	26	26	3	－	3	3	3	－	3	3
徳 島		510	209	301	301	468	173	295	295	42	13	29	29	41	12	29	29
香 川		168	143	25	25	109	85	24	24	7	5	2	2	5	3	2	2
愛 媛		301	78	223	223	286	74	212	212	20	3	17	17	18	3	15	15
高 知		100	81	19	19	99	80	19	19	10	6	4	4	10	6	4	4
福 岡		298	106	192	192	259	69	190	190	22	4	18	18	21	4	17	17
佐 賀		739	－	739	739	672	－	672	672	79	－	79	79	71	－	71	71
長 崎		496	34	462	462	460	33	427	427	56	2	54	54	52	2	50	50
熊 本		346	－	346	346	330	－	330	330	30	－	30	30	28	－	28	28
大 分		671	65	606	606	592	52	540	540	89	15	74	74	85	15	70	70
宮 崎		933	－	933	933	882	－	882	882	101	－	101	101	97	－	97	97
鹿 児 島		1 173	42	1 131	1 131	1 011	39	972	972	121	1	120	120	110	1	109	109
沖 縄		341	25	316	316	330	25	305	305	21	－	21	21	21	－	21	21

注：1）指定都市及び中核市は別掲である。
　　2）常勤専従及び常勤兼務をあわせた人数である。（換算数ではない。）
　　3）「法人営」とは、社会福祉法人、医療法人、公益法人、日本赤十字社、一般社団・財団法人、農業協同組合及び連合会、消費生活協同組合及び連合会、営利法人（会社）、特定非営利活動法人（ＮＰＯ）及びその他の法人を経営主体とする幼保連携型認定こども園である。

保育教諭数－うち常勤保育士資格保有者数，

経営主体の公営－私営（法人営　再掲）別

指定都市　中核市	総数								主幹保育教諭							
	総数				うち保育士資格保有者				総数				うち保育士資格保有者			
	総数	公営	私営	法人営(再掲)	総数	公営	私営	法人営(再掲)	総数	公営	私営	法人営(再掲)	総数	公営	私営	法人営(再掲)
指定都市（別掲）																
札幌市	736	17	719	719	723	17	706	706	54	1	53	53	54	1	53	53
仙台市	189	－	189	189	169	－	169	169	10	－	10	10	9	－	9	9
さいたま市	81	－	81	81	78	－	78	78	7	－	7	7	7	－	7	7
千葉市	106	－	106	106	96	－	96	96	9	－	9	9	7	－	7	7
横浜市	474	－	474	474	350	－	350	350	25	－	25	25	19	－	19	19
川崎市	55	－	55	55	51	－	51	51	2	－	2	2	2	－	2	2
相模原市	135	14	121	121	125	14	111	111	8	－	8	8	8	－	8	8
新潟市	639	－	639	639	601	－	601	601	59	－	59	59	54	－	54	54
静岡市	1 178	766	412	412	1 036	633	403	403	74	46	28	28	64	38	26	26
浜松市	771	－	771	771	723	－	723	723	70	－	70	70	65	－	65	65
名古屋市	547	－	547	547	526	－	526	526	35	－	35	35	32	－	32	32
京都市	342	－	342	342	316	－	316	316	26	－	26	26	23	－	23	23
大阪市	566	－	566	566	452	－	452	452	56	－	56	56	45	－	45	45
堺市	1 981	405	1 576	1 576	1 828	323	1 505	1 505	132	28	104	104	128	27	101	101
神戸市	1 750	－	1 750	1 750	1 691	－	1 691	1 691	167	－	167	167	160	－	160	160
岡山市	194	99	95	95	187	97	90	90	28	19	9	9	27	19	8	8
広島市	431	－	431	431	408	－	408	408	30	－	30	30	25	－	25	25
北九州市	－	－	－	－	－	－	－	－	－	－	－	－	－	－	－	－
福岡市	43	－	43	43	31	－	31	31	3	－	3	3	3	－	3	3
熊本市	913	－	913	913	805	－	805	805	59	－	59	59	56	－	56	56
中核市（別掲）																
旭川市	104	－	104	104	104	－	104	104	9	－	9	9	9	－	9	9
函館市	186	－	186	186	180	－	180	180	3	－	3	3	3	－	3	3
青森市	298	－	298	298	259	－	259	259	26	－	26	26	25	－	25	25
八戸市	609	－	609	609	523	－	523	523	65	－	65	65	58	－	58	58
盛岡市	234	－	234	234	202	－	202	202	18	－	18	18	15	－	15	15
秋田市	311	－	311	311	304	－	304	304	15	－	15	15	14	－	14	14
郡山市	－	－	－	－	－	－	－	－	－	－	－	－	－	－	－	－
いわき市	73	－	73	73	72	－	72	72	4	－	4	4	4	－	4	4
宇都宮市	286	－	286	286	251	－	251	251	16	－	16	16	14	－	14	14
前橋市	442	－	442	442	430	－	430	430	33	－	33	33	30	－	30	30
高崎市	426	－	426	426	419	－	419	419	37	－	37	37	35	－	35	35
川越市	11	－	11	11	9	－	9	9	1	－	1	1	1	－	1	1
越谷市	86	－	86	86	85	－	85	85	9	－	9	9	9	－	9	9
船橋市	37	－	37	37	37	－	37	37	3	－	3	3	3	－	3	3
柏市	124	－	124	124	88	－	88	88	11	－	11	11	9	－	9	9
八王子市	－	－	－	－	－	－	－	－	－	－	－	－	－	－	－	－
横須賀市	184	－	184	184	169	－	169	169	16	－	16	16	15	－	15	15
富山市	983	－	983	983	874	－	874	874	83	－	83	83	77	－	77	77
金沢市	491	－	491	491	459	－	459	459	46	－	46	46	39	－	39	39
長野市	122	－	122	122	119	－	119	119	10	－	10	10	10	－	10	10
岐阜市	100	－	100	100	99	－	99	99	8	－	8	8	8	－	8	8
豊橋市	300	28	272	272	300	28	272	272	14	1	13	13	14	1	13	13
豊田市	126	－	126	126	121	－	121	121	12	－	12	12	10	－	10	10
岡崎市	24	24	－	－	20	20	－	－	2	2	－	－	2	2	－	－
大津市	167	－	167	167	142	－	142	142	14	－	14	14	13	－	13	13
高槻市	296	22	274	274	281	19	262	262	21	3	18	18	16	－	16	16
東大阪市	672	－	672	672	601	－	601	601	48	－	48	48	46	－	46	46
豊中市	579	310	269	269	539	275	264	264	47	28	19	19	45	26	19	19
枚方市	123	－	123	123	120	－	120	120	8	－	8	8	8	－	8	8
姫路市	474	72	402	402	447	71	376	376	54	16	38	38	52	16	36	36
西宮市	132	－	132	132	132	－	132	132	10	－	10	10	10	－	10	10
尼崎市	94	－	94	94	91	－	91	91	10	－	10	10	10	－	10	10
奈良市	336	147	189	189	277	122	155	155	9	－	9	9	8	－	8	8
和歌山市	337	－	337	337	333	－	333	333	25	－	25	25	24	－	24	24
倉敷市	96	69	27	27	96	69	27	27	3	－	3	3	3	－	3	3
福山市	353	－	353	353	288	－	288	288	40	－	40	40	33	－	33	33
呉市	138	－	138	138	131	－	131	131	10	－	10	10	9	－	9	9
下関市	179	83	96	96	179	83	96	96	12	3	9	9	12	3	9	9
高松市	210	122	88	88	173	92	81	81	11	4	7	7	9	3	6	6
松山市	264	－	264	264	224	－	224	224	16	－	16	16	15	－	15	15
高知市	84	－	84	84	81	－	81	81	7	－	7	7	6	－	6	6
久留米市	128	－	128	128	120	－	120	120	10	－	10	10	10	－	10	10
長崎市	388	7	381	381	368	－	368	368	30	－	30	30	28	－	28	28
佐世保市	139	－	139	139	139	－	139	139	16	－	16	16	16	－	16	16
大分市	380	－	380	380	347	－	347	347	29	－	29	29	26	－	26	26
宮崎市	574	－	574	574	531	－	531	531	61	－	61	61	54	－	54	54
鹿児島市	483	－	483	483	423	－	423	423	43	－	43	43	39	－	39	39
那覇市	122	25	97	97	113	18	95	95	8	－	8	8	8	－	8	8

第15表− 2　幼保連携型認定こども園の常勤

都道府県−指定都市−中核市、

（単位：人）

都道府県	指導保育教諭 総数				指導保育教諭 うち保育士資格保有者				保育教諭 総数				保育教諭 うち保育士資格保有者			
	総数	公営	私営	法人営(再掲)	総数	公営	私営	法人営(再掲)	総数	公営	私営	法人営(再掲)	総数	公営	私営	法人営(再掲)
全国	2 473	300	2 173	2 171	2 259	247	2 012	2 010	48 682	6 780	41 902	41 889	44 634	5 960	38 674	38 661
北海道	55	9	46	46	54	9	45	45	1 179	193	986	986	1 138	191	947	947
青森	66	2	64	64	62	2	60	60	1 202	27	1 175	1 175	1 125	27	1 098	1 098
岩手	42	10	32	32	32	2	30	30	546	73	473	473	514	72	442	442
宮城	7	-	7	7	7	-	7	7	111	50	61	61	100	42	58	58
秋田	2	-	2	2	2	-	2	2	614	127	487	487	559	126	433	433
山形	46	-	46	46	46	-	46	46	562	10	552	552	556	10	546	546
福島	48	4	44	44	43	2	41	41	783	210	573	573	708	210	498	498
茨城	96	8	88	88	87	8	79	79	1 362	178	1 184	1 184	1 289	167	1 122	1 122
栃木	73	-	73	73	73	-	73	73	832	51	781	781	740	32	708	708
群馬	52	-	52	52	32	-	32	32	778	53	725	725	733	53	680	680
埼玉	47	-	47	47	43	-	43	43	704	-	704	704	674	-	674	674
千葉	50	35	15	15	48	34	14	14	510	235	275	275	458	225	233	233
東京	16	-	16	16	16	-	16	16	541	157	384	384	500	129	371	371
神奈川	45	25	20	18	21	1	20	18	321	156	165	152	264	131	133	120
新潟	24	3	21	21	24	3	21	21	728	60	668	668	665	60	605	605
富山	39	27	12	12	35	27	8	8	382	31	351	351	348	31	317	317
石川	60	-	60	60	55	-	55	55	750	-	750	750	666	-	666	666
福井	31	4	27	27	30	4	26	26	1 037	167	870	870	945	129	816	816
山梨	40	-	40	40	38	-	38	38	458	-	458	458	448	-	448	448
長野	4	-	4	4	4	-	4	4	199	17	182	182	181	17	164	164
岐阜	23	-	23	23	23	-	23	23	373	153	220	220	349	135	214	214
静岡	47	5	42	42	44	5	39	39	745	258	487	487	722	241	481	481
愛知	13	-	13	13	13	-	13	13	296	4	292	292	292	4	288	288
三重	28	10	18	18	26	9	17	17	299	68	231	231	287	68	219	219
滋賀	56	35	21	21	53	33	20	20	923	614	309	309	790	532	258	258
京都	11	-	11	11	10	-	10	10	442	15	427	427	415	14	401	401
大阪	135	12	123	123	118	12	106	106	3 162	292	2 870	2 870	2 695	235	2 460	2 460
兵庫	50	5	45	45	49	5	44	44	1 845	474	1 371	1 371	1 695	445	1 250	1 250
奈良	6	2	4	4	4	2	2	2	368	206	162	162	272	152	120	120
和歌山	7	-	7	7	7	-	7	7	143	39	104	104	132	39	93	93
鳥取	25	2	23	23	23	-	23	23	347	104	243	243	340	99	241	241
島根	4	-	4	4	4	-	4	4	139	42	97	97	127	35	92	92
岡山	2	-	2	2	1	-	1	1	278	222	56	56	240	191	49	49
広島	4	2	2	2	4	2	2	2	420	49	371	371	389	49	340	340
山口	5	-	5	5	5	-	5	5	18	-	18	18	18	-	18	18
徳島	28	12	16	16	28	12	16	16	328	91	237	237	306	74	232	232
香川	1	-	1	1	1	-	1	1	128	106	22	22	85	64	21	21
愛媛	10	-	10	10	10	-	10	10	267	75	192	192	258	71	187	187
高知	-	-	-	-	-	-	-	-	70	55	15	15	69	54	15	15
福岡	7	3	4	4	4	-	4	4	264	99	165	165	230	65	165	165
佐賀	37	-	37	37	37	-	37	37	621	-	621	621	563	-	563	563
長崎	26	-	26	26	26	-	26	26	408	28	380	380	378	27	351	351
熊本	3	-	3	3	3	-	3	3	311	-	311	311	298	-	298	298
大分	28	8	20	20	26	7	19	19	550	42	508	508	481	30	451	451
宮崎	33	-	33	33	31	-	31	31	789	-	789	789	754	-	754	754
鹿児島	38	-	38	38	34	-	34	34	991	41	950	950	851	38	813	813
沖縄	20	13	7	7	20	13	7	7	299	12	287	287	289	12	277	277

保育教諭数－うち常勤保育士資格保有者数，
経営主体の公営－私営（法人営　再掲）別

指定都市 中核市	指導保育教諭 総数				指導保育教諭 うち保育士資格保有者				保育教諭 総数				保育教諭 うち保育士資格保有者			
	総数	公営	私営	法人営(再掲)	総数	公営	私営	法人営(再掲)	総数	公営	私営	法人営(再掲)	総数	公営	私営	法人営(再掲)
指定都市（別掲）																
札幌市	29	－	29	29	28	－	28	28	647	16	631	631	637	16	621	621
仙台市	8	－	8	8	8	－	8	8	161	－	161	161	146	－	146	146
さいたま市	9	－	9	9	8	－	8	8	65	－	65	65	63	－	63	63
千葉市	2	－	2	2	2	－	2	2	94	－	94	94	87	－	87	87
横浜市	26	－	26	26	23	－	23	23	423	－	423	423	308	－	308	308
川崎市	－	－	－	－	－	－	－	－	53	－	53	53	49	－	49	49
相模原市	3	－	3	3	3	－	3	3	124	14	110	110	114	14	100	100
新潟市	17	－	17	17	17	－	17	17	561	－	561	561	529	－	529	529
静岡市	41	25	16	16	32	17	15	15	1 055	688	367	367	935	573	362	362
浜松市	15	－	15	15	14	－	14	14	676	－	676	676	634	－	634	634
名古屋市	44	－	44	44	44	－	44	44	461	－	461	461	445	－	445	445
京都市	25	－	25	25	25	－	25	25	288	－	288	288	267	－	267	267
大阪市	40	－	40	40	34	－	34	34	469	－	469	469	373	－	373	373
堺市	77	14	63	63	74	14	60	60	1 768	363	1 405	1 405	1 626	282	1 344	1 344
神戸市	45	－	45	45	44	－	44	44	1 508	－	1 508	1 508	1 464	－	1 464	1 464
岡山市	23	21	2	2	23	21	2	2	120	37	83	83	117	37	80	80
広島市	14	－	14	14	2	－	2	2	386	－	386	386	381	－	381	381
北九州市	－	－	－	－	－	－	－	－	－				－			
福岡市									40	－	40	40	28	－	28	28
熊本市	67	－	67	67	58	－	58	58	783	－	783	783	690	－	690	690
中核市（別掲）																
旭川市	－	－	－	－	－	－	－	－	95	－	95	95	95	－	95	95
函館市	17	－	17	17	16	－	16	16	166	－	166	166	161	－	161	161
青森市	10	－	10	10	10	－	10	10	262	－	262	262	224	－	224	224
八戸市	20	－	20	20	19	－	19	19	524	－	524	524	446	－	446	446
盛岡市	7	－	7	7	7	－	7	7	205	－	205	205	180	－	180	180
秋田市	12	－	12	12	8	－	8	8	279	－	279	279	277	－	277	277
郡山市	－	－	－	－	－	－	－	－	－				－			
いわき市	9	－	9	9	9	－	9	9	60	－	60	60	59	－	59	59
宇都宮市	14	－	14	14	14	－	14	14	253	－	253	253	223	－	223	223
前橋市	10	－	10	10	9	－	9	9	399	－	399	399	391	－	391	391
高崎市	18	－	18	18	17	－	17	17	371	－	371	371	367	－	367	367
川越市	－	－	－	－	－	－	－	－	10	－	10	10	8	－	8	8
越谷市	－	－	－	－	－	－	－	－	72	－	72	72	71	－	71	71
船橋市	1	－	1	1	1	－	1	1	33	－	33	33	33	－	33	33
柏市	9	－	9	9	9	－	9	9	99	－	99	99	70	－	70	70
八王子市	－	－	－	－	－	－	－	－	－				－			
横須賀市	12	－	12	12	11	－	11	11	146	－	146	146	133	－	133	133
富山市	89	－	89	89	87	－	87	87	779	－	779	779	679	－	679	679
金沢市	29	－	29	29	27	－	27	27	413	－	413	413	393	－	393	393
長野市	－	－	－	－	－	－	－	－	111	－	111	111	109	－	109	109
岐阜市	5	－	5	5	5	－	5	5	87	－	87	87	86	－	86	86
豊橋市	20	－	20	20	20	－	20	20	266	27	239	239	266	27	239	239
豊田市	2	－	2	2	2	－	2	2	111	－	111	111	109	－	109	109
岡崎市	－	－	－	－	－	－	－	－	22	22	－	－	18	18	－	－
大津市	10	－	10	10	10	－	10	10	143	－	143	143	119	－	119	119
高槻市	11	－	11	11	11	－	11	11	256	19	237	237	254	19	235	235
東大阪市	20	－	20	20	19	－	19	19	572	－	572	572	518	－	518	518
豊中市	12	－	12	12	11	－	11	11	513	282	231	231	476	249	227	227
枚方市	－	－	－	－	－	－	－	－	115	－	115	115	112	－	112	112
姫路市	26	－	26	26	24	－	24	24	392	56	336	336	370	55	315	315
西宮市	3	－	3	3	3	－	3	3	119	－	119	119	119	－	119	119
尼崎市	－	－	－	－	－	－	－	－	84	－	84	84	81	－	81	81
奈良市	4	2	2	2	3	1	2	2	281	103	178	178	241	96	145	145
和歌山市	3	－	3	3	3	－	3	3	309	－	309	309	306	－	306	306
倉敷市	－	－	－	－	－	－	－	－	93	69	24	24	93	69	24	24
福山市	33	－	33	33	19	－	19	19	280	－	280	280	236	－	236	236
呉市	－	－	－	－	－	－	－	－	123	－	123	123	122	－	122	122
下関市	6	－	6	6	6	－	6	6	161	80	81	81	161	80	81	81
高松市	2	2	－	－	2	2	－	－	161	90	71	71	146	81	65	65
松山市	12	－	12	12	12	－	12	12	233	－	233	233	197	－	197	197
高知市	3	－	3	3	3	－	3	3	74	－	74	74	72	－	72	72
久留米市	3	－	3	3	3	－	3	3	111	－	111	111	107	－	107	107
長崎市	1	－	1	1	1	－	1	1	348	5	343	343	339	－	339	339
佐世保市	1	－	1	1	1	－	1	1	122	－	122	122	122	－	122	122
大分市	17	－	17	17	17	－	17	17	333	－	333	333	304	－	304	304
宮崎市	29	－	29	29	28	－	28	28	479	－	479	479	449	－	449	449
鹿児島市	17	－	17	17	16	－	16	16	399	－	399	399	359	－	359	359
那覇市	1	－	1	1	1	－	1	1	113	25	88	88	104	18	86	86

第15表－2　幼保連携型認定こども園の常勤
都道府県－指定都市－中核市、

（単位：人）

都道府県	助保育教諭 総数				うち保育士資格保有者				講師 総数				うち保育士資格保有者			
	総数	公営	私営	法人営(再掲)	総数	公営	私営	法人営(再掲)	総数	公営	私営	法人営(再掲)	総数	公営	私営	法人営(再掲)
全　　国	789	353	436	436	560	277	283	283	454	230	224	224	307	167	140	140
北　海　道	31	6	25	25	20	6	14	14	1	－	1	1	－	－	－	－
青　　森	12	8	4	4	8	8	－	－	2	1	1	1	2	1	1	1
岩　　手	15	3	12	12	14	2	12	12	3	－	3	3	3	－	3	3
宮　　城	－	－	－	－	－	－	－	－	7	7	－	－	－	－	－	－
秋　　田	14	13	1	1	13	13	－	－	－	－	－	－	－	－	－	－
山　　形	9	－	9	9	1	－	1	1	－	－	－	－	－	－	－	－
福　　島	12	6	6	6	11	6	5	5	28	28	－	－	28	28	－	－
茨　　城	16	3	13	13	4	3	1	1	31	16	15	15	22	16	6	6
栃　　木	22	17	5	5	14	11	3	3	－	－	－	－	－	－	－	－
群　　馬	5	4	1	1	5	4	1	1	3	－	3	3	2	－	2	2
埼　　玉	16	－	16	16	13	－	13	13	－	－	－	－	－	－	－	－
千　　葉	10	－	10	10	10	－	10	10	－	－	－	－	－	－	－	－
東　　京	－	－	－	－	－	－	－	－	－	－	－	－	－	－	－	－
神　奈　川	－	－	－	－	－	－	－	－	1	－	1	1	－	－	－	－
新　　潟	31	26	5	5	25	21	4	4	1	－	1	1	－	－	－	－
富　　山	8	－	8	8	6	－	6	6	3	－	3	3	－	－	－	－
石　　川	18	－	18	18	16	－	16	16	2	－	2	2	1	－	1	1
福　　井	6	3	3	3	－	－	－	－	2	－	2	2	－	－	－	－
山　　梨	－	－	－	－	－	－	－	－	1	－	1	1	－	－	－	－
長　　野	9	－	9	9	5	－	5	5	1	－	1	1	－	－	－	－
岐　　阜	4	3	1	1	2	2	－	－	2	2	－	－	2	2	－	－
静　　岡	4	－	4	4	4	－	4	4	2	2	－	－	2	2	－	－
愛　　知	5	－	5	5	4	－	4	4	2	－	2	2	－	－	－	－
三　　重	4	4	－	－	－	－	－	－	－	－	－	－	－	－	－	－
滋　　賀	23	19	4	4	22	18	4	4	21	19	2	2	15	15	－	－
京　　都	4	－	4	4	4	－	4	4	2	－	2	2	1	－	1	1
大　　阪	64	3	61	61	62	3	59	59	－	－	－	－	－	－	－	－
兵　　庫	72	65	7	7	51	47	4	4	9	－	9	9	8	－	8	8
奈　　良	－	－	－	－	－	－	－	－	12	12	－	－	12	12	－	－
和　歌　山	－	－	－	－	－	－	－	－	2	－	2	2	－	－	－	－
鳥　　取	22	22	－	－	16	16	－	－	53	7	46	46	51	7	44	44
島　　根	－	－	－	－	－	－	－	－	12	12	－	－	12	12	－	－
岡　　山	17	17	－	－	14	14	－	－	3	3	－	－	2	2	－	－
広　　島	6	4	2	2	－	－	－	－	－	－	－	－	－	－	－	－
山　　口	－	－	－	－	－	－	－	－	－	－	－	－	－	－	－	－
徳　　島	92	88	4	4	74	70	4	4	20	5	15	15	19	5	14	14
香　　川	14	14	－	－	10	10	－	－	18	18	－	－	8	8	－	－
愛　　媛	－	－	－	－	－	－	－	－	4	－	4	4	－	－	－	－
高　　知	4	4	－	－	4	4	－	－	16	16	－	－	16	16	－	－
福　　岡	1	－	1	1	－	－	－	－	4	－	4	4	4	－	4	4
佐　　賀	1	－	1	1	－	－	－	－	1	－	1	1	1	－	1	1
長　　崎	2	－	2	2	－	－	－	－	4	4	－	－	4	4	－	－
熊　　本	1	－	1	1	－	－	－	－	1	－	1	1	1	－	1	1
大　　分	4	－	4	4	－	－	－	－	－	－	－	－	－	－	－	－
宮　　崎	10	－	10	10	－	－	－	－	－	－	－	－	－	－	－	－
鹿　児　島	19	－	19	19	16	－	16	16	4	－	4	4	－	－	－	－
沖　　縄	1	－	1	1	－	－	－	－	－	－	－	－	－	－	－	－

保育教諭数－うち常勤保育士資格保有者数，
経営主体の公営－私営（法人営　再掲）別

指定都市 中核市	助 保 育 教 諭								講 師							
	総　数				うち保育士資格保有者				総　数				うち保育士資格保有者			
	総数	公営	私営	法人営(再掲)	総数	公営	私営	法人営(再掲)	総数	公営	私営	法人営(再掲)	総数	公営	私営	法人営(再掲)
指定都市（別掲）																
札　幌　市	4	－	4	4	4	－	4	4	2	－	2	2	－	－	－	－
仙　台　市	7	－	7	7	6	－	6	6	3	－	3	3	－	－	－	－
さいたま市	－	－	－	－	－	－	－	－	－	－	－	－	－	－	－	－
千　葉　市	1	－	1	1	－	－	－	－	－	－	－	－	－	－	－	－
横　浜　市	－	－	－	－	－	－	－	－	－	－	－	－	－	－	－	－
川　崎　市	－	－	－	－	－	－	－	－	－	－	－	－	－	－	－	－
相　模　原　市	－	－	－	－	－	－	－	－	－	－	－	－	－	－	－	－
新　潟　市	2	－	2	2	1	－	1	1	－	－	－	－	－	－	－	－
静　岡　市	5	5	－	－	5	5	－	－	3	2	1	1	－	－	－	－
浜　松　市	－	－	－	－	－	－	－	－	10	－	10	10	10	－	10	10
名　古　屋　市	7	－	7	7	5	－	5	5	－	－	－	－	－	－	－	－
京　都　市	3	－	3	3	1	－	1	1	－	－	－	－	－	－	－	－
大　阪　市	－	－	－	－	－	－	－	－	1	－	1	1	－	－	－	－
堺　市	4	－	4	4	－	－	－	－	－	－	－	－	－	－	－	－
神　戸　市	26	－	26	26	23	－	23	23	4	－	4	4	－	－	－	－
岡　山　市	17	16	1	1	14	14	－	－	6	6	－	－	6	6	－	－
広　島　市	－	－	－	－	－	－	－	－	1	－	1	1	－	－	－	－
北　九　州　市	－	－	－	－	－	－	－	－	－	－	－	－	－	－	－	－
福　岡　市	－	－	－	－	－	－	－	－	－	－	－	－	－	－	－	－
熊　本　市	－	－	－	－	－	－	－	－	4	－	4	4	1	－	1	1
中　核　市（別掲）																
旭　川　市	－	－	－	－	－	－	－	－	－	－	－	－	－	－	－	－
函　館　市	－	－	－	－	－	－	－	－	－	－	－	－	－	－	－	－
青　森　市	－	－	－	－	－	－	－	－	－	－	－	－	－	－	－	－
八　戸　市	－	－	－	－	－	－	－	－	－	－	－	－	－	－	－	－
盛　岡　市	1	－	1	1	－	－	－	－	3	－	3	3	－	－	－	－
秋　田　市	5	－	5	5	5	－	5	5	－	－	－	－	－	－	－	－
郡　山　市	－	－	－	－	－	－	－	－	－	－	－	－	－	－	－	－
い　わ　き　市	－	－	－	－	－	－	－	－	3	－	3	3	－	－	－	－
宇　都　宮　市	－	－	－	－	－	－	－	－	－	－	－	－	－	－	－	－
前　橋　市	－	－	－	－	－	－	－	－	－	－	－	－	－	－	－	－
高　崎　市	－	－	－	－	－	－	－	－	－	－	－	－	－	－	－	－
川　越　市	－	－	－	－	－	－	－	－	－	－	－	－	－	－	－	－
越　谷　市	5	－	5	5	5	－	5	5	－	－	－	－	－	－	－	－
船　橋　市	－	－	－	－	－	－	－	－	－	－	－	－	－	－	－	－
柏　市	4	－	4	4	－	－	－	－	1	－	1	1	－	－	－	－
八　王　子　市	10	－	10	10	10	－	10	10	－	－	－	－	－	－	－	－
横　須　賀　市	6	－	6	6	5	－	5	5	26	－	26	26	26	－	26	26
富　山　市	3	－	3	3	－	－	－	－	1	－	1	1	－	－	－	－
金　沢　市	－	－	－	－	－	－	－	－	－	－	－	－	－	－	－	－
長　野　市	－	－	－	－	－	－	－	－	－	－	－	－	－	－	－	－
岐　阜　市	－	－	－	－	－	－	－	－	－	－	－	－	－	－	－	－
豊　橋　市	－	－	－	－	－	－	－	－	－	－	－	－	－	－	－	－
豊　田　市	1	－	1	1	－	－	－	－	－	－	－	－	－	－	－	－
岡　崎　市	－	－	－	－	－	－	－	－	－	－	－	－	－	－	－	－
大　津　市	－	－	－	－	－	－	－	－	－	－	－	－	－	－	－	－
高　槻　市	3	－	3	3	－	－	－	－	5	－	5	5	－	－	－	－
東　大　阪　市	21	－	21	21	18	－	18	18	11	－	11	11	－	－	－	－
豊　中　市	－	－	－	－	－	－	－	－	7	－	7	7	7	－	7	7
枚　方　市	－	－	－	－	－	－	－	－	－	－	－	－	－	－	－	－
姫　路　市	2	－	2	2	1	－	1	1	－	－	－	－	－	－	－	－
西　宮　市	－	－	－	－	－	－	－	－	－	－	－	－	－	－	－	－
尼　崎　市	－	－	－	－	－	－	－	－	－	－	－	－	－	－	－	－
奈　良　市	－	－	－	－	－	－	－	－	42	42	－	－	25	25	－	－
和　歌　山　市	－	－	－	－	－	－	－	－	－	－	－	－	－	－	－	－
倉　敷　市	－	－	－	－	－	－	－	－	－	－	－	－	－	－	－	－
福　山　市	5	－	5	5	－	－	－	－	－	－	－	－	－	－	－	－
呉　市	－	－	－	－	－	－	－	－	－	－	－	－	－	－	－	－
下　関　市	－	－	－	－	－	－	－	－	36	26	10	10	16	6	10	10
高　松　市	－	－	－	－	－	－	－	－	－	－	－	－	－	－	－	－
松　山　市	3	－	3	3	－	－	－	－	－	－	－	－	－	－	－	－
高　知　市	－	－	－	－	－	－	－	－	－	－	－	－	－	－	－	－
久　留　米　市	4	－	4	4	－	－	－	－	－	－	－	－	－	－	－	－
長　崎　市	7	－	7	7	－	－	－	－	2	2	－	－	－	－	－	－
佐　世　保　市	1	－	1	1	－	－	－	－	－	－	－	－	－	－	－	－
大　分　市	－	－	－	－	－	－	－	－	－	－	－	－	－	－	－	－
宮　崎　市	5	－	5	5	－	－	－	－	－	－	－	－	－	－	－	－
鹿　児　島　市	19	－	19	19	9	－	9	9	5	－	5	5	－	－	－	－
那　覇　市	－	－	－	－	－	－	－	－	－	－	－	－	－	－	－	－

第15表－3　小規模保育事業所の常勤保育従事者（保育士

都道府県－指定都市－中核市、

（単位：人）

都道府県	総数 総数	総数 公営	総数 私営	総数 法人営（再掲）	保育従事者（保育士資格あり） 総数	保育従事者 公営	保育従事者 私営	保育従事者 法人営（再掲）	家庭的保育者（保育士資格あり） 総数	家庭的保育者 公営	家庭的保育者 私営	家庭的保育者 法人営（再掲）
全国	13 451	124	13 327	11 477	13 220	124	13 096	11 324	231	－	231	153
北海道	101	－	101	94	101	－	101	94	－	－	－	－
青森	6	－	6	2	6	－	6	2	－	－	－	－
岩手	74	－	74	39	74	－	74	39	－	－	－	－
宮城	325	－	325	250	318	－	318	244	7	－	7	6
秋田	10	－	10	8	10	－	10	8	－	－	－	－
山形	96	－	96	69	96	－	96	69	－	－	－	－
福島	172	－	172	82	166	－	166	76	6	－	6	6
茨城	154	－	154	124	154	－	154	124	－	－	－	－
栃木	187	6	181	175	187	6	181	175	－	－	－	－
群馬	2	－	2	2	2	－	2	2	－	－	－	－
埼玉	942	－	942	706	939	－	939	703	3	－	3	3
千葉	－	－	－	－	－	－	－	－	－	－	－	－
東京	1 748	－	1 748	1 680	1 690	－	1 690	1 637	58	－	58	43
神奈川	300	－	300	258	300	－	300	258	－	－	－	－
新潟	83	－	83	80	80	－	80	77	3	－	3	3
富山	－	－	－	－	－	－	－	－	－	－	－	－
石川	9	－	9	9	9	－	9	9	－	－	－	－
福井	23	4	19	11	23	4	19	11	－	－	－	－
山梨	56	－	56	56	51	－	51	51	5	－	5	5
長野	40	－	40	40	40	－	40	40	－	－	－	－
岐阜	49	－	49	37	49	－	49	37	－	－	－	－
静岡	311	－	311	193	285	－	285	181	26	－	26	12
愛知	219	2	217	196	219	2	217	196	－	－	－	－
三重	63	－	63	61	61	－	61	61	2	－	2	－
滋賀	85	2	83	83	85	2	83	83	－	－	－	－
京都	64	－	64	61	61	－	61	58	3	－	3	3
大阪	380	－	380	321	380	－	380	321	－	－	－	－
兵庫	158	－	158	158	158	－	158	158	－	－	－	－
奈良	38	16	22	22	38	16	22	22	－	－	－	－
和歌山	16	4	12	12	16	4	12	12	－	－	－	－
鳥取	122	－	122	113	122	－	122	113	－	－	－	－
島根	32	12	20	17	32	12	20	17	－	－	－	－
岡山	6	－	6	2	6	－	6	2	－	－	－	－
広島	16	－	16	14	16	－	16	14	－	－	－	－
山口	58	－	58	58	58	－	58	58	－	－	－	－
徳島	12	－	12	6	12	－	12	6	－	－	－	－
香川	32	－	32	31	32	－	32	31	－	－	－	－
愛媛	27	3	24	17	27	3	24	17	－	－	－	－
高知	26	4	22	15	26	4	22	15	－	－	－	－
福岡	－	－	－	－	－	－	－	－	－	－	－	－
佐賀	144	－	144	107	144	－	144	107	－	－	－	－
長崎	88	－	88	73	88	－	88	73	－	－	－	－
熊本	81	－	81	74	77	－	77	70	4	－	4	4
大分	28	9	19	12	28	9	19	12	－	－	－	－
宮崎	46	19	27	27	46	19	27	27	－	－	－	－
鹿児島	79	4	75	43	79	4	75	43	－	－	－	－
沖縄	420	－	420	250	420	－	420	250	－	－	－	－

注：1）指定都市及び中核市は別掲である。
　　2）常勤専従及び常勤兼務をあわせた人数である。（換算数ではない。）
　　3）「法人営」とは、社会福祉法人、医療法人、公益法人、日本赤十字社、一般社団・財団法人、農業協同組合及び連合会、消費生活協同組合及び連合会、営利法人（会社）、特定非営利活動法人（NPO）及びその他の法人を経営主体とする小規模保育事業所である。
　　4）小規模保育事業所A型及び小規模保育事業所B型は「家庭的保育者（保育士資格あり）」を調査していない。
　　5）小規模保育事業所C型は「保育従事者（保育士資格あり）」を調査していない。

経営主体の公営－私営（法人営　再掲）別

平成29年10月1日

指定都市 中核市	総数				数							
	総　数				保育従事者（保育士資格あり）				家庭的保育者（保育士資格あり）			
	総　数	公営	私営	法人営 （再掲）	総　数	公営	私営	法人営 （再掲）	総　数	公営	私営	法人営 （再掲）
指定都市（別掲）												
札幌市	256	－	256	228	256	－	256	228	－	－	－	－
仙台市	354	－	354	307	339	－	339	307	15	－	15	－
さいたま市	415	－	415	370	415	－	415	370	－	－	－	－
千葉市	155	－	155	155	155	－	155	155	－	－	－	－
横浜市	610	－	610	603	601	－	601	597	9	－	9	6
川崎市	135	－	135	128	126	－	126	126	9	－	9	2
相模原市	133	－	133	125	132	－	132	124	1	－	1	1
新潟市	29	－	29	29	29	－	29	29	－	－	－	－
静岡市	135	19	116	101	135	19	116	101	－	－	－	－
浜松市	88	－	88	84	88	－	88	84	－	－	－	－
名古屋市	334	－	334	318	334	－	334	318	－	－	－	－
京都市	354	－	354	271	339	－	339	263	15	－	15	8
大阪市	505	－	505	488	474	－	474	462	31	－	31	26
堺市	155	－	155	155	155	－	155	155	－	－	－	－
神戸市	316	－	316	316	316	－	316	316	－	－	－	－
岡山市	51	－	51	46	51	－	51	46	－	－	－	－
広島市	109	－	109	96	109	－	109	96	－	－	－	－
北九州市	141	－	141	120	141	－	141	120	－	－	－	－
福岡市	383	－	383	344	358	－	358	319	25	－	25	25
熊本市	219	－	219	188	219	－	219	188	－	－	－	－
中核市（別掲）												
旭川市	85	－	85	79	85	－	85	79	－	－	－	－
函館市	－	－	－	－	－	－	－	－	－	－	－	－
青森市	6	－	6	－	6	－	6	－	－	－	－	－
八戸市	－	－	－	－	－	－	－	－	－	－	－	－
盛岡市	30	－	30	23	27	－	27	23	3	－	3	－
秋田市	57	－	57	16	57	－	57	16	－	－	－	－
郡山市	93	－	93	93	93	－	93	93	－	－	－	－
いわき市	17	－	17	4	17	－	17	4	－	－	－	－
宇都宮市	103	－	103	98	103	－	103	98	－	－	－	－
前橋市	－	－	－	－	－	－	－	－	－	－	－	－
高崎市	－	－	－	－	－	－	－	－	－	－	－	－
川越市	49	－	49	17	49	－	49	17	－	－	－	－
越谷市	82	－	82	76	82	－	82	76	－	－	－	－
船橋市	77	－	77	77	77	－	77	77	－	－	－	－
柏市	28	－	28	28	28	－	28	28	－	－	－	－
八王子市	13	－	13	8	13	－	13	8	－	－	－	－
横須賀市	3	－	3	3	3	－	3	3	－	－	－	－
富山市	6	－	6	6	6	－	6	6	－	－	－	－
金沢市	13	－	13	13	13	－	13	13	－	－	－	－
長野市	－	－	－	－	－	－	－	－	－	－	－	－
岐阜市	93	6	87	56	93	6	87	56	－	－	－	－
豊橋市	－	－	－	－	－	－	－	－	－	－	－	－
豊田市	19	－	19	19	19	－	19	19	－	－	－	－
岡崎市	－	－	－	－	－	－	－	－	－	－	－	－
大津市	26	－	26	7	21	－	21	7	5	－	5	－
高槻市	95	－	95	81	95	－	95	81	－	－	－	－
東大阪市	67	－	67	67	67	－	67	67	－	－	－	－
豊中市	59	－	59	27	59	－	59	27	－	－	－	－
枚方市	39	13	26	－	39	13	26	－	－	－	－	－
姫路市	－	－	－	－	－	－	－	－	－	－	－	－
西宮市	118	－	118	105	117	－	117	105	1	－	1	－
尼崎市	66	－	66	66	66	－	66	66	－	－	－	－
奈良市	14	－	14	14	14	－	14	14	－	－	－	－
和歌山市	－	－	－	－	－	－	－	－	－	－	－	－
倉敷市	45	－	45	45	45	－	45	45	－	－	－	－
福山市	32	－	32	24	32	－	32	24	－	－	－	－
呉市	8	－	8	8	8	－	8	8	－	－	－	－
下関市	－	－	－	－	－	－	－	－	－	－	－	－
高松市	31	1	30	30	31	1	30	30	－	－	－	－
松山市	126	－	126	126	126	－	126	126	－	－	－	－
高知市	37	－	37	37	37	－	37	37	－	－	－	－
久留米市	－	－	－	－	－	－	－	－	－	－	－	－
長崎市	2	－	2	2	2	－	2	2	－	－	－	－
佐世保市	5	－	5	－	5	－	5	－	－	－	－	－
大分市	36	－	36	27	36	－	36	27	－	－	－	－
宮崎市	22	－	22	22	22	－	22	22	－	－	－	－
鹿児島市	－	－	－	－	－	－	－	－	－	－	－	－
那覇市	44	－	44	13	44	－	44	13	－	－	－	－

第15表－3　小規模保育事業所の常勤保育従事者（保育士

都道府県－指定都市－中核市、

（単位：人）

都 道 府 県	小 規 模 保 育 事 業 所 A 型 保育従事者（保育士資格あり）				小 規 模 保 育 事 業 所 B 型 保育従事者（保育士資格あり）				小 規 模 保 育 事 業 所 C 型 家庭的保育者（保育士資格あり）			
	総　数	公　営	私　営	法人営（再掲）	総　数	公　営	私　営	法人営（再掲）	総　数	公　営	私　営	法人営（再掲）
全　　　　国	11 112	91	11 021	9 839	2 108	33	2 075	1 485	231	－	231	153
北　海　道	93	－	93	90	8	－	8	4	－	－	－	－
青　　森	4	－	4	－	2	－	2	2	－	－	－	－
岩　　手	45	－	45	32	29	－	29	7	－	－	－	－
宮　　城	254	－	254	216	64	－	64	28	7	－	7	6
秋　　田	8	－	8	8	2	－	2	－	－	－	－	－
山　　形	52	－	52	52	44	－	44	17	－	－	－	－
福　　島	138	－	138	73	28	－	28	3	6	－	6	6
茨　　城	141	－	141	115	13	－	13	9	－	－	－	－
栃　　木	166	6	160	155	21	－	21	20	－	－	－	－
群　　馬	2	－	2	2	－	－	－	－	－	－	－	－
埼　　玉	511	－	511	402	428	－	428	301	3	－	3	3
千　　葉	－	－	－	－	－	－	－	－	－	－	－	－
東　　京	1 381	－	1 381	1 357	309	－	309	280	58	－	58	43
神　奈　川	273	－	273	241	27	－	27	17	3	－	3	3
新　　潟	51	－	51	51	29	－	29	26	3	－	3	3
富　　山	－	－	－	－	－	－	－	－	－	－	－	－
石　　川	9	－	9	9	－	－	－	－	－	－	－	－
福　　井	17	1	16	8	6	3	3	3	－	－	－	－
山　　梨	51	－	51	51	－	－	－	－	5	－	5	5
長　　野	40	－	40	40	－	－	－	－	－	－	－	－
岐　　阜	40	－	40	34	9	－	9	3	－	－	－	－
静　　岡	225	－	225	161	60	－	60	20	26	－	26	12
愛　　知	199	－	199	178	20	2	18	18	－	－	－	－
三　　重	27	－	27	27	34	－	34	34	2	－	2	－
滋　　賀	71	2	69	69	14	－	14	14	－	－	－	－
京　　都	60	－	60	57	1	－	1	1	3	－	3	3
大　　阪	365	－	365	316	15	－	15	5	－	－	－	－
兵　　庫	156	－	156	156	2	－	2	2	－	－	－	－
奈　　良	36	14	22	22	2	2	－	－	－	－	－	－
和　歌　山	16	4	12	12	－	－	－	－	－	－	－	－
鳥　　取	115	－	115	106	7	－	7	7	－	－	－	－
島　　根	26	6	20	17	6	6	－	－	－	－	－	－
岡　　山	2	－	2	2	4	－	4	－	－	－	－	－
広　　島	13	－	13	11	3	－	3	3	－	－	－	－
山　　口	45	－	45	45	13	－	13	13	－	－	－	－
徳　　島	12	－	12	6	－	－	－	－	－	－	－	－
香　　川	22	－	22	22	10	－	10	9	－	－	－	－
愛　　媛	24	3	21	14	3	－	3	3	－	－	－	－
高　　知	14	4	10	10	12	－	12	5	－	－	－	－
福　　岡	－	－	－	－	－	－	－	－	－	－	－	－
佐　　賀	98	－	98	70	46	－	46	37	－	－	－	－
長　　崎	71	－	71	63	17	－	17	10	－	－	－	－
熊　　本	65	－	65	58	12	－	12	12	4	－	4	4
大　　分	26	9	17	10	2	－	2	2	－	－	－	－
宮　　崎	23	3	20	20	23	16	7	7	－	－	－	－
鹿　児　島	48	－	48	30	31	4	27	13	－	－	－	－
沖　　縄	290	－	290	189	130	－	130	61	－	－	－	－

資格あり）数・常勤家庭的保育者（保育士資格あり）数，
経営主体の公営－私営（法人営　再掲）別

指定都市 中核市	小規模保育事業所A型 保育従事者（保育士資格あり）				小規模保育事業所B型 保育従事者（保育士資格あり）				小規模保育事業所C型 家庭的保育者（保育士資格あり）			
	総数	公営	私営	法人営（再掲）	総数	公営	私営	法人営（再掲）	総数	公営	私営	法人営（再掲）
指定都市（別掲）												
札幌市	255	－	255	228	1	－	1	－	－	－	－	－
仙台市	250	－	250	242	89	－	89	65	15	－	15	－
さいたま市	373	－	373	340	42	－	42	30	－	－	－	－
千葉市	127	－	127	127	28	－	28	28	－	－	－	－
横浜市	544	－	544	540	57	－	57	57	9	－	9	6
川崎市	71	－	71	71	55	－	55	55	9	－	9	2
相模原市	64	－	64	64	68	－	68	60	1	－	1	1
新潟市	29	－	29	29	－	－	－	－	－	－	－	－
静岡市	135	19	116	101	－	－	－	－	－	－	－	－
浜松市	88	－	88	84	－	－	－	－	－	－	－	－
名古屋市	264	－	264	257	70	－	70	61	－	－	－	－
京都市	321	－	321	249	18	－	18	14	15	－	15	8
大阪市	460	－	460	448	14	－	14	14	31	－	31	26
堺市	152	－	152	152	3	－	3	3	－	－	－	－
神戸市	316	－	316	316	－	－	－	－	－	－	－	－
岡山市	51	－	51	46	－	－	－	－	－	－	－	－
広島市	98	－	98	94	11	－	11	2	－	－	－	－
北九州市	141	－	141	120	－	－	－	－	－	－	－	－
福岡市	341	－	341	306	17	－	17	13	25	－	25	25
熊本市	219	－	219	188	－	－	－	－	－	－	－	－
中核市（別掲）												
旭川市	85	－	85	79	－	－	－	－	－	－	－	－
函館市	－	－	－	－	－	－	－	－	－	－	－	－
青森市	6	－	6	－	－	－	－	－	－	－	－	－
八戸市	－	－	－	－	－	－	－	－	－	－	－	－
盛岡市	21	－	21	17	6	－	6	6	3	－	3	－
秋田市	17	－	17	3	40	－	40	13	－	－	－	－
郡山市	93	－	93	93	－	－	－	－	－	－	－	－
いわき市	17	－	17	4	－	－	－	－	－	－	－	－
宇都宮市	93	－	93	88	10	－	10	10	－	－	－	－
前橋市	－	－	－	－	－	－	－	－	－	－	－	－
高崎市	41	－	41	12	8	－	8	5	－	－	－	－
川越市	58	－	58	54	24	－	24	22	－	－	－	－
越谷市	77	－	77	77	－	－	－	－	－	－	－	－
船橋市	28	－	28	28	－	－	－	－	－	－	－	－
柏市	13	－	13	8	－	－	－	－	－	－	－	－
八王子市	3	－	3	3	－	－	－	－	－	－	－	－
横須賀市	6	－	6	6	－	－	－	－	－	－	－	－
富山市	13	－	13	13	－	－	－	－	－	－	－	－
金沢市	93	6	87	56	－	－	－	－	－	－	－	－
長野市	－	－	19	19	－	－	－	－	－	－	－	－
岐阜市	－	－	－	－	－	－	－	－	－	－	－	－
豊橋市	15	－	15	7	6	－	6	－	5	－	5	－
岡崎市	95	－	95	81	－	－	－	－	－	－	－	－
豊田市	67	－	67	67	－	－	－	－	－	－	－	－
大津市	59	－	59	27	－	－	－	－	－	－	－	－
高槻市	25	13	12	－	14	－	14	－	－	－	－	－
東大阪市	－	－	－	－	－	－	－	－	－	－	－	－
豊中市	88	－	88	86	29	－	29	19	1	－	1	－
枚方市	66	－	66	66	－	－	－	－	－	－	－	－
姫路市	14	－	14	14	－	－	－	－	－	－	－	－
西宮市	－	－	－	－	－	－	－	－	－	－	－	－
尼崎市	45	－	45	45	－	－	－	－	－	－	－	－
奈良市	32	－	32	24	－	－	－	－	－	－	－	－
和歌山市	8	－	8	8	－	－	－	－	－	－	－	－
倉敷市	－	－	－	－	－	－	－	－	－	－	－	－
福山市	31	1	30	30	－	－	－	－	－	－	－	－
呉市	126	－	126	126	－	－	－	－	－	－	－	－
下関市	25	－	25	25	12	－	12	12	－	－	－	－
高松市	－	－	－	－	－	－	－	－	－	－	－	－
松山市	2	－	2	2	－	－	－	－	－	－	－	－
高知市	5	－	5	5	－	－	－	－	－	－	－	－
久留米市	36	－	36	27	－	－	－	－	－	－	－	－
長崎市	22	－	22	22	－	－	－	－	－	－	－	－
佐世保市	－	－	－	－	－	－	－	－	－	－	－	－
大分市	44	－	44	13	－	－	－	－	－	－	－	－

第16表－1　保育所等・小規模保育事業所の保育士の採用・

（単位：人）

都道府県	保育所等 総数 常勤 総数 採用者数	退職者数	公営 採用者数	退職者数	私営 採用者数	退職者数	うち28年度に学校を卒業した者 総数 採用者数	退職者数	公営 採用者数	退職者数	私営 採用者数	退職者数
全　　国	42 323	28 786	8 427	6 082	33 896	22 704	16 972	1 324	3 004	101	13 968	1 223
北　海　道	523	359	211	142	312	217	195	13	78	2	117	11
青　　森	211	186	9	13	202	173	59	6	-	-	59	6
岩　　手	336	221	86	50	250	171	112	13	18	1	94	12
宮　　城	379	257	131	78	248	179	161	8	52	-	109	8
秋　　田	144	104	17	30	127	74	58	4	6	1	52	3
山　　形	308	223	52	45	256	178	111	7	12	-	99	7
福　　島	340	245	160	129	180	116	98	3	31	1	67	2
茨　　城	749	638	149	158	600	480	302	25	34	1	268	24
栃　　木	360	294	131	106	229	188	140	8	24	-	116	8
群　　馬	315	263	103	77	212	186	116	12	18	1	98	11
埼　　玉	1 700	1 195	262	236	1 438	959	661	51	97	3	564	48
千　　葉	1 393	802	290	234	1 103	568	492	47	85	6	407	41
東　　京	6 693	3 570	763	376	5 930	3 194	2 506	169	325	5	2 181	164
神　奈　川	814	553	97	62	717	491	322	28	45	2	277	26
新　　潟	375	293	106	119	269	174	169	9	41	-	128	9
富　　山	188	142	65	44	123	98	110	7	36	-	74	7
石　　川	159	150	84	70	75	80	83	3	38	1	45	2
福　　井	202	123	81	47	121	76	101	6	32	1	69	5
山　　梨	241	203	99	97	142	106	93	5	18	-	75	5
長　　野	441	302	331	225	110	77	195	9	134	6	61	3
岐　　阜	411	307	203	133	208	174	202	14	75	4	127	10
静　　岡	466	388	125	119	341	269	216	11	45	2	171	9
愛　　知	1 160	647	712	336	448	311	641	35	396	9	245	26
三　　重	582	418	245	170	337	248	291	18	85	2	206	16
滋　　賀	323	257	97	88	226	169	163	15	39	-	124	15
京　　都	325	278	150	132	175	146	116	12	26	1	90	11
大　　阪	934	652	295	222	639	430	315	27	57	1	258	26
兵　　庫	640	405	113	86	527	319	232	28	29	1	203	27
奈　　良	270	238	94	91	176	147	104	13	32	-	72	13
和　歌　山	187	148	92	71	95	77	75	5	30	1	45	4
鳥　　取	205	148	94	50	111	98	76	13	16	8	60	5
島　　根	348	248	51	41	297	207	157	12	15	-	142	12
岡　　山	234	161	90	76	144	85	126	6	37	2	89	4
広　　島	250	195	63	62	187	133	119	6	26	1	93	5
山　　口	373	283	101	79	272	204	133	14	22	1	111	13
徳　　島	246	229	116	120	130	109	80	5	22	1	58	4
香　　川	155	133	73	70	82	63	64	5	25	1	39	4
愛　　媛	218	215	93	118	125	97	95	7	44	2	51	5
高　　知	138	121	72	68	66	53	39	-	21	-	18	-
福　　岡	893	671	162	110	731	561	320	23	15	1	305	22
佐　　賀	272	236	41	60	231	176	110	10	15	4	95	6
長　　崎	214	170	23	21	191	149	97	8	5	-	92	8
熊　　本	487	348	45	43	442	305	151	8	8	1	143	7
大　　分	180	146	15	16	165	130	80	7	4	-	76	7
宮　　崎	212	182	28	17	184	165	62	-	6	-	56	-
鹿　児　島	277	276	28	28	249	248	90	5	3	-	87	5
沖　　縄	897	548	119	89	778	459	203	11	15	3	188	8

注：1）採用・退職者数は過去1年間の数である。
　　2）指定都市及び中核市は別掲である。
　　3）保育所等は、保育所型認定こども園及び保育所である。

退職者数, 都道府県－指定都市－中核市、常勤－非常勤、経営主体の公営－私営別

指定都市 / 中核市	保育所等 総数 常勤 総数 採用者数	退職者数	公営 採用者数	退職者数	私営 採用者数	退職者数	うち28年度に学校を卒業した者 総数 採用者数	退職者数	公営 採用者数	退職者数	私営 採用者数	退職者数
指定都市（別掲）												
札幌市	732	605	61	38	671	567	278	32	20	1	258	31
仙台市	525	368	67	67	458	301	218	14	18	3	200	11
さいたま市	458	288	50	49	408	239	174	11	28	1	146	10
千葉市	316	168	65	29	251	139	126	9	35	1	91	8
横浜市	1 800	1 100	101	45	1 699	1 055	684	75	23	－	661	75
川崎市	908	542	4	20	904	522	387	29	1	－	386	29
相模原市	209	151	10	8	199	143	87	6	6	－	81	6
新潟市	361	193	61	32	300	161	155	8	31	－	124	8
静岡市	91	67	－	－	91	67	51	4	－	－	51	4
浜松市	123	95	24	23	99	72	48	1	9	－	39	1
名古屋市	780	542	74	76	706	466	359	35	49	1	310	34
京都市	473	309	26	21	447	288	211	16	5	－	206	16
大阪市	1 001	693	73	32	928	661	348	31	14	1	334	30
堺市	58	46	－	－	58	46	28	2	－	－	28	2
神戸市	214	130	62	27	152	103	119	12	31	－	88	12
岡山市	237	146	54	42	183	104	122	7	31	1	91	6
広島市	405	271	106	47	299	224	199	17	46	－	153	17
北九州市	364	228	18	14	346	214	109	15	9	－	100	15
福岡市	646	470	6	4	640	466	293	35	4	－	289	35
熊本市	230	146	17	4	213	142	87	9	7	－	80	9
中核市（別掲）												
旭川市	136	83	9	8	127	75	50	3	2	－	48	3
函館市	68	49	11	11	57	38	31	2	－	－	31	2
青森市	91	92	－	－	91	92	26	5	－	－	26	5
八戸市	27	27	－	－	27	27	8	1	－	－	8	1
盛岡市	84	98	2	19	82	79	41	5	－	－	41	5
秋田市	113	73	4	6	109	67	51	2	－	－	51	2
郡山市	113	59	16	20	97	39	33	3	5	2	28	1
いわき市	65	57	27	27	38	30	17	－	7	－	10	－
宇都宮市	163	115	10	1	153	114	62	5	3	－	59	5
前橋市	60	49	22	26	38	23	24	4	6	－	18	4
高崎市	71	44	7	1	64	43	35	－	2	－	33	－
川越市	100	70	23	22	77	48	31	2	9	－	22	2
越谷市	59	44	15	7	44	37	43	3	7	－	36	3
船橋市	342	185	65	19	277	166	188	16	60	1	128	15
柏市	142	81	44	33	98	48	40	1	13	－	27	1
八王子市	194	159	17	13	177	146	115	11	9	2	106	9
横須賀市	62	42	7	5	55	37	29	1	－	－	29	1
富山市	30	16	25	13	5	3	25	－	21	－	4	－
金沢市	115	120	12	19	103	101	44	6	7	1	37	5
長野市	104	84	23	20	81	64	53	6	11	－	42	6
岐阜市	80	58	32	19	48	39	46	8	14	1	32	7
豊橋市	105	95	10	8	95	87	52	5	6	－	46	5
豊田市	112	52	79	21	33	31	60	2	33	2	27	－
岡崎市	98	48	65	16	33	32	54	1	34	1	20	－
大津市	99	101	10	10	89	91	60	4	4	－	56	4
高槻市	53	29	6	3	47	26	28	3	1	－	27	3
東大阪市	114	92	15	14	99	78	63	7	4	－	59	7
豊中市	145	55	－	－	145	55	66	9	－	－	66	9
枚方市	143	112	22	14	121	98	54	9	8	1	46	8
姫路市	98	86	24	17	74	69	54	1	11	－	43	1
西宮市	124	93	43	32	81	61	56	2	11	－	45	2
尼崎市	161	131	35	30	126	101	81	10	14	－	67	10
奈良市	110	61	55	10	55	51	31	4	5	－	26	4
和歌山市	58	56	6	7	52	49	32	1	2	－	30	1
倉敷市	151	125	23	16	128	109	83	8	9	－	74	8
福山市	116	83	35	25	81	58	65	6	19	1	46	5
呉市	65	42	10	14	55	28	33	－	3	－	30	－
下関市	65	72	12	9	53	63	32	5	4	－	28	5
高松市	110	88	32	19	78	69	58	10	19	1	39	9
松山市	113	100	29	20	84	80	56	2	12	－	44	2
高知市	187	155	42	31	145	124	63	5	8	1	55	4
久留米市	127	117	7	3	120	114	49	5	5	－	44	5
長崎市	135	75	11	12	124	63	59	5	4	－	55	5
佐世保市	102	97	3	2	99	95	35	3	－	－	35	3
大分市	210	86	21	4	189	82	53	5	3	1	50	4
宮崎市	116	84	7	6	109	78	39	2	3	－	36	2
鹿児島市	293	194	4	8	289	186	82	5	1	－	81	5
那覇市	195	123	4	10	191	113	58	2	1	－	57	2

第16表－1　保育所等・小規模保育事業所の保育士の採用・

（単位：人）

都道府県	保育所等 総数 非常勤 総数 採用者数	退職者数	公営 採用者数	退職者数	私営 採用者数	退職者数	うち28年度に学校を卒業した者 総数 採用者数	退職者数	公営 採用者数	退職者数	私営 採用者数	退職者数
全　国	21 628	13 841	5 635	4 306	15 993	9 535	653	171	217	58	436	113
北海道	337	215	101	90	236	125	4	－	－	－	4	－
青　森	93	63	－	－	93	63	3	－	－	－	3	－
岩　手	134	76	50	28	84	48	2	1	－	－	2	1
宮　城	129	116	60	71	69	45	3	1	2	－	1	1
秋　田	52	40	19	14	33	26	－	－	－	－	－	－
山　形	89	72	31	44	58	28	4	2	2	2	2	－
福　島	82	63	36	38	46	25	2	2	－	－	2	2
茨　城	419	299	86	73	333	226	11	4	2	2	9	2
栃　木	189	120	63	38	126	82	2	1	－	－	2	1
群　馬	241	139	58	32	183	107	4	－	2	－	2	－
埼　玉	857	590	172	147	685	443	13	2	5	－	8	2
千　葉	670	434	180	173	490	261	18	10	13	6	5	4
東　京	2 853	1 775	662	505	2 191	1 270	82	25	24	4	58	21
神奈川	512	303	97	68	415	235	13	2	1	－	12	2
新　潟	194	113	67	56	127	57	15	－	7	－	8	－
富　山	77	55	22	17	55	38	3	1	1	－	2	1
石　川	113	74	58	44	55	30	－	－	－	－	－	－
福　井	113	72	57	38	56	34	5	－	5	－	－	－
山　梨	135	86	46	27	89	59	1	1	－	－	1	1
長　野	211	152	153	113	58	39	24	6	19	6	5	－
岐　阜	262	188	91	67	171	121	11	5	4	1	7	4
静　岡	318	193	62	49	256	144	6	－	3	－	3	－
愛　知	915	719	658	519	257	200	38	9	29	7	9	2
三　重	299	200	140	99	159	101	8	3	5	1	3	2
滋　賀	224	148	104	69	120	79	9	5	7	3	2	2
京　都	281	184	135	111	146	73	7	3	－	－	7	3
大　阪	430	267	128	87	302	180	9	2	－	－	9	2
兵　庫	377	182	66	31	311	151	6	3	1	1	5	2
奈　良	136	89	39	33	97	56	4	1	1	1	3	－
和歌山	75	44	33	19	42	25	4	1	4	1	－	－
鳥　取	83	44	50	15	33	29	6	－	4	－	2	－
島　根	154	95	42	29	112	66	1	－	－	－	1	－
岡　山	102	68	29	22	73	46	7	－	2	－	5	－
広　島	123	75	41	22	82	53	8	1	4	1	4	－
山　口	192	124	55	54	137	70	2	1	－	－	2	1
徳　島	83	45	21	15	62	30	3	1	1	－	2	1
香　川	62	45	24	24	38	21	2	1	2	1	－	－
愛　媛	135	63	77	35	58	28	6	1	2	－	4	1
高　知	46	29	15	10	31	19	－	－	－	－	－	－
福　岡	442	292	82	45	360	247	6	2	1	－	5	2
佐　賀	183	122	51	35	132	87	5	－	－	－	5	－
長　崎	178	105	19	13	159	92	9	1	－	－	9	1
熊　本	334	222	44	54	290	168	15	1	2	－	13	1
大　分	95	70	7	25	88	45	1	－	－	－	1	－
宮　崎	141	76	34	20	107	56	1	－	1	－	－	－
鹿児島	233	185	14	16	219	169	2	－	－	－	2	－
沖　縄	349	174	62	36	287	138	32	2	3	1	29	1

退職者数，都道府県－指定都市－中核市、常勤－非常勤、経営主体の公営－私営別

平成28年10月１日～平成29年９月30日

保育所等・総数のうち「非常勤」（総数・公営・私営）と、そのうち28年度に学校を卒業した者（総数・公営・私営）。各区分とも採用者数・退職者数を示す。

指定都市 中核市	非常勤 総数 採用者数	非常勤 総数 退職者数	非常勤 公営 採用者数	非常勤 公営 退職者数	非常勤 私営 採用者数	非常勤 私営 退職者数	うち卒業 総数 採用者数	うち卒業 総数 退職者数	うち卒業 公営 採用者数	うち卒業 公営 退職者数	うち卒業 私営 採用者数	うち卒業 私営 退職者数
指定都市（別掲）												
札幌市	258	131	19	9	239	122	12	－	－	－	12	－
仙台市	195	121	58	57	137	64	3	1	1	－	2	1
さいたま市	245	135	28	42	217	93	7	2	1	1	6	1
千葉市	209	179	81	107	128	72	4	4	4	4	－	－
横浜市	1 054	595	211	122	843	473	22	13	1	－	21	13
川崎市	271	177	10	9	261	168	8	1	－	－	8	1
相模原市	116	79	17	24	99	55	1	－	－	－	1	－
新潟市	154	87	25	28	129	59	9	3	3	2	6	1
静岡市	67	39	－	－	67	39	3	1	－	－	3	1
浜松市	71	53	18	10	53	43	－	－	－	－	－	－
名古屋市	416	266	84	103	332	163	22	3	12	－	10	3
京都市	359	176	11	8	348	168	17	3	－	－	17	3
大阪市	496	279	21	7	475	272	13	7	－	－	13	7
堺市	48	30	－	－	48	30	2	－	－	－	2	－
神戸市	203	125	120	76	83	49	10	6	6	5	4	1
岡山市	109	57	43	20	66	37	4	－	－	－	4	－
広島市	220	131	104	50	116	81	3	－	3	－	－	－
北九州市	135	144	7	11	128	133	3	－	－	－	3	－
福岡市	283	207	24	6	259	201	8	3	1	－	7	3
熊本市	139	111	－	－	139	111	8	1	－	－	8	1
中核市（別掲）												
旭川市	61	41	2	3	59	38	－	－	－	－	－	－
函館市	10	12	－	－	10	12	1	－	－	－	1	－
青森市	34	22	－	－	34	22	3	2	－	－	3	2
八戸市	27	10	－	－	27	10	1	－	－	－	1	－
盛岡市	43	28	12	16	31	12	－	－	－	－	－	－
秋田市	51	28	2	1	49	27	－	－	－	－	－	－
郡山市	25	15	9	10	16	5	1	1	－	－	1	1
いわき市	15	16	10	9	5	7	－	－	－	－	－	－
宇都宮市	95	46	14	－	81	46	1	－	－	－	1	－
前橋市	36	25	11	11	25	14	1	－	－	－	1	－
高崎市	54	43	20	21	34	22	3	－	1	－	2	－
川越市	69	25	16	8	53	17	1	－	1	－	－	－
越谷市	23	18	4	11	19	7	－	－	－	－	－	－
船橋市	108	69	45	39	63	30	1	1	－	－	1	1
柏市	110	49	57	37	53	12	2	2	2	2	－	－
八王子市	102	79	5	7	97	72	4	3	－	－	4	3
横須賀市	36	17	10	9	26	8	1	－	1	－	－	－
富山市	9	12	9	10	－	2	1	－	1	－	－	－
金沢市	91	71	14	14	77	57	1	1	－	－	1	1
長野市	55	35	4	4	51	31	2	－	－	－	2	－
岐阜市	40	29	8	6	32	23	－	－	－	－	－	－
豊橋市	52	29	－	2	52	27	－	－	－	－	－	－
豊田市	68	41	45	24	23	17	4	－	2	－	2	－
岡崎市	55	36	36	24	19	12	4	1	4	1	－	－
大津市	41	41	6	9	35	32	－	－	－	－	－	－
高槻市	23	17	1	3	22	14	－	－	－	－	－	－
東大阪市	35	16	8	1	27	15	1	－	1	－	－	－
豊中市	57	28	－	－	57	28	－	－	－	－	－	－
枚方市	86	72	11	5	75	67	2	1	－	－	2	1
姫路市	75	30	13	8	62	22	7	1	3	－	4	1
西宮市	47	38	17	21	30	17	2	1	1	1	1	－
尼崎市	74	51	7	5	67	46	7	4	2	2	5	2
奈良市	64	23	36	7	28	16	3	－	－	－	3	－
和歌山市	20	27	1	4	19	23	1	－	－	－	1	－
倉敷市	79	57	9	6	70	51	1	－	1	－	－	－
福山市	82	52	28	13	54	39	－	－	－	－	－	－
呉市	20	18	10	10	10	8	－	－	－	－	－	－
下関市	40	22	19	7	21	15	3	2	3	2	－	－
高松市	70	29	19	2	51	27	1	－	1	－	－	－
松山市	44	37	6	2	38	35	－	－	－	－	－	－
高知市	55	46	22	24	33	22	－	－	－	－	－	－
久留米市	82	38	7	3	75	35	－	－	－	－	－	－
長崎市	87	66	30	24	57	42	4	1	1	－	3	1
佐世保市	68	45	－	1	68	44	3	1	－	－	3	1
大分市	75	37	3	－	72	37	－	－	－	－	－	－
宮崎市	83	70	4	4	79	66	2	－	－	－	2	－
鹿児島市	187	97	11	13	176	84	9	1	1	－	8	－
那覇市	65	61	12	9	53	52	9	－	1	－	8	－

退職者数，都道府県－指定都市－中核市、常勤－非常勤、経営主体の公営－私営別

第16表－1　保育所等・小規模保育事業所の保育士の採用・

（単位：人）

都道府県	保育所等											
	保育所型認定こども園											
	常勤						うち28年度に学校を卒業した者					
	総数		公営		私営		総数		公営		私営	
	採用者数	退職者数	採用者数	退職者数	採用者数	退職者数	採用者数	退職者数	採用者数	退職者数	採用者数	退職者数
全国	1 128	722	181	125	947	597	490	28	51	1	439	27
北海道	75	32	27	13	48	19	29	1	8	－	21	1
青森	22	15	－	－	22	15	5	－	－	－	5	－
岩手	5	1	4	－	1	1	－	－	－	－	－	－
宮城	7	3	－	－	7	3	5	－	－	－	5	－
秋田	7	4	－	－	7	4	6	2	－	－	6	2
山形	17	1	1	－	16	1	3	－	1	－	2	－
福島	2	7	2	7	－	－	－	－	－	－	－	－
茨城	21	19	1	4	20	15	9	－	1	－	8	－
栃木	1	－	－	－	1	－	1	－	－	－	1	－
群馬	8	7	4	3	4	4	3	2	1	－	2	2
埼玉	－	1	－	－	－	1	－	－	－	－	－	－
千葉	51	15	3	5	48	10	11	1	1	－	10	1
東京	149	85	11	5	138	80	69	－	4	－	65	－
神奈川	6	3	－	－	6	3	5	－	－	－	5	－
新潟	23	6	－	－	23	6	7	1	－	－	7	1
富山	13	11	1	1	12	10	9	－	1	－	8	－
石川	23	19	19	14	4	5	7	－	5	－	2	－
福井	3	1	－	－	3	1	2	1	－	－	2	1
山梨	4	4	3	3	1	1	2	－	1	－	1	－
長野	11	10	11	10	－	－	3	－	3	－	－	－
岐阜	34	29	2	3	32	26	24	4	1	1	23	3
静岡	4	2	1	－	3	2	2	－	1	－	1	－
愛知	7	2	3	2	4	－	2	－	2	－	－	－
三重	9	6	2	2	7	4	7	1	－	－	7	1
滋賀	1	2	1	2	－	－	1	－	1	－	－	－
京都	－	－	－	－	－	－	－	－	－	－	－	－
大阪	13	13	3	1	10	12	6	－	－	－	6	－
兵庫	22	24	－	－	22	24	11	3	－	－	11	3
奈良	2	1	－	－	2	1	2	－	－	－	2	－
和歌山	28	21	5	1	23	20	21	－	2	－	19	－
鳥取	35	6	15	3	20	3	2	－	－	－	2	－
島根	25	28	16	15	9	13	8	－	5	－	3	－
岡山	11	7	8	6	3	1	6	－	4	－	2	－
広島	31	20	11	7	20	13	16	1	3	－	13	1
山口	－	－	－	－	－	－	－	－	－	－	－	－
徳島	7	6	6	6	1	－	3	－	2	－	1	－
香川	4	4	4	4	－	－	－	－	－	－	－	－
愛媛	2	1	－	1	2	－	1	－	－	－	1	－
高知	1	1	－	－	1	1	－	－	－	－	－	－
福岡	31	11	3	－	28	11	21	1	－	－	21	1
佐賀	6	5	－	－	6	5	2	－	－	－	2	－
長崎	12	5	1	－	11	5	4	－	－	－	4	－
熊本	3	5	－	－	3	5	2	－	*	－	2	－
大分	20	7	1	－	19	7	5	－	－	－	5	－
宮崎	17	7	－	－	17	7	12	－	－	－	12	－
鹿児島	10	10	4	5	6	5	3	－	1	－	2	－
沖縄	8	3	－	－	8	3	－	－	－	－	－	－

退職者数，都道府県－指定都市－中核市、常勤－非常勤、経営主体の公営－私営別

平成28年10月1日～平成29年9月30日

保育所等 ― 保育所型認定こども園

指定都市 中核市	常勤 総数 採用者数	退職者数	公営 採用者数	退職者数	私営 採用者数	退職者数	うち28年度に学校を卒業した者 総数 採用者数	退職者数	公営 採用者数	退職者数	私営 採用者数	退職者数
指定都市（別掲）												
札幌市	3	3	-	-	3	3	-	-	-	-	-	-
仙台市	-	-	-	-	-	-	-	-	-	-	-	-
さいたま市	-	-	-	-	-	-	-	-	-	-	-	-
千葉市	3	-	3	-	-	-	1	-	1	-	-	-
横浜市	-	-	-	-	-	-	-	-	-	-	-	-
川崎市	-	-	-	-	-	-	-	-	-	-	-	-
相模原市	-	-	-	-	-	-	-	-	-	-	-	-
新潟市	44	12	-	-	44	12	10	1	-	-	10	1
静岡市	-	-	-	-	-	-	-	-	-	-	-	-
浜松市	4	5	-	-	4	5	-	-	-	-	-	-
名古屋市	56	35	-	-	56	35	36	1	-	-	36	1
京都市	11	9	-	-	11	9	5	-	-	-	5	-
大阪市	7	9	-	-	7	9	6	-	-	-	6	-
堺市	7	5	-	-	7	5	2	-	-	-	2	-
神戸市	-	-	-	-	-	-	-	-	-	-	-	-
岡山市	-	-	-	-	-	-	-	-	-	-	-	-
広島市	9	8	-	-	9	8	9	-	-	-	9	-
北九州市	-	-	-	-	-	-	-	-	-	-	-	-
福岡市	-	-	-	-	-	-	-	-	-	-	-	-
熊本市	-	-	-	-	-	-	-	-	-	-	-	-
中核市（別掲）												
旭川市	25	23	-	-	25	23	10	1	-	-	10	1
函館市	50	32	1	1	49	31	25	2	-	-	25	2
青森市	2	2	-	-	2	2	-	-	-	-	-	-
八戸市	10	13	-	-	10	13	3	-	-	-	3	-
盛岡市	-	-	-	-	-	-	-	-	-	-	-	-
秋田市	-	-	-	-	-	-	-	-	-	-	-	-
郡山市	-	-	-	-	-	-	-	-	-	-	-	-
いわき市	-	-	-	-	-	-	-	-	-	-	-	-
宇都宮市	3	2	-	-	3	2	1	-	-	-	1	-
前橋市	-	-	-	-	-	-	-	-	-	-	-	-
高崎市	2	1	-	-	2	1	1	-	-	-	1	-
川越市	-	-	-	-	-	-	-	-	-	-	-	-
越谷市	-	-	-	-	-	-	-	-	-	-	-	-
船橋市	-	-	-	-	-	-	-	-	-	-	-	-
柏市	-	-	-	-	-	-	-	-	-	-	-	-
八王子市	1	2	-	-	1	2	1	-	-	-	1	-
横須賀市	-	1	-	-	-	1	-	-	-	-	-	-
富山市	2	1	-	-	2	1	2	-	-	-	2	-
金沢市	20	20	-	-	20	20	6	-	-	-	6	-
長野市	-	-	-	-	-	-	-	-	-	-	-	-
岐阜市	-	-	-	-	-	-	-	-	-	-	-	-
豊橋市	-	-	-	-	-	-	-	-	-	-	-	-
豊田市	-	-	-	-	-	-	-	-	-	-	-	-
岡崎市	3	1	3	1	-	-	2	-	2	-	-	-
大津市	-	-	-	-	-	-	-	-	-	-	-	-
高槻市	-	-	-	-	-	-	-	-	-	-	-	-
東大阪市	-	-	-	-	-	-	-	-	-	-	-	-
豊中市	-	-	-	-	-	-	-	-	-	-	-	-
枚方市	-	-	-	-	-	-	-	-	-	-	-	-
姫路市	27	25	-	-	27	25	16	1	-	-	16	1
西宮市	-	-	-	-	-	-	-	-	-	-	-	-
尼崎市	-	-	-	-	-	-	-	-	-	-	-	-
奈良市	-	-	-	-	-	-	-	-	-	-	-	-
和歌山市	-	-	-	-	-	-	-	-	-	-	-	-
倉敷市	4	5	-	-	4	5	2	-	-	-	2	-
福山市	3	4	-	-	3	4	1	-	-	-	1	-
呉市	-	-	-	-	-	-	-	-	-	-	-	-
下関市	-	-	-	-	-	-	-	-	-	-	-	-
松山市	-	-	-	-	-	-	-	-	-	-	-	-
高松市	18	14	1	-	17	14	7	1	-	-	7	1
高知市	11	8	-	-	11	8	3	-	-	-	3	-
久留米市	1	4	-	-	1	4	-	-	-	-	-	-
長崎市	11	9	-	-	11	9	4	3	-	-	4	3
佐世保市	-	-	-	-	-	-	-	-	-	-	-	-
大分市	-	-	-	-	-	-	-	-	-	-	-	-
宮崎市	-	-	-	-	-	-	-	-	-	-	-	-
鹿児島市	-	-	-	-	-	-	-	-	-	-	-	-
那覇市	-	-	-	-	-	-	-	-	-	-	-	-

退職者数，都道府県－指定都市－中核市、常勤－非常勤、経営主体の公営－私営別

第16表－1　保育所等・小規模保育事業所の保育士の採用・

（単位：人）

| 都道府県 | 保育所等 保育所型認定こども園 非常勤 | | | | | | うち28年度に学校を卒業した者 | | | | | |
| | 総数 | | 公営 | | 私営 | | 総数 | | 公営 | | 私営 | |
	採用者数	退職者数	採用者数	退職者数	採用者数	退職者数	採用者数	退職者数	採月者数	退職者数	採用者数	退職者数
全　　　　国	515	338	124	95	391	243	16	6	5	3	11	3
北　海　道	25	14	2	4	23	10	－	－	－	－	－	－
青　　　森	11	5	－	－	11	5	－	－	－	－	－	－
岩　　　手	－	1	－	1	－	－	－	－	－	－	－	－
宮　　　城	3	3	－	－	3	3	－	－	－	－	－	－
秋　　　田	1	－	－	－	1	－	－	－	－	－	－	－
山　　　形	4	1	－	1	4	－	－	－	－	－	－	－
福　　　島	－	－	－	－	－	－	－	－	－	－	－	－
茨　　　城	3	9	－	1	3	8	1	－	－	－	1	－
栃　　　木	2	－	－	－	2	－	－	－	－	－	－	－
群　　　馬	2	－	2	－	－	－	－	－	－	－	－	－
埼　　　玉	1	1	－	－	1	1	－	－	－	－	－	－
千　　　葉	26	15	4	2	22	13	－	－	－	－	－	－
東　　　京	73	54	38	29	35	25	1	－	－	－	1	－
神　奈　川	3	1	－	－	3	1	1	－	－	－	1	－
新　　　潟	4	－	－	－	4	－	－	－	－	－	－	－
富　　　山	－	1	－	－	－	1	－	－	－	－	－	－
石　　　川	19	7	14	5	5	2	－	－	－	－	－	－
福　　　井	－	－	－	－	－	－	－	－	－	－	－	－
山　　　梨	4	－	4	－	－	－	－	－	－	－	－	－
長　　　野	9	11	9	11	－	－	3	3	3	3	－	－
岐　　　阜	19	17	1	－	18	17	－	－	－	－	－	－
静　　　岡	8	－	1	－	7	－	1	－	1	－	－	－
愛　　　知	6	9	5	9	1	－	－	－	－	－	－	－
三　　　重	7	4	2	－	5	4	－	－	－	－	－	－
滋　　　賀	1	1	1	1	－	－	－	－	－	－	－	－
京　　　都	－	－	－	－	－	－	－	－	－	－	－	－
大　　　阪	3	4	－	－	3	4	－	－	－	－	－	－
兵　　　庫	16	12	－	－	16	12	－	－	－	－	－	－
奈　　　良	－	－	－	－	－	－	－	－	－	－	－	－
和　歌　山	10	8	1	1	9	7	－	－	－	－	－	－
鳥　　　取	9	3	6	2	3	1	－	－	－	－	－	－
島　　　根	23	20	15	14	8	6	－	－	－	－	－	－
岡　　　山	5	3	5	3	－	－	－	－	－	－	－	－
広　　　島	13	5	5	－	8	5	－	－	－	－	－	－
山　　　口	－	－	－	－	－	－	－	－	－	－	－	－
徳　　　島	2	4	2	2	－	2	1	－	1	－	－	－
香　　　川	－	－	－	－	－	－	－	－	－	－	－	－
愛　　　媛	3	－	2	－	1	－	－	－	－	－	－	－
高　　　知	3	2	－	－	3	2	－	－	－	－	－	－
福　　　岡	12	7	1	－	11	7	－	－	－	－	－	－
佐　　　賀	1	2	－	－	1	2	－	－	－	－	－	－
長　　　崎	11	6	－	－	11	6	－	－	－	－	－	－
熊　　　本	1	1	－	－	1	1	－	－	－	－	－	－
大　　　分	7	6	－	－	7	6	1	－	－	－	1	－
宮　　　崎	11	9	－	－	11	9	－	－	－	－	－	－
鹿　児　島	4	8	1	3	3	5	－	－	－	－	－	－
沖　　　縄	1	1	－	－	1	1	－	－	－	－	－	－

平成28年10月 1 日～平成29年 9 月30日

指定都市 中核市	保育所等 保育所型認定こども園 非常勤 総数 採用者数	退職者数	公営 採用者数	退職者数	私営 採用者数	退職者数	うち28年度に学校を卒業した者 総数 採用者数	退職者数	公営 採用者数	退職者数	私営 採用者数	退職者数
指定都市（別掲）												
札幌市	3	2	-	-	3	2	2	-	-	-	2	-
仙台市	-	-	-	-	-	-	-	-	-	-	-	-
さいたま市	-	6	-	6	-	-	-	-	-	-	-	-
千葉市	-	-	-	-	-	-	-	-	-	-	-	-
横浜市	-	-	-	-	-	-	-	-	-	-	-	-
川崎市	-	-	-	-	-	-	-	-	-	-	-	-
相模原市	-	-	-	-	-	-	-	-	-	-	-	-
新潟市	19	2	-	-	19	2	-	-	-	-	-	-
静岡市	-	-	-	-	-	-	-	-	-	-	-	-
浜松市	3	3	-	-	3	3	-	-	-	-	-	-
名古屋市	8	9	-	-	8	9	2	2	-	-	2	2
京都市	9	3	-	-	9	3	-	-	-	-	-	-
大阪市	2	-	-	-	2	-	-	-	-	-	-	-
堺市	2	1	-	-	2	1	-	-	-	-	-	-
神戸市	-	-	-	-	-	-	-	-	-	-	-	-
岡山市	7	1	2	-	5	1	-	-	-	-	-	-
広島市	-	-	-	-	-	-	-	-	-	-	-	-
北九州市	-	-	-	-	-	-	-	-	-	-	-	-
福岡市	-	-	-	-	-	-	-	-	-	-	-	-
熊本市	-	-	-	-	-	-	-	-	-	-	-	-
中核市（別掲）												
旭川市	10	7	-	-	10	7	-	-	-	-	-	-
函館市	4	5	-	-	4	5	1	-	-	-	1	-
青森市	-	-	-	-	-	-	-	-	-	-	-	-
八戸市	9	3	-	-	9	3	-	-	-	-	-	-
盛岡市	-	-	-	-	-	-	-	-	-	-	-	-
秋田市	-	-	-	-	-	-	-	-	-	-	-	-
郡山市	-	-	-	-	-	-	-	-	-	-	-	-
いわき市	-	-	-	-	-	-	-	-	-	-	-	-
宇都宮市	1	1	-	-	1	1	-	-	-	-	-	-
前橋市	-	-	-	-	-	-	-	-	-	-	-	-
高崎市	-	-	-	-	-	-	-	-	-	-	-	-
川越市	-	-	-	-	-	-	-	-	-	-	-	-
越谷市	-	-	-	-	-	-	-	-	-	-	-	-
船橋市	-	-	-	-	-	-	-	-	-	-	-	-
柏市	-	-	-	-	-	-	-	-	-	-	-	-
八王子市	-	-	-	-	-	-	-	-	-	-	-	-
横須賀市	-	2	-	-	-	2	-	-	-	-	-	-
富山市	-	-	-	-	-	-	-	-	-	-	-	-
金沢市	17	7	-	-	17	7	-	-	-	-	-	-
長野市	-	-	-	-	-	-	-	-	-	-	-	-
岐阜市	-	-	-	-	-	-	-	-	-	-	-	-
豊橋市	-	-	-	-	-	-	-	-	-	-	-	-
豊田市	-	-	-	-	-	-	-	-	-	-	-	-
岡崎市	-	-	-	-	-	-	-	-	-	-	-	-
大津市	-	-	-	-	-	-	-	-	-	-	-	-
高槻市	-	-	-	-	-	-	-	-	-	-	-	-
東大阪市	-	-	-	-	-	-	-	-	-	-	-	-
豊中市	-	-	-	-	-	-	-	-	-	-	-	-
枚方市	-	-	-	-	-	-	-	-	-	-	-	-
姫路市	24	6	-	-	24	6	2	1	-	-	2	1
西宮市	-	-	-	-	-	-	-	-	-	-	-	-
尼崎市	-	-	-	-	-	-	-	-	-	-	-	-
奈良市	-	-	-	-	-	-	-	-	-	-	-	-
和歌山市	-	-	-	-	-	-	-	-	-	-	-	-
倉敷市	-	4	-	-	-	4	-	-	-	-	-	-
福山市	1	1	-	-	1	1	-	-	-	-	-	-
呉市	-	-	-	-	-	-	-	-	-	-	-	-
下関市	-	-	-	-	-	-	-	-	-	-	-	-
松山市	-	-	-	-	-	-	-	-	-	-	-	-
高松市	9	7	1	-	8	7	-	-	-	-	-	-
高知市	10	6	-	-	10	6	-	-	-	-	-	-
久留米市	-	2	-	-	-	2	-	-	-	-	-	-
長崎市	11	5	-	-	11	5	-	-	-	-	-	-
佐世保市	-	-	-	-	-	-	-	-	-	-	-	-
大分市	-	-	-	-	-	-	-	-	-	-	-	-
宮崎市	-	-	-	-	-	-	-	-	-	-	-	-
鹿児島市	-	-	-	-	-	-	-	-	-	-	-	-
那覇市	-	-	-	-	-	-	-	-	-	-	-	-

第16表－1　保育所等・小規模保育事業所の保育士の採用・

（単位：人）

都道府県	保育所等 保育所 常勤 総数 採用者数	退職者数	公営 採用者数	退職者数	私営 採用者数	退職者数	うち28年度に学校を卒業した者 総数 採用者数	退職者数	公営 採用者数	退職者数	私営 採用者数	退職者数
全　　　　国	41 195	28 064	8 246	5 957	32 949	22 107	16 482	1 296	2 953	100	13 529	1 196
北　海　道	448	327	184	129	264	198	166	12	70	2	96	10
青　　　森	189	171	9	13	180	158	54	6	－	－	54	6
岩　　　手	331	220	82	50	249	170	112	13	18	1	94	12
宮　　　城	372	254	131	78	241	176	156	8	52	－	104	8
秋　　　田	137	100	17	30	120	70	52	2	6	1	46	1
山　　　形	291	222	51	45	240	177	108	7	11	－	97	7
福　　　島	338	238	158	122	180	116	98	3	31	1	67	2
茨　　　城	728	619	148	154	580	465	293	25	33	1	260	24
栃　　　木	359	294	131	106	228	188	139	8	24	－	115	8
群　　　馬	307	256	99	74	208	182	113	10	17	1	96	9
埼　　　玉	1 700	1 194	262	236	1 438	958	661	51	97	3	564	48
千　　　葉	1 342	787	287	229	1 055	558	481	46	84	6	397	40
東　　　京	6 544	3 485	752	371	5 792	3 114	2 437	169	321	5	2 116	164
神　奈　川	808	550	97	62	711	488	317	28	45	2	272	26
新　　　潟	352	287	106	119	246	168	162	8	41	－	121	8
富　　　山	175	131	64	43	111	88	101	7	35	－	66	7
石　　　川	136	131	65	56	71	75	76	3	33	1	43	2
福　　　井	199	122	81	47	118	75	99	5	32	1	67	4
山　　　梨	237	199	96	94	141	105	91	5	17	－	74	5
長　　　野	430	292	320	215	110	77	192	9	131	6	61	3
岐　　　阜	377	278	201	130	176	148	178	10	74	3	104	7
静　　　岡	462	386	124	119	338	267	214	11	44	2	170	9
愛　　　知	1 153	645	709	334	444	311	639	35	394	9	245	26
三　　　重	573	412	243	168	330	244	284	17	85	2	199	15
滋　　　賀	322	255	96	86	226	169	162	15	38	－	124	15
京　　　都	325	278	150	132	175	146	116	12	26	1	90	11
大　　　阪	921	639	292	221	629	418	309	27	57	1	252	26
兵　　　庫	618	381	113	86	505	295	221	25	29	1	192	24
奈　　　良	268	237	94	91	174	146	102	13	32	－	70	13
和　歌　山	159	127	87	70	72	57	54	5	28	1	26	4
鳥　　　取	170	142	79	47	91	95	74	13	16	8	58	5
島　　　根	323	220	35	26	288	194	149	12	10	－	139	12
岡　　　山	223	154	82	70	141	84	120	6	33	2	87	4
広　　　島	219	175	52	55	167	120	103	5	23	1	80	4
山　　　口	373	283	101	79	272	204	133	14	22	1	111	13
徳　　　島	239	223	110	114	129	109	77	5	20	1	57	4
香　　　川	151	129	69	66	82	63	64	5	25	1	39	4
愛　　　媛	216	214	93	117	123	97	94	7	44	2	50	5
高　　　知	137	120	72	68	65	52	39	－	21	－	18	－
福　　　岡	862	660	159	110	703	550	299	22	15	1	284	21
佐　　　賀	266	231	41	60	225	171	108	10	15	4	93	6
長　　　崎	202	165	22	21	180	144	93	8	5	－	88	8
熊　　　本	484	343	45	43	439	300	149	8	8	1	141	7
大　　　分	160	139	14	16	146	123	75	7	4	－	71	7
宮　　　崎	195	175	28	17	167	158	50	－	6	－	44	－
鹿　児　島	267	266	24	23	243	243	87	5	2	－	85	5
沖　　　縄	889	545	119	89	770	456	203	11	15	3	188	8

退職者数，都道府県－指定都市－中核市、常勤－非常勤、経営主体の公営－私営別

指定都市 中核市	保育所等											
	保育所											
	常勤						うち28年度に学校を卒業した者					
	総数		公営		私営		総数		公営		私営	
	採用者数	退職者数	採用者数	退職者数	採用者数	退職者数	採用者数	退職者数	採用者数	退職者数	採用者数	退職者数
指定都市（別掲）												
札幌市	729	602	61	38	668	564	278	32	20	1	258	31
仙台市	525	368	67	67	458	301	218	14	18	3	200	11
さいたま市	458	288	50	49	408	239	174	11	28	1	146	10
千葉市	313	168	62	29	251	139	125	9	34	1	91	8
横浜市	1 800	1 100	101	45	1 699	1 055	684	75	23	－	661	75
川崎市	908	542	4	20	904	522	387	29	1	－	386	29
相模原市	209	151	10	8	199	143	87	6	6	－	81	6
新潟市	317	181	61	32	256	149	145	7	31	－	114	7
静岡市	91	67	－	－	91	67	51	4	－	－	51	4
浜松市	119	90	24	23	95	67	48	1	9	－	39	1
名古屋市	724	507	74	76	650	431	323	34	49	1	274	33
京都市	462	300	26	21	436	279	206	16	5	－	201	16
大阪市	994	684	73	32	921	652	342	31	14	1	328	30
堺市	51	41	－	－	51	41	26	2	－	－	26	2
神戸市	214	130	62	27	152	103	119	12	31	－	88	12
岡山市	237	146	54	42	183	104	122	7	31	1	91	6
広島市	396	263	106	47	290	216	190	17	46	－	144	17
北九州市	364	228	18	14	346	214	109	15	9	－	100	15
福岡市	646	470	6	4	640	466	293	35	4	－	289	35
熊本市	230	146	17	4	213	142	87	9	7	－	80	9
中核市（別掲）												
旭川市	111	60	9	8	102	52	40	2	2	－	38	2
函館市	18	17	10	10	8	7	6	－	－	－	6	－
青森市	89	90	－	－	89	90	26	5	－	－	26	5
八戸市	17	14	－	－	17	14	5	1	－	－	5	1
盛岡市	84	98	2	19	82	79	41	5	－	－	41	5
秋田市	113	73	4	6	109	67	51	2	－	－	51	2
郡山市	113	59	16	20	97	39	33	3	5	2	28	1
いわき市	65	57	27	27	38	30	17	－	7	－	10	－
宇都宮市	160	113	10	1	150	112	61	5	3	－	58	5
前橋市	60	49	22	26	38	23	24	4	6	－	18	4
高崎市	69	43	7	1	62	42	34	－	2	－	32	－
川越市	100	70	23	22	77	48	31	2	9	－	22	2
越谷市	59	44	15	7	44	37	43	3	7	－	36	3
船橋市	342	185	65	19	277	166	188	16	60	1	128	15
柏市	142	81	44	33	98	48	40	1	13	－	27	1
八王子市	193	157	17	13	176	144	114	11	9	2	105	9
横須賀市	62	42	7	5	55	37	29	1	－	－	29	1
富山市	28	15	25	13	3	2	23	－	21	－	2	－
金沢市	95	100	12	19	83	81	38	6	7	1	31	5
長野市	104	84	23	20	81	64	53	6	11	－	42	6
岐阜市	80	58	32	19	48	39	46	8	14	1	32	7
豊橋市	105	95	10	8	95	87	52	5	6	－	46	5
豊田市	112	52	79	21	33	31	60	2	33	2	27	－
岡崎市	95	47	62	15	33	32	52	1	32	1	20	－
大津市	99	101	10	10	89	91	60	4	4	－	56	4
高槻市	53	29	6	3	47	26	28	3	1	－	27	3
東大阪市	114	92	15	14	99	78	63	7	4	－	59	7
豊中市	145	55	－	－	145	55	66	9	－	－	66	9
枚方市	143	112	22	14	121	98	54	9	8	1	46	8
姫路市	71	61	24	17	47	44	38	－	11	－	27	－
西宮市	124	93	43	32	81	61	56	2	11	－	45	2
尼崎市	161	131	35	30	126	101	81	10	14	－	67	10
奈良市	110	61	55	10	55	51	31	4	5	－	26	4
和歌山市	58	56	6	7	52	49	32	1	2	－	30	1
倉敷市	147	120	23	16	124	104	81	8	9	－	72	8
福山市	116	83	35	25	81	58	65	6	19	1	46	5
呉市	62	38	10	14	52	24	32	－	3	－	29	－
下関市	65	72	12	9	53	63	32	5	4	－	28	5
高松市	110	88	32	19	78	69	58	10	19	1	39	9
松山市	95	86	28	20	67	66	49	1	12	－	37	1
高知市	176	147	42	31	134	116	60	5	8	1	52	4
久留米市	126	113	7	3	119	110	49	5	5	－	44	5
長崎市	135	75	11	12	124	63	59	5	4	－	55	5
佐世保市	91	88	3	2	88	86	31	－	－	－	31	－
大分市	210	86	21	4	189	82	53	5	3	1	50	4
宮崎市	116	84	7	6	109	78	39	2	3	－	36	2
鹿児島市	293	194	4	8	289	186	82	5	1	－	81	5
那覇市	195	123	4	10	191	113	58	2	1	－	57	2

退職者数，都道府県－指定都市－中核市、常勤－非常勤、経営主体の公営－私営別

第16表－1　保育所等・小規模保育事業所の保育士の採用・

（単位：人）

都道府県	保育所等											
	保育所											
	非　　常　　勤						うち28年度に学校を卒業した者					
	総　数		公　営		私　営		総　数		公　営		私　営	
	採用者数	退職者数	採用者数	退職者数	採用者数	退職者数	採用者数	退職者数	採用者数	退職者数	採用者数	退職者数
全　　　　国	21 113	13 503	5 511	4 211	15 602	9 292	637	165	212	55	425	110
北　海　道	312	201	99	86	213	115	4	-	-	-	4	-
青　　　森	82	58	-	-	82	58	3	-	-	-	3	-
岩　　　手	134	75	50	27	84	48	2	1	-	-	2	1
宮　　　城	126	113	60	71	66	42	3	1	2	-	1	1
秋　　　田	51	40	19	14	32	26	-	-	-	-	-	-
山　　　形	85	71	31	43	54	28	4	2	2	2	2	-
福　　　島	82	63	36	38	46	25	2	2	-	-	2	2
茨　　　城	416	290	86	72	330	218	10	4	2	2	8	2
栃　　　木	187	120	63	38	124	82	2	1	-	-	2	1
群　　　馬	239	139	56	32	183	107	4	-	2	-	2	-
埼　　　玉	856	589	172	147	684	442	13	2	5	-	8	2
千　　　葉	644	419	176	171	468	248	18	10	13	6	5	4
東　　　京	2 780	1 721	624	476	2 156	1 245	81	25	24	4	57	21
神　奈　川	509	302	97	68	412	234	12	2	1	-	11	2
新　　　潟	190	113	67	56	123	57	15	-	7	-	8	-
富　　　山	77	54	22	17	55	37	3	1	1	-	2	1
石　　　川	94	67	44	39	50	28	-	-	-	-	-	-
福　　　井	113	72	57	38	56	34	5	-	5	-	-	-
山　　　梨	131	86	42	27	89	59	1	1	-	-	1	1
長　　　野	202	141	144	102	58	39	21	3	16	3	5	-
岐　　　阜	243	171	90	67	153	104	11	5	4	1	7	4
静　　　岡	310	193	61	49	249	144	5	-	2	-	3	-
愛　　　知	909	710	653	510	256	200	38	9	29	7	9	2
三　　　重	292	196	138	99	154	97	8	3	5	1	3	2
滋　　　賀	223	147	103	68	120	79	9	5	7	3	2	2
京　　　都	281	184	135	111	146	73	7	3	-	-	7	3
大　　　阪	427	263	128	87	299	176	9	2	-	-	9	2
兵　　　庫	361	170	66	31	295	139	6	3	1	1	5	2
奈　　　良	136	89	39	33	97	56	4	1	1	1	3	-
和　歌　山	65	36	32	18	33	18	4	1	4	1	-	-
鳥　　　取	74	41	44	13	30	28	6	-	4	-	2	-
島　　　根	131	75	27	15	104	60	1	-	-	-	1	-
岡　　　山	97	65	24	19	73	46	7	-	2	-	5	-
広　　　島	110	70	36	22	74	48	8	1	4	1	4	-
山　　　口	192	124	55	54	137	70	2	1	-	-	2	1
徳　　　島	81	41	19	13	62	28	2	1	-	-	2	1
香　　　川	62	45	24	24	38	21	2	1	2	1	-	-
愛　　　媛	132	63	75	35	57	28	6	1	2	-	4	1
高　　　知	43	27	15	10	28	17	-	-	-	-	-	-
福　　　岡	430	285	81	45	349	240	6	2	1	-	5	2
佐　　　賀	182	120	51	35	131	85	5	-	-	-	5	-
長　　　崎	167	99	19	13	148	86	9	1	-	-	9	1
熊　　　本	333	221	44	54	289	167	15	1	2	-	13	1
大　　　分	88	64	7	25	81	39	-	-	-	-	-	-
宮　　　崎	130	67	34	20	96	47	1	-	1	-	-	-
鹿　児　島	229	177	13	13	216	164	2	-	-	-	2	-
沖　　　縄	348	173	62	36	286	137	32	2	3	1	29	1

退職者数, 都道府県－指定都市－中核市、常勤－非常勤、経営主体の公営－私営別

平成28年10月1日～平成29年9月30日

指定都市 中核市	保育所等 保育所 非常勤 総数 採用者数	退職者数	公営 採用者数	退職者数	私営 採用者数	退職者数	うち28年度に学校を卒業した者 総数 採用者数	退職者数	公営 採用者数	退職者数	私営 採用者数	退職者数
指定都市（別掲）												
札幌市	255	129	19	9	236	120	10	－	－	－	10	－
仙台市	195	121	58	57	137	64	3	1	1	－	2	1
さいたま市	245	135	28	42	217	93	7	2	1	1	6	1
千葉市	209	173	81	101	128	72	4	4	4	4	－	－
横浜市	1 054	595	211	122	843	473	22	13	1	－	21	13
川崎市	271	177	10	9	261	168	8	1	－	－	8	1
相模原市	116	79	17	24	99	55	1	－	－	－	1	－
新潟市	135	85	25	28	110	57	9	3	3	2	6	1
静岡市	67	39	－	－	67	39	3	1	－	－	3	1
浜松市	68	50	18	10	50	40	－	－	－	－	－	－
名古屋市	408	257	84	103	324	154	20	1	12	－	8	1
京都市	350	173	11	8	339	165	17	3	－	－	17	3
大阪市	494	279	21	7	473	272	13	7	－	－	13	7
堺市	46	29	－	－	46	29	2	－	－	－	2	－
神戸市	203	125	120	76	83	49	10	6	6	5	4	1
岡山市	109	57	43	20	66	37	4	－	－	－	4	－
広島市	213	130	102	50	111	80	3	－	3	－	－	－
北九州市	135	144	7	11	128	133	3	－	－	－	3	－
福岡市	283	207	24	6	259	201	8	3	1	－	7	3
熊本市	139	111	－	－	139	111	8	1	－	－	8	1
中核市（別掲）												
旭川市	51	34	2	3	49	31	－	－	－	－	－	－
函館市	6	7	－	－	6	7	－	－	－	－	－	－
青森市	34	22	－	－	34	22	3	2	－	－	3	2
八戸市	18	7	－	－	18	7	1	－	－	－	1	－
盛岡市	43	28	12	16	31	12	－	－	－	－	－	－
秋田市	51	28	2	1	49	27	－	－	－	－	－	－
山形市	25	15	9	10	16	5	1	1	－	－	1	1
いわき市	15	16	10	9	5	7	－	－	－	－	－	－
宇都宮市	94	45	14	－	80	45	1	－	－	－	1	－
前橋市	36	25	11	11	25	14	1	－	－	－	1	－
高崎市	54	43	20	21	34	22	3	－	1	－	2	－
川越市	69	25	16	8	53	17	1	－	1	－	－	－
越谷市	23	18	4	11	19	7	－	－	－	－	－	－
船橋市	108	69	45	39	63	30	1	1	－	－	1	1
柏市	110	49	57	37	53	12	2	2	2	2	－	－
八王子市	102	79	5	7	97	72	4	3	－	－	4	3
横須賀市	36	17	10	9	26	8	－	－	－	－	－	－
富山市	9	10	9	10	－	－	1	－	1	－	－	－
金沢市	74	64	14	14	60	50	1	1	－	－	1	1
長野市	55	35	4	4	51	31	2	－	－	－	2	－
岐阜市	40	29	8	6	32	23	－	－	－	－	－	－
豊橋市	52	29	－	2	52	27	－	－	－	－	－	－
豊田市	68	41	45	24	23	17	4	－	2	－	2	－
岡崎市	55	36	36	24	19	12	4	1	4	1	－	－
大津市	41	41	6	9	35	32	－	－	－	－	－	－
高槻市	23	17	1	3	22	14	－	－	－	－	－	－
東大阪市	35	16	8	1	27	15	1	－	1	－	－	－
豊中市	57	28	－	－	57	28	－	－	－	－	－	－
枚方市	86	72	11	5	75	67	2	1	－	－	2	1
姫路市	51	24	13	8	38	16	5	－	3	－	2	－
西宮市	47	38	17	21	30	17	2	1	1	1	1	－
尼崎市	74	51	7	5	67	46	7	4	2	2	5	2
奈良市	64	23	36	7	28	16	3	－	－	－	3	－
和歌山市	20	27	1	4	19	23	1	－	－	－	1	－
倉敷市	79	53	9	6	70	47	1	－	1	－	－	－
福山市	82	52	28	13	54	39	－	－	－	－	－	－
呉市	19	17	10	10	9	7	－	－	－	－	－	－
下関市	40	22	19	7	21	15	3	2	3	2	－	－
高松市	70	29	19	2	51	27	1	－	1	－	－	－
松山市	35	30	5	2	30	28	－	－	－	－	－	－
高知市	45	40	22	24	23	16	－	－	－	－	－	－
久留米市	82	36	7	3	75	33	－	－	－	－	－	－
長崎市	87	66	30	24	57	42	4	1	1	－	3	1
佐世保市	57	40	－	1	57	39	3	1	－	－	3	1
大分市	75	37	3	－	72	37	－	－	－	－	－	－
宮崎市	83	70	4	4	79	66	2	－	－	－	2	－
鹿児島市	187	97	11	13	176	84	1	－	1	－	－	－
那覇市	65	61	12	9	53	52	9	－	1	－	8	－

退職者数, 都道府県－指定都市－中核市、常勤－非常勤、経営主体の公営－私営別

第16表－1　保育所等・小規模保育事業所の保育士の採用・

（単位：人）

都道府県	小規模保育事業所 総数											
	常勤						うち28年度に学校を卒業した者					
	総数		公営		私営		総数		公営		私営	
	採用者数	退職者数	採用者数	退職者数	採用者数	退職者数	採用者数	退職者数	採用者数	退職者数	採用者数	退職者数
全国	5 412	1 653	8	3	5 404	1 650	701	87	2	－	699	87
北海道	34	9	－	－	34	9	5	1	－	－	5	1
青森	－	－	－	－	－	－	－	－	－	－	－	－
岩手	31	5	－	－	31	5	7	1	－	－	7	1
宮城	109	39	－	－	109	39	17	－	－	－	17	－
秋田	1	1	－	－	1	1	－	－	－	－	－	－
山形	34	16	－	－	34	16	4	－	－	－	4	－
福島	58	19	－	－	58	19	11	1	－	－	11	1
茨城	38	13	－	－	38	13	5	－	－	－	5	－
栃木	68	17	－	－	68	17	7	－	－	－	7	－
群馬	－	－	－	－	－	－	－	－	－	－	－	－
埼玉	335	126	－	－	335	126	38	4	－	－	38	4
千葉	－	－	－	－	－	－	－	－	－	－	－	－
東京	785	233	－	－	785	233	68	14	－	－	68	14
神奈川	125	39	－	－	125	39	16	1	－	－	16	1
新潟	16	2	－	－	16	2	9	－	－	－	9	－
富山	－	－	－	－	－	－	－	－	－	－	－	－
石川	8	1	－	－	8	1	－	－	－	－	－	－
福井	3	－	1	－	2	－	2	－	－	－	2	－
山梨	16	8	－	－	16	8	4	－	－	－	4	－
長野	23	2	－	－	23	2	5	－	－	－	5	－
岐阜	24	3	－	－	24	3	5	－	－	－	5	－
静岡	82	29	－	－	82	29	9	－	－	－	9	－
愛知	111	18	－	－	111	18	15	2	－	－	15	2
三重	20	5	－	－	20	5	5	－	－	－	5	－
滋賀	51	13	－	－	51	13	13	－	－	－	13	－
京都	28	2	－	－	28	2	2	－	－	－	2	－
大阪	149	35	－	－	149	35	30	2	－	－	30	2
兵庫	84	15	－	－	84	15	15	1	－	－	15	1
奈良	18	2	2	2	16	－	－	－	－	－	－	－
和歌山	3	－	－	－	3	－	－	－	－	－	－	－
鳥取	84	11	－	－	84	11	3	－	－	－	3	－
島根	10	1	－	－	10	1	1	－	－	－	1	－
岡山	1	1	－	－	1	1	－	－	－	－	－	－
広島	3	1	－	－	3	1	－	－	－	－	－	－
山口	21	6	－	－	21	6	4	－	－	－	4	－
徳島	7	1	－	－	7	1	－	－	－	－	－	－
香川	12	－	－	－	12	－	3	－	－	－	3	－
愛媛	8	4	－	－	8	4	1	1	－	－	1	1
高知	9	5	－	－	9	5	4	－	－	－	4	－
福岡	－	－	－	－	－	－	－	－	－	－	－	－
佐賀	71	9	－	－	71	9	5	1	－	－	5	1
長崎	21	10	－	－	21	10	1	－	－	－	1	－
熊本	19	3	－	－	19	3	1	－	－	－	1	－
大分	6	－	－	－	6	－	－	－	－	－	－	－
宮崎	10	2	3	1	7	1	3	－	1	－	2	－
鹿児島	24	6	－	－	24	6	4	－	－	－	4	－
沖縄	205	59	－	－	205	59	10	2	－	－	10	2

退職者数, 都道府県－指定都市－中核市、常勤－非常勤、経営主体の公営－私営別

指定都市 中核市	小規模保育事業所 総数											
	常 勤						うち28年度に学校を卒業した者					
	総数		公営		私営		総数		公営		私営	
	採用者数	退職者数	採用者数	退職者数	採用者数	退職者数	採用者数	退職者数	採用者数	退職者数	採用者数	退職者数
指定都市（別掲）												
札幌市	139	45	-	-	139	45	16	2	-	-	16	2
仙台市	122	33	-	-	122	33	29	4	-	-	29	4
さいたま市	183	52	-	-	183	52	22	4	-	-	22	4
千葉市	78	23	-	-	78	23	14	4	-	-	14	4
横浜市	213	73	-	-	213	73	17	3	-	-	17	3
川崎市	59	31	-	-	59	31	5	-	-	-	5	-
相模原市	46	15	-	-	46	15	11	-	-	-	11	-
新潟市	12	4	-	-	12	4	2	-	-	-	2	-
静岡市	54	20	-	-	54	20	12	-	-	-	12	-
浜松市	46	6	-	-	46	6	3	-	-	-	3	-
名古屋市	138	53	-	-	138	53	17	3	-	-	17	3
京都市	143	33	-	-	143	33	20	3	-	-	20	3
大阪市	203	87	-	-	203	87	24	5	-	-	24	5
堺市	55	26	-	-	55	26	12	5	-	-	12	5
神戸市	148	62	-	-	148	62	19	2	-	-	19	2
岡山市	15	5	-	-	15	5	5	-	-	-	5	-
広島市	83	7	-	-	83	7	10	1	-	-	10	1
北九州市	46	11	-	-	46	11	4	1	-	-	4	1
福岡市	161	69	-	-	161	69	23	1	-	-	23	1
熊本市	88	29	-	-	88	29	2	1	-	-	2	1
中核市（別掲）												
旭川市	19	5	-	-	19	5	6	-	-	-	6	-
函館市	-	-	-	-	-	-	-	-	-	-	-	-
青森市	-	-	-	-	-	-	-	-	-	-	-	-
八戸市	-	-	-	-	-	-	-	-	-	-	-	-
盛岡市	12	7	-	-	12	7	1	-	-	-	1	-
秋田市	11	7	-	-	11	7	1	1	-	-	1	1
郡山市	34	9	-	-	34	9	4	1	-	-	4	1
いわき市	5	2	-	-	5	2	-	-	-	-	-	-
宇都宮市	52	13	-	-	52	13	6	-	-	-	6	-
前橋市	-	-	-	-	-	-	-	-	-	-	-	-
高崎市	-	-	-	-	-	-	-	-	-	-	-	-
川越市	18	10	-	-	18	10	1	1	-	-	1	1
越谷市	35	14	-	-	35	14	3	-	-	-	3	-
船橋市	39	15	-	-	39	15	2	-	-	-	2	-
柏市	11	2	-	-	11	2	1	-	-	-	1	-
八王子市	3	3	-	-	3	3	-	-	-	-	-	-
横須賀市	-	-	-	-	-	-	-	-	-	-	-	-
富山市	-	-	-	-	-	-	-	-	-	-	-	-
金沢市	-	-	-	-	-	-	-	-	-	-	-	-
長野市	6	1	-	-	6	1	2	1	-	-	2	1
岐阜市	23	3	2	-	21	3	7	-	1	-	6	-
豊橋市	-	-	-	-	-	-	-	-	-	-	-	-
豊田市	1	-	-	-	1	-	-	-	-	-	-	-
岡崎市	-	-	-	-	-	-	-	-	-	-	-	-
大津市	11	7	-	-	11	7	2	2	-	-	2	2
高槻市	53	17	-	-	53	17	4	-	-	-	4	-
東大阪市	19	8	-	-	19	8	4	1	-	-	4	1
豊中市	23	1	-	-	23	1	8	-	-	-	8	-
枚方市	8	2	-	-	8	2	2	-	-	-	2	-
姫路市	-	-	-	-	-	-	-	-	-	-	-	-
西宮市	38	11	-	-	38	11	11	1	-	-	11	1
尼崎市	39	12	-	-	39	12	9	2	-	-	9	2
奈良市	3	1	-	-	3	1	1	-	-	-	1	-
和歌山市	-	-	-	-	-	-	-	-	-	-	-	-
倉敷市	26	8	-	-	26	8	2	2	-	-	2	2
福山市	7	4	-	-	7	4	-	-	-	-	-	-
呉市	2	2	-	-	2	2	-	-	-	-	-	-
下関市	-	-	-	-	-	-	-	-	-	-	-	-
高松市	15	3	-	-	15	3	5	-	-	-	5	-
松山市	45	16	-	-	45	16	16	5	-	-	16	5
高知市	12	2	-	-	12	2	1	-	-	-	1	-
久留米市	-	-	-	-	-	-	-	-	-	-	-	-
長崎市	1	1	-	-	1	1	-	-	-	-	-	-
佐世保市	1	1	-	-	1	1	-	-	-	-	-	-
大分市	10	1	-	-	10	1	2	-	-	-	2	-
宮崎市	10	2	-	-	10	2	-	-	-	-	-	-
鹿児島市	-	-	-	-	-	-	-	-	-	-	-	-
那覇市	23	8	-	-	23	8	1	-	-	-	1	-

退職者数, 都道府県－指定都市－中核市、常勤－非常勤、経営主体の公営－私営別

第16表－1　保育所等・小規模保育事業所の保育士の採用・

（単位：人）

都道府県	小規模保育事業所 総数											
	非　常　勤						うち28年度に学校を卒業した者					
	総　数		公　営		私　営		総　数		公　営		私　営	
	採用者数	退職者数	採用者数	退職者数	採用者数	退職者数	採用者数	退職者数	採用者数	退職者数	採用者数	退職者数
全　　国	3 789	1 383	9	2	3 780	1 381	55	13	－	－	55	13
北　海　道	28	19	－	－	28	19	－	－	－	－	－	－
青　　森	1	－	－	▲	1	－	－	－	－	－	－	－
岩　　手	10	3	－	－	10	3	－	－	－	－	－	－
宮　　城	46	17	－	－	46	17	1	－	－	－	1	－
秋　　田	2	2	－	－	2	2	－	－	－	－	－	－
山　　形	13	4	－	－	13	4	－	－	－	－	－	－
福　　島	17	8	－	－	17	8	－	－	－	－	－	－
茨　　城	17	13	－	－	17	13	－	－	－	－	－	－
栃　　木	30	20	－	－	30	20	－	－	－	－	－	－
群　　馬	1	－	－	－	1	－	－	－	－	－	－	－
埼　　玉	243	100	－	－	243	100	1	1	－	－	1	1
千　　葉	－	－	－	－	－	－	－	－	－	－	－	－
東　　京	435	151	－	－	435	151	4	2	－	－	4	2
神　奈　川	138	37	－	－	138	37	2	－	▲	－	2	－
新　　潟	6	1	－	－	6	1	2	－	－	－	2	－
富　　山	－	－	－	－	－	－	－	－	－	－	－	－
石　　川	5	－	－	－	5	－	－	－	－	－	－	－
福　　井	2	－	－	－	2	－	－	－	－	－	－	－
山　　梨	10	2	－	－	10	2	－	－	－	－	－	－
長　　野	7	2	－	－	7	2	－	－	－	－	－	－
岐　　阜	26	4	－	－	26	4	－	－	－	－	－	－
静　　岡	88	33	－	－	88	33	－	－	－	－	－	－
愛　　知	119	38	－	－	119	38	2	－	－	－	2	－
三　　重	22	6	－	－	22	6	2	1	－	－	2	1
滋　　賀	56	12	－	－	56	12	2	1	－	－	2	1
京　　都	18	2	－	－	18	2	－	－	－	－	－	－
大　　阪	115	48	－	－	115	48	1	－	－	－	1	－
兵　　庫	86	13	－	－	86	13	4	－	－	－	4	－
奈　　良	8	3	2	－	6	3	－	－	－	－	－	－
和　歌　山	7	－	－	－	7	－	－	－	－	－	－	－
鳥　　取	38	10	－	－	38	10	－	－	－	－	－	－
島　　根	3	2	1	1	2	1	－	－	－	－	－	－
岡　　山	－	－	－	－	－	－	－	－	－	－	－	－
広　　島	7	3	－	－	7	3	－	－	－	－	－	－
山　　口	18	6	－	－	18	6	－	－	－	－	－	－
徳　　島	1	－	－	－	1	－	－	－	－	－	－	－
香　　川	7	4	－	－	7	4	－	－	－	－	－	－
愛　　媛	13	6	－	－	13	6	－	－	－	－	－	－
高　　知	4	3	－	1	4	2	－	－	－	－	－	－
福　　岡	－	－	－	－	－	－	－	－	－	－	－	－
佐　　賀	.20	6	－	－	20	6	－	－	－	－	－	－
長　　崎	12	8	－	－	12	8	－	－	－	－	－	－
熊　　本	14	3	－	－	14	3	－	－	－	－	－	－
大　　分	6	－	－	－	6	－	－	－	－	－	－	－
宮　　崎	7	1	1	－	6	1	－	－	－	－	－	－
鹿　児　島	23	7	－	－	23	7	－	－	－	－	－	－
沖　　縄	84	26	－	－	84	26	1	－	－	－	1	－

退職者数，都道府県－指定都市－中核市、常勤－非常勤、経営主体の公営－私営別

平成28年10月1日～平成29年9月30日

指定都市／中核市	小規模保育事業所 総数 非常勤 総数 採用者数	退職者数	公営 採用者数	退職者数	私営 採用者数	退職者数	うち28年度に学校を卒業した者 総数 採用者数	退職者数	公営 採用者数	退職者数	私営 採用者数	退職者数
指定都市（別掲）												
札幌市	91	35	－	－	91	35	－	－	－	－	－	－
仙台市	80	18	－	－	80	18	－	－	－	－	－	－
さいたま市	130	40	－	－	130	40	4	4	－	－	4	4
千葉市	50	26	－	－	50	26	－	－	－	－	－	－
横浜市	148	86	－	－	148	86	2	1	－	－	2	1
川崎市	36	8	－	－	36	8	1	－	－	－	1	－
相模原市	64	20	－	－	64	20	1	－	－	－	1	－
新潟市	8	1	－	－	8	1	－	－	－	－	－	－
静岡市	40	23	－	－	40	23	1	1	－	－	1	1
浜松市	49	16	－	－	49	16	－	－	－	－	－	－
名古屋市	120	50	－	－	120	50	1	－	－	－	1	－
京都市	98	31	－	－	98	31	2	1	－	－	2	1
大阪市	119	78	－	－	119	78	2	－	－	－	2	－
堺市	42	8	－	－	42	8	－	－	－	－	－	－
神戸市	145	58	－	－	145	58	6	1	－	－	6	1
岡山市	16	4	－	－	16	4	－	－	－	－	－	－
広島市	25	6	－	－	25	6	－	－	－	－	－	－
北九州市	41	13	－	－	41	13	－	－	－	－	－	－
福岡市	90	57	－	－	90	57	2	－	－	－	2	－
熊本市	84	24	－	－	84	24	－	－	－	－	－	－
中核市（別掲）												
旭川市	13	6	－	－	13	6	－	－	－	－	－	－
函館市	－	－	－	－	－	－						
青森市	－	－	－	－	－	－						
八戸市	－	－	－	－	－	－						
盛岡市	9	1	－	－	9	1						
秋田市	4	－	－	－	4	－						
郡山市	12	1	－	－	12	1						
いわき市	－	－	－	－	－	－						
宇都宮市	25	7	－	－	25	7	1	－	－	－	1	－
前橋市	－	－	－	－	－	－						
高崎市	－	－	－	－	－	－						
川越市	13	4	－	－	13	4	－	－	－	－	－	－
越谷市	33	13	－	－	33	13	4	－	－	－	4	－
船橋市	43	9	－	－	43	9	－	－	－	－	－	－
柏市	7	3	－	－	7	3	－	－	－	－	－	－
八王子市	7	2	－	－	7	2						
横須賀市	3	－	－	－	3	－						
富山市	－	－	－	－	－	－						
金沢市	－	－	－	－	－	－						
長野市	2	－	－	－	2	－						
岐阜市	19	6	5	－	14	6	－	－	－	－	－	－
豊橋市	－	－	－	－	－	－						
豊田市	1	4	－	－	1	4						
岡崎市	－	－	－	－	－	－						
大津市	27	13	－	－	27	13						
高槻市	27	10	－	－	27	10						
東大阪市	13	9	－	－	13	9						
豊中市	37	9	－	－	37	9	6	－	－	－	6	－
枚方市	7	1	－	－	7	1						
姫路市	－	－	－	－	－	－						
西宮市	39	11	－	－	39	11	－	－	－	－	－	－
尼崎市	29	4	－	－	29	4						
奈良市	15	－	－	－	15	－						
和歌山市	－	－	－	－	－	－						
倉敷市	21	9	－	－	21	9						
福山市	13	7	－	－	13	7						
呉市	4	2	－	－	4	2						
下関市	－	－	－	－	－	－						
高松市	22	4	－	－	22	4						
松山市	23	7	－	－	23	7						
高知市	14	5	－	－	14	5	－	－	－	－	－	－
久留米市	－	－	－	－	－	－						
長崎市	－	2	－	－	－	2						
佐世保市	－	－	－	－	－	－						
大分市	8	4	－	－	8	4						
宮崎市	5	5	－	－	5	5	－	－	－	－	－	－
鹿児島市	－	－	－	－	－	－						
那覇市	5	－	－	－	5	－						

第16表－1　保育所等・小規模保育事業所の保育士の採用・

（単位：人）

都道府県	小規模保育事業所											
	小規模保育事業所 A 型											
	常			勤			うち28年度に学校を卒業した者					
	総 数		公 営		私 営		総 数		公 営		私 営	
	採用者数	退職者数	採用者数	退職者数	採用者数	退職者数	採用者数	退職者数	採用者数	退職者数	採用者数	退職者数
全　　国	4 728	1 354	4	2	4 724	1 352	615	77	1	－	614	77
北　海　道	34	9	－	－	34	9	5	1	－	－	5	1
青　　森	－	－	－	－	－	－	－	－	－	－	－	－
岩　　手	25	3	－	－	25	3	5	1	－	－	5	1
宮　　城	91	31	－	－	91	31	13	－	－	－	13	－
秋　　田	1	1	－	－	1	1	－	－	－	－	－	－
山　　形	21	11	－	－	21	11	2	－	－	－	2	－
福　　島	51	18	－	－	51	18	11	1	－	－	11	1
茨　　城	37	13	－	－	37	13	5	－	－	－	5	－
栃　　木	62	17	－	－	62	17	7	－	－	－	7	－
群　　馬	－	－	－	－	－	－	－	－	－	－	－	－
埼　　玉	204	58	－	－	204	58	17	1	－	－	17	1
千　　葉	－	－	－	－	－	－	－	－	－	－	－	－
東　　京	654	183	－	－	654	183	56	13	－	－	56	13
神　奈　川	119	31	－	－	119	31	16	1	－	－	16	1
新　　潟	12	1	－	－	12	1	7	－	－	－	7	－
富　　山	－	－	－	－	－	－	－	－	－	－	－	－
石　　川	8	1	－	－	8	1	－	－	－	－	－	－
福　　井	2	－	－	－	2	－	2	－	－	－	2	－
山　　梨	13	7	－	－	13	7	4	－	－	－	4	－
長　　野	23	2	－	－	23	2	5	－	－	－	5	－
岐　　阜	17	3	－	－	17	3	5	－	－	－	5	－
静　　岡	70	22	－	－	70	22	8	－	－	－	8	－
愛　　知	105	17	－	－	105	17	15	2	－	－	15	2
三　　重	12	3	－	－	12	3	4	－	－	－	4	－
滋　　賀	48	12	－	－	48	12	12	－	－	－	12	－
京　　都	28	2	－	－	28	2	2	－	－	－	2	－
大　　阪	140	34	－	－	140	34	29	1	－	－	29	1
兵　　庫	84	15	－	－	84	15	15	1	－	－	15	1
奈　　良	18	2	2	2	16	－	－	－	－	－	－	－
和　歌　山	3	－	－	－	3	－	－	－	－	－	－	－
鳥　　取	81	11	－	－	81	11	3	－	－	－	3	－
島　　根	10	1	－	－	10	1	1	－	－	－	1	－
岡　　山	1	－	－	－	1	－	－	－	－	－	－	－
広　　島	3	1	－	－	3	1	－	－	－	－	－	－
山　　口	18	4	－	－	18	4	4	－	－	－	4	－
徳　　島	7	1	－	－	7	1	－	－	－	－	－	－
香　　川	5	－	－	－	5	－	2	－	－	－	2	－
愛　　媛	6	3	－	－	6	3	1	1	－	－	1	1
高　　知	5	2	－	－	5	2	3	－	－	－	3	－
福　　岡	－	－	－	－	－	－	－	－	－	－	－	－
佐　　賀	51	8	－	－	51	8	5	1	－	－	5	1
長　　崎	17	9	－	－	17	9	－	－	－	－	－	－
熊　　本	19	2	－	－	19	2	1	－	－	－	1	－
大　　分	4	－	－	－	4	－	－	－	－	－	－	－
宮　　崎	7	－	－	－	7	－	2	－	－	－	2	－
鹿　児　島	17	3	－	－	17	3	3	－	－	－	3	－
沖　　縄	151	32	－	－	151	32	7	2	－	－	7	2

退職者数, 都道府県－指定都市－中核市、常勤－非常勤、経営主体の公営－私営別

平成28年10月 1 日～平成29年 9 月30日

指定都市／中核市	小規模保育事業所A型 常勤						うち28年度に学校を卒業した者					
	総数		公営		私営		総数		公営		私営	
	採用者数	退職者数	採用者数	退職者数	採用者数	退職者数	採用者数	退職者数	採用者数	退職者数	採用者数	退職者数
指定都市（別掲）												
札幌市	137	45	－	－	137	45	16	2	－	－	16	2
仙台市	99	28	－	－	99	28	25	3	－	－	25	3
さいたま市	171	51	－	－	171	51	20	3	－	－	20	3
千葉市	65	16	－	－	65	16	13	4	－	－	13	4
横浜市	190	64	－	－	190	64	13	2	－	－	13	2
川崎市	41	21	－	－	41	21	4	－	－	－	4	－
相模原市	34	7	－	－	34	7	6	－	－	－	6	－
新潟市	12	4	－	－	12	4	2	－	－	－	2	－
静岡市	54	20	－	－	54	20	12	－	－	－	12	－
浜松市	46	6	－	－	46	6	3	－	－	－	3	－
名古屋市	116	37	－	－	116	37	12	2	－	－	12	2
京都市	132	28	－	－	132	28	18	3	－	－	18	3
大阪市	196	80	－	－	196	80	24	5	－	－	24	5
堺市	53	23	－	－	53	23	12	5	－	－	12	5
神戸市	148	62	－	－	148	62	19	2	－	－	19	2
岡山市	15	5	－	－	15	5	5	－	－	－	5	－
広島市	79	6	－	－	79	6	10	1	－	－	10	1
北九州市	46	11	－	－	46	11	4	1	－	－	4	1
福岡市	154	60	－	－	154	60	23	1	－	－	23	1
熊本市	88	29	－	－	88	29	2	1	－	－	2	1
中核市（別掲）												
旭川市	19	5	－	－	19	5	6	－	－	－	6	－
函館市	－	－	－	－	－	－	－	－	－	－	－	－
青森市	－	－	－	－	－	－	－	－	－	－	－	－
八戸市	－	－	－	－	－	－	－	－	－	－	－	－
盛岡市	8	5	－	－	8	5	－	－	－	－	－	－
秋田市	4	4	－	－	4	4	1	1	－	－	1	1
郡山市	34	9	－	－	34	9	4	1	－	－	4	1
いわき市	5	2	－	－	5	2	－	－	－	－	－	－
宇都宮市	47	10	－	－	47	10	6	－	－	－	6	－
前橋市	－	－	－	－	－	－	－	－	－	－	－	－
高崎市	－	－	－	－	－	－	－	－	－	－	－	－
川越市	9	5	－	－	9	5	1	－	－	－	1	－
越谷市	24	10	－	－	24	10	2	－	－	－	2	－
船橋市	39	15	－	－	39	15	1	－	－	－	1	－
柏市	11	2	－	－	11	2	1	－	－	－	1	－
八王子市	3	3	－	－	3	3	－	－	－	－	－	－
横須賀市	－	－	－	－	－	－	－	－	－	－	－	－
富山市	－	－	－	－	－	－	－	－	－	－	－	－
金沢市	－	－	－	－	－	－	－	－	－	－	－	－
長野市	6	1	－	－	6	1	2	1	－	－	2	1
岐阜市	23	3	2	－	21	3	7	－	1	－	6	－
豊橋市	－	－	－	－	－	－	－	－	－	－	－	－
豊田市	1	－	－	－	1	－	－	－	－	－	－	－
岡崎市	－	－	－	－	－	－	－	－	－	－	－	－
大津市	10	6	－	－	10	6	2	2	－	－	2	2
高槻市	53	17	－	－	53	17	4	－	－	－	4	－
東大阪市	19	8	－	－	19	8	4	1	－	－	4	1
豊中市	23	1	－	－	23	1	8	－	－	－	8	－
枚方市	4	－	－	－	4	－	－	－	－	－	－	－
姫路市	－	－	－	－	－	－	－	－	－	－	－	－
西宮市	35	11	－	－	35	11	10	1	－	－	10	1
尼崎市	39	12	－	－	39	12	9	2	－	－	9	2
奈良市	3	1	－	－	3	1	1	－	－	－	1	－
和歌山市	－	－	－	－	－	－	－	－	－	－	－	－
倉敷市	26	8	－	－	26	8	2	2	－	－	2	2
福山市	7	4	－	－	7	4	－	－	－	－	－	－
呉市	2	2	－	－	2	2	－	－	－	－	－	－
下関市	15	3	－	－	15	3	5	－	－	－	5	－
高松市	45	16	－	－	45	16	16	5	－	－	16	5
高知市	9	2	－	－	9	2	1	－	－	－	1	－
久留米市	－	－	－	－	－	－	－	－	－	－	－	－
長崎市	1	1	－	－	1	1	－	－	－	－	－	－
佐世保市	1	1	－	－	1	1	－	－	－	－	－	－
大分市	10	1	－	－	10	1	2	－	－	－	2	－
宮崎市	10	2	－	－	10	2	－	－	－	－	－	－
鹿児島市	－	－	－	－	－	－	－	－	－	－	－	－
那覇市	23	8	－	－	23	8	1	－	－	－	1	－

退職者数, 都道府県－指定都市－中核市、常勤－非常勤、経営主体の公営－私営別

第16表－1　保育所等・小規模保育事業所の保育士の採用・

（単位：人）

都道府県	小規模保育事業所											
	小規模保育事業所　A　型											
	非　　常　　勤						うち28年度に学校を卒業した者					
	総　数		公　営		私　営		総　数		公　営		私　営	
	採用者数	退職者数	採用者数	退職者数	採用者数	退職者数	採用者数	退職者数	採用者数	退職者数	採用者数	退職者数
全　　　国	3 190	1 134	8	2	3 182	1 132	47	11	－	－	47	11
北　海　道	28	19	－	－	28	19	－	－	－	－	－	－
青　　森	1	－	－	－	1	－	－	－	－	－	－	－
岩　　手	8	2	－	－	8	2	－	－	－	－	－	－
宮　　城	37	16	－	－	37	16	1	－	－	－	1	－
秋　　田	2	2	－	－	2	2	－	－	－	－	－	－
山　　形	13	2	－	－	13	2	－	－	－	－	－	－
福　　島	15	8	－	－	15	8	－	－	－	－	－	－
茨　　城	15	11	－	－	15	11	－	－	－	－	－	－
栃　　木	28	20	－	－	28	20	－	－	－	－	－	－
群　　馬	1	－	－	－	1	－	－	－	－	－	－	－
埼　　玉	130	49	－	－	130	49	1	1	－	－	1	1
千　　葉	－	－	－	－	－	－	－	－	－	－	－	－
東　　京	348	122	－	－	348	122	3	2	－	－	3	2
神　奈　川	128	31	－	－	128	31	2	－	－	－	2	－
新　　潟	4	－	－	－	4	－	2	－	－	－	2	－
富　　山	－	－	－	－	－	－	－	－	－	－	－	－
石　　川	5	－	－	－	5	－	－	－	－	－	－	－
福　　井	2	－	－	－	2	－	－	－	－	－	－	－
山　　梨	10	2	－	－	10	2	－	－	－	－	－	－
長　　野	7	2	－	－	7	2	－	－	－	－	－	－
岐　　阜	17	2	－	－	17	2	－	－	－	－	－	－
静　　岡	56	26	－	－	56	26	－	－	－	－	－	－
愛　　知	107	33	－	－	107	33	1	－	－	－	1	－
三　　重	12	2	－	－	12	2	－	－	－	－	－	－
滋　　賀	46	10	－	－	46	10	2	1	－	－	2	1
京　　都	18	1	－	－	18	1	－	－	－	－	－	－
大　　阪	109	46	－	－	109	46	1	－	－	－	1	－
兵　　庫	86	12	－	－	86	12	4	－	－	－	4	－
奈　　良	8	3	2	－	6	3	－	－	－	－	－	－
和　歌　山	7	－	－	－	7	－	－	－	－	－	－	－
鳥　　取	38	10	－	－	38	10	－	－	－	－	－	－
島　　根	3	2	1	1	2	1	－	－	－	－	－	－
岡　　山	－	－	－	－	－	－	－	－	－	－	－	－
広　　島	7	3	－	－	7	3	－	－	－	－	－	－
山　　口	14	4	－	－	14	4	－	－	－	－	－	－
徳　　島	1	－	－	－	1	－	－	－	－	－	－	－
香　　川	2	2	－	－	2	2	－	－	－	－	－	－
愛　　媛	12	5	－	－	12	5	－	－	－	－	－	－
高　　知	2	2	－	1	2	1	－	－	－	－	－	－
福　　岡	－	－	－	－	－	－	－	－	－	－	－	－
佐　　賀	15	3	－	－	15	3	－	－	－	－	－	－
長　　崎	12	8	－	－	12	8	－	－	－	－	－	－
熊　　本	12	3	－	－	12	3	－	－	－	－	－	－
大　　分	4	－	－	－	4	－	－	－	－	－	－	－
宮　　崎	6		－	－	6		－	－	－	－	－	－
鹿　児　島	12	2	－	－	12	2	－	－	－	－	－	－
沖　　縄	63	14	－	－	63	14	1	－	－	－	1	－

退職者数，都道府県－指定都市－中核市、常勤－非常勤、経営主体の公営－私営別

	小 規 模 保 育 事 業 所						小 規 模 保 育 事 業 所 A 型 うち28年度に学校を卒業した者					
指定都市 / 中核市	非 常 勤											
	総 数		公 営		私 営		総 数		公 営		私 営	
	採用者数	退職者数	採用者数	退職者数	採用者数	退職者数	採用者数	退職者数	採用者数	退職者数	採用者数	退職者数
指定都市（別掲）												
札幌市	75	32	－	－	75	32	－	－	－	－	－	－
仙台市	61	11	－	－	61	11	－	－	－	－	－	－
さいたま市	102	30	－	－	102	30	3	3	－	－	3	3
千葉市	44	20	－	－	44	20	－	－	－	－	－	－
横浜市	116	70	－	－	116	70	1	1	－	－	1	1
川崎市	25	2	－	－	25	2	－	－	－	－	－	－
相模原市	33	9	－	－	33	9	1	－	－	－	1	－
新潟市	8	1	－	－	8	1	－	－	－	－	－	－
静岡市	40	23	－	－	40	23	1	1	－	－	1	1
浜松市	49	16	－	－	49	16	－	－	－	－	－	－
名古屋市	89	33	－	－	89	33	1	－	－	－	1	－
京都市	93	30	－	－	93	30	2	1	－	－	2	1
大阪市	107	73	－	－	107	73	1	－	－	－	1	－
堺市	42	8	－	－	42	8	－	－	－	－	－	－
神戸市	145	58	－	－	145	58	6	1	－	－	6	1
岡山市	16	4	－	－	16	4	－	－	－	－	－	－
広島市	22	3	－	－	22	3	－	－	－	－	－	－
北九州市	41	13	－	－	41	13	－	－	－	－	－	－
福岡市	81	49	－	－	81	49	2	－	－	－	2	－
熊本市	84	24	－	－	84	24	－	－	－	－	－	－
中核市（別掲）												
旭川市	13	6	－	－	13	6	－	－	－	－	－	－
函館市	－	－	－	－	－	－	－	－	－	－	－	－
青森市	－	－	－	－	－	－	－	－	－	－	－	－
八戸市	－	－	－	－	－	－	－	－	－	－	－	－
盛岡市	9	1	－	－	9	1	－	－	－	－	－	－
秋田市	－	－	－	－	－	－	－	－	－	－	－	－
郡山市	12	1	－	－	12	1	－	－	－	－	－	－
いわき市	－	－	－	－	－	－	－	－	－	－	－	－
宇都宮市	22	4	－	－	22	4	1	－	－	－	1	－
前橋市	－	－	－	－	－	－	－	－	－	－	－	－
高崎市	－	－	－	－	－	－	－	－	－	－	－	－
川越市	12	3	－	－	12	3	－	－	－	－	－	－
越谷市	27	9	－	－	27	9	4	－	－	－	4	－
船橋市	43	9	－	－	43	9	－	－	－	－	－	－
柏市	7	3	－	－	7	3	－	－	－	－	－	－
八王子市	7	2	－	－	7	2	－	－	－	－	－	－
横須賀市	3	－	－	－	3	－	－	－	－	－	－	－
富山市	－	－	－	－	－	－	－	－	－	－	－	－
金沢市	－	－	－	－	－	－	－	－	－	－	－	－
長野市	2	－	－	－	2	－	－	－	－	－	－	－
岐阜市	19	6	5	－	14	6	－	－	－	－	－	－
豊橋市	－	－	－	－	－	－	－	－	－	－	－	－
豊田市	1	4	－	－	1	4	－	－	－	－	－	－
岡崎市	－	－	－	－	－	－	－	－	－	－	－	－
大津市	17	13	－	－	17	13	－	－	－	－	－	－
高槻市	27	10	－	－	27	10	－	－	－	－	－	－
東大阪市	13	9	－	－	13	9	－	－	－	－	－	－
豊中市	37	9	－	－	37	9	6	－	－	－	6	－
枚方市	5	1	－	－	5	1	－	－	－	－	－	－
姫路市	－	－	－	－	－	－	－	－	－	－	－	－
西宮市	31	8	－	－	31	8	－	－	－	－	－	－
尼崎市	29	4	－	－	29	4	－	－	－	－	－	－
奈良市	15	－	－	－	15	－	－	－	－	－	－	－
和歌山市	－	－	－	－	－	－	－	－	－	－	－	－
倉敷市	21	9	－	－	21	9	－	－	－	－	－	－
福山市	13	7	－	－	13	7	－	－	－	－	－	－
呉市	4	2	－	－	4	2	－	－	－	－	－	－
下関市	－	－	－	－	－	－	－	－	－	－	－	－
高松市	22	4	－	－	22	4	－	－	－	－	－	－
松山市	23	7	－	－	23	7	－	－	－	－	－	－
高知市	14	4	－	－	14	4	－	－	－	－	－	－
久留米市	－	－	－	－	－	－	－	－	－	－	－	－
長崎市	－	2	－	－	－	2	－	－	－	－	－	－
佐世保市	－	－	－	－	－	－	－	－	－	－	－	－
大分市	8	4	－	－	8	4	－	－	－	－	－	－
宮崎市	5	5	－	－	5	5	－	－	－	－	－	－
鹿児島市	－	－	－	－	－	－	－	－	－	－	－	－
那覇市	5	－	－	－	5	－	－	－	－	－	－	－

退職者数，都道府県－指定都市－中核市、常勤－非常勤、経営主体の公営－私営別

第16表－1　保育所等・小規模保育事業所の保育士の採用・

（単位：人）

都道府県	小規模保育事業所											
	小規模保育事業所Ｂ型											
	常勤						うち28年度に学校を卒業した者					
	総数		公営		私営		総数		公営		私営	
	採用者数	退職者数	採用者数	退職者数	採用者数	退職者数	採用者数	退職者数	採用者数	退職者数	採用者数	退職者数
全　　国	650	281	4	1	646	280	81	10	1	－	80	10
北　海　道	－	－	－	－	－	－	－	－	－	－	－	－
青　　森	－	－	－	－	－	－	－	－	－	－	－	－
岩　　手	6	2	－	－	6	2	2	－	－	－	2	－
宮　　城	17	8	－	－	17	8	3	－	－	－	3	－
秋　　田	－	－	－	－	－	－	－	－	－	－	－	－
山　　形	13	5	－	－	13	5	2	－	－	－	2	－
福　　島	7	1	－	－	7	1	－	－	－	－	－	－
茨　　城	1	－	－	－	1	－	－	－	－	－	－	－
栃　　木	6	－	－	－	6	－	－	－	－	－	－	－
群　　馬	－	－	－	－	－	－	－	－	－	－	－	－
埼　　玉	130	68	－	－	130	68	21	3	－	－	21	3
千　　葉	－	－	－	－	－	－	－	－	－	－	－	－
東　　京	121	43	－	－	121	43	12	1	－	－	12	1
神　奈　川	6	8	－	－	6	8	－	－	－	－	－	－
新　　潟	3	1	－	－	3	1	2	－	－	－	2	－
富　　山	－	－	－	－	－	－	－	－	－	－	－	－
石　　川	－	－	－	－	－	－	－	－	－	－	－	－
福　　井	1	－	1	－	－	－	－	－	－	－	－	－
山　　梨	－	－	－	－	－	－	－	－	－	－	－	－
長　　野	－	－	－	－	－	－	－	－	－	－	－	－
岐　　阜	7	－	－	－	7	－	－	－	－	－	－	－
静　　岡	12	6	－	－	12	6	1	－	－	－	1	－
愛　　知	6	1	－	－	6	1	－	－	－	－	－	－
三　　重	8	2	－	－	8	2	1	－	－	－	1	－
滋　　賀	3	1	－	－	3	1	1	－	－	－	1	－
京　　都	－	－	－	－	－	－	－	－	－	－	－	－
大　　阪	9	1	－	－	9	1	1	1	－	－	1	1
兵　　庫	－	－	－	－	－	－	－	－	－	－	－	－
奈　　良	－	－	－	－	－	－	－	－	－	－	－	－
和　歌　山	－	－	－	－	－	－	－	－	－	－	－	－
鳥　　取	3	－	－	－	3	－	－	－	－	－	－	－
島　　根	－	－	－	－	－	－	－	－	－	－	－	－
岡　　山	－	1	－	－	－	1	－	－	－	－	－	－
広　　島	－	－	－	－	－	－	－	－	－	－	－	－
山　　口	3	2	－	－	3	2	－	－	－	－	－	－
徳　　島	－	－	－	－	－	－	－	－	－	－	－	－
香　　川	7	－	－	－	7	－	1	－	－	－	1	－
愛　　媛	2	1	－	－	2	1	－	－	－	－	－	－
高　　知	4	3	－	－	4	3	1	－	－	－	1	－
福　　岡	－	－	－	－	－	－	－	－	－	－	－	－
佐　　賀	20	1	－	－	20	1	－	－	－	－	－	－
長　　崎	4	1	－	－	4	1	1	－	－	－	1	－
熊　　本	－	1	－	－	－	1	－	－	－	－	－	－
大　　分	2	－	－	－	2	－	－	－	－	－	－	－
宮　　崎	3	2	3	1	－	1	1	－	1	－	－	－
鹿　児　島	7	3	－	－	7	3	1	－	－	－	1	－
沖　　縄	54	27	－	－	54	27	3	－	－	－	3	－

退職者数, 都道府県－指定都市－中核市、常勤－非常勤、経営主体の公営－私営別

平成28年10月 1 日～平成29年 9 月30日

指定都市 中核市	小規模保育事業所 小規模保育事業所 B 型 常勤 総数 採用者数	退職者数	公営 採用者数	退職者数	私営 採用者数	退職者数	うち28年度に学校を卒業した者 総数 採用者数	退職者数	公営 採用者数	退職者数	私営 採用者数	退職者数
指定都市（別掲）												
札幌市	－	－	－	－	－	－	－	－	－	－	－	－
仙台市	21	5	－	－	21	5	4	1	－	－	4	1
さいたま市	12	1	－	－	12	1	2	1	－	－	2	1
千葉市	13	7	－	－	13	7	1	－	－	－	1	－
横浜市	21	8	－	－	21	8	2	1	－	－	2	1
川崎市	18	10	－	－	18	10	1	－	－	－	1	－
相模原市	12	7	－	－	12	7	5	－	－	－	5	－
新潟市	－	－	－	－	－	－	－	－	－	－	－	－
静岡市	－	－	－	－	－	－	－	－	－	－	－	－
浜松市	－	－	－	－	－	－	－	－	－	－	－	－
名古屋市	22	16	－	－	22	16	5	1	－	－	5	1
京都市	9	3	－	－	9	3	1	－	－	－	1	－
大阪市	2	4	－	－	2	4	－	－	－	－	－	－
堺市	2	3	－	－	2	3	－	－	－	－	－	－
神戸市	－	－	－	－	－	－	－	－	－	－	－	－
岡山市	－	－	－	－	－	－	－	－	－	－	－	－
広島市	4	1	－	－	4	1	－	－	－	－	－	－
北九州市	－	－	－	－	－	－	－	－	－	－	－	－
福岡市	5	8	－	－	5	8	－	－	－	－	－	－
熊本市	－	－	－	－	－	－	－	－	－	－	－	－
中核市（別掲）												
旭川市	－	－	－	－	－	－	－	－	－	－	－	－
函館市	－	－	－	－	－	－	－	－	－	－	－	－
青森市	－	－	－	－	－	－	－	－	－	－	－	－
八戸市	－	－	－	－	－	－	－	－	－	－	－	－
盛岡市	2	1	－	－	2	1	－	－	－	－	－	－
秋田市	7	3	－	－	7	3	－	－	－	－	－	－
郡山市	－	－	－	－	－	－	－	－	－	－	－	－
いわき市	－	－	－	－	－	－	－	－	－	－	－	－
宇都宮市	5	3	－	－	5	3	－	－	－	－	－	－
前橋市	－	－	－	－	－	－	－	－	－	－	－	－
高崎市	－	－	－	－	－	－	－	－	－	－	－	－
川越市	9	5	－	－	9	5	1	1	－	－	1	1
越谷市	11	4	－	－	11	4	2	－	－	－	2	－
船橋市	－	－	－	－	－	－	－	－	－	－	－	－
柏市	－	－	－	－	－	－	－	－	－	－	－	－
八王子市	－	－	－	－	－	－	－	－	－	－	－	－
横須賀市	－	－	－	－	－	－	－	－	－	－	－	－
富山市	－	－	－	－	－	－	－	－	－	－	－	－
金沢市	－	－	－	－	－	－	－	－	－	－	－	－
長野市	－	－	－	－	－	－	－	－	－	－	－	－
岐阜市	－	－	－	－	－	－	－	－	－	－	－	－
豊橋市	－	－	－	－	－	－	－	－	－	－	－	－
豊田市	－	－	－	－	－	－	－	－	－	－	－	－
岡崎市	－	－	－	－	－	－	－	－	－	－	－	－
大津市	－	1	－	－	－	1	－	－	－	－	－	－
高槻市	－	－	－	－	－	－	－	－	－	－	－	－
東大阪市	－	－	－	－	－	－	－	－	－	－	－	－
豊中市	－	－	－	－	－	－	－	－	－	－	－	－
枚方市	4	2	－	－	4	2	2	－	－	－	2	－
姫路市	－	－	－	－	－	－	－	－	－	－	－	－
西宮市	3	－	－	－	3	－	1	－	－	－	1	－
尼崎市	－	－	－	－	－	－	－	－	－	－	－	－
奈良市	－	－	－	－	－	－	－	－	－	－	－	－
和歌山市	－	－	－	－	－	－	－	－	－	－	－	－
倉敷市	－	－	－	－	－	－	－	－	－	－	－	－
福山市	－	－	－	－	－	－	－	－	－	－	－	－
呉市	－	－	－	－	－	－	－	－	－	－	－	－
下関市	－	－	－	－	－	－	－	－	－	－	－	－
高松市	－	－	－	－	－	－	－	－	－	－	－	－
松山市	－	－	－	－	－	－	－	－	－	－	－	－
高知市	3	－	－	－	3	－	－	－	－	－	－	－
久留米市	－	－	－	－	－	－	－	－	－	－	－	－
長崎市	－	－	－	－	－	－	－	－	－	－	－	－
佐世保市	－	－	－	－	－	－	－	－	－	－	－	－
大分市	－	－	－	－	－	－	－	－	－	－	－	－
宮崎市	－	－	－	－	－	－	－	－	－	－	－	－
鹿児島市	－	－	－	－	－	－	－	－	－	－	－	－
那覇市	－	－	－	－	－	－	－	－	－	－	－	－

退職者数, 都道府県－指定都市－中核市、常勤－非常勤、経営主体の公営－私営別

第16表－1　保育所等・小規模保育事業所の保育士の採用・

（単位：人）

| 都道府県 | 小規模保育事業所 非常勤 | | | | | | 小規模保育事業所B型 うち28年度に学校を卒業した者 | | | | | |
| | 総数 | | 公営 | | 私営 | | 総数 | | 公営 | | 私営 | |
	採用者数	退職者数	採用者数	退職者数	採用者数	退職者数	採用者数	退職者数	採用者数	退職者数	採用者数	退職者数
全国	545	226	1	-	544	226	8	2	-	-	8	2
北海道	-	-	-	-	-	-	-	-	-	-	-	-
青森	-	-	-	-	-	-	-	-	-	-	-	-
岩手	2	1	-	-	2	1	-	-	-	-	-	-
宮城	5	-	-	-	5	-	-	-	-	-	-	-
秋田	-	-	-	-	-	-	-	-	-	-	-	-
山形	-	2	-	-	-	2	-	-	-	-	-	-
福島	2	-	-	-	2	-	-	-	-	-	-	-
茨城	2	2	-	-	2	2	-	-	-	-	-	-
栃木	2	-	-	-	2	-	-	-	-	-	-	-
群馬	-	-	-	-	-	-	-	-	-	-	-	-
埼玉	112	51	-	-	112	51	-	-	-	-	-	-
千葉	-	-	-	-	-	-	-	-	-	-	-	-
東京	79	27	-	-	79	27	1	-	-	-	1	-
神奈川	10	6	-	-	10	6	-	-	-	-	-	-
新潟	2	1	-	-	2	1	-	-	-	-	-	-
富山	-	-	-	-	-	-	-	-	-	-	-	-
石川	-	-	-	-	-	-	-	-	-	-	-	-
福井	-	-	-	-	-	-	-	-	-	-	-	-
山梨	-	-	-	-	-	-	-	-	-	-	-	-
長野	-	-	-	-	-	-	-	-	-	-	-	-
岐阜	9	2	-	-	9	2	-	-	-	-	-	-
静岡	20	4	-	-	20	4	-	-	-	-	-	-
愛知	12	5	-	-	12	5	1	-	-	-	1	-
三重	9	3	-	-	9	3	2	1	-	-	2	1
滋賀	10	2	-	-	10	2	-	-	-	-	-	-
京都	-	-	-	-	-	-	-	-	-	-	-	-
大阪	6	2	-	-	6	2	-	-	-	-	-	-
兵庫	-	1	-	-	-	1	-	-	-	-	-	-
奈良	-	-	-	-	-	-	-	-	-	-	-	-
和歌山	-	-	-	-	-	-	-	-	-	-	-	-
鳥取	-	-	-	-	-	-	-	-	-	-	-	-
島根	-	-	-	-	-	-	-	-	-	-	-	-
岡山	-	-	-	-	-	-	-	-	-	-	-	-
広島	-	-	-	-	-	-	-	-	-	-	-	-
山口	4	2	-	-	4	2	-	-	-	-	-	-
徳島	-	-	-	-	-	-	-	-	-	-	-	-
香川	5	2	-	-	5	2	-	-	-	-	-	-
愛媛	1	1	-	-	1	1	-	-	-	-	-	-
高知	2	1	-	-	2	1	-	-	-	-	-	-
福岡	-	-	-	-	-	-	-	-	-	-	-	-
佐賀	5	3	-	-	5	3	-	-	-	-	-	-
長崎	-	-	-	-	-	-	-	-	-	-	-	-
熊本	2	-	-	-	2	-	-	-	-	-	-	-
大分	2	-	-	-	2	-	-	-	-	-	-	-
宮崎	1	1	1	-	-	1	-	-	-	-	-	-
鹿児島	11	5	-	-	11	5	-	-	-	-	-	-
沖縄	21	12	-	-	21	12	-	-	-	-	-	-

退職者数, 都道府県－指定都市－中核市、常勤－非常勤、経営主体の公営－私営別

平成28年10月 1 日～平成29年 9 月30日

指定都市／中核市	小規模保育事業所　非常勤 総数 採用者数	総数 退職者数	公営 採用者数	公営 退職者数	私営 採用者数	私営 退職者数	小規模保育事業所 B 型　うち28年度に学校を卒業した者 総数 採用者数	総数 退職者数	公営 採用者数	公営 退職者数	私営 採用者数	私営 退職者数
指定都市（別掲）												
札幌市	7	3	－	－	7	3	－	－	－	－	－	－
仙台市	18	3	－	－	18	3	－	－	－	－	－	－
さいたま市	28	10	－	－	28	10	1	1	－	－	1	1
千葉市	6	6	－	－	6	6	－	－	－	－	－	－
横浜市	30	14	－	－	30	14	1	－	－	－	1	－
川崎市	9	4	－	－	9	4	1	－	－	－	1	－
相模原市	30	9	－	－	30	9	－	－	－	－	－	－
新潟市	－	－	－	－	－	－	－	－	－	－	－	－
静岡市	－	－	－	－	－	－	－	－	－	－	－	－
浜松市	－	－	－	－	－	－	－	－	－	－	－	－
名古屋市	31	17	－	－	31	17	－	－	－	－	－	－
京都市	3	1	－	－	3	1	－	－	－	－	－	－
大阪市	5	3	－	－	5	3	1	－	－	－	1	－
堺市	－	－	－	－	－	－	－	－	－	－	－	－
神戸市	－	－	－	－	－	－	－	－	－	－	－	－
岡山市	－	－	－	－	－	－	－	－	－	－	－	－
広島市	3	3	－	－	3	3	－	－	－	－	－	－
北九州市	－	－	－	－	－	－	－	－	－	－	－	－
福岡市	9	5	－	－	9	5	－	－	－	－	－	－
熊本市	－	－	－	－	－	－	－	－	－	－	－	－
中核市（別掲）												
旭川市	－	－	－	－	－	－	－	－	－	－	－	－
函館市	－	－	－	－	－	－	－	－	－	－	－	－
青森市	－	－	－	－	－	－	－	－	－	－	－	－
八戸市	－	－	－	－	－	－	－	－	－	－	－	－
盛岡市	－	－	－	－	－	－	－	－	－	－	－	－
秋田市	4	－	－	－	4	－	－	－	－	－	－	－
郡山市	－	－	－	－	－	－	－	－	－	－	－	－
いわき市	3	3	－	－	3	3	－	－	－	－	－	－
宇都宮市	－	－	－	－	－	－	－	－	－	－	－	－
前橋市	－	－	－	－	－	－	－	－	－	－	－	－
高崎市	－	－	－	－	－	－	－	－	－	－	－	－
川越市	1	1	－	－	1	1	－	－	－	－	－	－
越谷市	6	4	－	－	6	4	－	－	－	－	－	－
船橋市	－	－	－	－	－	－	－	－	－	－	－	－
柏市	－	－	－	－	－	－	－	－	－	－	－	－
八王子市	－	－	－	－	－	－	－	－	－	－	－	－
横須賀市	－	－	－	－	－	－	－	－	－	－	－	－
富山市	－	－	－	－	－	－	－	－	－	－	－	－
金沢市	－	－	－	－	－	－	－	－	－	－	－	－
長野市	－	－	－	－	－	－	－	－	－	－	－	－
岐阜市	－	－	－	－	－	－	－	－	－	－	－	－
豊橋市	－	－	－	－	－	－	－	－	－	－	－	－
豊田市	－	－	－	－	－	－	－	－	－	－	－	－
岡崎市	－	－	－	－	－	－	－	－	－	－	－	－
大津市	6	－	－	－	6	－	－	－	－	－	－	－
高槻市	－	－	－	－	－	－	－	－	－	－	－	－
東大阪市	－	－	－	－	－	－	－	－	－	－	－	－
豊中市	－	－	－	－	－	－	－	－	－	－	－	－
枚方市	2	－	－	－	2	－	－	－	－	－	－	－
姫路市	－	－	－	－	－	－	－	－	－	－	－	－
西宮市	8	3	－	－	8	3	－	－	－	－	－	－
尼崎市	－	－	－	－	－	－	－	－	－	－	－	－
奈良市	－	－	－	－	－	－	－	－	－	－	－	－
和歌山市	－	－	－	－	－	－	－	－	－	－	－	－
倉敷市	－	－	－	－	－	－	－	－	－	－	－	－
福山市	－	－	－	－	－	－	－	－	－	－	－	－
呉市	－	－	－	－	－	－	－	－	－	－	－	－
下関市	－	－	－	－	－	－	－	－	－	－	－	－
高松市	－	－	－	－	－	－	－	－	－	－	－	－
松山市	－	－	－	－	－	－	－	－	－	－	－	－
高知市	－	1	－	－	－	1	－	－	－	－	－	－
久留米市	－	－	－	－	－	－	－	－	－	－	－	－
長崎市	－	－	－	－	－	－	－	－	－	－	－	－
佐世保市	－	－	－	－	－	－	－	－	－	－	－	－
大分市	－	－	－	－	－	－	－	－	－	－	－	－
宮崎市	－	－	－	－	－	－	－	－	－	－	－	－
鹿児島市	－	－	－	－	－	－	－	－	－	－	－	－
那覇市	－	－	－	－	－	－	－	－	－	－	－	－

第16表－1　保育所等・小規模保育事業所の保育士の採用・

（単位：人）

都道府県	小規模保育事業所											
	小規模保育事業所C型											
	常				勤		うち28年度に学校を卒業した者					
	総　数		公　営		私　営		総　数		公　営		私　営	
	採用者数	退職者数	採用者数	退職者数	採用者数	退職者数	採用者数	退職者数	採用者数	退職者数	採用者数	退職者数
全　　国	34	18	－	－	34	18	5	－	－	－	5	－
北　海　道	－	－	－	－	－	－	－	－	－	－	－	－
青　　森	－	－	－	－	－	－	－	－	－	－	－	－
岩　　手	－	－	－	－	－	－	－	－	－	－	－	－
宮　　城	1	－	－	－	1	－	1	－	－	－	1	－
秋　　田	－	－	－	－	－	－	－	－	－	－	－	－
山　　形	－	－	－	－	－	－	－	－	－	－	－	－
福　　島	－	－	－	－	－	－	－	－	－	－	－	－
茨　　城	－	－	－	－	－	－	－	－	－	－	－	－
栃　　木	－	－	－	－	－	－	－	－	－	－	－	－
群　　馬	－	－	－	－	－	－	－	－	－	－	－	－
埼　　玉	1	－	－	－	1	－	－	－	－	－	－	－
千　　葉	－	－	－	－	－	－	－	－	－	－	－	－
東　　京	10	7	－	－	10	7	－	－	－	－	－	－
神　奈　川	－	－	－	－	－	－	－	－	－	－	－	－
新　　潟	1	－	－	－	1	－	－	－	－	－	－	－
富　　山	－	－	－	－	－	－	－	－	－	－	－	－
石　　川	－	－	－	－	－	－	－	－	－	－	－	－
福　　井	－	－	－	－	－	－	－	－	－	－	－	－
山　　梨	3	1	－	－	3	1	－	－	－	－	－	－
長　　野	－	－	－	－	－	－	－	－	－	－	－	－
岐　　阜	－	－	－	－	－	－	－	－	－	－	－	－
静　　岡	－	1	－	－	－	1	－	－	－	－	－	－
愛　　知	－	－	－	－	－	－	－	－	－	－	－	－
三　　重	－	－	－	－	－	－	－	－	－	－	－	－
滋　　賀	－	－	－	－	－	－	－	－	－	－	－	－
京　　都	－	－	－	－	－	－	－	－	－	－	－	－
大　　阪	－	－	－	－	－	－	－	－	－	－	－	－
兵　　庫	－	－	－	－	－	－	－	－	－	－	－	－
奈　　良	－	－	－	－	－	－	－	－	－	－	－	－
和　歌　山	－	－	－	－	－	－	－	－	－	－	－	－
鳥　　取	－	－	－	－	－	－	－	－	－	－	－	－
島　　根	－	－	－	－	－	－	－	－	－	－	－	－
岡　　山	－	－	－	－	－	－	－	－	－	－	－	－
広　　島	－	－	－	－	－	－	－	－	－	－	－	－
山　　口	－	－	－	－	－	－	－	－	－	－	－	－
徳　　島	－	－	－	－	－	－	－	－	－	－	－	－
香　　川	－	－	－	－	－	－	－	－	－	－	－	－
愛　　媛	－	－	－	－	－	－	－	－	－	－	－	－
高　　知	－	－	－	－	－	－	－	－	－	－	－	－
福　　岡	－	－	－	－	－	－	－	－	－	－	－	－
佐　　賀	－	－	－	－	－	－	－	－	－	－	－	－
長　　崎	－	－	－	－	－	－	－	－	－	－	－	－
熊　　本	－	－	－	－	－	－	－	－	－	－	－	－
大　　分	－	－	－	－	－	－	－	－	－	－	－	－
宮　　崎	－	－	－	－	－	－	－	－	－	－	－	－
鹿　児　島	－	－	－	－	－	－	－	－	－	－	－	－
沖　　縄	－	－	－	－	－	－	－	－	－	－	－	－

退職者数，都道府県－指定都市－中核市、常勤－非常勤、経営主体の公営－私営別

指定都市 中核市	常勤 総数 採用者数	常勤 総数 退職者数	常勤 公営 採用者数	常勤 公営 退職者数	常勤 私営 採用者数	常勤 私営 退職者数	卒業 総数 採用者数	卒業 総数 退職者数	卒業 公営 採用者数	卒業 公営 退職者数	卒業 私営 採用者数	卒業 私営 退職者数
小規模保育事業所 小規模保育事業所C型							**うち28年度に学校を卒業した者**					
指定都市（別掲）												
札幌市	2	－	－	－	2	－	－	－	－	－	－	－
仙台市	2	－	－	－	2	－	－	－	－	－	－	－
さいたま市	－	－	－	－	－	－	－	－	－	－	－	－
千葉市	－	－	－	－	－	－	－	－	－	－	－	－
横浜市	2	1	－	－	2	1	2	－	－	－	2	－
川崎市	－	－	－	－	－	－	－	－	－	－	－	－
相模原市	－	1	－	－	－	1	－	－	－	－	－	－
新潟市	－	－	－	－	7	－	－	－	－	－	－	－
静岡市	－	－	－	－	－	－	－	－	－	－	－	－
浜松市	－	－	－	－	－	－	－	－	－	－	－	－
名古屋市	－	－	－	－	－	－	－	－	－	－	－	－
京都市	2	2	－	－	2	2	1	－	－	－	1	－
大阪市	5	3	－	－	5	3	－	－	－	－	－	－
堺市	－	－	－	－	－	－	－	－	－	－	－	－
神戸市	－	－	－	－	－	－	－	－	－	－	－	－
岡山市	－	－	－	－	－	－	－	－	－	－	－	－
広島市	－	－	－	－	－	－	－	－	－	－	－	－
北九州市	－	－	－	－	－	－	－	－	－	－	－	－
福岡市	2	1	－	－	2	1	－	－	－	－	－	－
熊本市	－	－	－	－	－	－	－	－	－	－	－	－
中核市（別掲）												
旭川市	－	－	－	－	－	－	－	－	－	－	－	－
函館市	－	－	－	－	－	－	－	－	－	－	－	－
青森市	－	－	－	－	－	－	－	－	－	－	－	－
八戸市	－	－	－	－	－	－	－	－	－	－	－	－
盛岡市	2	1	－	－	2	1	1	－	－	－	1	－
秋田市	－	－	－	－	－	－	－	－	－	－	－	－
郡山市	－	－	－	－	－	－	－	－	－	－	－	－
いわき市	－	－	－	－	－	－	－	－	－	－	－	－
宇都宮市	－	－	－	－	－	－	－	－	－	－	－	－
前橋市	－	－	－	－	－	－	－	－	－	－	－	－
高崎市	－	－	－	－	－	－	－	－	－	－	－	－
川越市	－	－	－	－	－	－	－	－	－	－	－	－
越谷市	－	－	－	－	－	－	－	－	－	－	－	－
船橋市	－	－	－	－	－	－	－	－	－	－	－	－
柏市	－	－	－	－	－	－	－	－	－	－	－	－
八王子市	－	－	－	－	－	－	－	－	－	－	－	－
横須賀市	－	－	－	－	－	－	－	－	－	－	－	－
富山市	－	－	－	－	－	－	－	－	－	－	－	－
金沢市	－	－	－	－	－	－	－	－	－	－	－	－
長野市	－	－	－	－	－	－	－	－	－	－	－	－
岐阜市	－	－	－	－	－	－	－	－	－	－	－	－
豊橋市	－	－	－	－	－	－	－	－	－	－	－	－
豊田市	－	－	－	－	－	－	－	－	－	－	－	－
岡崎市	－	－	－	－	－	－	－	－	－	－	－	－
大津市	1	－	－	－	1	－	－	－	－	－	－	－
高槻市	－	－	－	－	－	－	－	－	－	－	－	－
東大阪市	－	－	－	－	－	－	－	－	－	－	－	－
豊中市	－	－	－	－	－	－	－	－	－	－	－	－
枚方市	－	－	－	－	－	－	－	－	－	－	－	－
姫路市	－	－	－	－	－	－	－	－	－	－	－	－
西宮市	－	－	－	－	－	－	－	－	－	－	－	－
尼崎市	－	－	－	－	－	－	－	－	－	－	－	－
奈良市	－	－	－	－	－	－	－	－	－	－	－	－
和歌山市	－	－	－	－	－	－	－	－	－	－	－	－
倉敷市	－	－	－	－	－	－	－	－	－	－	－	－
福山市	－	－	－	－	－	－	－	－	－	－	－	－
呉市	－	－	－	－	－	－	－	－	－	－	－	－
下関市	－	－	－	－	－	－	－	－	－	－	－	－
高松市	－	－	－	－	－	－	－	－	－	－	－	－
松山市	－	－	－	－	－	－	－	－	－	－	－	－
高知市	－	－	－	－	－	－	－	－	－	－	－	－
久留米市	－	－	－	－	－	－	－	－	－	－	－	－
長崎市	－	－	－	－	－	－	－	－	－	－	－	－
佐世保市	－	－	－	－	－	－	－	－	－	－	－	－
大分市	－	－	－	－	－	－	－	－	－	－	－	－
宮崎市	－	－	－	－	－	－	－	－	－	－	－	－
鹿児島市	－	－	－	－	－	－	－	－	－	－	－	－
那覇市	－	－	－	－	－	－	－	－	－	－	－	－

退職者数，都道府県－指定都市－中核市、常勤－非常勤、経営主体の公営－私営別

第16表－1　保育所等・小規模保育事業所の保育士の採用・

（単位：人）

都道府県	小規模保育事業所 小規模保育事業所 C 型 非常勤 総数 採用者数	退職者数	公営 採用者数	退職者数	私営 採用者数	退職者数	うち28年度に学校を卒業した者 総数 採用者数	退職者数	公営 採用者数	退職者数	私営 採用者数	退職者数
全国	54	23	－	－	54	23	－	－	－	－	－	－
北海道	－	－	－	－	－	－	－	－	－	－	－	－
青森	－	－	－	－	－	－	－	－	－	－	－	－
岩手	－	－	－	－	－	－	－	－	－	－	－	－
宮城	4	1	－	－	4	1	－	－	－	－	－	－
秋田	－	－	－	－	－	－	－	－	－	－	－	－
山形	－	－	－	－	－	－	－	－	－	－	－	－
福島	－	－	－	－	－	－	－	－	－	－	－	－
茨城	－	－	－	－	－	－	－	－	－	－	－	－
栃木	－	－	－	－	－	－	－	－	－	－	－	－
群馬	－	－	－	－	－	－	－	－	－	－	－	－
埼玉	1	－	－	－	1	－	－	－	－	－	－	－
千葉	－	－	－	－	－	－	－	－	－	－	－	－
東京	8	2	－	－	8	2	－	－	－	－	－	－
神奈川	－	－	－	－	－	－	－	－	－	－	－	－
新潟	－	－	－	－	－	－	－	－	－	－	－	－
富山	－	－	－	－	－	－	－	－	－	－	－	－
石川	－	－	－	－	－	－	－	－	－	－	－	－
福井	－	－	－	－	－	－	－	－	－	－	－	－
山梨	－	－	－	－	－	－	－	－	－	－	－	－
長野	－	－	－	－	－	－	－	－	－	－	－	－
岐阜	－	－	－	－	－	－	－	－	－	－	－	－
静岡	12	3	－	－	12	3	－	－	－	－	－	－
愛知	－	－	－	－	－	－	－	－	－	－	－	－
三重	1	1	－	－	1	1	－	－	－	－	－	－
滋賀	－	－	－	－	－	－	－	－	－	－	－	－
京都	－	1	－	－	－	1	－	－	－	－	－	－
大阪	－	－	－	－	－	－	－	－	－	－	－	－
兵庫	－	－	－	－	－	－	－	－	－	－	－	－
奈良	－	－	－	－	－	－	－	－	－	－	－	－
和歌山	－	－	－	－	－	－	－	－	－	－	－	－
鳥取	－	－	－	－	－	－	－	－	－	－	－	－
島根	－	－	－	－	－	－	－	－	－	－	－	－
岡山	－	－	－	－	－	－	－	－	－	－	－	－
広島	－	－	－	－	－	－	－	－	－	－	－	－
山口	－	－	－	－	－	－	－	－	－	－	－	－
徳島	－	－	－	－	－	－	－	－	－	－	－	－
香川	－	－	－	－	－	－	－	－	－	－	－	－
愛媛	－	－	－	－	－	－	－	－	－	－	－	－
高知	－	－	－	－	－	－	－	－	－	－	－	－
福岡	－	－	－	－	－	－	－	－	－	－	－	－
佐賀	－	－	－	－	－	－	－	－	－	－	－	－
長崎	－	－	－	－	－	－	－	－	－	－	－	－
熊本	－	－	－	－	－	－	－	－	－	－	－	－
大分	－	－	－	－	－	－	－	－	－	－	－	－
宮崎	－	－	－	－	－	－	－	－	－	－	－	－
鹿児島	－	－	－	－	－	－	－	－	－	－	－	－
沖縄	－	－	－	－	－	－	－	－	－	－	－	－

退職者数，都道府県－指定都市－中核市、常勤－非常勤、経営主体の公営－私営別

指定都市 / 中核市	小規模保育事業所　小規模保育事業所 C 型											
	非　常　勤						うち28年度に学校を卒業した者					
	総数		公営		私営		総数		公営		私営	
	採用者数	退職者数	採用者数	退職者数	採用者数	退職者数	採用者数	退職者数	採用者数	退職者数	採用者数	退職者数
指定都市（別掲）												
札　幌　市	9	－	－	－	9	－	－	－	－	－	－	－
仙　台　市	1	4	－	－	1	4	－	－	－	－	－	－
さいたま市	－	－	－	－	－	－	－	－	－	－	－	－
千　葉　市	－	－	－	－	－	－	－	－	－	－	－	－
横　浜　市	2	2	－	－	2	2	－	－	－	－	－	－
川　崎　市	2	2	－	－	2	2	－	－	－	－	－	－
相模原市	1	2	－	－	1	2	－	－	－	－	－	－
新　潟　市	－	－	－	－	－	－	－	－	－	－	－	－
静　岡　市	－	－	－	－	－	－	－	－	－	－	－	－
浜　松　市	－	－	－	－	－	－	－	－	－	－	－	－
名古屋市	－	－	－	－	－	－	－	－	－	－	－	－
京　都　市	2	－	－	－	2	－	－	－	－	－	－	－
大　阪　市	7	2	－	－	7	2	－	－	－	－	－	－
堺　　　市	－	－	－	－	－	－	－	－	－	－	－	－
神　戸　市	－	－	－	－	－	－	－	－	－	－	－	－
岡　山　市	－	－	－	－	－	－	－	－	－	－	－	－
広　島　市	－	－	－	－	－	－	－	－	－	－	－	－
北九州市	－	3	－	－	－	3	－	－	－	－	－	－
福　岡　市	－	－	－	－	－	－	－	－	－	－	－	－
熊　本　市	－	－	－	－	－	－	－	－	－	－	－	－
中核市（別掲）												
旭　川　市	－	－	－	－	－	－	－	－	－	－	－	－
函　館　市	－	－	－	－	－	－	－	－	－	－	－	－
青　森　市	－	－	－	－	－	－	－	－	－	－	－	－
八　戸　市	－	－	－	－	－	－	－	－	－	－	－	－
盛　岡　市	－	－	－	－	－	－	－	－	－	－	－	－
秋　田　市	－	－	－	－	－	－	－	－	－	－	－	－
郡　山　市	－	－	－	－	－	－	－	－	－	－	－	－
いわき市	－	－	－	－	－	－	－	－	－	－	－	－
宇都宮市	－	－	－	－	－	－	－	－	－	－	－	－
前　橋　市	－	－	－	－	－	－	－	－	－	－	－	－
高　崎　市	－	－	－	－	－	－	－	－	－	－	－	－
川　越　市	－	－	－	－	－	－	－	－	－	－	－	－
越　谷　市	－	－	－	－	－	－	－	－	－	－	－	－
船　橋　市	－	－	－	－	－	－	－	－	－	－	－	－
柏　　　市	－	－	－	－	－	－	－	－	－	－	－	－
八王子市	－	－	－	－	－	－	－	－	－	－	－	－
横須賀市	－	－	－	－	－	－	－	－	－	－	－	－
富　山　市	－	－	－	－	－	－	－	－	－	－	－	－
金　沢　市	－	－	－	－	－	－	－	－	－	－	－	－
長　野　市	－	－	－	－	－	－	－	－	－	－	－	－
岐　阜　市	－	－	－	－	－	－	－	－	－	－	－	－
豊　橋　市	－	－	－	－	－	－	－	－	－	－	－	－
豊　田　市	－	－	－	－	－	－	－	－	－	－	－	－
岡　崎　市	－	－	－	－	－	－	－	－	－	－	－	－
大　津　市	4	－	－	－	4	－	－	－	－	－	－	－
高　槻　市	－	－	－	－	－	－	－	－	－	－	－	－
東大阪市	－	－	－	－	－	－	－	－	－	－	－	－
豊　中　市	－	－	－	－	－	－	－	－	－	－	－	－
枚　方　市	－	－	－	－	－	－	－	－	－	－	－	－
姫　路　市	－	－	－	－	－	－	－	－	－	－	－	－
西　宮　市	－	－	－	－	－	－	－	－	－	－	－	－
尼　崎　市	－	－	－	－	－	－	－	－	－	－	－	－
奈　良　市	－	－	－	－	－	－	－	－	－	－	－	－
和歌山市	－	－	－	－	－	－	－	－	－	－	－	－
倉　敷　市	－	－	－	－	－	－	－	－	－	－	－	－
福　山　市	－	－	－	－	－	－	－	－	－	－	－	－
呉　　　市	－	－	－	－	－	－	－	－	－	－	－	－
下　関　市	－	－	－	－	－	－	－	－	－	－	－	－
高　松　市	－	－	－	－	－	－	－	－	－	－	－	－
松　山　市	－	－	－	－	－	－	－	－	－	－	－	－
高　知　市	－	－	－	－	－	－	－	－	－	－	－	－
久留米市	－	－	－	－	－	－	－	－	－	－	－	－
長　崎　市	－	－	－	－	－	－	－	－	－	－	－	－
佐世保市	－	－	－	－	－	－	－	－	－	－	－	－
大　分　市	－	－	－	－	－	－	－	－	－	－	－	－
宮　崎　市	－	－	－	－	－	－	－	－	－	－	－	－
鹿児島市	－	－	－	－	－	－	－	－	－	－	－	－
那　覇　市	－	－	－	－	－	－	－	－	－	－	－	－

退職者数，都道府県－指定都市－中核市、常勤－非常勤、経営主体の公営－私営別

第16表－2　幼保連携型認定こども園の保育教諭
都道府県－指定都市－中核市、

（単位：人）

都道府県	常勤保育教諭 総数 採用者数	退職者数	公営 採用者数	退職者数	私営 採用者数	退職者数	うち28年度に学校を卒業した者 総数 採用者数	退職者数	公営 採用者数	退職者数	私営 採用者数	退職者数
全国	9 842	5 056	1 167	463	8 675	4 593	4 305	311	276	5	4 029	306
北海道	273	104	25	5	248	99	116	4	10	－	106	4
青森	206	110	3	4	203	106	55	3	－	－	55	3
岩手	122	42	36	3	86	39	39	2	2	－	37	2
宮城	10	9	4	2	6	7	4	－	1	－	3	－
秋田	60	46	9	5	51	41	29	2	2	－	27	2
山形	86	49	2	2	84	47	28	－	1	－	27	－
福島	126	57	29	17	97	40	40	3	8	－	32	3
茨城	235	166	12	10	223	156	120	3	4	－	116	3
栃木	213	81	10	1	203	80	87	7	1	－	86	7
群馬	125	58	2	1	123	57	56	5	－	－	56	5
埼玉	127	86	－	－	127	86	64	5	－	－	64	5
千葉	132	51	28	32	104	19	46	3	8	－	38	3
東京	138	60	36	1	102	59	50	－	7	－	43	－
神奈川	48	31	20	17	28	14	35	－	15	－	20	－
新潟	101	56	4	1	97	55	47	1	2	－	45	1
富山	81	24	2	－	79	24	31	3	2	－	29	3
石川	100	59	－	－	100	59	45	2	－	－	45	2
福井	217	98	35	9	182	89	93	4	11	－	82	4
山梨	109	43	－	－	109	43	49	5	－	－	49	5
長野	48	24	3	1	45	23	20	－	1	－	19	－
岐阜	40	35	11	14	29	21	30	1	9	－	21	1
静岡	121	67	20	20	101	47	72	8	13	－	59	8
愛知	78	37	1	－	77	37	48	3	1	－	47	3
三重	84	29	14	6	70	23	38	1	2	－	36	1
滋賀	186	62	121	33	65	29	78	3	33	1	45	2
京都	123	73	3	－	120	73	57	12	1	－	56	12
大阪	587	375	21	20	566	355	332	33	6	－	326	33
兵庫	324	164	80	37	244	127	161	19	17	1	144	18
奈良	136	57	63	35	73	22	25	4	7	－	18	4
和歌山	16	4	7	1	9	3	4	－	－	－	4	－
鳥取	44	36	9	8	35	28	28	1	3	－	25	1
島根	20	16	5	5	15	11	14	－	1	－	13	－
岡山	69	9	50	9	19	－	19	1	12	1	7	－
広島	123	41	2	2	121	39	47	4	2	－	45	4
山口	3	2	－	－	3	2	3	－	－	－	3	－
徳島	109	57	46	5	63	52	23	2	5	－	18	2
香川	23	12	22	7	1	5	3	－	3	－	－	－
愛媛	48	28	19	3	29	25	19	1	2	－	17	1
高知	10	9	10	7	－	2	1	－	1	－	－	－
福岡	73	25	34	10	39	15	12	2	1	－	11	2
佐賀	135	101	－	－	135	101	53	－	－	－	53	－
長崎	98	34	5	3	93	31	33	1	－	－	33	1
熊本	75	37	－	－	75	37	20	1	－	－	20	1
大分	111	41	4	2	107	39	35	5	1	－	34	5
宮崎	164	79	－	－	164	79	48	1	－	－	48	1
鹿児島	204	94	3	4	201	90	70	2	1	－	69	2
沖縄	68	33	1	1	67	32	33	1	－	－	33	1

注：1）採用・退職者数は過去1年間の数である。
　　2）指定都市及び中核市は別掲である。

－うち保育士資格保有者、保育士の採用・退職者数，
常勤－非常勤、経営主体の公営－私営別

平成28年10月 1 日～平成29年 9 月30日

指定都市／中核市	常勤保育教諭 総数 採用者数	退職者数	公営 採用者数	退職者数	私営 採用者数	退職者数	うち28年度に学校を卒業した者 総数 採用者数	退職者数	公営 採用者数	退職者数	私営 採用者数	退職者数
指定都市（別掲）												
札幌市	156	98	3	1	153	97	71	5	1	–	70	5
仙台市	55	23	–	–	55	23	26	1	–	–	26	1
さいたま市	15	12	–	–	15	12	7	1	–	–	7	1
千葉市	22	20	–	–	22	20	6	–	–	–	6	–
横浜市	69	56	–	–	69	56	50	4	–	–	50	4
川崎市	5	5	–	–	5	5	2	–	–	–	2	–
相模原市	37	21	1	1	36	20	19	–	–	–	19	–
新潟市	95	61	–	–	95	61	58	2	–	–	58	2
静岡市	170	99	91	67	79	32	61	6	42	2	19	4
浜松市	147	51	–	–	147	51	61	3	–	–	61	3
名古屋市	136	48	–	–	136	48	57	7	–	–	57	7
京都市	42	32	–	–	42	32	31	2	–	–	31	2
大阪市	100	84	–	–	100	84	66	10	–	–	66	10
堺市	427	189	111	12	316	177	132	7	11	–	121	7
神戸市	338	198	–	–	338	198	172	18	–	–	172	18
岡山市	22	11	9	1	13	10	13	–	3	–	10	–
広島市	80	53	–	–	80	53	50	7	–	–	50	7
北九州市	–	–	–	–	–	–	–	–	–	–	–	–
福岡市	5	3	–	–	5	3	2	–	–	–	2	–
熊本市	134	83	–	–	134	83	58	2	–	–	58	2
中核市（別掲）												
旭川市	30	9	–	–	30	9	12	2	–	–	12	2
函館市	17	9	–	–	17	9	8	1	–	–	8	1
青森市	58	38	–	–	58	38	19	4	–	–	19	4
八戸市	63	46	–	–	63	46	29	3	–	–	29	3
盛岡市	32	15	–	–	32	15	14	1	–	–	14	1
秋田市	50	25	–	–	50	25	24	3	–	–	24	3
郡山市	–	–	–	–	–	–	–	–	–	–	–	–
いわき市	12	4	–	–	12	4	5	–	–	–	5	–
宇都宮市	54	44	–	–	54	44	33	4	–	–	33	4
前橋市	62	53	–	–	62	53	37	6	–	–	37	6
高崎市	51	31	–	–	51	31	28	5	–	–	28	5
川越市	5	1	–	–	5	1	3	–	–	–	3	–
越谷市	12	13	–	–	12	13	8	1	–	–	8	1
船橋市	7	6	–	–	7	6	6	–	–	–	6	–
柏市	18	6	–	–	18	6	9	–	–	–	9	–
八王子市	–	–	–	–	–	–	–	–	–	–	–	–
横須賀市	34	9	–	–	34	9	9	–	–	–	9	–
富山市	185	58	–	–	185	58	58	3	–	–	58	3
金沢市	103	26	–	–	103	26	34	3	–	–	34	3
長野市	26	12	–	–	26	12	7	1	–	–	7	1
岐阜市	21	20	–	–	21	20	15	2	–	–	15	2
豊橋市	50	26	2	–	48	26	27	3	2	–	25	3
豊田市	28	9	–	–	28	9	20	2	–	–	20	2
岡崎市	15	1	15	1	–	–	1	–	1	–	–	–
大津市	46	24	–	–	46	24	18	–	–	–	18	–
高槻市	34	26	–	–	34	26	24	–	–	–	24	–
東大阪市	110	71	–	–	110	71	58	5	–	–	58	5
豊中市	85	60	33	23	52	37	33	1	6	–	27	1
枚方市	16	18	–	–	16	18	5	–	–	–	5	–
姫路市	99	46	3	3	96	43	51	1	2	–	49	1
西宮市	22	14	–	–	22	14	15	1	–	–	15	1
尼崎市	26	16	–	–	26	16	21	1	–	–	21	1
奈良市	106	37	50	–	56	37	24	1	4	–	20	1
和歌山市	62	23	–	–	62	23	32	2	–	–	32	2
倉敷市	4	6	2	2	2	4	1	1	–	–	1	1
福山市	48	27	–	–	48	27	25	2	–	–	25	2
呉市	15	13	–	–	15	13	7	–	–	–	7	–
下関市	39	9	8	5	31	4	11	–	4	–	7	–
高松市	31	15	7	3	24	12	15	2	–	–	15	2
松山市	47	22	–	–	47	22	33	3	–	–	33	3
高知市	9	4	–	–	9	4	6	–	–	–	6	–
久留米市	14	8	–	–	14	8	9	2	–	–	9	2
長崎市	59	40	2	–	57	40	34	3	–	–	34	3
佐世保市	24	17	–	–	24	17	17	1	–	–	17	1
大分市	83	36	–	–	83	36	36	–	–	–	36	–
宮崎市	108	50	–	–	108	50	49	1	–	–	49	1
鹿児島市	89	46	–	–	89	46	58	6	–	–	58	6
那覇市	49	9	19	1	30	8	15	1	4	–	11	1

第16表－2　幼保連携型認定こども園の保育教諭

都道府県－指定都市－中核市、

（単位：人）

都 道 府 県	（再掲）常勤保育教諭のうち保育士資格保有者						うち28年度に学校を卒業した者					
	総　数		公　営		私　営		総　数		公　営		私　営	
	採用者数	退職者数	採用者数	退職者数	採用者数	退職者数	採用者数	退職者数	採用者数	退職者数	採用者数	退職者数
全　　　　　国	9 143	4 733	1 029	421	8 114	4 312	3 907	263	243	4	3 664	259
北　海　道	268	102	24	5	244	97	109	4	10	－	99	4
青　　　森	190	103	3	4	187	99	45	3	－	－	45	3
岩　　　手	89	41	27	3	62	38	32	2	2	－	30	2
宮　　　城	10	9	4	2	6	7	4	－	1	－	3	－
秋　　　田	54	46	6	5	48	41	27	2	2	－	25	2
山　　　形	80	47	2	2	78	45	23	－	1	－	22	－
福　　　島	119	53	25	14	94	39	35	3	6	－	29	3
茨　　　城	224	159	12	10	212	149	112	3	2	－	110	3
栃　　　木	204	76	9	1	195	75	80	7	1	－	79	7
群　　　馬	115	57	2	1	113	56	51	4	－	－	51	4
埼　　　玉	123	78	－	－	123	78	56	4	－	－	56	4
千　　　葉	118	34	16	16	102	18	35	3	4	－	31	3
東　　　京	129	56	35	1	94	55	47	7	7	－	40	－
神　奈　川	48	26	20	13	28	13	31	1	15	－	16	1
新　　　潟	94	54	1	1	93	53	45	1	1	－	44	1
富　　　山	81	24	2	－	79	24	28	3	2	－	26	3
石　　　川	94	57	－	－	94	57	39	2	－	－	39	2
福　　　井	203	93	32	7	171	86	90	3	11	－	79	3
山　　　梨	106	38	－	－	106	38	47	4	－	－	47	4
長　　　野	46	22	3	1	43	21	19	－	1	－	18	－
岐　　　阜	38	33	10	12	28	21	29	1	9	－	20	1
静　　　岡	116	61	18	19	98	42	69	3	12	－	57	3
愛　　　知	74	36	1	－	73	36	46	3	1	－	45	3
三　　　重	76	25	12	4	64	21	37	1	1	－	36	1
滋　　　賀	179	60	115	32	64	28	76	2	31	－	45	2
京　　　都	122	72	3	－	119	72	56	5	－	－	56	5
大　　　阪	519	332	20	19	499	313	292	28	6	－	286	28
兵　　　庫	308	154	79	33	229	121	147	17	16	1	131	16
奈　　　良	90	55	62	34	28	21	16	4	4	－	12	4
和　歌　山	16	4	7	1	9	3	4	－	－	－	4	－
鳥　　　取	44	36	9	8	35	28	27	1	2	－	25	1
島　　　根	19	16	4	5	15	11	14	－	1	－	13	－
岡　　　山	66	9	47	9	19	－	17	1	10	1	7	－
広　　　島	119	36	2	2	117	34	45	4	2	－	43	4
山　　　口	3	2	－	－	3	2	3	－	－	－	3	－
徳　　　島	105	56	44	5	61	51	22	2	5	－	17	2
香　　　川	23	12	22	7	1	5	3	3	3	－	－	－
愛　　　媛	45	24	19	3	26	21	17	－	2	－	15	－
高　　　知	10	9	10	7	－	2	1	－	1	－	－	－
福　　　岡	44	25	6	10	38	15	12	2	1	－	11	2
佐　　　賀	121	94	－	－	121	94	45	－	－	－	45	－
長　　　崎	93	33	5	2	88	31	30	1	－	－	30	1
熊　　　本	67	31	－	－	67	31	17	－	－	－	17	－
大　　　分	105	36	4	2	101	34	32	5	1	－	31	5
宮　　　崎	162	75	－	－	162	75	46	－	－	－	46	－
鹿　児　島	184	90	1	4	183	86	64	1	－	－	64	1
沖　　　縄	60	32	1	1	59	31	27	1	－	－	27	1

－うち保育士資格保有者、保育士の採用・退職者数，
常勤－非常勤、経営主体の公営－私営別

平成28年10月 1 日～平成29年 9 月30日

指定都市 中核市	（再掲）常勤保育教諭のうち保育士資格保有者						うち28年度に学校を卒業した者					
	総数		公営		私営		総数		公営		私営	
	採用者数	退職者数	採用者数	退職者数	採用者数	退職者数	採用者数	退職者数	採用者数	退職者数	採用者数	退職者数
指定都市（別掲）												
札幌市	152	94	3	1	149	93	64	4	1	－	63	4
仙台市	53	17	－	－	53	17	24	1	－	－	24	1
さいたま市	15	12	－	－	15	12	7	1	－	－	7	1
千葉市	18	20	－	－	18	20	6	－	－	－	6	－
横浜市	64	53	－	－	64	53	45	4	－	－	45	4
川崎市	5	5	－	－	5	5	2	－	－	－	2	－
相模原市	37	21	1	1	36	20	16	－	－	－	16	－
新潟市	88	58	－	－	88	58	51	1	－	－	51	1
静岡市	157	94	88	64	69	30	51	6	37	2	14	4
浜松市	142	49	－	－	142	49	49	3	－	－	49	3
名古屋市	125	40	－	－	125	40	50	7	－	－	50	7
京都市	41	26	－	－	41	26	28	2	－	－	28	2
大阪市	98	79	－	－	98	79	61	10	－	－	61	10
堺市	377	184	69	11	308	173	124	5	9	－	115	5
神戸市	322	185	－	－	322	185	155	16	－	－	155	16
岡山市	21	10	9	1	12	9	13	－	3	－	10	－
広島市	73	52	－	－	73	52	50	7	－	－	50	7
北九州市	－	－	－	－	－	－	－	－	－	－	－	－
福岡市	1	－	－	－	1	－	1	－	－	－	1	－
熊本市	128	81	－	－	128	81	55	1	－	－	55	1
中核市（別掲）												
旭川市	30	7	－	－	30	7	12	2	－	－	12	2
函館市	17	9	－	－	17	9	8	1	－	－	8	1
青森市	57	38	－	－	57	38	19	4	－	－	19	4
八戸市	53	44	－	－	53	44	20	3	－	－	20	3
盛岡市	27	13	－	－	27	13	11	1	－	－	11	1
秋田市	50	25	－	－	50	25	23	3	－	－	23	3
郡山市	－	－	－	－	－	－	－	－	－	－	－	－
いわき市	12	4	－	－	12	4	5	－	－	－	5	－
宇都宮市	53	41	－	－	53	41	33	3	－	－	33	3
前橋市	52	45	－	－	52	45	27	5	－	－	27	5
高崎市	50	28	－	－	50	28	25	4	－	－	25	4
川越市	4	1	－	－	4	1	3	－	－	－	3	－
越谷市	12	12	－	－	12	12	7	－	－	－	7	－
船橋市	7	6	－	－	7	6	6	－	－	－	6	－
柏市	15	3	－	－	15	3	8	－	－	－	8	－
八王子市	－	－	－	－	－	－	－	－	－	－	－	－
横須賀市	32	9	－	－	32	9	8	－	－	－	8	－
富山市	180	56	－	－	180	56	54	3	－	－	54	3
金沢市	98	26	－	－	98	26	32	1	－	－	32	1
長野市	26	12	－	－	26	12	6	－	－	－	6	－
岐阜市	5	9	－	－	5	9	2	－	－	－	2	－
豊橋市	50	26	2	－	48	26	27	3	2	－	25	3
豊田市	27	9	－	－	27	9	20	2	－	－	20	2
岡崎市	15	1	15	1	－	－	1	－	1	－	－	－
大津市	41	23	－	－	41	23	17	－	－	－	17	－
高槻市	33	25	－	－	33	25	22	－	－	－	22	－
東大阪市	104	67	－	－	104	67	56	4	－	－	56	4
豊中市	74	59	32	23	42	36	29	1	5	－	24	1
枚方市	14	17	－	－	14	17	5	－	－	－	5	－
姫路市	95	44	2	3	93	41	48	1	1	－	47	1
西宮市	21	14	－	－	21	14	11	1	－	－	11	1
尼崎市	26	16	－	－	26	16	18	1	－	－	18	1
奈良市	99	37	46	－	53	37	18	1	3	－	15	1
和歌山市	61	23	－	－	61	23	32	2	－	－	32	2
倉敷市	4	6	2	2	2	4	1	1	－	－	1	1
福山市	42	23	－	－	42	23	20	2	－	－	20	2
呉市	15	13	－	－	15	13	7	－	－	－	7	－
下関市	39	9	8	5	31	4	10	－	3	－	7	－
高松市	30	13	7	3	23	10	15	2	－	－	15	2
松山市	47	22	－	－	47	22	33	3	－	－	33	3
高知市	9	4	－	－	9	4	6	－	－	－	6	－
久留米市	13	8	－	－	13	8	8	2	－	－	8	2
長崎市	57	40	2	－	55	40	31	3	－	－	31	3
佐世保市	24	16	－	－	24	16	15	1	－	－	15	1
大分市	82	35	－	－	82	35	36	－	－	－	36	－
宮崎市	98	46	－	－	98	46	47	1	－	－	47	1
鹿児島市	76	38	－	－	76	38	50	4	－	－	50	4
那覇市	47	8	19	1	28	7	14	－	4	－	10	－

第16表－2　幼保連携型認定こども園の保育教諭
都道府県－指定都市－中核市、

（単位：人）

都道府県	非常勤保育教諭						うち28年度に学校を卒業した者					
	総数		公営		私営		総数		公営		私営	
	採用者数	退職者数	採用者数	退職者数	採用者数	退職者数	採用者数	退職者数	採用者数	退職者数	採用者数	退職者数
全　　　国	4 574	2 293	471	244	4 103	2 049	137	39	20	6	117	33
北　海　道	123	50	13	4	110	46	1	1	1	1	-	-
青　　　森	71	23	-	-	71	23	2	-	-	-	2	-
岩　　　手	23	14	5	-	18	14	-	-	-	-	-	-
宮　　　城	3	3	1	3	2	-	-	-	-	-	-	-
秋　　　田	17	15	2	2	15	13	-	-	-	-	-	-
山　　　形	18	10	-	-	18	10	-	-	-	-	-	-
福　　　島	18	16	5	7	13	9	-	-	-	-	-	-
茨　　　城	117	71	9	5	108	66	2	1	-	-	2	1
栃　　　木	105	43	2	-	103	43	3	-	-	-	3	-
群　　　馬	55	20	-	-	55	20	3	2	-	-	3	2
埼　　　玉	96	41	-	-	96	41	6	-	-	-	6	-
千　　　葉	86	28	11	9	75	19	3	3	-	-	3	3
東　　　京	78	33	16	5	62	28	-	-	-	-	-	-
神　奈　川	14	11	5	3	9	8	-	-	-	-	-	-
新　　　潟	22	11	5	-	17	11	1	-	-	-	1	-
富　　　山	28	7	-	-	28	7	-	-	-	-	-	-
石　　　川	71	34	-	-	71	34	-	-	-	-	-	-
福　　　井	94	45	7	2	87	43	2	-	-	-	2	-
山　　　梨	62	30	-	-	62	30	-	-	-	-	-	-
長　　　野	35	17	1	-	34	17	6	3	-	-	6	3
岐　　　阜	43	25	19	22	24	3	1	-	-	-	1	-
静　　　岡	62	44	8	12	54	32	2	1	-	-	2	1
愛　　　知	36	28	-	-	36	28	6	2	-	-	6	2
三　　　重	44	14	5	2	39	12	1	-	1	-	-	-
滋　　　賀	63	30	42	19	21	11	1	-	-	-	1	-
京　　　都	43	19	4	2	39	17	-	-	-	-	-	-
大　　　阪	287	184	3	8	284	176	2	1	-	-	2	1
兵　　　庫	182	101	31	12	151	89	4	3	3	3	1	-
奈　　　良	36	12	15	3	21	9	1	-	-	-	1	-
和　歌　山	2	1	-	-	2	1	-	-	-	-	-	-
鳥　　　取	15	15	-	-	15	15	-	-	-	-	-	-
島　　　根	5	7	4	6	1	1	-	-	-	-	-	-
岡　　　山	23	2	9	2	14	-	-	-	-	-	-	-
広　　　島	25	19	1	2	24	17	1	1	1	1	-	-
山　　　口	1	-	-	-	1	-	-	-	-	-	-	-
徳　　　島	34	13	-	1	34	12	1	-	-	-	1	-
香　　　川	19	6	18	5	1	1	-	-	-	-	-	-
愛　　　媛	16	16	2	1	14	15	1	1	-	-	1	1
高　　　知	2	-	2	-	-	-	-	-	-	-	-	-
福　　　岡	39	10	8	-	31	10	-	-	-	-	-	-
佐　　　賀	59	37	-	-	59	37	1	-	-	-	1	-
長　　　崎	48	26	4	2	44	24	1	1	-	-	1	1
熊　　　本	17	8	-	-	17	8	2	1	-	-	2	1
大　　　分	30	24	5	2	25	22	5	1	2	-	3	1
宮　　　崎	56	32	-	-	56	32	2	2	-	-	2	2
鹿　児　島	101	61	4	1	97	60	3	-	-	-	3	-
沖　　　縄	10	13	-	1	10	12	1	1	-	-	1	1

－うち保育士資格保有者、保育士の採用・退職者数，
常勤－非常勤、経営主体の公営－私営別

| 指定都市
中核市 | 非常勤保育教諭 | | | | | | うち28年度に学校を卒業した者 | | | | | |
| | 総 数 | | 公 営 | | 私 営 | | 総 数 | | 公 営 | | 私 営 | |
	採用者数	退職者数	採用者数	退職者数	採用者数	退職者数	採用者数	退職者数	採用者数	退職者数	採用者数	退職者数
指定都市（別掲）												
札　　幌　　市	62	27	－	－	62	27	3	－	－	－	3	－
仙　　台　　市	26	9	－	－	26	9	－	－	－	－	－	－
さ　い　た　ま　市	2	5	－	－	2	5	－	－	－	－	－	－
千　　葉　　市	34	14	－	－	34	14	－	－	－	－	－	－
横　　浜　　市	32	25	－	－	32	25	－	－	－	－	－	－
川　　崎　　市	3	3	－	－	3	3	－	－	－	－	－	－
相　模　原　市	20	19	1	－	19	19	－	－	－	－	－	－
新　　潟　　市	30	22	－	－	30	22	－	－	－	－	－	－
静　　岡　　市	84	48	35	32	49	16	6	1	3	1	3	－
浜　　松　　市	77	30	－	－	77	30	3	1	－	－	3	1
名　古　屋　市	37	19	－	－	37	19	－	－	－	－	－	－
京　　都　　市	31	15	－	－	31	15	4	－	－	－	4	－
大　　阪　　市	52	27	－	－	52	27	－	－	－	－	－	－
堺　　　　　市	241	94	56	6	185	88	11	－	－	4	7	－
神　　戸　　市	158	75	－	－	158	75	1	－	－	－	1	－
岡　　山　　市	11	4	3	－	8	4	1	－	1	－	2	－
広　　島　　市	22	29	－	－	22	29	2	1	－	－	2	1
北　九　州　市	－	－	－	－	－	－	－	－	－	－	－	－
福　　岡　　市	2	－	－	－	2	－	－	－	－	－	－	－
熊　　本　　市	76	26	－	－	76	26	4	－	－	－	4	－
中核市（別掲）												
旭　　川　　市	14	2	－	－	14	2	1	－	－	－	1	－
函　　館　　市	34	12	－	－	34	12	2	1	－	－	2	1
青　　森　　市	25	17	－	－	25	17	－	－	－	－	－	－
八　　戸　　市	27	11	－	－	27	11	－	－	－	－	－	－
盛　　岡　　市	17	7	－	－	17	7	－	－	－	－	－	－
秋　　田　　市	29	14	－	－	29	14	－	－	－	－	－	－
郡　　山　　市	－	－	－	－	－	－	－	－	－	－	－	－
い　わ　き　市	1	－	－	－	1	－	－	－	－	－	－	－
宇　都　宮　市	22	9	－	－	22	9	1	－	－	－	1	－
前　　橋　　市	48	18	－	－	48	18	1	－	－	－	1	－
高　　崎　　市	23	8	－	－	23	8	－	－	－	－	－	－
川　　越　　市	2	－	－	－	2	－	－	－	－	－	－	－
越　　谷　　市	6	4	－	－	6	4	－	－	－	－	－	－
船　　橋　　市	3	3	－	－	3	3	－	－	－	－	－	－
柏　　　　　市	13	2	－	－	13	2	1	－	－	－	1	－
八　王　子　市	－	－	－	－	－	－	－	－	－	－	－	－
横　須　賀　市	10	4	－	－	10	4	－	－	－	－	－	－
富　　山　　市	59	46	－	－	59	46	－	－	－	－	－	－
金　　沢　　市	43	20	－	－	43	20	2	1	－	－	2	1
長　　野　　市	10	15	－	－	10	15	－	－	－	－	－	－
岐　　阜　　市	8	5	－	－	8	5	－	－	－	－	－	－
豊　　橋　　市	40	11	－	－	40	11	4	－	－	－	4	－
豊　　田　　市	25	5	－	－	25	5	－	－	－	－	－	－
岡　　崎　　市	10	－	10	－	－	－	－	－	－	－	－	－
大　　津　　市	25	9	－	－	25	9	－	－	－	－	－	－
高　　槻　　市	22	10	－	－	22	10	－	－	－	－	－	－
東　大　阪　市	53	14	－	－	53	14	－	－	－	－	－	－
豊　　中　　市	84	67	70	57	14	10	2	－	－	2	－	－
枚　　方　　市	12	8	－	－	12	8	－	－	－	－	－	－
姫　　路　　市	58	32	6	1	52	31	10	4	1	－	9	4
西　　宮　　市	11	10	－	－	11	10	－	－	－	－	－	－
尼　　崎　　市	17	1	－	－	17	1	－	－	－	－	－	－
奈　　良　　市	34	8	21	－	13	8	1	－	1	－	－	－
和　歌　山　市	29	20	－	－	29	20	2	1	－	－	2	1
倉　　敷　　市	5	－	1	－	4	－	－	－	－	－	－	－
福　　山　　市	42	17	－	－	42	17	2	－	－	－	2	－
呉　　　　　市	7	10	－	－	7	10	－	－	－	－	－	－
下　　関　　市	28	8	－	5	28	3	1	－	－	－	1	－
高　　松　　市	16	2	2	－	14	2	－	－	－	－	－	－
松　　山　　市	21	8	－	－	21	8	1	－	－	－	1	－
高　　知　　市	5	2	－	－	5	2	－	－	－	－	－	－
久　留　米　市	1	1	－	－	1	1	3	3	－	－	3	3
長　　崎　　市	29	19	－	－	29	19	－	－	－	－	－	－
佐　世　保　市	12	14	－	－	12	14	1	1	－	－	1	1
大　　分　　市	49	10	－	－	49	10	－	－	－	－	－	－
宮　　崎　　市	72	34	－	－	72	34	1	－	－	－	1	－
鹿　児　島　市	34	15	－	－	34	15	1	－	－	－	1	－
那　　覇　　市	5	1	－	－	5	1	－	－	－	－	－	－

第16表－2　幼保連携型認定こども園の保育教諭
都道府県－指定都市－中核市、

（単位：人）

| 都道府県 | （再掲）非常勤保育教諭のうち保育士資格保有者 | | | | | | うち28年度に学校を卒業した者 | | | | | |
| | 総数 | | 公営 | | 私営 | | 総数 | | 公営 | | 私営 | |
	採用者数	退職者数	採用者数	退職者数	採用者数	退職者数	採用者数	退職者数	採用者数	退職者数	採用者数	退職者数
全　　　国	4 072	2 076	416	220	3 656	1 856	104	36	14	6	90	30
北　海　道	115	48	10	3	105	45	－	1	－	1	－	－
青　　　森	59	22	－	－	59	22	2	－	－	－	2	－
岩　　　手	23	14	5	－	18	14	－	－	－	－	－	－
宮　　　城	3	3	1	3	2	－	－	－	－	－	－	－
秋　　　田	17	14	2	2	15	12	－	－	－	－	－	－
山　　　形	17	8	－	－	17	8	－	－	－	－	－	－
福　　　島	16	11	5	2	11	9	－	－	－	－	－	－
茨　　　城	104	62	8	2	96	60	－	1	－	－	－	1
栃　　　木	80	36	2	－	78	36	2	－	－	－	2	－
群　　　馬	48	17	－	－	48	17	1	2	－	－	1	2
埼　　　玉	88	36	－	－	88	36	6	－	－	－	6	－
千　　　葉	65	25	11	9	54	16	－	3	－	－	－	3
東　　　京	63	20	10	－	53	20	－	－	－	－	－	－
神　奈　川	13	6	5	3	8	3	－	－	－	－	－	－
新　　　潟	17	9	2	－	15	9	1	－	－	－	1	－
富　　　山	23	7	－	－	23	7	－	－	－	－	－	－
石　　　川	67	34	－	－	67	34	－	－	－	－	－	－
福　　　井	82	41	7	2	75	39	2	－	－	－	2	－
山　　　梨	60	27	－	－	60	27	－	－	－	－	－	－
長　　　野	34	17	1	－	33	17	6	3	－	－	6	3
岐　　　阜	39	24	16	21	23	3	1	－	－	－	1	－
静　　　岡	52	40	6	9	46	31	－	－	－	－	－	－
愛　　　知	36	27	－	－	36	27	6	2	－	－	6	2
三　　　重	36	12	4	1	32	11	1	－	1	－	－	－
滋　　　賀	57	30	37	19	20	11	1	－	－	－	1	－
京　　　都	34	15	2	2	32	13	－	－	－	－	－	－
大　　　阪	259	165	3	8	256	157	1	1	－	－	1	1
兵　　　庫	168	96	27	12	141	84	－	3	－	3	－	－
奈　　　良	29	10	15	3	14	7	1	－	－	－	1	－
和　歌　山	2	1	－	－	2	1	－	－	－	－	－	－
鳥　　　取	15	15	－	－	15	15	－	－	－	－	－	－
島　　　根	5	7	4	6	1	1	－	－	－	－	－	－
岡　　　山	22	2	8	2	14	－	－	－	－	－	－	－
広　　　島	23	14	－	2	23	12	－	1	－	1	－	－
山　　　口	1	－	－	－	1	－	－	－	－	－	－	－
徳　　　島	28	12	－	1	28	11	1	－	－	－	1	－
香　　　川	17	4	16	3	1	1	－	－	－	－	－	－
愛　　　媛	14	15	2	1	12	14	－	1	－	－	－	1
高　　　知	2	－	2	－	－	－	－	－	－	－	－	－
福　　　岡	28	9	－	－	28	9	－	－	－	－	－	－
佐　　　賀	55	37	－	－	55	37	1	－	－	－	1	－
長　　　崎	42	20	1	1	41	19	－	－	－	－	－	－
熊　　　本	16	8	－	－	16	8	1	1	－	－	1	1
大　　　分	27	21	5	2	22	19	4	1	2	－	2	1
宮　　　崎	52	28	－	－	52	28	－	2	－	－	－	2
鹿　児　島	83	56	4	1	79	55	3	－	－	－	3	－
沖　　　縄	9	10	－	－	9	10	－	1	－	－	－	1

－うち保育士資格保有者、保育士の採用・退職者数,
常勤－非常勤、経営主体の公営－私営別

平成28年10月1日～平成29年9月30日

指定都市 中核市	(再掲)常勤保育教諭のうち保育士資格保有者						うち28年度に学校を卒業した者					
	総数		公営		私営		総数		公営		私営	
	採用者数	退職者数	採用者数	退職者数	採用者数	退職者数	採用者数	退職者数	採用者数	退職者数	採用者数	退職者数
指定都市(別掲)												
札幌市	62	24	-	-	62	24	3	-	-	-	3	-
仙台市	26	9	-	-	26	9	-	-	-	-	-	-
さいたま市	2	4	-	-	2	4	-	-	-	-	-	-
千葉市	26	14	-	-	26	14	-	-	-	-	-	-
横浜市	24	17	-	-	24	17	-	-	-	-	-	-
川崎市	2	3	-	-	2	3	-	-	-	-	-	-
相模原市	17	17	1	-	16	17	-	-	-	-	-	-
新潟市	22	18	-	-	22	18	-	-	-	-	-	-
静岡市	77	46	35	32	42	14	6	1	3	1	3	-
浜松市	70	28	-	-	70	28	2	1	-	-	2	1
名古屋市	35	18	-	-	35	18	-	-	-	-	-	-
京都市	26	15	-	-	26	15	4	-	-	-	4	-
大阪市	47	24	-	-	47	24	-	-	-	-	-	-
堺市	219	88	54	5	165	83	11	-	4	-	7	-
神戸市	127	66	-	-	127	66	1	-	-	-	1	-
岡山市	11	3	3	-	8	3	1	-	1	-	-	-
広島市	21	27	-	-	21	27	2	1	-	-	2	1
北九州市	-	-	-	-	-	-	-	-	-	-	-	-
福岡市	1	-	-	-	1	-	-	-	-	-	-	-
熊本市	75	25	-	-	75	25	4	-	-	-	4	-
中核市(別掲)												
旭川市	13	2	-	-	13	2	1	-	-	-	1	-
函館市	34	12	-	-	34	12	-	1	-	-	-	1
青森市	25	17	-	-	25	17	-	-	-	-	-	-
八戸市	21	10	-	-	21	10	-	-	-	-	-	-
盛岡市	10	6	-	-	10	6	-	-	-	-	-	-
秋田市	26	13	-	-	26	13	-	-	-	-	-	-
郡山市	-	-	-	-	-	-	-	-	-	-	-	-
いわき市	1	-	-	-	1	-	-	-	-	-	-	-
宇都宮市	22	8	-	-	22	8	1	-	-	-	1	-
前橋市	39	16	-	-	39	16	1	-	-	-	1	-
高崎市	23	8	-	-	23	8	-	-	-	-	-	-
川越市	1	-	-	-	1	-	-	-	-	-	-	-
越谷市	6	4	-	-	6	4	-	-	-	-	-	-
船橋市	3	2	-	-	3	2	-	-	-	-	-	-
柏市	8	1	-	-	8	1	1	-	-	-	1	-
八王子市	-	-	-	-	-	-	-	-	-	-	-	-
横須賀市	10	4	-	-	10	4	-	-	-	-	-	-
富山市	54	43	-	-	54	43	-	-	-	-	-	-
金沢市	40	20	-	-	40	20	1	1	-	-	1	1
長野市	10	15	-	-	10	15	-	-	-	-	-	-
岐阜市	4	3	-	-	4	3	-	-	-	-	-	-
豊橋市	40	11	-	-	40	11	4	-	-	-	4	-
豊田市	23	4	-	-	23	4	-	-	-	-	-	-
岡崎市	10	-	10	-	-	-	-	-	-	-	-	-
大津市	22	8	-	-	22	8	-	-	-	-	-	-
高槻市	21	8	-	-	21	8	-	-	-	-	-	-
東大阪市	49	14	-	-	49	14	-	-	-	-	-	-
豊中市	79	67	70	57	9	9	2	-	2	-	-	-
枚方市	9	7	-	-	9	7	-	-	-	-	-	-
姫路市	56	31	5	1	51	30	9	3	-	-	9	3
西宮市	11	7	-	-	11	7	-	-	-	-	-	-
尼崎市	15	1	-	-	15	1	-	-	-	-	-	-
奈良市	27	8	14	-	13	8	1	-	1	-	-	-
和歌山市	27	19	-	-	27	19	1	1	-	-	1	1
倉敷市	5	-	1	-	4	-	-	-	-	-	-	-
福山市	36	15	-	-	36	15	2	-	-	-	2	-
呉市	6	10	-	-	6	10	-	-	-	-	-	-
下関市	26	8	-	5	26	3	1	-	-	-	1	-
高松市	15	2	2	-	13	2	1	-	-	-	1	-
松山市	20	7	-	-	20	7	1	-	-	-	1	-
高知市	4	2	-	-	4	2	-	-	-	-	-	-
久留米市	1	1	-	-	1	1	-	-	-	-	-	-
長崎市	28	16	-	-	28	16	-	3	-	-	-	3
佐世保市	11	11	-	-	11	11	1	1	-	-	1	1
大分市	46	8	-	-	46	8	-	-	-	-	-	-
宮崎市	66	34	-	-	66	34	1	-	-	-	1	-
鹿児島市	29	11	-	-	29	11	1	-	-	-	1	-
那覇市	5	1	-	-	5	1	-	-	-	-	-	-

第16表－2　幼保連携型認定こども園の保育教諭
都道府県－指定都市－中核市、

（単位：人）

都道府県	常勤保育士						うち28年度に学校を卒業した者					
	総数		公営		私営		総数		公営		私営	
	採用者数	退職者数	採用者数	退職者数	採用者数	退職者数	採用者数	退職者数	採用者数	退職者数	採用者数	退職者数
全　　　　国	485	394	48	39	437	355	177	25	10	1	167	24
北　海　道	30	19	5	6	25	13	15	1	-	-	15	1
青　　　森	34	14	-	-	34	14	1	-	-	-	1	-
岩　　　手	1	7	-	4	1	3	1	-	-	-	1	-
宮　　　城	2	-	1	-	1	-	-	-	-	-	-	-
秋　　　田	4	1	3	1	1	-	1	-	1	-	-	-
山　　　形	5	2	-	-	5	2	2	-	-	-	2	-
福　　　島	7	7	5	1	2	6	1	-	1	-	-	-
茨　　　城	9	13	-	-	9	13	1	-	-	-	1	-
栃　　　木	4	2	-	-	4	2	1	-	-	-	1	-
群　　　馬	1	9	-	-	1	9	1	-	-	-	1	-
埼　　　玉	16	2	-	-	16	2	6	-	-	-	6	-
千　　　葉	4	6	1	-	3	6	2	1	1	-	1	1
東　　　京	2	-	2	-	-	-	1	-	1	-	-	-
神　奈　川	8	2	-	-	8	2	-	-	-	-	-	-
新　　　潟	13	9	-	1	13	8	10	-	-	-	10	-
富　　　山	10	9	-	-	10	9	3	1	-	-	3	1
石　　　川	1	2	-	-	1	2	-	-	-	-	-	-
福　　　井	8	1	3	-	5	1	3	-	1	-	2	-
山　　　梨	2	1	-	-	2	1	-	-	-	-	-	-
長　　　野	-	-	-	-	-	-	-	-	-	-	-	-
岐　　　阜	2	3	-	-	2	3	2	-	-	-	2	-
静　　　岡	3	1	-	1	3	1	1	-	-	-	1	-
愛　　　知	6	1	-	-	6	1	3	-	-	-	3	-
三　　　重	1	2	1	1	-	1	1	1	1	1	-	-
滋　　　賀	11	3	3	1	8	2	7	-	1	-	6	-
京　　　都	1	4	-	-	1	4	-	-	-	-	-	-
大　　　阪	38	47	2	2	36	45	12	3	-	-	12	3
兵　　　庫	5	5	3	3	2	2	1	-	-	-	1	-
奈　　　良	3	4	-	-	3	4	3	1	-	-	3	1
和　歌　山	-	4	-	2	-	2	-	-	-	-	-	-
鳥　　　取	-	-	-	-	-	-	-	-	-	-	-	-
島　　　根	7	2	-	-	7	2	3	-	-	-	3	-
岡　　　山	-	-	-	-	-	-	-	-	-	-	-	-
広　　　島	2	5	-	-	2	5	-	-	-	-	-	-
山　　　口	-	-	-	-	-	-	-	-	-	-	-	-
徳　　　島	1	4	-	-	1	4	-	-	-	-	-	-
香　　　川	2	1	2	1	-	-	1	-	1	-	-	-
愛　　　媛	-	1	-	1	-	-	-	-	-	-	-	-
高　　　知	1	3	-	3	1	-	-	-	-	-	-	-
福　　　岡	2	3	-	-	2	3	2	-	-	-	2	-
佐　　　賀	16	4	-	-	16	4	1	-	-	-	1	-
長　　　崎	1	3	-	-	1	3	-	-	-	-	-	-
熊　　　本	17	10	-	-	17	10	5	3	-	-	5	3
大　　　分	3	2	1	-	2	2	-	-	-	-	-	-
宮　　　崎	21	10	-	-	21	10	5	-	-	-	5	-
鹿　児　島	4	6	-	-	4	6	3	-	-	-	3	-
沖　　　縄	3	2	2	1	1	1	-	-	-	-	-	-

－うち保育士資格保有者、保育士の採用・退職者数，
常勤－非常勤、経営主体の公営－私営別

平成28年10月1日～平成29年9月30日

指定都市 中核市	常勤保育士						うち28年度に学校を卒業した者					
	総数		公営		私営		総数		公営		私営	
	採用者数	退職者数	採用者数	退職者数	採用者数	退職者数	採用者数	退職者数	採用者数	退職者数	採用者数	退職者数
指定都市（別掲）												
札幌市	6	4	1	－	5	4	6	1	1	－	5	1
仙台市	1	－	－	－	1	－	－	－	－	－	－	－
さいたま市	－	1	－	－	－	1	－	－	－	－	－	－
千葉市	－	－	－	－	－	－	－	－	－	－	－	－
横浜市	1	－	－	－	1	－	－	－	－	－	－	－
川崎市	－	－	－	－	－	－	－	－	－	－	－	－
相模原市	－	－	－	－	－	－	－	－	－	－	－	－
新潟市	6	2	－	－	6	2	2	1	－	－	2	1
静岡市	8	5	2	2	6	3	3	1	－	－	3	1
浜松市	20	4	－	－	20	4	18	－	－	－	18	－
名古屋市	2	1	－	－	2	1	2	－	－	－	2	－
京都市	－	2	－	－	－	2	－	－	－	－	－	－
大阪市	14	12	－	－	14	12	8	2	－	－	8	2
堺市	7	8	－	4	7	4	2	－	－	－	2	－
神戸市	19	44	－	－	19	44	11	6	－	－	11	6
岡山市	1	1	1	－	－	1	－	－	－	－	－	－
広島市	－	2	－	－	－	2	－	－	－	－	－	－
北九州市	－	－	－	－	－	－	－	－	－	－	－	－
福岡市	13	1	－	－	13	1	3	－	－	－	3	－
熊本市	3	4	－	－	3	4	－	－	－	－	－	－
中核市（別掲）												
旭川市	－	－	－	－	－	－	－	－	－	－	－	－
函館市	－	3	－	－	－	3	－	－	－	－	－	－
青森市	－	－	－	－	－	－	－	－	－	－	－	－
八戸市	4	8	－	－	4	8	－	－	－	－	－	－
盛岡市	－	－	－	－	－	－	－	－	－	－	－	－
秋田市	－	－	－	－	－	－	－	－	－	－	－	－
郡山市	－	－	－	－	－	－	－	－	－	－	－	－
いわき市	－	－	－	－	－	－	－	－	－	－	－	－
宇都宮市	1	－	－	－	1	－	－	－	－	－	－	－
前橋市	8	－	－	－	8	－	－	－	－	－	－	－
高崎市	2	1	－	－	2	1	－	－	－	－	－	－
川越市	－	－	－	－	－	－	－	－	－	－	－	－
越谷市	－	－	－	－	－	－	－	－	－	－	－	－
船橋市	－	－	－	－	－	－	－	－	－	－	－	－
柏市	－	－	－	－	－	－	－	－	－	－	－	－
八王子市	－	13	－	－	－	13	－	－	－	－	－	－
横須賀市	4	3	－	－	4	3	1	－	－	－	1	－
富山市	3	1	－	－	3	1	－	－	－	－	－	－
金沢市	1	1	－	－	1	1	－	－	－	－	－	－
長野市	－	－	－	－	－	－	－	－	－	－	－	－
岐阜市	－	－	－	－	－	－	－	－	－	－	－	－
豊橋市	2	5	－	－	2	5	2	5	－	－	2	5
豊田市	5	－	－	－	5	－	－	－	－	－	－	－
岡崎市	－	－	－	－	－	－	－	－	－	－	－	－
大津市	1	－	－	－	1	－	－	－	－	－	－	－
高槻市	7	4	2	2	5	2	4	－	－	－	4	－
東大阪市	2	－	2	2	－	－	－	－	－	－	－	－
豊中市	－	1	－	－	－	1	－	－	－	－	－	－
枚方市	－	14	－	－	－	14	－	－	－	－	－	－
姫路市	－	5	－	－	－	5	1	1	－	－	1	1
西宮市	1	－	－	－	1	－	－	－	－	－	－	－
尼崎市	－	2	－	－	－	2	－	－	－	－	－	－
奈良市	2	7	2	－	－	7	－	－	－	－	－	－
和歌山市	3	－	－	－	3	－	－	－	－	－	－	－
倉敷市	1	－	1	－	－	－	1	－	1	－	－	－
福山市	－	4	－	－	－	4	－	－	－	－	－	－
呉市	－	2	－	－	－	2	－	－	－	－	－	－
下関市	－	1	－	－	－	1	－	－	－	－	－	－
高松市	1	－	1	－	－	－	1	－	1	－	－	－
松山市	5	1	－	－	5	1	1	－	－	－	1	－
高知市	1	－	－	－	1	－	1	－	－	－	1	－
久留米市	2	1	2	－	－	1	－	－	－	－	－	－
長崎市	1	－	－	－	1	－	－	－	－	－	－	－
佐世保市	－	－	－	－	－	－	－	－	－	－	－	－
大分市	－	－	－	－	－	－	－	－	－	－	－	－
宮崎市	5	3	－	－	5	3	2	－	－	－	2	－
鹿児島市	5	12	－	－	5	12	－	－	－	－	－	－
那覇市	5	2	－	－	5	2	5	－	－	－	5	－

第16表－2　幼保連携型認定こども園の保育教諭
都道府県－指定都市－中核市、

（単位：人）

| 都道府県 | 非常勤保育士 | | | | | | うち28年度に学校を卒業した者 | | | | | |
| | 総数 | | 公営 | | 私営 | | 総数 | | 公営 | | 私営 | |
	採用者数	退職者数	採用者数	退職者数	採用者数	退職者数	採用者数	退職者数	採用者数	退職者数	採用者数	退職者数
全　　国	484	301	68	44	416	257	33	13	1	－	32	13
北　海　道	25	16	4	4	21	12	1	－	－	－	1	－
青　　森	14	9	－	－	14	9	－	－	－	－	－	－
岩　　手	4	3	－	1	4	2	－	－	－	－	－	－
宮　　城	－	－	－	－	－	－	－	－	－	－	－	－
秋　　田	－	－	－	－	－	－	－	－	－	－	－	－
山　　形	2	2	－	－	2	2	－	－	－	－	－	－
福　　島	1	2	－	－	1	2	－	－	－	－	－	－
茨　　城	14	16	－	2	14	14	1	－	－	－	1	－
栃　　木	14	2	－	1	14	1	1	－	－	－	1	－
群　　馬	2	8	－	－	2	8	－	－	－	－	－	－
埼　　玉	30	10	－	－	30	10	－	－	－	－	－	－
千　　葉	3	1	－	－	3	1	－	－	－	－	－	－
東　　京	28	10	24	9	4	1	－	－	－	－	－	－
神　奈　川	3	－	－	－	3	－	－	－	－	－	－	－
新　　潟	5	4	－	1	5	3	－	－	－	－	－	－
富　　山	5	4	－	－	5	4	－	－	－	－	－	－
石　　川	4	3	－	－	4	3	－	－	－	－	－	－
福　　井	9	1	－	1	9	－	－	－	－	－	－	－
山　　梨	3	2	－	－	3	2	－	－	－	－	－	－
長　　野	2	1	1	－	1	1	－	－	－	－	－	－
岐　　阜	－	4	－	1	－	3	－	－	－	－	－	－
静　　岡	2	－	2	－	－	－	－	－	－	－	－	－
愛　　知	4	2	－	－	4	2	－	－	－	－	－	－
三　　重	2	3	－	1	2	2	1	1	－	－	1	1
滋　　賀	20	10	12	6	8	4	－	－	－	－	－	－
京　　都	5	5	－	2	5	3	－	－	－	－	－	－
大　　阪	34	29	3	1	31	28	－	－	－	－	－	－
兵　　庫	12	11	2	2	10	9	2	1	－	－	2	1
奈　　良	2	2	－	－	2	2	2	1	－	－	2	1
和　歌　山	－	1	－	－	－	1	－	－	－	－	－	－
鳥　　取	－	－	－	－	－	－	－	－	－	－	－	－
島　　根	－	1	－	－	－	1	－	－	－	－	－	－
岡　　山	－	－	－	－	－	－	－	－	－	－	－	－
広　　島	2	－	－	－	2	－	－	－	－	－	－	－
山　　口	－	－	－	－	－	－	－	－	－	－	－	－
徳　　島	3	2	－	－	3	2	－	－	－	－	－	－
香　　川	5	1	5	1	－	－	－	－	－	－	－	－
愛　　媛	－	－	－	－	－	－	－	－	－	－	－	－
高　　知	－	1	－	－	－	1	－	－	－	－	－	－
福　　岡	4	1	－	－	4	1	－	－	－	－	－	－
佐　　賀	9	4	－	－	9	4	－	－	－	－	－	－
長　　崎	3	9	－	－	3	9	1	1	－	－	1	1
熊　　本	18	4	－	－	18	4	4	3	－	－	4	3
大　　分	2	5	－	1	2	4	－	－	－	－	－	－
宮　　崎	11	2	－	－	11	2	－	－	－	－	－	－
鹿　児　島	23	8	－	－	23	8	1	－	－	－	1	－
沖　　縄	2	3	1	2	1	1	－	－	－	－	－	－

－うち保育士資格保有者、保育士の採用・退職者数,
常勤－非常勤、経営主体の公営－私営別

平成28年10月 1 日～平成29年 9 月30日

指定都市 中核市	非常勤保育士						うち28年度に学校を卒業した者					
	総数		公営		私営		総数		公営		私営	
	採用者数	退職者数	採用者数	退職者数	採用者数	退職者数	採用者数	退職者数	採用者数	退職者数	採用者数	退職者数
指定都市（別掲）												
札幌市	−	−	−	−	−	−	−	−	−	−	−	−
仙台市	8	1	−	−	8	1	−	−	−	−	−	−
さいたま市	1	1	−	−	1	1	−	−	−	−	−	−
千葉市	1	−	−	−	1	−	−	−	−	−	−	−
横浜市	3	3	−	−	3	3	−	−	−	−	−	−
川崎市	−	−	−	−	−	−	−	−	−	−	−	−
相模原市	1	−	−	−	1	−	1	−	−	−	1	−
新潟市	3	3	−	−	3	3	−	−	−	−	−	−
静岡市	5	2	2	1	3	1	−	−	−	−	−	−
浜松市	6	3	−	−	6	3	5	−	−	−	5	−
名古屋市	4	3	−	−	4	3	−	−	−	−	−	−
京都市	−	−	−	−	−	−	−	−	−	−	−	−
大阪市	1	1	−	−	1	1	1	−	−	−	1	−
堺市	12	13	−	3	12	10	4	4	−	−	4	4
神戸市	26	21	−	−	26	21	1	1	−	−	1	1
岡山市	2	−	2	−	−	−	−	−	−	−	−	−
広島市	2	−	−	−	2	−	−	−	−	−	−	−
北九州市	−	−	−	−	−	−	−	−	−	−	−	−
福岡市	6	2	−	−	6	2	−	−	−	−	−	−
熊本市	10	10	−	−	10	10	−	−	−	−	−	−
中核市（別掲）												
旭川市	3	1	−	−	3	1	−	−	−	−	−	−
函館市	−	1	−	−	−	1	−	−	−	−	−	−
青森市	−	1	−	−	−	1	−	−	−	−	−	−
八戸市	2	1	−	−	2	1	−	−	−	−	−	−
盛岡市	−	−	−	−	−	−	−	−	−	−	−	−
秋田市	−	−	−	−	−	−	−	−	−	−	−	−
郡山市	−	−	−	−	−	−	−	−	−	−	−	−
いわき市	−	−	−	−	−	−	−	−	−	−	−	−
宇都宮市	−	−	−	−	−	−	−	−	−	−	−	−
前橋市	2	2	−	−	2	2	1	−	−	−	1	−
高崎市	−	1	−	−	−	1	−	−	−	−	−	−
川越市	−	−	−	−	−	−	−	−	−	−	−	−
越谷市	−	−	−	−	−	−	−	−	−	−	−	−
船橋市	−	−	−	−	−	−	−	−	−	−	−	−
柏市	−	−	−	−	−	−	−	−	−	−	−	−
八王子市	−	−	−	−	−	−	−	−	−	−	−	−
横須賀市	2	5	−	−	2	5	2	−	−	−	2	−
富山市	4	−	−	−	4	−	−	−	−	−	−	−
金沢市	1	−	−	−	1	−	−	−	−	−	−	−
長野市	1	−	−	−	1	−	−	−	−	−	−	−
岐阜市	2	−	−	−	2	−	−	−	−	−	−	−
豊橋市	−	−	−	−	−	−	−	−	−	−	−	−
豊田市	1	−	−	−	1	−	−	−	−	−	−	−
岡崎市	−	−	−	−	−	−	−	−	−	−	−	−
大津市	3	−	−	−	3	−	−	−	−	−	−	−
高槻市	−	1	−	−	−	1	−	−	−	−	−	−
東大阪市	7	5	3	5	4	−	1	−	−	1	−	−
豊中市	5	−	5	−	−	−	1	−	1	−	−	−
枚方市	6	2	−	−	6	2	1	−	−	−	1	−
姫路市	−	−	−	−	−	−	−	−	−	−	−	−
西宮市	−	−	−	−	−	−	−	−	−	−	−	−
尼崎市	2	−	2	−	−	−	−	−	−	−	−	−
奈良市	3	1	−	−	3	1	1	1	−	−	1	1
和歌山市	−	4	−	4	−	−	−	−	−	−	−	−
倉敷市	−	−	−	−	−	−	−	−	−	−	−	−
福山市	4	1	−	−	4	1	−	−	−	−	−	−
呉市	5	3	−	−	5	3	−	−	−	−	−	−
下関市	−	−	−	−	−	−	−	−	−	−	−	−
高松市	1	3	−	−	1	3	−	−	−	−	−	−
松山市	−	−	−	−	−	−	−	−	−	−	−	−
高知市	−	−	−	−	−	−	−	−	−	−	−	−
久留米市	2	1	−	−	2	1	1	−	−	−	1	−
長崎市	−	−	−	−	−	−	−	−	−	−	−	−
佐世保市	−	−	−	−	−	−	−	−	−	−	−	−
大分市	−	−	−	−	−	−	−	−	−	−	−	−
宮崎市	4	2	−	−	4	2	−	−	−	−	−	−
鹿児島市	3	7	−	−	3	7	−	−	−	−	−	−
那覇市	−	−	−	−	−	−	−	−	−	−	−	−

－うち保育士資格保有者、保育士の採用・退職者数, 常勤－非常勤、経営主体の公営－私営別

第17表　障害者支援施設の入所者数，入所期間、経営主体の公営－私営別

（単位：人）　　　　　　　　　　　　　　　　　　　　　　　　　　　　　　　平成29年10月 1 日

入　所　期　間	総　　　　数	公　　　　営	私　　　　営
総　　　　　　　　数	122 025	3 058	118 967
6　　月　　以　　下	3 429	259	3 170
6　月　超　1　年　以　下	2 554	145	2 409
1　年　超　1　年　6　月　以　下	3 034	129	2 905
1　年　6　月　超　2　年　以　下	2 463	81	2 382
2　年　超　3　年　以　下	4 443	136	4 307
3　年　超　5　年　以　下	7 715	152	7 563
5　　年　　超	98 387	2 156	96 231

注：平成29年 9 月末日の入所者を対象とした。

第18表　障害者関係施設の退所者（過去1年間）数，施設の種類・
　　　　経営主体の公営－私営・退所後の住居（夜の住まい）、退所理由別

（単位：人）　　　　　　　　　　　　　　　　　　　　　　　　　　　平成28年10月1日～平成29年9月30日

施設の種類 経営主体の公営－私営 退所後の住居 （夜の住まい）	総　数	就　職	家庭復帰	他の社会福祉施 設等への転所	入　院	死　亡	その他
障害者支援施設	6 652	319	711	2 064	975	1 707	876
自宅・アパート	…	256	671	326	・	・	139
グループホーム	…	46	21	440	・	・	110
福祉ホーム	…	2	－	55	・	・	8
入所施設	…	6	7	1 048	・	・	70
その他	…	9	12	195	・	・	549
公　営	547	120	162	180	15	32	38
自宅・アパート	…	117	162	98	・	・	16
グループホーム	…	3	－	23	・	・	3
福祉ホーム	…	－	－	4	・	・	－
入所施設	…	－	－	55	・	・	5
その他	…	－	－	－	・	・	14
私　営	6 105	199	549	1 884	960	1 675	838
自宅・アパート	…	139	509	228	・	・	123
グループホーム	…	43	21	417	・	・	107
福祉ホーム	…	2	－	51	・	・	8
入所施設	…	6	7	993	・	・	65
その他	…	9	12	195	・	・	535
福祉ホーム	174	15	35	64	16	14	30
自宅・アパート	…	9	33	9	・	・	21
グループホーム	…	4	－	12	・	・	1
福祉ホーム	…	－	1	8	・	・	1
入所施設	…	2	－	28	・	・	2
その他	…	－	1	7	・	・	5
公　営	－	－	－	－	－	－	－
自宅・アパート	－	－	－	－	・	・	－
グループホーム	－	－	－	－	・	・	－
福祉ホーム	－	－	－	－	・	・	－
入所施設	－	－	－	－	・	・	－
その他	－	－	－	－	・	・	－
私　営	174	15	35	64	16	14	30
自宅・アパート	…	9	33	9	・	・	21
グループホーム	…	4	－	12	・	・	1
福祉ホーム	…	－	1	8	・	・	1
入所施設	…	2	－	28	・	・	2
その他	…	－	1	7	・	・	5

第19表　障害児関係施設の退所者（過去１年間）数，
施設の種類・在所期間、退所理由別

（単位：人）　　　　　　　　　　　　　　　　　　　　　　　　平成28年10月１日〜平成29年９月30日

施　設　の　種　類　在　所　期　間	総　　数	就　職	家　庭　復　帰	他の社会福祉施設等へ転所	死　亡	そ　の　他
総　　　　　　　数	12 200	186	2 922	2 753	157	6 182
1　　年　　未　　満	4 373	14	2 305	732	34	1 288
1　年　以　上　2　年　未　満	2 615	20	295	665	11	1 624
2　年　以　上　5　年　未　満	4 278	112	237	815	36	3 078
5　　年　　以　　上	934	40	85	541	76	192
障　害　児　入　所　施　設（福祉型）	1 169	104	276	709	4	76
1　　年　　未　　満	154	8	82	58	－	6
1　年　以　上　2　年　未　満	129	6	42	66	－	15
2　年　以　上　5　年　未　満	381	59	86	193	4	39
5　　年　　以　　上	505	31	66	392	－	16
障　害　児　入　所　施　設（医療型）	2 626	2	2 196	262	121	45
1　　年　　未　　満	2 272	－	2 097	119	18	38
1　年　以　上　2　年　未　満	87	1	67	11	6	2
2　年　以　上　5　年　未　満	82	1	25	34	21	1
5　　年　　以　　上	185	－	7	98	76	4
児童発達支援センター（福祉型）	7 637	74	400	1 488	17	5 658
1　　年　　未　　満	1 819	6	111	503	9	1 190
1　年　以　上　2　年　未　満	2 188	13	179	470	2	1 524
2　年　以　上　5　年　未　満	3 436	46	102	473	6	2 809
5　　年　　以　　上	194	9	8	42	－	135
児童発達支援センター（医療型）	768	6	50	294	15	403
1　　年　　未　　満	128	－	15	52	7	54
1　年　以　上　2　年　未　満	211	－	7	118	3	83
2　年　以　上　5　年　未　満	379	6	24	115	5	229
5　　年　　以　　上	50	－	4	9	－	37

第20表　【基本票】障害福祉サービス等
国－都道府県－指定都市－中核市、

障害福祉サービス等事業所

国 都 道 府 県	居 宅 介 護 事 業			重 度 訪 問 介 護 事 業			同 行 援 護 事 業			行 動 援 護 事 業		
	総 数	公 営	私 営	総 数	公 営	私 営	総 数	公 営	私 営	総 数	公 営	私 営
全　　　　国	23 074	37	23 037	20 952	26	20 926	10 356	12	10 344	2 495	8	2 487
国	－	－	－	－	－	－	－	－	－	－	－	－
北　海　道	536	6	530	464	3	461	174	2	172	80	－	80
青　　　森	198	－	198	191	－	191	48	－	48	36	－	36
岩　　　手	117	1	116	94	1	93	32	－	32	24	1	23
宮　　　城	170	－	170	149	－	149	47	－	47	29	－	29
秋　　　田	94	1	93	86	－	86	32	－	32	15	－	15
山　　　形	109	－	109	96	－	96	35	－	35	10	－	10
福　　　島	148	－	148	133	－	133	43	－	43	8	－	8
茨　　　城	250	－	250	223	－	223	93	－	93	55	－	55
栃　　　木	132	－	132	82	－	82	62	－	62	17	－	17
群　　　馬	134	－	134	122	－	122	63	－	63	6	－	6
埼　　　玉	636	2	634	602	2	600	279	1	278	77	－	77
千　　　葉	593	2	591	536	1	535	270	－	270	51	－	51
東　　　京	2 429	3	2 426	2 147	2	2 145	997	1	996	195	－	195
神　奈　川	369	－	369	357	－	357	128	－	128	27	－	27
新　　　潟	153	1	152	143	1	142	48	1	47	23	1	22
富　　　山	62	4	58	47	3	44	25	－	25	12	2	10
石　　　川	61	－	61	54	－	54	35	－	35	8	－	8
福　　　井	100	－	100	77	－	77	36	－	36	18	－	18
山　　　梨	119	－	119	107	－	107	30	－	30	25	－	25
長　　　野	236	－	236	205	－	205	67	－	67	58	－	58
岐　　　阜	153	2	151	124	1	123	57	－	57	21	－	21
静　　　岡	190	1	189	159	－	159	102	－	102	20	1	19
愛　　　知	465	－	465	435	－	435	242	－	242	59	－	59
三　　　重	291	2	289	201	1	200	92	－	92	11	－	11
滋　　　賀	163	－	163	132	－	132	68	－	68	34	－	34
京　　　都	184	－	184	161	－	161	61	－	61	62	－	62
大　　　阪	1 126	－	1 126	1 056	－	1 056	705	－	705	78	－	78
兵　　　庫	384	2	382	343	2	341	175	2	173	40	1	39
奈　　　良	315	－	315	304	－	304	147	－	147	112	－	112
和　歌　山	198	－	198	187	－	187	75	－	75	13	－	13
鳥　　　取	92	－	92	79	－	79	32	－	32	17	－	17
島　　　根	147	－	147	111	－	111	48	－	48	23	－	23
岡　　　山	94	－	94	69	－	69	34	－	34	7	－	7
広　　　島	161	1	160	148	1	147	72	－	72	34	－	34
山　　　口	151	－	151	140	－	140	68	－	68	7	－	7
徳　　　島	250	－	250	214	－	214	126	－	126	26	－	26
香　　　川	75	3	72	66	3	63	49	3	46	17	－	17
愛　　　媛	137	－	137	127	－	127	78	－	78	18	－	18
高　　　知	77	1	76	67	－	67	28	－	28	2	－	2
福　　　岡	434	－	434	340	－	340	169	－	169	22	－	22
佐　　　賀	108	－	108	86	－	86	38	－	38	16	－	16
長　　　崎	115	－	115	106	－	106	56	－	56	15	－	15
熊　　　本	155	－	155	143	－	143	66	－	66	6	－	6
大　　　分	161	2	159	145	2	143	76	－	76	31	－	31
宮　　　崎	131	－	131	120	－	120	48	－	48	4	－	4
鹿　児　島	165	－	165	148	－	148	49	－	49	16	－	16
沖　　　縄	232	－	232	205	－	205	87	－	87	32	－	32

注：指定都市及び中核市は別掲である。

平成29年10月 1 日

指定都市 中核市	居宅介護事業			重度訪問介護事業			同行援護事業			行動援護事業		
	総数	公営	私営	総数	公営	私営	総数	公営	私営	総数	公営	私営
指定都市（別掲）												
札幌市	513	－	513	501	－	501	264	－	264	107	－	107
仙台市	176	－	176	154	－	154	79	－	79	21	－	21
さいたま市	197	－	197	194	－	194	83	－	83	30	－	30
千葉市	155	－	155	145	－	145	80	－	80	5	－	5
横浜市	633	－	633	588	－	588	259	－	259	53	－	53
川崎市	193	－	193	166	－	166	54	－	54	36	－	36
相模原市	125	－	125	111	－	111	52	－	52	3	－	3
新潟市	108	－	108	103	－	103	40	－	40	8	－	8
静岡市	62	－	62	61	－	61	36	－	36	3	－	3
浜松市	67	－	67	55	－	55	29	－	29	6	－	6
名古屋市	688	－	688	675	－	675	318	－	318	101	－	101
京都市	341	1	340	335	1	334	166	1	165	94	1	93
大阪市	1 621	－	1 621	1 555	－	1 555	931	－	931	65	－	65
堺市	373	－	373	368	－	368	254	－	254	13	－	13
神戸市	429	－	429	419	－	419	220	－	220	12	－	12
岡山市	115	－	115	108	－	108	31	－	31	14	－	14
広島市	294	1	293	268	1	267	55	1	54	5	－	5
北九州市	213	－	213	177	－	177	91	－	91	6	－	6
福岡市	294	－	294	246	－	246	130	－	130	26	－	26
熊本市	83	－	83	79	－	79	38	－	38	2	－	2
中核市（別掲）												
旭川市	102	－	102	96	－	96	25	－	25	1	－	1
函館市	39	－	39	35	－	35	17	－	17	2	－	2
青森市	78	－	78	78	－	78	12	－	12	6	－	6
八戸市	28	－	28	28	－	28	9	－	9	3	－	3
盛岡市	48	－	48	40	－	40	15	－	15	3	－	3
秋田市	54	－	54	45	－	45	11	－	11	－	－	－
郡山市	27	－	27	26	－	26	9	－	9	2	－	2
いわき市	56	－	56	48	－	48	25	－	25	12	－	12
宇都宮市	65	－	65	42	－	42	36	－	36	12	－	12
前橋市	44	－	44	36	－	36	17	－	17	8	－	8
高崎市	44	－	44	44	－	44	20	－	20	8	－	8
川越市	54	－	54	54	－	54	22	－	22	5	－	5
越谷市	36	－	36	34	－	34	10	－	10	4	－	4
船橋市	83	－	83	78	－	78	33	－	33	11	－	11
柏市	68	－	68	56	－	56	34	－	34	6	－	6
八王子市	110	－	110	106	－	106	52	－	52	10	－	10
横須賀市	55	－	55	46	－	46	10	－	10	2	－	2
富山市	43	－	43	42	－	42	17	－	17	1	－	1
金沢市	57	－	57	48	－	48	24	－	24	11	－	11
長野市	43	－	43	40	－	40	16	－	16	7	－	7
岐阜市	57	－	57	47	－	47	14	－	14	5	－	5
豊橋市	40	－	40	40	－	40	26	－	26	6	－	6
豊田市	45	－	45	43	－	43	13	－	13	2	－	2
岡崎市	31	－	31	31	－	31	17	－	17	6	－	6
大津市	61	1	60	50	1	49	28	－	28	11	1	10
高槻市	61	－	61	57	－	57	40	－	40	11	－	11
東大阪市	234	－	234	224	－	224	145	－	145	17	－	17
豊中市	148	－	148	144	－	144	113	－	113	10	－	10
枚方市	130	－	130	125	－	125	75	－	75	2	－	2
姫路市	90	－	90	88	－	88	41	－	41	6	－	6
西宮市	121	－	121	116	－	116	51	－	51	8	－	8
尼崎市	272	－	272	268	－	268	156	－	156	3	－	3
奈良市	114	－	114	108	－	108	68	－	68	50	－	50
和歌山市	128	－	128	119	－	119	60	－	60	12	－	12
倉敷市	64	－	64	45	－	45	18	－	18	7	－	7
福山市	69	－	69	66	－	66	29	－	29	18	－	18
呉市	47	－	47	43	－	43	20	－	20	5	－	5
下関市	45	－	45	43	－	43	27	－	27	5	－	5
高松市	71	－	71	57	－	57	33	－	33	10	－	10
松山市	92	－	92	75	－	75	43	－	43	10	－	10
高知市	77	－	77	69	－	69	45	－	45	3	－	3
久留米市	58	－	58	47	－	47	30	－	30	3	－	3
長崎市	89	－	89	87	－	87	55	－	55	8	－	8
佐世保市	27	－	27	28	－	28	9	－	9	2	－	2
大分市	99	－	99	94	－	94	54	－	54	12	－	12
宮崎市	49	－	49	44	－	44	37	－	37	1	－	1
鹿児島市	102	－	102	99	－	99	70	－	70	16	－	16
那覇市	39	－	39	34	－	34	23	－	23	5	－	5

第20表　【基本票】障害福祉サービス等

国－都道府県－指定都市－中核市、

国 都 道 府 県	療 養 介 護 事 業			生 活 介 護 事 業			重度障害者等包括支援事業			計 画 相 談 支 援 事 業		
	総数	公営	私営	総数	公営	私営	総数	公営	私営	総数	公営	私営
全国	222	110	112	7 275	232	7 043	29	1	28	9 241	322	8 919
国	-	-	-	-	-	-	-	-	-	1	1	-
北海道	6	3	3	216	5	211	-	-	-	285	58	227
青森	-	-	-	82	-	82	-	-	-	72	2	70
岩手	4	3	1	78	-	78	-	-	-	76	1	75
宮城	1	1	-	113	1	112	-	-	-	83	4	79
秋田	2	2	-	69	3	66	-	-	-	65	3	62
山形	3	3	-	72	5	67	-	-	-	77	2	75
福島	1	1	-	80	-	80	-	-	-	89	-	89
茨城	2	1	1	115	9	106	-	-	-	211	5	206
栃木	3	-	3	73	-	73	-	-	-	125	3	122
群馬	1	1	-	49	1	48	-	-	-	76	1	75
埼玉	5	2	3	199	3	196	1	-	1	284	8	276
千葉	3	2	1	231	12	219	-	-	-	276	15	261
東京	13	5	8	367	97	270	5	-	5	733	59	674
神奈川	5	2	3	136	1	135	-	-	-	161	2	159
新潟	4	3	1	60	1	59	-	-	-	105	10	95
富山	-	-	-	121	1	120	-	-	-	47	2	45
石川	4	3	1	36	1	35	-	-	-	47	1	46
福井	2	2	-	44	4	40	-	-	-	76	2	74
山梨	2	1	1	46	1	45	-	-	-	87	1	86
長野	5	3	2	113	2	111	4	-	4	242	9	233
岐阜	-	-	-	111	3	108	-	-	-	106	6	100
静岡	2	1	1	109	3	106	-	-	-	118	9	109
愛知	2	-	2	205	3	202	-	-	-	219	4	215
三重	4	3	1	119	5	114	-	-	-	146	4	142
滋賀	1	-	1	73	-	73	-	-	-	83	14	69
京都	2	1	1	95	2	93	1	-	1	112	5	107
大阪	1	-	1	288	1	287	5	-	5	300	5	295
兵庫	7	4	3	162	9	153	-	-	-	198	12	186
奈良	1	1	-	115	2	113	-	-	-	146	-	146
和歌山	3	1	2	56	3	53	-	-	-	80	2	78
鳥取	2	2	-	32	1	31	-	-	-	34	2	32
島根	3	1	2	53	-	53	-	-	-	93	2	91
岡山	3	2	1	36	1	35	-	-	-	64	-	64
広島	6	4	2	80	-	80	3	-	3	118	-	118
山口	3	2	1	52	1	51	-	-	-	74	-	74
徳島	3	2	1	25	-	25	-	-	-	57	1	56
香川	1	1	-	28	1	27	-	-	-	33	1	32
愛媛	3	3	-	44	4	40	-	-	-	81	4	77
高知	2	-	2	33	-	33	-	-	-	56	5	51
福岡	7	3	4	130	-	130	-	-	-	212	1	211
佐賀	5	2	3	45	1	44	-	-	-	65	3	62
長崎	2	1	1	62	-	62	-	-	-	68	2	66
熊本	6	3	3	46	1	45	-	-	-	94	-	94
大分	5	2	3	48	-	48	1	-	1	85	-	85
宮崎	2	1	1	65	-	65	-	-	-	89	-	89
鹿児島	2	2	-	61	1	60	-	-	-	89	4	85
沖縄	5	2	3	66	-	66	-	-	-	136	-	136

事業所数・障害児通所支援等事業所数，障害福祉サービス等の種類・経営主体の公営－私営別

平成29年10月 1 日

指定都市 中核市	療養介護事業			生活介護事業			重度障害者等包括支援事業			計画相談支援事業		
	総数	公営	私営	総数	公営	私営	総数	公営	私営	総数	公営	私営
指定都市（別掲）												
札幌市	2	-	2	100	-	100	-	-	-	98	4	94
仙台市	1	1	-	45	-	45	-	-	-	47	-	47
さいたま市	-	-	-	42	-	42	-	-	-	57	2	55
千葉市	3	2	1	29	1	28	-	-	-	52	-	52
横浜市	-	-	-	166	-	166	-	-	-	155	-	155
川崎市	1	-	1	61	-	61	-	-	-	82	-	82
相模原市	1	-	1	52	-	52	-	-	-	42	-	42
新潟市	2	2	-	58	3	55	-	-	-	34	1	33
静岡市	2	1	1	33	2	31	-	-	-	24	-	24
浜松市	2	1	1	36	3	33	-	-	-	32	1	31
名古屋市	3	1	2	204	-	204	-	-	-	159	4	155
京都市	2	1	1	77	-	77	1	-	1	191	4	187
大阪市	4	-	4	204	-	204	1	-	1	317	-	317
堺市	1	-	1	61	-	61	-	-	-	108	-	108
神戸市	1	-	1	79	1	78	-	-	-	51	3	48
岡山市	1	-	1	26	-	26	-	-	-	47	1	46
広島市	-	-	-	43	-	43	-	-	-	50	3	47
北九州市	4	-	4	74	-	74	-	-	-	80	-	80
福岡市	2	1	1	51	6	45	1	-	1	98	-	98
熊本市	1	-	1	25	-	25	-	-	-	50	-	50
中核市（別掲）												
旭川市	2	1	1	30	-	30	-	-	-	23	2	21
函館市	-	-	-	10	2	8	-	-	-	9	1	8
青森市	1	1	-	24	1	23	-	-	-	28	1	27
八戸市	3	1	2	26	-	26	-	-	-	31	-	31
盛岡市	-	-	-	18	1	17	-	-	-	26	-	26
秋田市	-	-	-	27	1	26	-	-	-	23	1	22
郡山市	-	-	-	19	-	19	-	-	-	16	2	14
いわき市	2	1	1	22	-	22	2	-	2	25	-	25
宇都宮市	1	1	-	27	1	26	-	-	-	35	-	35
前橋市	-	-	-	12	1	11	-	-	-	17	-	17
高崎市	-	-	-	15	-	15	-	-	-	20	-	20
川越市	-	-	-	8	-	8	-	-	-	13	-	13
越谷市	-	-	-	14	-	14	-	-	-	13	-	13
船橋市	-	-	-	25	1	24	-	-	-	25	-	25
柏市	1	-	1	28	2	26	-	-	-	29	1	28
八王子市	-	-	-	45	1	44	-	-	-	26	-	26
横須賀市	1	-	1	22	-	22	-	-	-	18	-	18
富山市	2	1	1	66	1	65	-	-	-	24	-	24
金沢市	4	2	2	21	1	20	-	-	-	41	-	41
長野市	1	1	-	22	1	21	-	-	-	30	-	30
岐阜市	1	1	-	17	-	17	-	-	-	27	1	26
豊橋市	1	1	-	23	-	23	-	-	-	23	-	23
豊田市	-	-	-	20	2	18	-	-	-	24	1	23
岡崎市	1	-	1	17	-	17	-	-	-	22	-	22
大津市	-	-	-	20	2	18	1	1	-	14	2	12
高槻市	-	-	-	21	-	21	-	-	-	17	2	15
東大阪市	-	-	-	44	1	43	-	-	-	52	1	51
豊中市	1	1	-	33	-	33	-	-	-	30	2	28
枚方市	1	-	1	47	-	47	-	-	-	20	2	18
姫路市	1	-	1	41	1	40	-	-	-	34	1	33
西宮市	1	-	1	21	-	21	1	-	1	37	1	36
尼崎市	-	-	-	71	1	70	-	-	-	30	1	29
奈良市	4	2	2	49	1	48	-	-	-	43	-	43
和歌山市	1	-	1	12	-	12	1	-	1	26	-	26
倉敷市	-	-	-	33	1	32	-	-	-	33	-	33
福山市	1	-	1	29	-	29	1	-	1	32	-	32
呉市	1	-	1	15	-	15	-	-	-	22	-	22
下関市	-	-	-	9	-	9	-	-	-	14	-	14
高松市	2	1	1	32	-	32	-	-	-	23	1	22
松山市	-	-	-	31	-	31	-	-	-	47	-	47
高知市	1	1	-	27	1	26	-	-	-	29	1	28
久留米市	1	-	1	23	-	23	-	-	-	24	-	24
長崎市	1	1	-	34	1	33	-	-	-	46	-	46
佐世保市	-	-	-	19	-	19	-	-	-	21	-	21
大分市	-	-	-	20	-	20	-	-	-	39	-	39
宮崎市	1	1	-	24	2	22	-	-	-	29	-	29
鹿児島市	1	-	1	42	-	42	-	-	-	41	-	41
那覇市	1	-	1	15	-	15	-	-	-	22	-	22

国 都 道 府 県	地 域 相 談 支 援 （地域移行支援）事業			地 域 相 談 支 援 （地域定着支援）事業			短 期 入 所 事 業			共 同 生 活 援 助 事 業		
	総 数	公 営	私 営	総 数	公 営	私 営	総 数	公 営	私 営	総 数	公 営	私 営
全　　　　国	3 301	42	3 259	3 166	38	3 128	5 333	257	5 076	7 590	31	7 559
国	1	1	－	1	1	－	1	1	－	2	2	－
北　海　道	117	6	111	117	6	111	242	8	234	295	2	293
青　　森	42	1	41	43	1	42	59	6	53	101	6	95
岩　　手	51	－	51	51	－	51	65	4	61	111	－	111
宮　　城	16	－	16	17	－	17	68	5	63	74	－	74
秋　　田	32	2	30	32	2	30	62	4	58	52	1	51
山　　形	34	－	34	25	－	25	56	9	47	78	－	78
福　　島	29	－	29	25	－	25	48	3	45	82	－	82
茨　　城	54	2	52	53	2	51	124	4	120	179	－	179
栃　　木	39	－	39	37	－	37	74	1	73	79	－	79
群　　馬	32	－	32	28	－	28	46	2	44	60	－	60
埼　　玉	76	1	75	72	1	71	57	3	54	213	－	213
千　　葉	74	－	74	69	－	69	122	2	120	231	1	230
東　　京	178	7	171	156	5	151	236	26	210	584	11	573
神　奈　川	48	－	48	38	－	38	85	5	80	175	－	175
新　　潟	62	3	59	62	3	59	119	16	103	74	3	71
富　　山	19	－	19	18	－	18	49	2	47	34	－	34
石　　川	36	－	36	34	－	34	47	2	45	53	－	53
福　　井	25	－	25	23	－	23	56	5	51	113	－	113
山　　梨	22	－	22	21	－	21	48	1	47	83	－	83
長　　野	41	1	40	41	1	40	111	5	106	139	－	139
岐　　阜	28	－	28	28	－	28	95	1	94	69	－	69
静　　岡	41	1	40	37	1	36	99	10	89	90	－	90
愛　　知	74	1	73	74	1	73	137	5	132	179	－	179
三　　重	23	1	22	22	1	21	86	5	81	104	1	103
滋　　賀	18	－	18	17	－	17	35	2	33	138	－	138
京　　都	47	－	47	46	－	46	88	6	82	80	－	80
大　　阪	130	－	130	126	－	126	163	3	160	245	－	245
兵　　庫	59	1	58	57	1	56	143	8	135	103	－	103
奈　　良	51	－	51	51	－	51	65	2	63	66	－	66
和　歌　山	31	1	30	32	1	31	37	2	35	54	1	53
鳥　　取	14	－	14	12	－	12	42	5	37	38	－	38
島　　根	53	2	51	51	2	49	67	2	65	63	－	63
岡　　山	28	－	28	26	－	26	43	5	38	47	－	47
広　　島	54	－	54	49	－	49	83	2	81	66	－	66
山　　口	40	－	40	38	－	38	77	2	75	64	－	64
徳　　島	34	－	34	34	－	34	40	1	39	39	－	39
香　　川	19	－	19	19	－	19	36	4	32	25	－	25
愛　　媛	36	2	34	36	2	34	41	3	38	55	－	55
高　　知	11	1	10	11	1	10	37	1	36	33	－	33
福　　岡	70	－	70	68	－	68	169	3	166	231	－	231
佐　　賀	17	－	17	16	－	16	41	3	38	97	－	97
長　　崎	21	1	20	22	1	21	64	2	62	96	1	95
熊　　本	34	－	34	34	－	34	70	5	65	107	－	107
大　　分	51	－	51	51	－	51	55	1	54	91	－	91
宮　　崎	31	－	31	30	－	30	48	1	47	49	－	49
鹿　児　島	40	1	39	39	－	39	80	1	79	109	－	109
沖　　縄	31	－	31	31	－	31	59	1	58	63	－	63

事業所数・障害児通所支援等事業所数，
障害福祉サービス等の種類・経営主体の公営－私営別

平成29年10月 1 日

指定都市 中核市	地域相談支援（地域移行支援）事業			地域相談支援（地域定着支援）事業			短期入所事業			共同生活援助事業		
	総数	公営	私営	総数	公営	私営	総数	公営	私営	総数	公営	私営
指定都市（別掲）												
札幌市	60	－	60	60	－	60	66	2	64	166	－	166
仙台市	24	－	24	24	－	24	35	1	34	56	－	56
さいたま市	19	－	19	19	－	19	31	1	30	30	－	30
千葉市	15	－	15	15	－	15	26	2	24	32	－	32
横浜市	39	－	39	38	－	38	59	3	56	208	－	208
川崎市	38	－	38	17	－	17	21	2	19	80	－	80
相模原市	17	－	17	15	－	15	21	1	20	51	－	51
新潟市	8	－	8	7	－	7	34	3	31	30	－	30
静岡市	9	－	9	9	－	9	19	1	18	24	－	24
浜松市	12	1	11	11	－	11	42	2	40	28	－	28
名古屋市	75	1	74	74	1	73	86	2	84	127	－	127
京都市	36	－	36	38	－	38	44	1	43	54	－	54
大阪市	142	－	142	142	－	142	71	－	71	165	－	165
堺市	37	－	37	38	－	38	17	－	17	47	－	47
神戸市	24	－	24	18	－	18	44	1	43	58	－	58
岡山市	28	1	27	29	1	28	25	－	25	20	－	20
広島市	20	－	20	21	－	21	43	2	41	27	－	27
北九州市	29	－	29	29	－	29	35	－	35	45	－	45
福岡市	22	－	22	22	－	22	60	1	59	70	－	70
熊本市	23	－	23	21	－	21	21	－	21	46	－	46
中核市（別掲）												
旭川市	9	－	9	9	－	9	27	1	26	39	－	39
函館市	4	－	4	4	－	4	11	－	11	18	－	18
青森市	12	－	12	12	－	12	12	2	10	22	－	22
八戸市	11	－	11	11	－	11	15	1	14	22	－	22
盛岡市	3	－	3	3	－	3	10	－	10	27	－	27
秋田市	9	－	9	9	－	9	18	1	17	19	－	19
郡山市	5	－	5	5	－	5	8	2	6	18	－	18
いわき市	6	－	6	6	－	6	14	1	13	14	－	14
宇都宮市	8	－	8	8	－	8	17	3	14	23	－	23
前橋市	5	－	5	5	－	5	－	－	－	21	－	21
高崎市	7	－	7	7	－	7	13	－	13	17	－	17
川越市	5	－	5	5	－	5	8	－	8	7	－	7
越谷市	2	－	2	2	－	2	3	－	3	12	－	12
船橋市	13	－	13	13	－	13	8	－	8	16	－	16
柏市	15	－	15	15	－	15	13	－	13	18	－	18
八王子市	11	－	11	11	－	11	18	1	17	64	－	64
横須賀市	9	－	9	9	－	9	11	－	11	39	－	39
富山市	12	－	12	11	－	11	27	1	26	26	－	26
金沢市	18	－	18	18	－	18	22	1	21	24	－	24
長野市	15	－	15	14	－	14	18	1	17	14	－	14
岐阜市	4	－	4	5	－	5	15	5	10	16	1	15
豊橋市	17	－	17	17	－	17	10	－	10	26	1	25
豊田市	1	－	1	1	－	1	9	－	9	14	1	13
岡崎市	6	－	6	6	－	6	12	－	12	11	－	11
大津市	6	1	5	5	1	4	3	－	3	17	－	17
高槻市	8	－	8	8	－	8	13	－	13	14	－	14
東大阪市	29	1	28	28	1	27	31	2	29	22	－	22
豊中市	26	－	26	26	－	26	9	1	8	17	－	17
枚方市	10	－	10	10	－	10	17	－	17	18	－	18
姫路市	12	－	12	12	－	12	17	－	17	19	－	19
西宮市	21	－	21	21	－	21	20	－	20	13	－	13
尼崎市	6	－	6	5	－	5	18	－	18	20	－	20
奈良市	9	－	9	8	－	8	29	2	27	25	－	25
和歌山市	9	－	9	9	－	9	18	－	18	14	－	14
倉敷市	17	－	17	17	－	17	13	－	13	9	－	9
福山市	12	－	12	12	－	12	18	－	18	19	－	19
呉市	2	－	2	2	－	2	18	－	18	9	－	9
下関市	10	－	10	10	－	10	15	－	15	14	－	14
高松市	10	1	9	10	1	9	37	2	35	14	－	14
松山市	18	－	18	18	－	18	24	－	24	28	－	28
高知市	8	－	8	8	－	8	12	3	9	21	－	21
久留米市	16	－	16	16	－	16	11	－	11	22	－	22
長崎市	13	－	13	13	－	13	23	1	22	28	－	28
佐世保市	7	－	7	4	－	4	10	－	10	33	－	33
大分市	9	－	9	9	－	9	31	－	31	40	－	40
宮崎市	16	－	16	17	－	17	15	1	14	20	－	20
鹿児島市	22	－	22	21	－	21	30	－	30	34	－	34
那覇市	7	－	7	5	－	5	7	－	7	16	－	16

第20表　【基本票】障害福祉サービス等

国－都道府県－指定都市－中核市、

国 都 道 府 県	自立訓練（機能訓練）事業			自立訓練（生活訓練）事業			宿泊型自立訓練事業			就労移行支援事業		
	総 数	公 営	私 営	総 数	公 営	私 営	総 数	公 営	私 営	総 数	公 営	私 営
全　　　　国	428	22	406	1 374	27	1 347	225	4	221	3 471	39	3 432
国	-	-	-	-	-	-	-	-	-	1	1	-
北 海 道	13	2	11	30	1	29	9	-	9	89	1	88
青　　森	14	-	14	31	-	31	5	-	5	29	-	29
岩　　手	8	-	8	17	-	17	5	-	5	14	-	14
宮　　城	10	-	10	15	1	14	2	1	1	42	-	42
秋　　田	13	-	13	15	-	15	6	-	6	13	1	12
山　　形	3	-	3	17	-	17	2	1	1	35	-	35
福　　島	-	-	-	10	-	10	1	-	1	10	-	10
茨　　城	8	-	8	44	4	40	2	-	2	162	4	158
栃　　木	-	-	-	20	-	20	3	-	3	41	-	41
群　　馬	-	-	-	3	1	2	4	-	4	30	1	29
埼　　玉	1	-	1	28	1	27	9	1	8	97	1	96
千　　葉	17	1	16	42	2	40	3	-	3	84	-	84
東　　京	24	15	9	69	8	61	13	1	12	289	19	270
神 奈 川	2	-	2	7	-	7	2	-	2	63	1	62
新　　潟	1	-	1	24	-	24	7	-	7	68	2	66
富　　山	30	-	30	41	1	40	1	-	1	13	-	13
石　　川	1	-	1	4	-	4	-	-	-	16	-	16
福　　井	-	-	-	11	-	11	2	-	2	32	-	32
山　　梨	-	-	-	14	-	14	2	-	2	41	-	41
長　　野	1	-	1	24	-	24	5	-	5	48	-	48
岐　　阜	8	-	8	16	-	16	6	-	6	42	-	42
静　　岡	-	-	-	14	1	13	2	-	2	57	1	56
愛　　知	1	-	1	8	-	8	1	-	1	77	-	77
三　　重	-	-	-	10	-	10	4	-	4	34	-	34
滋　　賀	-	-	-	13	-	13	4	-	4	28	-	28
京　　都	2	-	2	11	-	11	1	-	1	23	-	23
大　　阪	-	-	-	37	1	36	7	-	7	94	-	94
兵　　庫	10	1	9	22	-	22	1	-	1	45	1	44
奈　　良	-	-	-	9	-	9	-	-	-	27	-	27
和 歌 山	-	-	-	10	-	10	-	-	-	13	-	13
鳥　　取	2	-	2	4	-	4	2	-	2	11	-	11
島　　根	1	-	1	13	-	13	3	-	3	16	-	16
岡　　山	-	-	-	4	-	4	1	-	1	6	-	6
広　　島	3	-	3	7	-	7	2	-	2	35	-	35
山　　口	1	-	1	8	-	8	5	-	5	31	-	31
徳　　島	-	-	-	12	-	12	6	-	6	21	-	21
香　　川	-	-	-	1	-	1	-	-	-	6	-	6
愛　　媛	-	-	-	6	-	6	2	-	2	20	-	20
高　　知	4	-	4	6	-	6	-	-	-	8	-	8
福　　岡	1	-	1	44	-	44	2	-	2	101	-	101
佐　　賀	2	1	1	9	1	8	1	-	1	25	-	25
長　　崎	1	-	1	11	-	11	2	-	2	27	-	27
熊　　本	1	-	1	25	-	25	2	-	2	47	-	47
大　　分	2	-	2	13	-	13	4	-	4	27	-	27
宮　　崎	2	-	2	10	-	10	3	-	3	27	-	27
鹿 児 島	4	-	4	21	-	21	5	-	5	47	-	47
沖 ． 縄	5	-	5	38	-	38	4	-	4	73	-	73

注：障害者支援施設の昼間実施サービス（生活介護、自立訓練（機能・生活）、就労移行支援及び就労継続支援）を除く。

事業所数・障害児通所支援等事業所数，
障害福祉サービス等の種類・経営主体の公営－私営別

指定都市 中核市	自立訓練（機能訓練）事業			自立訓練（生活訓練）事業			宿泊型自立訓練事業			就労移行支援事業		
	総数	公営	私営	総数	公営	私営	総数	公営	私営	総数	公営	私営
指定都市（別掲）												
札幌市	-	-	-	25	1	24	6	-	6	72	1	71
仙台市	4	-	4	15	-	15	6	-	6	32	-	32
さいたま市	4	-	4	3	-	3	1	-	1	33	-	33
千葉市	-	-	-	3	-	3	1	-	1	25	-	25
横浜市	-	-	-	11	-	11	4	-	4	63	-	63
川崎市	1	-	1	6	-	6	1	-	1	29	1	28
相模原市	-	-	-	5	-	5	-	-	-	15	-	15
新潟市	4	-	4	7	-	7	2	-	2	21	-	21
静岡市	1	-	1	3	-	3	-	-	-	14	-	14
浜松市	1	-	1	9	-	9	2	-	2	23	-	23
名古屋市	63	-	63	75	-	75	2	-	2	46	-	46
京都市	-	-	-	20	-	20	-	-	-	39	-	39
大阪市	-	-	-	25	-	25	2	-	2	131	-	131
堺市	4	-	4	4	-	4	1	-	1	21	-	21
神戸市	2	-	2	8	-	8	-	-	-	33	1	32
岡山市	-	-	-	4	-	4	1	-	1	11	-	11
広島市	-	-	-	6	-	6	-	-	-	23	-	23
北九州市	-	-	-	12	-	12	4	-	4	31	-	31
福岡市	1	-	1	21	-	21	1	-	1	63	-	63
熊本市	2	-	2	7	-	7	1	-	1	21	-	21
中核市（別掲）												
旭川市	-	-	-	2	-	2	2	-	2	12	-	12
函館市	-	-	-	4	1	3	1	-	1	6	-	6
青森市	-	-	-	2	-	2	2	-	2	4	-	4
八戸市	5	-	5	5	-	5	1	-	1	12	-	12
盛岡市	-	-	-	3	-	3	-	-	-	11	-	11
秋田市	12	-	12	16	-	16	3	-	3	5	-	5
郡山市	-	-	-	5	-	5	2	-	2	5	-	5
いわき市	-	-	-	2	-	2	1	-	1	4	-	4
宇都宮市	-	-	-	4	-	4	-	-	-	14	1	13
前橋市	-	-	-	-	-	-	-	-	-	13	-	13
高崎市	-	-	-	3	-	3	1	-	1	15	-	15
川越市	-	-	-	1	-	1	-	-	-	9	-	9
越谷市	-	-	-	-	-	-	-	-	-	6	-	6
船橋市	1	-	1	3	-	3	1	-	1	10	-	10
柏市	-	-	-	2	-	2	1	-	1	10	-	10
八王子市	-	-	-	5	-	5	1	-	1	11	-	11
横須賀市	1	-	1	2	-	2	-	-	-	6	-	6
富山市	40	-	40	32	-	32	-	-	-	15	-	15
金沢市	-	-	-	5	-	5	-	-	-	21	-	21
長野市	-	-	-	6	-	6	2	-	2	20	-	20
岐阜市	-	-	-	3	-	3	-	-	-	10	-	10
豊橋市	-	-	-	1	-	1	1	-	1	14	-	14
豊田市	-	-	-	-	-	-	-	-	-	8	-	8
岡崎市	-	-	-	2	-	2	1	-	1	10	-	10
大津市	-	-	-	6	1	5	-	-	-	10	-	10
高槻市	-	-	-	3	-	3	-	-	-	7	-	7
東大阪市	2	1	1	11	1	10	-	-	-	18	1	17
豊中市	-	-	-	2	-	2	1	-	1	6	-	6
枚方市	8	-	8	2	-	2	-	-	-	9	-	9
姫路市	-	-	-	2	-	2	1	-	1	9	-	9
西宮市	-	-	-	8	-	8	1	-	1	8	-	8
尼崎市	39	1	38	20	-	20	-	-	-	14	-	14
奈良市	8	-	8	8	-	8	1	-	1	13	-	13
和歌山市	-	-	-	7	-	7	1	-	1	9	-	9
倉敷市	2	-	2	2	1	1	-	-	-	7	1	6
福山市	-	-	-	-	-	-	1	-	1	10	-	10
呉市	-	-	-	3	-	3	-	-	-	8	-	8
下関市	-	-	-	2	-	2	1	-	1	6	-	6
高松市	-	-	-	-	-	-	1	-	1	14	-	14
高知市	7	-	7	9	-	9	1	-	1	9	-	9
久留米市	5	-	5	13	-	13	1	-	1	9	-	9
長崎市	14	-	14	16	-	16	1	-	1	19	-	19
佐世保市	-	-	-	5	-	5	1	-	1	13	-	13
大分市	1	-	1	5	-	5	1	-	1	22	-	22
宮崎市	-	-	-	2	-	2	-	-	-	25	-	25
鹿児島市	-	-	-	13	-	13	2	-	2	17	-	17
那覇市	-	-	-	10	-	10	1	-	1	24	-	24

第20表　【基本票】障害福祉サービス等
国－都道府県－指定都市－中核市、

国 都 道 府 県	就労継続支援（A型）事業			就労継続支援（B型）事業			児 童 発 達 支 援 事 業		
	総　　数	公　営	私　営	総　　数	公　営	私　営	総　　数	公　営	私　営
全　　　　　国	3 776	1	3 775	11 041	119	10 922	5 981	465	5 516
国	－	－	－	1	1	－	－	－	－
北　海　道	115	－	115	392	2	390	220	60	160
青　　　森	46	－	46	103	－	103	19	2	17
岩　　　手	30	－	30	113	－	113	33	10	23
宮　　　城	35	－	35	101	1	100	24	4	20
秋　　　田	14	－	14	64	3	61	11	2	9
山　　　形	33	－	33	126	－	126	39	3	36
福　　　島	21	－	21	134	－	134	43	1	42
茨　　　城	60	1	59	258	13	245	122	18	104
栃　　　木	30	－	30	118	－	118	51	4	47
群　　　馬	16	－	16	72	2	70	24	1	23
埼　　　玉	48	－	48	283	2	281	189	12	177
千　　　葉	45	－	45	198	9	189	223	24	199
東　　　京	103	－	103	726	52	674	384	48	336
神　奈　川	30	－	30	190	2	188	135	9	126
新　　　潟	20	－	20	131	3	128	20	7	13
富　　　山	30	－	30	57	－	57	47	1	46
石　　　川	33	－	33	70	－	70	32	1	31
福　　　井	68	－	68	69	－	69	18	5	13
山　　　梨	19	－	19	96	－	96	18	1	17
長　　　野	34	－	34	214	－	214	34	10	24
岐　　　阜	85	－	85	139	1	138	81	28	53
静　　　岡	50	－	50	181	2	179	57	6	51
愛　　　知	112	－	112	254	2	252	200	27	173
三　　　重	77	－	77	206	2	204	79	9	70
滋　　　賀	19	－	19	124	－	124	28	13	15
京　　　都	25	－	25	107	1	106	38	11	27
大　　　阪	97	－	97	313	－	313	266	14	252
兵　　　庫	54	－	54	272	3	269	135	9	126
奈　　　良	26	－	26	95	－	95	74	4	70
和　歌　山	27	－	27	73	－	73	37	4	33
鳥　　　取	27	－	27	120	－	120	26	6	20
島　　　根	30	－	30	95	－	95	23	－	23
岡　　　山	50	－	50	74	－	74	37	1	36
広　　　島	21	－	21	114	－	114	46	－	46
山　　　口	29	－	29	101	－	101	33	2	31
徳　　　島	22	－	22	54	－	54	59	－	59
香　　　川	11	－	11	53	－	53	28	1	27
愛　　　媛	33	－	33	102	－	102	31	7	24
高　　　知	12	－	12	56	－	56	6	－	6
福　　　岡	120	－	120	246	－	246	110	6	104
佐　　　賀	43	－	43	115	－	115	29	5	24
長　　　崎	38	－	38	131	－	131	54	3	51
熊　　　本	119	－	119	122	－	122	72	1	71
大　　　分	39	－	39	117	－	117	18	－	18
宮　　　崎	27	－	27	87	－	87	36	1	35
鹿　児　島	55	－	55	167	－	167	88	10	78
沖　　　縄	93	－	93	210	－	210	128	1	127

注：障害者支援施設の昼間実施サービス（生活介護、自立訓練（機能・生活）、就労移行支援及び就労継続支援）を除く。

事業所数・障害児通所支援等事業所数，
障害福祉サービス等の種類・経営主体の公営－私営別

平成29年10月 1 日

指定都市 中核市	就労継続支援（A型）事業			就労継続支援（B型）事業			児童発達支援事業		
	総数	公営	私営	総数	公営	私営	総数	公営	私営
指定都市（別掲）									
札幌市	108	-	108	296	-	296	315	2	313
仙台市	17	-	17	90	-	90	25	-	25
さいたま市	22	-	22	59	-	59	35	-	35
千葉市	10	-	10	36	-	36	47	2	45
横浜市	32	-	32	158	4	154	83	-	83
川崎市	13	-	13	42	2	40	55	-	55
相模原市	9	-	9	44	-	44	35	4	31
新潟市	13	-	13	60	-	60	20	3	17
静岡市	24	-	24	64	-	64	18	1	17
浜松市	24	-	24	50	2	48	25	1	24
名古屋市	98	-	98	133	-	133	197	-	197
京都市	40	-	40	140	-	140	36	-	36
大阪市	160	-	160	250	-	250	320	-	320
堺市	21	-	21	107	-	107	74	-	74
神戸市	38	-	38	161	1	160	71	4	67
岡山市	69	-	69	48	-	48	51	-	51
広島市	36	-	36	102	-	102	42	-	42
北九州市	49	-	49	92	-	92	37	-	37
福岡市	70	-	70	68	-	68	17	1	16
熊本市	49	-	49	49	-	49	48	4	44
中核市（別掲）									
旭川市	8	-	8	61	-	61	40	3	37
函館市	5	-	5	24	1	23	9	1	8
青森市	21	-	21	39	-	39	8	1	7
八戸市	15	-	15	33	-	33	2	-	2
盛岡市	17	-	17	36	-	36	13	1	12
秋田市	8	-	8	32	-	32	7	1	6
郡山市	8	-	8	30	-	30	12	1	11
いわき市	3	-	3	24	1	23	9	-	9
宇都宮市	20	-	20	37	1	36	1	-	1
前橋市	5	-	5	25	-	25	11	-	11
高崎市	9	-	9	19	-	19	-	-	-
川越市	9	-	9	16	2	14	10	1	9
越谷市	9	-	9	9	-	9	26	-	26
船橋市	9	-	9	26	-	26	18	2	16
柏市	4	-	4	25	2	23	23	2	21
八王子市	5	-	5	58	-	58	12	-	12
横須賀市	1	-	1	16	-	16	6	-	6
富山市	32	-	32	36	-	36	43	1	42
金沢市	23	-	23	37	-	37	28	1	27
長野市	8	-	8	44	1	43	8	1	7
岐阜市	37	-	37	33	1	32	20	3	17
豊橋市	12	-	12	33	-	33	21	2	19
豊田市	8	-	8	14	-	14	12	2	10
岡崎市	7	-	7	34	-	34	12	-	12
大津市	6	-	6	25	-	25	4	2	2
高槻市	3	-	3	19	-	19	26	4	22
東大阪市	24	-	24	54	-	54	48	3	45
豊中市	5	-	5	20	-	20	27	3	24
枚方市	8	-	8	31	-	31	23	2	21
姫路市	12	-	12	59	-	59	14	2	12
西宮市	19	-	19	35	-	35	30	-	30
尼崎市	19	-	19	45	-	45	32	1	31
奈良市	13	-	13	28	-	28	26	1	25
和歌山市	22	-	22	43	-	43	17	-	17
倉敷市	39	-	39	49	-	49	47	1	46
福山市	22	-	22	51	-	51	27	1	26
呉市	6	-	6	26	-	26	13	-	13
下関市	5	-	5	24	-	24	9	-	9
高松市	12	-	12	43	-	43	13	1	12
松山市	42	-	42	65	-	65	23	-	23
高知市	13	-	13	38	-	38	16	1	15
久留米市	23	-	23	27	-	27	9	-	9
長崎市	15	-	15	39	-	39	35	1	34
佐世保市	14	-	14	46	-	46	13	2	11
大分市	29	-	29	58	-	58	21	-	21
宮崎市	26	-	26	32	-	32	10	2	8
鹿児島市	27	-	27	99	-	99	73	-	73
那覇市	16	-	16	51	-	51	18	1	17

第20表　【基本票】障害福祉サービス等
国－都道府県－指定都市－中核市、

国 都 道 府 県	放課後等デイサービス事業			保育所等訪問支援事業			障害児相談支援事業		
	総　数	公　営	私　営	総　数	公　営	私　営	総　数	公　営	私　営
全　　　　　国	11 301	174	11 127	969	193	776	6 134	299	5 835
国	－	－	－	－	－	－	1	1	－
北　海　道	285	42	243	45	26	19	232	58	174
青　　　森	60	3	57	6	－	6	55	2	53
岩　　　手	67	1	66	6	－	6	62	1	61
宮　　　城	87	1	86	11	3	8	66	4	62
秋　　　田	21	－	21	3	1	2	42	2	40
山　　　形	80	－	80	4	1	3	67	1	66
福　　　島	70	－	70	9	－	9	53	－	53
茨　　　城	241	9	232	9	1	8	161	6	155
栃　　　木	92	3	89	10	1	9	89	3	86
群　　　馬	101	3	98	9	1	8	59	1	58
埼　　　玉	412	2	410	34	11	23	205	8	197
千　　　葉	348	5	343	30	14	16	217	17	200
東　　　京	743	13	730	29	17	12	420	44	376
神　奈　川	214	2	212	24	5	19	99	2	97
新　　　潟	47	2	45	3	2	1	81	10	71
富　　　山	76	－	76	4	1	3	31	2	29
石　　　川	51	1	50	2	－	2	46	1	45
福　　　井	53	6	47	12	2	10	54	1	53
山　　　梨	58	1	57	4	－	4	64	1	63
長　　　野	98	3	95	12	1	11	62	2	60
岐　　　阜	146	7	139	14	7	7	78	10	68
静　　　岡	208	1	207	16	4	12	70	9	61
愛　　　知	375	1	374	25	9	16	169	7	162
三　　　重	143	4	139	5	2	3	104	5	99
滋　　　賀	93	1	92	14	12	2	46	14	32
京　　　都	88	4	84	17	1	16	86	5	81
大　　　阪	460	6	454	39	15	24	12	1	11
兵　　　庫	257	6	251	30	8	22	149	11	138
奈　　　良	128	2	126	10	－	10	95	1	94
和　歌　山	52	2	50	9	－	9	58	1	57
鳥　　　取	47	2	45	4	－	4	41	3	38
島　　　根	71	－	71	17	－	17	57	2	55
岡　　　山	53	1	52	9	－	9	43	－	43
広　　　島	114	1	113	13	1	12	67	－	67
山　　　口	84	1	83	9	－	9	63	－	63
徳　　　島	83	－	83	10	－	10	48	1	47
香　　　川	42	1	41	2	－	2	26	－	26
愛　　　媛	63	5	58	5	1	4	68	4	64
高　　　知	16	－	16	4	－	4	40	4	36
福　　　岡	257	5	252	25	1	24	151	1	150
佐　　　賀	83	2	81	6	1	5	37	2	35
長　　　崎	90	3	87	13	－	13	56	2	54
熊　　　本	129	1	128	28	－	28	71	－	71
大　　　分	52	－	52	10	－	10	72	－	72
宮　　　崎	70	1	69	18	－	18	73	－	73
鹿　児　島	116	4	112	26	3	23	89	3	86
沖　　　縄	202	－	202	5	－	5	82	－	82

事業所数・障害児通所支援等事業所数，
障害福祉サービス等の種類・経営主体の公営－私営別

平成29年10月1日

指定都市 中核市	放課後等デイサービス事業			保育所等訪問支援事業			障害児相談支援事業		
	総数	公営	私営	総数	公営	私営	総数	公営	私営
指定都市（別掲）									
札幌市	355	－	355	22	4	18	78	4	74
仙台市	100	－	100	1	－	1	49	1	48
さいたま市	90	－	90	6	2	4	41	2	39
千葉市	88	1	87	5	－	5	30	－	30
横浜市	221	－	221	12	－	12	60	－	60
川崎市	106	－	106	3	－	3	48	－	48
相模原市	76	－	76	6	－	6	19	－	19
新潟市	41	1	40	－	－	－	21	1	20
静岡市	66	－	66	1	－	1	17	－	17
浜松市	72	－	72	8	1	7	22	1	21
名古屋市	274	－	274	8	－	8	139	3	136
京都市	128	－	128	9	2	7	59	2	57
大阪市	395	－	395	25	－	25	199	－	199
堺市	109	－	109	6	－	6	50	－	50
神戸市	178	1	177	8	4	4	42	3	39
岡山市	62	－	62	9	－	9	38	1	37
広島市	159	－	159	4	2	2	49	2	47
北九州市	106	－	106	5	－	5	55	－	55
福岡市	142	1	141	12	－	12	47	－	47
熊本市	90	－	90	2	－	2	42	－	42
中核市（別掲）									
旭川市	50	－	50	13	2	11	15	2	13
函館市	31	－	31	2	1	1	10	1	9
青森市	22	2	20	1	－	1	15	1	14
八戸市	20	－	20	4	－	4	25	－	25
盛岡市	24	－	24	6	－	6	19	－	19
秋田市	21	－	21	2	1	1	19	1	18
郡山市	27	1	26	7	2	5	10	2	8
いわき市	13	－	13	2	－	2	8	－	8
宇都宮市	29	－	29	1	1	－	20	－	20
前橋市	33	－	33	1	－	1	15	－	15
高崎市	16	－	16	3	－	3	18	－	18
川越市	23	－	23	－	－	－	12	－	12
越谷市	43	－	43	1	－	1	4	－	4
船橋市	38	－	38	2	－	2	13	－	13
柏市	39	－	39	6	1	5	22	1	21
八王子市	43	－	43	－	－	－	13	－	13
横須賀市	33	－	33	－	－	－	13	－	13
富山市	52	1	51	2	－	2	11	－	11
金沢市	39	1	38	2	－	2	25	－	25
長野市	21	1	20	3	－	3	15	－	15
岐阜市	46	－	46	6	3	3	15	3	12
豊橋市	43	－	43	2	－	2	36	1	35
豊田市	27	－	27	3	2	1	22	1	21
岡崎市	38	－	38	4	－	4	16	－	16
大津市	21	－	21	1	1	－	12	2	10
高槻市	31	1	30	2	2	－	10	2	8
東大阪市	59	－	59	2	1	1	38	－	38
豊中市	39	－	39	2	2	－	29	2	27
枚方市	37	－	37	5	－	5	13	2	11
姫路市	35	－	35	7	2	5	23	1	22
西宮市	50	－	50	8	－	8	30	1	29
尼崎市	56	－	56	4	1	3	18	1	17
奈良市	45	1	44	－	－	－	30	－	30
和歌山市	32	－	32	4	－	4	24	－	24
倉敷市	36	1	35	3	－	3	29	－	29
福山市	59	－	59	10	1	9	16	－	16
呉市	20	－	20	2	－	2	11	－	11
下関市	15	－	15	1	－	1	11	－	11
高松市	25	1	24	2	－	2	21	－	21
松山市	37	－	37	2	－	2	29	－	29
高知市	41	1	40	5	1	4	20	1	19
久留米市	22	－	22	1	－	1	18	－	18
長崎市	58	1	57	5	－	5	27	－	27
佐世保市	20	－	20	6	－	6	18	－	18
大分市	55	－	55	6	－	6	22	－	22
宮崎市	47	－	47	3	2	1	21	1	20
鹿児島市	96	－	96	19	－	19	33	－	33
那覇市	10	－	10	1	－	1	18	－	18

第21表　障害福祉サービス事業所数（療養介護、計画相談支援、地域相談支援（地域宿泊型自立訓練、児童発達支援、放課後等デイサービス、障害児相談支援事

障害福祉サービスの種類 営 業 日 数 階 級	総　数	国・独立行政法人	地方公共団体	社会福祉協議会	社会福祉法人（社会福祉協議会以外）	医療法人	公益法人	協同組合	営利法人（会社）	特定非営利活動法人（NPO）	その他
居 宅 介 護 事 業	18 111	－	36	1 438	2 127	574	65	323	11 716	1 504	328
1 ～ 9 日	24	－	－	－	3	1	－	－	14	6	－
10 ～ 19 日	54	－	－	1	4	2	－	2	30	11	4
20 ～ 29 日	4 129	－	16	294	416	158	19	88	2 542	491	105
30 日	13 234	－	19	1 116	1 632	395	45	225	8 662	931	209
不 詳	670	－	1	27	72	18	1	8	468	65	10
重 度 訪 問 介 護 事 業	16 298	－	25	1 256	1 838	498	62	298	10 725	1 304	292
1 ～ 9 日	29	－	－	－	3	－	－	－	20	6	－
10 ～ 19 日	53	－	－	－	4	2	－	2	35	7	3
20 ～ 29 日	3 586	－	10	258	342	131	19	83	2 266	385	92
30 日	12 023	－	14	977	1 433	346	42	205	7 961	855	190
不 詳	607	－	1	21	56	19	1	8	443	51	7
同 行 援 護 事 業	8 283	－	12	703	783	135	27	147	5 587	745	144
1 ～ 9 日	23	－	－	1	－	－	－	－	17	4	1
10 ～ 19 日	33	－	－	1	2	1	－	－	18	9	2
20 ～ 29 日	1 809	－	3	130	143	35	10	39	1 175	232	42
30 日	6 208	－	9	561	623	93	17	106	4 222	482	95
不 詳	210	－	－	10	15	6	－	2	155	18	4
行 動 援 護 事 業	1 913	－	8	211	506	30	9	18	736	354	41
1 ～ 9 日	9	－	－	－	2	－	－	－	6	1	－
10 ～ 19 日	8	－	－	－	2	－	－	－	4	2	－
20 ～ 29 日	426	－	2	26	89	8	1	5	182	97	16
30 日	1 429	－	6	183	406	21	8	12	526	244	23
不 詳	41	－	－	2	7	1	－	1	18	10	2
生 活 介 護 事 業	6 366	24	192	319	3 719	70	14	10	795	1 116	107
1 ～ 9 日	3	－	－	－	2	－	－	－	1	－	－
10 ～ 19 日	63	－	5	3	29	2	－	1	8	11	4
20 ～ 29 日	5 826	24	178	290	3 493	53	13	6	648	1 035	86
30 日	311	－	4	21	123	13	－	3	97	40	10
不 詳	163	－	5	5	72	2	1	－	41	30	7
重度障害者等包括支援事業	23	－	1	1	8	－	－	－	9	4	－
1 ～ 9 日	－	－	－	－	－	－	－	－	－	－	－
10 ～ 19 日	－	－	－	－	－	－	－	－	－	－	－
20 ～ 29 日	－	－	－	－	－	－	－	－	－	－	－
30 日	22	－	1	1	7	－	－	－	9	4	－
不 詳	1	－	－	－	1	－	－	－	－	－	－

注：1）経営主体の「地方公共団体」には一部事務組合・広域連合を含む。「協同組合」には農業協同組合連合会・消費生活協同組合連合会を含む。「その他」にはその他の法人を含む。
　　2）障害者支援施設の昼間実施サービス（生活介護、自立訓練（機能・生活）、就労移行支援及び就労継続支援）を除く。
　　3）営業日数は平成29年9月中のものである。

移行支援）、地域相談支援（地域定着支援）、短期入所、共同生活援助、
業所を除く），障害福祉サービスの種類・営業日数階級、経営主体別

障害福祉サービスの種類 営 業 日 数 階 級	総 数	国・独立 行政法人	地方公共 団 体	社会福祉 協 議 会	社会福祉法人 （社会福祉協 議会以外）	医療法人	公益法人	協同組合	営利法人 （会社）	特定非営利 活動法人 （NPO）	その他
自立訓練（機能訓練）事業	370	-	21	47	119	14	-	3	132	30	4
1 ～ 9 日	2	-	1	-	1	-	-	-	-	-	-
10 ～ 19 日	9	-	5	-	2	-	-	-	2	-	-
20 ～ 29 日	239	-	15	35	76	10	-	2	83	16	2
30 日	57	-	-	3	20	2	-	1	22	9	-
不 詳	63	-	-	9	20	2	-	-	25	5	2
自立訓練（生活訓練）事業	1 159	-	26	50	433	127	7	2	212	233	69
1 ～ 9 日	-	-	-	-	-	-	-	-	-	-	-
10 ～ 19 日	13	-	1	-	7	2	-	-	1	2	-
20 ～ 29 日	977	-	24	40	382	97	3	2	169	199	61
30 日	95	-	-	3	21	25	4	-	20	18	4
不 詳	74	-	1	7	23	3	-	-	22	14	4
就 労 移 行 支 援 事 業	2 956	1	37	24	1 213	81	18	1	888	516	177
1 ～ 9 日	1	-	-	-	-	-	-	-	-	-	1
10 ～ 19 日	24	-	-	-	10	2	-	-	4	5	3
20 ～ 29 日	2 748	1	37	22	1 122	74	17	1	828	481	165
30 日	84	-	-	-	31	3	1	-	32	14	3
不 詳	99	-	-	2	50	2	-	-	24	16	5
就労継続支援（A型）事業	3 065	-	1	5	484	11	3	-	1 791	487	283
1 ～ 9 日	2	-	-	-	-	-	-	-	1	-	1
10 ～ 19 日	16	-	-	-	1	-	-	-	9	4	2
20 ～ 29 日	2 597	-	1	5	381	7	3	-	1 558	397	245
30 日	368	-	-	-	88	2	-	-	176	72	30
不 詳	82	-	-	-	14	2	-	-	47	14	5
就労継続支援（B型）事業	9 459	1	114	273	4 155	186	37	1	1 362	2 890	440
1 ～ 9 日	1	-	-	-	-	-	-	-	-	-	1
10 ～ 19 日	122	-	-	9	36	7	-	-	16	46	8
20 ～ 29 日	8 861	1	112	262	3 910	165	36	1	1 251	2 724	399
30 日	299	-	-	-	149	13	1	-	46	76	14
不 詳	176	-	2	2	60	1	-	-	49	44	18
保 育 所 等 訪 問 支 援 事 業	860	-	187	14	360	15	2	2	111	133	36
1 ～ 9 日	50	-	3	-	28	2	-	-	9	8	-
10 ～ 19 日	44	-	12	1	14	3	-	-	5	7	2
20 ～ 29 日	682	-	162	12	287	10	2	2	81	98	28
30 日	6	-	-	-	1	-	-	-	3	2	-
不 詳	78	-	10	1	30	-	-	-	13	18	6

第22表　児童発達支援・放課後等デイサービス事業所数，

サービスの種類 定員階級 営業日数階級	総数	国・独立行政法人	地方公共団体	社会福祉協議会	社会福祉法人（社会福祉協議会以外）	医療法人	公益法人	協同組合	営利法人（会社）	特定非営利活動法人（NPO）	その他
児童発達支援事業											
総数	4 924	23	411	73	933	74	17	7	2 298	780	308
1～9日	56	-	6	-	7	3	1	-	23	11	5
10～19日	186	-	34	7	46	4	1	-	48	37	9
20～29日	4 133	23	366	63	811	65	15	6	1 872	646	266
30日	296	-	-	1	13	-	-	1	233	33	15
不詳	253	-	5	2	56	2	-	-	122	53	13
1～9人	769	19	21	10	160	23	3	-	304	171	58
1～9日	19	-	1	-	2	3	-	-	7	5	1
10～19日	40	-	2	-	8	1	-	-	16	10	3
20～29日	665	19	18	10	143	19	3	-	255	151	47
30日	28	-	-	-	2	-	-	-	19	3	4
不詳	17	-	-	-	5	-	-	-	7	2	3
10～19人	3 368	3	148	43	497	42	9	6	1 857	531	232
1～9日	34	-	3	-	5	-	1	-	15	6	4
10～19日	121	-	19	7	27	3	1	-	32	26	6
20～29日	2 903	3	125	34	443	39	7	6	1 574	464	208
30日	258	-	-	1	10	-	-	-	207	29	11
不詳	52	-	1	1	12	-	-	-	29	6	3
20～29人	276	-	98	14	107	5	2	1	22	19	8
1～9日	2	-	1	-	-	-	-	-	1	-	-
10～19日	13	-	7	-	5	-	-	-	-	1	-
20～29日	255	-	90	13	101	5	2	-	19	17	8
30日	5	-	-	-	1	-	-	1	2	1	-
不詳	1	-	-	1	-	-	-	-	-	-	-
30人以上	299	-	140	6	126	2	3	-	11	8	3
1～9日	1	-	1	-	-	-	-	-	-	-	-
10～19日	12	-	6	-	6	-	-	-	-	-	-
20～29日	280	-	133	6	118	2	3	-	7	8	3
30日	4	-	-	-	-	-	-	-	4	-	-
不詳	2	-	-	-	2	-	-	-	-	-	-
不詳	212	1	4	-	43	2	-	-	104	51	7
1～9日	-	-	-	-	-	-	-	-	-	-	-
10～19日	-	-	-	-	-	-	-	-	-	-	-
20～29日	30	1	-	-	6	-	-	-	17	6	-
30日	1	-	-	-	-	-	-	-	1	-	-
不詳	181	-	4	-	37	2	-	-	86	45	7

注：1）経営主体の「地方公共団体」には一部事務組合・広域連合を含む。「協同組合」には農業協同組合連合会・消費生活協同組合連合会を含む。「その他」にはその他の法人を含む。
　　2）営業日数は平成29年9月中のものである。

平成29年10月1日

サービスの種類／定員階級／営業日数階級	総数	国・独立行政法人	地方公共団体	社会福祉協議会	社会福祉法人（社会福祉協議会以外）	医療法人	公益法人	協同組合	営利法人（会社）	特定非営利活動法人（NPO）	その他
放課後等デイサービス事業											
総数	9 264	21	135	77	1 485	93	18	10	5 011	1 779	635
1 ～ 9 日	81	-	6	6	35	3	1	-	12	13	5
10 ～ 19 日	159	-	17	1	39	3	-	-	47	43	9
20 ～ 29 日	8 169	20	104	67	1 318	84	16	8	4 373	1 606	573
30 日	624	-	-	1	52	3	-	2	461	69	36
不詳	231	1	8	2	41	-	1	-	118	48	12
1 ～ 9 人	803	16	16	8	174	26	3	-	327	173	60
1 ～ 9 日	18	-	1	1	7	1	-	-	3	5	-
10 ～ 19 日	21	-	1	-	2	1	-	-	7	7	3
20 ～ 29 日	727	16	13	7	160	24	3	-	293	158	53
30 日	27	-	-	-	2	-	-	-	19	3	3
不詳	10	-	1	-	3	-	-	-	5	-	1
10 ～ 19 人	7 896	4	90	53	1 128	60	11	9	4 505	1 481	555
1 ～ 9 日	56	-	5	3	26	2	-	-	8	7	5
10 ～ 19 日	128	-	14	1	35	1	-	-	39	32	6
20 ～ 29 日	7 074	3	69	48	1 011	55	11	8	3 991	1 371	507
30 日	574	-	-	1	47	2	-	1	430	61	32
不詳	64	1	2	-	9	-	-	-	37	10	5
20 ～ 29 人	306	-	17	9	124	7	2	1	65	70	11
1 ～ 9 日	4	-	-	1	2	-	-	-	-	1	-
10 ～ 19 日	8	-	1	-	2	1	-	-	-	4	-
20 ～ 29 日	278	-	15	8	116	5	2	-	61	61	10
30 日	13	-	-	-	2	1	-	1	4	4	1
不詳	3	-	1	-	2	-	-	-	-	-	-
30 人 以 上	64	-	7	5	23	-	1	-	15	10	3
1 ～ 9 日	2	-	-	1	-	-	1	-	-	-	-
10 ～ 19 日	2	-	1	-	-	-	-	-	1	-	-
20 ～ 29 日	52	-	6	4	22	-	-	-	8	9	3
30 日	7	-	-	-	1	-	-	-	6	-	-
不詳	1	-	-	-	-	-	-	-	-	1	-
不詳	195	1	5	2	36	-	1	-	99	45	6
1 ～ 9 日	1	-	-	-	-	-	-	-	1	-	-
10 ～ 19 日	-	-	-	-	-	-	-	-	-	-	-
20 ～ 29 日	38	1	1	-	9	-	-	-	20	7	-
30 日	3	-	-	-	-	-	-	-	2	1	-
不詳	153	-	4	2	27	-	1	-	76	37	6

第23表　短期入所事業所数，事業所形態・併設型の定員階級、
　　　　経営主体別

平成29年10月1日

事業所形態 併設型の定員階級	総　数	国・独立 行政法人	地方公共 団　体	社会福祉 協議会	社会福祉法人 （社会福祉協 議会以外）	医療法人	公益法人	協同組合	営利法人 （会社）	特定非営利 活動法人 （NPO）	その他
総　　　　　数	4 730	64	169	35	3 631	201	16	16	266	268	64
併設型（一部単独型・空床型を含む）	2 747	3	70	23	2 422	64	4	－	55	90	16
1　～　4　人	1 618	1	36	12	1 394	51	3	－	37	75	9
5　～　9　人	645	－	21	4	597	5	－	－	10	7	1
10　～　14　人	229	1	8	2	213	2	－	－	2	1	－
15　～　19　人	57	1	2	－	54	－	－	－	－	－	－
20　人　以　上	108	－	1	5	99	2	－	－	－	－	1
不　　　　　詳	90	－	2	－	65	4	1	－	6	7	5
単　独　型・空　床　型	4 303	64	155	29	3 263	190	15	16	259	256	56
不　　　　　詳	69	－	1	－	46	3	1	－	6	7	5

注：経営主体の「地方公共団体」には一部事務組合・広域連合を含む。「協同組合」には農業協同組合連合会・消費生活協同組合連合会を含む。
　　「その他」にはその他の法人を含む。

第24表　共同生活援助事業所数，事業所形態・定員階級、経営主体別

平成29年10月 1 日

事業所形態　定員階級	総数	国・独立行政法人	地方公共団体	社会福祉協議会	社会福祉法人（社会福祉協議会以外）	医療法人	公益法人	協同組合	営利法人（会社）	特定非営利活動法人（NPO）	その他
共同生活援助事業所（外部サービス利用型を除く）	5 187	2	19	28	3 155	253	26	1	455	1 098	150
2 ～ 4 人	539	-	2	3	275	6	4	-	58	159	32
5 人	379	-	3	3	201	10	3	-	49	95	15
6 人	407	-	2	3	227	16	-	-	33	116	10
7 人	378	-	1	3	205	9	1	-	39	106	14
8 人	241	-	2	1	122	9	2	-	27	70	8
9 人	167	-	1	2	83	6	-	-	23	46	6
10 人	381	-	-	1	232	17	1	-	37	80	13
11 ～ 20 人	1 432	2	4	7	856	111	6	1	127	284	34
21 ～ 30 人	627	-	4	1	445	45	3	-	34	88	7
31 人 以 上	616	-	-	4	502	24	5	-	24	46	11
不 詳	20	-	-	-	7	-	1	-	4	8	-
外部サービス利用型共同生活援助事業所	1 268	-	9	6	518	286	31	-	112	277	29
2 ～ 4 人	163	-	3	3	70	19	1	-	16	46	5
5 人	123	-	1	-	53	25	1	-	4	37	2
6 人	156	-	1	-	62	28	2	-	9	51	3
7 人	85	-	1	2	36	12	2	-	11	19	2
8 人	56	-	-	-	29	9	-	-	7	11	-
9 人	42	-	-	-	15	8	-	-	5	13	1
10 人	90	-	2	1	31	26	3	-	11	14	2
11 ～ 20 人	344	-	1	-	132	96	12	-	35	59	9
21 ～ 30 人	133	-	-	-	59	41	5	-	6	18	4
31 人 以 上	69	-	-	-	29	19	5	-	8	7	1
不 詳	7	-	-	-	2	3	-	-	-	2	-

注：1）経営主体の「地方公共団体」には一部事務組合・広域連合を含む。「協同組合」には農業協同組合連合会・消費生活協同組合連合会を含む。
　　　「その他」にはその他の法人を含む。
　　2）定員は、事業所の総定員である。
　　3）両方の事業所形態をもつ事業所は、それぞれの事業所に計上している。
　　4）事業所形態不詳は除く。

第25表 障害福祉サービス等事業所数（共同生活援助、宿泊型自立訓練事業所を除く）・

国都道府県	居 宅 介 護 事 業								
	9月中に利用者がいた事業所数	1〜4人	5〜9人	10〜19人	20〜29人	30〜39人	40〜49人	50人以上	利用者数不詳
全 国	15 860	5 870	3 925	3 621	1 342	568	244	290	-
国	-	-	-	-	-	-	-	-	-
北 海 道	383	166	81	86	36	9	4	1	-
青 森	148	74	32	23	9	5	2	3	-
岩 手	94	34	21	27	7	3	-	2	-
宮 城	130	54	37	29	6	2	1	1	-
秋 田	57	27	18	7	3	1	-	1	-
山 形	88	29	21	22	13	1	1	1	-
福 島	107	36	30	31	5	4	1	-	-
茨 城	170	58	31	51	16	10	1	3	-
栃 木	98	32	28	18	11	5	1	3	-
群 馬	103	36	18	31	9	5	2	2	-
埼 玉	428	132	117	115	36	12	10	6	-
千 葉	408	153	96	96	35	17	4	7	-
東 京	1 507	617	390	309	115	41	19	16	-
神 奈 川	234	82	66	40	19	16	6	5	-
新 潟	122	30	37	34	10	4	4	3	-
富 山	47	18	13	13	1	1	1	-	-
石 川	57	16	18	17	5	1	-	-	-
福 井	81	27	24	18	7	2	1	2	-
山 梨	77	24	14	26	3	5	3	2	-
長 野	183	72	37	50	9	10	3	2	-
岐 阜	120	40	28	37	9	3	1	2	-
静 岡	139	49	23	37	20	8	-	2	-
愛 知	314	88	87	74	31	19	10	5	-
三 重	192	70	53	34	21	6	4	4	-
滋 賀	107	24	23	31	13	9	2	5	-
京 都	140	47	31	29	19	11	1	2	-
大 阪	736	298	178	136	69	32	10	13	-
兵 庫	276	101	74	54	30	6	6	5	-
奈 良	194	88	62	34	7	2	-	1	-
和 歌 山	130	46	41	32	6	3	-	2	-
鳥 取	59	12	13	23	7	2	-	2	-
島 根	118	44	29	30	9	2	-	4	-
岡 山	83	22	27	27	3	3	1	-	-
広 島	129	47	33	29	10	7	2	1	-
山 口	117	47	41	23	6	-	-	-	-
徳 島	150	61	34	33	13	6	1	2	-
香 川	55	16	17	11	6	4	1	-	-
愛 媛	115	45	27	25	9	4	2	3	-
高 知	51	19	21	10	1	-	-	-	-
福 岡	303	126	73	60	34	6	2	2	-
佐 賀	81	25	18	29	8	1	-	-	-
長 崎	93	37	26	19	6	1	4	-	-
熊 本	120	42	32	29	12	3	1	1	-
大 分	122	59	24	22	12	2	1	2	-
宮 崎	97	46	19	21	8	2	1	-	-
鹿 児 島	125	51	33	31	7	2	1	-	-
沖 縄	144	39	34	42	19	7	2	1	-

注：指定都市及び中核市は別掲である。

障害児通所支援等事業所数，国−都道府県−指定都市−中核市、障害福祉サービス等の種類・利用実人員階級別

指定都市 中核市	居 宅 介 護 事 業								
	9月中に利用者がいた事業所数	1～4人	5～9人	10～19人	20～29人	30～39人	40～49人	50人以上	利用者数不詳
指定都市（別掲）									
札幌市	331	112	95	73	32	6	6	7	−
仙台市	121	29	35	37	10	3	2	5	−
さいたま市	134	39	34	44	9	4	3	1	−
千葉市	90	30	17	32	5	1	2	3	−
横浜市	448	167	88	99	38	23	13	20	−
川崎市	117	51	19	27	10	8	2	−	−
相模原市	87	24	26	24	4	4	3	2	−
新潟市	74	26	12	15	11	2	4	4	−
静岡市	44	13	8	11	2	5	2	3	−
浜松市	48	11	13	14	7	2	1	−	−
名古屋市	494	160	138	128	36	15	7	10	−
京都市	226	81	51	54	19	12	2	7	−
大阪市	1 162	496	305	216	85	32	11	17	−
堺市	226	94	51	46	15	6	7	7	−
神戸市	307	115	77	71	29	10	4	1	−
岡山市	74	17	15	21	14	4	−	3	−
広島市	206	80	51	43	18	9	−	5	−
北九州市	153	57	35	33	11	10	3	4	−
福岡市	217	52	41	66	31	14	5	8	−
熊本市	60	17	12	19	5	3	2	2	−
中核市（別掲）									
旭川市	65	34	14	8	6	−	1	2	−
函館市	27	14	6	2	2	−	2	1	−
青森市	51	26	11	9	3	1	1	−	−
八戸市	18	2	7	3	4	1	1	−	−
盛岡市	33	8	10	8	7	−	−	−	−
秋田市	40	18	10	8	1	−	2	1	−
郡山市	20	5	5	5	3	−	−	2	−
いわき市	40	9	11	11	6	1	−	2	−
宇都宮市	39	9	8	16	1	2	2	1	−
前橋市	29	14	3	8	1	1	−	2	−
高崎市	33	13	6	6	4	2	2	−	−
川越市	39	11	8	12	5	2	1	−	−
越谷市	26	7	6	9	1	1	−	2	−
船橋市	52	19	9	12	9	2	1	−	−
柏市	48	20	11	9	6	2	−	−	−
八王子市	64	31	16	13	3	1	−	−	−
横須賀市	37	9	10	13	1	3	−	1	−
富山市	31	12	7	10	1	1	−	−	−
金沢市	39	10	10	10	3	1	3	2	−
長野市	32	4	8	6	9	4	−	1	−
岐阜市	41	9	15	8	5	−	2	2	−
豊橋市	29	6	3	10	6	3	−	1	−
豊田市	34	13	10	9	1	1	−	−	−
岡崎市	21	2	5	4	3	3	−	2	−
大津市	47	12	11	13	4	3	−	4	−
高槻市	39	9	9	9	4	3	1	4	−
東大阪市	152	77	37	23	5	6	2	2	−
豊中市	98	34	18	27	13	3	1	2	−
枚方市	88	45	20	16	−	3	2	2	−
姫路市	58	17	16	15	8	1	−	1	−
西宮市	68	31	17	11	5	1	3	−	−
尼崎市	186	97	41	32	9	2	3	2	−
奈良市	66	19	13	18	7	2	4	3	−
和歌山市	65	29	15	15	2	2	1	1	−
倉敷市	42	13	8	11	5	1	1	3	−
福山市	56	10	12	17	7	4	1	5	−
呉市	37	12	13	8	3	1	−	−	−
下関市	34	11	9	11	2	1	−	−	−
高松市	43	17	10	12	1	2	−	1	−
松山市	71	24	16	14	7	5	2	3	−
高知市	50	19	13	10	7	1	−	−	−
久留米市	40	10	9	11	2	6	1	1	−
長崎市	57	22	17	11	2	2	2	1	−
佐世保市	21	10	5	4	−	1	1	−	−
大分市	71	27	20	19	1	1	3	−	−
宮崎市	33	10	10	6	2	3	−	2	−
鹿児島市	74	27	18	16	10	2	−	1	−
那覇市	25	6	6	5	4	2	−	2	−

第25表　障害福祉サービス等事業所数（共同生活援助、宿泊型自立訓練事業所を除く）・

国都道府県	重　度　訪　問　介　護　事　業								利用者数不詳
	9月中に利用者がいた事業所数	1 ～ 4人	5 ～ 9人	10 ～ 19人	20 ～ 29人	30 ～ 39人	40 ～ 49人	50人以上	
全　　　　国	5 765	4 821	664	196	52	14	4	12	2
国	－	－	－	－	－	－	－	－	－
北　海　道	69	67	1	1	－	－	－	－	－
青　　　森	17	16	1	－	－	－	－	－	－
岩　　　手	20	19	－	1	－	－	－	－	－
宮　　　城	31	29	1	1	－	－	－	－	－
秋　　　田	23	23	－	－	－	－	－	－	－
山　　　形	30	27	2	1	－	－	－	－	－
福　　　島	26	23	3	－	－	－	－	－	－
茨　　　城	27	24	2	－	1	－	－	－	－
栃　　　木	6	6	－	－	－	－	－	－	－
群　　　馬	14	13	1	－	－	－	－	－	－
埼　　　玉	113	102	6	1	1	－	－	2	1
千　　　葉	105	90	10	4	－	－	－	－	1
東　　　京	764	617	87	39	14	6	－	1	－
神　奈　川	49	45	4	－	－	－	－	－	－
新　　　潟	15	15	－	－	－	－	－	－	－
富　　　山	1	1	－	－	－	－	－	－	－
石　　　川	4	4	－	－	－	－	－	－	－
福　　　井	15	14	1	－	－	－	－	－	－
山　　　梨	38	32	5	1	－	－	－	－	－
長　　　野	33	30	2	－	1	－	－	－	－
岐　　　阜	11	11	－	－	－	－	－	－	－
静　　　岡	23	23	－	－	－	－	－	－	－
愛　　　知	75	68	4	3	－	－	－	－	－
三　　　重	25	19	5	－	－	－	－	1	－
滋　　　賀	31	23	6	2	－	－	－	－	－
京　　　都	32	27	2	3	－	－	－	－	－
大　　　阪	277	256	19	1	－	－	－	1	－
兵　　　庫	123	96	18	8	1	－	－	－	－
奈　　　良	63	63	－	－	－	－	－	－	－
和　歌　山	21	20	－	1	－	－	－	－	－
鳥　　　取	13	13	－	－	－	－	－	－	－
島　　　根	16	16	－	－	－	－	－	－	－
岡　　　山	15	15	－	－	－	－	－	－	－
広　　　島	37	35	2	－	－	－	－	－	－
山　　　口	28	27	1	－	－	－	－	－	－
徳　　　島	34	34	－	－	－	－	－	－	－
香　　　川	19	19	－	－	－	－	－	－	－
愛　　　媛	18	18	－	－	－	－	－	－	－
高　　　知	11	11	－	－	－	－	－	－	－
福　　　岡	71	69	1	1	－	－	－	－	－
佐　　　賀	17	17	－	－	－	－	－	－	－
長　　　崎	30	27	3	－	－	－	－	－	－
熊　　　本	30	28	2	－	－	－	－	－	－
大　　　分	24	24	－	－	－	－	－	－	－
宮　　　崎	15	15	－	－	－	－	－	－	－
鹿　児　島	24	22	2	－	－	－	－	－	－
沖　　　縄	66	59	6	－	1	－	－	－	－

障害児通所支援等事業所数，国−都道府県−指定都市−中核市、障害福祉サービス等の種類・利用実人員階級別

平成29年10月 1 日

指定都市 中核市	9月中に利用者がいた事業所数	重度訪問介護事業							利用者数不詳
		1〜4人	5〜9人	10〜19人	20〜29人	30〜39人	40〜49人	50人以上	
指定都市（別掲）									
札幌市	189	149	31	8	−	−	−	1	−
仙台市	53	39	11	3	−	−	−	−	−
さいたま市	31	29	1	−	1	−	−	−	−
千葉市	34	27	4	2	−	−	−	1	−
横浜市	83	70	5	5	1	−	2	−	−
川崎市	55	53	1	1	−	−	−	−	−
相模原市	28	22	6	−	−	−	−	−	−
新潟市	17	15	2	−	−	−	−	−	−
静岡市	28	23	5	−	−	−	−	−	−
浜松市	10	9	1	−	−	−	−	−	−
名古屋市	329	223	75	24	5	1	−	1	−
京都市	114	76	23	13	1	−	−	1	−
大阪市	722	571	102	32	10	4	1	−	2
堺市	147	122	20	4	1	−	−	−	−
神戸市	172	133	30	4	4	1	−	−	−
岡山市	52	32	16	3	−	1	−	−	−
広島市	90	78	9	3	−	−	−	−	−
北九州市	19	19	−	−	−	−	−	−	−
福岡市	63	55	6	2	−	−	−	−	−
熊本市	41	28	11	1	−	−	1	−	−
中核市（別掲）									
旭川市	18	16	1	1	−	−	−	−	−
函館市	10	10	−	−	−	−	−	−	−
青森市	15	13	2	−	−	−	−	−	−
八戸市	11	10	1	−	−	−	−	−	−
盛岡市	9	8	−	1	−	−	−	−	−
秋田市	12	11	1	−	−	−	−	−	−
郡山市	11	9	2	−	−	−	−	−	−
いわき市	14	13	1	−	−	−	−	−	−
宇都宮市	4	4	−	−	−	−	−	−	−
前橋市	8	7	1	−	−	−	−	−	−
高崎市	11	11	−	−	−	−	−	−	−
川越市	5	5	−	−	−	−	−	−	−
越谷市	8	8	−	−	−	−	−	−	−
船橋市	29	20	6	2	1	−	−	−	−
柏市	16	13	2	1	−	−	−	−	−
八王子市	57	38	16	2	1	−	−	−	−
横須賀市	5	5	−	−	−	−	−	−	−
富山市	17	16	1	−	−	−	−	−	−
金沢市	12	10	1	−	−	−	−	1	−
長野市	4	4	−	−	−	−	−	−	−
岐阜市	13	11	1	−	−	1	−	−	−
豊橋市	3	3	−	−	−	−	−	−	−
豊田市	5	5	−	−	−	−	−	−	−
岡崎市	2	2	−	−	−	−	−	−	−
大津市	15	12	2	1	−	−	−	−	−
高槻市	18	17	1	−	−	−	−	−	−
東大阪市	79	59	18	1	−	1	−	−	−
豊中市	44	39	4	−	−	1	−	−	−
枚方市	29	29	−	−	−	−	−	−	−
姫路市	41	31	7	2	1	−	−	−	−
西宮市	50	38	6	2	3	−	1	−	−
尼崎市	72	61	8	−	3	−	−	−	−
奈良市	35	28	4	−	3	−	−	−	−
和歌山市	31	29	2	−	−	−	−	−	−
倉敷市	16	14	2	−	−	−	−	−	−
福山市	26	25	1	−	−	−	−	−	−
呉市	11	10	1	−	−	−	−	−	−
下関市	11	10	−	1	−	−	−	−	−
高松市	28	25	1	−	2	−	−	−	−
高知市	5	4	1	−	−	−	−	−	−
久留米市	24	21	3	−	−	−	−	−	−
長崎市	21	18	3	−	−	−	−	−	−
佐世保市	6	6	−	−	−	−	−	−	−
大分市	24	23	1	−	−	−	−	−	−
宮崎市	5	5	−	−	−	−	−	−	−
鹿児島市	22	17	3	−	1	−	1	−	−
那覇市	13	10	3	−	−	−	−	−	−

障害児通所支援等事業所数，国−都道府県−指定都市−中核市、障害福祉サービス等の種類・利用実人員階級別

第25表　障害福祉サービス等事業所数（共同生活援助、宿泊型自立訓練事業所を除く）・

国都道府県	同行援護事業								利用者数不詳
	9月中に利用者がいた事業所数	1～4人	5～9人	10～19人	20～29人	30～39人	40～49人	50人以上	
全国	5 121	3 914	774	255	76	33	22	45	2
国	-	-	-	-	-	-	-	-	-
北海道	81	59	18	3	1	-	-	-	-
青森	24	18	5	1	-	-	-	-	-
岩手	16	11	4	1	-	-	-	-	-
宮城	25	20	5	-	-	-	-	-	-
秋田	17	15	2	-	-	-	-	-	-
山形	26	15	10	-	1	-	-	-	-
福島	26	17	7	1	-	1	-	-	-
茨城	53	37	14	2	-	-	-	-	-
栃木	31	19	9	1	-	-	1	-	1
群馬	36	26	7	1	1	1	-	-	-
埼玉	159	112	26	17	3	1	-	-	-
千葉	140	114	14	7	1	2	-	2	-
東京	504	380	64	28	15	3	3	11	-
神奈川	62	37	14	5	3	-	-	3	-
新潟	32	23	6	2	1	-	-	-	-
富山	17	14	2	1	-	-	-	-	-
石川	24	16	6	2	-	-	-	-	-
福井	11	9	-	-	-	1	-	1	-
山梨	15	10	3	1	-	1	-	-	-
長野	43	33	6	3	1	-	-	-	-
岐阜	34	25	6	3	-	-	-	-	-
静岡	65	46	12	6	1	-	-	-	-
愛知	94	80	12	2	-	-	-	-	-
三重	49	35	6	8	-	-	-	-	-
滋賀	36	24	6	4	2	-	-	-	-
京都	26	17	4	3	1	-	-	1	-
大阪	312	259	32	13	5	2	-	1	-
兵庫	89	60	19	6	2	1	1	-	-
奈良	58	47	5	6	-	-	-	-	-
和歌山	35	29	5	1	-	-	-	-	-
鳥取	19	16	1	1	1	-	-	-	-
島根	31	25	6	-	-	-	-	-	-
岡山	21	16	5	-	-	-	-	-	-
広島	38	31	7	-	-	-	-	-	-
山口	41	30	8	3	-	-	-	-	-
徳島	54	38	12	2	2	-	-	-	-
香川	29	22	6	-	-	1	-	-	-
愛媛	49	35	8	2	2	-	2	-	-
高知	11	10	1	-	-	-	-	-	-
福岡	99	72	22	3	1	-	-	-	1
佐賀	24	21	2	1	-	-	-	-	-
長崎	37	26	8	3	-	-	-	-	-
熊本	37	30	5	2	-	-	-	-	-
大分	46	32	13	1	-	-	-	-	-
宮崎	26	14	7	3	2	-	-	-	-
鹿児島	28	22	5	1	-	-	-	-	-
沖縄	44	31	8	3	-	1	-	1	-

障害児通所支援等事業所数，国−都道府県−指定都市−中核市、障害福祉サービス等の種類・利用実人員階級別

平成29年10月 1 日

指定都市 中核市	9月中に利用者がいた事業所数	同行援護事業							利用者数不詳
		1～4人	5～9人	10～19人	20～29人	30～39人	40～49人	50人以上	
指定都市（別掲）									
札幌市	123	102	13	6	1	-	-	1	-
仙台市	38	28	5	2	1	1	-	1	-
さいたま市	40	38	1	-	-	1	-	1	-
千葉市	41	31	6	4	-	-	-	-	-
横浜市	117	92	17	3	2	3	-	-	-
川崎市	23	16	5	1	-	-	-	1	-
相模原市	27	19	4	2	-	1	1	-	-
新潟市	28	18	5	4	-	-	-	1	-
静岡市	21	10	6	3	2	-	-	-	-
浜松市	20	13	4	2	-	1	-	-	-
名古屋市	152	118	25	5	2	1	-	1	-
京都市	69	51	11	4	2	-	-	1	-
大阪市	359	315	29	8	3	-	2	2	-
堺市	99	87	9	2	-	1	-	-	-
神戸市	123	103	15	3	-	1	-	-	-
岡山市	8	5	1	-	-	-	-	1	-
広島市	11	10	-	-	-	-	-	1	-
北九州市	65	48	14	3	-	-	-	-	-
福岡市	73	56	12	1	-	1	1	2	-
熊本市	21	16	3	-	-	1	-	1	-
中核市（別掲）									
旭川市	13	9	1	2	1	-	-	-	-
函館市	7	2	3	1	-	1	-	-	-
青森市	8	5	2	1	-	-	-	-	-
八戸市	8	4	4	-	-	-	-	-	-
盛岡市	10	9	1	-	-	-	-	-	-
秋田市	4	3	-	1	-	-	-	-	-
郡山市	7	5	-	1	-	-	1	-	-
いわき市	16	10	2	4	-	-	-	-	-
宇都宮市	17	12	1	1	2	1	-	-	-
前橋市	11	7	2	2	-	-	-	-	-
高崎市	9	4	3	1	-	-	1	-	-
川越市	13	10	3	-	-	-	-	-	-
越谷市	9	3	4	1	1	-	-	-	-
船橋市	23	14	7	1	-	-	-	1	-
柏市	14	6	5	3	-	-	-	-	-
八王子市	23	21	1	-	-	-	-	1	-
横須賀市	8	6	1	-	-	1	-	-	-
富山市	12	9	1	-	2	-	-	-	-
金沢市	7	5	2	-	-	-	-	-	-
長野市	10	4	5	1	-	-	-	-	-
岐阜市	6	3	-	2	-	-	-	1	-
豊橋市	12	10	1	1	-	-	-	-	-
豊田市	7	6	-	-	-	-	1	-	-
岡崎市	11	9	2	-	-	-	-	-	-
大津市	16	13	1	-	-	-	-	2	-
高槻市	17	13	1	1	1	-	-	1	-
東大阪市	58	47	9	1	-	-	1	-	-
豊中市	45	38	4	1	2	-	-	-	-
枚方市	35	28	4	1	2	-	-	-	-
姫路市	22	19	1	-	1	-	1	-	-
西宮市	15	11	2	1	-	-	-	1	-
尼崎市	70	63	5	1	-	1	-	-	-
奈良市	36	31	3	1	1	-	-	-	-
和歌山市	24	16	4	4	-	-	-	-	-
倉敷市	11	9	1	1	-	-	-	-	-
福山市	20	15	2	2	-	-	-	1	-
呉市	12	9	1	2	-	-	-	-	-
下関市	19	17	1	-	-	1	-	-	-
高松市	14	9	4	-	-	-	1	-	-
松山市	32	20	8	1	1	-	-	1	-
高知市	23	19	2	1	1	-	-	-	-
久留米市	17	14	3	-	-	-	-	-	-
長崎市	28	20	7	1	-	-	-	-	-
佐世保市	8	6	1	1	-	-	-	-	-
大分市	25	18	5	1	-	1	-	-	-
宮崎市	22	12	6	1	-	-	2	1	-
鹿児島市	44	31	9	2	1	-	-	1	-
那覇市	11	6	1	2	1	1	-	-	-

障害児通所支援等事業所数，国−都道府県−指定都市−中核市、障害福祉サービス等の種類・利用実人員階級別

25表（20－4）

第25表　障害福祉サービス等事業所数（共同生活援助、宿泊型自立訓練事業所を除く）・

国都道府県	行　動　援　護　事　業								
	9月中に利用者がいた事業所数	1～4人	5～9人	10～19人	20～29人	30～39人	40～49人	50人以上	利用者数不詳
全　国	1 197	646	244	204	66	20	6	11	-
国	-	-	-	-	-	-	-	-	-
北海道	34	18	9	4	1	1	-	1	-
青森	9	7	1	1	-	-	-	-	-
岩手	4	3	1	-	-	-	-	-	-
宮城	9	6	2	1	-	-	-	-	-
秋田	4	3	1	-	-	-	-	-	-
山形	2	1	-	-	1	-	-	-	-
福島	2	-	1	1	-	-	-	-	-
茨城	11	7	2	1	1	-	-	-	-
栃木	4	2	1	1	-	-	-	-	-
群馬	5	1	2	2	-	-	-	-	-
埼玉	49	17	6	13	6	5	-	2	-
千葉	19	10	4	1	3	1	-	-	-
東京	82	57	10	10	4	1	-	-	-
神奈川	16	8	4	2	1	-	-	1	-
新潟	7	4	2	-	-	1	-	-	-
富山	5	2	2	-	1	-	-	-	-
石川	2	2	-	-	-	-	-	-	-
福井	5	5	-	-	-	-	-	-	-
山梨	7	4	1	2	-	-	-	-	-
長野	29	13	3	10	1	2	-	-	-
岐阜	16	10	1	4	1	-	-	-	-
静岡	5	1	2	1	-	1	-	-	-
愛知	29	14	9	5	1	-	-	-	-
三重	6	3	3	-	-	-	-	-	-
滋賀	18	4	3	4	5	-	1	1	-
京都	33	18	6	8	1	-	-	-	-
大阪	47	27	10	6	2	-	-	1	-
兵庫	18	9	5	3	1	-	-	-	-
奈良	48	23	15	4	4	1	-	1	-
和歌山	5	4	-	1	-	-	-	-	-
鳥取	9	5	1	3	-	-	-	-	-
島根	8	5	2	1	-	-	-	-	-
岡山	5	4	1	-	-	-	-	-	-
広島	12	7	2	1	1	-	1	-	-
山口	-	-	-	-	-	-	-	-	-
徳島	9	4	3	2	-	-	-	-	-
香川	6	5	-	1	-	-	-	-	-
愛媛	11	7	2	2	-	-	-	-	-
高知	1	1	-	-	-	-	-	-	-
福岡	13	10	1	1	-	1	-	-	-
佐賀	9	2	3	4	-	-	-	-	-
長崎	5	2	1	1	-	-	1	-	-
熊本	2	1	-	-	1	-	-	-	-
大分	18	9	5	3	-	1	-	-	-
宮崎	3	1	2	-	-	-	-	-	-
鹿児島	7	5	2	-	-	-	-	-	-
沖縄	17	10	3	4	-	-	-	-	-

障害児通所支援等事業所数，国－都道府県－指定都市－中核市、障害福祉サービス等の種類・利用実人員階級別

平成29年10月 1 日

指定都市 中核市	行動援護事業 9月中に利用者がいた事業所数	1 ～ 4 人	5 ～ 9 人	10 ～ 19 人	20 ～ 29 人	30 ～ 39 人	40 ～ 49 人	50 人 以 上	利 用 者 数不 詳
指定都市（別掲）									
札 幌 市	65	30	19	8	6	1	－	1	－
仙 台 市	8	8	－	－	－	－	－	－	－
さ い た ま 市	22	10	3	8	1	－	－	－	－
千 葉 市	2	1	－	－	－	1	－	－	－
横 浜 市	39	17	9	8	4	－	－	1	－
川 崎 市	21	7	3	8	2	－	－	1	－
相 模 原 市	2	1	－	－	1	－	－	－	－
新 潟 市	5	3	1	－	－	－	1	－	－
静 岡 市	2	1	1	－	－	－	－	－	－
浜 松 市	2	1	1	－	－	－	－	－	－
名 古 屋 市	56	33	13	8	2	－	－	－	－
京 都 市	53	26	11	10	6	－	－	－	－
大 阪 市	39	21	8	7	2	－	1	－	－
堺 市	9	7	1	1	－	－	－	－	－
神 戸 市	4	1	1	2	－	－	－	－	－
岡 山 市	5	3	1	1	－	－	－	－	－
広 島 市	2	1	－	1	－	－	－	－	－
北 九 州 市	3	3	－	－	－	－	－	－	－
福 岡 市	18	10	4	4	－	－	－	－	－
熊 本 市	1	1	－	－	－	－	－	－	－
中核市（別掲）									
旭 川 市	1	－	－	1	－	－	－	－	－
函 館 市	1	－	1	－	－	－	－	－	－
青 森 市	4	3	－	1	－	－	－	－	－
八 戸 市	2	1	1	－	－	－	－	－	－
盛 岡 市	1	1	－	－	－	－	－	－	－
秋 田 市	－	－	－	－	－	－	－	－	－
郡 山 市	2	－	2	－	－	－	－	－	－
い わ き 市	5	4	－	－	1	－	－	－	－
宇 都 宮 市	2	－	1	1	－	－	－	－	－
前 橋 市	3	3	－	－	－	－	－	－	－
高 崎 市	5	3	2	－	－	－	－	－	－
川 越 市	4	2	1	1	－	－	－	－	－
越 谷 市	3	1	－	1	－	－	－	1	－
船 橋 市	4	3	－	－	1	－	－	－	－
柏 市	1	－	－	1	－	－	－	－	－
八 王 子 市	2	1	1	－	－	－	－	－	－
横 須 賀 市	1	1	－	－	－	－	－	－	－
富 山 市	1	－	1	－	－	－	－	－	－
金 沢 市	5	－	2	3	－	－	－	－	－
長 野 市	7	1	3	3	－	－	－	－	－
岐 阜 市	3	2	1	－	－	－	－	－	－
豊 橋 市	2	2	－	－	－	－	－	－	－
豊 田 市	－	－	－	－	－	－	－	－	－
岡 崎 市	4	－	1	2	－	－	－	－	－
大 津 市	2	2	－	－	－	－	－	－	－
高 槻 市	3	3	－	－	－	－	－	－	－
東 大 阪 市	6	4	－	1	－	－	1	－	－
豊 中 市	2	2	－	－	－	－	－	－	－
枚 方 市	1	1	－	－	－	－	－	－	－
姫 路 市	5	3	2	－	－	－	－	－	－
西 宮 市	5	5	－	－	－	－	－	－	－
尼 崎 市	1	1	－	－	－	－	－	－	－
奈 良 市	20	8	5	3	3	1	－	－	－
和 歌 山 市	5	3	2	－	－	－	－	－	－
倉 敷 市	4	2	1	1	－	－	－	－	－
福 山 市	13	6	1	5	－	1	－	－	－
呉 市	4	1	1	1	1	－	－	－	－
下 関 市	2	－	2	－	－	－	－	－	－
高 松 市	5	2	－	－	－	－	－	－	－
松 山 市	2	2	－	－	－	－	－	－	－
高 知 市	2	2	－	－	－	－	－	－	－
久 留 米 市	2	1	1	－	－	－	－	－	－
長 崎 市	4	3	1	－	－	－	－	－	－
佐 世 保 市	1	1	－	－	－	－	－	－	－
大 分 市	9	5	3	1	－	－	－	－	－
宮 崎 市	1	1	－	－	－	－	－	－	－
鹿 児 島 市	8	3	2	3	－	－	－	－	－
那 覇 市	4	3	－	1	－	－	－	－	－

障害児通所支援等事業所数，国－都道府県－指定都市－中核市、障害福祉サービス等の種類・利用実人員階級別

第25表　障害福祉サービス等事業所数（共同生活援助、宿泊型自立訓練事業所を除く）・

国　都　道　府　県	療　　養　　介　　護　　事　　業								
	9月中に利用者がいた事業所数	1～4人	5～9人	10～19人	20～29人	30～39人	40～49人	50人以上	利用者数不詳
全　　　　国	176	2	3	8	7	14	15	125	2
国	-	-	-	-	-	-	-	-	-
北　海　道	6	-	-	-	-	-	-	6	-
青　　森	-	-	-	-	-	-	-	-	-
岩　　手	4	-	-	-	-	-	1	3	-
宮　　城	1	-	-	-	-	-	-	1	-
秋　　田	-	-	-	-	-	-	-	-	-
山　　形	1	-	-	-	-	-	-	1	-
福　　島	1	-	-	-	-	-	-	1	-
茨　　城	1	-	-	-	-	-	-	1	-
栃　　木	3	-	-	-	1	1	-	1	-
群　　馬	-	-	-	-	-	-	-	-	-
埼　　玉	5	-	-	-	-	-	-	4	1
千　　葉	1	-	-	-	-	-	1	-	-
東　　京	9	-	1	-	1	-	-	7	-
神　奈　川	4	-	-	-	-	-	1	3	-
新　　潟	4	-	-	-	-	-	-	4	-
富　　山	-	-	-	-	-	-	-	-	-
石　　川	2	-	-	-	-	-	1	1	-
福　　井	1	-	-	-	-	-	-	1	-
山　　梨	2	-	-	-	-	-	1	1	-
長　　野	2	-	-	-	-	-	-	2	-
岐　　阜	-	-	-	-	-	-	-	-	-
静　　岡	1	-	-	-	-	1	-	-	-
愛　　知	2	-	1	-	-	-	-	1	-
三　　重	4	-	-	1	1	-	-	2	-
滋　　賀	1	-	-	-	-	-	-	1	-
京　　都	2	-	-	-	-	-	-	2	-
大　　阪	1	-	-	-	-	-	-	1	-
兵　　庫	7	-	-	1	-	-	1	5	-
奈　　良	2	-	-	-	-	-	-	2	-
和　歌　山	2	-	-	-	-	-	-	2	-
鳥　　取	-	-	-	-	-	-	-	-	-
島　　根	3	-	-	-	-	-	-	3	-
岡　　山	2	-	-	-	-	1	-	1	-
広　　島	4	-	-	-	-	-	-	4	-
山　　口	2	-	-	-	-	-	-	2	-
徳　　島	3	-	-	-	-	-	-	3	-
香　　川	1	-	-	-	-	-	-	1	-
愛　　媛	2	-	-	1	-	-	-	1	-
高　　知	2	-	-	1	-	-	-	1	-
福　　岡	6	-	-	-	-	1	-	4	1
佐　　賀	4	-	-	-	-	-	1	3	-
長　　崎	2	-	-	-	-	-	1	1	-
熊　　本	5	-	-	-	1	1	-	3	-
大　　分	3	-	-	1	-	-	-	2	-
宮　　崎	1	-	-	-	-	-	-	1	-
鹿　児　島	2	-	-	-	-	-	-	2	-
沖　　縄	3	-	-	-	-	-	-	3	-

障害児通所支援等事業所数，国−都道府県−指定都市−中核市、障害福祉サービス等の種類・利用実人員階級別

指定都市　中核市	療　養　介　護　事　業								
	9月中に利用者がいた事業所数	1～4人	5～9人	10～19人	20～29人	30～39人	40～49人	50人以上	利用者数不詳
指定都市（別掲）									
札幌市	2	－	－	－	－	－	－	2	－
仙台市	1	－	－	－	－	－	－	1	－
さいたま市	－	－	－	－	－	－	－	－	－
千葉市	3	－	－	－	－	－	1	2	－
横浜市	－	－	－	－	－	－	－	－	－
川崎市	1	－	－	－	－	－	－	1	－
相模原市	1	－	－	－	－	－	－	1	－
新潟市	2	－	－	－	1	－	－	1	－
静岡市	2	－	－	－	－	－	－	2	－
浜松市	2	－	－	－	－	－	－	2	－
名古屋市	3	－	－	－	－	1	－	2	－
京都市	1	－	－	－	－	－	1	－	－
大阪市	2	－	－	1	－	－	1	－	－
堺市	1	－	－	－	－	－	1	－	－
神戸市	－	－	－	－	－	－	－	－	－
岡山市	1	－	－	－	－	－	－	1	－
広島市	－	－	－	－	－	－	－	－	－
北九州市	4	1	－	－	－	1	1	1	－
福岡市	2	－	－	－	－	1	－	1	－
熊本市	1	－	－	－	－	－	－	1	－
中核市（別掲）									
旭川市	2	－	－	－	－	1	－	1	－
函館市	－	－	－	－	－	－	－	－	－
青森市	1	－	－	－	－	－	－	1	－
八戸市	2	1	－	1	－	－	－	－	－
盛岡市	－	－	－	－	－	－	－	－	－
秋田市	－	－	－	－	－	－	－	－	－
郡山市	1	－	－	－	－	－	－	1	－
いわき市	1	－	－	－	－	－	－	1	－
宇都宮市	－	－	－	－	－	－	－	－	－
前橋市	－	－	－	－	－	－	－	－	－
高崎市	－	－	－	－	－	－	－	－	－
川越市	－	－	－	－	－	－	－	－	－
越谷市	－	－	－	－	－	－	－	－	－
船橋市	－	－	－	－	－	－	－	－	－
柏市	1	－	－	－	－	－	－	1	－
八王子市	－	－	－	－	－	－	－	－	－
横須賀市	1	－	－	－	－	－	1	－	－
富山市	2	－	－	－	－	－	－	2	－
金沢市	2	－	－	－	－	－	－	2	－
長野市	1	－	－	－	－	－	－	1	－
岐阜市	1	－	－	－	－	－	－	1	－
豊橋市	1	－	－	－	－	－	1	－	－
豊田市	－	－	－	－	－	－	－	－	－
岡崎市	1	－	－	－	－	－	1	－	－
大津市	－	－	－	－	－	－	－	－	－
高槻市	－	－	－	－	－	－	－	－	－
東大阪市	1	－	－	－	－	－	－	1	－
豊中市	1	－	－	－	－	－	－	1	－
枚方市	1	－	－	1	－	－	－	－	－
姫路市	－	－	－	－	－	－	－	－	－
西宮市	1	－	－	－	－	－	－	1	－
尼崎市	3	－	－	－	1	－	－	2	－
奈良市	－	－	－	－	－	－	－	－	－
和歌山市	－	－	－	－	－	－	－	－	－
倉敷市	－	－	－	－	－	－	－	－	－
福山市	1	－	－	－	－	－	1	－	－
呉市	1	－	－	－	－	1	－	－	－
下関市	－	－	－	－	－	－	－	－	－
高松市	2	－	－	1	－	1	－	－	－
松山市	－	－	－	－	－	－	－	－	－
高知市	1	－	－	－	－	－	－	1	－
久留米市	1	－	－	－	－	－	－	1	－
長崎市	1	－	－	－	－	－	－	1	－
佐世保市	－	－	－	－	－	－	－	－	－
大分市	－	－	－	－	－	－	－	－	－
宮崎市	1	－	－	－	－	－	1	－	－
鹿児島市	1	－	－	－	－	－	－	1	－
那覇市	1	－	－	－	－	－	－	1	－

障害児通所支援等事業所数，国−都道府県−指定都市−中核市、障害福祉サービス等の種類・利用実人員階級別

第25表　障害福祉サービス等事業所数（共同生活援助、宿泊型自立訓練事業所を除く）・

国都道府県	9月中に利用者がいた事業所数	生　活　介　護　事　業							利用者数不詳
		1 ～ 4人	5 ～ 9人	10 ～ 19人	20 ～ 29人	30 ～ 39人	40 ～ 49人	50人以上	
全　　　国	6 014	633	759	1 686	1 272	719	402	510	33
国	－	－	－	－	－	－	－	－	－
北　海　道	166	30	23	41	24	24	11	12	1
青　　森	64	17	13	15	8	6	4	1	－
岩　　手	64	14	6	24	12	6	1	1	－
宮　　城	78	14	16	14	17	7	5	5	－
秋　　田	55	13	7	14	11	4	5	1	－
山　　形	55	7	13	14	15	2	3	1	－
福　　島	69	14	9	17	12	10	2	4	1
茨　　城	94	9	13	27	16	12	10	6	1
栃　　木	66	－	6	19	17	11	7	6	－
群　　馬	45	1	6	16	10	7	1	4	－
埼　　玉	179	15	13	66	43	19	9	13	1
千　　葉	180	26	22	40	37	16	14	22	3
東　　京	323	5	21	69	83	64	33	47	1
神　奈　川	119	3	9	28	35	17	10	16	1
新　　潟	59	3	10	22	9	10	2	3	－
富　　山	80	42	11	12	10	2	1	1	1
石　　川	31	4	9	8	7	2	－	1	－
福　　井	36	3	10	11	8	1	2	1	－
山　　梨	38	3	8	16	7	4	－	－	－
長　　野	99	7	24	33	16	13	1	5	－
岐　　阜	92	24	15	28	10	9	1	4	1
静　　岡	85	7	6	21	29	11	4	4	3
愛　　知	169	5	17	44	41	26	18	18	－
三　　重	103	5	14	31	28	13	4	8	－
滋　　賀	57	1	6	18	20	6	4	2	－
京　　都	70	6	11	16	16	8	6	7	－
大　　阪	236	20	21	66	60	27	21	21	－
兵　　庫	126	16	15	41	27	7	12	8	－
奈　　良	97	9	16	45	16	6	2	3	－
和　歌　山	45	9	8	12	8	3	2	2	1
鳥　　取	24	4	4	4	6	3	1	1	1
島　　根	44	8	6	10	11	5	3	1	－
岡　　山	32	－	5	8	11	4	2	2	－
広　　島	73	12	7	16	21	8	2	5	2
山　　口	42	－	3	15	12	6	4	2	－
徳　　島	22	2	1	7	2	5	1	3	1
香　　川	24	4	7	6	4	1	1	1	－
愛　　媛	38	6	6	16	4	5	1	－	－
高　　知	30	10	3	9	4	2	2	－	－
福　　岡	113	11	13	41	25	13	5	4	1
佐　　賀	34	3	7	9	4	6	2	3	－
長　　崎	56	5	7	15	13	6	4	6	－
熊　　本	39	6	8	13	6	5	1	－	－
大　　分	41	7	6	20	3	1	1	3	－
宮　　崎	51	11	5	14	9	7	3	2	－
鹿　児　島	45	3	12	15	9	3	1	1	1
沖　　縄	60	4	15	21	7	4	3	6	－

注：障害者支援施設の昼間実施サービス（生活介護、自立訓練（機能・生活）、就労移行支援及び就労継続支援）を除く。

障害児通所支援等事業所数，国−都道府県−指定都市−中核市、障害福祉サービス等の種類・利用実人員階級別

平成29年10月 1 日

指定都市 中核市	生活介護事業								
	9月中に利用者がいた事業所数	1～4人	5～9人	10～19人	20～29人	30～39人	40～49人	50人以上	利用者数不詳
指 定 都 市（別 掲）									
札 幌 市	88	－	8	25	26	12	7	10	－
仙 台 市	40	1	6	4	7	11	9	2	－
さ い た ま 市	39	1	2	18	6	4	4	4	－
千 葉 市	27	－	2	7	7	5	2	4	－
横 浜 市	146	2	6	28	32	25	20	33	－
川 崎 市	51	1	3	9	10	9	7	12	－
相 模 原 市	44	－	4	16	11	4	1	8	－
新 潟 市	44	10	4	16	4	7	1	1	1
静 岡 市	29	2	1	13	5	4	1	3	－
浜 松 市	35	－	2	10	13	6	1	3	－
名 古 屋 市	142	35	21	28	28	16	5	8	1
京 都 市	67	3	4	19	16	12	6	6	1
大 阪 市	174	13	17	48	41	17	15	22	1
堺 市	54	4	10	17	6	5	2	10	－
神 戸 市	62	6	9	14	11	3	8	11	－
岡 山 市	22	1	1	8	3	3	1	5	－
広 島 市	38	3	7	9	10	4	4	1	－
北 九 州 市	61	6	8	14	9	11	7	5	1
福 岡 市	37	－	3	5	12	3	7	7	－
熊 本 市	25	1	1	8	6	5	2	2	－
中 核 市（別 掲）									
旭 川 市	22	1	5	8	4	1	2	1	－
函 館 市	10	2	－	2	2	1	1	2	－
青 森 市	23	2	4	8	3	－	2	3	1
八 戸 市	22	4	2	7	5	3	2	1	－
盛 岡 市	15	1	4	6	1	－	2	1	－
秋 田 市	19	4	5	1	2	4	－	3	－
郡 山 市	17	3	1	6	1	3	－	3	－
い わ き 市	20	2	3	4	5	1	3	2	－
宇 都 宮 市	20	4	2	3	5	1	3	1	1
前 橋 市	11	－	1	3	4	1	1	1	－
高 崎 市	14	1	1	5	3	3	－	1	－
川 越 市	8	－	－	1	5	2	－	1	－
越 谷 市	10	－	2	4	2	2	－	1	－
船 橋 市	23	2	6	3	3	3	3	3	－
柏 市	27	1	8	10	5	1	－	2	－
八 王 子 市	39	－	2	19	10	2	－	4	2
横 須 賀 市	19	－	－	8	3	4	1	3	－
富 山 市	38	5	9	11	6	3	1	1	2
金 沢 市	15	2	－	6	8	3	3	2	－
長 野 市	22	－	2	8	8	2	－	2	－
岐 阜 市	17	－	3	5	5	－	3	1	－
豊 橋 市	20	－	5	3	3	2	2	5	－
豊 田 市	19	1	2	7	2	2	2	3	－
岡 崎 市	14	－	4	4	2	2	1	1	－
大 津 市	15	－	5	6	2	2	－	－	－
高 槻 市	18	－	1	1	7	1	2	6	－
東 大 阪 市	39	3	5	12	10	7	－	2	－
豊 中 市	25	1	3	7	4	4	3	3	－
枚 方 市	34	1	5	3	12	4	7	3	－
姫 路 市	35	2	5	12	7	4	－	2	－
西 宮 市	17	2	－	5	2	3	2	3	－
尼 崎 市	55	28	12	5	2	2	2	4	－
奈 良 市	35	6	5	12	7	3	1	1	－
和 歌 山 市	10	－	3	3	1	3	－	1	－
倉 敷 市	28	6	2	6	7	5	－	1	－
福 山 市	28	－	5	7	9	5	1	1	－
呉 市	14	2	－	6	3	2	1	1	－
下 関 市	8	－	－	3	－	2	1	2	1
高 松 市	25	2	5	7	7	2	1	1	－
松 山 市	28	2	4	8	7	－	1	6	－
高 知 市	21	6	2	5	3	2	1	2	－
久 留 米 市	18	4	3	3	4	2	－	2	1
長 崎 市	29	8	5	7	4	4	－	1	－
佐 世 保 市	18	1	2	6	3	4	1	2	－
大 分 市	17	2	1	6	5	1	－	2	－
宮 崎 市	21	－	1	7	7	2	2	1	1
鹿 児 島 市	28	1	4	11	5	2	2	5	1
那 覇 市	11	－	－	4	4	2	1	－	－

第25表　障害福祉サービス等事業所数（共同生活援助、宿泊型自立訓練事業所を除く）・

国都道府県	9月中に利用者がいた事業所数	重度障害者等包括支援事業							利用者数不詳
		1〜4人	5〜9人	10〜19人	20〜29人	30〜39人	40〜49人	50人以上	
全国	7	3	4	－	－	－	－	－	－
国	－	－	－	－	－	－	－	－	－
北海道	－	－	－	－	－	－	－	－	－
青森	－	－	－	－	－	－	－	－	－
岩手	－	－	－	－	－	－	－	－	－
宮城	－	－	－	－	－	－	－	－	－
秋田	－	－	－	－	－	－	－	－	－
山形	－	－	－	－	－	－	－	－	－
福島	－	－	－	－	－	－	－	－	－
茨城	－	－	－	－	－	－	－	－	－
栃木	－	－	－	－	－	－	－	－	－
群馬	－	－	－	－	－	－	－	－	－
埼玉	1	1	－	－	－	－	－	－	－
千葉	－	－	－	－	－	－	－	－	－
東京	－	－	－	－	－	－	－	－	－
神奈川	－	－	－	－	－	－	－	－	－
新潟	－	－	－	－	－	－	－	－	－
富山	－	－	－	－	－	－	－	－	－
石川	－	－	－	－	－	－	－	－	－
福井	－	－	－	－	－	－	－	－	－
山梨	－	－	－	－	－	－	－	－	－
長野	3	1	2	－	－	－	－	－	－
岐阜	－	－	－	－	－	－	－	－	－
静岡	－	－	－	－	－	－	－	－	－
愛知	－	－	－	－	－	－	－	－	－
三重	－	－	－	－	－	－	－	－	－
滋賀	－	－	－	－	－	－	－	－	－
京都	－	－	－	－	－	－	－	－	－
大阪	1	－	1	－	－	－	－	－	－
兵庫	－	－	－	－	－	－	－	－	－
奈良	－	－	－	－	－	－	－	－	－
和歌山	－	－	－	－	－	－	－	－	－
鳥取	－	－	－	－	－	－	－	－	－
島根	－	－	－	－	－	－	－	－	－
岡山	－	－	－	－	－	－	－	－	－
広島	－	－	－	－	－	－	－	－	－
山口	－	－	－	－	－	－	－	－	－
徳島	－	－	－	－	－	－	－	－	－
香川	－	－	－	－	－	－	－	－	－
愛媛	－	－	－	－	－	－	－	－	－
高知	－	－	－	－	－	－	－	－	－
福岡	－	－	－	－	－	－	－	－	－
佐賀	－	－	－	－	－	－	－	－	－
長崎	－	－	－	－	－	－	－	－	－
熊本	－	－	－	－	－	－	－	－	－
大分	－	－	－	－	－	－	－	－	－
宮崎	－	－	－	－	－	－	－	－	－
鹿児島	－	－	－	－	－	－	－	－	－
沖縄	－	－	－	－	－	－	－	－	－

平成29年10月1日

指定都市 中核市	9月中に 利用者がいた 事業所数	重度障害者等包括支援事業							利用者数 不詳
		1 ～ 4人	5 ～ 9人	10 ～ 19人	20 ～ 29人	30 ～ 39人	40 ～ 49人	50人以上	
指定都市（別掲）									
札幌市	－	－	－	－	－	－	－	－	－
仙台市	－	－	－	－	－	－	－	－	－
さいたま市	－	－	－	－	－	－	－	－	－
千葉市	－	－	－	－	－	－	－	－	－
横浜市	－	－	－	－	－	－	－	－	－
川崎市	－	－	－	－	－	－	－	－	－
相模原市	－	－	－	－	－	－	－	－	－
新潟市	－	－	－	－	－	－	－	－	－
静岡市	－	－	－	－	－	－	－	－	－
浜松市	－	－	－	－	－	－	－	－	－
名古屋市	－	－	－	－	－	－	－	－	－
京都市	－	－	－	－	－	－	－	－	－
大阪市	－	－	－	－	－	－	－	－	－
堺市	－	－	－	－	－	－	－	－	－
神戸市	－	－	－	－	－	－	－	－	－
岡山市	－	－	－	－	－	－	－	－	－
広島市	－	－	－	－	－	－	－	－	－
北九州市	－	－	－	－	－	－	－	－	－
福岡市	1	－	－	1	－	－	－	－	－
熊本市	－	－	－	－	－	－	－	－	－
中核市（別掲）									
旭川市	－	－	－	－	－	－	－	－	－
函館市	－	－	－	－	－	－	－	－	－
青森市	－	－	－	－	－	－	－	－	－
八戸市	－	－	－	－	－	－	－	－	－
盛岡市	－	－	－	－	－	－	－	－	－
秋田市	－	－	－	－	－	－	－	－	－
郡山市	－	－	－	－	－	－	－	－	－
いわき市	－	－	－	－	－	－	－	－	－
宇都宮市	－	－	－	－	－	－	－	－	－
前橋市	－	－	－	－	－	－	－	－	－
高崎市	－	－	－	－	－	－	－	－	－
川越市	－	－	－	－	－	－	－	－	－
越谷市	－	－	－	－	－	－	－	－	－
船橋市	－	－	－	－	－	－	－	－	－
柏市	－	－	－	－	－	－	－	－	－
八王子市	－	－	－	－	－	－	－	－	－
横須賀市	－	－	－	－	－	－	－	－	－
富山市	－	－	－	－	－	－	－	－	－
金沢市	－	－	－	－	－	－	－	－	－
長野市	－	－	－	－	－	－	－	－	－
岐阜市	－	－	－	－	－	－	－	－	－
豊橋市	－	－	－	－	－	－	－	－	－
豊田市	－	－	－	－	－	－	－	－	－
岡崎市	－	－	－	－	－	－	－	－	－
大津市	－	－	－	－	－	－	－	－	－
高槻市	－	－	－	－	－	－	－	－	－
東大阪市	－	－	－	－	－	－	－	－	－
豊中市	－	－	－	－	－	－	－	－	－
枚方市	－	－	－	－	－	－	－	－	－
姫路市	－	－	－	－	－	－	－	－	－
西宮市	－	－	－	－	－	－	－	－	－
尼崎市	－	－	－	－	－	－	－	－	－
奈良市	－	－	－	－	－	－	－	－	－
和歌山市	－	－	－	－	－	－	－	－	－
倉敷市	－	－	－	－	－	－	－	－	－
福山市	1	1	－	－	－	－	－	－	－
呉市	－	－	－	－	－	－	－	－	－
下関市	－	－	－	－	－	－	－	－	－
高松市	－	－	－	－	－	－	－	－	－
松山市	－	－	－	－	－	－	－	－	－
高知市	－	－	－	－	－	－	－	－	－
久留米市	－	－	－	－	－	－	－	－	－
長崎市	－	－	－	－	－	－	－	－	－
佐世保市	－	－	－	－	－	－	－	－	－
大分市	－	－	－	－	－	－	－	－	－
宮崎市	－	－	－	－	－	－	－	－	－
鹿児島市	－	－	－	－	－	－	－	－	－
那覇市	－	－	－	－	－	－	－	－	－

第25表　障害福祉サービス等事業所数（共同生活援助、宿泊型自立訓練事業所を除く）・

国 都 道 府 県	9 月 中 に 利用者がいた 事 業 所 数	計　画　相　談　支　援　事　業							利 用 者 数 不　　　詳
		1 ～ 4人	5 ～ 9人	10 ～ 19人	20 ～ 29人	30 ～ 39人	40 ～ 49人	50人以上	
全　　　　　国	6 714	1 238	1 130	1 673	1 003	626	357	686	1
国	1	－	－	－	－	－	－	1	－
北　海　道	194	35	26	37	27	22	12	35	－
青　　森	61	11	7	13	12	7	4	7	－
岩　　手	66	10	11	17	11	10	2	5	－
宮　　城	66	9	10	15	14	7	2	9	－
秋　　田	58	8	8	18	9	2	3	10	－
山　　形	66	7	18	12	11	6	1	11	－
福　　島	68	11	11	19	8	6	2	11	－
茨　　城	162	24	35	40	26	16	10	11	－
栃　　木	92	25	12	26	12	7	4	6	－
群　　馬	57	9	12	7	16	5	3	5	－
埼　　玉	211	38	33	59	29	19	14	19	－
千　　葉	183	31	28	44	26	19	10	25	－
東　　京	517	118	95	137	70	31	29	37	－
神　奈　川	108	24	19	24	18	10	5	8	－
新　　潟	91	13	17	26	11	6	8	10	－
富　　山	36	8	5	10	3	6	1	3	－
石　　川	40	3	6	14	5	4	2	6	－
福　　井	63	10	5	13	13	11	1	10	－
山　　梨	63	14	7	21	12	4	3	2	－
長　　野	173	52	40	43	15	9	2	12	－
岐　　阜	85	12	13	13	13	12	5	17	－
静　　岡	93	19	15	19	9	14	5	12	－
愛　　知	169	21	29	45	23	25	8	18	－
三　　重	111	14	28	28	20	9	5	7	－
滋　　賀	57	17	6	12	3	6	4	9	－
京　　都	72	19	15	10	9	3	6	10	－
大　　阪	222	36	35	65	34	26	9	17	－
兵　　庫	157	34	25	21	33	13	11	20	－
奈　　良	85	30	24	15	10	4	1	1	－
和　歌　山	47	5	11	11	8	7	2	3	－
鳥　　取	25	6	2	8	4	2	－	3	－
島　　根	66	6	10	17	10	8	2	13	－
岡　　山	51	4	7	11	6	10	2	11	－
広　　島	98	21	24	23	14	8	3	5	－
山　　口	54	5	6	8	7	8	5	15	－
徳　　島	40	7	5	12	2	2	5	7	－
香　　川	27	5	4	9	3	5	1	－	－
愛　　媛	68	10	10	18	16	9	3	2	－
高　　知	45	8	11	10	9	4	1	2	－
福　　岡	149	24	14	50	18	14	13	16	－
佐　　賀	51	6	11	18	6	3	2	5	－
長　　崎	55	5	9	18	11	5	5	2	－
熊　　本	84	12	12	19	11	8	8	14	－
大　　分	70	9	15	16	15	6	4	4	1
宮　　崎	61	9	16	19	6	7	1	3	－
鹿　児　島	66	8	4	19	12	9	5	9	－
沖　　縄	95	10	14	25	18	13	3	12	－

障害児通所支援等事業所数，国－都道府県－指定都市－中核市、障害福祉サービス等の種類・利用実人員階級別

平成29年10月 1 日

指定都市 中核市	9月中に利用者がいた事業所数	計　画　相　談　支　援　事　業							利用者数不詳
		1 ～ 4人	5 ～ 9人	10 ～ 19人	20 ～ 29人	30 ～ 39人	40 ～ 49人	50人以上	
指定都市（別掲）									
札幌市	67	14	10	23	13	2	2	3	－
仙台市	39	4	8	15	4	4	3	1	－
さいたま市	38	5	11	8	5	5	3	1	－
千葉市	40	9	5	11	7	4	1	3	－
横浜市	100	32	19	22	16	4	3	4	－
川崎市	60	23	12	17	4	1	1	2	－
相模原市	31	5	9	8	5	2	1	1	－
新潟市	26	4	3	2	5	2	3	7	－
静岡市	19	2	1	4	4	5	－	3	－
浜松市	28	1	2	3	5	1	2	14	－
名古屋市	116	22	16	30	19	13	7	9	－
京都市	115	46	37	17	8	3	2	2	－
大阪市	214	44	33	61	29	17	9	21	－
堺市	59	9	9	15	10	1	5	10	－
神戸市	41	10	8	13	5	－	1	4	－
岡山市	25	5	6	12	1	－	1	－	－
広島市	36	5	10	9	6	1	2	3	－
北九州市	61	10	11	13	8	5	2	12	－
福岡市	68	14	17	12	9	12	2	2	－
熊本市	37	2	1	10	10	6	4	4	－
中核市（別掲）									
旭川市	17	4	1	5	2	1	2	2	－
函館市	6	1	－	－	2	1	－	2	－
青森市	20	5	3	4	2	3	3	－	－
八戸市	26	2	6	7	6	2	2	1	－
盛岡市	19	2	3	6	4	2	1	1	－
秋田市	22	3	2	8	3	2	2	2	－
郡山市	13	2	2	3	－	1	－	5	－
いわき市	19	3	4	5	2	3	－	2	－
宇都宮市	25	4	－	6	6	3	3	3	－
前橋市	13	1	－	2	4	－	4	2	－
高崎市	15	4	－	6	3	－	1	1	－
川越市	9	－	1	3	－	1	2	2	－
越谷市	11	2	1	4	1	1	1	1	－
船橋市	16	1	1	2	3	2	1	6	－
柏市	17	6	－	2	3	3	－	3	－
八王子市	21	2	2	7	5	－	3	2	－
横須賀市	13	3	5	3	1	－	－	1	－
富山市	19	1	3	6	4	1	2	2	－
金沢市	29	3	5	11	9	2	－	1	－
長野市	20	1	5	6	4	1	－	3	－
岐阜市	21	2	2	5	3	3	3	3	－
豊橋市	17	2	3	3	1	2	2	4	－
豊田市	20	2	4	9	2	2	－	1	－
岡崎市	15	3	1	6	1	－	2	1	－
大津市	12	2	2	4	－	2	1	1	－
高槻市	12	1	2	5	2	2	－	－	－
東大阪市	36	13	4	8	7	1	2	1	－
豊中市	20	6	3	6	1	1	2	1	－
枚方市	10	7	2	6	1	－	2	1	－
姫路市	29	4	5	6	6	3	2	3	－
西宮市	20	5	4	3	5	1	2	－	－
尼崎市	14	7	5	2	－	－	－	－	－
奈良市	24	7	3	3	5	3	1	2	－
和歌山市	10	3	2	1	1	－	1	2	－
倉敷市	22	3	3	8	1	3	2	2	－
福山市	22	2	3	9	3	3	－	2	－
呉市	16	2	2	5	3	4	－	3	－
下関市	13	2	2	2	1	2	1	3	－
高松市	18	1	2	5	3	3	1	1	－
松山市	33	3	4	7	4	5	1	9	－
高知市	15	5	2	2	4	1	1	－	－
久留米市	18	2	4	5	2	－	1	4	－
長崎市	36	7	7	6	6	3	3	4	－
佐世保市	19	1	－	8	3	1	3	3	－
大分市	29	3	2	7	8	5	3	1	－
宮崎市	22	1	5	5	5	－	3	3	－
鹿児島市	29	3	1	4	8	9	1	3	－
那覇市	13	1	2	3	1	3	2	1	－

第25表　障害福祉サービス等事業所数（共同生活援助、宿泊型自立訓練事業所を除く）・

国都道府県	地域相談支援（地域移行支援）事業								
	9月中に利用者がいた事業所数	1〜4人	5〜9人	10〜19人	20〜29人	30〜39人	40〜49人	50人以上	利用者数不詳
全　　国	327	291	22	7	1	1	2	3	－
国	－	－	－	－	－	－	－	－	－
北海道	10	8	2	－	－	－	－	－	－
青森	2	2	－	－	－	－	－	－	－
岩手	4	4	－	－	－	－	－	－	－
宮城	2	2	－	－	－	－	－	－	－
秋田	－	－	－	－	－	－	－	－	－
山形	－	－	－	－	－	－	－	－	－
福島	3	3	－	－	－	－	－	－	－
茨城	3	3	－	－	－	－	－	－	－
栃木	2	2	－	－	－	－	－	－	－
群馬	1	1	－	－	－	－	－	－	－
埼玉	8	8	－	－	－	－	－	－	－
千葉	8	8	－	－	－	－	－	－	－
東京	48	40	4	1	－	1	2	－	－
神奈川	5	5	－	－	－	－	－	－	－
新潟	5	4	－	－	－	－	－	－	1
富山	－	－	－	－	－	－	－	－	－
石川	2	2	－	－	－	－	－	－	－
福井	1	1	－	－	－	－	－	－	－
山梨	4	4	－	－	－	－	－	－	－
長野	7	5	1	1	－	－	－	－	－
岐阜	2	2	－	－	－	－	－	－	－
静岡	11	10	1	－	－	－	－	－	－
愛知	12	12	－	－	－	－	－	－	－
三重	5	5	－	－	－	－	－	－	－
滋賀	1	1	－	－	－	－	－	－	－
京都	2	2	－	－	－	－	－	－	－
大阪	16	16	－	－	－	－	－	－	－
兵庫	7	7	－	－	－	－	－	－	－
奈良	4	2	2	－	－	－	－	－	－
和歌山	3	2	1	－	－	－	－	－	－
鳥取	－	－	－	－	－	－	－	－	－
島根	4	4	－	－	－	－	－	－	－
岡山	3	3	－	－	－	－	－	－	－
広島	2	2	－	－	－	－	－	－	－
山口	2	2	－	－	－	－	－	－	－
徳島	2	2	－	－	－	－	－	－	－
香川	－	－	－	－	－	－	－	－	－
愛媛	1	1	－	－	－	－	－	－	－
高知	－	－	－	－	－	－	－	－	－
福岡	3	3	－	－	－	－	－	－	－
佐賀	1	1	－	－	－	－	－	－	－
長崎	2	2	－	－	－	－	－	－	－
熊本	1	1	－	－	－	－	－	－	－
大分	4	4	－	－	－	－	－	－	－
宮崎	3	2	－	1	－	－	－	－	－
鹿児島	1	－	－	－	－	－	－	1	－
沖縄	－	－	－	－	－	－	－	－	－

障害児通所支援等事業所数，国－都道府県－指定都市－中核市、障害福祉サービス等の種類・利用実人員階級別

平成29年10月 1 日

指定都市 / 中核市	地域相談支援（地域移行支援）事業 9月中に利用者がいた事業所数	1 ～ 4人	5 ～ 9人	10 ～ 19人	20 ～ 29人	30 ～ 39人	40 ～ 49人	50人以上	利用者数 不詳
指定都市（別掲）									
札幌市	2	2	-	-	-	-	-	-	-
仙台市	2	2	-	-	-	-	-	-	-
さいたま市	1	1	-	-	-	-	-	-	-
千葉市	3	1	-	1	1	-	-	-	-
横浜市	3	3	-	-	-	-	-	-	-
川崎市	2	1	1	-	-	-	-	-	-
相模原市	2	2	-	-	-	-	-	-	-
新潟市	3	3	-	-	-	-	-	-	-
静岡市	2	1	-	-	1	-	-	-	-
浜松市	4	4	-	-	-	-	-	-	-
名古屋市	5	5	-	-	-	-	-	-	-
京都市	8	8	-	-	-	-	-	-	-
大阪市	11	9	1	-	-	1	-	-	-
堺市	1	1	-	-	-	-	-	-	-
神戸市	4	4	-	-	-	-	-	-	-
岡山市	1	1	-	-	-	-	-	-	-
広島市	-	-	-	-	-	-	-	-	-
北九州市	6	6	-	-	-	-	-	-	-
福岡市	1	1	-	-	-	-	-	-	-
熊本市	-	-	-	-	-	-	-	-	-
中核市（別掲）									
旭川市	1	1	-	-	-	-	-	-	-
函館市	-	-	-	-	-	-	-	-	-
青森市	5	3	1	1	-	-	-	-	-
八戸市	-	-	-	-	-	-	-	-	-
盛岡市	1	-	-	1	-	-	-	-	-
秋田市	-	-	-	-	-	-	-	-	-
郡山市	-	-	-	-	-	-	-	-	-
いわき市	1	1	-	-	-	-	-	-	-
宇都宮市	-	-	-	-	-	-	-	-	-
前橋市	1	1	-	-	-	-	-	-	-
高崎市	1	1	-	-	-	-	-	-	-
川越市	-	-	-	-	-	-	-	-	-
越谷市	-	-	-	-	-	-	-	-	-
船橋市	2	-	-	2	-	-	-	-	-
柏市	3	3	-	-	-	-	-	-	-
八王子市	1	1	-	-	-	-	-	-	-
横須賀市	-	-	-	-	-	-	-	-	-
富山市	2	2	-	-	-	-	-	-	-
金沢市	4	4	-	-	-	-	-	-	-
長野市	4	3	-	1	-	-	-	-	-
岐阜市	-	-	-	-	-	-	-	-	-
豊橋市	2	2	-	-	-	-	-	-	-
豊田市	2	2	-	-	-	-	-	-	-
岡崎市	2	2	-	-	-	-	-	-	-
大津市	2	2	-	-	-	-	-	-	-
高槻市	2	2	-	-	-	-	-	-	-
東大阪市	-	-	-	-	-	-	-	-	-
豊中市	-	-	-	-	-	-	-	-	-
枚方市	-	-	-	-	-	-	-	-	-
姫路市	-	-	-	-	-	-	-	-	-
西宮市	3	2	1	-	-	-	-	-	-
尼崎市	2	-	2	-	-	-	-	-	-
奈良市	1	1	-	-	-	-	-	-	-
和歌山市	-	-	-	-	-	-	-	-	-
倉敷市	2	2	-	-	-	-	-	-	-
福山市	1	1	-	-	-	-	-	-	-
呉市	1	1	-	-	-	-	-	-	-
下関市	-	-	-	-	-	-	-	-	-
高松市	4	3	-	1	-	-	-	-	-
松山市	-	-	-	-	-	-	-	-	-
高知市	1	1	-	-	-	-	-	-	-
久留米市	-	-	-	-	-	-	-	-	-
長崎市	2	2	-	-	-	-	-	-	-
佐世保市	2	2	-	-	-	-	-	-	-
大分市	1	1	-	-	-	-	-	-	-
宮崎市	1	1	-	-	-	-	-	-	-
鹿児島市	3	2	-	-	-	-	-	1	-
那覇市	-	-	-	-	-	-	-	-	-

障害児通所支援等事業所数，国－都道府県－指定都市－中核市、障害福祉サービス等の種類・利用実人員階級別

第25表　障害福祉サービス等事業所数（共同生活援助、宿泊型自立訓練事業所を除く）・

| 国都道府県 | 9月中に利用者がいた事業所数 | 地域相談支援（地域定着支援）事業 | | | | | | | 利用者数不詳 |
		1～4人	5～9人	10～19人	20～29人	30～39人	40～49人	50人以上	
全　　　国	466	309	81	44	17	8	4	3	－
国	－	－	－	－	－	－	－	－	－
北　海　道	16	6	8	1	－	1	－	－	－
青　　森	1	－	－	－	－	1	－	－	－
岩　　手	5	4	－	1	－	－	－	－	－
宮　　城	1	1	－	－	－	－	－	－	－
秋　　田	4	2	－	1	－	1	－	－	－
山　　形	2	2	－	－	－	－	－	－	－
福　　島	4	3	1	－	－	－	－	－	－
茨　　城	7	6	－	1	－	－	－	－	－
栃　　木	5	4	1	－	－	－	－	－	－
群　　馬	4	3	1	－	－	－	－	－	－
埼　　玉	11	6	2	3	－	－	－	－	－
千　　葉	16	10	3	2	－	－	1	－	－
東　　京	36	26	4	4	1	－	－	－	1
神　奈　川	3	1	1	－	－	－	－	－	1
新　　潟	17	12	2	2	1	－	－	－	－
富　　山	1	1	－	－	－	－	－	－	－
石　　川	6	6	－	－	－	－	－	－	－
福　　井	4	4	－	－	－	－	－	－	－
山　　梨	6	2	3	1	－	－	－	－	－
長　　野	16	7	5	3	1	－	－	－	－
岐　　阜	1	1	－	－	－	－	－	－	－
静　　岡	4	2	1	1	－	－	－	－	－
愛　　知	9	8	－	－	－	1	－	－	－
三　　重	5	3	－	2	－	－	－	－	－
滋　　賀	1	1	－	－	－	－	－	－	－
京　　都	5	3	1	－	－	1	－	－	－
大　　阪	10	6	3	－	－	－	1	－	－
兵　　庫	13	6	4	2	1	－	－	－	－
奈　　良	2	1	1	－	－	－	－	－	－
和　歌　山	5	2	2	1	－	－	－	－	－
鳥　　取	－	－	－	－	－	－	－	－	－
島　　根	14	8	4	1	－	－	1	－	－
岡　　山	11	4	4	2	1	－	－	－	－
広　　島	8	7	1	－	－	－	－	－	－
山　　口	5	4	1	－	－	－	－	－	－
徳　　島	2	1	－	1	－	－	－	－	－
香　　川	2	2	－	－	－	－	－	－	－
愛　　媛	5	5	－	－	－	－	－	－	－
高　　知	1	1	－	－	－	－	－	－	－
福　　岡	2	1	1	－	－	－	－	－	－
佐　　賀	1	－	－	1	－	－	－	－	－
長　　崎	3	3	－	－	－	－	－	－	－
熊　　本	1	－	1	－	－	－	－	－	－
大　　分	8	7	1	－	－	－	－	－	－
宮　　崎	5	5	－	－	－	－	－	－	－
鹿　児　島	2	2	－	－	－	－	－	－	－
沖　　縄	－	－	－	－	－	－	－	－	－

障害児通所支援等事業所数，国－都道府県－指定都市－中核市、障害福祉サービス等の種類・利用実人員階級別

平成29年10月 1 日

指定都市 中核市	地域相談支援（地域定着支援）事業								
	9月中に利用者がいた事業所数	1〜4人	5〜9人	10〜19人	20〜29人	30〜39人	40〜49人	50人以上	利用者数不詳
指定都市（別掲）									
札幌市	5	5	-	-	-	-	-	-	-
仙台市	1	1	-	-	-	-	-	-	-
さいたま市	1	1	-	-	-	-	-	-	-
千葉市	3	1	-	1	1	-	-	-	-
横浜市	4	2	2	-	-	-	-	-	-
川崎市	3	3	-	-	-	-	-	-	-
相模原市	2	2	-	-	-	-	-	-	-
新潟市	3	2	1	-	-	-	-	-	-
静岡市	-	-	-	-	-	-	-	-	-
浜松市	8	5	2	-	-	-	1	-	-
名古屋市	7	6	-	1	-	-	-	-	-
京都市	4	3	-	1	-	-	-	-	-
大阪市	28	14	6	3	3	1	-	1	-
堺市	15	5	2	3	4	1	-	-	-
神戸市	3	2	1	-	-	-	-	-	-
岡山市	6	4	2	-	-	-	-	-	-
広島市	-	-	-	-	-	-	-	-	-
北九州市	8	7	-	1	-	-	-	-	-
福岡市	5	4	1	-	-	-	-	-	-
熊本市	2	2	-	-	-	-	-	-	-
中核市（別掲）									
旭川市	-	-	-	-	-	-	-	-	-
函館市	-	-	-	-	-	-	-	-	-
青森市	3	2	1	-	-	-	-	-	-
八戸市	1	1	-	-	-	-	-	-	-
盛岡市	-	-	-	-	-	-	-	-	-
秋田市	-	-	-	-	-	-	-	-	-
郡山市	1	1	-	-	-	-	-	-	-
いわき市	1	-	-	-	-	-	1	-	-
宇都宮市	1	1	-	-	-	-	-	-	-
前橋市	1	1	-	-	-	-	-	-	-
高崎市	-	-	-	-	-	-	-	-	-
川越市	-	-	-	-	-	-	-	-	-
越谷市	-	-	-	-	-	-	-	-	-
船橋市	1	-	-	1	-	-	-	-	-
柏市	2	2	-	-	-	-	-	-	-
八王子市	-	-	-	-	-	-	-	-	-
横須賀市	1	1	-	-	-	-	-	-	-
富山市	4	3	-	-	1	-	-	-	-
金沢市	5	4	-	-	-	1	-	-	-
長野市	3	1	1	1	-	-	-	-	-
岐阜市	1	1	-	-	-	-	-	-	-
豊田市	-	-	-	-	-	-	-	-	-
豊橋市	1	1	-	-	-	-	-	-	-
岡崎市	-	-	-	-	-	-	-	-	-
大津市	1	-	-	1	-	-	-	-	-
高槻市	-	-	-	-	-	-	-	-	-
東大阪市	1	1	-	-	-	-	-	-	-
豊中市	3	3	-	-	-	-	-	-	-
枚方市	6	5	-	1	-	-	-	-	-
姫路市	-	-	-	-	-	-	-	-	-
西宮市	4	3	-	1	-	-	-	-	-
尼崎市	1	1	-	-	-	-	-	-	-
奈良市	1	1	-	-	-	-	-	-	-
和歌山市	-	-	-	-	-	-	-	-	-
倉敷市	4	2	-	-	2	-	-	-	-
福山市	1	-	1	-	-	-	-	-	-
呉市	1	-	1	-	-	-	-	-	-
下関市	-	-	-	-	-	-	-	-	-
高松市	-	-	-	-	-	-	-	-	-
松山市	4	1	1	1	1	-	-	-	-
高知市	1	1	-	-	-	-	-	-	-
久留米市	1	1	-	-	-	-	-	-	-
長崎市	4	4	-	-	-	-	-	-	-
佐世保市	-	-	-	-	-	-	-	-	-
大分市	3	3	-	-	-	-	-	-	-
宮崎市	4	4	-	-	-	-	-	-	-
鹿児島市	1	1	-	-	-	-	-	-	-
那覇市	1	1	-	-	-	-	-	-	-

障害児通所支援等事業所数，国－都道府県－指定都市－中核市、障害福祉サービス等の種類・利用実人員階級別

第25表　障害福祉サービス等事業所数（共同生活援助、宿泊型自立訓練事業所を除く）・

国 都 道 府 県	短　　期　　入　　所　　事　　業								利 用 者 数 不　　　詳
	9 月 中 に 利用者がいた 事 業 所 数	1 ～ 4人	5 ～ 9人	10 ～ 19人	20 ～ 29人	30 ～ 39人	40 ～ 49人	50人以上	
全　　　　国	3 875	1 311	895	857	384	196	88	143	1
国	1	-	-	1	-	-	-	-	-
北 海 道	153	96	35	19	1	2	-	-	-
青　　森	40	26	8	5	1	-	-	-	-
岩　　手	51	23	17	10	1	-	-	-	-
宮　　城	52	20	15	8	4	2	-	3	-
秋　　田	36	20	10	5	-	-	-	1	-
山　　形	47	27	9	8	2	-	1	-	-
福　　島	39	19	8	9	2	1	-	-	-
茨　　城	89	35	28	15	3	7	-	1	-
栃　　木	64	12	19	20	12	1	-	-	-
群　　馬	39	17	9	11	-	1	1	-	-
埼　　玉	41	11	11	7	6	1	2	3	-
千　　葉	100	21	27	22	19	7	-	4	-
東　　京	178	28	35	40	27	16	17	15	-
神 奈 川	71	8	12	16	14	14	2	5	-
新　　潟	87	36	18	23	3	4	2	1	-
富　　山	35	19	10	5	1	-	-	-	-
石　　川	31	18	4	8	1	-	-	-	-
福　　井	43	16	16	8	2	-	-	1	-
山　　梨	36	9	8	11	6	2	-	-	-
長　　野	83	40	23	14	5	1	-	-	-
岐　　阜	66	25	17	15	6	3	-	-	-
静　　岡	69	28	17	15	6	1	-	2	-
愛　　知	99	24	16	29	17	5	6	2	-
三　　重	62	24	9	15	7	4	3	-	-
滋　　賀	26	8	2	8	3	2	-	3	-
京　　都	54	19	13	9	5	3	3	2	-
大　　阪	118	36	16	27	12	9	4	14	-
兵　　庫	102	34	23	22	12	8	-	3	-
奈　　良	51	20	16	8	5	1	-	1	-
和 歌 山	28	8	8	9	2	-	-	1	-
鳥　　取	29	15	9	1	4	-	-	-	-
島　　根	40	14	12	13	1	-	-	-	-
岡　　山	35	15	12	6	-	2	-	-	-
広　　島	71	25	19	17	5	2	2	1	-
山　　口	47	19	13	14	1	-	-	-	-
徳　　島	31	12	13	5	1	-	-	-	-
香　　川	28	11	8	7	1	-	-	1	-
愛　　媛	36	13	13	7	2	1	-	-	-
高　　知	18	8	3	4	3	-	-	-	-
福　　岡	102	42	28	21	6	2	3	-	-
佐　　賀	25	10	5	4	4	2	-	-	-
長　　崎	45	21	12	4	4	4	-	-	-
熊　　本	55	23	19	11	2	-	-	-	-
大　　分	40	20	5	12	3	-	-	-	-
宮　　崎	27	5	9	9	3	1	-	-	-
鹿 児 島	57	25	18	12	1	1	-	-	-
沖　　縄	43	17	12	5	5	4	-	-	-

障害児通所支援等事業所数，国－都道府県－指定都市－中核市、障害福祉サービス等の種類・利用実人員階級別

指定都市 / 中核市	短期入所事業								
	9月中に利用者がいた事業所数	1～4人	5～9人	10～19人	20～29人	30～39人	40～49人	50人以上	利用者数不詳
指定都市（別掲）									
札幌市	52	10	8	12	14	2	1	5	－
仙台市	27	8	7	9	1	2	－	－	－
さいたま市	26	5	6	7	2	2	3	1	－
千葉市	23	3	4	5	7	1	2	1	－
横浜市	52	11	5	12	8	9	2	5	－
川崎市	15	4	1	1	3	－	2	4	－
相模原市	18	6	1	5	5	1	－	2	－
新潟市	27	11	5	2	5	1	1	1	－
静岡市	16	4	2	5	1	2	1	1	－
浜松市	32	4	8	9	6	2	1	2	－
名古屋市	55	16	7	14	6	4	2	6	－
京都市	26	4	4	7	4	4	－	3	－
大阪市	57	13	8	17	6	7	3	3	－
堺市	11	－	1	3	－	2	1	4	－
神戸市	34	7	7	6	4	5	2	3	－
岡山市	18	3	5	5	1	2	1	1	－
広島市	34	7	6	10	5	3	1	2	－
北九州市	26	4	6	9	3	－	－	4	－
福岡市	37	7	6	10	6	3	2	3	－
熊本市	16	6	1	5	1	－	－	3	－
中核市（別掲）									
旭川市	23	11	8	2	1	1	－	－	－
函館市	9	6	3	－	1	－	－	－	－
青森市	10	5	2	2	1	－	－	－	－
八戸市	14	5	6	3	－	－	－	－	－
盛岡市	7	1	2	3	－	－	－	1	－
秋田市	12	4	3	4	1	－	－	－	－
郡山市	6	－	1	2	2	－	－	1	－
いわき市	10	4	3	3	－	－	－	－	－
宇都宮市	13	2	5	3	3	－	－	－	－
前橋市	－	－	－	－	－	－	－	－	－
高崎市	10	6	2	1	1	－	－	－	－
川越市	7	2	－	2	1	1	1	1	－
越谷市	1	－	－	－	1	－	－	1	1
船橋市	8	1	1	3	1	1	1	1	2
柏市	9	2	2	3	－	－	－	2	－
八王子市	13	5	2	4	1	－	－	1	－
横須賀市	9	－	2	2	1	3	－	2	－
富山市	18	7	7	3	2	1	－	1	－
金沢市	16	3	4	6	1	1	－	－	－
長野市	15	2	6	4	1	－	－	1	1
岐阜市	14	5	1	5	1	1	1	－	－
豊橋市	7	1	－	3	－	1	2	1	－
豊田市	7	－	3	－	1	1	1	1	－
岡崎市	10	－	3	3	3	－	1	－	－
大津市	2	－	－	－	－	－	－	2	－
高槻市	9	2	1	－	2	－	－	4	－
東大阪市	25	1	5	6	7	3	2	1	4
豊中市	6	1	1	－	1	－	－	4	－
枚方市	11	6	3	－	3	－	1	－	－
姫路市	12	6	6	－	1	－	2	－	－
西宮市	15	4	3	2	1	1	－	4	－
尼崎市	11	1	1	4	1	2	－	2	－
奈良市	16	6	1	6	1	1	1	－	－
和歌山市	9	5	1	2	1	1	－	－	－
倉敷市	8	1	1	1	4	1	－	－	－
福山市	16	3	3	5	2	1	2	－	－
呉市	12	3	2	5	2	－	－	－	1
下関市	12	6	2	2	2	－	－	－	－
高松市	26	9	2	10	2	1	3	－	－
松山市	21	2	4	9	4	2	－	－	－
高知市	8	2	3	1	2	－	－	－	－
久留米市	4	2	2	－	－	－	－	－	－
長崎市	16	6	6	2	1	1	－	－	－
佐世保市	7	3	4	－	1	－	－	－	－
大分市	19	7	5	6	1	－	－	－	－
宮崎市	12	－	4	2	2	3	1	－	－
鹿児島市	21	7	4	3	3	1	1	－	－
那覇市	7	2	2	1	1	－	－	－	－

障害児通所支援等事業所数，国－都道府県－指定都市－中核市、障害福祉サービス等の種類・利用実人員階級別

第25表　障害福祉サービス等事業所数（共同生活援助、宿泊型自立訓練事業所を除く）・

国・都道府県	9月中に利用者がいた事業所数	自立訓練（機能訓練）事業							利用者数不詳
		1～4人	5～9人	10～19人	20～29人	30～39人	40～49人	50人以上	
全　　国	109	52	20	22	10	2	2	1	-
国	-	-	-	-	-	-	-	-	-
北　海　道	4	2	1	-	-	1	-	-	-
青　森	4	3	1	-	-	-	-	-	-
岩　手	-	-	-	-	-	-	-	-	-
宮　城	1	-	-	1	-	-	-	-	-
秋　田	2	2	-	-	-	-	-	-	-
山　形	-	-	-	-	-	-	-	-	-
福　島	-	-	-	-	-	-	-	-	-
茨　城	2	2	-	-	-	-	-	-	-
栃　木	-	-	-	-	-	-	-	-	-
群　馬	-	-	-	-	-	-	-	-	-
埼　玉	1	-	-	-	1	-	-	-	-
千　葉	2	-	-	1	1	-	-	-	-
東　京	19	3	5	8	1	1	1	-	-
神　奈　川	2	-	-	1	1	-	-	-	-
新　潟	1	1	-	-	-	-	-	-	-
富　山	4	4	-	-	-	-	-	-	-
石　川	-	-	-	-	-	-	-	-	-
福　井	-	-	-	-	-	-	-	-	-
山　梨	-	-	-	-	-	-	-	-	-
長　野	-	-	-	-	-	-	-	-	-
岐　阜	-	-	-	-	-	-	-	-	-
静　岡	-	-	-	-	-	-	-	-	-
愛　知	-	-	-	-	-	-	-	-	-
三　重	-	-	-	-	-	-	-	-	-
滋　賀	-	-	-	-	-	-	-	-	-
京　都	2	-	-	1	1	-	-	-	-
大　阪	-	-	-	-	-	-	-	-	-
兵　庫	2	2	-	-	-	-	-	-	-
奈　良	-	-	-	-	-	-	-	-	-
和　歌　山	-	-	-	-	-	-	-	-	-
鳥　取	1	1	-	-	-	-	-	-	-
島　根	1	-	-	1	-	-	-	-	-
岡　山	1	1	-	-	-	-	-	-	-
広　島	1	1	-	-	-	-	-	-	-
山　口	1	-	-	-	-	1	-	-	-
徳　島	-	-	-	-	-	-	-	-	-
香　川	-	-	-	-	-	-	-	-	-
愛　媛	-	-	-	-	-	-	-	-	-
高　知	-	-	-	-	-	-	-	-	-
福　岡	1	1	-	-	-	-	-	-	-
佐　賀	2	-	-	1	1	-	-	-	-
長　崎	1	1	-	-	-	-	-	-	-
熊　本	1	-	-	1	-	-	-	-	-
大　分	1	1	-	-	-	-	-	-	-
宮　崎	1	1	-	-	-	-	-	-	-
鹿　児　島	1	1	-	-	-	-	-	-	-
沖　縄	4	1	2	-	1	-	-	-	-

注：障害者支援施設の昼間実施サービス（生活介護、自立訓練（機能・生活）、就労移行支援及び就労継続支援）を除く。

障害児通所支援等事業所数，国－都道府県－指定都市－中核市、障害福祉サービス等の種類・利用実人員階級別

指 定 都 市 中 核 市	自 立 訓 練 （ 機 能 訓 練 ） 事 業								
	9 月 中 に 利用者がいた 事 業 所 数	1 ～ 4人	5 ～ 9人	10 ～ 19人	20 ～ 29人	30 ～ 39人	40 ～ 49人	50人以上	利 用 者 数 不 詳
指 定 都 市 (別 掲)									
札　　幌　　市	－	－	－	－	－	－	－	－	－
仙　　台　　市	4	－	2	2	－	－	－	－	－
さ い た ま 市	3	－	－	1	2	－	－	－	－
千　　葉　　市	－	－	－	－	－	－	－	－	－
横　　浜　　市	－	－	－	－	－	－	－	－	－
川　　崎　　市	1	－	1	－	－	－	－	－	－
相　模　原　市	－	－	－	－	－	－	－	－	－
新　　潟　　市	2	2	－	－	－	－	－	－	－
静　　岡　　市	1	－	－	1	－	－	－	－	－
浜　　松　　市	1	－	－	1	－	－	－	－	－
名　古　屋　市	6	3	1	1	1	－	－	－	－
京　　都　　市	－	－	－	－	－	－	－	－	－
大　　阪　　市	－	－	－	－	－	－	－	－	－
堺　　　　　市	1	－	－	1	－	－	－	－	－
神　　戸　　市	－	－	－	－	－	－	－	－	－
岡　　山　　市	－	－	－	－	－	－	－	－	－
広　　島　　市	－	－	－	－	－	－	－	－	－
北　九　州　市	－	－	－	－	－	－	－	1	－
福　　岡　　市	1	1	－	－	－	－	－	－	－
熊　　本　　市	1	1	－	－	－	－	－	－	－
中 核 市 (別 掲)									
旭　　川　　市	－	－	－	－	－	－	－	－	－
函　　館　　市	－	－	－	－	－	－	－	－	－
青　　森　　市	－	－	－	－	－	－	－	－	－
八　　戸　　市	－	－	－	－	－	－	－	－	－
盛　　岡　　市	－	－	－	－	－	－	－	－	－
秋　　田　　市	1	1	－	－	－	－	－	－	－
郡　　山　　市	－	－	－	－	－	－	－	－	－
い　わ　き　市	－	－	－	－	－	－	－	－	－
宇　都　宮　市	－	－	－	－	－	－	－	－	－
前　　橋　　市	－	－	－	－	－	－	－	－	－
高　　崎　　市	－	－	－	－	－	－	－	－	－
川　　越　　市	－	－	－	－	－	－	－	－	－
越　　谷　　市	－	－	－	－	－	－	－	－	－
船　　橋　　市	1	－	－	1	－	－	－	－	－
柏　　　　　市	－	－	－	－	－	－	－	－	－
八　王　子　市	－	－	－	－	－	－	－	－	－
横　　須　賀　市	16	6	－	－	1	－	－	－	－
富　　山　　市	－	－	－	－	－	－	－	－	－
金　　沢　　市	－	－	－	－	－	－	－	－	－
長　　野　　市	－	－	－	－	－	－	－	－	－
岐　　阜　　市	－	－	－	－	－	－	－	－	－
豊　　橋　　市	－	－	－	－	－	－	－	－	－
豊　　田　　市	－	－	－	－	－	－	－	－	－
岡　　崎　　市	－	－	－	－	－	－	－	－	－
大　　津　　市	－	－	－	－	－	－	－	－	－
高　　槻　　市	1	－	1	－	－	－	－	－	－
東　大　阪　市	－	－	－	－	－	－	－	－	－
豊　　中　　市	－	－	－	－	－	－	－	－	－
枚　　方　　市	－	－	－	－	－	－	－	－	－
姫　　路　　市	－	－	－	－	－	－	－	－	－
西　　宮　　市	11	9	1	－	－	－	1	－	－
尼　　崎　　市	1	1	－	－	－	－	－	－	－
奈　　良　　市	－	－	－	－	－	－	－	－	－
和　歌　山　市	－	－	－	－	－	－	－	－	－
倉　　敷　　市	－	－	－	－	－	－	－	－	－
福　　山　　市	－	－	－	－	－	－	－	－	－
呉　　　　　市	－	－	－	－	－	－	－	－	－
下　　関　　市	－	－	－	－	－	－	－	－	－
高　　松　　市	－	－	－	－	－	－	－	－	－
高　　知　　市	1	1	－	－	－	－	－	－	－
久　留　米　市	－	－	－	－	－	－	－	－	－
長　　崎　　市	2	1	－	－	1	－	－	－	－
佐　世　保　市	－	－	－	－	－	－	－	－	－
大　　分　　市	1	－	－	1	－	－	－	－	－
宮　　崎　　市	－	－	－	－	－	－	－	－	－
鹿　児　島　市	－	－	－	－	－	－	－	－	－
那　　覇　　市	－	－	－	－	－	－	－	－	－

障害児通所支援等事業所数，国－都道府県－指定都市－中核市、障害福祉サービス等の種類・利用実人員階級別

第25表　障害福祉サービス等事業所数（共同生活援助、宿泊型自立訓練事業所を除く）・

国 都道府県	自 立 訓 練 （ 生 活 訓 練 ） 事 業								
	9月中に利用者がいた事業所数	1～4人	5～9人	10～19人	20～29人	30～39人	40～49人	50人以上	利用者数不詳
全　　国	900	212	269	283	84	29	7	9	7
国	－	－	－	－	－	－	－	－	－
北　海　道	20	3	11	6	－	－	－	－	－
青　　森	14	4	－	7	3	－	－	－	－
岩　　手	7	－	2	4	－	1	－	－	－
宮　　城	11	3	3	5	－	－	－	－	－
秋　　田	10	3	3	2	1	1	－	－	－
山　　形	15	6	7	2	－	－	－	－	－
福　　島	8	1	5	2	－	－	－	－	－
茨　　城	26	7	8	9	1	－	－	－	1
栃　　木	18	7	7	3	－	1	－	－	－
群　　馬	3	－	1	－	－	－	－	－	－
埼　　玉	19	3	4	8	4	－	－	－	－
千　　葉	30	4	12	11	2	－	－	1	－
東　　京	61	4	15	23	8	7	2	1	1
神　奈　川	4	1	1	－	1	－	－	－	1
新　　潟	24	3	10	8	－	2	－	1	－
富　　山	12	7	3	2	－	－	－	－	－
石　　川	2	1	－	1	－	－	－	－	－
福　　井	8	1	2	3	1	1	－	－	－
山　　梨	10	1	3	3	3	－	－	－	－
長　　野	19	6	8	5	－	－	－	－	－
岐　　阜	7	－	3	3	1	－	－	－	－
静　　岡	10	4	4	2	－	－	－	－	－
愛　　知	6	2	2	2	－	－	－	－	－
三　　重	8	1	1	3	3	－	－	－	－
滋　　賀	10	3	5	1	1	－	－	－	－
京　　都	8	3	2	2	－	1	－	－	－
大　　阪	28	9	7	8	1	1	－	2	－
兵　　庫	9	1	3	3	1	－	－	－	1
奈　　良	8	3	1	2	2	－	－	－	－
和　歌　山	9	1	5	2	1	－	－	－	－
鳥　　取	3	2	－	1	－	－	－	－	－
島　　根	8	2	2	4	－	－	－	－	－
岡　　山	4	2	1	1	－	－	－	－	－
広　　島	4	1	－	2	－	－	－	－	1
山　　口	8	1	1	3	2	1	－	－	－
徳　　島	8	1	4	3	－	－	－	－	－
香　　川	1	－	1	－	－	－	－	－	－
愛　　媛	4	1	2	－	1	－	－	－	－
高　　知	3	1	1	1	－	－	－	－	－
福　　岡	32	8	13	8	3	－	－	－	－
佐　　賀	6	1	2	3	－	－	－	－	－
長　　崎	10	1	5	4	－	－	－	－	－
熊　　本	18	5	6	7	－	－	－	－	－
大　　分	8	1	2	3	2	－	－	－	－
宮　　崎	7	2	3	－	1	－	－	－	1
鹿　児　島	12	5	2	2	3	－	－	－	－
沖　　縄	24	7	5	8	3	－	－	－	1

注：障害者支援施設の昼間実施サービス（生活介護、自立訓練（機能・生活）、就労移行支援及び就労継続支援）を除く。

障害児通所支援等事業所数，国−都道府県−指定都市−中核市、障害福祉サービス等の種類・利用実人員階級別

指定都市　中核市	9月中に利用者がいた事業所数	自立訓練（生活訓練）事業							利用者数不詳
		1〜4人	5〜9人	10〜19人	20〜29人	30〜39人	40〜49人	50人以上	
指定都市（別掲）									
札幌市	16	5	3	6	2	−	−	−	−
仙台市	12	1	3	6	−	1	1	−	−
さいたま市	3	2	−	−	−	1	−	−	−
千葉市	3	1	−	−	−	1	1	−	−
横浜市	10	1	−	5	3	−	−	1	−
川崎市	4	−	1	2	−	1	−	−	−
相模原市	4	1	−	1	2	−	−	−	−
新潟市	7	1	2	1	1	1	1	−	−
静岡市	2	−	1	1	−	−	−	−	−
浜松市	9	1	−	−	7	1	−	−	−
名古屋市	16	4	3	5	2	1	−	−	1
京都市	14	2	6	4	1	−	1	−	−
大阪市	23	3	7	9	2	1	1	−	−
堺市	3	1	−	1	−	−	1	−	−
神戸市	3	−	1	−	1	1	−	−	−
岡山市	3	1	2	−	−	−	−	−	−
広島市	6	−	−	1	3	1	−	−	1
北九州市	8	4	3	1	−	−	−	−	−
福岡市	15	6	5	3	−	1	−	−	−
熊本市	3	−	1	−	1	1	−	−	−
中核市（別掲）									
旭川市	2	1	1	−	−	−	−	−	−
函館市	4	2	−	1	1	−	−	−	−
青森市	2	−	−	−	1	1	−	−	−
八戸市	1	−	−	−	1	−	−	−	−
盛岡市	3	1	−	2	−	−	−	−	−
秋田市	7	3	1	3	−	−	−	−	−
郡山市	4	−	1	3	−	−	−	−	−
いわき市	1	−	−	1	−	−	−	−	−
宇都宮市	3	1	1	1	−	−	−	−	−
前橋市	−	−	−	−	−	−	−	−	−
高崎市	3	−	−	−	3	−	−	−	−
川越市	1	−	−	−	1	−	−	−	−
越谷市	−	−	−	−	−	−	−	−	−
船橋市	3	−	−	−	3	−	−	−	−
柏市	2	1	−	1	−	−	−	−	−
八王子市	5	−	1	2	1	−	−	−	1
横須賀市	2	1	1	−	−	−	−	−	1
富山市	10	7	−	1	1	−	−	−	−
金沢市	4	−	2	1	−	1	−	−	−
長野市	5	1	1	1	2	−	−	−	−
岐阜市	3	−	−	2	1	−	−	−	−
豊橋市	1	−	1	−	−	−	−	−	−
豊田市	−	−	−	−	−	−	−	−	−
岡崎市	2	−	1	−	1	−	−	−	−
大津市	4	−	1	3	−	−	−	−	−
高槻市	2	−	1	−	1	−	−	−	−
東大阪市	8	−	4	2	1	1	−	−	−
豊中市	1	−	−	1	−	−	−	−	−
枚方市	1	1	−	−	−	−	−	−	−
姫路市	2	−	−	2	−	−	−	−	−
西尾市	7	2	−	2	3	−	−	−	−
尼崎市	8	6	−	2	−	−	−	−	−
奈良市	6	2	−	1	2	1	−	−	−
和歌山市	4	2	−	1	2	−	−	−	−
倉敷市	2	−	−	2	−	−	−	−	−
福山市	1	−	−	−	1	−	−	−	−
呉市	2	−	1	1	−	−	−	−	−
下関市	1	−	−	1	−	−	−	−	−
高松市	−	−	−	−	−	−	−	−	−
松山市	−	−	−	−	−	−	−	−	−
高知市	2	−	−	−	−	2	−	−	−
久留米市	7	4	3	−	−	−	−	−	−
長崎市	2	−	2	−	−	−	−	−	−
佐世保市	4	−	4	−	−	−	−	−	−
大分市	4	2	−	1	1	−	−	−	−
宮崎市	1	−	−	1	−	−	−	−	−
鹿児島市	12	3	3	5	−	−	1	−	−
那覇市	4	−	2	2	1	−	−	−	−

第25表　障害福祉サービス等事業所数（共同生活援助、宿泊型自立訓練事業所を除く）・

国　都道府県	就　労　移　行　支　援　事　業								利用者数不詳
	9月中に利用者がいた事業所数	1～4人	5～9人	10～19人	20～29人	30～39人	40～49人	50人以上	
全　　　　国	2 703	755	870	620	250	137	23	33	15
国	-	-	-	-	-	-	-	-	-
北海道	65	25	25	8	3	3	-	-	1
青森	24	7	13	1	2	-	-	1	-
岩手	9	4	3	2	-	-	-	-	-
宮城	35	13	16	4	1	-	-	1	-
秋田	9	3	3	3	-	-	-	-	-
山形	26	16	5	4	1	-	-	-	-
福島	9	3	2	3	1	-	-	-	-
茨城	100	31	40	25	3	-	-	1	-
栃木	34	8	16	6	1	1	-	1	1
群馬	23	8	12	3	-	-	-	-	-
埼玉	80	21	24	21	8	5	1	-	-
千葉	70	8	21	28	5	7	-	1	-
東京	248	50	59	64	44	20	5	4	2
神奈川	47	10	20	8	5	3	1	-	-
新潟	63	18	32	13	-	-	-	-	-
富山	12	4	5	2	-	-	-	1	-
石川	7	4	2	1	-	-	-	-	-
福井	30	10	15	4	-	-	-	1	-
山梨	30	12	13	4	-	1	-	-	-
長野	40	10	19	9	-	-	-	1	1
岐阜	29	10	12	3	4	-	-	-	-
静岡	44	12	19	8	5	-	-	-	-
愛知	65	19	20	19	5	-	1	-	1
三重	26	5	8	10	2	-	-	1	-
滋賀	20	8	8	2	1	1	-	-	-
京都	14	7	4	1	-	1	-	1	-
大阪	70	20	16	25	5	2	-	1	1
兵庫	35	12	11	11	1	-	-	-	-
奈良	17	7	7	1	2	-	-	-	-
和歌山	8	4	3	-	-	-	-	-	1
鳥取	8	5	3	-	-	-	-	-	-
島根	11	4	4	2	-	-	-	1	-
岡山	5	1	3	-	-	-	-	1	-
広島	28	16	7	5	-	-	-	-	-
山口	26	6	15	4	1	-	-	-	-
徳島	16	3	8	5	-	-	-	-	-
香川	4	1	2	1	-	-	-	-	-
愛媛	17	8	7	1	1	-	-	-	-
高知	7	5	2	-	-	-	-	-	-
福岡	75	29	20	15	10	1	-	-	-
佐賀	15	6	7	1	1	-	-	-	-
長崎	20	12	5	3	-	-	-	-	-
熊本	30	15	11	2	-	1	-	1	-
大分	16	6	2	5	1	-	-	1	1
宮崎	19	9	8	2	-	-	-	-	-
鹿児島	36	12	15	8	-	1	-	-	-
沖縄	41	20	14	5	-	2	-	-	-

注：障害者支援施設の昼間実施サービス（生活介護、自立訓練（機能・生活）、就労移行支援及び就労継続支援）を除く。

障害児通所支援等事業所数，国－都道府県－指定都市－中核市、障害福祉サービス等の種類・利用実人員階級別

平成29年10月 1 日

指定都市 / 中核市	就労移行支援事業								
	9月中に利用者がいた事業所数	1 ～ 4人	5 ～ 9人	10 ～ 19人	20 ～ 29人	30 ～ 39人	40 ～ 49人	50人以上	利用者数不詳
指定都市（別掲）									
札幌市	57	8	20	14	9	4	-	2	-
仙台市	24	5	9	2	3	3	2	-	-
さいたま市	27	7	5	6	3	5	1	-	-
千葉市	24	3	6	5	3	5	1	1	-
横浜市	53	7	11	15	9	10	-	-	-
川崎市	22	3	4	3	10	2	-	-	-
相模原市	12	2	1	3	3	3	-	-	-
新潟市	17	4	6	6	-	1	-	-	-
静岡市	11	1	3	5	-	2	-	-	-
浜松市	20	4	7	3	3	3	-	-	-
名古屋市	41	5	11	12	2	6	2	3	-
京都市	30	7	11	7	2	2	1	-	-
大阪市	106	20	27	23	21	13	-	2	-
堺市	17	5	5	6	1	-	-	-	-
神戸市	24	5	5	6	5	1	1	-	1
岡山市	7	-	3	2	1	-	1	-	-
広島市	16	3	4	3	5	-	1	-	-
北九州市	28	7	6	9	3	1	1	-	1
福岡市	54	9	14	20	7	2	-	1	1
熊本市	13	4	4	-	1	-	-	-	-
中核市（別掲）									
旭川市	9	3	3	2	-	-	1	-	-
函館市	6	-	2	2	2	-	-	-	-
青森市	4	-	2	1	1	-	-	-	-
八戸市	8	3	1	3	-	-	-	1	-
盛岡市	10	-	4	6	-	-	-	-	-
秋田市	4	3	-	1	-	-	-	-	-
郡山市	4	-	3	1	-	-	-	-	-
いわき市	4	1	-	-	1	2	-	-	-
宇都宮市	12	4	2	4	2	-	-	-	1
前橋市	9	3	2	4	-	-	-	-	-
高崎市	13	3	6	3	-	1	-	-	-
川越市	9	1	1	2	3	2	-	-	-
越谷市	6	1	1	1	-	2	1	-	-
船橋市	8	-	2	1	3	2	1	-	-
柏市	7	1	2	1	1	2	-	-	-
八王子市	9	1	-	2	2	4	-	-	-
横須賀市	5	-	3	1	1	-	-	-	-
富山市	11	3	5	1	2	-	-	-	-
金沢市	14	7	1	4	1	1	-	1	-
長野市	18	7	5	5	1	-	-	-	-
岐阜市	10	4	2	2	1	1	-	-	-
豊橋市	11	5	2	2	-	2	-	-	-
豊田市	8	2	1	3	2	-	-	-	-
岡崎市	7	1	1	2	2	1	-	-	-
大津市	8	1	-	6	1	-	-	-	-
高槻市	6	-	2	1	2	1	-	-	-
東大阪市	17	4	7	5	-	-	-	1	-
豊中市	6	1	1	2	2	-	-	-	-
枚方市	6	1	-	3	1	1	-	-	-
姫路市	5	-	2	-	1	1	-	-	1
西宮市	6	2	1	2	1	-	-	-	-
尼崎市	14	4	3	3	3	-	-	-	1
奈良市	8	2	3	-	3	-	-	-	-
和歌山市	6	2	1	2	-	-	-	-	-
倉敷市	7	1	2	-	2	-	1	-	-
福山市	8	4	2	2	-	-	-	-	-
呉市	5	4	-	1	-	-	-	-	-
下関市	6	2	1	3	-	-	-	-	-
高松市	4	4	-	-	-	-	-	-	-
松山市	8	4	2	-	2	-	-	-	-
高知市	9	3	3	3	-	-	-	-	-
久留米市	9	2	2	2	3	-	-	-	-
長崎市	15	6	5	3	-	1	-	-	-
佐世保市	12	4	3	3	2	-	-	-	-
大分市	16	4	8	4	-	-	-	-	-
宮崎市	19	7	6	4	1	1	-	-	-
鹿児島市	13	1	3	7	2	-	-	-	-
那覇市	18	2	8	6	1	1	-	-	-

障害児通所支援等事業所数，国－都道府県－指定都市－中核市、障害福祉サービス等の種類・利用実人員階級別

第25表　障害福祉サービス等事業所数（共同生活援助、宿泊型自立訓練事業所を除く）・

国都道府県	9月中に利用者がいた事業所数	就労継続支援（A型）事業							利用者数不詳
		1～4人	5～9人	10～19人	20～29人	30～39人	40～49人	50人以上	
全国	2 982	163	448	1 064	806	317	85	89	10
国	-	-	-	-	-	-	-	-	-
北海道	77	3	5	31	23	11	1	3	-
青森	41	4	14	11	8	2	1	1	-
岩手	24	2	7	6	6	2	1	-	-
宮城	30	1	5	16	6	2	-	-	-
秋田	10	1	4	3	1	1	-	-	-
山形	30	1	5	9	5	5	3	2	-
福島	14	-	3	7	3	1	-	-	-
茨城	39	4	7	14	6	4	4	-	-
栃木	24	3	1	9	8	1	-	2	-
群馬	14	1	6	5	1	-	1	-	-
埼玉	39	1	7	11	9	7	4	-	-
千葉	33	2	5	8	10	7	1	-	-
東京	87	7	15	26	25	12	2	-	-
神奈川	22	-	2	9	8	3	-	-	-
新潟	15	1	5	6	3	-	-	-	-
富山	23	1	5	4	8	5	-	-	-
石川	26	3	4	8	3	4	2	2	-
福井	52	3	5	18	15	6	3	2	-
山梨	13	1	1	6	4	1	-	-	-
長野	31	1	5	12	7	5	1	-	-
岐阜	72	2	10	24	23	7	1	5	-
静岡	37	1	7	16	11	1	1	-	-
愛知	87	3	8	26	32	10	1	5	2
三重	56	6	8	14	16	10	1	-	1
滋賀	11	1	3	2	4	-	-	1	-
京都	19	-	7	7	2	2	-	1	-
大阪	72	6	6	23	28	5	-	4	-
兵庫	45	7	5	12	11	5	2	2	1
奈良	19	-	4	5	5	4	-	1	-
和歌山	24	2	5	11	3	2	1	-	-
鳥取	19	4	2	8	2	1	1	1	-
島根	23	2	3	14	3	1	-	-	-
岡山	44	-	9	20	11	2	-	1	-
広島	20	1	4	5	6	1	-	1	-
山口	24	-	6	10	7	-	-	1	-
徳島	18	-	3	5	9	1	-	-	-
香川	5	-	1	3	-	-	-	-	-
愛媛	27	1	7	10	3	4	1	1	-
高知	10	1	1	6	1	-	1	-	-
福岡	100	11	15	40	26	8	-	-	-
佐賀	37	2	8	19	1	5	1	1	-
長崎	33	3	6	15	5	2	-	1	1
熊本	94	5	12	43	21	8	2	3	-
大分	32	3	8	11	5	3	-	2	-
宮崎	19	2	2	10	3	1	-	-	1
鹿児島	42	3	7	15	12	3	1	1	-
沖縄	58	5	10	25	10	3	2	3	-

注：障害者支援施設の昼間実施サービス（生活介護、自立訓練(機能・生活)、就労移行支援及び就労継続支援）を除く。

障害児通所支援等事業所数，国−都道府県−指定都市−中核市、障害福祉サービス等の種類・利用実人員階級別

平成29年10月1日

指定都市 中核市	就労継続支援（A型）事業 9月中に利用者がいた事業所数	1～4人	5～9人	10～19人	20～29人	30～39人	40～49人	50人以上	利用者数不詳
指定都市（別掲）									
札幌市	82	3	11	31	16	15	3	3	-
仙台市	14	-	3	5	3	1	-	2	-
さいたま市	19	-	-	5	4	9	1	-	-
千葉市	10	-	1	5	4	-	3	-	1
横浜市	24	3	1	5	4	7	2	3	-
川崎市	10	-	-	3	3	-	4	-	-
相模原市	6	-	1	-	2	3	-	-	-
新潟市	10	-	2	-	2	3	3	-	-
静岡市	19	-	1	1	9	3	5	1	-
浜松市	21	-	3	-	7	6	4	-	1
名古屋市	72	-	2	17	30	15	3	5	-
京都市	34	4	-	14	12	1	-	3	-
大阪市	131	5	21	45	42	7	-	6	-
堺市	15	2	4	2	5	-	1	1	-
神戸市	32	3	6	7	12	3	1	-	-
岡山市	60	1	3	25	21	7	1	2	-
広島市	33	2	3	10	17	-	-	1	-
北九州市	40	2	6	15	11	-	2	3	-
福岡市	62	3	14	20	16	7	1	3	1
熊本市	38	-	2	17	15	1	3	-	-
中核市（別掲）									
旭川市	6	-	3	1	1	1	-	-	-
函館市	2	-	1	1	-	-	-	-	-
青森市	19	-	5	9	2	3	-	-	-
八戸市	14	2	3	3	4	1	-	1	-
盛岡市	14	1	3	3	4	1	1	1	-
秋田市	8	1	2	3	1	1	-	-	-
郡山市	6	-	1	4	-	1	-	-	-
いわき市	2	-	-	2	-	-	-	-	-
宇都宮市	17	1	4	3	6	3	-	-	-
前橋市	3	-	-	2	1	-	-	-	-
高崎市	8	-	1	3	3	1	-	-	-
川越市	9	1	-	2	4	1	1	-	-
越谷市	9	-	-	1	2	4	2	-	-
船橋市	5	-	1	-	2	2	-	-	-
柏市	3	-	1	1	1	-	-	-	-
八王子市	4	-	-	1	2	1	-	-	-
横須賀市	1	-	1	-	-	-	-	-	-
富山市	24	1	4	8	5	6	-	-	-
金沢市	21	-	1	5	11	4	-	-	-
長野市	5	1	1	2	-	1	-	-	-
岐阜市	30	3	7	11	5	4	-	-	-
豊橋市	9	3	2	2	1	1	-	-	-
豊田市	6	-	-	4	2	-	-	-	-
岡崎市	4	-	-	1	2	-	-	1	-
大津市	4	1	-	-	2	-	1	-	-
高槻市	1	-	-	1	-	-	-	-	-
東大阪市	20	-	-	10	9	1	-	-	-
豊中市	4	-	-	2	1	1	-	-	-
枚方市	8	-	2	3	3	-	-	-	-
姫路市	9	-	1	3	2	3	-	-	-
西宮市	15	1	3	2	7	1	1	-	-
尼崎市	16	-	2	5	6	2	-	-	1
奈良市	10	1	3	1	4	-	-	1	-
和歌山市	15	1	1	9	3	1	-	-	-
倉敷市	30	-	1	15	9	4	-	1	-
福山市	18	-	2	8	4	2	-	2	-
呉市	3	-	-	1	-	-	2	-	-
下関市	4	-	-	4	-	-	-	-	-
高松市	10	2	2	3	3	-	-	-	-
松山市	31	1	4	11	7	4	1	2	1
高知市	13	1	3	5	3	-	-	1	-
久留米市	18	-	2	6	6	1	2	1	-
長崎市	11	1	3	3	4	1	-	-	-
佐世保市	14	-	1	8	2	1	-	2	-
大分市	23	-	3	16	1	-	1	2	-
宮崎市	20	-	4	6	9	-	-	1	-
鹿児島市	22	-	3	9	8	2	-	-	-
那覇市	11	-	1	1	7	1	1	-	-

第25表　障害福祉サービス等事業所数（共同生活援助、宿泊型自立訓練事業所を除く）・

国 都 道 府 県	就 労 継 続 支 援 （ B 型 ） 事 業								
	9 月 中 に 利用者がいた 事 業 所 数	1 ～ 4人	5 ～ 9人	10 ～ 19人	20 ～ 29人	30 ～ 39人	40 ～ 49人	50人以上	利 用 者 数 不　　　詳
全　　　　　国	9 270	422	1 030	3 060	2 488	1 184	508	540	38
国	1	－	－	1	－	－	－	－	－
北　海　道	331	5	39	119	83	39	28	18	－
青　　　森	99	7	10	36	25	12	4	4	1
岩　　　手	100	4	4	23	32	15	13	8	1
宮　　　城	82	3	6	22	25	16	7	3	－
秋　　　田	61	4	5	24	16	7	2	3	－
山　　　形	111	3	8	39	29	21	4	7	－
福　　　島	115	3	3	37	39	21	9	3	－
茨　　　城	186	20	42	59	36	19	4	5	1
栃　　　木	92	1	9	26	29	16	8	3	－
群　　　馬	62	1	7	15	21	10	3	4	1
埼　　　玉	243	8	22	80	60	45	14	12	2
千　　　葉	171	5	20	57	48	17	14	10	－
東　　　京	637	16	35	148	185	117	55	80	1
神　奈　川	168	3	17	47	52	20	11	18	－
新　　　潟	124	－	6	27	44	27	11	9	－
富　　　山	52	5	4	16	18	3	4	2	－
石　　　川	60	5	7	16	17	8	5	2	－
福　　　井	62	2	3	18	21	8	6	3	1
山　　　梨	77	8	6	27	21	10	1	4	－
長　　　野	185	9	13	66	59	22	6	9	1
岐　　　阜	126	11	27	47	20	10	4	6	1
静　　　岡	169	8	13	49	61	18	9	11	－
愛　　　知	218	7	35	75	48	31	3	16	3
三　　　重	170	14	30	70	34	8	7	7	－
滋　　　賀	102	3	14	29	32	15	4	5	－
京　　　都	85	4	12	23	27	13	－	5	1
大　　　阪	270	13	40	108	62	22	12	13	－
兵　　　庫	227	22	32	79	48	23	13	9	1
奈　　　良	71	16	20	16	11	4	2	1	1
和　歌　山	61	3	2	22	18	6	4	4	2
鳥　　　取	97	2	9	42	26	6	2	9	1
島　　　根	79	3	5	24	28	10	6	3	－
岡　　　山	62	－	2	24	16	12	6	1	1
広　　　島	101	4	12	35	27	15	4	4	－
山　　　口	92	4	4	31	18	14	11	9	1
徳　　　島	44	1	2	21	9	4	4	3	－
香　　　川	47	2	7	17	12	2	2	5	－
愛　　　媛	90	6	12	41	14	14	2	1	－
高　　　知	50	－	8	16	21	4	1	－	－
福　　　岡	204	14	23	69	51	26	11	9	1
佐　　　賀	95	8	15	25	26	11	4	6	－
長　　　崎	115	10	12	32	33	16	6	6	－
熊　　　本	104	3	10	47	25	10	3	5	1
大　　　分	96	5	7	27	28	17	2	9	1
宮　　　崎	68	5	3	27	21	8	1	3	－
鹿　児　島	129	10	11	44	29	16	10	8	1
沖　　　縄	156	9	21	70	32	16	6	2	－

注：障害者支援施設の昼間実施サービス（生活介護、自立訓練（機能・生活）、就労移行支援及び就労継続支援）を除く。

障害児通所支援等事業所数，国−都道府県−指定都市−中核市、障害福祉サービス等の種類・利用実人員階級別

平成29年10月 1 日

指定都市 中核市	就労継続支援（ B 型 ）事業								利用者数 不詳
	9月中に 利用者がいた 事業所数	1～4人	5～9人	10～19人	20～29人	30～39人	40～49人	50人以上	
指定都市（別掲）									
札幌市	228	16	31	71	62	26	7	14	1
仙台市	68	4	7	16	28	4	5	4	-
さいたま市	51	2	7	18	11	7	3	3	-
千葉市	32	1	3	8	12	5	-	3	-
横浜市	130	3	6	46	38	18	8	10	1
川崎市	34	1	8	9	6	5	3	2	-
相模原市	38	-	5	10	12	4	5	2	-
新潟市	52	3	1	5	22	13	3	5	-
静岡市	52	1	6	19	18	3	1	4	-
浜松市	45	-	5	11	18	7	2	2	-
名古屋市	102	3	16	35	28	13	3	3	1
京都市	111	4	13	39	31	13	7	4	-
大阪市	199	14	40	74	40	19	5	7	-
堺市	88	3	11	39	24	8	1	2	-
神戸市	133	4	14	54	28	14	13	5	1
岡山市	37	-	6	15	8	5	1	2	-
広島市	73	3	9	26	20	8	3	4	-
北九州市	79	7	7	22	22	11	6	3	1
福岡市	57	1	3	15	15	11	4	7	1
熊本市	43	1	6	15	16	3	1	1	-
中核市（別掲）									
旭川市	52	1	4	20	10	10	3	4	-
函館市	23	-	4	5	6	2	2	4	-
青森市	35	4	2	14	13	1	1	-	-
八戸市	27	-	4	11	7	4	-	1	-
盛岡市	29	-	4	11	6	3	3	2	-
秋田市	29	2	3	7	8	4	2	3	-
郡山市	22	-	3	7	8	4	-	-	-
いわき市	22	-	3	4	10	3	2	-	-
宇都宮市	28	2	3	10	9	4	-	-	-
前橋市	22	-	2	7	8	4	1	-	-
高崎市	17	-	-	5	7	4	-	1	-
川越市	15	-	1	9	2	3	-	-	-
越谷市	9	-	1	3	2	1	-	2	-
船橋市	18	-	1	8	4	4	-	1	-
柏市	22	1	4	4	6	3	2	2	-
八王子市	49	1	4	20	7	7	4	6	-
横須賀市	16	-	1	7	4	1	1	2	-
富山市	30	2	-	10	10	5	1	1	1
金沢市	30	-	4	8	7	5	4	2	-
長野市	36	-	2	14	10	5	3	2	-
岐阜市	33	2	2	14	3	7	2	3	-
豊橋市	30	2	4	8	7	4	3	2	-
豊田市	13	-	1	3	5	2	2	-	-
岡崎市	30	2	5	9	9	3	2	-	-
大津市	23	-	2	12	3	3	2	-	1
高槻市	17	2	1	5	7	2	-	-	-
東大阪市	47	1	14	17	7	5	-	3	-
豊中市	15	2	2	5	3	3	-	-	-
枚方市	29	1	3	14	8	2	-	1	-
姫路市	46	1	9	19	11	2	2	1	1
西宮市	30	3	3	8	10	-	5	1	-
尼崎市	39	3	10	8	10	2	2	4	-
奈良市	20	2	2	10	3	-	1	1	1
和歌山市	32	1	3	10	12	3	1	2	-
倉敷市	42	2	4	11	14	5	-	6	-
福山市	46	1	2	17	14	7	3	2	-
呉市	22	-	4	6	9	1	-	2	-
下関市	23	-	2	1	11	2	4	2	1
高松市	35	1	6	15	6	6	-	1	-
松山市	58	3	9	14	14	11	4	-	3
高知市	34	1	3	15	6	2	4	3	-
久留米市	22	1	5	5	5	3	1	2	-
長崎市	34	1	2	5	15	6	3	1	1
佐世保市	42	2	5	18	10	4	-	3	-
大分市	42	-	-	18	10	7	3	4	-
宮崎市	27	-	-	8	11	2	2	4	-
鹿児島市	73	2	15	27	15	8	4	2	-
那覇市	36	3	4	14	10	4	-	-	1

第25表　障害福祉サービス等事業所数（共同生活援助、宿泊型自立訓練事業所を除く）・

国都道府県	9月中に利用者がいた事業所数	児童発達支援事業							利用者数不詳
		1～4人	5～9人	10～19人	20～29人	30～39人	40～49人	50人以上	
全　　国	4 074	989	710	889	487	295	225	476	3
国	-	-	-	-	-	-	-	-	-
北海道	151	32	25	29	20	13	9	23	-
青森	14	2	4	6	2	-	-	-	-
岩手	20	4	4	3	3	3	2	1	-
宮城	14	2	4	4	4	-	-	-	-
秋田	8	2	2	1	2	-	1	-	-
山形	25	3	4	7	7	3	1	-	-
福島	35	8	6	11	2	4	2	2	-
茨城	74	20	13	17	4	7	2	11	-
栃木	42	8	8	7	4	3	5	7	-
群馬	20	7	2	9	1	-	1	-	-
埼玉	126	35	18	38	15	7	2	11	-
千葉	141	33	27	23	20	15	6	17	-
東京	306	34	43	61	39	30	27	71	1
神奈川	74	15	11	13	10	9	3	13	-
新潟	17	3	2	3	2	1	1	5	-
富山	8	6	1	-	-	-	-	1	-
石川	16	11	2	3	-	-	-	-	-
福井	10	3	1	2	2	2	-	-	-
山梨	13	3	2	4	1	2	1	-	-
長野	28	7	9	4	4	1	1	2	-
岐阜	66	14	8	8	10	2	3	21	-
静岡	35	7	6	15	4	-	1	2	-
愛知	125	24	25	35	13	13	8	7	-
三重	53	19	6	5	6	5	1	11	-
滋賀	20	3	3	2	3	2	3	4	-
京都	33	4	2	7	-	4	3	13	-
大阪	167	56	37	41	12	6	5	10	-
兵庫	104	20	18	20	14	8	11	13	-
奈良	44	13	6	11	3	2	4	5	-
和歌山	20	6	4	4	3	2	-	1	-
鳥取	18	7	4	3	3	-	-	1	-
島根	13	2	1	5	2	2	-	1	-
岡山	30	5	3	4	3	6	6	3	-
広島	37	4	9	4	6	2	2	10	-
山口	25	7	4	3	8	1	2	-	-
徳島	42	13	8	7	1	3	4	6	-
香川	16	6	2	6	1	-	-	1	-
愛媛	26	4	4	4	4	3	2	5	-
高知	5	3	-	1	-	1	-	-	-
福岡	80	24	16	20	8	5	2	5	-
佐賀	24	3	9	4	4	4	-	-	-
長崎	46	19	9	6	3	2	4	3	-
熊本	58	18	6	10	10	8	2	4	-
大分	14	3	5	3	2	-	1	-	-
宮崎	27	7	7	8	2	1	-	2	-
鹿児島	67	5	9	16	15	5	3	14	-
沖縄	76	28	25	15	3	1	3	1	-

障害児通所支援等事業所数，国−都道府県−指定都市−中核市、障害福祉サービス等の種類・利用実人員階級別

平成29年10月1日

指定都市 中核市	児童発達支援事業								
	9月中に利用者がいた事業所数	1〜4人	5〜9人	10〜19人	20〜29人	30〜39人	40〜49人	50人以上	利用者数不詳
指定都市（別掲）									
札幌市	216	51	47	67	22	11	9	9	−
仙台市	19	6	1	5	5	1	1	−	−
さいたま市	28	10	6	7	1	1	−	3	−
千葉市	36	9	4	8	8	4	−	3	−
横浜市	67	7	10	14	4	4	8	20	−
川崎市	39	8	5	8	8	1	3	6	−
相模原市	23	1	5	5	3	2	2	5	−
新潟市	19	4	4	5	1	1	1	3	−
静岡市	15	5	5	2	1	1	−	1	−
浜松市	21	−	3	10	4	1	−	3	−
名古屋市	114	48	27	25	4	3	4	3	−
京都市	20	1	2	3	2	1	2	9	−
大阪市	213	72	34	51	20	7	10	18	1
堺市	39	15	14	6	4	−	−	−	−
神戸市	49	9	10	12	7	3	−	5	−
岡山市	39	6	4	8	9	5	2	5	−
広島市	32	5	3	5	9	6	1	3	−
北九州市	21	8	5	5	2	1	−	−	−
福岡市	16	−	1	−	2	3	2	8	−
熊本市	32	6	1	10	7	4	1	3	−
中核市（別掲）									
旭川市	27	11	7	3	1	2	2	1	−
函館市	6	−	2	−	1	2	−	−	1
青森市	6	3	1	−	2	−	−	−	−
八戸市	2	1	1	1	−	−	−	−	−
盛岡市	5	2	1	1	−	−	2	−	−
秋田市	7	2	1	2	−	−	−	2	−
郡山市	10	−	2	5	−	−	−	3	−
いわき市	6	3	−	−	1	1	−	1	−
宇都宮市	1	1	−	−	−	−	−	−	−
前橋市	10	2	1	5	2	−	−	−	−
高崎市	−	−	−	−	−	−	−	−	−
川越市	7	−	2	1	1	2	−	1	−
越谷市	17	5	4	2	3	−	1	2	−
船橋市	10	1	3	3	2	1	−	3	−
柏市	16	2	4	3	2	1	1	3	−
八王子市	11	4	2	2	2	−	−	1	−
横須賀市	5	2	1	1	1	−	−	−	−
富山市	7	4	1	1	−	−	−	2	−
金沢市	10	7	2	1	−	−	−	1	−
長野市	4	1	1	−	1	−	−	1	−
岐阜市	15	3	1	5	1	1	1	3	−
豊橋市	12	1	−	4	3	1	1	2	−
豊田市	9	3	−	3	−	1	2	−	−
岡崎市	6	−	1	2	1	−	1	1	−
大津市	3	−	−	−	1	2	−	−	−
高槻市	20	7	1	5	1	2	1	3	−
東大阪市	31	22	1	3	4	−	−	1	−
豊中市	21	5	4	5	5	−	1	1	−
枚方市	16	7	1	4	2	−	2	−	−
姫路市	11	2	2	4	−	3	−	−	−
西宮市	24	2	2	7	7	2	2	2	−
尼崎市	19	4	4	3	4	−	3	1	−
奈良市	14	4	−	3	3	1	2	1	−
和歌山市	8	2	3	1	1	1	−	−	−
倉敷市	37	1	1	8	9	6	7	5	−
福山市	20	3	5	1	2	3	3	3	−
呉市	13	−	2	4	−	3	2	2	−
下関市	8	−	2	3	1	1	−	1	−
高松市	8	3	1	1	2	−	−	1	−
松山市	19	5	4	2	1	2	−	1	4
高知市	10	5	1	1	−	1	1	1	−
久留米市	3	−	3	−	−	−	−	1	−
長崎市	18	10	2	3	−	−	−	1	2
佐世保市	9	5	1	2	1	1	−	1	−
大分市	14	3	2	5	1	1	1	−	1
宮崎市	7	1	1	2	1	−	−	2	−
鹿児島市	49	1	7	13	11	5	5	7	−
那覇市	12	6	−	3	1	2	−	−	−

第25表　障害福祉サービス等事業所数（共同生活援助、宿泊型自立訓練事業所を除く）・

国 都 道 府 県			放　課　後　等　デ　イ　サ　ー　ビ　ス　事　業								利 用 者 数 不　　　詳
			9 月 中 に 利用者がいた 事 業 所 数	1 〜 4人	5 〜 9人	10 〜 19人	20 〜 29人	30 〜 39人	40 〜 49人	50人以上	
全		国	8 957	449	850	2 843	2 447	1 243	520	596	9
	国		－	－	－	－	－	－	－	－	－
北	海	道	230	16	23	87	59	27	8	10	－
青		森	54	3	5	24	14	5	2	1	－
岩		手	60	2	11	25	15	1	2	4	－
宮		城	69	3	7	28	18	6	4	3	－
秋		田	16	1	－	10	5	－	－	－	－
山		形	70	2	6	34	12	12	－	4	－
福		島	60	－	6	21	19	7	3	4	－
茨		城	162	9	25	61	32	23	5	7	－
栃		木	81	7	10	26	15	9	8	6	－
群		馬	84	8	9	50	16	1	－	－	－
埼		玉	328	8	33	124	101	38	12	12	－
千		葉	271	11	19	76	89	44	20	11	1
東		京	627	11	24	135	187	129	75	65	1
神	奈	川	162	7	8	31	37	36	13	30	－
新		潟	43	1	6	8	16	6	5	1	－
富		山	40	15	9	9	2	3	－	2	－
石		川	46	2	4	15	17	2	3	3	－
福		井	45	2	6	11	14	5	4	3	－
山		梨	48	3	10	19	9	5	1	－	1
長		野	76	4	8	25	25	9	4	1	－
岐		阜	130	3	13	55	37	15	3	4	－
静		岡	185	9	11	79	54	14	6	12	－
愛		知	266	7	20	75	90	47	19	7	1
三		重	115	4	14	36	35	14	5	7	－
滋		賀	69	2	6	26	17	9	6	3	－
京		都	70	5	4	14	20	12	5	10	－
大		阪	361	22	38	109	103	50	22	17	－
兵		庫	213	6	15	58	61	30	11	32	－
奈		良	90	3	6	24	30	13	7	7	－
和	歌	山	42	1	4	14	17	2	4	－	－
鳥		取	38	1	5	16	11	4	－	1	－
島		根	57	4	11	24	14	2	1	1	－
岡		山	42	4	4	10	10	8	1	4	1
広		島	97	5	8	34	18	12	7	13	－
山		口	67	2	5	12	24	15	3	6	－
徳		島	65	5	6	19	17	8	3	7	－
香		川	27	3	2	9	5	4	4	－	－
愛		媛	57	3	6	14	17	10	3	4	－
高		知	14	1	2	5	5	－	－	1	－
福		岡	211	13	32	75	42	31	6	12	－
佐		賀	68	1	9	24	16	13	2	3	－
長		崎	79	6	13	30	20	4	6	－	－
熊		本	113	6	7	39	26	20	9	6	－
大		分	45	3	3	23	10	3	2	1	－
宮		崎	55	6	8	29	6	3	3	－	－
鹿	児	島	91	6	12	24	31	4	8	6	－
沖		縄	149	18	31	66	24	6	3	1	－

障害児通所支援等事業所数，国−都道府県−指定都市−中核市、障害福祉サービス等の種類・利用実人員階級別

平成29年10月 1 日

指定都市／中核市	放課後等デイサービス事業								利用者数不詳
	9月中に利用者がいた事業所数	1～4人	5～9人	10～19人	20～29人	30～39人	40～49人	50人以上	
指定都市（別掲）									
札幌市	281	32	45	81	62	25	17	19	－
仙台市	76	2	2	28	27	11	1	5	－
さいたま市	78	1	3	22	30	16	3	3	－
千葉市	71	－	2	21	17	19	9	3	－
横浜市	179	8	8	34	56	33	22	18	－
川崎市	77	3	10	24	23	10	2	5	－
相模原市	60	－	4	11	20	12	4	9	－
新潟市	33	－	2	3	14	10	4	－	3
静岡市	50	1	2	10	16	11	7	3	－
浜松市	63	－	1	24	20	10	4	4	－
名古屋市	199	13	14	64	63	26	4	13	2
京都市	98	4	9	30	33	11	2	9	－
大阪市	307	28	31	107	66	37	11	27	－
堺市	84	5	8	32	23	9	4	3	－
神戸市	131	7	23	57	26	12	2	4	－
岡山市	48	2	2	9	16	11	2	6	－
広島市	127	1	7	28	54	19	10	8	－
北九州市	76	4	11	29	18	10	1	3	－
福岡市	117	5	10	26	38	29	4	5	－
熊本市	74	8	6	27	21	7	2	3	－
中核市（別掲）									
旭川市	41	1	4	13	9	10	3	1	－
函館市	25	－	2	18	5	－	－	1	－
青森市	20	－	－	7	8	3	1	1	－
八戸市	17	－	－	9	5	2	－	1	－
盛岡市	19	－	1	8	6	4	－	－	－
秋田市	21	－	2	13	4	1	－	1	－
郡山市	25	1	3	6	6	4	1	4	－
いわき市	11	－	1	1	3	3	2	1	－
宇都宮市	24	1	4	6	7	2	3	1	－
前橋市	25	1	7	11	5	1	－	－	－
高崎市	12	－	－	7	3	1	－	1	－
川越市	18	－	1	7	3	2	2	2	1
越谷市	38	－	3	9	15	7	2	2	－
船橋市	27	3	－	7	9	4	2	2	－
柏市	36	1	1	7	9	10	3	5	－
八王子市	40	－	2	5	13	12	3	5	－
横須賀市	27	－	2	15	6	1	1	2	－
富山市	33	9	5	11	2	3	1	2	－
金沢市	23	1	2	7	2	5	4	2	－
長野市	13	－	－	－	1	7	1	4	－
岐阜市	37	1	3	20	8	4	－	1	－
豊橋市	33	3	3	14	9	2	－	1	1
豊田市	23	－	2	11	3	4	2	1	－
岡崎市	30	－	1	9	11	6	1	2	－
大津市	17	1	2	6	7	1	－	－	－
高槻市	28	1	1	3	6	4	7	6	－
東大阪市	42	3	6	11	13	3	4	2	－
豊中市	35	－	2	16	10	5	1	1	－
枚方市	29	－	1	12	8	2	4	2	－
姫路市	31	1	1	4	9	4	8	4	－
西宮市	41	3	3	8	12	9	1	5	－
尼崎市	39	4	4	15	8	5	2	1	－
奈良市	23	1	1	7	4	3	4	3	－
和歌山市	17	1	1	1	6	－	3	5	－
倉敷市	30	2	2	8	6	3	1	8	－
福山市	49	2	4	9	8	8	5	13	－
呉市	20	1	4	1	6	6	1	1	－
下関市	13	－	－	1	4	6	1	1	－
高松市	16	1	－	2	5	3	2	3	－
松山市	33	3	3	3	9	5	5	5	－
高知市	26	1	8	4	6	5	－	2	－
久留米市	14	1	2	7	2	2	－	－	－
長崎市	42	3	5	14	14	1	2	3	－
佐世保市	18	1	2	4	8	3	－	－	－
大分市	44	3	5	17	13	5	－	1	－
宮崎市	35	2	5	16	8	3	－	1	－
鹿児島市	72	4	10	23	17	10	4	4	－
那覇市	8	－	5	1	1	－	－	1	－

第25表　障害福祉サービス等事業所数（共同生活援助、宿泊型自立訓練事業所を除く）・

国 都道府県	9月中に利用者がいた事業所数	保育所等訪問支援事業							
		1～4人	5～9人	10～19人	20～29人	30～39人	40～49人	50人以上	利用者数不詳
全　　国	519	284	115	82	23	10	3	2	-
国	-	-	-	-	-	-	-	-	-
北海道	19	11	4	4	-	-	-	-	-
青森	5	4	1	-	-	-	-	-	-
岩手	3	1	-	2	-	-	-	-	-
宮城	6	4	2	-	-	-	-	-	-
秋田	2	1	1	-	-	-	-	-	-
山形	2	1	1	-	-	-	-	-	-
福島	4	3	1	-	-	-	-	-	-
茨城	2	1	-	1	-	-	-	-	-
栃木	5	4	-	-	1	-	-	-	-
群馬	4	2	1	1	-	-	-	-	-
埼玉	16	8	5	1	2	-	-	-	-
千葉	16	12	3	1	-	-	-	-	-
東京	17	10	-	4	2	-	-	-	1
神奈川	16	14	1	1	-	-	-	-	-
新潟	3	2	1	-	-	-	-	-	-
富山	1	1	-	-	-	-	-	-	-
石川	1	1	-	-	-	-	-	-	-
福井	10	5	2	2	-	1	-	-	-
山梨	4	-	-	2	1	1	-	-	-
長野	7	6	1	-	-	-	-	-	-
岐阜	9	4	2	1	2	-	-	-	-
静岡	9	3	2	1	2	1	-	-	-
愛知	15	8	2	3	-	1	1	-	-
三重	4	1	1	2	-	-	-	-	-
滋賀	12	7	1	1	2	-	1	-	-
京都	8	3	4	1	-	-	-	-	-
大阪	26	11	9	3	-	3	-	-	-
兵庫	17	8	5	4	-	-	-	-	-
奈良	3	3	-	-	-	-	-	-	-
和歌山	5	3	2	-	-	-	-	-	-
鳥取	4	1	2	1	-	-	-	-	-
島根	9	4	3	2	-	-	-	-	-
岡山	5	3	1	-	1	-	-	-	-
広島	8	7	1	-	-	-	-	-	-
山口	5	1	3	-	1	-	-	-	-
徳島	7	3	-	3	1	-	-	-	-
香川	1	-	1	-	-	-	-	-	-
愛媛	3	2	1	-	-	-	-	-	-
高知	1	1	-	-	-	-	-	-	-
福岡	14	6	5	3	-	-	-	-	-
佐賀	1	-	1	-	-	-	-	-	-
長崎	8	3	2	2	1	-	-	-	-
熊本	11	10	1	-	-	-	-	-	-
大分	6	2	1	3	-	-	-	-	-
宮崎	6	2	2	2	-	-	-	-	-
鹿児島	13	4	3	2	4	-	-	-	-
沖縄	1	-	-	-	-	-	-	-	1

障害児通所支援等事業所数，国−都道府県−指定都市−中核市、障害福祉サービス等の種類・利用実人員階級別

平成29年10月 1 日

指定都市／中核市	保育所等訪問支援事業								
	9月中に利用者がいた事業所数	1～4人	5～9人	10～19人	20～29人	30～39人	40～49人	50人以上	利用者数不詳
指定都市（別掲）									
札幌市	15	14	-	1	-	-	-	-	-
仙台市	1	1	-	-	-	-	-	-	-
さいたま市	6	4	1	1	-	-	-	-	-
千葉市	3	2	1	1	-	-	-	-	-
横浜市	4	3	1	-	-	-	-	-	-
川崎市	1	1	-	-	-	-	-	-	-
相模原市	4	-	1	2	1	-	-	-	-
新潟市	-	-	-	-	-	-	-	-	-
静岡市	1	-	1	-	-	-	-	-	-
浜松市	4	-	1	2	-	1	-	-	-
名古屋市	2	1	-	1	-	-	-	-	-
京都市	1	1	-	-	-	-	-	-	-
大阪市	15	10	2	2	-	-	1	-	-
堺市	3	1	2	-	-	-	-	-	-
神戸市	4	3	1	-	-	-	-	-	-
岡山市	5	1	3	1	-	-	-	-	-
広島市	3	-	1	1	-	1	-	-	-
北九州市	5	1	-	3	1	-	-	-	-
福岡市	1	1	-	-	-	-	-	-	-
熊本市	-	-	-	-	-	-	-	-	-
中核市（別掲）									
旭川市	6	5	1	-	-	-	-	-	-
函館市	2	1	1	-	-	-	-	-	-
青森市	1	1	-	-	-	-	-	-	-
八戸市	1	1	-	-	-	-	-	-	-
盛岡市	-	-	-	-	-	-	-	-	-
秋田市	2	2	-	-	-	-	-	-	-
郡山市	4	1	2	1	-	-	-	-	-
いわき市	-	-	-	-	-	-	-	-	-
宇都宮市	1	-	1	-	-	-	-	-	-
前橋市	1	1	-	-	-	-	-	-	-
高崎市	1	-	1	-	-	-	-	-	-
川越市	1	1	-	-	-	-	-	-	-
越谷市	1	1	-	-	-	-	-	-	-
船橋市	-	-	-	-	-	-	-	-	-
柏市	3	2	-	1	-	-	-	-	-
八王子市	-	-	-	-	-	-	-	-	-
横須賀市	1	1	-	-	-	-	-	-	-
富山市	1	1	-	-	-	-	-	-	-
金沢市	-	-	-	-	-	-	-	-	-
長野市	2	-	1	1	-	-	-	-	-
岐阜市	5	4	-	1	-	-	-	-	-
豊橋市	1	1	-	-	-	-	-	-	-
豊田市	3	3	-	-	-	-	-	-	-
岡崎市	2	1	-	1	-	-	-	-	-
大津市	-	-	-	-	-	-	-	-	-
高槻市	2	-	1	1	-	-	-	-	-
東大阪市	1	1	-	-	-	-	-	-	-
豊中市	1	1	-	-	-	-	-	-	-
枚方市	1	-	-	-	-	1	-	-	-
姫路市	5	2	2	1	-	-	-	-	-
西宮市	2	1	1	-	-	-	-	-	-
尼崎市	4	1	3	-	-	-	-	-	-
奈良市	-	-	-	-	-	-	-	-	-
和歌山市	1	1	-	-	-	-	-	-	-
倉敷市	3	1	-	-	2	-	-	-	-
福山市	8	5	2	1	-	-	-	-	-
呉市	1	1	-	-	-	-	-	-	-
下関市	1	1	-	-	-	-	-	-	-
高松市	1	-	1	-	-	-	-	-	-
松山市	1	-	-	1	-	-	-	-	-
高知市	4	2	1	1	-	-	-	-	-
久留米市	1	-	-	-	-	-	1	-	-
長崎市	1	-	-	-	1	-	-	-	-
佐世保市	1	1	-	-	-	-	-	-	-
大分市	3	1	-	2	-	-	-	-	-
宮崎市	1	1	-	-	-	-	-	-	-
鹿児島市	6	3	1	-	2	-	-	-	-
那覇市	1	1	-	-	-	-	-	-	-

障害児通所支援等事業所数，国−都道府県−指定都市−中核市、障害福祉サービス等の種類・利用実人員階級別

第25表　障害福祉サービス等事業所数（共同生活援助、宿泊型自立訓練事業所を除く）・

国 都道府県	障害児相談支援事業								利用者数 不　詳
	9月中に 利用者がいた 事業所数	1～4人	5～9人	10～19人	20～29人	30～39人	40～49人	50人以上	
全　　　国	3 451	1 307	739	693	326	157	71	158	－
国	1	－	－	1	－	－	－	－	－
北　海　道	128	35	29	30	12	10	2	10	－
青　　森	25	11	6	2	2	1	1	2	－
岩　　手	35	12	11	10	2	－	－	－	－
宮　　城	37	17	12	5	3	－	－	－	－
秋　　田	22	14	2	3	1	2	－	－	－
山　　形	39	13	12	6	6	－	2	－	－
福　　島	36	12	11	7	4	1	－	1	－
茨　　城	95	39	19	17	11	2	4	3	－
栃　　木	49	17	12	11	4	4	－	1	－
群　　馬	32	13	4	10	2	－	1	2	－
埼　　玉	115	49	27	22	9	3	1	4	－
千　　葉	108	44	25	14	9	11	1	4	－
東　　京	243	95	59	42	17	13	5	12	－
神　奈　川	52	18	14	12	5	2	－	1	－
新　　潟	58	27	16	8	5	1	－	1	－
富　　山	15	5	4	3	2	－	1	－	－
石　　川	33	17	9	5	1	－	1	－	－
福　　井	34	10	10	9	2	1	2	－	－
山　　梨	35	17	9	7	－	2	－	－	－
長　　野	36	19	8	7	1	1	－	－	－
岐　　阜	59	5	6	18	10	4	4	12	－
静　　岡	47	16	10	7	9	1	1	3	－
愛　　知	103	34	21	25	12	7	2	2	－
三　　重	67	22	24	9	6	－	1	5	－
滋　　賀	29	8	5	8	2	4	－	2	－
京　　都	44	22	5	6	1	5	2	3	－
大　　阪	2	1	－	－	1	－	－	－	－
兵　　庫	98	28	18	23	17	5	2	5	－
奈　　良	45	25	8	9	2	－	－	1	－
和　歌　山	25	8	3	10	3	1	－	－	－
鳥　　取	23	12	3	4	2	1	1	－	－
島　　根	29	12	6	2	6	1	1	1	－
岡　　山	31	11	1	9	1	2	2	5	－
広　　島	49	18	10	9	5	2	2	3	－
山　　口	35	6	8	8	5	4	2	2	－
徳　　島	31	8	7	8	4	1	－	3	－
香　　川	15	8	4	3	－	－	－	－	－
愛　　媛	37	14	7	8	5	2	1	－	－
高　　知	17	10	2	4	－	－	－	1	－
福　　岡	85	30	13	21	10	6	2	3	－
佐　　賀	23	4	6	6	2	3	－	2	－
長　　崎	32	10	9	9	3	－	－	1	－
熊　　本	50	11	8	13	8	6	－	4	－
大　　分	38	24	6	5	1	1	－	1	－
宮　　崎	27	7	6	8	3	2	1	－	－
鹿　児　島	53	18	9	11	7	5	2	1	－
沖　　縄	42	11	14	7	9	－	1	－	－

平成29年10月 1 日

指定都市／中核市	9月中に利用者がいた事業所数	障害児相談支援事業							利用者数不詳
		1～4人	5～9人	10～19人	20～29人	30～39人	40～49人	50人以上	
指定都市（別掲）									
札幌市	37	14	10	6	3	1	–	3	–
仙台市	19	11	3	2	2	–	–	1	–
さいたま市	25	10	7	1	3	–	2	–	2
千葉市	20	6	3	5	3	–	1	–	2
横浜市	33	15	6	4	–	–	–	1	7
川崎市	13	7	3	1	–	–	–	2	–
相模原市	11	4	2	3	–	2	–	–	–
新潟市	13	2	6	4	1	–	–	–	–
静岡市	14	3	3	6	1	1	–	–	–
浜松市	18	4	2	2	4	1	1	–	4
名古屋市	59	32	12	7	4	2	–	2	–
京都市	24	13	4	3	4	–	–	–	–
大阪市	94	46	18	20	7	1	–	1	1
堺市	27	13	4	7	1	–	–	1	1
神戸市	19	9	7	2	1	–	–	–	–
岡山市	20	12	4	4	–	–	–	–	–
広島市	25	12	7	1	4	–	–	1	–
北九州市	27	14	2	3	2	2	–	1	3
福岡市	33	5	12	9	6	–	1	–	–
熊本市	31	2	5	16	–	–	1	5	2
中核市（別掲）									
旭川市	8	2	4	1	1	–	–	–	–
函館市	8	2	1	2	1	–	–	1	1
青森市	12	6	3	2	–	–	–	1	–
盛岡市	13	7	2	2	2	–	–	–	–
八戸市	6	5	1	–	–	–	–	–	–
秋田市	10	5	–	4	1	–	–	–	–
郡山市	9	3	3	–	–	–	2	–	1
いわき市	3	1	1	–	–	1	–	–	–
宇都宮市	11	7	–	3	–	–	1	–	–
前橋市	10	3	–	1	3	–	1	1	1
高崎市	12	4	2	4	1	1	–	–	–
川越市	6	4	1	–	1	–	–	–	–
越谷市	3	–	1	2	–	–	–	–	–
船橋市	7	4	–	1	–	–	1	1	–
柏市	12	4	–	2	3	1	2	–	–
八王子市	10	5	4	1	–	–	–	–	–
横須賀市	3	2	–	–	–	–	–	–	1
富山市	9	4	–	2	–	–	–	1	2
金沢市	11	8	2	1	–	–	–	–	–
長野市	9	8	–	1	–	–	–	–	–
岐阜市	14	2	3	1	7	–	1	–	–
豊橋市	19	9	3	4	2	1	–	–	–
豊田市	15	6	6	2	–	1	–	–	–
岡崎市	10	2	6	2	–	–	–	–	–
大津市	8	4	2	1	–	1	–	–	–
高槻市	8	–	1	–	3	3	–	1	–
東大阪市	28	13	6	–	5	2	1	–	1
豊中市	15	10	–	2	2	1	–	–	–
枚方市	2	–	–	–	1	1	–	–	–
姫路市	17	4	–	7	1	4	–	1	–
西宮市	11	5	3	1	–	–	–	–	2
尼崎市	8	4	1	1	–	–	–	–	2
奈良市	10	–	4	2	2	–	–	–	2
和歌山市	3	3	–	–	–	–	–	–	–
倉敷市	19	8	–	4	2	2	–	1	2
福山市	14	2	3	4	1	–	2	–	2
呉市	9	–	1	6	–	1	–	–	1
下関市	8	4	2	1	–	–	–	–	1
高松市	11	4	4	1	–	1	–	–	1
松山市	16	7	5	1	1	–	–	1	1
高知市	10	3	5	1	1	–	–	–	–
久留米市	7	4	2	–	1	–	–	–	–
長崎市	17	9	1	4	2	–	1	–	–
佐世保市	13	8	1	–	2	–	1	–	1
大分市	15	4	–	–	8	–	2	–	1
宮崎市	14	6	1	2	3	1	1	–	–
鹿児島市	22	6	2	5	2	1	3	–	3
那覇市	10	4	–	2	1	1	1	–	1

障害児通所支援等事業所数，国－都道府県－指定都市－中核市、障害福祉サービス等の種類・利用実人員階級別

第26表　居宅介護・重度訪問介護・同行援護・行動援護・

都　道　府　県	9 月 中 に利用者がいた事 業 所 数	居	宅	介				
		10回未満	10 ～ 19回	20 ～ 29回	30 ～ 39回	40 ～ 49回	50 ～ 59回	60 ～ 69回
全　　　　　国	15 860	1 056	1 150	1 085	939	840	771	662
北　海　道	383	42	33	29	32	19	14	14
青　　　森	148	18	11	15	16	5	9	6
岩　　　手	94	9	8	8	8	7	4	3
宮　　　城	130	7	17	10	6	6	7	6
秋　　　田	57	5	7	4	9	7	3	1
山　　　形	88	4	3	6	5	6	2	6
福　　　島	107	6	8	4	12	4	4	5
茨　　　城	170	11	12	8	12	5	6	7
栃　　　木	98	4	8	10	7	8	2	4
群　　　馬	103	9	7	7	6	4	7	4
埼　　　玉	428	26	20	23	22	16	18	23
千　　　葉	408	33	34	29	23	20	23	10
東　　　京	1 507	148	130	138	101	103	87	62
神　奈　川	234	18	16	24	13	15	10	10
新　　　潟	122	4	12	5	9	6	7	7
富　　　山	47	7	4	1	5	3	2	6
石　　　川	57	7	3	3	6	-	3	3
福　　　井	81	6	5	4	4	7	3	3
山　　　梨	77	5	3	5	5	4	9	1
長　　　野	183	18	17	12	11	7	8	5
岐　　　阜	120	5	9	6	10	7	7	5
静　　　岡	139	5	17	12	9	7	7	3
愛　　　知	314	14	17	12	12	10	14	17
三　　　重	192	13	13	9	9	12	11	7
滋　　　賀	107	-	6	9	4	7	3	5
京　　　都	140	6	13	13	10	9	7	7
大　　　阪	736	49	63	51	35	28	35	32
兵　　　庫	276	19	20	24	13	14	15	13
奈　　　良	194	17	25	15	18	18	9	11
和　歌　山	130	6	10	5	7	11	6	6
鳥　　　取	59	2	1	3	-	6	2	4
島　　　根	118	9	7	9	6	4	12	8
岡　　　山	83	7	7	3	10	4	5	5
広　　　島	129	8	8	14	9	6	4	5
山　　　口	117	9	10	8	9	7	8	5
徳　　　島	150	10	15	10	11	9	5	5
香　　　川	55	3	3	4	3	5	3	5
愛　　　媛	115	8	9	3	8	9	5	6
高　　　知	51	4	6	4	5	2	4	1
福　　　岡	303	19	26	20	23	20	10	16
佐　　　賀	81	4	6	4	2	3	5	3
長　　　崎	93	5	5	9	4	8	7	5
熊　　　本	120	13	13	8	4	6	5	3
大　　　分	122	12	10	9	11	13	10	2
宮　　　崎	97	7	10	10	4	7	5	7
鹿　児　島	125	10	13	7	8	8	6	2
沖　　　縄	144	5	8	4	4	6	3	6

注：指定都市及び中核市は別掲である。

保育所等訪問支援事業所数，都道府県－指定都市－中核市、訪問回数階級別

護	事	業							都 道 府 県
70 ～ 79回	80 ～ 89回	90 ～ 99回	100～199回	200～299回	300～399回	400～499回	500回以上	訪問回数不詳	
595	576	542	3 505	1 566	828	443	768	534	全　　国
14	12	7	80	41	13	10	9	14	北　海　道
5	7	3	23	12	3	5	9	1	青　　森
2	5	2	18	9	2	3	2	4	岩　　手
3	8	8	30	9	4	2	2	5	宮　　城
1	2	-	11	3	2	1	1	-	秋　　田
5	3	1	26	13	2	1	4	1	山　　形
4	6	4	23	14	5	3	-	5	福　　島
4	4	6	40	24	13	5	7	6	茨　　城
3	5	4	20	11	2	3	5	2	栃　　木
5	5	3	27	4	4	5	4	2	群　　馬
21	21	19	109	43	20	12	17	18	埼　　玉
14	17	16	90	43	19	6	20	11	千　　葉
69	50	57	300	101	55	23	31	52	東　　京
8	14	10	37	23	14	4	12	6	神　奈　川
6	3	5	23	15	9	2	8	1	新　　潟
3	-	3	8	1	2	-	1	1	富　　山
2	1	1	21	3	1	-	-	3	石　　川
5	5	1	18	7	2	5	5	1	福　　井
2	2	3	20	7	3	1	7	-	山　　梨
9	6	6	39	19	11	5	5	5	長　　野
6	10	-	29	16	3	1	3	3	岐　　阜
8	3	3	26	19	7	6	4	3	静　　岡
16	13	11	74	42	20	13	19	10	愛　　知
9	7	6	41	19	15	7	7	7	三　　重
5	6	3	24	14	13	3	4	1	滋　　賀
1	2	3	28	19	7	6	7	2	京　　都
31	30	25	168	77	30	20	33	29	大　　阪
6	12	11	57	27	21	5	12	7	兵　　庫
4	14	9	35	7	5	-	2	5	奈　　良
5	9	4	33	15	3	3	2	3	和　歌　山
1	-	3	19	8	2	4	2	2	鳥　　取
6	3	4	25	9	6	2	5	3	島　　根
7	3	2	14	9	1	1	3	2	岡　　山
7	5	2	28	16	9	3	2	3	広　　島
5	9	5	23	7	3	2	1	6	山　　口
8	6	9	26	10	9	4	6	7	徳　　島
2	2	2	12	2	2	3	2	1	香　　川
3	2	2	28	8	10	4	7	3	愛　　媛
4	3	1	11	4	1	-	-	1	高　　知
11	12	9	65	38	9	8	8	9	福　　岡
5	3	3	20	11	3	2	4	3	佐　　賀
3	5	3	19	7	6	3	2	2	長　　崎
7	3	4	25	14	6	3	3	3	熊　　本
2	-	3	22	17	2	3	3	3	大　　分
3	3	4	18	8	6	1	3	1	宮　　崎
6	4	5	33	9	5	4	2	3	鹿　児　島
4	4	3	31	24	16	8	12	6	沖　　縄

第26表　居宅介護・重度訪問介護・同行援護・行動援護・

指定都市 中核市	9月中に利用者がいた事業所数	居　　宅　　介						
		10回未満	10～19回	20～29回	30～39回	40～49回	50～59回	60～69回
指定都市（別掲）								
札幌市	331	20	24	21	15	15	11	13
仙台市	121	2	4	10	3	4	4	10
さいたま市	134	4	7	10	2	6	6	9
千葉市	90	2	5	8	3	4	3	11
横浜市	448	23	21	29	29	21	17	14
川崎市	117	9	13	7	7	8	4	7
相模原市	87	5	2	4	4	6	5	3
新潟市	74	5	4	6	4	1	3	1
静岡市	44	3	2	2	2	1	3	1
浜松市	48	1	4	2	1	4	4	1
名古屋市	494	16	25	26	28	21	21	20
京都市	226	13	11	12	9	11	13	8
大阪市	1 162	69	96	70	67	63	62	52
堺市	226	11	16	15	14	6	16	4
神戸市	307	22	19	22	15	20	12	16
岡山市	74	3	2	5	4	5	3	3
広島市	206	13	14	16	14	14	6	11
北九州市	153	16	12	6	6	-	7	10
福岡市	217	8	7	8	5	11	3	7
熊本市	60	6	2	4	5	7	-	3
中核市（別掲）								
旭川市	65	4	3	2	1	6	3	3
函館市	27	3	3	3	3	1	2	1
青森市	51	1	4	1	2	2	3	1
八戸市	18	-	1	1	1	2	-	1
盛岡市	33	1	-	2	1	1	3	-
秋田市	40	2	1	2	4	5	3	2
郡山市	20	1	-	3	-	2	3	1
いわき市	40	2	1	1	5	-	3	-
宇都宮市	39	-	1	1	2	-	4	1
前橋市	29	2	3	-	2	-	4	1
高崎市	33	4	1	1	3	-	3	-
川越市	39	-	3	2	3	2	3	2
越谷市	26	3	1	1	-	4	1	-
船橋市	52	4	3	2	2	2	1	1
柏市	48	4	3	2	3	2	4	1
八王子市	64	6	11	6	6	4	5	-
横須賀市	37	2	2	2	2	2	1	1
富山市	31	2	4	3	-	1	3	2
金沢市	39	2	2	3	3	1	4	-
長野市	32	2	-	-	-	1	3	2
岐阜市	41	2	1	2	3	1	3	1
豊橋市	29	2	2	2	1	2	-	1
岡崎市	34	5	3	2	2	2	1	-
豊田市	21	1	2	-	1	3	1	2
大津市	47	2	5	1	3	1	2	2
高槻市	39	2	2	4	1	3	1	3
東大阪市	152	7	13	16	7	9	9	7
豊中市	98	6	4	5	4	2	4	3
枚方市	88	9	5	4	11	5	4	2
姫路市	58	9	5	-	1	3	4	5
西宮市	68	6	6	6	8	4	1	2
尼崎市	186	10	16	15	13	9	8	9
奈良市	66	3	4	7	1	3	2	2
和歌山市	65	5	7	5	9	8	1	-
倉敷市	42	4	1	5	-	1	1	5
福山市	56	-	4	1	1	-	5	1
呉市	37	5	-	4	2	3	3	3
下関市	34	-	2	1	3	3	2	1
高松市	43	3	2	2	2	3	3	2
松山市	71	3	4	4	2	3	5	2
高知市	50	5	2	10	3	1	1	3
久留米市	40	-	-	5	1	1	1	3
長崎市	57	5	4	5	1	3	1	4
佐世保市	21	2	6	2	5	1	5	-
大分市	71	2	6	6	5	-	2	2
宮崎市	33	-	2	3	5	1	3	-
鹿児島市	74	9	3	7	4	1	5	1
那覇市	25	2	3	2	-	1	1	2

保育所等訪問支援事業所数，都道府県－指定都市－中核市、訪問回数階級別

平成29年10月 1日

| 護　　　　　事　　　　　業 | | | | | | | | | 指定都市 |
70～79回	80～89回	90～99回	100～199回	200～299回	300～399回	400～499回	500回以上	訪問回数不詳	中核市
									指定都市（別掲）
18	11	11	88	20	13	10	24	17	札幌市
4	5	5	26	11	7	5	17	4	仙台市
5	5	5	41	20	5	1	5	3	さいたま市
2	1	3	30	8	3	7	8	2	千葉市
19	16	10	93	44	32	21	43	16	横浜市
4	5	6	22	12	6	3	3	1	川崎市
4	-	4	17	10	4	3	12	1	相模原市
2	1	1	9	9	9	2	13	5	新潟市
-	1	1	7	7	5	2	4	1	静岡市
-	-	3	14	7	2	2	1	1	浜松市
15	24	21	97	48	37	21	61	13	名古屋市
11	7	11	38	27	14	5	17	19	京都市
38	33	30	255	116	63	32	68	48	大阪市
9	15	14	47	16	15	11	9	8	堺市
11	6	6	75	39	16	8	6	14	神戸市
3	3	3	18	10	4	2	4	2	岡山市
7	9	5	46	21	7	5	8	10	広島市
6	6	4	37	15	14	4	8	2	北九州市
4	4	9	59	39	19	11	18	5	福岡市
1	2	6	13	3	1	3	1	3	熊本市
									中核市（別掲）
1	5	2	15	7	3	1	5	4	旭川市
1	1	-	4	1	1	-	1	2	函館市
1	-	1	20	4	3	5	4	3	青森市
1	-	-	3	1	1	1	2	-	八戸市
2	2	1	10	6	1	1	3	-	盛岡市
-	-	-	10	6	2	1	2	-	秋田市
-	1	-	3	4	-	-	2	15	郡山市
3	2	-	13	4	1	-	-	15	いわき市
1	4	1	14	4	3	1	3	-	宇都宮市
1	1	-	8	1	2	1	3	-	前橋市
-	-	2	9	3	4	1	1	1	高崎市
1	1	3	9	2	8	2	-	1	川越市
1	-	-	3	6	1	2	2	1	越谷市
4	1	1	14	6	3	2	1	3	船橋市
1	-	1	12	5	5	1	2	2	柏市
1	5	5	10	3	1	-	1	-	八王子市
4	-	2	10	1	3	-	1	-	横須賀市
2	-	1	7	3	-	1	4	-	富山市
2	1	-	9	3	4	1	3	1	金沢市
1	-	1	4	3	5	5	2	3	長野市
3	1	2	9	7	2	1	2	1	岐阜市
1	-	1	7	6	2	1	2	-	豊橋市
-	4	2	5	2	2	-	3	1	豊田市
-	2	-	4	4	1	1	4	2	岡崎市
1	1	2	13	6	1	2	2	2	大津市
-	-	3	5	5	4	1	3	2	高槻市
4	7	8	38	9	7	1	4	6	東大阪市
4	-	2	31	11	5	5	7	4	豊中市
1	4	-	18	8	3	1	7	6	枚方市
2	2	3	14	3	6	3	2	2	姫路市
4	-	2	15	6	4	2	-	2	西宮市
6	5	7	40	15	6	7	8	12	尼崎市
-	2	2	16	3	5	3	5	7	奈良市
2	2	3	16	3	-	2	1	1	和歌山市
1	1	1	11	4	3	-	2	2	倉敷市
2	4	3	19	5	2	2	6	1	福山市
2	1	2	7	5	1	3	-	1	呉市
-	2	1	5	4	3	1	3	2	下関市
1	1	4	17	10	3	2	7	3	高松市
1	-	1	11	6	2	1	1	2	高知市
-	1	-	10	2	7	-	3	6	久留米市
2	1	1	16	5	2	1	4	1	長崎市
1	-	2	2	8	-	1	1	1	佐世保市
1	-	5	22	8	3	1	1	1	大分市
-	-	2	6	2	1	2	6	-	宮崎市
1	2	4	14	7	8	2	2	2	鹿児島市
2	-	7	7	1	6	-	2	-	那覇市

第26表　居宅介護・重度訪問介護・同行援護・行動援護・

都 道 府 県	9 月 中 に利用者がいた事 業 所 数	重　　度　　訪　　問						
		10回未満	10 ～ 19回	20 ～ 29回	30 ～ 39回	40 ～ 49回	50 ～ 59回	60 ～ 69回
全　　　　　国	5 765	1 233	833	581	510	295	239	258
北　海　道	69	19	10	6	5	5	5	3
青　　　森	17	2	-	1	-	3	-	1
岩　　　手	20	6	5	-	-	1	1	-
宮　　　城	31	9	5	6	1	-	2	1
秋　　　田	23	10	4	2	2	1	1	1
山　　　形	30	9	3	5	1	4	-	-
福　　　島	26	5	3	2	2	3	-	4
茨　　　城	27	9	5	3	2	2	-	1
栃　　　木	6	2	-	1	-	2	-	1
群　　　馬	14	3	3	2	2	1	1	1
埼　　　玉	113	30	13	12	7	7	5	8
千　　　葉	105	35	20	7	10	6	2	4
東　　　京	764	134	120	77	81	52	32	32
神　奈　川	49	21	5	5	2	1	4	3
新　　　潟	15	7	4	-	1	-	-	1
富　　　山	1	1	-	-	-	-	-	-
石　　　川	4	1	1	-	1	-	-	-
福　　　井	15	3	3	3	-	1	-	1
山　　　梨	38	8	7	3	6	3	-	-
長　　　野	33	11	6	4	1	2	-	1
岐　　　阜	11	-	2	1	2	-	-	1
静　　　岡	23	7	3	2	2	1	-	1
愛　　　知	75	26	11	5	9	5	1	1
三　　　重	25	7	2	1	7	-	-	-
滋　　　賀	31	14	4	3	2	-	1	3
京　　　都	32	8	3	3	3	2	2	2
大　　　阪	277	58	37	26	27	12	15	7
兵　　　庫	123	20	22	13	20	7	3	5
奈　　　良	63	19	6	10	5	2	4	3
和　歌　山	21	4	3	2	1	3	2	-
鳥　　　取	13	2	2	-	2	-	-	2
島　　　根	16	3	1	3	2	-	1	-
岡　　　山	15	1	2	4	3	3	-	-
広　　　島	37	11	6	6	2	3	3	2
山　　　口	28	6	4	3	5	1	-	1
徳　　　島	34	6	13	3	5	2	-	1
香　　　川	19	4	8	1	2	-	-	1
愛　　　媛	18	4	4	5	2	1	-	-
高　　　知	11	2	5	2	-	-	-	1
福　　　岡	71	11	9	7	5	13	-	6
佐　　　賀	17	3	5	2	-	1	-	-
長　　　崎	30	3	8	1	3	-	-	-
熊　　　本	30	2	5	4	4	-	2	5
大　　　分	24	4	7	2	1	2	2	1
宮　　　崎	15	2	1	1	2	-	1	3
鹿　児　島	24	3	4	2	2	-	2	3
沖　　　縄	66	13	4	6	6	2	2	6

保育所等訪問支援事業所数，都道府県－指定都市－中核市、訪問回数階級別

平成29年10月 1 日

介　護　事　業									都　道　府　県
70 ～ 79回	80 ～ 89回	90 ～ 99回	100～199回	200～299回	300～399回	400～499回	500回以上	訪問回数不詳	
178	163	153	632	210	113	57	138	172	全　　　　国
2	4	1	1	3	-	-	2	3	北　海　道
1	-	2	3	-	2	1	1	-	青　　　森
-	2	-	2	-	-	-	-	3	岩　　　手
1	1	-	4	-	-	-	-	1	宮　　　城
1	-	-	-	-	-	-	-	1	秋　　　田
-	2	-	1	3	-	-	1	1	山　　　形
1	1	-	2	1	1	1	-	-	福　　　島
-	-	-	2	1	1	-	-	1	茨　　　城
-	-	1	-	-	-	-	-	-	栃　　　木
-	-	-	1	-	-	-	-	-	群　　　馬
1	1	7	11	4	1	2	2	2	埼　　　玉
2	4	1	5	1	3	-	2	3	千　　　葉
22	21	23	67	23	17	10	22	31	東　　　京
1	1	1	2	1	-	-	-	2	神　奈　川
-	-	-	2	-	-	-	-	-	新　　　潟
-	-	-	-	-	-	-	-	-	富　　　山
-	-	-	1	-	-	-	-	-	石　　　川
-	-	-	3	1	-	-	-	-	福　　　井
2	-	1	4	3	-	-	1	-	山　　　梨
1	-	-	3	-	-	-	1	3	長　　　野
1	1	-	3	-	-	-	-	-	岐　　　阜
2	1	-	2	2	-	-	-	-	静　　　岡
-	2	1	9	1	-	1	1	2	愛　　　知
1	2	1	2	-	-	-	-	2	三　　　重
-	-	-	4	-	-	-	-	-	滋　　　賀
2	1	-	1	1	1	1	1	1	京　　　都
13	8	13	34	11	2	3	2	9	大　　　阪
4	2	3	11	5	2	2	3	1	兵　　　庫
1	-	1	5	2	-	-	-	5	奈　　　良
-	1	-	3	-	1	-	-	1	和　歌　山
2	-	-	2	-	-	-	-	1	鳥　　　取
-	-	-	3	1	-	-	1	1	島　　　根
-	1	1	-	-	-	-	-	-	岡　　　山
-	-	-	4	-	-	-	-	-	広　　　島
2	-	-	4	1	-	-	-	1	山　　　口
-	-	1	2	-	-	-	-	1	徳　　　島
-	-	1	-	-	-	-	-	2	香　　　川
1	-	-	1	-	-	-	-	-	愛　　　媛
-	1	-	-	-	-	-	-	-	高　　　知
4	-	-	10	3	-	-	-	3	福　　　岡
2	-	-	2	1	-	-	-	1	佐　　　賀
2	2	1	4	2	3	-	-	1	長　　　崎
2	-	-	5	-	-	-	1	-	熊　　　本
-	-	-	1	3	-	-	-	1	大　　　分
1	-	-	3	-	1	-	-	-	宮　　　崎
3	-	-	3	-	1	1	-	-	鹿　児　島
-	2	-	10	6	3	2	3	1	沖　　　縄

第26表　居宅介護・重度訪問介護・同行援護・行動援護・

指定都市 中核市	9月中に利用者がいた事業所数	重　　　度　　　訪　　　問						
		10回未満	10〜19回	20〜29回	30〜39回	40〜49回	50〜59回	60〜69回
指定都市（別掲）								
札幌市	189	32	23	18	17	7	9	7
仙台市	53	10	9	12	2	1	5	1
さいたま市	31	7	6	5	2	1	-	1
千葉市	34	17	3	1	-	-	-	1
横浜市	83	27	13	7	4	4	2	6
川崎市	55	21	10	3	5	4	3	1
相模原市	28	11	1	6	2	1	1	1
新潟市	17	1	3	2	2	1	2	-
静岡市	28	5	5	3	4	1	1	1
浜松市	10	2	1	1	-	-	-	1
名古屋市	329	51	45	32	29	15	16	17
京都市	114	25	14	15	6	2	2	6
大阪市	722	115	91	66	53	33	35	40
堺市	147	26	18	13	13	10	7	11
神戸市	172	30	22	23	21	10	11	7
岡山市	52	9	4	5	3	2	3	2
広島市	90	21	14	10	12	3	4	1
北九州市	19	4	2	-	1	1	-	2
福岡市	63	16	6	7	6	1	3	3
熊本市	41	4	1	3	8	5	1	3
中核市（別掲）								
旭川市	18	5	4	1	2	-	-	1
函館市	10	2	2	1	1	-	-	1
青森市	15	3	3	1	1	-	1	-
八戸市	11	1	4	1	-	-	1	1
盛岡市	9	1	2	2	1	-	-	1
秋田市	12	6	1	1	-	1	1	1
郡山市	11	3	-	1	-	1	1	1
いわき市	14	5	-	1	-	2	1	-
宇都宮市	4	1	2	1	-	-	-	-
前橋市	8	2	1	-	1	-	-	1
高崎市	11	3	3	5	-	-	-	-
川越市	5	4	-	-	1	-	-	-
越谷市	8	3	3	2	-	-	-	-
船橋市	29	5	4	2	3	1	2	2
柏市	16	4	6	1	1	-	1	-
八王子市	57	8	7	8	5	4	2	2
横須賀市	5	1	2	3	-	1	-	-
富山市	17	6	3	3	2	-	-	1
金沢市	12	3	2	1	-	1	-	-
長野市	4	2	1	-	1	-	-	-
岐阜市	13	6	2	-	-	-	1	-
豊橋市	3	-	-	1	1	-	-	1
豊田市	5	1	-	-	-	-	-	1
岡崎市	2	-	-	-	-	-	-	-
大津市	15	6	2	2	2	-	-	-
高槻市	18	3	3	1	1	1	3	1
東大阪市	79	14	11	6	7	4	5	14
豊中市	44	16	8	4	2	2	1	1
枚方市	29	8	5	2	2	-	-	1
姫路市	41	15	5	1	1	3	-	2
西宮市	50	9	4	6	3	2	6	3
尼崎市	72	21	9	5	10	2	4	-
奈良市	35	10	5	-	-	1	2	1
和歌山市	31	10	5	6	2	2	-	1
倉敷市	16	2	3	3	2	1	1	-
福山市	26	10	4	1	5	-	-	1
呉市	11	4	2	2	-	1	1	-
下関市	11	4	4	4	1	-	-	-
高松市	14	-	2	4	1	-	2	-
松山市	28	4	4	2	2	3	1	4
高知市	5	1	-	1	1	-	1	-
久留米市	24	7	1	-	4	2	1	1
長崎市	21	4	4	1	3	-	1	1
佐世保市	6	-	-	1	1	-	-	2
大分市	24	5	5	3	1	-	2	2
宮崎市	5	-	1	1	-	-	1	-
鹿児島市	22	2	4	2	1	-	-	1
那覇市	13	1	1	1	2	1	1	1

保育所等訪問支援事業所数，都道府県－指定都市－中核市、訪問回数階級別

介護事業									指定都市／中核市
70～79回	80～89回	90～99回	100～199回	200～299回	300～399回	400～499回	500回以上	訪問回数不詳	
									指定都市（別掲）
5	8	5	28	8	8	3	9	2	札幌市
5	2	－	5	2	2	－	－	1	仙台市
1	2	－	2	－	－	－	－	4	さいたま市
2	1	－	4	1	－	1	2	3	千葉市
－	3	3	3	2	－	1	5	3	横浜市
2	－	1	2	1	－	－	－	2	川崎市
1	－	2	1	－	－	－	1	－	相模原市
－	－	－	2	2	2	－	－	－	新潟市
2	－	－	4	－	1	－	1	－	静岡市
－	1	－	－	1	1	－	－	－	浜松市
11	15	11	34	21	9	3	16	4	名古屋市
3	2	5	17	1	4	3	3	8	京都市
25	21	25	109	34	19	8	26	22	大阪市
6	6	5	19	9	3	－	1	2	堺市
5	5	2	17	6	3	－	5	5	神戸市
2	1	4	13	－	1	－	2	1	岡山市
4	2	3	8	1	1	1	4	1	広島市
4	2	－	4	－	－	－	1	－	北九州市
3	3	1	6	5	－	2	1	2	福岡市
－	3	－	6	1	－	2	1	1	熊本市
									中核市（別掲）
1	－	1	－	2	1	1	－	－	旭川市
1	－	1	－	－	－	－	－	1	函館市
－	1	1	2	1	1	1	－	－	青森市
－	－	1	1	2	－	－	－	－	八戸市
－	－	－	－	1	－	－	－	1	盛岡市
－	1	－	－	1	－	－	－	－	秋田市
1	－	1	－	－	－	1	－	1	郡山市
－	1	－	2	－	1	－	－	1	いわき市
－	－	－	－	－	－	－	－	－	宇都宮市
－	－	1	1	1	－	－	－	－	前橋市
－	－	－	－	－	－	－	－	－	高崎市
－	－	－	－	－	－	－	－	－	川越市
－	－	－	－	－	－	－	－	－	越谷市
2	－	－	4	2	1	1	－	－	船橋市
－	1	－	1	－	－	1	－	－	柏市
2	4	－	9	2	2	－	2	－	八王子市
－	－	－	1	－	－	－	－	－	横須賀市
－	－	－	1	－	－	－	－	－	富山市
－	1	1	－	1	－	－	－	1	金沢市
－	－	－	－	－	－	－	－	－	長野市
－	－	1	2	－	－	－	－	1	岐阜市
－	－	－	2	1	1	－	－	－	豊橋市
－	－	－	1	－	－	－	－	－	豊田市
－	－	－	2	1	－	－	－	－	岡崎市
－	1	－	2	－	－	－	－	－	大津市
1	1	－	1	1	－	－	－	1	高槻市
1	2	2	13	3	1	－	3	3	東大阪市
－	2	1	4	－	1	－	2	1	豊中市
2	2	2	4	1	－	1	1	2	枚方市
2	2	2	4	1	－	1	1	1	姫路市
－	2	2	6	－	1	1	4	1	西宮市
2	2	2	9	3	1	－	2	2	尼崎市
1	1	1	5	2	－	－	－	2	奈良市
－	－	1	3	－	1	－	1	2	和歌山市
1	－	1	1	1	－	－	－	－	倉敷市
2	1	－	1	－	－	－	－	1	福山市
－	－	－	1	－	－	－	－	－	呉市
1	－	－	－	－	1	－	－	1	下関市
－	－	－	3	1	－	1	－	1	高松市
－	－	1	4	－	1	1	1	－	松山市
－	－	1	－	－	－	－	－	－	高知市
－	－	2	4	2	1	－	－	－	久留米市
1	－	－	5	1	－	－	－	1	長崎市
－	－	－	2	1	1	1	－	1	佐世保市
－	－	1	1	2	－	1	－	－	大分市
－	－	－	－	－	1	1	1	－	宮崎市
2	－	－	3	3	1	1	1	2	鹿児島市
－	－	－	4	－	－	－	－	1	那覇市

第26表　居宅介護・重度訪問介護・同行援護・行動援護・

都 道 府 県	9 月 中 に利用者がいた事 業 所 数	同	行	援				
		10回未満	10 ～ 19回	20 ～ 29回	30 ～ 39回	40 ～ 49回	50 ～ 59回	60 ～ 69回
全　　　　国	5 121	2 018	1 131	627	357	187	138	85
北　海　道	81	33	24	5	2	5	1	3
青　　　森	24	12	6	2	2	2	－	－
岩　　　手	16	6	3	1	2	1	1	－
宮　　　城	25	13	5	6	1	－	－	－
秋　　　田	17	8	7	－	1	－	－	－
山　　　形	26	10	9	3	2	－	－	－
福　　　島	26	12	5	3	3	－	2	－
茨　　　城	53	22	14	6	4	2	2	－
栃　　　木	31	11	7	7	1	－	1	1
群　　　馬	36	15	8	3	3	2	1	2
埼　　　玉	159	62	32	15	14	8	1	2
千　　　葉	140	73	29	14	5	2	1	3
東　　　京	504	206	93	54	42	17	11	2
神　奈　川	62	15	19	6	5	1	3	－
新　　　潟	32	18	5	4	1	－	1	1
富　　　山	17	9	4	2	－	－	－	1
石　　　川	24	13	5	3	2	－	1	－
福　　　井	11	2	3	－	2	1	－	－
山　　　梨	15	8	1	1	1	2	1	－
長　　　野	43	18	9	8	－	1	2	2
岐　　　阜	34	15	7	6	3	－	1	－
静　　　岡	65	23	18	7	7	2	2	1
愛　　　知	94	49	16	8	9	4	2	1
三　　　重	49	20	11	5	4	1	3	－
滋　　　賀	36	18	7	6	－	1	1	2
京　　　都	26	13	5	1	2	－	－	－
大　　　阪	312	121	65	38	19	9	13	4
兵　　　庫	89	34	18	5	9	6	2	1
奈　　　良	58	25	12	6	3	2	2	2
和　歌　山	35	18	5	3	4	1	－	－
鳥　　　取	19	11	4	1	1	－	－	1
島　　　根	31	16	5	5	1	1	－	－
岡　　　山	21	11	5	3	1	－	－	1
広　　　島	38	11	13	7	2	2	1	－
山　　　口	41	19	14	1	2	3	－	－
徳　　　島	54	10	10	10	5	6	2	2
香　　　川	29	12	6	5	3	－	1	－
愛　　　媛	49	18	7	8	5	－	－	2
高　　　知	11	5	4	2	－	－	－	－
福　　　岡	99	37	24	20	6	3	2	－
佐　　　賀	24	12	4	6	1	－	－	－
長　　　崎	37	16	5	5	5	1	1	－
熊　　　本	37	10	12	9	1	1	1	1
大　　　分	46	18	12	5	6	2	2	－
宮　　　崎	26	10	2	1	3	2	－	－
鹿　児　島	28	15	6	2	3	1	－	－
沖　　　縄	44	9	4	14	6	1	1	1

保育所等訪問支援事業所数, 都道府県－指定都市－中核市、訪問回数階級別

| 護　　　　事　　　　業 | | | | | | | | | 都道府県 |
70 ～ 79回	80 ～ 89回	90 ～ 99回	100～199回	200～299回	300～399回	400～499回	500回以上	訪問回数不詳	
76	57	25	136	40	22	13	20	189	全　　　　国
-	1	-	1	-	1	-	-	5	北　海　道
-	-	-	-	-	-	-	-	-	青　　　森
1	-	-	-	-	-	-	-	1	岩　　　手
-	-	-	-	-	-	-	-	-	宮　　　城
-	-	-	-	-	-	-	-	1	秋　　　田
-	1	-	-	-	-	-	-	1	山　　　形
-	-	-	-	1	-	-	-	-	福　　　島
-	1	-	-	-	-	-	-	2	茨　　　城
-	-	-	1	-	1	-	-	1	栃　　　木
-	-	-	1	1	-	-	-	-	群　　　馬
9	3	1	5	2	-	-	-	5	埼　　　玉
3	1	1	2	1	2	-	-	3	千　　　葉
12	6	2	23	4	4	3	6	19	東　　　京
4	-	1	4	-	1	1	-	2	神　奈　川
1	-	-	1	-	-	-	-	-	新　　　潟
-	-	-	-	-	-	-	-	1	富　　　山
-	-	-	-	-	-	-	-	-	石　　　川
-	-	-	-	1	1	-	-	1	福　　　井
-	-	-	1	-	-	-	-	-	山　　　梨
-	-	-	-	-	-	-	-	3	長　　　野
1	-	-	-	-	-	-	-	1	岐　　　阜
2	1	-	1	-	-	-	-	1	静　　　岡
-	-	-	1	-	-	-	-	4	愛　　　知
2	-	1	-	-	-	-	-	2	三　　　重
-	1	-	-	-	-	-	-	-	滋　　　賀
-	-	2	2	-	-	-	1	-	京　　　都
2	7	2	11	3	-	-	-	18	大　　　阪
2	1	-	4	2	-	-	-	5	兵　　　庫
1	-	1	2	-	-	-	-	2	奈　　　良
1	1	-	-	-	-	-	-	2	和　歌　山
-	1	-	-	-	-	-	-	-	鳥　　　取
1	-	-	-	-	-	-	-	2	島　　　根
-	-	-	-	-	-	-	-	-	岡　　　山
-	-	-	2	-	-	-	-	-	広　　　島
-	2	-	-	-	-	-	-	-	山　　　口
-	2	-	2	2	-	-	-	3	徳　　　島
-	-	-	-	1	-	-	-	1	香　　　川
-	1	-	1	-	1	1	-	3	愛　　　媛
-	-	-	1	-	-	-	-	-	高　　　知
2	-	-	1	-	-	-	-	4	福　　　岡
-	-	-	-	-	-	-	-	1	佐　　　賀
1	-	1	1	-	-	-	-	1	長　　　崎
-	-	-	1	-	-	-	-	1	熊　　　本
-	1	-	-	-	-	-	-	-	大　　　分
-	-	1	4	-	-	-	-	3	宮　　　崎
-	1	-	-	-	-	-	-	-	鹿　児　島
2	1	-	3	-	-	-	1	1	沖　　　縄

第26表　居宅介護・重度訪問介護・同行援護・行動援護・

指定都市　中核市	9月中に利用者がいた事業所数	同　　行　　援						
		10回未満	10 ～ 19回	20 ～ 29回	30 ～ 39回	40 ～ 49回	50 ～ 59回	60 ～ 69回
指定都市（別掲）								
札　幌　市	123	45	31	12	13	5	8	1
仙　台　市	38	20	7	4	1	2	－	－
さいたま市	40	28	9	－	1	－	－	－
千　葉　市	41	15	8	8	6	1	－	－
横　浜　市	117	37	34	17	4	3	4	3
川　崎　市	23	9	4	3	1	1	1	2
相　模　原　市	27	10	5	2	1	1	2	1
新　潟　市	28	12	6	－	4	2	2	1
静　岡　市	21	7	6	1	3	3	1	2
浜　松　市	20	10	4	2	1	－	－	1
名　古　屋　市	152	49	32	21	13	7	9	4
京　都　市	69	30	16	6	5	3	－	2
大　阪　市	359	138	87	51	23	9	10	5
堺　　市	99	30	38	14	6	4	1	1
神　戸　市	123	45	24	14	14	6	－	5
岡　山　市	8	3	－	3	－	－	－	－
広　島　市	11	4	4	1	－	－	－	1
北　九　州　市	65	19	17	10	8	－	2	3
福　岡　市	73	36	13	8	2	4	3	－
熊　本　市	21	10	3	2	－	2	－	－
中核市（別掲）								
旭　川　市	13	6	3	－	－	－	1	－
函　館　市	7	2	－	3	－	－	－	－
青　森　市	8	4	1	2	－	－	－	－
八　戸　市	8	2	2	4	－	－	－	－
盛　岡　市	10	4	5	1	－	－	－	－
秋　田　市	4	1	2	－	－	－	1	－
郡　山　市	7	2	2	－	－	－	－	－
い　わ　き　市	16	5	3	1	－	1	－	－
宇　都　宮　市	17	6	5	－	1	－	－	－
前　橋　市	11	4	1	2	1	－	－	－
高　崎　市	9	3	2	－	－	1	1	1
川　越　市	13	2	4	2	1	2	1	1
越　谷　市	9	1	1	1	2	2	1	－
船　橋　市	23	7	8	3	1	－	－	2
柏　　市	14	2	4	1	2	－	2	1
八　王　子　市	23	6	9	2	1	1	－	1
横　須　賀　市	8	5	－	1	－	－	1	－
富　山　市	12	8	1	－	－	1	－	－
金　沢　市	7	2	2	－	1	1	3	－
長　野　市	10	2	1	1	2	3	1	－
岐　阜　市	6	2	－	1	－	－	－	－
豊　橋　市	12	5	2	－	1	1	－	－
豊　田　市	7	4	2	－	－	－	－	－
岡　崎　市	11	6	3	1	－	1	－	－
大　津　市	16	5	3	2	－	1	－	－
高　槻　市	17	6	5	1	1	－	1	－
東　大　阪　市	58	23	9	11	1	5	3	1
豊　中　市	45	17	8	7	4	2	2	－
枚　方　市	35	15	6	1	2	1	1	－
姫　路　市	22	11	5	－	3	－	－	－
西　宮　市	15	5	5	2	－	－	－	－
尼　崎　市	70	29	20	6	2	5	1	2
奈　良　市	36	14	14	3	1	－	1	2
和　歌　山　市	24	6	4	4	3	1	1	1
倉　敷　市	11	3	4	2	－	－	1	1
福　山　市	20	6	2	4	1	1	1	2
呉　　市	12	6	2	1	1	－	－	－
下　関　市	19	14	2	2	－	－	1	－
高　松　市	14	5	2	2	2	－	1	－
松　山　市	32	4	6	12	2	1	1	－
高　知　市	23	5	11	4	－	－	－	－
久　留　米　市	17	8	4	3	1	－	－	1
長　崎　市	28	10	4	5	2	4	1	－
佐　世　保　市	8	3	2	1	1	1	1	－
大　分　市	25	8	5	4	1	1	1	2
宮　崎　市	22	8	2	2	3	1	1	1
鹿　児　島　市	44	15	9	7	2	2	4	1
那　覇　市	11	2	1	2	1	－	－	1

保育所等訪問支援事業所数，都道府県－指定都市－中核市、訪問回数階級別

70 ～ 79回	80 ～ 89回	90 ～ 99回	100～199回	200～299回	300～399回	400～499回	500回以上	訪問回数不詳	指定都市 中核市
									指定都市（別掲）
1	2	-	1	-	-	1	-	3	札幌 市
-	-	-	2	1	-	1	-	-	仙台 市
-	-	-	-	-	1	-	-	1	さいたま 市
2	-	-	-	-	-	-	-	17	千葉 市
-	-	2	5	-	1	-	-	7	横浜 市
-	-	-	1	-	-	-	1	-	川崎 市
1	1	-	-	1	1	-	-	11	相模原 市
-	-	-	-	1	-	-	1	1	新潟 市
-	-	-	2	1	-	-	-	1	静岡 市
-	-	-	2	-	-	-	-	-	浜松 市
2	2	1	3	2	-	-	-	7	名古屋 市
-	1	-	3	-	-	-	1	2	京都 市
5	1	2	8	2	-	1	3	14	大阪 市
-	2	-	-	1	-	-	-	2	堺 市
3	1	-	3	-	-	-	1	7	神戸 市
-	-	-	-	1	-	1	-	-	岡山 市
-	-	-	-	1	-	-	-	3	広島 市
-	1	-	1	-	-	-	-	3	北九州 市
-	1	-	1	1	-	-	2	3	福岡 市
-	-	-	1	-	-	-	-	2	熊本 市
									中核市（別掲）
-	-	-	3	-	-	-	-	-	旭川 市
-	-	1	-	1	-	-	-	-	函館 市
1	-	-	-	-	-	-	-	-	青森 市
-	-	-	-	-	-	-	-	-	八戸 市
-	-	-	-	-	-	-	-	-	盛岡 市
-	-	-	-	-	-	-	-	-	秋田 市
1	-	-	1	-	-	-	-	1	郡山 市
1	4	-	-	-	-	-	-	1	いわき 市
1	-	-	3	1	-	-	-	-	宇都宮 市
2	-	-	-	-	-	-	-	1	前橋 市
-	-	-	1	-	-	-	-	2	高崎 市
-	-	1	-	-	-	-	-	-	川越 市
-	-	1	-	-	1	-	-	1	越谷 市
-	1	1	-	-	-	-	-	-	船橋 市
-	-	-	-	-	-	-	-	-	柏 市
-	-	-	-	-	1	-	-	2	八王子 市
-	-	-	1	-	-	-	-	-	横須賀 市
-	1	1	-	-	-	-	-	-	富山 市
-	1	-	-	-	-	-	-	1	金沢 市
-	-	-	-	-	-	-	-	-	長野 市
1	-	-	1	-	-	-	1	3	岐阜 市
-	-	-	-	1	-	-	-	1	豊橋 市
-	-	-	-	-	-	-	-	1	豊田 市
-	1	-	-	-	1	1	-	1	岡崎 市
-	-	-	-	-	-	-	-	-	大津 市
-	-	-	2	-	-	1	-	-	高槻 市
2	1	-	-	1	1	-	-	3	東大阪 市
-	1	-	1	3	1	-	-	5	豊中 市
-	-	1	1	-	-	-	-	1	枚方 市
-	-	-	-	-	-	-	-	-	姫路 市
1	-	-	1	-	-	-	1	-	西宮 市
-	1	-	2	-	-	-	-	2	尼崎 市
-	-	-	1	1	-	-	-	1	奈良 市
1	-	1	1	-	-	-	-	1	和歌山 市
-	-	-	-	-	-	-	-	-	倉敷 市
-	-	-	1	-	-	1	-	1	福山 市
1	-	-	-	-	-	-	-	1	呉 市
-	-	-	-	1	-	-	-	-	下関 市
-	-	-	1	1	-	-	-	-	高松 市
2	-	-	1	1	-	-	1	1	松山 市
-	1	1	-	-	-	-	-	1	高知 市
-	-	1	-	-	-	-	-	1	久留米 市
-	-	1	-	-	-	-	-	1	長崎 市
-	-	1	-	1	-	-	-	-	佐世保 市
-	-	-	-	-	-	-	-	-	大分 市
-	-	-	2	1	1	-	-	1	宮崎 市
-	-	-	2	-	1	1	-	1	鹿児島 市
-	-	-	2	1	1	-	-	-	那覇 市

第26表　居宅介護・重度訪問介護・同行援護・行動援護・

都道府県	9月中に利用者がいた事業所数	行　　　動　　　援						
		10回未満	10～19回	20～29回	30～39回	40～49回	50～59回	60～69回
全　　　国	1 197	332	208	153	96	75	66	36
北　海　道	34	12	5	5	2	－	1	1
青　　森	9	6	－	2	－	－	－	－
岩　　手	4	3	1	－	－	－	－	－
宮　　城	9	5	1	1	1	1	－	－
秋　　田	4	－	1	1	1	－	1	－
山　　形	2	1	－	－	1	－	－	－
福　　島	2	1	－	－	－	－	1	－
茨　　城	11	3	3	2	1	1	－	1
栃　　木	4	2	1	－	－	1	－	－
群　　馬	5	－	－	1	1	－	1	－
埼　　玉	49	9	8	4	3	2	3	1
千　　葉	19	9	1	2	1	1	－	－
東　　京	82	22	17	9	9	7	3	2
神　奈　川	16	1	4	3	－	－	－	2
新　　潟	7	3	2	－	－	1	－	－
富　　山	5	3	1	－	－	－	1	－
石　　川	2	－	1	1	－	－	－	－
福　　井	5	1	3	1	－	－	－	－
山　　梨	7	3	－	1	－	－	－	1
長　　野	29	3	3	3	－	2	5	1
岐　　阜	16	5	4	－	4	1	－	1
静　　岡	5	1	1	－	－	－	2	－
愛　　知	29	7	7	4	3	2	2	1
三　　重	6	1	3	1	－	－	－	－
滋　　賀	18	4	2	1	－	2	2	－
京　　都	33	11	3	6	3	5	3	－
大　　阪	47	13	9	8	4	3	2	1
兵　　庫	18	8	1	1	1	1	1	－
奈　　良	48	14	7	6	4	6	1	－
和　歌　山	5	3	1	－	1	－	－	－
鳥　　取	9	3	1	－	1	1	1	1
島　　根	8	3	1	1	－	2	1	－
岡　　山	5	1	3	－	1	－	－	－
広　　島	12	7	2	1	－	－	1	－
山　　口	－	－	－	－	－	－	－	－
徳　　島	9	1	3	2	－	－	－	2
香　　川	6	3	2	－	1	1	－	1
愛　　媛	11	2	4	－	2	－	2	－
高　　知	1	－	1	－	－	－	－	－
福　　岡	13	6	1	3	1	－	－	－
佐　　賀	9	－	2	3	－	2	1	－
長　　崎	5	2	－	1	1	－	－	－
熊　　本	2	1	－	－	－	－	－	－
大　　分	18	4	5	2	3	－	－	1
宮　　崎	3	－	1	－	2	－	－	－
鹿　児　島	7	3	1	1	1	1	－	－
沖　　縄	17	3	5	1	－	2	2	2

保育所等訪問支援事業所数， 都道府県－指定都市－中核市、訪問回数階級別

護			事		業				都 道 府 県
70 ～ 79回	80 ～ 89回	90 ～ 99回	100～199回	200～299回	300～399回	400～499回	500回以上	訪問回数不詳	
31	27	20	100	16	6	2	5	24	全　　　国
1	2	1	1	－	－	1	－	2	北　海　道
－	1	－	－	－	－	－	－	－	青　　　森
－	－	－	－	－	－	－	－	－	岩　　　手
－	－	－	－	－	－	－	－	－	宮　　　城
－	－	－	－	－	－	－	－	－	秋　　　田
－	－	－	－	－	－	－	－	－	山　　　形
－	－	－	－	－	－	－	－	－	福　　　島
－	－	－	－	－	－	－	－	－	茨　　　城
－	－	－	－	－	－	－	－	－	栃　　　木
1	－	－	1	－	－	－	－	－	群　　　馬
1	－	1	14	－	2	－	1	－	埼　　　玉
－	3	－	2	－	－	－	－	－	千　　　葉
2	2	1	5	－	1	－	－	2	東　　　京
1	－	1	3	1	－	－	－	－	神　奈　川
－	－	－	1	－	－	－	－	－	新　　　潟
－	－	－	－	－	－	－	－	－	富　　　山
－	－	－	－	－	－	－	－	－	石　　　川
－	－	－	－	－	－	－	－	－	福　　　井
－	－	1	1	－	－	－	－	－	山　　　梨
2	－	－	6	3	－	－	－	1	長　　　野
1	－	－	－	－	－	－	－	－	岐　　　阜
－	－	－	1	－	－	－	－	－	静　　　岡
1	1	－	－	－	－	－	－	1	愛　　　知
－	1	－	－	－	－	－	－	－	三　　　重
1	－	1	3	2	－	－	－	－	滋　　　賀
－	－	－	1	－	－	－	－	1	京　　　都
－	1	－	5	－	－	－	－	1	大　　　阪
2	－	－	2	1	－	－	－	－	兵　　　庫
2	2	－	4	－	－	－	1	1	奈　　　良
－	－	－	－	－	－	－	－	－	和　歌　山
－	－	－	1	－	－	－	－	－	鳥　　　取
－	－	－	－	－	－	－	－	－	島　　　根
－	－	－	－	－	－	－	－	－	岡　　　山
－	－	－	1	－	－	－	－	－	広　　　島
－	－	－	－	－	－	－	－	－	山　　　口
1	－	－	－	－	－	－	－	－	徳　　　島
－	－	－	－	－	－	－	－	－	香　　　川
－	－	－	1	－	－	－	－	－	愛　　　媛
－	－	－	－	－	－	－	－	－	高　　　知
－	－	－	1	－	－	－	－	1	福　　　岡
－	－	－	1	－	－	－	－	－	佐　　　賀
－	－	－	1	－	－	－	－	－	長　　　崎
－	－	－	1	－	－	－	－	－	熊　　　本
1	－	－	2	－	－	－	－	－	大　　　分
－	－	－	－	－	－	－	－	－	宮　　　崎
－	－	1	－	－	－	－	－	－	鹿　児　島
1	－	1	－	－	－	－	－	－	沖　　　縄

第26表　居宅介護・重度訪問介護・同行援護・行動援護・

指定都市／中核市	9月中に利用者がいた事業所数	行　　動　　援						
		10回未満	10～19回	20～29回	30～39回	40～49回	50～59回	60～69回
指定都市（別掲）								
札幌市	65	15	13	9	7	5	2	1
仙台市	8	6	1	5	－	－	2	1
さいたま市	22	4	5	1	－	1	2	1
千葉市	2	1	－	－	－	－	2	－
横浜市	39	7	5	6	4	－	3	2
川崎市	21	5	4	3	2	－	2	1
相模原市	2	－	－	－	1	－	－	－
新潟市	5	1	－	2	－	－	－	－
静岡市	2	1	－	1	－	1	－	－
浜松市	2	1	－	1	－	－	－	－
名古屋市	56	9	6	4	6	6	7	2
京都市	53	9	12	4	3	5	3	4
大阪市	39	9	2	5	3	2	2	3
堺市	9	5	2	2	1	－	－	－
神戸市	4	1	－	－	1	－	－	－
岡山市	5	1	2	－	1	1	－	－
広島市	2	－	－	－	－	1	－	－
北九州市	3	3	－	－	－	－	－	－
福岡市	18	6	3	6	3	－	－	－
熊本市	1	－	1	－	－	－	－	－
中核市（別掲）								
旭川市	1	－	－	－	－	－	－	1
函館市	1	－	－	1	－	－	－	－
青森市	4	2	－	2	－	－	－	－
八戸市	2	1	1	－	－	－	－	－
盛岡市	1	1	－	－	－	－	－	－
秋田市	－	－	－	－	－	－	－	－
郡山市	2	－	－	1	1	－	－	－
いわき市	5	3	－	－	1	－	－	－
宇都宮市	2	－	－	－	1	1	－	－
前橋市	3	2	1	－	－	－	－	－
高崎市	5	2	2	－	－	－	－	－
川越市	4	1	2	－	1	－	－	－
越谷市	3	－	1	－	－	－	－	－
船橋市	4	2	1	1	－	－	1	－
柏市	1	－	1	－	－	－	－	－
八王子市	2	1	－	－	－	－	1	－
横須賀市	1	－	1	－	－	－	－	1
富山市	1	－	－	－	－	－	－	－
金沢市	5	1	1	1	1	1	－	－
長野市	7	－	－	3	1	1	－	－
岐阜市	3	2	1	－	－	－	－	－
豊橋市	2	2	－	－	－	－	－	－
豊田市	－	－	－	－	－	－	－	－
岡崎市	4	－	－	2	1	－	－	－
大津市	2	1	－	－	1	－	－	－
高槻市	3	2	－	－	－	－	－	－
東大阪市	6	1	1	－	2	－	－	－
豊中市	2	－	－	－	2	－	－	－
枚方市	1	－	－	－	1	－	1	－
姫路市	5	－	2	1	2	－	－	－
西宮市	5	3	1	1	－	－	－	－
尼崎市	20	17	1	－	2	2	1	2
奈良市	5	－	2	－	2	－	－	－
和歌山市	4	－	3	－	1	－	－	－
倉敷市	4	－	3	－	1	－	－	－
福山市	13	4	2	1	－	2	1	－
呉市	4	1	2	－	1	－	－	－
下関市	2	2	－	－	－	－	－	－
高松市	2	－	2	1	1	－	－	－
松山市	2	－	1	1	1	－	－	－
高知市	2	1	1	－	－	－	－	－
久留米市	2	－	1	1	1	－	－	－
長崎市	4	－	2	1	－	－	－	－
佐世保市	1	－	－	－	1	－	－	－
大分市	9	2	－	2	3	－	1	－
宮崎市	1	－	1	－	－	－	－	－
鹿児島市	8	2	1	2	－	1	1	1
那覇市	4	1	1	1	－	－	1	－

保育所等訪問支援事業所数, 都道府県－指定都市－中核市、訪問回数階級別

平成29年10月 1日

護　　　事　　　業									指定都市／中核市
70～79回	80～89回	90～99回	100～199回	200～299回	300～399回	400～499回	500回以上	訪問回数不詳	
									指定都市（別掲）
4	-	1	4	2	-	-	-	2	札幌市
-	-	-	-	-	-	-	-	-	仙台市
2	2	-	3	-	-	-	-	1	さいたま市
1	1	1	-	-	-	-	-	-	千葉市
1	1	-	6	-	-	-	1	3	横浜市
-	2	-	1	1	-	-	-	-	川崎市
-	-	-	1	-	-	-	-	1	相模原市
-	-	-	1	-	-	-	-	-	新潟市
-	-	-	-	-	-	-	-	-	静岡市
-	-	-	-	-	-	-	-	-	浜松市
1	1	4	2	4	2	1	1	2	名古屋市
1	2	2	6	-	-	-	-	3	京都市
3	1	1	4	-	1	-	-	-	大阪市
-	-	1	2	-	-	-	-	-	堺市
-	-	2	-	-	-	-	-	-	神戸市
-	1	-	-	-	-	-	-	-	岡山市
-	-	-	-	-	-	-	-	-	広島市
-	-	-	-	-	-	-	-	-	北九州市
-	-	-	-	-	-	-	-	-	福岡市
-	-	-	-	-	-	-	-	-	熊本市
									中核市（別掲）
-	-	-	-	-	-	-	-	-	旭川市
-	-	-	-	-	-	-	-	-	函館市
-	-	-	-	-	-	-	-	-	青森市
-	-	-	-	-	-	-	-	-	八戸市
-	-	-	-	-	-	-	-	-	盛岡市
-	-	-	-	-	-	-	-	-	秋田市
-	-	-	-	-	-	-	-	-	郡山市
-	-	-	-	1	-	-	-	1	いわき市
-	-	-	-	-	-	-	-	-	宇都宮市
-	-	-	-	-	-	-	-	-	前橋市
-	-	-	-	1	-	-	-	-	高崎市
-	-	-	-	1	-	-	-	-	川越市
-	-	-	-	-	-	-	1	-	越谷市
-	-	-	-	-	-	-	-	-	船橋市
-	-	-	-	-	-	-	-	-	柏市
-	-	-	-	-	-	-	-	-	八王子市
-	-	-	-	-	-	-	-	-	横須賀市
-	-	-	-	-	-	-	-	-	富山市
-	1	-	1	-	-	-	-	-	金沢市
-	-	-	-	-	-	-	-	-	長野市
-	-	-	-	-	-	-	-	-	岐阜市
-	-	-	-	-	-	-	-	-	豊橋市
-	-	-	-	-	-	-	-	-	豊田市
-	-	-	-	-	-	-	-	-	岡崎市
-	-	-	-	-	-	-	-	-	大津市
-	-	-	-	-	-	-	-	1	高槻市
-	1	-	1	-	-	-	-	-	東大阪市
-	-	-	-	-	-	-	-	-	豊中市
-	-	-	-	-	-	-	-	-	枚方市
-	-	-	-	-	-	-	-	-	姫路市
-	-	-	-	-	-	-	-	-	西宮市
-	1	-	2	1	-	-	-	-	尼崎市
1	-	-	-	1	-	-	-	-	奈良市
-	-	-	-	-	-	-	-	-	和歌山市
-	-	-	-	-	-	-	-	-	倉敷市
-	-	-	3	-	-	-	-	-	福山市
-	-	-	2	-	-	-	-	-	呉市
-	-	-	-	-	-	-	-	-	下関市
-	-	-	-	-	-	-	-	-	高松市
-	-	-	-	-	-	-	-	-	松山市
-	-	-	-	-	-	-	-	-	高知市
-	-	1	-	-	-	-	-	-	久留米市
-	-	-	-	-	-	-	-	-	長崎市
-	-	-	-	-	-	-	-	-	佐世保市
-	1	-	-	-	-	-	-	-	大分市
-	-	-	-	-	-	-	-	-	宮崎市
-	-	1	-	-	-	-	-	-	鹿児島市
-	-	-	-	-	-	-	-	-	那覇市

第26表　居宅介護・重度訪問介護・同行援護・行動援護・

都 道 府 県	9 月 中 に 利用者がいた 事 業 所 数	保　育　所　等　訪						
		10回未満	10 〜 19回	20 〜 29回	30 〜 39回	40 〜 49回	50 〜 59回	60 〜 69回
全　　　　　国	519	357	91	29	15	11	5	2
北　海　道	19	11	6	2	−	−	−	−
青　　森	5	3	1	−	−	−	−	−
岩　　手	3	1	2	−	−	−	−	−
宮　　城	6	5	1	−	−	−	−	−
秋　　田	2	2	−	−	−	−	−	−
山　　形	2	1	1	−	−	−	−	−
福　　島	4	4	−	−	−	−	−	−
茨　　城	2	1	1	−	−	−	−	−
栃　　木	5	4	−	−	−	−	−	−
群　　馬	4	2	2	−	−	−	−	−
埼　　玉	16	13	−	3	−	−	−	−
千　　葉	16	12	3	−	−	1	−	−
東　　京	17	10	2	3	1	−	1	−
神　奈　川	16	15	1	−	−	−	−	−
新　　潟	3	3	−	−	−	−	−	−
富　　山	1	1	−	−	−	−	−	−
石　　川	1	1	−	−	−	−	−	−
福　　井	10	7	1	1	1	−	−	−
山　　梨	4	−	2	1	1	−	−	−
長　　野	7	7	−	−	−	−	−	−
岐　　阜	9	5	2	1	1	−	−	−
静　　岡	9	4	2	−	−	2	1	−
愛　　知	15	8	3	−	2	1	−	−
三　　重	4	2	1	−	−	−	−	1
滋　　賀	12	7	2	1	−	2	−	−
京　　都	8	7	1	−	−	−	−	−
大　　阪	26	16	6	−	1	1	1	−
兵　　庫	17	11	6	−	−	−	−	−
奈　　良	3	3	−	−	−	−	−	−
和　歌　山	5	4	1	−	−	−	−	−
鳥　　取	4	2	2	−	−	−	−	−
島　　根	9	6	1	2	−	−	−	−
岡　　山	5	4	−	1	−	−	−	−
広　　島	8	8	−	−	−	−	−	−
山　　口	5	4	−	−	−	1	−	−
徳　　島	7	3	3	1	−	−	−	−
香　　川	1	1	−	−	−	−	−	−
愛　　媛	3	3	−	−	−	−	−	−
高　　知	1	−	−	−	−	−	−	−
福　　岡	14	9	4	1	−	−	−	−
佐　　賀	1	1	−	−	−	−	−	−
長　　崎	8	4	2	1	−	−	−	−
熊　　本	11	11	−	−	−	−	−	−
大　　分	6	2	4	−	−	−	−	−
宮　　崎	6	3	2	−	1	−	−	−
鹿　児　島	13	6	2	2	2	−	1	−
沖　　縄	1	−	−	−	−	−	−	−

70 ～ 79回	80 ～ 89回	90 ～ 99回	100～199回	200～299回	300～399回	400～499回	500回以上	訪問回数不詳	都 道 府 県
－	－	1	1	－	－	－	－	7	全　　　　国
－	－	－	－	－	－	－	－	－	北　海　道
－	－	－	－	－	－	－	－	1	青　　　森
－	－	－	－	－	－	－	－	－	岩　　　手
－	－	－	－	－	－	－	－	－	宮　　　城
－	－	－	－	－	－	－	－	－	秋　　　田
－	－	－	－	－	－	－	－	－	山　　　形
－	－	－	－	－	－	－	－	－	福　　　島
－	－	－	－	－	－	－	－	－	茨　　　城
－	－	－	－	－	－	－	－	1	栃　　　木
－	－	－	－	－	－	－	－	－	群　　　馬
－	－	－	－	－	－	－	－	－	埼　　　玉
－	－	－	－	－	－	－	－	－	千　　　葉
－	－	－	－	－	－	－	－	－	東　　　京
－	－	－	－	－	－	－	－	－	神　奈　川
－	－	－	－	－	－	－	－	－	新　　　潟
－	－	－	－	－	－	－	－	－	富　　　山
－	－	－	－	－	－	－	－	－	石　　　川
－	－	－	－	－	－	－	－	－	福　　　井
－	－	－	－	－	－	－	－	－	山　　　梨
－	－	－	－	－	－	－	－	－	長　　　野
－	－	－	－	－	－	－	－	－	岐　　　阜
－	－	－	－	－	－	－	－	－	静　　　岡
－	－	－	－	－	－	－	－	1	愛　　　知
－	－	－	－	－	－	－	－	－	三　　　重
－	－	－	－	－	－	－	－	－	滋　　　賀
－	－	－	－	－	－	－	－	－	京　　　都
－	－	－	－	－	－	－	－	1	大　　　阪
－	－	－	－	－	－	－	－	－	兵　　　庫
－	－	－	－	－	－	－	－	－	奈　　　良
－	－	－	－	－	－	－	－	－	和　歌　山
－	－	－	－	－	－	－	－	－	鳥　　　取
－	－	－	－	－	－	－	－	－	島　　　根
－	－	－	－	－	－	－	－	－	岡　　　山
－	－	－	－	－	－	－	－	－	広　　　島
－	－	－	－	－	－	－	－	－	山　　　口
－	－	－	－	－	－	－	－	－	徳　　　島
－	－	－	－	－	－	－	－	－	香　　　川
－	－	－	－	－	－	－	－	－	愛　　　媛
－	－	－	－	－	－	－	－	1	高　　　知
－	－	－	－	－	－	－	－	－	福　　　岡
－	－	－	－	－	－	－	－	－	佐　　　賀
－	－	－	－	－	－	－	－	1	長　　　崎
－	－	－	－	－	－	－	－	－	熊　　　本
－	－	－	－	－	－	－	－	－	大　　　分
－	－	－	－	－	－	－	－	－	宮　　　崎
－	－	－	－	－	－	－	－	－	鹿　児　島
－	－	－	1	－	－	－	－	－	沖　　　縄

第26表　居宅介護・重度訪問介護・同行援護・行動援護・

指定都市 中核市	9月中に利用者がいた事業所数	保育所等訪〔問…〕						
		10回未満	10〜19回	20〜29回	30〜39回	40〜49回	50〜59回	60〜69回
指定都市（別掲）								
札幌市	15	14	1	－	－	－	－	－
仙台市	1	1	－	－	－	－	－	－
さいたま市	6	5	1	－	－	－	－	－
千葉市	3	3	－	－	－	－	－	－
横浜市	4	4	－	－	－	－	－	－
川崎市	1	1	－	－	－	－	－	－
相模原市	4	1	－	2	－	－	1	－
新潟市	－	－	－	－	－	－	－	－
静岡市	1	－	1	－	－	－	－	－
浜松市	4	1	－	2	－	1	－	－
名古屋市	2	1	－	－	1	－	－	－
京都市	1	1	－	－	－	－	－	－
大阪市	15	12	－	2	－	－	－	1
堺市	3	2	－	1	－	－	－	－
神戸市	4	4	－	－	－	－	－	－
岡山市	5	4	－	－	－	－	1	－
広島市	3	1	－	－	1	1	－	－
北九州市	5	1	－	2	2	－	－	－
福岡市	1	1	－	－	－	－	－	－
熊本市	－	－	－	－	－	－	－	－
中核市（別掲）								
旭川市	6	4	2	－	－	－	－	－
函館市	2	2	－	－	－	－	－	－
青森市	1	1	－	－	－	－	－	－
八戸市	1	1	－	－	－	－	－	－
盛岡市	－	－	－	－	－	－	－	－
秋田市	2	2	－	－	－	－	－	－
郡山市	4	3	1	－	－	－	－	－
いわき市	1	－	1	－	－	－	－	－
宇都宮市	1	1	－	－	－	－	－	－
前橋市	1	1	－	－	－	－	－	－
高崎市	1	－	1	－	－	－	－	－
川越市	1	1	－	－	－	－	－	－
越谷市	－	－	－	－	－	－	－	－
船橋市	－	－	－	－	－	－	－	－
柏市	3	2	－	－	1	－	－	－
八王子市	－	－	－	－	－	－	－	－
横須賀市	1	1	－	－	－	－	－	－
富山市	－	－	－	－	－	－	－	－
金沢市	1	－	1	－	－	－	－	－
長野市	2	1	－	－	1	－	－	－
岐阜市	5	4	－	－	1	－	－	－
豊橋市	1	1	－	－	－	－	－	－
豊田市	3	1	2	－	－	－	－	－
岡崎市	2	1	1	－	－	－	－	－
大津市	－	－	－	－	－	－	－	－
高槻市	2	1	1	－	－	－	－	－
東大阪市	1	1	－	－	－	－	－	－
豊中市	1	1	－	－	－	－	－	－
枚方市	1	－	－	－	－	－	1	－
姫路市	5	3	－	－	－	1	1	－
西宮市	2	1	－	－	1	－	－	－
尼崎市	4	4	－	－	－	－	－	－
奈良市	－	－	－	－	－	－	－	－
和歌山市	1	1	－	－	－	－	－	－
倉敷市	3	1	－	－	1	1	－	－
福山市	8	7	1	－	－	－	－	－
呉市	1	1	－	－	－	－	－	－
下関市	1	1	－	－	－	－	－	－
高松市	1	－	－	1	－	－	－	－
松山市	－	－	－	1	－	－	－	－
高知市	4	3	1	－	－	－	－	－
久留米市	1	－	－	－	－	1	－	－
長崎市	1	－	1	－	－	－	－	－
佐世保市	1	－	1	－	－	－	－	－
大分市	3	3	－	－	－	－	－	－
宮崎市	1	1	－	－	－	－	－	－
鹿児島市	6	4	1	－	1	－	－	－
那覇市	1	1	－	－	－	－	－	－

保育所等訪問支援事業所数, 都道府県－指定都市－中核市、訪問回数階級別

問 支 援 事 業									指 定 都 市 中 核 市
70～79回	80～89回	90～99回	100～199回	200～299回	300～399回	400～499回	500回以上	訪問回数不詳	
									指定都市(別掲)
－	－	－	－	－	－	－	－	－	札 幌 市
－	－	－	－	－	－	－	－	－	仙 台 市
－	－	－	－	－	－	－	－	－	さ い た ま 市
－	－	－	－	－	－	－	－	－	千 葉 市
－	－	－	－	－	－	－	－	－	横 浜 市
－	－	－	－	－	－	－	－	－	川 崎 市
－	－	－	－	－	－	－	－	－	相 模 原 市
－	－	－	－	－	－	－	－	－	新 潟 市
－	－	－	－	－	－	－	－	－	静 岡 市
－	－	－	－	－	－	－	－	－	浜 松 市
－	－	－	－	－	－	－	－	－	名 古 屋 市
－	－	－	－	－	－	－	－	－	京 都 市
－	－	－	－	－	－	－	－	－	大 阪 市
－	－	－	－	－	－	－	－	－	堺 市
－	－	－	－	－	－	－	－	－	神 戸 市
－	－	－	－	－	－	－	－	－	岡 山 市
－	－	－	－	－	－	－	－	－	広 島 市
－	－	－	－	－	－	－	－	－	北 九 州 市
－	－	－	－	－	－	－	－	－	福 岡 市
－	－	－	－	－	－	－	－	－	熊 本 市
									中 核 市 (別掲)
－	－	－	－	－	－	－	－	－	旭 川 市
－	－	－	－	－	－	－	－	－	函 館 市
－	－	－	－	－	－	－	－	－	青 森 市
－	－	－	－	－	－	－	－	－	八 戸 市
－	－	－	－	－	－	－	－	－	盛 岡 市
－	－	－	－	－	－	－	－	－	秋 田 市
－	－	－	－	－	－	－	－	－	郡 山 市
－	－	－	－	－	－	－	－	－	い わ き 市
－	－	－	－	－	－	－	－	－	宇 都 宮 市
－	－	－	－	－	－	－	－	－	前 橋 市
－	－	－	－	－	－	－	－	－	高 崎 市
－	－	－	－	－	－	－	－	－	川 越 市
－	－	－	－	－	－	－	－	－	越 谷 市
－	－	－	－	－	－	－	－	－	船 橋 市
－	－	－	－	－	－	－	－	－	柏 市
－	－	－	－	－	－	－	－	－	八 王 子 市
－	－	－	－	－	－	－	－	－	横 須 賀 市
－	－	－	－	－	－	－	－	－	富 山 市
－	－	－	－	－	－	－	－	－	金 沢 市
－	－	－	－	－	－	－	－	－	長 野 市
－	－	－	－	－	－	－	－	－	岐 阜 市
－	－	－	－	－	－	－	－	－	豊 橋 市
－	－	－	－	－	－	－	－	－	豊 田 市
－	－	－	－	－	－	－	－	－	岡 崎 市
－	－	－	－	－	－	－	－	－	大 津 市
－	－	－	－	－	－	－	－	－	高 槻 市
－	－	－	－	－	－	－	－	－	東 大 阪 市
－	－	1	－	－	－	－	－	－	豊 中 市
－	－	－	－	－	－	－	－	－	枚 方 市
－	－	－	－	－	－	－	－	1	姫 路 市
－	－	－	－	－	－	－	－	－	西 宮 市
－	－	－	－	－	－	－	－	－	尼 崎 市
－	－	－	－	－	－	－	－	－	奈 良 市
－	－	－	－	－	－	－	－	－	和 歌 山 市
－	－	－	－	－	－	－	－	－	倉 敷 市
－	－	－	－	－	－	－	－	－	福 山 市
－	－	－	－	－	－	－	－	－	呉 市
－	－	－	－	－	－	－	－	－	下 関 市
－	－	－	－	－	－	－	－	－	高 松 市
－	－	－	－	－	－	－	－	－	松 山 市
－	－	－	－	－	－	－	－	－	高 知 市
－	－	－	－	－	－	－	－	－	久 留 米 市
－	－	－	－	－	－	－	－	－	長 崎 市
－	－	－	－	－	－	－	－	－	佐 世 保 市
－	－	－	－	－	－	－	－	－	大 分 市
－	－	－	－	－	－	－	－	－	宮 崎 市
－	－	－	－	－	－	－	－	－	鹿 児 島 市
－	－	－	－	－	－	－	－	－	那 覇 市

第27表　療養介護・生活介護・自立訓練（機能訓練）・自立訓練（生活・児童発達支援・放課後等デイサービス事業所数，

国都道府県	療養介護事業									
	9月中に利用者がいた事業所数	1～20人	21～39人	40～59人	60～79人	80～99人	100～199人	200～299人	300人以上	利用延人員不詳
全　　　　　国	176	2	2	4	6	6	10	3	135	8
国	－	－	－	－	－	－	－	－	－	－
北　海　道	6	－	－	－	－	2	1	－	3	－
青　　　森	－	－	－	－	－	－	－	－	－	－
岩　　　手	4	－	－	－	－	－	－	－	3	1
宮　　　城	1	－	－	－	－	－	1	－	－	－
秋　　　田	－	－	－	－	－	－	－	－	－	－
山　　　形	1	－	－	－	－	－	－	－	1	－
福　　　島	1	－	－	－	－	－	－	－	1	－
茨　　　城	1	－	－	－	－	－	－	－	1	－
栃　　　木	3	－	－	－	－	－	－	－	3	－
群　　　馬	－	－	－	－	－	－	－	－	－	－
埼　　　玉	5	－	－	－	－	－	－	－	5	－
千　　　葉	1	－	－	1	－	－	－	－	－	－
東　　　京	9	－	－	－	－	－	1	2	6	－
神　奈　川	4	－	－	－	－	－	－	－	4	－
新　　　潟	4	－	－	－	－	－	－	－	4	－
富　　　山	－	－	－	－	－	－	－	－	－	－
石　　　川	2	－	1	－	－	－	－	－	1	－
福　　　井	1	－	－	－	－	－	－	－	1	－
山　　　梨	2	－	－	1	－	－	－	－	1	－
長　　　野	2	－	－	1	－	－	－	－	1	－
岐　　　阜	－	－	－	－	－	－	－	－	－	－
静　　　岡	1	－	－	－	－	－	－	－	1	－
愛　　　知	2	－	－	－	－	－	－	1	1	－
三　　　重	4	－	－	－	－	－	－	－	4	－
滋　　　賀	1	－	－	－	－	－	－	－	1	－
京　　　都	2	－	－	－	－	－	－	－	2	－
大　　　阪	1	－	－	－	－	－	－	－	1	－
兵　　　庫	7	－	－	－	－	－	－	－	7	－
奈　　　良	1	－	－	－	－	－	－	－	1	－
和　歌　山	2	－	－	－	－	－	－	－	2	－
鳥　　　取	－	－	－	－	－	－	－	－	－	－
島　　　根	3	－	－	－	－	1	－	－	2	－
岡　　　山	2	－	－	－	－	－	－	－	2	－
広　　　島	4	－	－	－	－	－	－	－	3	1
山　　　口	2	－	－	－	－	－	－	－	2	－
徳　　　島	3	－	－	－	－	－	－	1	2	－
香　　　川	1	－	－	－	－	－	－	－	1	－
愛　　　媛	2	－	－	－	－	－	－	－	2	－
高　　　知	2	－	－	－	－	－	－	－	1	1
福　　　岡	6	－	－	－	2	－	－	－	3	1
佐　　　賀	4	－	－	－	1	－	－	－	3	－
長　　　崎	2	－	－	－	－	－	－	－	2	－
熊　　　本	5	1	－	－	－	－	－	－	4	－
大　　　分	3	－	－	－	1	－	－	－	2	－
宮　　　崎	1	－	－	－	－	－	－	1	－	－
鹿　児　島	2	－	－	－	－	－	－	－	2	－
沖　　　縄	3	－	－	1	1	－	－	－	1	－

注：指定都市及び中核市は別掲である。

訓練）・就労移行支援・就労継続支援（Ａ型）・就労継続支援（Ｂ型）
国－都道府県－指定都市－中核市、利用延人数階級別

平成29年10月 1 日

指定都市 中核市	9月中に利用者がいた事業所数	療養介護事業								利用延人数不詳
		1〜20人	21〜39人	40〜59人	60〜79人	80〜99人	100〜199人	200〜299人	300人以上	
指定都市（別掲）										
札幌市	2	-	-	-	-	-	1	-	1	-
仙台市	1	-	-	-	-	-	-	-	1	-
さいたま市	-	-	-	-	-	-	-	-	-	-
千葉市	3	-	-	-	-	1	-	-	2	-
横浜市	-	-	-	-	-	-	-	-	-	-
川崎市	1	-	-	-	-	-	-	-	1	-
相模原市	1	-	-	-	-	-	-	-	-	1
新潟市	2	-	-	-	-	-	-	-	2	-
静岡市	2	-	-	-	-	-	-	-	2	-
浜松市	2	-	-	-	1	-	-	-	1	-
名古屋市	3	-	-	-	-	-	-	-	2	1
京都市	1	-	-	-	-	-	-	-	1	-
大阪市	2	-	-	-	1	-	-	1	-	-
堺市	1	-	-	-	-	-	-	-	1	-
神戸市	-	-	-	-	-	-	-	-	-	-
岡山市	1	-	-	-	-	-	-	-	-	1
広島市	-	-	-	-	-	-	-	-	-	-
北九州市	4	1	1	-	-	-	-	-	2	-
福岡市	2	-	-	-	-	-	-	-	2	-
熊本市	1	-	-	-	-	-	-	-	1	-
中核市（別掲）										
旭川市	2	-	-	-	-	-	-	-	2	-
函館市	-	-	-	-	-	-	-	-	-	-
青森市	1	-	-	-	-	-	-	-	1	-
八戸市	2	-	-	-	-	1	-	-	1	-
盛岡市	-	-	-	-	-	-	-	-	-	-
秋田市	-	-	-	-	-	-	-	-	-	-
郡山市	1	-	-	-	-	-	-	-	1	-
いわき市	1	-	-	-	-	-	-	-	1	-
宇都宮市	-	-	-	-	-	-	-	-	-	-
前橋市	-	-	-	-	-	-	-	-	-	-
高崎市	-	-	-	-	-	-	-	-	-	-
川越市	-	-	-	-	-	-	-	-	-	-
越谷市	-	-	-	-	-	-	-	-	-	-
船橋市	-	-	-	-	-	-	-	-	-	-
柏市	1	-	-	-	-	-	-	-	1	-
八王子市	-	-	-	-	-	-	-	-	-	-
横須賀市	1	-	-	-	-	-	-	-	1	-
富山市	2	-	-	-	-	-	-	1	1	-
金沢市	2	-	-	-	-	-	-	-	2	-
長野市	1	-	-	-	-	-	-	-	1	-
岐阜市	1	-	-	-	-	-	1	-	-	-
豊橋市	1	-	-	-	-	-	-	-	1	-
豊田市	-	-	-	-	-	-	-	-	-	-
岡崎市	1	-	-	-	-	-	-	-	1	-
大津市	-	-	-	-	-	-	-	-	-	-
高槻市	-	-	-	-	-	-	-	-	-	-
東大阪市	1	-	-	-	-	-	-	-	1	-
豊中市	1	-	-	-	-	-	-	-	-	1
枚方市	1	-	-	-	-	-	-	-	1	-
姫路市	1	-	-	-	-	-	-	-	1	-
西宮市	1	-	-	-	-	-	-	-	1	-
尼崎市	-	-	-	-	-	-	-	-	-	-
奈良市	3	-	-	-	-	-	-	-	3	-
和歌山市	-	-	-	-	-	-	-	-	-	-
倉敷市	-	-	-	-	-	-	-	-	-	-
福山市	1	-	-	-	-	-	-	-	1	-
呉市	1	-	-	-	-	-	-	-	-	1
下関市	2	-	-	-	-	-	-	-	2	-
高松市	-	-	-	-	-	-	-	-	-	-
松山市	-	-	-	-	-	-	-	-	-	-
高知市	1	-	-	-	-	-	-	1	-	-
久留米市	1	-	-	-	-	-	-	-	1	-
長崎市	1	-	-	-	-	-	-	-	1	-
佐世保市	-	-	-	-	-	-	-	-	-	-
大分市	-	-	-	-	-	-	-	-	-	-
宮崎市	1	-	-	-	-	-	-	-	1	-
鹿児島市	1	-	-	-	-	-	-	-	1	-
那覇市	1	-	-	-	-	1	-	-	-	-

第27表　療養介護・生活介護・自立訓練（機能訓練）・自立訓練（生活・児童発達支援・放課後等デイサービス事業所数,

国 都　道　府　県	生　活　介　護　事　業								
	9 月 中 に 利用者がいた 事 業 所 数	1 ～ 20人	21 ～ 39人	40 ～ 59人	60 ～ 79人	80 ～ 99人	100～199人	200～299人	300人以上	利用人数 延不詳
全　　　　　　国	6 014	579	332	189	156	147	984	896	2 680	51
国	－	－	－	－	－	－	－	－	－	－
北　海　道	166	23	8	7	4	2	25	13	83	1
青　　　森	64	16	6	2	2	1	9	8	20	－
岩　　　手	64	10	5	3	－	1	11	13	21	－
宮　　　城	78	14	7	3	1	4	8	9	31	1
秋　　　田	55	10	6	2	1	－	3	9	24	－
山　　　形	55	3	5	3	－	2	17	10	15	－
福　　　島	69	8	5	2	2	2	13	9	26	2
茨　　　城	94	7	3	6	3	3	16	19	37	－
栃　　　木	66	－	1	1	1	3	10	8	42	－
群　　　馬	45	4	2	－	－	－	12	4	23	－
埼　　　玉	179	11	11	3	2	－	27	35	89	1
千　　　葉	180	25	10	8	3	3	26	22	82	1
東　　　京	323	11	15	5	5	4	36	29	215	3
神　奈　川	119	4	6	4	－	5	15	20	65	－
新　　　潟	59	3	3	－	3	3	16	12	19	－
富　　　山	80	35	12	4	－	2	8	6	12	1
石　　　川	31	1	1	－	3	－	13	1	12	－
福　　　井	36	1	1	1	2	3	9	7	11	1
山　　　梨	38	－	1	－	－	1	13	8	14	1
長　　　野	99	10	3	2	3	7	25	20	29	－
岐　　　阜	92	22	7	4	3	2	12	17	24	－
静　　　岡	85	9	5	3	－	1	12	9	46	－
愛　　　知	169	9	4	1	4	3	27	15	105	1
三　　　重	103	2	5	4	2	2	19	20	49	－
滋　　　賀	57	2	－	－	1	－	9	9	36	－
京　　　都	70	3	3	2	4	1	12	9	36	－
大　　　阪	236	20	10	5	5	6	38	37	113	2
兵　　　庫	126	16	7	4	2	3	27	24	42	1
奈　　　良	97	11	7	2	5	3	22	21	24	2
和　歌　山	45	10	3	3	－	1	5	6	17	－
鳥　　　取	24	1	2	1	3	－	4	4	9	－
島　　　根	44	7	5	2	－	1	7	7	15	－
岡　　　山	32	2	1	1	1	1	6	5	15	－
広　　　島	73	4	7	5	1	3	6	12	34	1
山　　　口	42	3	2	－	2	1	5	10	18	1
徳　　　島	22	3	1	2	－	1	2	3	10	－
香　　　川	24	2	1	4	1	2	7	3	4	－
愛　　　媛	38	3	6	3	－	2	11	5	8	－
高　　　知	30	6	5	－	1	1	5	5	7	－
福　　　岡	113	8	5	2	4	2	21	24	47	－
佐　　　賀	34	2	1	－	2	2	6	3	18	－
長　　　崎	56	2	1	2	1	2	14	11	23	－
熊　　　本	39	5	3	1	1	2	11	3	13	－
大　　　分	41	7	3	2	2	4	9	9	4	1
宮　　　崎	51	11	1	1	3	－	7	10	17	1
鹿　児　島	45	2	3	1	3	4	8	11	11	2
沖　　　縄	60	8	2	5	1	1	22	6	15	－

注：障害者支援施設の昼間実施サービス（生活介護、自立訓練(機能・生活)、就労移行支援及び就労継続支援）を除く。

訓練）・就労移行支援・就労継続支援（A型）・就労継続支援（B型）
国－都道府県－指定都市－中核市、利用延人数階級別

指定都市・中核市	9月中に利用者がいた事業所数	生活介護事業								利用延人数不詳
		1～20人	21～39人	40～59人	60～79人	80～99人	100～199人	200～299人	300人以上	
指定都市（別掲）										
札幌市	88	5	4	1	1	3	16	9	49	－
仙台市	40	－	1	2	1	1	4	3	28	－
さいたま市	39	2	－	1	2	2	4	10	18	－
千葉市	27	1	－	1	－	2	1	4	18	－
横浜市	146	6	4	2	1	－	10	20	103	－
川崎市	51	4	2	3	－	1	4	3	33	1
相模原市	44	1	－	1	－	1	10	8	23	－
新潟市	44	9	4	4	－	－	6	7	14	－
静岡市	29	－	1	－	2	1	5	9	11	－
浜松市	35	4	－	1	2	－	5	2	22	－
名古屋市	142	25	17	7	9	8	10	15	46	5
京都市	67	2	1	2	1	－	14	11	35	1
大阪市	174	21	6	2	3	－	30	26	85	1
堺市	54	3	6	1	1	1	15	8	23	1
神戸市	62	6	5	1	2	1	10	10	27	－
岡山市	22	－	2	1	－	－	2	7	10	－
広島市	38	2	5	3	4	－	7	4	13	－
北九州市	61	5	3	2	1	1	6	11	30	2
福岡市	37	1	1	1	2	－	5	4	21	2
熊本市	25	－	1	－	1	1	3	7	12	－
中核市（別掲）										
旭川市	22	2	－	－	2	－	5	8	5	－
函館市	10	1	－	1	1	－	－	1	6	－
青森市	23	4	2	－	2	1	6	1	7	－
八戸市	22	4	2	－	1	1	4	2	7	1
盛岡市	15	1	－	1	1	1	2	4	5	－
秋田市	19	3	3	1	－	－	3	3	6	－
郡山市	17	2	3	－	－	－	2	2	7	1
いわき市	20	1	2	2	－	－	5	2	9	1
宇都宮市	20	1	2	－	2	－	1	2	10	1
前橋市	11	－	－	－	－	－	1	2	8	－
高崎市	14	－	－	－	2	－	4	2	6	－
川越市	8	－	1	－	－	－	－	－	7	－
越谷市	10	－	－	－	－	－	2	2	6	－
船橋市	23	2	－	2	2	－	2	2	12	1
柏市	27	2	2	－	1	2	9	4	7	－
八王子市	39	－	2	－	1	－	10	12	14	－
横須賀市	19	1	－	－	－	－	1	4	13	－
富山市	38	6	3	5	2	3	6	3	9	1
金沢市	15	2	1	－	－	1	1	3	7	－
長野市	22	－	1	－	－	1	7	3	10	－
岐阜市	17	1	－	－	－	－	3	2	11	－
豊橋市	20	－	－	－	1	－	6	1	11	1
豊田市	19	2	1	－	－	－	4	2	10	－
岡崎市	14	－	1	－	1	－	4	1	6	1
大津市	15	1	1	－	－	1	4	3	5	－
高槻市	18	－	－	1	－	－	1	3	13	－
東大阪市	39	3	4	－	－	2	7	3	19	1
豊中市	25	4	4	－	－	－	1	4	11	－
枚方市	34	4	2	1	4	－	4	6	13	－
姫路市	35	3	－	－	1	2	10	6	12	1
西宮市	17	1	1	－	－	－	2	4	9	－
尼崎市	55	21	8	7	2	2	2	4	8	1
奈良市	35	5	1	2	－	2	10	5	9	1
和歌山市	10	－	1	－	－	－	3	3	4	－
倉敷市	28	6	1	3	－	－	2	6	10	－
福山市	28	1	1	1	1	1	1	7	15	－
呉市	14	－	2	－	1	1	2	4	4	－
下関市	8	－	－	－	－	－	－	2	6	－
高松市	25	1	1	－	2	1	6	4	10	－
松山市	28	4	2	－	－	－	4	6	12	－
高知市	21	5	1	1	2	－	2	2	8	－
久留米市	18	2	1	3	1	－	2	1	8	－
長崎市	29	5	5	1	3	1	5	2	7	－
佐世保市	18	1	－	1	1	－	2	4	8	1
大分市	17	－	2	2	－	－	－	3	10	－
宮崎市	21	3	－	1	－	－	4	3	10	－
鹿児島市	28	－	1	－	－	3	5	4	15	－
那覇市	11	－	1	1	－	－	4	1	4	－

第27表　療養介護・生活介護・自立訓練（機能訓練）・自立訓練（生活・児童発達支援・放課後等デイサービス事業所数,

国都道府県	自 立 訓 練 （ 機 能 訓 練 ） 事 業									利用延人数不詳
	9月中に利用者がいた事業所数	1 〜 20人	21 〜 39人	40 〜 59人	60 〜 79人	80 〜 99人	100〜199人	200〜299人	300人以上	
全 国	109	38	18	7	7	6	24	2	1	6
国	-	-	-	-	-	-	-	-	-	-
北 海 道	4	2	1	-	-	-	1	-	-	-
青 森	4	3	-	-	-	1	-	-	-	-
岩 手	-	-	-	-	-	-	-	-	-	-
宮 城	1	-	-	-	-	-	-	-	-	1
秋 田	2	1	1	-	-	-	-	-	-	-
山 形	-	-	-	-	-	-	-	-	-	-
福 島	-	-	-	-	-	-	-	-	-	-
茨 城	2	1	1	-	-	-	-	-	-	-
栃 木	-	-	-	-	-	-	-	-	-	-
群 馬	-	-	-	-	-	-	-	-	-	-
埼 玉	1	-	-	-	-	-	1	-	-	-
千 葉	2	-	-	-	-	-	2	-	-	-
東 京	19	1	3	2	3	-	7	-	1	2
神 奈 川	2	-	-	1	-	1	-	-	-	-
新 潟	1	1	-	-	-	-	-	-	-	-
富 山	4	4	-	-	-	-	-	-	-	-
石 川	-	-	-	-	-	-	-	-	-	-
福 井	-	-	-	-	-	-	-	-	-	-
山 梨	-	-	-	-	-	-	-	-	-	-
長 野	-	-	-	-	-	-	-	-	-	-
岐 阜	-	-	-	-	-	-	-	-	-	-
静 岡	-	-	-	-	-	-	-	-	-	-
愛 知	-	-	-	-	-	-	-	-	-	-
三 重	-	-	-	-	-	-	-	-	-	-
滋 賀	-	-	-	-	-	-	-	-	-	-
京 都	2	-	1	-	-	-	1	-	-	-
大 阪	-	-	-	-	-	-	-	-	-	-
兵 庫	2	1	1	-	-	-	-	-	-	-
奈 良	-	-	-	-	-	-	-	-	-	-
和 歌 山	-	-	-	-	-	-	-	-	-	-
鳥 取	1	1	-	-	-	-	-	-	-	-
島 根	1	-	1	-	-	-	-	-	-	-
岡 山	-	-	-	-	-	-	-	-	-	-
広 島	1	1	-	-	-	-	-	-	-	-
山 口	1	-	-	-	-	-	1	-	-	-
徳 島	-	-	-	-	-	-	-	-	-	-
香 川	-	-	-	-	-	-	-	-	-	-
愛 媛	-	-	-	-	-	-	-	-	-	-
高 知	-	-	-	-	-	-	-	-	-	-
福 岡	1	-	1	-	-	-	-	-	-	-
佐 賀	2	-	-	1	-	-	1	-	-	-
長 崎	1	1	-	-	-	-	-	-	-	-
熊 本	1	-	-	1	-	-	-	-	-	-
大 分	1	-	-	-	-	-	-	-	-	1
宮 崎	1	1	-	-	-	-	-	-	-	-
鹿 児 島	1	1	-	-	-	-	-	-	-	-
沖 縄	4	1	-	-	1	1	1	-	-	-

注：障害者支援施設の昼間実施サービス（生活介護、自立訓練(機能・生活)、就労移行支援及び就労継続支援）を除く。

国－都道府県－指定都市－中核市、利用延人数階級別

平成29年10月 1 日

指定都市／中核市	9月中に利用者がいた事業所数	自立訓練（機能訓練）事業								利用延人数不詳
		1～20人	21～39人	40～59人	60～79人	80～99人	100～199人	200～299人	300人以上	
指定都市（別掲）										
札　幌　市	-	-	-	-	-	-	-	-	-	-
仙　台　市	4	-	-	1	1	1	1	-	-	-
さいたま市	3	-	-	-	1	1	1	-	-	-
千　葉　市	-	-	-	-	-	-	-	-	-	-
横　浜　市	-	-	-	-	-	-	-	-	-	-
川　崎　市	1	-	1	-	-	-	-	-	-	-
相模原市	-	-	-	-	-	-	-	-	-	-
新　潟　市	2	2	-	-	-	-	-	-	-	-
静　岡　市	1	-	-	-	-	1	-	-	-	-
浜　松　市	1	-	-	1	-	-	-	-	-	-
名古屋市	6	3	-	-	-	-	1	1	-	1
京　都　市	-	-	-	-	-	-	-	-	-	-
大　阪　市	-	-	-	-	-	-	-	-	-	-
堺　　市	1	-	-	-	-	-	1	-	-	-
神　戸　市	-	-	-	-	-	-	-	-	-	-
岡　山　市	-	-	-	-	-	-	-	-	-	-
広　島　市	-	-	-	-	-	-	-	-	-	-
北九州市	-	-	-	-	-	-	-	-	-	-
福　岡　市	1	-	-	-	-	-	-	1	-	-
熊　本　市	1	-	1	-	-	-	-	-	-	-
中核市（別掲）										
旭　川　市	-	-	-	-	-	-	-	-	-	-
函　館　市	-	-	-	-	-	-	-	-	-	-
青　森　市	-	-	-	-	-	-	-	-	-	-
八　戸　市	-	-	-	-	-	-	-	-	-	-
盛　岡　市	-	-	-	-	-	-	-	-	-	-
秋　田　市	1	-	1	-	-	-	-	-	-	-
郡　山　市	-	-	-	-	-	-	-	-	-	-
いわき市	-	-	-	-	-	-	-	-	-	-
宇都宮市	-	-	-	-	-	-	-	-	-	-
前　橋　市	-	-	-	-	-	-	-	-	-	-
高　崎　市	-	-	-	-	-	-	-	-	-	-
川　越　市	-	-	-	-	-	-	-	-	-	-
越　谷　市	-	-	-	-	-	-	-	-	-	-
船　橋　市	1	-	-	-	-	-	1	-	-	-
柏　　市	-	-	-	-	-	-	-	-	-	-
八王子市	-	-	-	-	-	-	-	1	-	-
横須賀市	16	5	1	-	-	-	-	-	-	-
富　山　市	-	-	-	-	-	-	-	-	-	-
金　沢　市	-	-	-	-	-	-	-	-	-	-
長　野　市	-	-	-	-	-	-	-	-	-	-
岐　阜　市	-	-	-	-	-	-	-	-	-	-
豊　橋　市	-	-	-	-	-	-	-	-	-	-
豊　田　市	-	-	-	-	-	-	-	-	-	-
岡　崎　市	-	-	-	-	-	-	-	-	-	-
大　津　市	-	-	-	-	-	-	-	-	-	-
高　槻　市	1	-	-	1	-	-	-	-	-	-
東大阪市	-	-	-	-	-	-	-	-	-	-
豊　中　市	-	-	-	-	-	-	-	-	-	-
枚　方　市	-	-	-	-	-	-	-	-	-	-
姫　路　市	-	-	-	-	-	-	-	-	-	-
西　宮　市	11	6	3	-	-	-	1	-	-	1
尼　崎　市	1	1	-	-	-	-	-	-	-	-
奈　良　市	-	-	-	-	-	-	-	-	-	-
和歌山市	-	-	-	-	-	-	-	-	-	-
倉　敷　市	-	-	-	-	-	-	-	-	-	-
福　山　市	-	-	-	-	-	-	-	-	-	-
呉　　市	-	-	-	-	-	-	-	-	-	-
下　関　市	-	-	-	-	-	-	-	-	-	-
高　松　市	-	-	-	-	-	-	-	-	-	-
松　山　市	-	-	-	-	-	-	-	-	-	-
高　知　市	1	1	-	-	-	-	-	-	-	-
久留米市	2	-	1	-	-	-	1	-	-	-
長　崎　市	-	-	-	-	-	-	-	-	-	-
佐世保市	1	-	-	-	-	-	1	-	-	-
大　分　市	-	-	-	-	-	-	-	-	-	-
宮　崎　市	-	-	-	-	-	-	-	-	-	-
鹿児島市	-	-	-	-	-	-	-	-	-	-
那　覇　市	-	-	-	-	-	-	-	-	-	-

国－都道府県－指定都市－中核市、利用延人数階級別

第27表　療養介護・生活介護・自立訓練（機能訓練）・自立訓練（生活・児童発達支援・放課後等デイサービス事業所数，

国都道府県	自立訓練（生活訓練）事業									
	9月中に利用者がいた事業所数	1～20人	21～39人	40～59人	60～79人	80～99人	100～199人	200～299人	300人以上	利用延人数不詳
全　　国	900	90	68	78	69	82	252	125	110	26
国	-	-	-	-	-	-	-	-	-	-
北海道	20	2	-	2	5	1	6	3	1	-
青森	14	2	-	2	-	2	1	5	2	-
岩手	7	-	-	-	1	-	1	3	2	-
宮城	11	1	-	-	-	1	7	1	-	1
秋田	10	-	2	1	1	1	3	1	1	-
山形	15	2	2	2	1	1	6	1	-	-
福島	8	-	2	-	2	-	4	-	-	-
茨城	26	2	3	1	1	2	9	3	4	1
栃木	18	-	3	3	2	-	7	1	1	1
群馬	3	1	-	-	-	-	1	-	-	1
埼玉	19	3	1	-	-	-	4	5	6	-
千葉	30	1	1	5	3	7	8	2	3	-
東京	61	3	3	5	4	4	18	10	11	3
神奈川	4	-	-	1	1	-	1	1	-	-
新潟	24	-	-	2	2	3	7	5	3	2
富山	12	5	2	1	1	2	1	-	-	-
石川	2	1	-	-	-	-	1	-	-	-
福井	8	-	1	-	1	1	2	3	-	-
山梨	10	1	1	-	1	3	1	-	3	-
長野	19	3	3	2	5	-	4	2	-	-
岐阜	7	-	-	-	1	-	4	2	-	-
静岡	10	2	1	1	-	3	2	1	-	-
愛知	6	2	2	1	-	-	1	-	-	-
三重	8	1	-	2	-	-	2	1	2	-
滋賀	10	-	-	3	1	2	3	1	-	-
京都	8	-	-	2	2	1	2	1	-	-
大阪	28	-	6	2	3	3	7	2	5	-
兵庫	9	-	-	1	-	1	3	2	2	-
奈良	8	1	3	-	-	-	1	-	1	1
和歌山	9	-	-	1	-	2	3	-	2	1
鳥取	3	2	-	-	-	-	1	-	-	-
島根	8	1	-	2	-	1	2	2	-	-
岡山	4	1	1	-	-	1	-	1	-	-
広島	4	1	-	-	1	-	1	1	-	-
山口	8	1	-	1	-	-	-	3	3	-
徳島	8	1	-	-	-	-	6	1	-	-
香川	1	-	-	-	-	1	-	-	-	-
愛媛	4	1	-	-	-	-	2	1	-	-
高知	3	2	-	-	-	1	-	-	-	-
福岡	32	6	3	4	-	3	9	3	3	1
佐賀	6	-	-	-	3	1	-	1	1	-
長崎	10	-	-	-	1	2	6	1	-	-
熊本	18	2	1	1	-	1	7	4	1	1
大分	8	-	1	-	-	-	3	3	-	1
宮崎	7	1	1	1	-	-	3	1	-	-
鹿児島	12	-	2	1	2	1	1	1	3	1
沖縄	24	3	3	3	-	1	6	3	3	2

注：障害者支援施設の昼間実施サービス（生活介護、自立訓練(機能・生活)、就労移行支援及び就労継続支援）を除く。

訓練）・就労移行支援・就労継続支援（A型）・就労継続支援（B型）

国－都道府県－指定都市－中核市、利用延人数階級別

平成29年10月 1 日

指定都市 / 中核市	自立訓練（生活訓練）事業									利用延人数不詳
	9月中に利用者がいた事業所数	1～20人	21～39人	40～59人	60～79人	80～99人	100～199人	200～299人	300人以上	
指定都市（別掲）										
札幌市	16	3	2	2	1	-	5	1	2	-
仙台市	12	1	-	1	-	1	4	3	2	-
さいたま市	3	1	1	-	-	-	-	1	-	-
千葉市	3	-	1	-	1	-	-	-	2	3
横浜市	10	-	1	-	-	-	3	3	-	3
川崎市	4	-	-	1	-	1	-	2	-	2
相模原市	4	-	1	-	-	-	-	1	-	2
新潟市	7	-	-	1	1	1	1	-	-	3
静岡市	2	-	-	-	-	-	2	6	-	-
浜松市	9	-	2	-	-	-	6	1	-	-
名古屋市	16	3	1	-	1	1	2	5	2	1
京都市	14	1	1	1	2	3	3	1	2	-
大阪市	23	2	1	2	2	1	8	2	5	-
堺市	3	1	-	-	-	-	-	-	2	-
神戸市	3	-	-	-	-	-	1	-	2	-
岡山市	3	-	-	1	-	-	2	-	-	-
広島市	6	-	-	-	-	-	2	-	4	-
北九州市	8	-	-	1	3	-	1	1	-	2
福岡市	15	1	1	2	1	2	5	2	1	-
熊本市	3	-	1	-	-	-	-	1	1	-
中核市（別掲）										
旭川市	2	-	-	1	-	1	-	-	-	-
函館市	4	-	-	1	1	-	1	1	-	-
青森市	2	1	-	-	-	-	-	1	-	-
八戸市	1	-	-	-	-	-	-	1	-	-
盛岡市	3	1	1	-	-	1	-	-	-	-
秋田市	7	3	-	-	-	-	3	1	-	-
郡山市	4	-	-	-	-	1	2	-	-	1
いわき市	1	-	-	-	-	-	1	-	-	-
宇都宮市	3	-	1	-	-	-	1	1	-	-
前橋市	-	-	-	-	-	-	-	-	-	-
高崎市	3	-	-	-	-	1	-	1	1	-
川越市	1	-	-	-	-	-	1	-	-	-
越谷市	-	-	-	-	-	-	-	-	-	-
船橋市	3	-	-	-	-	1	1	-	1	-
柏市	2	-	-	-	-	1	1	-	-	-
八王子市	5	-	-	-	-	-	2	3	-	-
横須賀市	2	1	-	-	1	-	-	-	-	-
富山市	10	6	-	-	1	1	1	-	-	-
金沢市	4	-	-	-	1	1	1	-	1	-
長野市	5	-	-	1	-	-	2	1	-	-
岐阜市	3	-	-	-	-	-	-	1	2	-
豊橋市	1	-	-	-	-	-	1	-	-	-
豊田市	-	-	-	-	-	-	-	-	-	-
岡崎市	2	-	1	-	-	-	1	-	-	-
大津市	4	-	-	-	1	1	1	-	1	-
高槻市	2	-	-	-	-	-	1	-	1	-
東大阪市	8	-	-	-	-	3	2	-	2	1
豊中市	1	-	-	-	-	-	-	1	-	-
枚方市	1	-	-	-	1	-	-	-	-	-
姫路市	2	-	-	-	-	-	2	-	-	-
西宮市	7	1	-	1	1	-	3	1	-	-
尼崎市	8	4	-	1	-	-	-	2	1	1
奈良市	6	1	1	-	-	-	1	2	1	-
和歌山市	4	-	-	-	2	-	2	-	-	-
倉敷市	2	-	-	1	-	-	1	-	-	-
福山市	-	-	-	-	-	-	-	-	-	-
呉市	1	-	-	-	-	1	-	-	-	-
下関市	2	-	-	-	-	-	1	-	1	-
高松市	-	-	-	-	-	-	-	-	-	-
松山市	-	-	-	-	-	-	-	-	-	-
高知市	2	-	-	-	-	-	-	1	1	-
久留米市	7	3	-	1	-	1	1	-	-	1
長崎市	2	-	2	1	-	1	1	-	-	1
佐世保市	4	-	2	1	-	1	1	-	-	1
大分市	4	1	-	1	-	1	1	-	-	-
宮崎市	1	-	-	-	1	-	-	-	-	-
鹿児島市	12	-	2	1	3	-	4	1	-	1
那覇市	4	-	-	-	-	2	2	-	-	-

27表（9－5）
第27表　療養介護・生活介護・自立訓練（機能訓練）・自立訓練（生活・児童発達支援・放課後等デイサービス事業所数，

国 都　道　府　県	9月中に 利用者がいた 事業所数	就　労　移　行　支　援　事　業								利用 延人 不	用 数詳
		1～20人	21～39人	40～59人	60～79人	80～99人	100～199人	200～299人	300人以上		
全　　　国	2 703	408	237	217	214	204	729	274	371	49	
国	－	－	－	－	－	－	－	－	－	－	
北　海　道	65	3	13	8	3	5	22	5	6	－	
青　　森	24	5	－	2	6	1	9	－	1	－	
岩　　手	9	2	－	－	1	1	4	1	－	－	
宮　　城	35	13	5	－	3	3	8	1	2	－	
秋　　田	9	－	1	1	1	1	2	3	－	－	
山　　形	26	4	4	4	3	2	7	1	1	－	
福　　島	9	4	－	－	－	1	2	2	－	－	
茨　　城	100	16	4	13	9	9	34	9	5	1	
栃　　木	34	2	4	2	3	4	11	4	2	2	
群　　馬	23	2	2	4	1	1	3	9	2	－	
埼　　玉	80	11	5	4	7	6	22	10	15	－	
千　　葉	70	10	4	2	3	8	17	11	14	1	
東　　京	248	53	17	13	14	14	51	31	52	3	
神　奈　川	47	2	2	4	4	6	15	3	9	2	
新　　潟	63	8	2	5	4	9	27	6	2	－	
富　　山	12	3	－	－	1	2	5	－	－	1	
石　　川	7	1	3	－	－	－	1	1	－	1	
福　　井	30	2	4	2	3	2	13	2	－	2	
山　　梨	30	2	6	4	1	4	11	2	－	－	
長　　野	40	4	1	2	6	4	14	5	4	－	
岐　　阜	29	5	4	2	2	－	10	3	2	1	
静　　岡	44	8	1	2	5	3	14	3	7	1	
愛　　知	65	17	2	7	3	5	17	7	5	2	
三　　重	26	2	－	4	2	2	11	3	1	1	
滋　　賀	20	－	4	3	1	1	8	2	1	－	
京　　都	14	4	2	1	1	2	3	1	－	－	
大　　阪	70	14	6	8	6	4	12	10	10	－	
兵　　庫	35	8	3	3	2	3	9	4	3	－	
奈　　良	17	2	－	2	1	4	6	－	2	－	
和　歌　山	8	1	1	2	－	1	3				
鳥　　取	8	2	1	－	2	1	2	－	－	－	
島　　根	11	1	－	2	3	－	4	1	－	－	
岡　　山	5	－	1	－	1	1	2	－	－	－	
広　　島	28	6	4	3	6	2	5	－	－	1	
山　　口	26	4	4	1	6	－	9	1	1	－	
徳　　島	16	2	1	1	1	1	8	2	－	－	
香　　川	4	－	－	－	1	1	1	1	－	－	
愛　　媛	17	3	1	4	2	4	2	－	1	－	
高　　知	7	－	－	2	3	1	1	－	－	－	
福　　岡	75	19	8	11	3	2	14	9	6	3	
佐　　賀	15	2	－	－	4	2	6	－	1	－	
長　　崎	20	1	4	3	3	2	5	1	1	－	
熊　　本	30	9	5	4	2	2	6	1	1	1	
大　　分	16	3	3	3	－	1	2	3	1	－	
宮　　崎	19	2	2	1	5	1	8	－	－	－	
鹿　児　島	36	1	1	7	3	4	14	2	3	1	
沖　　縄	41	4	4	6	6	5	9	2	2	3	

注：障害者支援施設の昼間実施サービス（生活介護、自立訓練（機能・生活）、就労移行支援及び就労継続支援）を除く。

訓練）・就労移行支援・就労継続支援（Ａ型）・就労継続支援（Ｂ型）

国－都道府県－指定都市－中核市、利用延人数階級別

平成29年10月 1日

指定都市 中核市	9月中に利用者がいた事業所数	就労移行支援事業								利用延人数不詳
		1 ～ 20人	21 ～ 39人	40 ～ 59人	60 ～ 79人	80 ～ 99人	100～199人	200～299人	300人以上	
指定都市（別掲）										
札幌市	57	3	4	2	4	3	18	9	12	2
仙台市	24	4	4	2	4	1	4	－	5	－
さいたま市	27	5	5	3	3	－	1	3	7	－
千葉市	24	2	2	2	5	－	7	2	7	－
横浜市	53	2	8	－	5	3	12	10	13	－
川崎市	22	1	2	2	1	1	2	3	8	2
相模原市	12	2	1	1	－	1	1	1	5	－
新潟市	17	1	－	2	－	1	3	2	2	1
静岡市	11	4	－	－	1	－	3	1	2	－
浜松市	20	1	2	－	1	2	5	2	3	5
名古屋市	41	3	2	－	2	2	13	4	12	2
京都市	30	6	3	5	2	1	8	3	2	－
大阪市	106	20	10	2	5	2	25	11	29	2
堺市	17	4	1	1	1	－	5	3	2	2
神戸市	24	3	－	3	－	1	4	5	6	－
岡山市	7	－	－	－	1	－	2	2	4	－
広島市	16	2	－	2	－	1	4	1	4	2
北九州市	28	6	4	1	－	1	6	5	4	1
福岡市	54	12	5	－	5	3	12	8	8	1
熊本市	13	1	－	－	1	3	5	2	6	1
中核市（別掲）										
旭川市	9	2	1	－	1	1	3	－	1	－
函館市	6	－	－	－	－	－	2	1	3	－
青森市	4	－	－	－	－	－	2	1	1	－
八戸市	8	－	1	2	1	－	3	－	1	－
盛岡市	10	3	－	－	－	1	3	1	2	－
秋田市	4	1	1	1	－	－	1	－	－	－
郡山市	4	－	－	－	－	2	1	1	1	－
いわき市	4	－	2	－	1	－	－	－	1	－
宇都宮市	12	4	－	1	1	－	4	－	1	1
前橋市	9	－	－	1	1	2	4	1	－	－
高崎市	13	－	2	－	1	1	8	1	－	－
川越市	9	1	－	－	－	1	1	1	5	－
越谷市	6	1	－	－	1	－	1	1	2	1
船橋市	8	－	2	－	－	－	1	1	4	－
柏市	7	2	1	－	1	－	－	1	1	1
八王子市	9	1	1	－	－	－	－	2	5	－
横須賀市	5	－	－	－	－	2	1	2	1	－
富山市	11	1	1	1	2	1	1	1	1	－
金沢市	14	4	4	2	－	3	4	1	1	－
長野市	18	1	3	1	2	3	4	2	2	－
岐阜市	10	2	2	1	－	－	2	1	2	－
豊橋市	11	－	1	－	1	2	2	2	2	1
豊田市	8	－	－	1	－	1	3	1	2	－
岡崎市	7	1	－	－	－	1	2	1	2	－
大津市	8	1	－	－	2	－	4	1	－	－
高槻市	6	－	1	－	－	－	3	－	2	－
東大阪市	17	3	－	2	3	3	4	1	1	－
豊中市	6	－	1	1	－	1	1	1	2	－
枚方市	6	－	1	－	1	－	2	－	2	－
姫路市	5	－	2	1	－	－	－	－	2	－
西宮市	6	1	1	1	－	－	－	1	2	－
尼崎市	14	5	1	－	1	－	3	－	4	－
奈良市	8	－	1	2	－	1	2	－	2	－
和歌山市	6	2	－	1	－	1	2	－	3	－
倉敷市	7	－	－	－	1	1	2	－	3	－
福山市	8	2	1	－	2	1	2	－	－	－
呉市	5	－	2	1	1	－	－	1	2	－
下関市	6	1	－	1	1	－	1	2	－	－
高松市	4	－	1	1	2	－	－	－	－	－
松山市	8	1	1	2	－	－	3	－	1	－
高知市	9	2	－	2	－	2	－	2	－	1
久留米市	9	1	－	1	－	－	2	1	3	1
長崎市	15	3	3	2	－	1	5	－	1	－
佐世保市	12	2	－	2	－	2	3	－	2	－
大分市	16	1	1	1	－	2	10	－	1	－
宮崎市	19	4	3	－	1	2	6	1	2	－
鹿児島市	13	2	1	－	－	－	4	4	3	1
那覇市	18	4	－	－	－	3	4	3	3	－

第27表　療養介護・生活介護・自立訓練（機能訓練）・自立訓練（生活・児童発達支援・放課後等デイサービス事業所数，

国 都 道 府 県	9 月 中 に 利用者がいた 事 業 所 数	就 労 継 続 支 援 （ Ａ 型 ） 事 業								利用延人員不詳
		1 〜 20人	21 〜 39人	40 〜 59人	60 〜 79人	80 〜 99人	100〜199人	200〜299人	300人以上	
全　　　　　国	2 982	466	250	58	50	46	419	379	1 244	70
国	－	－	－	－	－	－	－	－	－	－
北　海　道	77	4	3	2	2	－	12	13	35	6
青　　　森	41	4	1	1	1	1	11	6	16	－
岩　　　手	24	－	1	－	－	2	9	1	10	1
宮　　　城	30	5	2	－	－	1	4	5	13	－
秋　　　田	10	1	－	1	－	－	4	1	3	－
山　　　形	30	4	－	－	－	－	3	6	17	－
福　　　島	14	2	2	－	－	－	3	5	2	－
茨　　　城	39	11	1	3	2	－	6	1	13	2
栃　　　木	24	4	2	1	1	－	4	－	9	3
群　　　馬	14	5	－	－	－	－	4	1	4	－
埼　　　玉	39	4	3	2	1	－	2	5	18	4
千　　　葉	33	4	3	2	－	2	4	4	13	1
東　　　京	87	10	8	1	4	1	15	12	34	2
神　奈　川	22	1	3	－	－	－	3	4	11	－
新　　　潟	15	2	－	－	1	－	5	2	5	－
富　　　山	23	1	2	－	－	1	4	3	12	－
石　　　川	26	3	1	2	1	2	3	2	12	－
福　　　井	52	7	5	3	－	1	4	6	26	－
山　　　梨	13	2	－	－	－	1	2	3	5	－
長　　　野	31	3	－	1	1	1	2	5	18	－
岐　　　阜	72	7	5	－	1	1	8	9	39	2
静　　　岡	37	5	3	－	－	1	5	8	14	1
愛　　　知	87	6	11	5	－	2	3	12	47	1
三　　　重	56	9	7	1	1	－	8	4	24	2
滋　　　賀	11	－	－	－	1	－	3	－	7	－
京　　　都	19	－	－	－	－	－	8	3	8	－
大　　　阪	72	18	7	1	1	－	9	5	25	5
兵　　　庫	45	7	5	1	2	1	4	5	19	1
奈　　　良	19	1	3	－	－	－	6	1	8	－
和　歌　山	24	8	2	－	2	－	2	2	7	1
鳥　　　取	19	2	3	－	2	－	2	4	6	－
島　　　根	23	1	－	2	－	1	3	5	11	－
岡　　　山	44	4	3	－	1	－	9	7	19	－
広　　　島	20	4	1	－	2	－	3	2	8	－
山　　　口	24	4	－	－	－	－	6	5	9	－
徳　　　島	18	4	1	－	－	－	1	1	11	－
香　　　川	5	2	－	－	－	－	2	1	－	－
愛　　　媛	27	5	1	1	－	1	5	2	12	－
高　　　知	10	－	1	－	－	－	2	2	5	－
福　　　岡	100	21	10	2	3	－	17	14	32	1
佐　　　賀	37	5	3	2	－	－	8	8	11	－
長　　　崎	33	4	－	1	4	－	8	4	12	－
熊　　　本	94	18	3	1	1	1	12	15	38	5
大　　　分	32	5	1	1	－	2	8	4	11	－
宮　　　崎	19	7	1	－	－	－	3	1	6	1
鹿　児　島	42	9	4	1	1	－	3	5	19	－
沖　　　縄	58	21	3	2	1	1	5	6	18	1

注：障害者支援施設の昼間実施サービス（生活介護、自立訓練(機能・生活)、就労移行支援及び就労継続支援）を除く。

訓練）・就労移行支援・就労継続支援（A型）・就労継続支援（B型）

国－都道府県－指定都市－中核市、利用延人数階級別

平成29年10月 1 日

指定都市 中核市	9月中に利用者がいた事業所数	就労継続支援（A型）事業								利用延人数不詳
		1～20人	21～39人	40～59人	60～79人	80～99人	100～199人	200～299人	300人以上	
指定都市（別掲）										
札幌市	82	15	8	1	1	－	14	10	32	1
仙台市	14	4	2	－	－	－	2	1	5	－
さいたま市	19	3	4	－	－	－	1	2	9	－
千葉市	10	1	1	4	－	－	1	1	6	－
横浜市	24	1	4	2	1	1	5	1	8	1
川崎市	10	－	2	－	－	－	－	2	6	－
相模原市	6	－	2	－	－	－	1	－	3	－
新潟市	10	－	－	－	－	－	2	2	6	－
静岡市	19	3	2	－	－	－	1	3	10	－
浜松市	21	2	－	－	－	1	2	4	11	1
名古屋市	72	9	10	1	－	1	2	8	39	2
京都市	34	7	5	－	1	－	1	6	10	2
大阪市	131	29	15	4	2	4	16	11	48	2
堺市	15	2	2	－	－	－	5	1	5	－
神戸市	32	5	4	1	－	1	3	2	15	1
岡山市	60	5	5	－	－	1	5	11	33	－
広島市	33	7	1	－	1	1	－	4	17	2
北九州市	40	9	4	2	－	－	3	5	15	2
福岡市	62	12	4	－	－	1	10	8	24	3
熊本市	38	7	6	－	－	－	3	8	15	－
中核市（別掲）										
旭川市	6	1	1	－	－	－	3	－	1	－
函館市	2	－	－	－	－	－	2	－	1	－
青森市	19	4	1	－	－	－	5	2	7	－
八戸市	14	2	2	1	－	－	4	1	4	－
盛岡市	14	2	1	－	－	1	3	2	4	1
秋田市	8	2	－	－	－	－	2	2	2	－
郡山市	6	1	1	－	－	－	2	2	－	－
いわき市	2	－	－	－	－	－	－	－	2	－
宇都宮市	17	－	3	－	－	－	4	3	7	－
前橋市	3	1	－	－	－	－	－	1	1	－
高崎市	8	2	1	－	－	－	2	－	3	－
川越市	9	1	－	－	－	1	－	1	6	－
越谷市	9	－	2	2	－	－	－	－	5	1
船橋市	5	－	1	－	－	－	－	－	4	－
柏市	3	－	1	－	－	－	1	1	－	－
八王子市	4	－	1	－	－	－	1	－	2	－
横須賀市	1	－	－	－	－	1	－	－	－	－
富山市	24	4	2	－	－	1	2	4	9	2
金沢市	21	3	3	－	－	－	1	1	12	1
長野市	5	3	－	－	－	－	1	－	1	－
岐阜市	30	7	2	－	－	－	8	2	10	1
豊橋市	9	2	－	－	2	－	2	－	3	－
豊田市	6	1	－	－	－	－	－	2	3	－
岡崎市	4	1	2	－	－	－	－	－	1	－
大津市	4	1	－	－	－	－	－	－	3	－
高槻市	1	－	－	－	－	－	－	－	1	－
東大阪市	20	4	1	－	－	－	3	2	9	1
豊中市	4	1	－	－	－	－	1	－	2	－
枚方市	8	2	2	－	－	－	2	－	2	－
姫路市	9	－	－	－	－	1	－	－	8	－
西宮市	15	2	3	－	－	－	3	－	7	－
尼崎市	16	4	7	－	－	1	－	－	4	－
奈良市	10	1	－	－	1	－	2	－	6	－
和歌山市	15	3	－	－	1	－	1	3	6	1
倉敷市	30	4	1	－	－	1	3	5	16	－
福山市	18	1	1	－	－	1	1	3	11	－
呉市	3	－	－	1	－	－	1	－	1	－
下関市	4	3	－	－	－	－	－	1	－	－
高松市	10	3	2	－	1	－	3	1	3	－
松山市	31	6	4	1	－	－	3	4	13	－
高知市	13	1	－	－	－	1	4	5	2	－
久留米市	18	3	1	－	－	－	3	1	9	1
長崎市	11	2	1	－	－	1	2	－	4	1
佐世保市	14	2	－	－	－	－	2	4	7	－
大分市	23	4	－	－	－	－	5	6	7	1
宮崎市	20	7	2	－	－	1	1	1	7	1
鹿児島市	22	2	3	－	－	－	3	8	6	－
那覇市	11	－	3	－	－	－	1	8	6	－

第27表　療養介護・生活介護・自立訓練（機能訓練）・自立訓練（生活・児童発達支援・放課後等デイサービス事業所数，

国 都道府県	就労継続支援（B型）事業									
	9月中に利用者がいた事業所数	1～20人	21～39人	40～59人	60～79人	80～99人	100～199人	200～299人	300人以上	利用延人数不詳
全国	9 270	792	450	165	158	177	1 347	1 762	4 280	139
国	1	1	－	－	－	－	－	－	－	－
北海道	331	20	11	3	3	7	51	68	165	3
青森	99	13	4	2	3	4	12	17	44	－
岩手	100	6	6	2	1	1	6	13	64	1
宮城	82	10	6	1	－	－	6	11	47	1
秋田	61	2	－	2	3	－	4	15	34	1
山形	111	6	5	－	2	2	17	21	55	3
福島	115	5	5	2	－	1	12	17	71	2
茨城	186	20	10	6	8	7	47	26	61	1
栃木	92	3	1	－	1	1	10	17	56	3
群馬	62	2	2	1	－	1	8	9	36	2
埼玉	243	22	8	4	2	－	27	44	132	4
千葉	171	17	7	3	3	1	20	32	82	6
東京	637	35	26	18	7	8	62	119	349	13
神奈川	168	9	11	3	3	1	28	38	74	1
新潟	124	2	8	－	1	2	8	15	88	－
富山	52	5	4	－	－	1	4	10	25	3
石川	60	4	3	－	3	3	5	11	29	2
福井	62	4	2	－	1	1	5	6	42	1
山梨	77	3	4	3	2	2	11	15	36	1
長野	185	12	6	2	2	5	28	38	92	－
岐阜	126	10	4	10	4	4	32	27	34	1
静岡	169	10	16	3	－	4	15	25	95	1
愛知	218	17	9	2	3	8	32	52	94	1
三重	170	15	6	2	3	4	34	49	53	4
滋賀	102	6	4	3	3	1	14	13	57	1
京都	85	4	5	－	1	－	20	11	43	1
大阪	270	26	12	4	7	8	52	62	98	1
兵庫	227	30	17	4	8	5	42	31	83	7
奈良	71	12	3	1	5	4	17	13	15	1
和歌山	61	6	6	1	－	－	3	11	34	－
鳥取	97	8	2	3	2	－	20	17	43	2
島根	79	5	2	3	－	1	10	16	41	1
岡山	62	3	2	1	1	－	4	13	37	1
広島	101	6	3	2	－	5	9	25	51	－
山口	92	6	4	2	3	－	6	18	51	2
徳島	44	4	－	2	－	－	2	10	26	－
香川	47	5	2	－	1	2	9	10	17	1
愛媛	90	9	6	－	3	－	13	23	34	2
高知	50	2	－	－	－	－	13	9	26	－
福岡	204	26	16	3	5	3	26	32	90	3
佐賀	95	9	3	2	1	1	21	6	49	3
長崎	115	7	5	1	5	5	16	16	60	－
熊本	104	9	6	1	1	2	13	23	49	－
大分	96	5	8	1	－	1	14	15	49	3
宮崎	68	7	5	3	1	－	6	13	32	1
鹿児島	129	17	13	－	3	2	15	28	49	2
沖縄	156	26	10	2	2	8	27	27	48	6

注：障害者支援施設の昼間実施サービス（生活介護、自立訓練(機能・生活)、就労移行支援及び就労継続支援）を除く。

国－都道府県－指定都市－中核市、利用延人数階級別

平成29年10月1日

指定都市 中核市	9月中に利用者がいた事業所数	就労継続支援（B型）事業								利用延人数不詳
		1～20人	21～39人	40～59人	60～79人	80～99人	100～199人	200～299人	300人以上	
指定都市（別掲）										
札幌市	228	29	11	7	5	10	30	49	81	6
仙台市	68	5	4	1	1	-	9	12	36	-
さいたま市	51	2	5	2	3	-	7	16	16	-
千葉市	32	-	1	2	-	-	4	8	17	-
横浜市	130	12	7	3	2	1	12	24	69	-
川崎市	34	3	1	-	3	2	5	7	12	1
相模原市	38	3	4	5	1	-	6	5	14	-
新潟市	52	1	4	1	1	-	3	3	39	-
静岡市	52	7	1	-	1	1	5	9	29	-
浜松市	45	5	2	-	1	-	3	5	29	-
名古屋市	102	10	9	-	1	2	18	29	30	3
京都市	111	14	9	3	1	3	15	26	46	-
大阪市	199	30	9	3	3	8	43	37	61	5
堺市	88	6	2	-	1	2	21	25	28	1
神戸市	133	13	7	1	1	2	23	32	51	3
岡山市	37	1	-	1	-	1	8	7	19	-
広島市	73	12	5	2	4	-	10	17	23	-
北九州市	79	8	5	1	2	1	7	19	34	2
福岡市	57	3	5	-	1	-	8	13	31	-
熊本市	43	3	2	-	1	2	6	5	21	-
中核市（別掲）										
旭川市	52	4	1	2	-	-	10	10	24	1
函館市	23	-	-	-	-	1	5	4	12	1
青森市	35	6	2	1	1	-	2	7	15	1
八戸市	27	1	1	-	-	-	8	4	13	-
盛岡市	29	2	-	-	-	1	5	8	13	-
秋田市	29	3	1	1	1	1	1	8	13	-
郡山市	22	3	-	-	-	-	3	1	15	-
いわき市	22	1	-	-	-	-	2	1	17	2
宇都宮市	28	-	1	1	-	2	1	6	15	1
前橋市	22	2	-	-	1	-	-	6	12	1
高崎市	17	-	-	-	-	-	2	2	13	-
川越市	15	2	-	-	-	-	2	4	6	1
越谷市	9	-	1	-	-	-	2	2	4	-
船橋市	18	2	1	-	-	-	2	4	8	1
柏市	22	1	1	-	-	-	5	3	12	-
八王子市	49	2	1	1	1	1	11	8	22	2
横須賀市	16	-	-	-	-	-	4	5	6	-
富山市	30	2	2	1	1	1	3	4	17	-
金沢市	30	2	1	1	1	1	4	5	12	1
長野市	36	1	-	1	-	-	6	5	22	1
岐阜市	33	2	3	1	-	1	5	5	15	1
豊橋市	30	1	2	-	-	-	6	6	15	-
豊田市	13	-	-	-	-	-	2	-	11	-
岡崎市	30	4	3	1	-	-	7	4	10	1
大津市	23	5	-	-	-	-	3	5	10	-
高槻市	17	2	-	1	-	1	2	4	7	-
東大阪市	47	8	1	1	-	3	12	9	14	-
豊中市	15	-	2	1	1	1	3	9	6	-
枚方市	29	2	-	1	-	-	9	9	8	-
姫路市	46	5	1	-	-	-	15	7	16	1
西宮市	30	7	-	-	-	-	3	2	18	-
尼崎市	39	8	2	1	-	3	6	6	13	-
奈良市	20	3	2	-	1	-	4	5	5	-
和歌山市	32	4	4	-	-	2	5	4	13	-
倉敷市	42	5	5	-	-	-	5	9	17	1
福山市	46	4	2	1	1	-	4	14	20	-
呉市	22	-	3	-	1	1	5	1	11	-
下関市	23	1	3	1	-	-	1	3	14	-
高松市	35	2	2	-	-	3	8	8	12	-
松山市	58	6	-	2	-	-	13	8	27	2
高知市	34	5	2	1	-	1	5	5	15	-
久留米市	22	3	1	1	-	3	3	3	7	2
長崎市	34	1	1	-	-	-	5	4	21	-
佐世保市	42	1	-	-	2	-	9	10	17	-
大分市	42	1	5	2	-	-	5	13	16	-
宮崎市	27	2	-	-	-	-	2	5	17	2
鹿児島市	73	9	3	2	3	-	17	18	19	2
那覇市	36	6	4	-	1	1	6	9	9	-

第27表　療養介護・生活介護・自立訓練（機能訓練）・自立訓練（生活
・児童発達支援・放課後等デイサービス事業所数,

国 都道府県	9月中に利用者がいた事業所数	児　童　発　達　支　援　事　業								利用延人数不詳
		1～20人	21～39人	40～59人	60～79人	80～99人	100～199人	200～299人	300人以上	
全　　　　国	4 074	814	520	407	326	277	941	387	372	30
国	-	-	-	-	-	-	-	-	-	-
北海道	151	22	27	15	22	13	39	9	4	-
青森	14	1	2	2	-	3	4	2	-	-
岩手	20	3	1	2	6	1	4	2	1	-
宮城	14	1	2	1	2	2	4	2	-	-
秋田	8	3	1	1	-	2	1	-	-	-
山形	25	3	3	5	2	2	6	2	2	-
福島	35	8	2	2	4	4	11	4	-	-
茨城	74	17	8	8	6	3	23	4	4	1
栃木	42	8	4	1	3	5	9	7	5	-
群馬	20	3	1	3	1	-	8	-	-	-
埼玉	126	30	13	5	10	11	32	13	11	1
千葉	141	25	20	13	17	5	23	16	20	2
東京	306	35	33	26	16	21	71	37	66	1
神奈川	74	18	7	7	4	6	11	6	15	-
新潟	17	3	3	1	-	2	4	3	-	1
富山	8	6	1	-	-	-	-	-	1	-
石川	16	9	5	2	-	-	-	-	-	-
福井	10	2	2	1	4	1	-	-	-	-
山梨	13	3	1	-	1	2	3	-	3	-
長野	28	6	4	5	3	2	4	3	1	-
岐阜	66	11	8	4	4	4	17	7	11	-
静岡	35	6	5	6	3	-	11	2	2	-
愛知	125	21	13	14	3	7	38	13	16	-
三重	53	15	10	2	2	2	11	3	7	1
滋賀	20	4	3	4	-	1	7	1	-	-
京都	33	4	3	2	4	4	9	3	3	1
大阪	167	48	36	21	14	12	25	3	7	1
兵庫	104	19	13	13	4	6	34	9	5	1
奈良	44	10	9	4	3	1	11	4	2	-
和歌山	20	4	2	1	-	3	3	4	3	-
鳥取	18	7	3	4	1	1	2	-	-	-
島根	13	2	-	-	4	1	5	1	-	-
岡山	30	5	3	1	2	3	10	6	-	-
広島	37	4	7	3	2	2	5	5	9	-
山口	25	8	2	2	1	2	7	1	2	-
徳島	42	10	5	7	2	1	7	3	7	-
香川	16	4	3	2	-	1	5	-	-	1
愛媛	26	5	1	3	1	3	8	4	1	-
高知	5	3	-	1	1	-	-	-	-	-
福岡	80	16	9	13	4	7	22	6	2	1
佐賀	24	4	5	3	1	3	6	2	-	-
長崎	46	17	6	6	-	6	8	1	2	-
熊本	58	15	8	4	7	6	12	4	1	1
大分	14	1	4	2	2	-	3	1	1	-
宮崎	27	3	3	2	4	2	8	2	2	1
鹿児島	67	2	7	6	2	8	23	11	8	-
沖縄	76	20	8	7	8	7	22	3	-	1

訓練）・就労移行支援・就労継続支援（Ａ型）・就労継続支援（Ｂ型）

国－都道府県－指定都市－中核市、利用延人数階級別

平成29年10月 1 日

指定都市 / 中核市	9月中に利用者がいた事業所数	児童発達支援事業								利用延人数不詳
		1～20人	21～39人	40～59人	60～79人	80～99人	100～199人	200～299人	300人以上	
指定都市（別掲）										
札幌市	216	24	23	27	20	20	55	32	14	1
仙台市	19	5	1	1	1	3	3	4	1	-
さいたま市	28	6	5	4	3	1	5	1	3	-
千葉市	36	12	-	2	3	2	10	7	-	-
横浜市	67	8	6	7	6	3	18	6	12	1
川崎市	39	9	3	3	-	6	9	3	6	-
相模原市	23	4	5	2	2	4	2	-	4	-
新潟市	19	4	2	2	1	-	6	2	2	-
静岡市	15	3	5	3	1	-	-	2	1	-
浜松市	21	-	2	1	4	-	4	6	4	-
名古屋市	114	32	22	13	14	5	16	10	-	2
京都市	20	2	-	-	3	1	8	6	-	-
大阪市	213	55	36	24	19	15	39	9	11	5
堺市	39	17	10	7	-	1	3	-	1	-
神戸市	49	6	2	5	5	4	13	8	6	-
岡山市	39	5	5	2	4	3	10	4	5	1
広島市	32	5	2	5	2	2	7	2	7	-
北九州市	21	8	3	2	1	1	5	1	-	-
福岡市	16	-	-	1	6	-	4	2	9	-
熊本市	32	6	1	6	-	8	1	4	6	-
中核市（別掲）										
旭川市	27	9	4	4	2	1	2	3	2	-
函館市	6	-	-	2	-	-	4	-	-	-
青森市	6	1	2	-	-	-	3	-	-	-
八戸市	2	-	2	-	-	-	-	-	-	-
盛岡市	5	2	-	-	-	-	3	-	-	-
秋田市	7	-	1	2	-	1	1	-	2	-
郡山市	10	-	-	3	1	1	2	-	3	-
いわき市	6	2	1	-	-	-	3	-	-	-
宇都宮市	1	1	-	-	-	-	-	-	-	-
前橋市	10	2	-	-	-	-	5	3	-	-
高崎市	-	-	-	-	-	-	-	-	-	-
川越市	7	-	3	-	-	-	1	1	2	-
越谷市	17	5	1	2	1	-	6	-	2	-
船橋市	10	1	-	-	2	1	-	2	2	-
柏市	16	2	5	1	-	-	4	2	2	-
八王子市	11	3	2	-	2	1	1	1	1	-
横須賀市	5	-	3	-	-	-	2	-	-	1
富山市	7	4	1	-	-	-	2	-	-	1
金沢市	10	5	1	2	-	1	-	-	1	-
長野市	4	1	-	1	-	-	1	-	1	-
岐阜市	15	2	1	-	1	-	5	3	2	1
豊橋市	12	1	1	2	4	1	1	1	3	-
豊田市	9	3	2	-	1	-	-	3	3	-
岡崎市	6	3	1	-	-	-	3	2	1	-
大津市	3	-	-	1	-	-	-	1	1	-
高槻市	20	7	1	3	2	1	4	1	1	-
東大阪市	31	17	8	4	1	3	-	-	1	-
豊中市	21	6	2	3	2	1	3	1	2	-
枚方市	16	6	2	2	2	2	2	-	-	-
姫路市	11	1	2	2	-	-	3	-	2	-
西宮市	24	2	-	2	2	2	13	3	-	-
尼崎市	19	4	2	3	3	-	3	3	1	-
奈良市	14	4	1	1	-	-	5	3	-	-
和歌山市	8	5	-	-	-	-	1	2	-	-
倉敷市	37	1	-	1	3	2	12	13	5	-
福山市	20	2	4	3	1	1	3	1	5	-
呉市	13	-	1	2	2	1	5	1	1	-
下関市	8	-	1	1	-	2	3	-	1	-
高松市	8	3	-	1	1	-	2	1	-	-
松山市	19	3	4	-	3	1	-	1	6	1
高知市	10	3	2	2	1	-	2	-	-	-
久留米市	3	1	-	-	-	-	-	-	1	1
長崎市	18	9	4	1	-	1	-	2	-	1
佐世保市	9	4	1	-	-	1	-	2	-	1
大分市	14	2	1	2	1	-	3	4	1	-
宮崎市	7	1	-	-	1	-	2	1	2	-
鹿児島市	49	1	2	1	1	3	23	11	6	-
那覇市	12	3	2	1	1	-	5	-	-	-

第27表　療養介護・生活介護・自立訓練（機能訓練）・自立訓練（生活
・児童発達支援・放課後等デイサービス事業所数，

国 都　道　府　県	放　課　後　等　デ　イ　サ　ー　ビ　ス　事　業									利 用 延 人 不	用 数 詳
	9 月 中 に 利用者がいた 事 業 所 数	1 ～ 20人	21 ～ 39人	40 ～ 59人	60 ～ 79人	80 ～ 99人	100～199人	200～299人	300人以上		
全　　　　　国	8 957	394	363	384	425	465	3 267	2 932	659	68	
国	－	－	－	－	－	－	－	－	－	－	
北　海　道	230	16	17	14	21	17	84	59	2	－	
青　　　森	54	1	1	3	1	2	17	19	10	－	
岩　　　手	60	－	4	1	5	4	15	22	9	－	
宮　　　城	69	2	2	1	1	4	35	19	4	1	
秋　　　田	16	1	－	－	－	－	8	7	－	－	
山　　　形	70	－	4	1	1	4	21	32	7	－	
福　　　島	60	1	－	2	3	8	25	16	4	1	
茨　　　城	162	12	10	7	9	15	59	37	13		
栃　　　木	81	5	6	3	9	6	18	13	21		
群　　　馬	84	3	4	4	3	2	23	42	3		
埼　　　玉	328	14	8	10	13	13	109	131	28	2	
千　　　葉	271	10	11	15	13	9	102	102	7	2	
東　　　京	627	14	13	18	13	25	207	271	63	3	
神　奈　川	162	9	5	5	6	14	59	43	20	1	
新　　　潟	43	2	2	3	2	1	15	15	3	－	
富　　　山	40	10	6	4	6	3	6	4	1	－	
石　　　川	46	1	1	3	1	2	14	20	4	－	
福　　　井	45	2	1	6	－	4	13	15	4	－	
山　　　梨	48	1	4	4	2	3	19	9	6	－	
長　　　野	76	3	4	2	2	9	33	19	4	－	
岐　　　阜	130	5	8	6	5	5	46	53	2	－	
静　　　岡	185	8	5	3	6	9	69	67	16	2	
愛　　　知	266	4	4	10	10	14	114	99	9	2	
三　　　重	115	2	5	8	5	8	34	43	9	1	
滋　　　賀	69	2	1	4	3	2	29	21	6	1	
京　　　都	70	4	2	4	3	3	27	21	5	1	
大　　　阪	361	20	16	17	21	12	136	116	21	2	
兵　　　庫	213	7	7	13	11	9	93	59	13	1	
奈　　　良	90	4	3	6	4	9	36	22	6	－	
和　歌　山	42	2	2	1	3	－	17	9	8	－	
鳥　　　取	38	2	－	3	2	－	22	8	1	－	
島　　　根	57	2	3	2	3	8	20	16	3	－	
岡　　　山	42	4	4	－	7	2	16	6	3	－	
広　　　島	97	6	8	3	6	－	39	24	10	1	
山　　　口	67	2	1	2	3	3	26	24	5	1	
徳　　　島	65	3	4	5	3	1	19	22	7	1	
香　　　川	27	2	2	6	－	2	10	4	1	－	
愛　　　媛	57	2	2	1	7	3	20	15	7	－	
高　　　知	14	1	－	2	1	1	5	3	1	－	
福　　　岡	211	10	9	8	14	11	71	64	20	4	
佐　　　賀	68	2	2	5	2	3	28	20	6	－	
長　　　崎	79	5	7	3	3	3	26	23	8	1	
熊　　　本	113	4	4	5	3	8	53	29	7	－	
大　　　分	45	1	2	2	1	1	22	14	2	－	
宮　　　崎	55	6	1	3	4	5	19	11	5	1	
鹿　児　島	91	3	5	4	7	4	32	30	6	－	
沖　　　縄	149	13	8	9	10	10	55	37	7	－	

訓練）・就労移行支援・就労継続支援（Ａ型）・就労継続支援（Ｂ型）
国－都道府県－指定都市－中核市、利用延人数階級別

平成29年10月 1 日

指定都市 / 中核市	9 月中に利用者がいた事業所数	放課後等デイサービス事業								利用延人数不詳
		1 ～ 20人	21 ～ 39人	40 ～ 59人	60 ～ 79人	80 ～ 99人	100～199人	200～299人	300人以上	
指定都市（別掲）										
札幌市	281	22	16	21	15	22	117	59	7	2
仙台市	76	2	－	3	2	2	45	21	1	－
さいたま市	78	1	1	1	1	7	26	34	7	－
千葉市	71	－	1	2	3	5	30	27	3	－
横浜市	179	9	9	6	7	4	58	53	28	5
川崎市	77	4	7	3	3	4	24	20	11	1
相模原市	60	－	－	－	2	2	30	20	6	－
新潟市	33	－	4	2	－	1	8	12	6	－
静岡市	50	1	1	1	－	1	24	19	2	－
浜松市	63	－	－	2	3	2	21	25	10	－
名古屋市	199	8	10	1	11	5	79	67	13	5
京都市	98	6	4	5	5	3	26	42	5	2
大阪市	307	22	14	23	16	21	118	75	13	5
堺市	84	6	5	1	4	4	38	24	1	1
神戸市	131	3	7	6	9	9	47	43	4	3
岡山市	48	3	1	2	2	2	23	10	3	2
広島市	127	1	3	4	7	－	47	57	7	1
北九州市	76	1	2	1	3	6	24	33	6	－
福岡市	117	4	1	5	4	5	27	58	12	1
熊本市	74	6	3	2	－	2	25	27	8	1
中核市（別掲）										
旭川市	41	1	1	－	2	5	21	11	－	－
函館市	25	－	－	－	1	－	12	12	－	－
青森市	20	－	2	1	1	－	6	9	1	－
八戸市	17	－	－	1	1	－	7	8	1	－
盛岡市	19	－	－	1	1	－	11	6	－	－
秋田市	21	－	－	－	2	1	12	6	－	－
郡山市	25	－	－	3	3	－	11	6	2	－
いわき市	11	－	－	－	－	3	3	5	1	－
宇都宮市	24	2	－	2	1	3	5	6	5	－
前橋市	25	1	2	1	－	2	12	6	1	－
高崎市	12	－	－	－	－	－	4	7	1	－
川越市	18	－	－	1	－	2	7	5	3	－
越谷市	38	－	2	1	2	－	15	15	3	－
船橋市	27	3	－	2	1	2	6	8	3	2
柏市	36	2	－	1	1	2	11	17	2	－
八王子市	40	－	－	1	2	－	13	21	3	－
横須賀市	27	－	1	2	1	3	10	6	3	1
富山市	33	8	3	3	3	4	6	6	－	－
金沢市	23	1	－	1	4	1	6	8	2	－
長野市	13	－	－	－	－	－	3	10	－	－
岐阜市	37	1	1	1	－	1	17	13	2	1
豊橋市	33	1	3	1	1	－	14	10	2	1
豊田市	23	1	2	1	1	1	5	7	2	1
岡崎市	30	－	－	1	－	1	10	17	1	－
大津市	17	2	1	－	1	2	3	8	－	－
高槻市	28	－	3	1	1	4	10	8	1	－
東大阪市	42	3	2	1	2	－	21	12	1	－
豊中市	35	－	2	－	2	5	16	10	－	－
枚方市	29	1	1	－	1	3	9	9	5	－
姫路市	31	－	2	1	1	2	15	8	2	－
西宮市	41	2	4	1	1	5	16	10	2	－
尼崎市	39	2	4	3	3	3	10	13	1	－
奈良市	23	2	1	2	1	1	8	5	3	－
和歌山市	17	1	－	－	1	－	5	7	3	－
倉敷市	30	3	7	2	3	2	8	4	1	－
福山市	49	1	2	2	2	1	12	24	5	－
呉市	20	1	1	2	1	1	7	5	2	－
下関市	13	－	－	－	－	1	8	4	－	－
高松市	16	1	－	1	1	1	9	3	－	－
松山市	33	3	1	2	－	－	8	6	12	1
高知市	26	2	2	－	3	2	7	7	3	－
久留米市	14	3	－	－	－	1	5	5	－	－
長崎市	42	3	2	－	3	1	12	18	3	－
佐世保市	18	1	－	－	1	2	2	11	1	－
大分市	44	1	2	1	2	2	18	15	3	－
宮崎市	35	1	－	2	1	1	12	11	5	2
鹿児島市	72	8	2	5	7	6	15	20	8	1
那覇市	8	－	－	1	2	1	1	3	－	－

第28表　重度障害者等包括支援・短期入所事業所数，

国 都道府県	9月中に利用者がいた事業所数	重度障害者等包括支援事業							利用延日数不詳
		1～9日	10～19日	20～29日	30～39日	40～49日	50～99日	100日以上	
全　国	7	－	－	－	3	－	－	4	－
国	－	－	－	－	－	－	－	－	－
北海道	－	－	－	－	－	－	－	－	－
青森	－	－	－	－	－	－	－	－	－
岩手	－	－	－	－	－	－	－	－	－
宮城	－	－	－	－	－	－	－	－	－
秋田	－	－	－	－	－	－	－	－	－
山形	－	－	－	－	－	－	－	－	－
福島	－	－	－	－	－	－	－	－	－
茨城	－	－	－	－	－	－	－	－	－
栃木	－	－	－	－	－	－	－	－	－
群馬	－	－	－	－	－	－	－	－	－
埼玉	1	－	－	－	1	－	－	－	－
千葉	－	－	－	－	－	－	－	－	－
東京	－	－	－	－	－	－	－	－	－
神奈川	－	－	－	－	－	－	－	－	－
新潟	－	－	－	－	－	－	－	－	－
富山	－	－	－	－	－	－	－	－	－
石川	－	－	－	－	－	－	－	－	－
福井	－	－	－	－	－	－	－	－	－
山梨	－	－	－	－	－	－	－	－	－
長野	3	－	－	－	1	－	－	2	－
岐阜	－	－	－	－	－	－	－	－	－
静岡	－	－	－	－	－	－	－	－	－
愛知	－	－	－	－	－	－	－	－	－
三重	－	－	－	－	－	－	－	－	－
滋賀	－	－	－	－	－	－	－	－	－
京都	－	－	－	－	－	－	－	－	－
大阪	1	－	－	－	－	－	－	1	－
兵庫	－	－	－	－	－	－	－	－	－
奈良	－	－	－	－	－	－	－	－	－
和歌山	－	－	－	－	－	－	－	－	－
鳥取	－	－	－	－	－	－	－	－	－
島根	－	－	－	－	－	－	－	－	－
岡山	－	－	－	－	－	－	－	－	－
広島	－	－	－	－	－	－	－	－	－
山口	－	－	－	－	－	－	－	－	－
徳島	－	－	－	－	－	－	－	－	－
香川	－	－	－	－	－	－	－	－	－
愛媛	－	－	－	－	－	－	－	－	－
高知	－	－	－	－	－	－	－	－	－
福岡	－	－	－	－	－	－	－	－	－
佐賀	－	－	－	－	－	－	－	－	－
長崎	－	－	－	－	－	－	－	－	－
熊本	－	－	－	－	－	－	－	－	－
大分	－	－	－	－	－	－	－	－	－
宮崎	－	－	－	－	－	－	－	－	－
鹿児島	－	－	－	－	－	－	－	－	－
沖縄	－	－	－	－	－	－	－	－	－

注：指定都市及び中核市は別掲である。

平成29年10月 1 日

指定都市 中核市	重度障害者等包括支援事業								
	9 月 中 に 利用者がいた 事 業 所 数	1 ～ 9日	10 ～ 19日	20 ～ 29日	30 ～ 39日	40 ～ 49日	50 ～ 99日	100日以上	利用延日数 不 詳
指 定 都 市（別 掲）									
札 幌 市	-	-	-	-	-	-	-	-	-
仙 台 市	-	-	-	-	-	-	-	-	-
さ い た ま 市	-	-	-	-	-	-	-	-	-
千 葉 市	-	-	-	-	-	-	-	-	-
横 浜 市	-	-	-	-	-	-	-	-	-
川 崎 市	-	-	-	-	-	-	-	-	-
相 模 原 市	-	-	-	-	-	-	-	-	-
新 潟 市	-	-	-	-	-	-	-	-	-
静 岡 市	-	-	-	-	-	-	-	-	-
浜 松 市	-	-	-	-	-	-	-	-	-
名 古 屋 市	-	-	-	-	-	-	-	-	-
京 都 市	-	-	-	-	-	-	-	-	-
大 阪 市	-	-	-	-	-	-	-	-	-
堺 市	-	-	-	-	-	-	-	-	-
神 戸 市	-	-	-	-	-	-	-	-	-
岡 山 市	-	-	-	-	-	-	-	-	-
広 島 市	-	-	-	-	-	-	-	-	-
北 九 州 市	-	-	-	-	-	-	-	-	-
福 岡 市	1	-	-	-	-	-	-	1	-
熊 本 市	-	-	-	-	-	-	-	-	-
中 核 市（別 掲）									
旭 川 市	-	-	-	-	-	-	-	-	-
函 館 市	-	-	-	-	-	-	-	-	-
青 森 市	-	-	-	-	-	-	-	-	-
八 戸 市	-	-	-	-	-	-	-	-	-
盛 岡 市	-	-	-	-	-	-	-	-	-
秋 田 市	-	-	-	-	-	-	-	-	-
郡 山 市	-	-	-	-	-	-	-	-	-
い わ き 市	-	-	-	-	-	-	-	-	-
宇 都 宮 市	-	-	-	-	-	-	-	-	-
前 橋 市	-	-	-	-	-	-	-	-	-
高 崎 市	-	-	-	-	-	-	-	-	-
川 越 市	-	-	-	-	-	-	-	-	-
越 谷 市	-	-	-	-	-	-	-	-	-
船 橋 市	-	-	-	-	-	-	-	-	-
柏 市	-	-	-	-	-	-	-	-	-
八 王 子 市	-	-	-	-	-	-	-	-	-
横 須 賀 市	-	-	-	-	-	-	-	-	-
富 山 市	-	-	-	-	-	-	-	-	-
金 沢 市	-	-	-	-	-	-	-	-	-
長 野 市	-	-	-	-	-	-	-	-	-
岐 阜 市	-	-	-	-	-	-	-	-	-
豊 橋 市	-	-	-	-	-	-	-	-	-
豊 田 市	-	-	-	-	-	-	-	-	-
岡 崎 市	-	-	-	-	-	-	-	-	-
大 津 市	-	-	-	-	-	-	-	-	-
高 槻 市	-	-	-	-	-	-	-	-	-
東 大 阪 市	-	-	-	-	-	-	-	-	-
豊 中 市	-	-	-	-	-	-	-	-	-
枚 方 市	-	-	-	-	-	-	-	-	-
姫 路 市	-	-	-	-	-	-	-	-	-
西 宮 市	-	-	-	-	-	-	-	-	-
尼 崎 市	-	-	-	-	-	-	-	-	-
奈 良 市	-	-	-	-	-	-	-	-	-
和 歌 山 市	-	-	-	-	-	-	-	-	-
倉 敷 市	-	-	-	-	-	-	-	-	-
福 山 市	1	-	-	-	1	-	-	-	-
呉 市	-	-	-	-	-	-	-	-	-
下 関 市	-	-	-	-	-	-	-	-	-
高 松 市	-	-	-	-	-	-	-	-	-
松 山 市	-	-	-	-	-	-	-	-	-
高 知 市	-	-	-	-	-	-	-	-	-
久 留 米 市	-	-	-	-	-	-	-	-	-
長 崎 市	-	-	-	-	-	-	-	-	-
佐 世 保 市	-	-	-	-	-	-	-	-	-
大 分 市	-	-	-	-	-	-	-	-	-
宮 崎 市	-	-	-	-	-	-	-	-	-
鹿 児 島 市	-	-	-	-	-	-	-	-	-
那 覇 市	-	-	-	-	-	-	-	-	-

国－都道府県－指定都市－中核市、利用延日数階級別

第28表　重度障害者等包括支援・短期入所事業所数，

国都道府県	短　期　入　所　事　業							
	9月中に利用者がいた事業所数	1 ～ 9日	10 ～ 19日	20 ～ 29日	30 ～ 39日	40 ～ 49日	50 ～ 99日	100日以上	利用延日数不詳
全　　　国	3 875	535	496	405	352	280	852	931	24
国	1	－	－	－	－	－	－	1	－
北　海　道	153	40	23	18	21	13	24	12	2
青　　森	40	3	13	4	3	1	7	8	1
岩　　手	51	11	8	6	2	5	12	5	2
宮　　城	52	7	8	7	6	10	8	6	－
秋　　田	36	6	4	5	5	3	9	4	－
山　　形	47	9	9	4	4	2	13	6	－
福　　島	39	5	8	6	2	4	10	4	－
茨　　城	89	11	15	10	8	11	15	19	－
栃　　木	64	3	3	4	6	1	11	36	－
群　　馬	39	7	－	3	6	9	8	6	－
埼　　玉	41	6	6	5	4	1	9	10	－
千　　葉	100	8	7	3	5	3	20	52	2
東　　京	178	10	14	23	14	9	42	65	1
神　奈　川	71	2	4	4	4	4	20	31	2
新　　潟	87	13	14	9	6	11	21	13	－
富　　山	35	8	9	7	3	2	5	1	－
石　　川	31	5	7	3	6	2	6	2	－
福　　井	43	11	6	1	7	5	9	3	1
山　　梨	36	3	3	1	2	3	10	14	－
長　　野	83	14	12	11	11	5	20	9	1
岐　　阜	66	16	7	11	8	3	14	7	－
静　　岡	69	14	11	8	6	6	10	14	－
愛　　知	99	11	12	9	12	5	22	28	－
三　　重	62	10	9	3	6	8	13	13	－
滋　　賀	26	6	3	1	－	－	8	8	－
京　　都	54	7	4	6	7	5	15	10	－
大　　阪	118	17	12	6	15	8	21	38	1
兵　　庫	102	21	9	10	4	5	20	33	－
奈　　良	51	9	10	5	2	6	10	9	－
和　歌　山	28	－	4	4	1	4	5	10	－
鳥　　取	29	5	7	5	1	3	5	3	－
島　　根	40	4	9	2	2	7	13	3	－
岡　　山	35	7	8	5	2	4	5	4	－
広　　島	71	7	14	7	8	1	21	13	－
山　　口	47	11	8	3	4	4	11	6	－
徳　　島	31	4	4	6	5	4	4	3	1
香　　川	28	6	7	4	2	－	6	3	－
愛　　媛	36	3	3	5	6	2	10	7	－
高　　知	18	2	1	5	1	－	3	5	1
福　　岡	102	22	13	16	14	6	19	11	1
佐　　賀	25	6	3	3	2	1	4	6	－
長　　崎	45	7	6	2	7	2	10	11	－
熊　　本	55	10	12	5	1	8	14	5	－
大　　分	40	8	9	2	4	3	10	4	－
宮　　崎	27	1	3	3	2	2	10	6	－
鹿　児　島	57	8	9	8	3	4	17	7	1
沖　　縄	43	3	4	7	11	3	8	7	－

国－都道府県－指定都市－中核市、利用延日数階級別

指定都市 中核市	9 月中に 利用者がいた 事業所数	短　期　入　所　事　業							利用延日数 不　詳
		1 ～ 9日	10 ～ 19日	20 ～ 29日	30 ～ 39日	40 ～ 49日	50 ～ 99日	100日以上	
指定都市（別掲）									
札幌市	52	3	4	5	4	3	14	19	－
仙台市	27	2	6	3	2	2	9	3	－
さいたま市	26	1	3	2	2	2	7	9	－
千葉市	23	2	1	2	－	1	5	11	1
横浜市	52	6	4	4	2	1	16	19	－
川崎市	15	2	2	－	1	－	－	10	－
相模原市	18	4	1	－	－	－	5	8	－
新潟市	27	7	3	1	2	1	3	10	－
静岡市	16	2	1	1	1	1	5	5	－
浜松市	32	1	2	5	4	1	11	8	－
名古屋市	55	6	6	10	3	4	10	16	－
京都市	26	2	4	3	2	－	5	10	－
大阪市	57	8	3	5	4	2	13	22	－
堺市	11	－	－	－	1	－	2	9	－
神戸市	34	2	1	6	1	1	12	11	－
岡山市	18	2	4	3	3	2	2	2	－
広島市	34	3	3	1	6	4	2	15	－
北九州市	26	2	1	6	2	3	4	8	－
福岡市	37	5	3	2	5	1	12	9	－
熊本市	16	4	2	－	1	－	6	3	－
中核市（別掲）									
旭川市	23	7	6	1	1	2	4	2	－
函館市	9	5	1	2	－	－	1	1	－
青森市	10	2	3	－	1	2	1	1	－
八戸市	14	1	4	3	1	2	3	2	－
盛岡市	7	－	1	－	－	－	4	2	－
秋田市	12	1	4	1	－	－	5	1	－
郡山市	6	－	－	－	2	－	2	4	－
いわき市	10	1	－	2	2	3	2	－	－
宇都宮市	13	1	1	1	1	2	1	6	－
前橋市	－								
高崎市	10	－	1	3	2	1	2	1	－
川越市	7	－	2	－	－	－	1	4	－
越谷市	1	－	－	－	－	－	－	1	－
船橋市	8	－	1	－	－	－	1	6	－
柏市	9	－	1	1	－	－	2	5	－
八王子市	13	－	2	3	1	1	1	5	－
横須賀市	9	－	2	－	1	－	1	5	－
富山市	18	2	6	3	1	1	2	1	－
金沢市	16	2	1	－	1	1	8	2	－
長野市	15	－	4	1	3	2	3	2	－
岐阜市	14	3	3	－	1	3	3	1	－
豊橋市	7	1	－	－	1	1	3	2	－
豊田市	7	－	－	2	1	1	2	3	－
岡崎市	10	－	1	2	－	－	4	2	1
大津市	2	－	－	－	－	－	－	2	－
高槻市	9	－	1	－	1	－	1	5	1
東大阪市	25	1	1	3	1	1	7	10	1
豊中市	6	－	1	－	1	－	－	4	1
枚方市	11	3	1	－	1	3	2	－	1
姫路市	12	1	1	－	2	3	－	5	－
西宮市	15	1	－	－	－	1	4	8	－
尼崎市	11	1	1	2	3	－	－	4	－
奈良市	16	1	－	4	－	1	7	3	－
和歌山市	9	4	1	－	1	1	1	2	－
倉敷市	8	1	－	1	1	1	1	3	－
福山市	16	1	2	－	2	－	4	6	1
呉市	12	2	1	－	－	1	3	5	－
下関市	12	3	1	2	1	1	2	2	－
高松市	26	6	2	3	2	－	9	4	－
松山市	21	－	3	1	1	3	9	7	－
高知市	8	－	1	1	1	－	4	1	－
久留米市	4	2	－	1	1	－	－	－	－
長崎市	16	2	－	3	1	4	4	2	－
佐世保市	7	2	－	1	1	2	1	3	－
大分市	19	5	5	4	1	1	3	－	－
宮崎市	12	－	－	1	2	－	3	6	－
鹿児島市	21	2	3	4	1	2	4	6	1
那覇市	7	－	－	1	2	－	2	1	1

第29表　共同生活援助・宿泊型自立訓練事業所数，

国 都道府県	9月末日に利用した事業所数	共同生活援助事業							利用者数不詳
		1 ～ 4人	5 ～ 9人	10 ～ 19人	20 ～ 29人	30 ～ 39人	40 ～ 49人	50人以上	
全　　国	6 121	988	1 986	1 724	701	272	136	245	69
国	2	-	-	2	-	-	-	-	-
北　海　道	245	25	59	55	29	24	18	33	2
青　　森	92	18	32	30	10	-	1	-	1
岩　　手	99	35	27	18	7	4	2	5	1
宮　　城	58	14	18	14	3	4	2	3	-
秋　　田	46	6	11	14	9	4	-	2	-
山　　形	66	8	20	22	11	3	1	1	-
福　　島	59	11	21	16	6	1	1	3	-
茨　　城	129	20	27	42	15	9	5	7	4
栃　　木	67	6	16	20	14	4	1	6	-
群　　馬	51	2	11	19	7	4	1	7	-
埼　　玉	175	19	61	48	28	6	4	7	2
千　　葉	176	26	58	51	22	6	4	7	2
東　　京	436	76	169	122	29	22	5	7	6
神　奈　川	144	19	60	43	11	5	2	3	1
新　　潟	68	5	18	19	16	2	3	4	1
富　　山	28	7	10	5	4	1	1	-	-
石　　川	43	8	18	6	7	2	-	2	-
福　　井	92	27	41	15	5	4	-	-	-
山　　梨	66	23	25	15	2	1	-	-	-
長　　野	114	14	40	33	17	2	1	4	3
岐　　阜	60	7	25	14	11	1	1	1	-
静　　岡	76	12	21	28	7	5	-	-	3
愛　　知	144	17	43	60	18	2	-	2	2
三　　重	87	17	36	19	9	1	1	4	-
滋　　賀	114	47	51	14	1	1	-	-	-
京　　都	66	15	23	16	5	4	2	1	-
大　　阪	197	34	62	59	19	7	4	10	2
兵　　庫	89	17	33	18	12	3	4	2	-
奈　　良	51	11	18	14	2	1	1	3	1
和　歌　山	45	9	10	13	8	1	-	3	1
鳥　　取	33	6	10	5	3	3	1	5	-
島　　根	54	11	7	18	8	4	2	4	-
岡　　山	39	1	11	8	11	2	1	5	-
広　　島	57	6	14	18	11	5	1	1	1
山　　口	57	13	16	12	8	3	2	3	-
徳　　島	29	2	11	12	1	1	-	1	1
香　　川	21	1	8	6	1	2	-	3	-
愛　　媛	47	12	16	10	5	2	-	1	1
高　　知	30	5	8	7	3	2	2	3	-
福　　岡	194	24	72	60	15	10	5	6	2
佐　　賀	68	9	33	12	6	2	2	3	1
長　　崎	84	9	21	21	19	7	3	2	2
熊　　本	86	12	22	27	12	9	-	4	-
大　　分	72	15	24	21	6	1	1	1	3
宮　　崎	38	8	9	11	6	-	1	3	-
鹿　児　島	93	7	31	34	11	5	2	1	2
沖　　縄	41	9	14	10	5	1	1	-	1

注：指定都市及び中核市は別掲である。

国－都道府県－指定都市－中核市、9月末日利用実人員階級別

平成29年10月1日

指定都市 / 中核市	9月末日に利用者がいた事業所数	共同生活援助事業							利用者数不詳
		1～4人	5～9人	10～19人	20～29人	30～39人	40～49人	50人以上	
指定都市（別掲）									
札幌市	124	18	41	35	13	3	3	8	3
仙台市	36	5	7	12	4	1	2	5	－
さいたま市	23	2	10	8	2	－	－	1	－
千葉市	20	3	6	6	3	2	－	1	－
横浜市	171	8	67	39	25	11	10	6	5
川崎市	58	16	17	14	6	2	－	3	－
相模原市	37	4	10	18	2	2	－	1	－
新潟市	28	4	6	8	7	2	1	－	－
静岡市	19	3	6	8	2	－	－	－	－
浜松市	24	4	10	5	2	－	1	1	1
名古屋市	95	13	19	46	11	3	1	－	2
京都市	49	11	23	9	－	－	1	1	2
大阪市	130	25	42	38	16	－	5	4	－
堺市	37	6	14	11	3	－	－	1	2
神戸市	46	13	13	11	6	－	1	－	2
岡山市	17	1	2	6	7	－	－	1	－
広島市	23	1	9	7	2	3	－	－	1
北九州市	39	4	11	16	1	1	2	4	－
福岡市	54	12	25	15	－	1	1	－	－
熊本市	36	3	12	12	5	2	－	2	－
中核市（別掲）									
旭川市	36	5	9	12	6	2	－	2	－
函館市	14	4	3	5	2	－	－	－	－
青森市	21	3	8	6	－	2	1	3	－
八戸市	19	3	4	5	5	2	－	－	－
盛岡市	19	2	10	2	2	3	－	－	－
秋田市	18	－	7	7	1	1	1	1	－
郡山市	15	－	－	5	6	1	－	1	2
いわき市	14	2	4	4	3	－	－	1	－
宇都宮市	20	2	6	8	3	1	1	－	－
前橋市	18	3	6	5	2	1	－	1	－
高崎市	15	1	6	3	1	1	1	2	－
川越市	7	2	1	－	－	3	1	－	－
越谷市	7	－	4	2	1	－	－	－	－
船橋市	9	2	2	4	1	－	－	－	－
柏市	15	2	4	4	2	3	－	－	－
八王子市	50	12	13	19	3	1	－	2	－
横須賀市	37	20	10	4	－	1	2	－	－
富山市	20	5	3	7	2	2	1	－	－
金沢市	19	1	8	7	2	1	－	2	－
長野市	12	1	2	2	2	1	－	4	－
岐阜市	15	1	5	3	4	1	－	1	－
豊橋市	18	2	4	8	3	1	－	－	1
豊田市	13	1	6	3	2	－	－	－	－
岡崎市	9	1	5	2	－	－	－	－	－
大津市	15	1	10	2	1	－	－	1	－
高槻市	9	1	1	3	3	－	－	－	1
東大阪市	19	3	5	5	2	－	2	2	－
豊中市	9	2	5	5	1	1	－	－	－
枚方市	16	2	2	2	4	1	－	－	－
姫路市	18	5	8	3	2	－	－	－	－
西宮市	8	1	3	3	－	－	－	1	－
尼崎市	13	3	3	2	1	1	1	1	1
奈良市	20	8	7	4	1	－	－	－	－
和歌山市	10	1	3	3	1	－	－	2	－
倉敷市	6	－	1	2	1	1	－	－	1
福山市	18	1	2	6	2	3	3	1	－
呉市	7	－	2	3	2	－	－	2	－
下関市	11	1	2	4	2	－	－	2	－
高松市	12	－	5	2	4	1	－	2	－
松山市	20	2	6	2	5	1	2	2	－
高知市	20	2	1	12	2	2	－	1	－
久留米市	19	2	9	4	3	1	－	－	－
長崎市	22	2	7	10	3	－	1	－	－
佐世保市	31	2	8	15	3	1	2	－	－
大分市	32	4	10	11	6	1	－	－	－
宮崎市	19	2	8	6	2	－	－	1	1
鹿児島市	24	5	4	4	2	2	1	2	1
那覇市	9	2	3	2	1	－	－	1	－

第29表　共同生活援助・宿泊型自立訓練事業所数，

国 都道府県	9月末日に利用者がいた事業所数	（再掲）外部サービス利用型共同生活援助事業							利用者数不詳
		1～4人	5～9人	10～19人	20～29人	30～39人	40～49人	50人以上	
全　国	1 122	241	423	280	99	25	7	18	29
国	－	－	－	－	－	－	－	－	－
北海道	58	12	23	15	3	2	－	3	－
青森	17	6	6	4	－	－	－	－	1
岩手	11	2	7	2	－	－	－	－	－
宮城	6	2	4	－	－	－	－	－	－
秋田	14	3	5	4	2	－	－	－	－
山形	25	4	8	7	5	－	－	1	－
福島	30	7	11	8	2	－	1	1	－
茨城	28	6	4	10	4	1	－	－	3
栃木	12	1	5	4	2	－	－	－	－
群馬	8	－	2	2	1	1	－	2	－
埼玉	18	1	6	7	4	－	－	－	－
千葉	15	5	4	5	1	－	－	－	－
東京	59	8	41	9	－	－	－	－	1
神奈川	3	2	－	1	－	－	－	－	－
新潟	7	－	2	2	2	－	－	－	1
富山	10	6	3	－	－	1	－	－	－
石川	17	6	9	1	1	－	－	－	－
福井	15	3	5	2	1	4	－	－	－
山梨	22	10	7	5	－	－	－	－	－
長野	4	2	－	1	－	－	－	－	1
岐阜	10	1	6	2	1	－	－	－	－
静岡	24	4	8	8	1	1	－	－	2
愛知	7	－	3	4	－	－	－	－	－
三重	7	4	2	1	－	－	－	－	－
滋賀	8	3	4	1	－	－	－	－	－
京都	9	3	5	1	－	－	－	－	－
大阪	9	2	3	2	1	－	－	－	1
兵庫	12	5	4	2	－	1	－	－	－
奈良	4	－	1	2	－	1	－	－	－
和歌山	3	2	1	－	－	－	－	－	－
鳥取	2	1	1	－	－	－	－	－	－
島根	15	4	4	4	2	－	－	1	－
岡山	4	－	1	－	3	－	－	－	－
広島	10	2	1	2	5	－	－	－	－
山口	20	4	6	6	4	－	－	－	－
徳島	13	1	5	5	1	－	－	－	1
香川	7	1	2	1	－	1	－	2	－
愛媛	19	6	7	4	1	－	－	－	1
高知	5	3	－	2	－	－	－	－	－
福岡	38	8	21	6	2	1	－	－	－
佐賀	21	3	13	3	1	－	－	－	1
長崎	17	5	5	3	2	－	1	－	1
熊本	42	7	14	12	3	4	－	2	－
大分	33	8	13	8	2	－	－	－	2
宮崎	5	2	1	2	－	－	－	－	－
鹿児島	42	3	16	15	6	1	－	－	1
沖縄	28	6	8	7	5	－	1	－	1

国－都道府県－指定都市－中核市、9月末日利用実人員階級別

平成29年10月1日

表中の「1～4人」～「50人以上」の各列は（再掲）外部サービス利用型共同生活援助事業に係るもの。

指定都市 / 中核市	9月末日に利用がある事業所数	1～4人	5～9人	10～19人	20～29人	30～39人	40～49人	50人以上	利用者数不詳
指定都市（別掲）									
札幌市	55	8	27	10	5	1	1	1	2
仙台市	6	3	1	2	—	—	—	—	—
さいたま市	1	—	1	—	—	—	—	—	—
千葉市	1	—	—	1	—	—	—	—	—
横浜市	5	1	1	1	—	—	—	—	2
川崎市	—	—	—	—	—	—	—	—	—
相模原市	—	—	—	—	—	—	—	—	—
新潟市	7	1	2	1	2	1	—	—	—
静岡市	5	—	3	2	—	—	—	—	—
浜松市	5	2	1	1	1	—	—	—	—
名古屋市	1	—	—	—	1	—	—	—	—
京都市	1	—	—	—	1	—	—	—	1
大阪市	3	3	—	—	—	—	—	—	—
堺市	—	—	—	—	—	—	—	—	—
神戸市	3	2	—	—	1	—	—	—	—
岡山市	2	—	1	1	—	—	—	—	—
広島市	10	1	6	2	—	—	—	—	1
北九州市	12	2	3	7	—	—	—	—	—
福岡市	19	5	11	3	—	—	—	—	—
熊本市	18	3	4	6	4	1	—	—	—
中核市（別掲）									
旭川市	8	—	2	5	1	—	—	—	—
函館市	4	3	—	1	—	—	—	—	—
青森市	9	3	4	2	—	—	—	—	—
八戸市	3	1	—	1	1	—	—	—	—
盛岡市	8	1	6	1	—	—	—	—	—
秋田市	12	—	5	5	—	—	1	1	—
郡山市	10	—	—	4	3	—	—	1	2
いわき市	2	1	1	—	—	—	—	—	—
宇都宮市	7	2	2	1	—	—	—	—	—
前橋市	3	1	1	1	—	—	—	—	—
高崎市	4	1	—	—	1	—	1	1	—
川越市	—	—	—	—	—	—	—	—	—
越谷市	1	—	1	—	—	—	—	—	—
船橋市	1	1	—	—	—	—	—	—	—
柏市	—	—	—	—	—	—	—	—	—
八王子市	3	1	1	—	—	1	—	—	—
横須賀市	—	—	—	—	—	—	—	—	—
富山市	9	2	2	4	1	—	—	—	—
金沢市	5	1	—	4	—	—	—	—	—
長野市	1	1	—	—	—	—	—	—	—
岐阜市	4	—	1	2	—	—	—	1	—
豊橋市	—	—	—	—	—	—	—	—	—
豊田市	3	—	2	—	1	—	—	—	—
岡崎市	—	—	—	—	—	—	—	—	—
大津市	—	—	—	—	—	—	—	—	—
高槻市	1	—	—	—	—	—	—	—	1
東大阪市	—	—	—	—	—	—	—	—	—
豊中市	—	—	—	—	—	—	—	—	—
枚方市	—	—	—	—	—	—	—	—	—
姫路市	4	1	3	—	—	—	—	—	—
西宮市	—	—	—	—	—	—	—	—	—
尼崎市	2	1	1	—	—	—	—	—	—
奈良市	1	—	1	—	—	—	—	—	—
和歌山市	1	—	—	—	—	—	—	—	1
倉敷市	—	—	—	—	—	—	—	—	—
福山市	3	—	1	—	—	1	1	—	—
呉市	3	—	1	1	1	—	—	—	—
下関市	2	—	1	1	—	—	—	—	—
高松市	3	2	—	—	—	1	—	—	—
松山市	—	—	—	—	—	—	—	—	—
高知市	6	2	—	3	—	—	1	—	—
久留米市	5	1	2	1	1	—	—	—	—
長崎市	5	1	3	1	—	—	—	—	—
佐世保市	7	1	2	4	—	—	—	—	—
大分市	13	2	6	4	1	—	—	—	—
宮崎市	8	2	4	1	1	—	—	—	—
鹿児島市	7	3	—	1	1	1	—	—	1
那覇市	5	2	—	1	1	—	—	—	1

第29表　共同生活援助・宿泊型自立訓練事業所数，

国都道府県	宿泊型自立訓練事業								
	9月末に利用者がいた事業所数	1～4人	5～9人	10～19人	20～29人	30～39人	40～49人	50人以上	利用者数不詳
全　　　国	207	5	36	129	28	8	－	1	－
国	－	－	－	－	－	－	－	－	－
北海道	7	－	2	4	1	－	－	－	－
青森	5	－	－	5	－	－	－	－	－
岩手	5	－	1	3	1	－	－	－	－
宮城	2	－	－	2	－	－	－	－	－
秋田	5	－	1	2	1	1	－	－	－
山形	2	－	－	2	－	－	－	－	－
福島	1	－	－	1	－	－	－	－	－
茨城	2	－	－	2	－	－	－	－	－
栃木	3	－	－	2	1	－	－	－	－
群馬	4	－	－	4	－	－	－	－	－
埼玉	8	－	1	5	2	－	－	－	－
千葉	3	－	－	2	1	－	－	－	－
東京	13	1	2	3	5	2	－	－	－
神奈川	2	－	－	1	－	－	－	1	－
新潟	7	1	1	4	－	1	－	－	－
富山	1	－	1	－	－	－	－	－	－
石川	－	－	－	－	－	－	－	－	－
福井	2	－	－	1	1	－	－	－	－
山梨	2	－	1	1	－	－	－	－	－
長野	4	1	－	3	－	－	－	－	－
岐阜	6	－	4	2	－	－	－	－	－
静岡	1	－	1	－	－	－	－	－	－
愛知	3	－	1	1	1	－	－	－	－
三重	3	－	1	1	1	－	－	－	－
滋賀	3	－	1	1	1	－	－	－	－
京都	－	－	－	－	－	－	－	－	－
大阪	5	－	1	3	1	－	－	－	－
兵庫	1	－	1	－	－	－	－	－	－
奈良	－	－	－	－	－	－	－	－	－
和歌山	－	－	－	－	－	－	－	－	－
鳥取	2	－	－	1	－	1	－	－	－
島根	2	－	－	2	－	－	－	－	－
岡山	2	－	－	2	－	－	－	－	－
広島	5	－	－	5	－	－	－	－	－
山口	5	－	－	5	－	－	－	－	－
徳島	5	1	－	4	－	－	－	－	－
香川	－	－	－	－	－	－	－	－	－
愛媛	2	－	2	－	－	－	－	－	－
高知	－	－	－	－	－	－	－	－	－
福岡	2	－	－	2	－	－	－	－	－
佐賀	1	－	－	1	－	－	－	－	－
長崎	2	－	1	－	1	－	－	－	－
熊本	2	－	－	2	－	－	－	－	－
大分	4	－	1	2	1	－	－	－	－
宮崎	1	－	－	1	－	－	－	－	－
鹿児島	5	－	1	4	－	－	－	－	－
沖縄	4	－	1	3	－	－	－	－	－

国－都道府県－指定都市－中核市、9月末日利用実人員階級別

指定都市 中核市	9月末日に利用があった事業所数	宿 泊 型 自 立 訓 練 事 業							利用者数不詳
		1 ～ 4人	5 ～ 9人	10 ～ 19人	20 ～ 29人	30 ～ 39人	40 ～ 49人	50人以上	
指定都市（別掲）									
札幌市	6	-	-	6	-	-	-	-	-
仙台市	6	-	2	3	1	-	-	-	-
さいたま市	1	-	-	1	-	-	-	-	-
千葉市	1	-	-	-	1	-	-	-	-
横浜市	4	-	-	3	1	-	-	-	-
川崎市	1	-	-	1	-	-	-	-	-
相模原市	-	-	-	-	-	-	-	-	-
新潟市	2	1	-	1	-	-	-	-	-
静岡市	-	-	-	-	-	-	-	-	-
浜松市	2	-	-	2	-	-	-	-	-
名古屋市	2	-	-	1	1	-	-	-	-
京都市	-	-	-	-	-	-	-	-	-
大阪市	2	-	1	1	-	-	-	-	-
堺市	1	-	-	1	-	-	-	-	-
神戸市	-	-	-	-	-	-	-	-	-
岡山市	-	-	-	-	-	-	-	-	-
広島市	-	-	-	-	-	-	-	-	-
北九州市	4	-	2	1	-	-	1	-	-
福岡市	-	-	-	-	-	-	-	-	-
熊本市	1	-	-	-	-	-	1	-	-
中核市（別掲）									
旭川市	2	-	-	1	-	1	-	-	-
函館市	2	-	-	2	-	-	-	-	-
青森市	1	-	-	1	-	-	-	-	-
八戸市	1	-	-	1	-	-	-	-	-
盛岡市	-	-	-	-	-	-	-	-	-
秋田市	3	-	1	2	-	-	-	-	-
郡山市	2	-	-	2	-	-	-	-	-
いわき市	1	-	-	1	-	-	-	-	-
宇都宮市	-	-	-	-	-	-	-	-	-
前橋市	-	-	-	-	-	-	-	-	-
高崎市	1	-	-	1	-	-	-	-	-
川越市	-	-	-	-	-	-	-	-	-
越谷市	1	-	-	1	-	-	-	-	-
船橋市	1	-	-	1	-	-	-	-	-
柏市	1	-	-	1	-	-	-	-	-
八王子市	1	-	-	1	-	-	-	-	-
横須賀市	-	-	-	-	-	-	-	-	-
富山市	-	-	-	-	-	-	-	-	-
金沢市	1	-	-	1	-	-	-	-	-
長野市	-	-	-	-	-	-	-	-	-
岐阜市	1	-	-	1	-	-	-	-	-
豊橋市	-	-	-	-	-	-	-	-	-
豊田市	1	-	-	-	-	1	-	-	-
岡崎市	-	-	-	-	-	-	-	-	-
大津市	-	-	-	-	-	-	-	-	-
高槻市	1	-	-	-	-	1	-	-	-
東大阪市	-	-	-	-	-	-	-	-	-
豊中市	1	-	1	-	-	-	-	-	-
枚方市	-	-	-	-	-	-	-	-	-
姫路市	1	-	1	-	-	-	-	-	-
西宮市	1	-	1	-	-	-	-	-	-
尼崎市	-	-	-	-	-	-	-	-	-
奈良市	1	-	1	-	-	-	-	-	-
和歌山市	1	-	-	1	-	-	-	-	-
倉敷市	-	-	-	-	-	-	-	-	-
福山市	1	-	-	-	-	1	-	-	-
呉市	-	-	-	-	-	-	-	-	-
下関市	1	-	-	1	-	-	-	-	-
高松市	1	-	-	1	-	-	-	-	-
松山市	1	-	-	1	-	-	-	-	-
高知市	1	-	-	1	-	-	-	-	-
久留米市	1	-	-	-	-	1	-	-	-
長崎市	1	-	-	-	-	-	1	-	-
佐世保市	1	-	1	-	-	-	-	-	-
大分市	1	-	-	1	-	-	-	-	-
宮崎市	-	-	-	-	-	-	-	-	-
鹿児島市	2	-	-	2	-	-	-	-	-
那覇市	1	-	-	-	1	-	-	-	-

国－都道府県－指定都市－中核市、9月末日利用実人員階級別

第30表　共同生活援助事業所の共同生活

国 都道府県	定　員　別　箇　所　数										
	2 人	3 人	4 人	5 人	6 人	7 人	8 人	9 人	10 人	11～20人	21～30人
全　　　　国	1 403	1 289	4 058	3 415	2 826	1 968	452	381	1 067	615	66
国	–	–	–	1	1	–	1	1	–	–	–
北海道	75	53	276	240	227	163	34	36	60	35	–
青森	5	6	28	32	47	37	3	2	16	12	–
岩手	2	4	70	75	65	19	6	2	8	2	–
宮城	3	7	77	45	41	16	1	–	2	3	–
秋田	–	9	30	49	22	16	2	4	11	1	–
山形	2	5	46	39	38	11	3	3	25	9	–
福島	2	8	21	27	38	10	3	2	4	6	1
茨城	17	18	78	36	58	42	13	14	48	22	4
栃木	5	6	51	47	41	22	12	12	31	9	–
群馬	17	10	34	35	47	22	10	3	23	9	–
埼玉	28	40	89	50	77	94	14	21	44	19	–
千葉	100	62	189	131	61	30	8	5	23	4	6
東京	46	41	235	201	189	196	32	17	42	13	–
神奈川	16	14	45	106	89	30	4	10	8	8	1
新潟	2	4	29	81	41	39	8	2	8	5	1
富山	–	1	13	10	14	11	3	7	4	–	–
石川	3	2	27	20	12	15	2	1	5	5	–
福井	8	1	20	22	23	11	1	3	8	12	3
山梨	1	3	29	11	22	6	2	2	10	3	–
長野	7	31	65	80	64	42	7	8	9	5	–
岐阜	7	3	36	35	19	18	8	4	10	4	1
静岡	16	31	42	34	31	13	7	8	12	8	–
愛知	17	28	77	79	66	35	6	3	12	15	–
三重	11	13	48	28	18	38	8	9	25	8	–
滋賀	16	13	59	37	36	21	2	–	6	2	–
京都	1	2	22	30	16	25	5	3	12	9	1
大阪	199	174	190	92	65	31	9	6	29	9	–
兵庫	15	25	64	66	25	18	5	1	14	12	–
奈良	2	14	22	8	21	15	2	3	13	2	–
和歌山	12	7	25	16	22	34	2	2	4	6	7
鳥取	13	16	46	39	12	4	2	–	6	1	–
島根	6	4	54	31	37	22	5	3	17	12	–
岡山	9	8	30	20	18	21	7	9	6	6	1
広島	6	15	39	46	26	20	9	1	7	23	–
山口	25	9	32	31	28	16	2	1	6	12	–
徳島	9	2	28	27	20	2	–	–	3	6	–
香川	1	3	11	10	7	4	2	1	18	8	2
愛媛	13	8	25	13	15	9	2	2	9	3	1
高知	8	1	14	25	38	7	2	1	1	7	–
福岡	39	39	51	71	65	67	14	14	54	26	2
佐賀	22	21	25	17	26	27	6	2	20	6	–
長崎	86	46	76	46	41	27	6	5	12	8	–
熊本	13	14	34	50	33	34	7	11	19	13	–
大分	12	8	41	30	19	9	–	4	17	10	1
宮崎	5	5	52	37	10	16	3	1	9	3	–
鹿児島	18	11	40	36	34	21	12	12	28	11	1
沖縄	10	1	19	10	10	6	–	–	6	8	–

注：指定都市及び中核市は別掲である。

住居定員別箇所数，国－都道府県－指定都市－中核市別

指定都市 中核市	定員別箇所数										
	2 人	3 人	4 人	5 人	6 人	7 人	8 人	9 人	10 人	11～20人	21～30人
指定都市（別掲）											
札 幌 市	5	12	110	47	59	29	11	7	50	15	1
仙 台 市	8	9	53	39	28	18	1	2	6	4	-
さいたま 市	10	10	19	6	7	2	1	1	8	-	-
千 葉 市	7	1	12	7	14	8	-	-	1	5	-
横 浜 市	3	2	101	281	146	49	28	15	16	3	-
川 崎 市	14	12	39	51	37	11	2	-	2	1	-
相 模 原 市	1	4	8	21	26	16	3	3	1	1	1
新 潟 市	-	-	24	21	7	9	-	1	6	4	-
静 岡 市	7	2	6	3	2	11	3	1	2	4	-
浜 松 市	-	2	6	9	13	13	1	1	2	2	-
名 古 屋 市	28	19	62	40	51	32	4	8	7	5	-
京 都 市	8	11	34	12	13	11	1	1	6	2	-
大 阪 市	84	60	109	60	51	24	7	4	7	4	-
堺 市	23	4	39	24	13	9	3	3	7	1	-
神 戸 市	11	28	39	16	8	4	2	4	4	3	-
岡 山 市	19	5	41	4	4	7	-	1	1	2	-
広 島 市	2	1	11	5	4	2	2	6	5	6	2
北 九 州 市	3	9	32	17	16	9	2	1	20	12	-
福 岡 市	12	14	16	17	7	7	-	3	6	9	1
熊 本 市	5	7	18	7	16	14	-	3	-	14	1
中 核 市（別掲）											
旭 川 市	11	2	37	20	7	9	2	4	6	6	-
函 館 市	-	-	7	4	4	3	1	-	4	2	-
青 森 市	-	1	17	23	10	11	1	2	11	2	-
八 戸 市	6	5	3	8	11	9	-	-	3	6	-
盛 岡 市	1	-	7	4	14	8	-	2	2	3	-
秋 田 市	-	-	8	6	11	6	1	-	2	5	-
郡 山 市	-	15	27	10	12	4	3	1	-	3	-
い わ き 市	7	4	37	11	10	1	1	1	1	1	3
宇 都 宮 市	6	7	6	9	5	8	-	1	1	3	-
前 橋 市	4	-	10	5	11	4	3	2	4	1	-
高 崎 市	-	4	17	8	5	3	-	-	6	6	-
川 越 市	-	-	7	5	3	7	-	1	4	-	-
越 谷 市	2	1	9	-	1	2	1	-	-	-	-
船 橋 市	2	12	18	7	1	1	1	-	3	-	-
柏 市	14	3	6	3	8	1	-	1	6	-	-
八 王 子 市	2	3	28	24	11	27	3	2	10	3	-
横 須 賀 市	2	1	35	15	5	3	5	-	3	3	-
富 山 市	3	1	11	10	9	2	-	2	7	8	-
金 沢 市	6	3	11	6	4	9	-	2	2	4	-
長 野 市	1	2	24	21	15	13	-	2	4	2	-
岐 阜 市	1	-	10	5	13	11	-	-	-	3	-
豊 橋 市	16	-	3	4	6	10	2	1	1	3	1
豊 田 市	-	-	2	1	9	5	2	-	-	1	-
岡 崎 市	-	-	2	7	3	2	1	-	2	1	-
大 津 市	2	3	8	5	2	4	-	-	2	1	-
高 槻 市	19	11	6	14	1	5	-	3	-	-	-
東 大 阪 市	16	29	22	12	8	3	2	-	3	-	-
豊 中 市	-	4	9	-	2	4	-	2	-	1	-
枚 方 市	15	22	13	12	7	-	-	2	-	2	2
姫 路 市	9	2	16	5	7	3	-	-	-	1	2
西 宮 市	3	10	11	8	3	5	2	-	-	4	-
尼 崎 市	13	13	21	2	3	4	1	3	2	3	18
奈 良 市	1	1	8	10	6	8	1	1	-	-	-
和 歌 山 市	1	2	7	5	7	10	-	1	2	-	-
倉 敷 市	1	2	5	3	1	1	1	3	1	-	-
福 山 市	5	6	15	14	8	15	4	1	6	2	1
呉 市	1	-	3	3	1	1	1	1	4	3	1
下 関 市	1	-	9	8	12	6	3	4	4	3	-
高 松 市	5	1	4	3	7	4	2	1	2	1	1
松 山 市	17	15	25	12	9	15	2	-	5	3	-
高 知 市	4	4	26	11	16	6	2	1	2	4	-
久 留 米 市	6	4	4	8	8	5	-	-	2	4	-
長 崎 市	1	-	11	5	2	4	1	1	10	8	1
佐 世 保 市	18	17	16	16	5	5	1	3	3	8	-
大 分 市	-	2	15	11	15	11	4	5	5	5	-
宮 崎 市	1	-	9	15	1	4	4	-	3	1	-
鹿 児 島 市	1	3	20	26	10	9	7	4	1	6	-
那 覇 市	1	11	2	1	3	3	-	-	-	1	-

第31表　療養介護・生活介護・共同生活援助・自立訓練(機能訓練)・自立訓練(生活訓練)・宿泊型自立訓練・
就労移行支援・就労継続支援(A型)・就労継続支援(B型)事業所の利用実人員数，利用期間別

（単位：人）　　平成29年9月

サービスの種類	総　数	1　年以下	1　年　超 3　年以下	3　年　超	不　詳
療　養　介　護　事　業	14 863	711	1 111	13 041	－
生　活　介　護　事　業	188 509	20 662	35 478	132 369	－
共　同　生　活　援　助　事　業	93 090	12 317	19 252	61 521	－
（再掲）サテライト型住居	1 102	202	386	514	－
（再掲）外部サービス利用型共同生活援助事業	12 653	2 095	3 000	7 558	－
（再々掲）サテライト型住居	212	21	49	58	84
就労継続支援（A型）事業	72 832	22 932	27 435	22 465	－
就労継続支援（B型）事業	263 138	47 771	59 539	155 828	－

注：1）共同生活援助事業は、9月末日の利用者数である。
　　2）障害者支援施設の昼間実施サービス（生活介護、自立訓練(機能・生活)、就労移行支援及び就労継続支援）を除く。

（単位：人）　　平成29年9月

サービスの種類	総　数	1　年以下	1　年　超 1年6月以下	1年6月超 2　年以下	2　年　超 2年6月以下	2年6月超 3　年以下	3　年　超	不　詳
自立訓練（機能訓練）事業	978	531	198	82	73	23	71	－
自立訓練（生活訓練）事業	10 253	5 344	2 185	1 427	586	373	338	－
宿泊型自立訓練事業	3 064	1 519	674	445	185	133	108	－

注：1）宿泊型自立訓練事業は、9月末日の利用者数である。
　　2）障害者支援施設の昼間実施サービス（生活介護、自立訓練(機能・生活)、就労移行支援及び就労継続支援）を除く。

（単位：人）　　平成29年9月

サービスの種類	総　数	2　年以下	2　年　超 3　年以下	3　年　超	不　詳
就　労　移　行　支　援　事　業	33 749	31 344	2 235	170	－

注：障害者支援施設の昼間実施サービス（生活介護、自立訓練(機能・生活)、就労移行支援及び就労継続支援）を除く。

都道府県	居宅介護事業		重度訪問介護事業		同行援護事業		行動援護事業		保育所等訪問支援事業	
	1事業所当たり利用実人員（人）	1事業所当たり訪問回数（回）	1事業所当たり利用実人員（人）	1事業所当たり訪問回数（回）	1事業所当たり利用実人員（人）	1事業所当たり訪問回数（回）	1事業所当たり利用実人員（人）	1事業所当たり訪問回数（回）	1事業所当たり利用実人員（人）	1事業所当たり訪問回数（回）
全　　　　国	10.9	153.7	3.1	84.4	4.7	29.6	7.9	42.7	6.9	9.5
北　海　道	9.3	121.4	1.8	66.9	3.8	22.2	9.8	42.2	5.0	8.1
青　　　森	9.1	128.7	2.2	199.5	2.9	15.2	3.7	17.0	3.5	6.0
岩　　　手	9.4	121.4	2.3	35.9	4.2	22.7	2.5	6.5	9.3	9.3
宮　　　城	7.9	112.4	1.9	38.8	3.3	11.4	3.7	13.9	4.7	5.0
秋　　　田	8.0	97.6	1.2	21.4	2.4	9.5	3.5	30.5	5.0	5.0
山　　　形	10.8	141.0	2.2	72.9	4.6	15.6	11.0	20.0	5.5	10.5
福　　　島	9.4	118.3	2.2	76.0	4.7	25.4	7.5	29.5	3.5	3.5
茨　　　城	11.6	155.9	3.0	48.0	3.8	17.1	5.5	21.1	9.0	9.0
栃　　　木	12.3	138.7	1.7	35.5	5.8	33.1	5.0	14.8	2.3	2.8
群　　　馬	12.1	141.8	1.9	36.8	4.8	28.3	8.2	57.4	5.8	8.5
埼　　　玉	11.1	149.7	3.4	80.9	4.5	28.0	15.4	82.3	6.8	8.6
千　　　葉	10.9	138.9	2.3	69.9	4.5	23.8	8.8	36.9	3.6	7.9
東　　　京	9.3	109.2	3.6	86.8	6.0	38.4	5.6	35.5	10.2	11.7
神　奈　川	12.2	144.9	2.0	35.7	8.3	43.5	10.3	71.0	2.8	4.0
新　　　潟	12.9	162.0	1.4	32.7	3.8	18.7	8.4	28.3	3.0	4.7
富　　　山	8.5	87.4	1.0	5.0	2.9	12.3	7.6	14.2	1.0	2.0
石　　　川	9.3	95.1	1.0	48.0	3.8	13.8	2.0	16.0	3.0	3.0
福　　　井	11.3	158.8	1.7	60.2	12.5	73.2	1.6	14.4	8.4	9.4
山　　　梨	12.4	175.1	2.4	94.0	6.6	30.3	7.0	44.1	20.3	23.5
長　　　野	10.5	141.2	2.4	55.0	3.9	17.6	9.3	81.4	2.1	3.1
岐　　　阜	10.9	134.1	1.9	74.1	3.8	16.9	6.6	25.0	9.6	12.3
静　　　岡	12.0	137.8	1.4	52.5	4.3	22.2	12.4	51.8	13.1	20.4
愛　　　知	12.7	188.8	2.1	63.9	2.8	16.3	7.0	27.1	11.2	14.1
三　　　重	11.0	153.5	5.1	41.2	4.5	19.7	4.2	26.5	9.8	20.3
滋　　　賀	16.2	164.5	3.5	37.2	5.1	17.9	19.4	68.2	10.2	13.1
京　　　都	12.3	155.4	3.1	92.4	10.8	56.0	6.8	28.5	5.3	5.9
大　　　阪	10.8	154.2	2.3	64.4	3.7	25.8	8.1	32.3	8.2	10.8
兵　　　庫	11.0	140.5	3.4	81.9	5.2	31.0	6.1	49.9	5.0	5.6
奈　　　良	7.3	84.4	1.4	39.2	3.9	22.3	9.3	46.9	1.0	1.3
和　歌　山	10.6	124.9	2.0	59.2	2.7	16.8	3.2	12.0	4.0	6.6
鳥　　　取	13.3	164.5	1.9	52.4	3.7	15.4	5.1	36.7	7.5	10.0
島　　　根	11.0	134.5	1.5	91.7	2.9	13.8	4.9	23.5	5.8	9.3
岡　　　山	10.0	115.3	1.9	36.5	3.1	15.0	3.4	15.4	6.0	6.4
広　　　島	10.7	131.5	2.1	34.2	3.1	22.7	9.0	23.0	2.5	2.9
山　　　口	7.3	93.5	1.6	52.3	3.4	16.0	－	－	8.6	14.0
徳　　　島	9.9	128.7	1.4	29.2	4.4	39.8	5.6	33.0	9.0	9.9
香　　　川	11.9	134.5	1.7	24.4	4.4	23.7	3.2	21.2	9.0	9.0
愛　　　媛	11.4	166.4	1.3	31.5	5.3	40.5	5.5	31.8	3.7	3.7
高　　　知	6.6	83.8	1.2	24.5	2.4	11.5	3.0	15.0	－	－
福　　　岡	9.4	127.9	1.8	56.0	3.6	18.9	5.8	23.8	6.2	9.5
佐　　　賀	9.8	155.0	1.5	52.3	2.8	12.4	9.3	38.9	8.0	9.0
長　　　崎	9.4	122.8	2.3	96.0	3.7	23.5	13.2	41.4	10.7	11.3
熊　　　本	10.0	127.2	1.7	75.9	3.7	22.3	11.0	53.0	2.1	2.5
大　　　分	8.9	126.4	1.5	54.7	3.2	18.9	6.4	36.0	9.2	11.7
宮　　　崎	8.5	131.4	1.6	82.7	6.3	38.1	5.0	27.0	8.8	12.5
鹿　児　島	8.3	117.3	2.1	79.5	3.1	15.1	4.4	18.9	12.1	16.8
沖　　　縄	11.6	220.7	2.5	136.7	5.6	52.2	5.1	34.9	51.0	139.0

注：1）指定都市及び中核市は別掲である。
　　2）9月中に利用者がいた事業所のうち、利用実人員不詳及び訪問回数不詳の事業所を除いて算出した。

行動援護・保育所等訪問支援事業所の1事業所当たり
都道府県－指定都市－中核市別

平成29年9月

指定都市／中核市	居宅介護事業 1事業所当たり利用実人員(人)	居宅介護事業 1事業所当たり訪問回数(回)	重度訪問介護事業 1事業所当たり利用実人員(人)	重度訪問介護事業 1事業所当たり訪問回数(回)	同行援護事業 1事業所当たり利用実人員(人)	同行援護事業 1事業所当たり訪問回数(回)	行動援護事業 1事業所当たり利用実人員(人)	行動援護事業 1事業所当たり訪問回数(回)	保育所等訪問支援事業 1事業所当たり利用実人員(人)	保育所等訪問支援事業 1事業所当たり訪問回数(回)
指定都市(別掲)										
札幌市	11.3	188.8	3.3	109.2	3.8	24.3	8.3	40.2	2.6	4.3
仙台市	14.4	247.9	3.2	57.4	7.4	36.3	1.1	7.4	1.0	1.0
さいたま市	11.2	149.4	1.9	34.1	3.3	15.1	8.1	55.7	5.5	5.7
千葉市	11.8	206.1	4.5	139.2	3.8	19.1	17.0	49.5	3.0	3.0
横浜市	13.0	195.7	4.0	95.1	4.3	28.1	9.4	60.8	3.0	3.0
川崎市	10.4	123.5	2.1	30.5	10.8	80.5	11.3	45.5	2.0	4.0
相模原市	12.6	237.8	2.7	67.1	6.7	42.0	15.5	100.5	12.3	18.3
新潟市	15.7	294.2	2.6	110.9	8.7	39.4	14.5	40.8	－	－
静岡市	17.5	230.4	2.4	75.4	6.8	47.0	6.0	34.0	9.0	10.0
浜松市	12.6	146.6	1.9	84.7	5.8	28.2	5.0	14.0	17.0	17.0
名古屋市	10.8	243.1	4.6	139.6	3.6	28.3	5.9	89.3	6.0	12.0
京都市	13.3	200.0	5.5	86.3	8.7	46.8	7.7	42.5	2.0	3.0
大阪市	9.3	161.0	3.7	105.9	4.3	33.1	8.0	54.1	6.8	8.3
堺市	10.9	150.5	2.8	75.5	2.7	20.2	3.3	19.1	5.7	7.7
神戸市	10.0	139.6	3.6	82.0	4.7	32.1	8.5	58.0	3.0	3.3
岡山市	15.0	165.3	4.5	104.7	14.0	90.6	4.6	22.8	8.8	15.4
広島市	10.3	141.5	2.7	87.5	5.8	37.6	8.5	64.5	18.0	21.7
北九州市	11.6	161.0	1.3	83.1	3.8	21.5	1.0	5.0	14.0	16.0
福岡市	15.5	222.7	2.2	70.3	6.5	39.5	5.9	17.2	1.0	1.0
熊本市	13.3	115.6	4.6	116.2	7.1	42.6	4.0	11.0	－	－
中核市(別掲)										
旭川市	11.2	212.2	2.4	86.4	5.7	41.9	15.0	62.0	3.3	5.8
函館市	11.6	133.7	1.3	36.8	10.0	59.7	7.0	27.0	3.5	3.5
青森市	7.4	226.6	2.1	108.7	4.0	18.6	4.0	13.3	2.0	2.0
八戸市	14.9	175.2	2.4	74.6	4.0	17.0	5.5	11.0	2.0	2.0
盛岡市	11.4	199.3	3.3	58.5	3.0	9.8	2.0	5.0	－	－
秋田市	9.6	145.4	2.2	42.0	4.8	20.8	－	－	2.5	2.5
郡山市	17.9	208.9	2.6	78.3	11.2	53.2	6.5	33.0	7.5	8.0
いわき市	14.3	116.7	2.2	65.9	4.7	35.7	7.3	29.3	－	－
宇都宮市	13.6	208.0	2.0	16.3	7.5	53.2	8.0	36.5	9.0	11.0
前橋市	12.9	187.1	2.0	80.3	3.4	25.5	2.3	8.7	1.0	1.0
高崎市	13.3	155.4	1.2	15.5	9.2	54.6	4.0	29.0	7.0	10.0
川越市	12.1	148.4	1.0	10.6	3.7	21.6	5.3	17.5	－	－
越谷市	12.8	210.4	1.5	13.9	7.9	37.0	87.3	233.7	3.0	6.0
船橋市	11.3	154.4	4.3	88.3	6.0	31.8	7.3	22.5	－	－
柏市	10.2	153.3	2.8	56.0	5.6	36.0	11.0	18.0	8.0	10.7
八王子市	7.2	77.2	3.9	102.3	5.6	33.8	5.5	29.5	－	－
横須賀市	13.6	209.1	1.6	42.6	6.3	33.3	1.0	18.0	－	－
富山市	8.5	119.3	2.1	28.5	6.0	21.1	9.0	50.0	3.0	3.0
金沢市	17.9	227.9	7.4	58.8	3.0	15.3	6.2	25.4	－	－
長野市	17.5	245.6	1.0	13.3	5.3	30.6	9.6	51.1	12.5	18.5
岐阜市	15.0	159.3	1.8	40.3	24.2	136.7	3.0	9.3	3.6	6.6
豊橋市	17.2	289.8	1.3	38.0	2.3	13.4	2.5	6.0	1.0	1.0
豊田市	8.2	168.2	2.4	187.2	7.4	44.3	－	－	1.0	1.7
岡崎市	23.7	254.5	1.0	85.5	3.4	14.9	7.5	16.0	8.5	8.5
大津市	18.2	168.5	2.7	38.9	10.6	68.2	1.5	15.0	－	－
高槻市	17.8	181.6	2.2	54.3	7.7	53.6	1.0	2.0	11.5	12.0
東大阪市	9.0	117.2	3.4	81.9	3.3	30.5	10.0	55.0	2.0	2.0
豊中市	12.5	198.8	2.6	88.4	3.1	26.5	3.5	24.5	1.0	2.0
枚方市	9.9	230.3	1.7	50.0	4.0	27.2	3.0	47.0	25.0	90.0
姫路市	13.7	182.8	3.3	85.6	4.9	20.1	4.0	23.0	8.0	19.2
西宮市	9.4	109.2	5.2	177.2	8.9	66.2	1.6	9.6	6.0	6.0
尼崎市	8.0	146.8	2.5	55.0	2.6	21.3	1.0	3.0	6.3	7.3
奈良市	16.2	217.8	3.1	58.9	2.9	19.0	10.1	50.6	－	－
和歌山市	9.1	97.8	1.6	81.1	4.7	34.0	6.0	62.6	2.0	2.0
倉敷市	16.8	163.2	1.9	51.9	3.3	17.8	5.3	17.3	8.7	18.3
福山市	17.8	192.4	1.6	30.6	6.6	50.4	10.0	45.1	4.0	4.4
呉市	8.5	107.6	1.9	25.5	4.2	17.9	11.3	68.0	2.0	2.0
下関市	9.4	138.7	2.5	49.5	3.7	20.4	1.5	4.5	1.0	1.0
高松市	11.0	151.2	2.3	76.9	5.8	35.4	2.6	11.6	14.0	14.0
松山市	14.3	189.4	2.6	109.7	10.5	68.1	3.0	20.0	8.0	19.0
高知市	9.2	115.5	2.4	42.0	4.1	19.7	2.5	12.0	5.8	5.8
久留米市	15.5	199.5	2.3	82.8	2.8	14.6	6.0	55.0	32.0	59.0
長崎市	10.6	137.5	2.1	60.1	4.1	22.9	3.3	9.8	13.0	36.0
佐世保市	9.0	103.0	2.2	225.0	4.3	18.8	2.0	2.0	3.0	4.0
大分市	8.2	138.1	1.7	50.0	4.7	31.2	5.7	25.8	5.3	7.0
宮崎市	14.2	290.7	1.4	269.8	7.2	54.9	1.0	19.0	3.0	4.0
鹿児島市	11.0	183.1	4.3	244.9	5.0	32.7	7.6	36.3	7.7	9.3
那覇市	17.0	201.2	2.5	77.3	10.1	84.5	5.3	23.8	4.0	5.0

第33表　療養介護・生活介護・自立訓練（機能訓練）・自立訓練（生活・児童発達支援・放課後等デイサービス事業所の1事業所

（単位：人）

国都道府県	療養介護事業		生活介護事業		自立訓練（機能訓練）事業		自立訓練（生活訓練）事業	
	1事業所当たり利用実人員	1事業所当たり利用延人数	1事業所当たり利用実人員	1事業所当たり利用延人数	1事業所当たり利用実人員	1事業所当たり利用延人数	1事業所当たり利用実人員	1事業所当たり利用延人数
全　　　　国	83.1	2 029.5	31.7	320.5	9.2	65.7	11.6	151.5
国	－	－	－	－	－	－	－	－
北　海　道	107.2	1 573.8	26.7	342.2	11.3	60.5	8.9	116.8
青　　　森	－	－	15.0	210.7	3.5	30.8	12.3	178.8
岩　　　手	85.7	2 570.0	15.8	231.5	－	－	15.6	273.6
宮　　　城	117.0	117.0	21.3	276.3	－	－	10.3	143.1
秋　　　田			17.4	293.0	2.5	16.5	11.2	144.0
山　　　形	97.0	2 961.0	18.4	212.1	－	－	5.9	91.2
福　　　島	115.0	3 432.0	21.5	261.7	－	－	8.0	93.4
茨　　　城	120.0	3 055.0	27.7	303.2	1.5	19.5	8.6	147.4
栃　　　木	38.3	1 142.0	44.3	439.8	－	－	7.6	133.6
群　　　馬	－	－	33.5	335.3	－	－	9.5	135.0
埼　　　玉	75.0	2 241.8	32.4	362.2	16.0	139.0	13.1	214.7
千　　　葉	45.0	45.0	39.7	346.8	22.5	137.0	11.2	128.8
東　　　京	100.0	1 919.1	41.4	462.0	14.1	111.9	17.1	183.8
神　奈　川	71.0	2 013.8	43.8	383.5	9.5	75.0	61.0	120.8
新　　　潟	99.0	2 960.5	22.5	254.1	2.0	16.0	13.2	228.9
富　　　山	－	－	9.6	125.8	1.0	4.3	4.8	47.9
石　　　川	39.0	633.5	14.9	228.6	－	－	5.5	71.0
福　　　井	100.0	2 995.0	17.0	285.1	－	－	15.1	140.8
山　　　梨	72.0	2 159.5	16.6	270.2	－	－	11.1	176.0
長　　　野	57.0	925.5	24.2	226.1	－	－	7.3	88.3
岐　　　阜	－	－	16.3	223.3	－	－	12.1	168.4
静　　　岡	24.0	720.0	31.3	320.1	－	－	6.0	94.7
愛　　　知	40.5	1 205.5	33.4	424.7	－	－	6.8	41.2
三　　　重	58.8	1 757.0	42.0	316.7	－	－	12.5	172.0
滋　　　賀	130.0	3 900.0	22.8	376.2	－	－	8.4	98.9
京　　　都	126.5	3 794.0	37.5	358.8	18.0	75.0	10.4	107.1
大　　　阪	97.0	2 884.0	32.2	335.6	－	－	13.7	165.5
兵　　　庫	95.0	2 849.7	27.3	278.1	3.0	16.5	12.4	204.3
奈　　　良	101.0	2 984.0	19.0	235.7	－	－	10.4	92.4
和　歌　山	94.0	2 776.0	25.6	240.9	－	－	10.1	166.0
鳥　　　取	－	－	20.8	219.4	1.0	8.0	6.7	47.3
島　　　根	105.0	2 334.0	18.9	224.6	6.0	30.0	9.4	122.5
岡　　　山	75.0	2 007.5	29.6	323.2	－	－	6.0	90.3
広　　　島	99.0	2 955.3	44.2	321.0	1.0	9.0	10.0	125.0
山　　　口	84.5	2 568.0	23.8	275.2	22.0	157.0	16.0	244.4
徳　　　島	110.7	2 221.7	26.1	362.8	－	－	9.3	138.9
香　　　川	184.0	5 506.0	41.5	176.4	－	－	5.0	89.0
愛　　　媛	86.0	2 576.5	14.9	189.1	－	－	9.3	135.8
高　　　知	124.0	3 708.0	14.3	206.9	－	－	5.3	36.7
福　　　岡	70.3	1 089.8	27.7	294.3	2.0	23.0	8.4	118.9
佐　　　賀	100.5	2 434.5	22.0	309.7	9.5	91.0	10.0	141.3
長　　　崎	104.5	3 083.5	52.2	298.5	1.0	4.0	7.8	140.4
熊　　　本	72.2	2 043.0	15.4	219.5	5.0	48.0	8.6	148.9
大　　　分	89.3	2 026.0	23.7	146.6	－	－	13.9	181.3
宮　　　崎	105.0	105.0	24.2	256.5	2.0	2.0	8.3	111.7
鹿　児　島	83.5	2 495.0	24.4	205.9	1.0	1.0	10.6	156.9
沖　　　縄	72.3	924.0	21.2	203.1	8.8	91.3	12.1	142.5

注：1）指定都市及び中核市は別掲である。
　　2）9月中に利用者がいた事業所のうち、利用実人員不詳及び利用延人数不詳の事業所を除いて算出した。
　　3）障害者支援施設の昼間実施サービス（生活介護、自立訓練(機能・生活)、就労移行支援及び就労継続支援）を除く。

訓練）・就労移行支援・就労継続支援（Ａ型）・就労継続支援（Ｂ型）
当たり利用実人員・利用延人数, 国－都道府県－指定都市－中核市別

指定都市 / 中核市	療養介護事業		生活介護事業		自立訓練（機能訓練）事業		自立訓練（生活訓練）事業	
	1事業所当たり利用実人員	1事業所当たり利用延人数	1事業所当たり利用実人員	1事業所当たり利用延人数	1事業所当たり利用実人員	1事業所当たり利用延人数	1事業所当たり利用実人員	1事業所当たり利用延人数
指定都市（別掲）								
札幌 市	159.0	2 453.5	27.0	378.9	–	–	10.4	111.3
仙台 市	155.0	4 627.0	28.0	495.5	9.0	87.0	13.7	180.3
さいたま 市	–	–	33.0	362.4	20.3	113.3	10.3	94.7
千葉 市	65.7	1 021.3	53.8	402.6	–	–	20.0	365.7
横浜 市	–	–	59.0	473.3	–	–	17.9	292.3
川崎 市	83.0	2 533.0	88.5	497.2	5.0	31.0	16.5	163.5
相模原 市	57.0	1 710.0	35.0	369.6	–	–	16.3	333.8
新潟 市	71.0	2 129.5	16.8	228.5	2.0	11.0	18.6	241.0
静岡 市	97.5	2 921.0	41.9	314.1	16.0	83.0	19.0	141.0
浜松 市	87.0	1 605.0	56.5	340.7	12.0	79.0	13.8	143.2
名古屋 市	47.5	1 434.0	37.6	244.4	10.8	88.6	19.3	193.3
京都 市	41.0	1 242.0	33.2	334.5	–	–	12.1	168.2
大阪 市	27.0	128.5	45.7	358.9	–	–	13.0	186.1
堺 市	44.0	1 319.0	28.0	397.1	19.0	157.0	20.0	220.7
神戸 市	–	–	37.1	348.0	–	–	23.7	410.7
岡山 市	–	–	46.6	339.1	–	–	6.3	110.7
広島 市	–	–	20.6	253.8	–	–	29.5	372.2
北九州 市	43.8	1 020.5	27.5	348.1	–	–	5.8	98.7
福岡 市	74.5	2 204.5	57.6	384.7	50.0	234.0	9.1	127.3
熊本 市	97.0	2 894.0	26.4	378.5	2.0	25.0	16.7	321.0
中核市（別掲）								
旭川 市	176.5	5 290.0	27.6	250.2	–	–	6.5	68.5
函館 市	–	–	26.0	381.8	–	–	6.5	119.5
青森 市	80.0	2 400.0	22.5	368.4	–	–	20.5	195.5
八戸 市	11.0	323.5	17.4	211.5	–	–	11.0	234.0
盛岡 市	–	–	19.7	279.1	–	–	5.3	46.7
秋田 市	–	–	41.6	234.2	2.0	21.0	7.9	98.7
郡山 市	–	–	24.8	285.6	–	–	11.3	128.7
いわき 市	80.0	2 400.0	38.4	345.3	–	–	15.0	152.0
宇都宮 市	74.0	2 214.0	22.3	360.8	–	–	8.0	128.3
前橋 市	–	–	24.1	426.6	–	–	–	–
高崎 市	–	–	21.7	279.1	–	–	15.3	235.0
川越 市	–	–	27.3	438.9	–	–	17.0	153.0
越谷 市	–	–	19.5	325.4	–	–	–	–
船橋 市	–	–	26.7	364.1	13.0	126.0	16.7	200.0
柏 市	53.0	1 590.0	38.9	230.1	–	–	5.0	102.5
八王子 市	–	–	38.9	300.5	–	–	15.8	185.3
横須賀 市	39.0	1 170.0	76.9	428.4	22.0	132.0	4.5	25.5
富山 市	103.0	920.0	15.7	187.0	1.5	13.0	3.6	43.0
金沢 市	63.5	1 895.5	18.0	276.7	–	–	14.8	179.3
長野 市	108.0	3 238.0	21.1	283.0	–	–	14.2	191.2
岐阜 市	158.0	158.0	26.3	323.9	–	–	17.3	283.3
豊橋 市	34.0	1 020.0	81.8	474.7	–	–	6.0	100.0
豊田 市	–	–	25.4	376.0	–	–	–	–
岡崎 市	34.0	1 016.0	21.5	314.6	–	–	17.0	87.0
大津 市	–	–	16.1	241.5	–	–	11.8	168.8
高槻 市	–	–	37.0	602.5	–	–	16.0	227.0
東大阪 市	–	–	35.4	331.1	5.0	52.0	15.1	206.7
豊中 市	66.0	2 007.0	26.7	348.2	–	–	18.0	216.0
枚方 市	–	–	29.2	303.0	–	–	3.0	43.0
姫路 市	16.0	427.0	37.3	264.6	–	–	7.0	129.0
西宮 市	168.0	5 040.0	28.9	517.2	–	–	9.1	126.6
尼崎 市	–	–	12.1	174.6	6.6	32.5	5.1	77.1
奈良 市	58.3	1 739.3	16.2	227.8	1.0	4.0	10.8	160.2
和歌山 市	–	–	19.2	326.6	–	–	7.0	94.0
倉敷 市	–	–	20.5	256.3	–	–	7.0	96.0
福山 市	49.0	1 444.0	37.6	352.5	–	–	–	–
呉 市	–	–	19.4	257.8	–	–	12.0	95.0
下関 市	–	–	34.0	577.0	–	–	13.5	234.0
高松 市	27.5	819.5	33.3	281.3	–	–	–	–
松山 市	–	–	59.3	345.2	–	–	–	–
高知 市	101.0	101.0	28.1	237.1	1.0	1.0	25.5	299.5
久留米 市	100.0	2 999.0	66.5	273.5	–	–	3.3	43.7
長崎 市	76.0	2 280.0	14.8	193.1	11.5	66.0	5.0	73.5
佐世保 市	–	–	23.7	324.5	–	–	3.0	48.7
大分 市	–	–	20.3	296.9	18.0	183.0	5.8	72.3
宮崎 市	49.0	1 491.0	25.0	337.5	–	–	7.0	61.0
鹿児島 市	155.0	4 623.0	21.6	341.9	–	–	12.0	115.5
那覇 市	92.0	92.0	27.5	238.5	–	–	13.8	143.5

第33表　療養介護・生活介護・自立訓練（機能訓練）・自立訓練（生活・児童発達支援・放課後等デイサービス事業所の１事業所

（単位：人）

国都道府県	就労移行支援事業		就労継続支援（A型）事業		就労継続支援（B型）事業		児童発達支援事業		放課後等デイサービス事業	
	1事業所当たり利用実人員	1事業所当たり利用延人数	1事業所当たり利用実人員	1事業所当たり利用延人数	1事業所当たり利用実人員	1事業所当たり利用延人数	1事業所当たり利用実人員	1事業所当たり利用延人数	1事業所当たり利用実人員	1事業所当たり利用延人数
全　　　　国	12.6	147.5	24.4	277.3	28.4	316.2	22.6	129.1	25.5	175.6
国	–	–	–	–	11.0	11.0	–	–	–	–
北　海　道	7.5	122.6	26.3	325.6	27.2	367.1	27.1	98.3	22.2	138.0
青　　　森	13.7	96.2	17.7	271.0	30.6	287.8	11.1	105.9	23.7	212.5
岩　　　手	6.1	106.6	16.3	311.9	27.2	429.6	22.0	104.3	18.5	200.6
宮　　　城	12.4	79.0	16.1	251.7	29.1	372.5	12.7	101.1	21.2	174.2
秋　　　田	8.3	132.3	13.2	220.0	27.4	358.9	16.6	58.1	16.4	188.3
山　　　形	5.7	90.3	28.5	418.1	39.0	329.3	17.2	115.0	26.0	204.4
福　　　島	8.8	108.3	15.0	187.7	27.1	366.8	17.3	94.4	27.0	173.6
茨　　　城	9.5	112.1	17.2	214.8	17.8	245.1	25.6	102.0	23.7	161.4
栃　　　木	13.2	137.2	39.4	237.5	33.8	396.8	29.4	145.1	27.2	197.2
群　　　馬	6.2	94.9	13.4	203.8	30.1	388.1	11.1	112.1	14.9	180.8
埼　　　玉	11.4	176.0	21.2	313.0	24.3	353.3	17.9	117.6	25.2	188.0
千　　　葉	16.3	185.7	20.8	284.6	27.2	331.5	25.2	148.8	25.8	170.2
東　　　京	16.4	180.9	18.5	274.7	33.6	373.5	37.3	194.2	32.3	202.1
神　奈　川	11.4	183.4	20.6	298.0	30.9	332.5	26.9	166.2	34.7	185.0
新　　　潟	6.8	114.2	14.0	226.1	45.1	419.3	37.8	104.2	24.3	173.8
富　　　山	18.7	84.2	19.2	317.6	23.3	316.0	21.3	46.8	11.5	82.9
石　　　川	4.0	73.3	46.0	274.8	22.2	365.5	4.6	19.2	27.4	196.1
福　　　井	9.1	108.7	25.1	297.1	34.7	415.8	15.9	49.5	23.2	172.0
山　　　梨	6.3	91.2	17.0	287.5	20.4	315.8	16.6	192.5	16.4	162.6
長　　　野	17.9	134.0	19.0	354.6	31.1	303.2	15.4	97.1	20.6	156.7
岐　　　阜	7.9	107.5	48.0	316.9	27.4	232.8	41.8	164.4	21.7	166.9
静　　　岡	9.3	146.5	17.0	260.4	30.4	337.1	15.5	107.0	24.0	191.3
愛　　　知	9.3	121.4	29.1	322.0	28.7	297.9	18.7	155.8	24.1	178.1
三　　　重	12.8	138.2	18.5	291.4	21.7	264.6	26.2	124.1	24.2	180.6
滋　　　賀	8.2	116.9	19.6	376.5	35.1	317.5	28.8	82.2	24.0	185.5
京　　　都	12.5	76.8	37.1	275.6	49.7	315.3	37.1	139.0	34.6	168.4
大　　　阪	12.6	144.0	29.1	225.3	25.9	276.1	14.1	78.1	22.8	165.9
兵　　　庫	7.6	112.8	24.4	286.0	22.2	262.1	32.9	105.7	38.6	166.8
奈　　　良	7.6	120.3	20.7	336.2	17.8	193.6	23.0	95.6	25.3	157.8
和　歌　山	4.4	67.4	16.5	197.5	27.6	333.4	14.1	167.8	20.6	208.9
鳥　　　取	4.3	70.0	16.1	251.8	22.9	323.2	12.9	42.4	19.2	152.4
島　　　根	24.3	100.5	14.7	266.9	25.1	319.6	19.4	103.0	16.9	160.2
岡　　　山	26.0	89.2	27.7	279.9	28.5	365.7	27.6	121.2	24.6	136.3
広　　　島	5.6	72.4	21.7	288.9	28.5	317.1	29.8	212.4	29.1	162.9
山　　　口	6.8	96.2	23.1	244.5	34.4	373.8	15.9	93.9	29.6	185.9
徳　　　島	8.0	124.1	19.8	295.4	23.0	343.3	22.3	159.0	24.3	181.8
香　　　川	7.3	141.8	8.4	113.4	31.0	293.9	12.7	66.1	22.0	122.1
愛　　　媛	5.6	81.4	41.7	282.4	18.8	274.7	29.0	134.8	24.9	173.8
高　　　知	3.9	73.6	15.8	298.3	19.7	326.4	12.0	29.0	18.9	135.7
福　　　岡	8.8	110.3	15.9	220.7	25.9	304.7	15.6	90.4	21.2	177.6
佐　　　賀	6.5	112.3	16.4	242.3	32.1	337.9	14.3	84.0	30.3	180.5
長　　　崎	5.1	93.8	15.1	240.3	33.6	328.2	14.8	80.5	18.5	170.1
熊　　　本	8.0	76.2	27.8	270.8	30.3	307.3	18.3	76.0	24.6	168.7
大　　　分	21.6	115.1	52.8	258.8	47.5	347.9	11.6	103.9	19.0	176.2
宮　　　崎	5.7	89.2	13.8	189.5	31.3	287.1	13.8	109.5	16.0	168.1
鹿　児　島	7.7	125.5	17.5	243.7	28.5	293.1	28.9	170.8	23.7	175.5
沖　　　縄	7.1	100.5	30.7	206.3	18.2	242.1	9.5	78.2	14.0	148.1

訓練）・就労移行支援・就労継続支援（A型）・就労継続支援（B型）当たり利用実人員・利用延人数，国－都道府県－指定都市－中核市別

指定都市 中核市	就労移行支援事業		就労継続支援（A型）事業		就労継続支援（B型）事業		児童発達支援事業		放課後等デイサービス事業	
	1事業所当たり利用実人員	1事業所当たり利用延人数	1事業所当たり利用実人員	1事業所当たり利用延人数	1事業所当たり利用実人員	1事業所当たり利用延人数	1事業所当たり利用実人員	1事業所当たり利用延人数	1事業所当たり利用実人員	1事業所当たり利用延人数
指定都市（別掲）										
札幌市	20.9	188.1	25.9	275.1	25.0	268.4	16.2	130.0	23.5	147.9
仙台市	15.4	152.2	25.3	344.8	26.5	334.6	16.8	115.3	26.7	167.5
さいたま市	16.0	170.7	26.9	329.0	21.8	258.3	15.4	101.8	29.5	197.7
千葉市	34.8	215.8	26.1	395.2	41.2	314.5	23.3	98.2	29.9	181.1
横浜市	21.2	215.0	20.4	248.9	27.8	343.9	40.0	200.1	30.8	194.2
川崎市	17.5	246.4	27.6	417.6	26.1	281.1	23.9	139.1	22.9	178.1
相模原市	19.0	243.6	25.5	289.8	25.1	237.7	28.9	182.6	35.5	195.3
新潟市	10.4	173.4	21.3	419.6	49.1	442.8	22.4	141.1	26.7	196.9
静岡市	15.6	207.7	21.7	316.2	44.3	300.0	12.3	110.9	28.9	191.0
浜松市	13.4	213.3	23.2	438.3	24.0	382.0	31.6	308.3	25.5	210.1
名古屋市	32.7	268.8	43.0	338.3	22.4	270.5	10.3	70.1	25.8	174.6
京都市	11.8	123.3	19.5	239.6	21.5	304.0	40.9	152.6	27.4	175.7
大阪市	16.5	201.6	31.6	233.0	25.2	239.0	17.3	85.9	25.0	150.6
堺市	10.0	134.7	21.1	269.5	19.6	266.1	8.2	32.2	23.9	152.8
神戸市	14.8	238.0	18.6	272.6	24.6	294.4	21.1	192.2	18.4	159.1
岡山市	16.7	258.6	25.7	320.1	38.8	333.2	31.4	143.8	32.2	158.5
広島市	14.7	189.6	31.2	295.5	29.4	249.4	28.8	191.4	30.2	196.9
北九州市	12.5	162.9	21.8	306.8	29.4	320.2	9.4	66.5	23.1	207.4
福岡市	14.1	144.9	17.2	255.8	37.6	362.1	56.1	545.4	26.2	207.4
熊本市	10.8	174.6	20.4	259.9	19.7	282.0	21.2	96.4	21.2	180.7
中核市（別掲）										
旭川市	10.7	140.0	15.7	147.8	29.6	345.5	16.6	98.4	24.1	162.2
函館市	17.3	257.5	9.0	168.0	44.6	366.4	22.6	128.6	16.6	198.8
青森市	13.8	244.8	17.3	260.7	17.9	244.3	10.7	81.0	30.0	172.0
八戸市	19.9	112.6	34.3	222.8	20.1	336.8	4.5	27.5	23.1	259.4
盛岡市	11.3	137.5	18.4	245.5	23.0	372.3	17.8	70.4	20.1	167.8
秋田市	4.5	51.3	13.6	207.5	25.0	355.5	31.7	164.6	20.5	170.1
郡山市	8.0	145.8	15.3	148.8	21.0	333.7	24.3	227.1	33.6	194.0
いわき市	23.0	123.0	18.0	335.0	24.4	423.3	20.5	79.3	32.1	214.2
宇都宮市	9.6	108.5	18.5	288.1	19.6	324.1	1.0	3.0	23.3	187.3
前橋市	8.6	134.7	17.0	201.0	22.7	369.4	12.5	151.5	14.4	160.5
高崎市	10.4	118.8	17.1	198.8	24.8	434.4	–	–	22.1	228.8
川越市	19.2	317.4	23.2	387.1	18.7	289.8	30.4	161.7	25.9	195.4
越谷市	18.2	299.4	32.1	302.2	86.2	353.9	17.5	109.9	25.5	184.5
船橋市	26.1	270.9	29.0	518.3	31.1	285.7	48.1	167.7	23.0	178.6
柏市	15.0	133.3	18.0	138.7	38.2	331.5	23.0	170.1	31.7	192.2
八王子市	23.9	299.8	23.0	334.0	27.6	313.3	14.5	97.5	31.9	215.2
横須賀市	11.6	186.0	6.0	88.0	59.6	327.9	10.8	72.8	31.0	165.6
富山市	8.8	128.4	20.5	295.5	22.4	329.4	27.0	43.7	15.8	100.0
金沢市	10.4	98.4	22.7	327.8	27.1	324.2	4.2	28.1	27.3	177.0
長野市	7.8	122.2	15.4	159.2	47.4	355.1	21.5	253.0	41.5	229.4
岐阜市	11.4	132.3	15.7	240.7	30.4	342.2	20.9	196.4	18.6	183.4
豊橋市	13.0	251.9	12.8	219.0	40.1	344.8	17.4	203.9	16.9	171.5
豊田市	11.8	210.6	18.8	326.5	24.5	431.7	16.4	183.3	23.1	159.3
岡崎市	12.0	186.4	30.8	278.5	19.4	255.8	41.7	148.3	26.1	211.1
大津市	7.8	115.8	24.8	443.5	20.3	291.6	21.0	212.7	17.6	157.2
高槻市	16.0	194.8	19.0	416.0	18.4	238.1	19.8	110.0	36.8	159.4
東大阪市	15.1	107.8	21.0	276.1	17.6	245.1	9.4	71.4	21.7	151.4
豊中市	15.8	163.2	20.3	333.3	18.0	228.0	17.2	107.5	22.0	150.8
枚方市	15.3	180.7	16.0	99.9	18.2	257.2	13.4	57.4	24.3	195.5
姫路市	12.5	242.5	23.2	445.8	17.9	263.8	15.6	132.4	33.5	168.2
西宮市	11.3	183.2	19.2	258.4	22.0	375.7	29.4	124.8	30.6	153.8
尼崎市	10.9	181.5	20.2	137.5	31.1	250.2	18.8	127.3	20.3	158.7
奈良市	12.9	158.1	20.0	399.7	18.1	234.0	22.1	110.4	29.9	171.2
和歌山市	7.8	74.5	15.9	272.2	25.1	267.5	12.1	82.0	35.6	230.1
倉敷市	33.7	229.9	20.5	352.5	66.0	266.2	32.5	269.2	30.6	103.9
福山市	5.5	63.1	23.0	411.9	29.0	295.3	35.8	234.6	46.3	218.6
呉市	4.2	74.8	32.3	359.7	37.7	286.7	30.4	155.9	24.3	157.5
下関市	8.8	116.0	16.5	85.0	29.9	357.5	28.8	193.9	33.7	167.5
高松市	2.3	36.0	13.3	191.0	24.1	253.3	16.1	60.0	39.1	139.6
松山市	6.4	113.3	35.1	258.7	27.4	282.6	25.8	260.1	36.9	220.9
高知市	7.3	98.3	26.2	215.6	35.7	340.0	17.1	61.5	20.3	161.8
久留米市	14.5	231.6	23.8	365.7	28.8	237.5	6.7	27.0	17.1	146.3
長崎市	8.0	108.6	15.2	201.3	26.7	418.2	17.3	79.8	22.5	187.1
佐世保市	10.0	136.8	43.2	298.5	36.5	291.5	9.6	82.9	19.8	190.2
大分市	7.5	119.9	29.3	260.7	37.1	296.0	17.4	160.5	18.8	185.2
宮崎市	8.3	122.9	19.5	225.7	37.3	410.2	23.9	377.3	18.4	204.2
鹿児島市	12.3	151.5	18.4	262.3	21.4	230.6	29.0	185.5	28.8	167.1
那覇市	10.6	146.5	24.2	291.7	17.5	211.3	11.9	79.2	16.9	141.0

第34表　重度障害者等包括支援・短期入所事業所の

国都道府県	重度障害者等包括支援事業		短期入所事業	
	1事業所当たり利用実人員（人）	1事業所当たり利用延日数（日）	1事業所当たり利用実人員（人）	1事業所当たり利用延日数（日）
全　　　　国	4.0	118.0	13.2	74.3
国	-	-	19.0	170.0
北　海　道	-	-	5.0	36.5
青　　　森	-	-	5.1	57.7
岩　　　手	-	-	6.2	41.2
宮　　　城	-	-	13.0	59.8
秋　　　田	-	-	6.4	44.9
山　　　形	-	-	6.5	47.0
福　　　島	-	-	7.3	45.8
茨　　　城	-	-	9.2	68.9
栃　　　木	-	-	11.6	144.1
群　　　馬	-	-	7.9	57.7
埼　　　玉	1.0	30.0	23.0	80.2
千　　　葉	-	-	15.5	137.0
東　　　京	-	-	22.1	105.8
神　奈　川	-	-	22.8	110.4
新　　　潟	-	-	10.1	59.6
富　　　山	-	-	5.5	29.3
石　　　川	-	-	6.5	37.9
福　　　井	-	-	7.1	38.8
山　　　梨	-	-	12.3	92.9
長　　　野	4.7	138.0	6.8	47.1
岐　　　阜	-	-	9.0	42.6
静　　　岡	-	-	9.9	56.6
愛　　　知	-	-	15.4	82.7
三　　　重	-	-	12.1	56.8
滋　　　賀	-	-	19.8	93.0
京　　　都	-	-	14.6	68.8
大　　　阪	7.0	210.0	19.5	92.1
兵　　　庫	-	-	14.1	76.5
奈　　　良	-	-	9.7	60.3
和　歌　山	-	-	10.1	99.6
鳥　　　取	-	-	7.3	40.8
島　　　根	-	-	8.0	49.8
岡　　　山	-	-	7.4	56.2
広　　　島	-	-	10.8	66.5
山　　　口	-	-	7.2	48.4
徳　　　島	-	-	6.9	44.5
香　　　川	-	-	9.3	40.8
愛　　　媛	-	-	8.4	61.1
高　　　知	-	-	9.9	61.6
福　　　岡	-	-	8.8	43.6
佐　　　賀	-	-	10.4	72.0
長　　　崎	-	-	9.2	67.2
熊　　　本	-	-	6.9	43.4
大　　　分	-	-	7.0	56.3
宮　　　崎	-	-	11.0	65.5
鹿　児　島	-	-	6.8	49.9
沖　　　縄	-	-	10.1	65.4

注：1）指定都市及び中核市は別掲である。
　　2）9月中に利用者がいた事業所のうち、利用実人員不詳及び利用延日数不詳の事業所を除いて算出した。

1 事業所当たり利用実人員・利用延日数, 国－都道府県－指定都市－中核市別

指定都市 中核市	重度障害者等包括支援事業		短期入所事業	
	1事業所当たり 利用実人員 （人）	1事業所当たり 利用延日数 （日）	1事業所当たり 利用実人員 （人）	1事業所当たり 利用延日数 （日）
指定都市（別掲）				
札幌市	－	－	19.0	101.3
仙台市	－	－	10.2	47.6
さいたま市	－	－	18.0	109.7
千葉市	－	－	19.1	127.3
横浜市	－	－	24.0	108.3
川崎市	－	－	34.7	157.5
相模原市	－	－	13.7	80.1
新潟市	－	－	17.1	88.0
静岡市	－	－	20.2	92.3
浜松市	－	－	17.8	90.6
名古屋市	－	－	19.0	82.0
京都市	－	－	20.2	96.3
大阪市	－	－	18.9	93.8
堺市	－	－	51.3	287.1
神戸市	－	－	20.6	138.0
岡山市	－	－	18.7	49.6
広島市	－	－	16.4	102.8
北九州市	－	－	18.6	86.5
福岡市	5.0	142.0	19.7	82.6
熊本市	－	－	15.6	57.6
中核市（別掲）				
旭川市	－	－	6.7	38.1
函館市	－	－	3.0	15.9
青森市	－	－	7.1	48.5
八戸市	－	－	5.9	32.9
盛岡市	－	－	20.7	125.9
秋田市	－	－	9.3	45.3
郡山市	－	－	24.7	165.2
いわき市	－	－	7.2	36.5
宇都宮市	－	－	11.4	131.9
前橋市	－	－	－	－
高崎市	－	－	7.1	44.3
川越市	－	－	18.7	129.6
越谷市	－	－	54.0	108.0
船橋市	－	－	23.5	228.6
柏市	－	－	21.4	160.8
八王子市	－	－	11.5	82.9
横須賀市	－	－	34.1	126.2
富山市	－	－	7.5	31.2
金沢市	－	－	12.7	53.1
長野市	－	－	14.3	58.9
岐阜市	－	－	13.4	45.7
豊橋市	－	－	14.1	80.1
豊田市	－	－	21.1	112.0
岡崎市	－	－	18.7	66.3
大津市	－	－	152.0	437.5
高槻市	－	－	43.0	141.0
東大阪市	－	－	22.3	91.9
豊中市	－	－	62.8	348.0
枚方市	－	－	10.9	52.5
姫路市	－	－	14.2	71.1
西宮市	－	－	26.8	129.8
尼崎市	－	－	25.1	65.5
奈良市	－	－	12.7	87.2
和歌山市	－	－	6.9	43.7
倉敷市	－	－	19.1	79.8
福山市	1.0	30.0	17.1	118.1
呉市	－	－	15.4	99.8
下関市	－	－	8.0	52.9
高松市	－	－	15.0	56.9
松山市	－	－	15.6	83.0
高知市	－	－	10.8	69.6
久留米市	－	－	4.3	16.5
長崎市	－	－	8.4	50.4
佐世保市	－	－	5.3	40.3
大分市	－	－	7.5	24.0
宮崎市	－	－	21.2	92.6
鹿児島市	－	－	11.0	83.1
那覇市	－	－	15.8	68.8

第35表　計画相談支援・地域相談支援（地域移行支援）・
1事業所当たり利用実人員，

（単位：人）

国 都　道　府　県	計画相談支援事業	地域相談支援 （地域移行支援）事業	地域相談支援 （地域定着支援）事業	障害児相談支援事業
全　　　　　　国	22.4	3.0	6.0	13.7
国	114.0	－	－	13.0
北　海　道	28.3	2.0	6.6	17.7
青　　　森	33.5	1.0	30.0	17.6
岩　　　手	20.5	2.3	5.0	8.3
宮　　　城	23.7	1.5	2.0	7.0
秋　　　田	26.6	－	12.0	7.6
山　　　形	25.2	－	1.0	10.9
福　　　島	23.9	1.0	3.5	10.5
茨　　　城	19.8	1.0	3.6	12.6
栃　　　木	17.2	1.5	3.4	11.1
群　　　馬	21.7	1.0	3.3	15.0
埼　　　玉	21.9	1.8	5.7	10.7
千　　　葉	24.3	1.6	6.5	12.2
東　　　京	19.0	4.9	5.8	13.6
神　奈　川	19.9	1.6	50.0	11.0
新　　　潟	24.0	11.6	4.5	9.6
富　　　山	19.9	－	1.0	10.5
石　　　川	25.8	1.0	2.8	6.8
福　　　井	30.2	1.0	3.0	11.1
山　　　梨	17.1	1.8	5.2	7.3
長　　　野	15.6	3.1	6.6	6.7
岐　　　阜	29.8	1.0	1.0	27.4
静　　　岡	22.6	1.5	7.3	14.6
愛　　　知	24.5	1.4	5.2	13.6
三　　　重	19.4	1.4	6.8	15.5
滋　　　賀	27.2	1.0	3.0	19.0
京　　　都	23.4	1.0	9.2	15.9
大　　　阪	20.5	1.4	7.8	13.5
兵　　　庫	25.5	1.9	6.0	16.7
奈　　　良	10.5	4.5	5.0	7.4
和　歌　山	22.1	2.7	6.6	12.3
鳥　　　取	23.2	－	－	9.6
島　　　根	29.3	2.3	7.2	13.0
岡　　　山	30.1	1.0	7.2	22.1
広　　　島	17.6	1.0	2.1	14.0
山　　　口	35.7	2.0	3.0	18.9
徳　　　島	33.3	2.5	7.0	18.2
香　　　川	16.9	－	1.0	6.2
愛　　　媛	19.0	1.0	1.0	11.2
高　　　知	16.2	－	1.0	8.9
福　　　岡	24.4	1.3	3.0	13.6
佐　　　賀	22.2	4.0	11.0	18.0
長　　　崎	22.0	2.5	3.0	10.4
熊　　　本	27.5	1.0	8.0	18.2
大　　　分	20.8	1.0	2.9	7.1
宮　　　崎	16.6	7.3	2.0	13.1
鹿　児　島	25.3	50.0	1.0	16.2
沖　　　縄	27.0	－	－	10.8

注：1）指定都市及び中核市は別掲である。
　　2）9月中に利用者がいた事業所のうち、利用実人員不詳の事業所を除いて算出した。
　　3）計画相談支援事業は、サービス利用支援（計画作成）又は継続サービス利用支援（モニタリング）を利用した人数である。
　　4）障害児相談支援事業は、障害児支援利用援助（計画作成）又は継続障害児支援利用援助（モニタリング）を利用した人数である。

地域相談支援（地域定着支援）・障害児相談支援事業所の
国－都道府県－指定都市－中核市別

指定都市 中核市	計画相談支援事業	地域相談支援 （地域移行支援）事業	地域相談支援 （地域定着支援）事業	障害児相談支援事業
指定都市（別掲）				
札幌市	17.0	1.0	1.4	12.6
仙台市	17.9	2.0	1.0	8.4
さいたま市	20.3	1.0	2.0	18.7
千葉市	19.4	6.7	12.3	16.7
横浜市	15.1	2.7	4.0	39.9
川崎市	11.4	4.0	1.7	28.9
相模原市	15.6	2.0	2.0	13.5
新潟市	34.9	1.0	3.7	9.7
静岡市	29.7	9.5	－	12.3
浜松市	51.6	2.0	8.3	46.6
名古屋市	22.6	1.4	3.3	8.5
京都市	10.9	1.4	4.3	7.8
大阪市	21.6	4.0	10.9	8.3
堺市	24.5	1.0	13.5	9.7
神戸市	17.6	1.8	4.7	5.9
岡山市	11.6	1.0	3.3	4.9
広島市	19.1	－	－	9.3
北九州市	37.8	1.3	3.9	20.0
福岡市	16.7	1.0	2.4	11.7
熊本市	35.0	－	1.0	21.2
中核市（別掲）				
旭川市	26.4	1.0	－	9.9
函館市	52.7	－	－	19.6
青森市	18.9	4.2	3.7	9.1
八戸市	19.6	－	1.0	8.0
盛岡市	21.2	10.0	－	3.0
秋田市	21.6	－	－	8.4
郡山市	50.8	－	2.0	39.6
いわき市	19.4	1.0	31.0	11.7
宇都宮市	27.0	－	2.0	8.5
前橋市	41.3	4.0	2.0	20.5
高崎市	17.3	－	－	10.5
川越市	33.7	1.0	－	6.8
越谷市	22.7	－	－	13.3
船橋市	42.6	6.0	5.0	13.0
柏市	22.8	1.3	1.0	13.0
八王子市	28.9	1.0	－	5.1
横須賀市	14.4	－	1.0	64.7
富山市	25.7	1.0	6.0	30.8
金沢市	20.3	1.0	7.0	4.0
長野市	24.5	2.5	6.7	8.6
岐阜市	30.1	－	1.0	17.5
豊橋市	34.4	1.0	－	9.7
豊田市	17.6	2.0	1.0	8.1
岡崎市	29.4	1.0	－	27.8
大津市	20.7	2.0	8.0	7.9
高槻市	15.6	1.0	－	29.9
東大阪市	14.3	－	4.0	11.4
豊中市	15.2	－	1.3	6.7
枚方市	3.8	－	1.0	20.5
姫路市	23.0	－	2.0	9.5
西宮市	15.6	3.7	4.8	6.1
尼崎市	5.0	5.0	－	9.9
奈良市	20.5	1.0	2.0	25.6
和歌山市	22.0	－	－	2.7
倉敷市	29.6	2.0	14.5	29.6
福山市	23.0	1.0	5.0	24.6
呉市	18.8	1.0	7.0	19.6
下関市	33.5	－	－	11.1
高松市	22.3	－	－	10.1
松山市	32.7	3.0	10.3	11.0
高知市	15.5	3.0	2.0	7.8
久留米市	26.0	－	1.0	6.3
長崎市	22.3	1.5	1.3	11.4
佐世保市	27.9	1.5	－	10.2
大分市	22.9	1.0	1.0	12.3
宮崎市	28.0	3.0	1.0	13.3
鹿児島市	29.3	17.7	1.0	23.8
那覇市	27.2	－	1.0	22.4

第36表　共同生活援助・宿泊型自立訓練事業所の

（単位：人）

国 都 道 府 県	共 同 生 活 援 助 事 業	（再掲） 外 部 サ ー ビ ス 利 用 型 共 同 生 活 援 助 事 業	宿泊型自立訓練事業
全　　　　　国	15.4	11.6	14.8
国	13.5	－	－
北　海　道	26.5	13.2	12.3
青　　　森	10.4	6.6	14.2
岩　　　手	13.0	7.7	13.6
宮　　　城	16.5	6.0	13.0
秋　　　田	16.7	11.9	17.0
山　　　形	14.3	12.5	13.0
福　　　島	13.2	11.3	12.0
茨　　　城	21.0	12.5	12.5
栃　　　木	19.7	11.5	13.3
群　　　馬	23.2	33.9	15.5
埼　　　玉	15.7	14.3	16.0
千　　　葉	15.0	8.6	16.0
東　　　京	12.5	7.0	20.0
神　奈　川	11.9	8.0	36.0
新　　　潟	18.1	12.7	15.1
富　　　山	11.9	7.3	7.0
石　　　川	15.0	6.9	－
福　　　井	8.5	9.1	20.0
山　　　梨	7.8	6.7	11.5
長　　　野	13.6	6.3	11.8
岐　　　阜	13.4	10.4	8.5
静　　　岡	12.1	11.2	9.0
愛　　　知	13.7	11.3	8.0
三　　　重	13.0	5.3	16.3
滋　　　賀	6.3	6.1	14.0
京　　　都	12.3	5.6	－
大　　　阪	14.6	10.0	13.2
兵　　　庫	13.9	7.8	9.0
奈　　　良	19.4	17.5	－
和　歌　山	16.4	3.7	－
鳥　　　取	25.1	4.5	24.5
島　　　根	19.1	13.3	14.5
岡　　　山	44.6	18.8	17.0
広　　　島	15.9	15.2	15.0
山　　　口	15.5	11.8	13.2
徳　　　島	13.8	10.2	10.2
香　　　川	23.9	39.0	－
愛　　　媛	10.8	7.3	7.0
高　　　知	18.7	7.0	－
福　　　岡	15.2	7.9	14.0
佐　　　賀	17.0	7.2	12.0
長　　　崎	18.3	11.6	13.5
熊　　　本	16.3	14.0	16.5
大　　　分	11.8	8.9	15.8
宮　　　崎	17.5	8.6	18.0
鹿　児　島	14.2	12.1	14.6
沖　　　縄	11.4	12.2	11.3

注：1）指定都市及び中核市は別掲である。
　　2）9月末日に利用者がいた事業所のうち、利用者数不詳の事業所を除いて算出した。

1 事業所当たり利用実人員，国－都道府県－指定都市－中核市別

指定都市 中核市	共同生活援助事業	(再掲) 外部サービス利用型 共同生活援助事業	宿泊型自立訓練事業
指定都市（別掲）			．
札幌市	16.2	11.3	13.3
仙台市	21.8	7.2	12.5
さいたま市	12.2	5.0	16.0
千葉市	13.8	7.0	20.0
横浜市	17.0	7.7	18.8
川崎市	12.9	－	19.0
相模原市	13.4	－	
新潟市	15.3	14.7	6.5
静岡市	10.6	9.4	－
浜松市	13.3	9.4	13.5
名古屋市	13.0	10.0	19.5
京都市	9.8	－	－
大阪市	12.2	2.7	10.5
堺市	14.8	－	11.0
神戸市	10.9	6.0	－
岡山市	18.6	8.0	－
広島市	14.2	9.1	－
北九州市	20.1	11.0	15.8
福岡市	9.1	6.9	－
熊本市	16.3	13.9	35.0
中核市（別掲）			
旭川市	15.3	11.3	20.5
函館市	10.6	6.3	18.0
青森市	20.8	7.2	14.5
八戸市	15.6	11.7	13.0
盛岡市	13.3	7.1	－
秋田市	16.4	16.7	11.0
郡山市	22.5	22.3	16.0
いわき市	22.4	4.5	13.0
宇都宮市	13.5	10.7	－
前橋市	14.3	7.0	－
高崎市	20.7	32.8	19.0
川越市	23.1	－	－
越谷市	10.7	8.0	－
船橋市	12.1	2.0	17.0
柏市	14.8	－	11.0
八王子市	12.9	11.3	12.0
横須賀市	8.2	－	－
富山市	15.8	12.1	－
金沢市	17.5	14.6	－
長野市	36.7	3.0	13.0
岐阜市	39.7	108.8	－
豊橋市	14.4	－	12.0
豊田市	10.0	12.7	－
岡崎市	8.4	－	21.0
大津市	27.7	－	－
高槻市	15.3	－	－
東大阪市	19.7	－	22.0
豊中市	9.4	－	－
枚方市	16.0	－	8.0
姫路市	9.2	6.0	－
西宮市	15.1	－	9.0
尼崎市	21.2	－	－
奈良市	7.6	5.0	6.0
和歌山市	18.6	5.0	10.0
倉敷市	20.4	－	－
福山市	24.8	28.0	22.0
呉市	17.0	17.3	－
下関市	24.3	9.0	17.0
高松市	16.1	23.5	12.0
松山市	26.9	12.0	12.0
高知市	20.0	13.7	18.0
久留米市	11.3	9.8	20.0
長崎市	11.9	7.4	31.0
佐世保市	15.2	10.4	9.0
大分市	12.7	10.5	16.0
宮崎市	12.2	8.4	－
鹿児島市	19.7	14.2	14.0
那覇市	49.6	82.2	25.0

第37表 短期入所・共同生活援助・宿泊型自立訓練・
国－都道府県－指定都市

（単位：人）

| 国 都道府県 | 短　期　入　所　事　業 | | | | | | | | | | |
	総　数	国・独立行政法人	地方公共団体	社会福祉協議会	社会福祉法人（社会福祉協議会以外）	医療法人	公益法人	協同組合	営利法人（会社）	特定非営利活動法人（NPO）	その他
全　　国	14 117	27	379	210	12 906	187	8	－	152	204	44
国	15	15	－	－	－	－	－	－	－	－	－
北　海　道	710	－	33	128	532	2	－	－	5	10	－
青　　森	219	－	2	20	193	－	－	－	－	2	2
岩　　手	185	－	－	－	183	2	－	－	－	－	－
宮　　城	165	－	2	－	146	－	－	－	－	17	－
秋　　田	189	－	21	－	165	1	－	－	－	－	－
山　　形	131	－	6	－	125	－	－	－	－	－	－
福　　島	181	－	5	－	174	2	－	－	－	－	－
茨　　城	401	－	51	1	333	2	－	－	3	9	2
栃　　木	287	－	6	－	268	－	－	－	10	3	－
群　　馬	112	－	－	6	104	2	－	－	－	－	－
埼　　玉	60	－	－	－	51	－	－	－	2	7	－
千　　葉	405	－	－	－	394	5	－	－	5	1	－
東　　京	340	－	34	－	277	11	－	－	3	7	8
神　奈　川	247	－	24	－	221	2	－	－	－	－	－
新　　潟	294	2	29	－	260	－	－	－	－	－	3
富　　山	297	－	9	－	270	1	－	－	7	10	－
石　　川	65	－	－	－	65	－	－	－	－	－	－
福　　井	120	－	12	2	100	－	－	－	6	－	－
山　　梨	135	－	－	－	131	2	－	－	－	2	－
長　　野	217	－	－	－	208	1	－	－	3	3	2
岐　　阜	356	－	－	2	347	－	－	－	－	7	－
静　　岡	289	－	26	－	250	7	－	－	－	6	－
愛　　知	424	－	－	－	414	2	－	－	4	4	－
三　　重	188	－	2	3	179	1	－	－	－	3	－
滋　　賀	66	－	－	－	66	－	－	－	－	－	－
京　　都	168	－	－	－	164	－	－	－	1	3	－
大　　阪	482	－	5	－	461	3	－	－	9	4	－
兵　　庫	387	－	－	－	381	1	－	－	5	－	－
奈　　良	182	－	－	－	167	－	－	－	6	9	－
和　歌　山	205	－	－	－	205	－	－	－	－	－	－
鳥　　取	77	－	－	2	70	－	－	－	－	5	－
島　　根	186	－	－	37	140	7	－	－	2	－	－
岡　　山	121	－	－	－	111	10	－	－	－	－	－
広　　島	292	－	－	－	291	1	－	－	－	－	－
山　　口	288	－	－	－	285	2	－	－	1	－	－
徳　　島	140	－	－	－	134	1	－	－	－	－	5
香　　川	45	－	16	－	29	－	－	－	－	－	－
愛　　媛	151	－	11	－	135	1	3	－	－	1	－
高　　知	99	－	－	－	99	－	－	－	－	－	－
福　　岡	362	－	－	－	348	－	－	－	7	7	－
佐　　賀	135	－	－	－	135	－	－	－	－	－	－
長　　崎	112	－	2	－	106	－	－	－	－	4	－
熊　　本	152	－	－	2	149	1	－	－	－	－	－
大　　分	237	－	－	－	237	－	－	－	－	－	－
宮　　崎	76	－	－	－	68	2	－	－	2	4	－
鹿　児　島	217	－	－	－	214	1	－	－	2	－	－
沖　　縄	135	－	－	－	132	－	－	－	－	3	－

注：1）指定都市及び中核市は別掲である。
　　2）経営主体の「地方公共団体」には一部事務組合・広域連合を含む。「協同組合」には農業協同組合連合会・消費生活協同組合連合会を含む。
　　　　「その他」にはその他の法人を含む。
　　3）短期入所事業は併設型事業所のみ集計した。

児童発達支援・放課後等デイサービス事業所の定員，
－中核市、経営主体別

平成29年10月 1 日

指定都市 / 中核市	総数	短期入所事業 国・独立行政法人	地方公共団体	社会福祉協議会	社会福祉法人（社会福祉協議会以外）	医療法人	公益法人	協同組合	営利法人（会社）	特定非営利活動法人（NPO）	その他
指定都市（別掲）											
札　幌　市	147	-	6	-	126	10	-	-	5	-	-
仙　台　市	105	-	-	7	94	-	-	-	-	4	-
さいたま市	40	-	-	-	36	-	-	-	4	-	-
千　葉　市	78	-	5	-	73	-	-	-	-	-	-
横　浜　市	185	-	4	-	152	26	3	-	-	-	-
川　崎　市	72	-	1	-	53	-	-	-	18	-	-
相　模　原　市	76	-	12	-	42	-	-	-	1	1	20
新　潟　市	126	-	-	-	114	12	-	-	-	-	-
静　岡　市	98	-	-	-	96	-	-	-	2	-	-
浜　松　市	152	-	2	-	150	-	-	-	-	-	-
名　古　屋　市	94	-	-	-	82	3	-	-	2	7	-
京　都　市	55	-	-	-	48	-	-	-	-	6	1
大　阪　市	96	-	-	-	85	-	-	-	4	7	-
堺　　市	56	-	-	-	56	-	-	-	-	-	-
神　戸　市	126	-	-	-	126	-	-	-	-	-	-
岡　山　市	9	-	-	-	9	-	-	-	-	-	-
広　島　市	195	-	5	-	175	3	-	-	12	-	-
北　九　州　市	61	-	-	-	59	1	-	-	-	-	1
福　岡　市	58	10	-	-	32	-	-	-	13	3	-
熊　本　市	73	-	-	-	66	-	5	2	-	-	-
中核市（別掲）											
旭　川　市	27	-	-	-	25	2	-	-	-	-	-
函　館　市	12	-	-	-	12	-	-	-	-	-	-
青　森　市	26	-	6	-	20	-	-	-	-	-	-
八　戸　市	50	-	-	-	48	-	-	-	2	-	-
盛　岡　市	12	-	-	-	12	-	-	-	-	-	-
秋　田　市	36	-	-	-	35	1	-	-	-	-	-
郡　山　市	30	-	-	-	30	-	-	-	-	-	-
い　わ　き　市	16	-	-	-	16	-	-	-	-	-	-
宇　都　宮　市	67	-	8	-	59	-	-	-	-	-	-
前　橋　市	-	-	-	-	-	-	-	-	-	-	-
高　崎　市	24	-	-	-	24	-	-	-	-	-	-
川　越　市	30	-	-	-	30	-	-	-	-	-	-
越　谷　市	-	-	-	-	-	-	-	-	-	-	-
船　橋　市	51	-	-	-	47	4	-	-	-	-	-
柏　　市	36	-	-	-	30	-	-	-	-	6	-
八　王　子　市	34	-	10	-	23	-	-	-	-	1	-
横　須　賀　市	26	-	-	-	26	-	-	-	-	-	-
富　山　市	69	-	-	-	42	25	-	-	-	2	-
金　沢　市	46	-	-	-	46	-	-	-	-	-	-
長　野　市	23	-	-	-	23	-	-	-	-	-	-
岐　阜　市	14	-	6	-	8	-	-	-	-	-	-
豊　橋　市	25	-	-	-	25	-	-	-	-	-	-
豊　田　市	36	-	-	-	36	-	-	-	-	-	-
岡　崎　市	27	-	-	-	25	-	-	-	-	2	-
大　津　市	15	-	-	-	15	-	-	-	-	-	-
高　槻　市	32	-	-	-	32	-	-	-	-	-	-
東　大　阪　市	20	-	-	-	20	-	-	-	-	-	-
豊　中　市	12	-	-	-	12	-	-	-	-	-	-
枚　方　市	73	-	-	-	73	-	-	-	-	-	-
姫　路　市	28	-	-	-	18	10	-	-	-	-	-
西　宮　市	46	-	-	-	46	-	-	-	-	-	-
尼　崎　市	-	-	-	-	-	-	-	-	-	-	-
奈　良　市	63	-	-	-	63	-	-	-	-	-	-
和　歌　山　市	92	-	-	-	92	-	-	-	-	-	-
倉　敷　市	65	-	-	-	65	-	-	-	-	-	-
福　山　市	67	-	-	-	67	-	-	-	-	-	-
呉　　市	54	-	-	-	34	2	-	-	-	18	-
下　関　市	92	-	-	-	91	1	-	-	-	-	-
高　松　市	42	-	10	-	17	7	-	-	2	6	-
松　山　市	47	-	-	-	39	-	-	-	4	4	-
高　知　市	37	-	8	-	29	-	-	-	-	-	-
久　留　米　市	1	-	-	-	1	-	-	-	-	-	-
長　崎　市	126	-	-	-	126	-	-	-	-	-	-
佐　世　保　市	12	-	-	-	10	2	-	-	-	-	-
大　分　市	96	-	-	-	96	-	-	-	-	-	-
宮　崎　市	15	-	-	-	15	-	-	-	-	-	-
鹿　児　島　市	106	-	-	-	102	-	-	-	-	4	-
那　覇　市	10	-	-	-	10	-	-	-	-	-	-

第37表　短期入所・共同生活援助・宿泊型自立訓練・
国－都道府県－指定都市

（単位：人）

国 都 道 府 県	総　　数	共 同 生 活 援 助 事 業									
		国・独立 行政法人	地方公共 団　体	社会福祉 協 議 会	社会福祉法人 （社会福祉 協議会以外）	医療法人	公益法人	協同組合	営利法人 （会社）	特定非営利 活動法人 （NPO）	そ の 他
全　　　　国	103 905	28	284	502	67 577	9 243	883	20	7 121	15 706	2 541
国	28	28	-	-	-	-	-	-	-	-	-
北　海　道	7 025	-	15	11	5 615	205	-	-	630	506	43
青　　　森	1 237	-	50	-	885	40	-	-	139	79	44
岩　　　手	1 436	-	-	10	1 240	44	-	-	28	97	17
宮　　　城	1 009	-	-	138	680	97	5	-	7	78	4
秋　　　田	813	-	10	-	632	62	-	-	16	93	-
山　　　形	1 162	-	-	-	721	167	-	-	78	196	-
福　　　島	813	-	-	-	352	144	68	-	45	139	65
茨　　　城	2 463	-	-	-	1 559	266	24	-	351	249	14
栃　　　木	1 549	-	-	-	1 135	194	-	-	77	80	63
群　　　馬	1 345	-	-	39	745	330	-	-	54	159	18
埼　　　玉	2 976	-	-	-	1 650	245	-	-	203	799	79
千　　　葉	3 092	-	-	-	1 436	167	-	-	494	991	4
東　　　京	6 031	-	89	4	3 306	137	-	-	277	1 804	414
神　奈　川	1 946	-	-	-	1 319	113	12	-	58	418	26
新　　　潟	1 329	-	42	-	1 014	59	-	20	-	187	7
富　　　山	428	-	-	6	273	105	-	-	17	27	-
石　　　川	609	-	-	-	500	72	6	-	-	31	-
福　　　井	853	-	-	7	644	5	144	-	12	32	9
山　　　梨	597	-	-	-	442	28	64	-	12	51	-
長　　　野	1 818	-	-	29	1 122	168	-	-	55	428	16
岐　　　阜	889	-	-	19	617	120	-	-	42	80	11
静　　　岡	1 165	-	-	-	777	88	62	-	37	176	25
愛　　　知	1 999	-	-	39	1 316	134	-	-	188	304	18
三　　　重	1 350	-	9	2	917	164	-	-	66	177	15
滋　　　賀	978	-	-	-	644	37	14	-	19	205	59
京　　　都	874	-	-	-	649	51	-	-	62	90	22
大　　　阪	3 364	-	-	13	2 303	326	-	-	310	380	32
兵　　　庫	1 455	-	-	-	882	239	-	-	65	214	55
奈　　　良	646	-	-	-	474	-	-	-	26	102	44
和　歌　山	921	-	20	-	847	28	-	-	12	14	-
鳥　　　取	649	-	-	10	468	77	-	-	14	80	-
島　　　根	1 225	-	-	-	940	198	-	-	57	30	-
岡　　　山	921	-	-	-	721	72	-	-	4	124	-
広　　　島	1 261	-	-	-	1 148	69	18	-	10	16	-
山　　　口	979	-	-	-	677	163	-	-	56	83	-
徳　　　島	560	-	-	-	370	138	-	-	20	32	-
香　　　川	582	-	-	-	287	275	-	-	-	20	-
愛　　　媛	575	-	-	-	363	58	81	-	4	69	-
高　　　知	632	-	-	-	509	85	-	-	-	38	-
福　　　岡	3 126	-	-	-	1 997	380	-	-	468	232	49
佐　　　賀	1 043	-	-	-	506	28	26	-	100	308	75
長　　　崎	1 744	-	18	-	1 428	80	-	-	44	167	7
熊　　　本	1 576	-	-	92	1 112	151	-	-	115	106	-
大　　　分	1 013	-	-	5	762	39	-	-	93	114	-
宮　　　崎	799	-	-	-	653	73	-	-	26	43	4
鹿　児　島	1 498	-	-	-	955	369	28	-	51	81	14
沖　　　縄	551	-	-	-	196	197	18	-	98	42	-

注：共同生活援助事業所の定員は、事業所の総定員である。

児童発達支援・放課後等デイサービス事業所の定員，
－中核市、経営主体別

平成29年10月1日

指定都市 中核市	総数	共同生活援助事業									
		国・独立行政法人	地方公共団体	社会福祉協議会	社会福祉法人（社会福祉協議会以外）	医療法人	公益法人	協同組合	営利法人（会社）	特定非営利活動法人（NPO）	その他
指定都市（別掲）											
札幌市	2 326	-	-	-	1 191	247	5	-	396	443	44
仙台市	892	-	-	60	436	8	-	-	66	216	106
さいたま市	314	-	-	-	102	-	58	-	85	45	24
千葉市	353	-	-	-	259	-	-	-	58	36	-
横浜市	3 677	-	-	-	2 588	44	31	-	92	862	60
川崎市	869	-	-	-	425	4	-	-	27	395	18
相模原市	569	-	-	-	357	12	5	-	46	134	15
新潟市	447	-	-	-	316	86	-	-	13	28	4
静岡市	261	-	-	-	161	26	-	-	21	53	-
浜松市	331	-	-	-	267	24	-	-	-	40	-
名古屋市	1 418	-	-	-	698	84	-	-	158	466	12
京都市	540	-	-	-	338	20	8	-	59	108	7
大阪市	1 806	-	-	-	970	32	-	-	239	503	62
堺市	631	-	-	-	496	53	-	-	29	37	16
神戸市	570	-	-	-	392	49	-	-	31	98	-
岡山市	367	-	-	-	230	-	46	-	-	70	21
広島市	413	-	-	-	293	108	-	-	-	8	4
北九州市	906	-	-	-	601	123	-	-	86	88	8
福岡市	604	-	-	-	348	65	-	-	134	47	10
熊本市	616	-	-	-	343	89	10	-	25	85	64
中核市（別掲）											
旭川市	621	-	-	-	312	70	-	-	147	88	4
函館市	177	-	-	-	132	-	-	-	32	13	-
青森市	501	-	-	-	466	10	-	-	19	6	-
八戸市	334	-	-	-	150	77	45	-	39	23	-
盛岡市	296	-	-	-	166	6	-	-	-	94	30
秋田市	315	-	-	-	142	157	-	-	-	16	-
郡山市	392	-	-	-	199	21	16	-	20	136	-
いわき市	337	-	-	-	264	8	26	-	-	39	-
宇都宮市	360	-	-	-	132	223	-	-	-	5	-
前橋市	274	-	-	-	163	66	10	-	-	35	-
高崎市	340	-	-	-	94	110	-	-	-	136	-
川越市	169	-	-	-	125	-	-	-	40	4	-
越谷市	83	-	-	-	10	9	-	-	24	28	12
船橋市	210	-	-	-	97	-	-	-	96	17	-
柏市	245	-	-	-	193	-	-	-	30	18	4
八王子市	721	-	-	-	232	48	-	-	55	294	92
横須賀市	316	-	-	-	255	-	-	-	-	57	4
富山市	334	-	-	-	194	90	-	-	-	50	-
金沢市	379	-	-	-	222	143	-	-	7	7	-
長野市	471	-	-	-	335	-	-	-	8	128	-
岐阜市	222	-	24	-	123	-	-	-	19	26	30
豊橋市	296	-	-	-	143	26	-	-	19	108	-
豊田市	146	-	7	-	74	48	-	-	6	11	-
岡崎市	108	-	-	-	64	-	-	-	25	19	-
大津市	143	-	-	-	79	10	-	-	-	54	-
高槻市	233	-	-	-	196	27	-	-	-	10	-
東大阪市	411	-	-	-	326	-	-	-	14	55	16
豊中市	98	-	-	-	77	-	-	-	21	-	-
枚方市	267	-	-	18	217	-	-	-	5	21	6
姫路市	207	-	-	-	56	32	-	-	18	97	4
西宮市	250	-	-	-	209	-	-	-	9	32	-
尼崎市	682	-	-	-	90	-	-	-	50	54	488
奈良市	202	-	-	-	99	-	-	-	43	41	19
和歌山市	196	-	-	-	156	16	-	-	7	-	17
倉敷市	105	-	-	-	78	-	-	-	-	27	-
福山市	469	-	-	-	355	92	-	-	-	22	-
呉市	148	-	-	-	55	84	-	-	-	9	-
下関市	323	-	-	-	313	6	-	-	-	4	-
高松市	209	-	-	-	126	21	-	-	-	30	32
松山市	576	-	-	-	406	9	-	-	36	125	-
高知市	442	-	-	-	260	76	-	-	39	67	-
久留米市	243	-	-	-	164	40	-	-	-	26	13
長崎市	268	-	-	-	228	20	-	-	-	20	-
佐世保市	519	-	-	-	324	85	-	-	37	61	12
大分市	501	-	-	-	261	119	-	-	82	23	16
宮崎市	254	-	-	-	168	52	-	-	-	26	8
鹿児島市	561	-	-	-	391	76	53	-	30	5	6
那覇市	107	-	-	-	57	5	-	-	39	6	-

第37表　短期入所・共同生活援助・宿泊型自立訓練・
国－都道府県－指定都市

（単位：人）

国都道府県	総数	（再掲）外部サービス利用型共同生活援助事業									
		国・独立行政法人	地方公共団体	社会福祉協議会	社会福祉法人（社会福祉協議会以外）	医療法人	公益法人	協同組合	営利法人（会社）	特定非営利活動法人（NPO）	その他
全　　　　　国	14 877	－	56	30	5 631	4 399	557	－	1 386	2 463	355
国	－	－	－	－	－	－	－	－	－	－	－
北　海　道	848	－	10	11	352	125	－	－	196	135	19
青　　　森	147	－	24	－	64	－	－	－	19	11	29
岩　　　手	94	－	－	10	37	30	－	－	－	10	7
宮　　　城	45	－	－	－	－	26	－	－	－	19	－
秋　　　田	169	－	10	－	72	32	－	－	－	55	－
山　　　形	481	－	－	－	238	147	－	－	16	80	－
福　　　島	379	－	－	－	116	137	68	－	17	41	－
茨　　　城	392	－	－	－	79	120	24	－	106	63	－
栃　　　木	166	－	－	－	19	132	－	－	－	15	－
群　　　馬	295	－	－	－	20	246	－	－	－	29	－
埼　　　玉	268	－	－	－	98	91	－	－	10	50	19
千　　　葉	152	－	－	－	31	22	－	－	57	42	－
東　　　京	524	－	5	－	220	16	－	－	6	250	27
神　奈　川	27	－	－	－	22	－	－	－	－	5	－
新　　　潟	99	－	－	－	46	12	－	－	－	41	－
富　　　山	80	－	－	－	16	52	－	－	－	12	－
石　　　川	150	－	－	－	127	－	6	－	－	17	－
福　　　井	252	－	－	7	96	－	144	－	－	5	－
山　　　梨	166	－	－	－	78	28	42	－	12	6	－
長　　　野	23	－	－	－	－	－	－	－	4	19	－
岐　　　阜	119	－	－	－	59	48	－	－	－	6	6
静　　　岡	335	－	－	－	191	57	34	－	16	37	－
愛　　　知	91	－	－	－	22	50	－	－	－	19	－
三　　　重	41	－	－	2	9	7	－	－	－	23	－
滋　　　賀	57	－	－	－	28	7	14	－	－	4	4
京　　　都	52	－	－	－	47	－	－	－	－	5	－
大　　　阪	141	－	－	－	11	76	－	－	54	－	－
兵　　　庫	183	－	－	－	36	93	－	－	9	32	13
奈　　　良	75	－	－	－	75	－	－	－	－	－	－
和　歌　山	15	－	－	－	7	4	－	－	－	4	－
鳥　　　取	10	－	－	－	7	－	－	－	－	3	－
島　　　根	227	－	－	－	138	41	－	－	44	4	－
岡　　　山	82	－	－	－	77	－	－	－	－	5	－
広　　　島	337	－	－	－	282	55	－	－	－	－	－
山　　　口	259	－	－	－	150	47	－	－	－	62	－
徳　　　島	188	－	－	－	59	118	－	－	－	11	－
香　　　川	296	－	－	－	36	255	－	－	－	5	－
愛　　　媛	175	－	－	－	79	9	61	－	－	26	－
高　　　知	56	－	－	－	4	42	－	－	－	10	－
福　　　岡	366	－	－	－	150	160	－	－	24	27	5
佐　　　賀	206	－	－	－	32	8	14	－	－	110	42
長　　　崎	233	－	－	－	78	30	－	－	28	97	－
熊　　　本	673	－	－	－	416	126	－	－	95	36	－
大　　　分	374	－	－	－	288	9	－	－	45	32	－
宮　　　崎	51	－	－	－	6	35	－	－	－	10	－
鹿　児　島	571	－	－	－	313	167	28	－	38	25	－
沖　　　縄	371	－	－	－	95	177	18	－	71	10	－

注：外部サービス利用型共同生活援助事業所の定員は、事業所の総定員である。

児童発達支援・放課後等デイサービス事業所の定員，
－中核市、経営主体別

平成29年10月 1 日

指定都市／中核市	総数	国・独立行政法人	地方公共団体	社会福祉協議会	社会福祉法人（社会福祉協議会以外）	医療法人	公益法人	協同組合	営利法人（会社）	特定非営利活動法人（NPO）	その他
指定都市（別掲）											
札幌市	695	－	－	－	25	90	5	－	220	335	20
仙台市	51	－	－	－	12	－	－	－	4	35	－
さいたま市	5	－	－	－	－	－	－	－	5	－	－
千葉市	7	－	－	－	7	－	－	－	－	－	－
横浜市	98	－	－	－	21	－	24	－	－	25	28
川崎市	－	－	－	－	－	－	－	－	－	－	－
相模原市	－	－	－	－	－	－	－	－	－	－	－
新潟市	109	－	－	－	21	78	－	－	－	10	－
静岡市	55	－	－	－	7	－	－	－	－	48	－
浜松市	53	－	－	－	29	24	－	－	－	－	－
名古屋市	10	－	－	－	10	－	－	－	－	－	－
京都市	10	－	－	－	－	10	－	－	－	－	－
大阪市	12	－	－	－	－	4	－	－	4	4	－
堺市	－	－	－	－	－	－	－	－	－	－	－
神戸市	20	－	－	－	14	6	－	－	－	－	－
岡山市	34	－	－	－	13	－	－	－	－	－	21
広島市	127	－	－	－	64	59	－	－	－	－	4
北九州市	167	－	－	－	4	93	－	－	9	61	－
福岡市	168	－	－	－	75	65	－	－	11	7	10
熊本市	256	－	－	－	56	70	10	－	11	65	44
中核市（別掲）											
旭川市	102	－	－	－	34	20	－	－	35	13	－
函館市	28	－	－	－	24	－	－	－	－	4	－
青森市	116	－	－	－	81	10	－	－	19	6	－
八戸市	41	－	－	－	－	12	25	－	－	4	－
盛岡市	77	－	－	－	8	－	－	－	－	49	20
秋田市	217	－	－	－	44	157	－	－	－	16	－
郡山市	268	－	－	－	139	21	16	－	－	92	－
いわき市	12	－	－	－	－	8	－	－	－	4	－
宇都宮市	126	－	－	－	－	121	－	－	－	5	－
前橋市	24	－	－	－	14	10	－	－	－	－	－
高崎市	143	－	－	－	8	110	－	－	－	25	－
川越市	－	－	－	－	－	－	－	－	－	－	－
越谷市	9	－	－	－	－	9	－	－	－	－	－
船橋市	4	－	－	－	－	－	－	－	－	4	－
柏市	－	－	－	－	－	－	－	－	－	－	－
八王子市	41	－	－	－	6	8	－	－	－	－	27
横須賀市	－	－	－	－	－	－	－	－	－	－	－
富山市	97	－	－	－	7	90	－	－	－	－	－
金沢市	86	－	－	－	37	49	－	－	－	－	－
長野市	4	－	－	－	－	－	－	－	－	4	－
岐阜市	45	－	－	－	5	－	－	－	14	26	－
豊橋市	－	－	－	－	－	－	－	－	－	－	－
豊田市	43	－	7	－	－	30	－	－	6	－	－
岡崎市	－	－	－	－	－	－	－	－	－	－	－
大津市	－	－	－	－	－	－	－	－	－	－	－
高槻市	100	－	－	－	100	－	－	－	－	－	－
東大阪市	－	－	－	－	－	－	－	－	－	－	－
豊中市	－	－	－	－	－	－	－	－	－	－	－
枚方市	33	－	－	－	9	10	－	－	－	10	4
西宮市	－	－	－	－	－	－	－	－	－	－	－
尼崎市	－	－	－	－	－	－	－	－	－	－	－
奈良市	14	－	－	－	－	－	－	－	14	－	－
和歌山市	10	－	－	－	－	10	－	－	－	－	－
倉敷市	－	－	－	－	－	－	－	－	－	－	－
福山市	91	－	－	－	41	50	－	－	－	－	－
呉市	62	－	－	－	6	56	－	－	－	－	－
下関市	21	－	－	－	15	6	－	－	－	－	－
高松市	56	－	－	－	31	－	－	－	－	25	－
松山市	36	－	－	－	36	－	－	－	－	－	－
高知市	89	－	－	－	9	21	－	－	39	20	－
久留米市	51	－	－	－	11	40	－	－	－	－	－
長崎市	41	－	－	－	21	20	－	－	－	－	－
佐世保市	92	－	－	－	14	67	－	－	－	11	－
大分市	203	－	－	－	66	42	－	－	72	23	－
宮崎市	72	－	－	－	18	36	－	－	－	18	－
鹿児島市	133	－	－	－	28	45	24	－	30	－	6
那覇市	72	－	－	－	35	5	－	－	26	6	－

第37表　短期入所・共同生活援助・宿泊型自立訓練・

国－都道府県－指定都市

（単位：人）

国 都　道　府　県	総　数	宿　泊　型　自　立　訓　練　事　業									
		国・独立 行政法人	地方公共 団　体	社会福祉 協　議　会	社会福祉法人 （社会福祉 協議会以外）	医療法人	公益法人	協同組合	営利法人 （会社）	特定非営利 活動法人 （NPO）	そ　の　他
全　　　　　　　国	3 992	－	70	5	1 593	1 873	159	20	40	59	173
国	－	－	－	－	－	－	－	－	－	－	－
北　海　道	104	－	－	－	74	30	－	－	－	－	－
青　　　森	103	－	－	－	63	－	－	20	－	－	20
岩　　　手	85	－	－	－	55	20	－	－	－	－	10
宮　　　城	35	－	20	－	－	15	－	－	－	－	－
秋　　　田	101	－	－	5	10	86	－	－	－	－	－
山　　　形	32	－	20	－	－	－	－	－	－	12	－
福　　　島	20	－	－	－	－	20	－	－	－	－	－
茨　　　城	40	－	－	－	－	40	－	－	－	－	－
栃　　　木	40	－	－	－	10	20	－	－	10	－	－
群　　　馬	80	－	－	－	40	40	－	－	－	－	－
埼　　　玉	169	－	20	－	50	83	16	－	－	－	－
千　　　葉	55	－	－	－	17	38	－	－	－	－	－
東　　　京	279	－	10	－	184	85	－	－	－	－	－
神　奈　川	84	－	－	－	60	24	－	－	－	－	－
新　　　潟	130	－	－	－	82	48	－	－	－	－	－
富　　　山	20	－	－	－	－	20	－	－	－	－	－
石　　　川	－	－	－	－	－	－	－	－	－	－	－
福　　　井	50	－	－	－	50	－	－	－	－	－	－
山　　　梨	30	－	－	－	20	－	－	－	－	－	10
長　　　野	71	－	－	－	20	41	－	－	－	10	－
岐　　　阜	109	－	－	－	17	92	－	－	－	－	－
静　　　岡	18	－	－	－	18	－	－	－	－	－	－
愛　　　知	10	－	－	－	－	－	－	－	10	－	－
三　　　重	60	－	－	－	60	－	－	－	－	－	－
滋　　　賀	52	－	－	－	30	22	－	－	－	－	－
京　　　都	－	－	－	－	－	－	－	－	－	－	－
大　　　阪	95	－	－	－	－	75	－	－	－	－	20
兵　　　庫	20	－	－	－	－	20	－	－	－	－	－
奈　　　良	－	－	－	－	－	－	－	－	－	－	－
和　歌　山	－	－	－	－	－	－	－	－	－	－	－
鳥　　　取	62	－	－	－	20	42	－	－	－	－	－
島　　　根	35	－	－	－	－	35	－	－	－	－	－
岡　　　山	20	－	－	－	20	－	－	－	－	－	－
広　　　島	40	－	－	－	20	20	－	－	－	－	－
山　　　口	85	－	－	－	33	42	－	－	10	－	－
徳　　　島	79	－	－	－	－	79	－	－	－	－	－
香　　　川	－	－	－	－	－	－	－	－	－	－	－
愛　　　媛	22	－	－	－	－	22	－	－	－	－	－
高　　　知	－	－	－	－	－	－	－	－	－	－	－
福　　　岡	30	－	－	－	10	20	－	－	－	－	－
佐　　　賀	20	－	－	－	－	20	－	－	－	－	－
長　　　崎	32	－	－	－	32	－	－	－	－	－	－
熊　　　本	40	－	－	－	－	40	－	－	－	－	－
大　　　分	90	－	－	－	70	20	－	－	－	－	－
宮　　　崎	40	－	－	－	－	40	－	－	－	－	－
鹿　児　島	85	－	－	－	10	75	－	－	－	－	－
沖　　　縄	80	－	－	－	－	80	－	－	－	－	－

児童発達支援・放課後等デイサービス事業所の定員，
－中核市、経営主体別

指定都市 中核市	総数	国・独立行政法人	地方公共団体	社会福祉協議会	社会福祉法人（社会福祉協議会以外）	医療法人	公益法人	協同組合	営利法人（会社）	特定非営利活動法人（NPO）	その他
指定都市（別掲）											
札幌市	74	-	-	-	36	-	-	-	-	-	38
仙台市	125	-	-	-	50	-	-	-	-	-	75
さいたま市	16	-	-	-	-	-	16	-	-	-	-
千葉市	21	-	-	-	21	-	-	-	-	-	-
横浜市	93	-	-	-	20	26	47	-	-	-	-
川崎市	20	-	-	-	20	-	-	-	-	-	-
相模原市	-	-	-	-	-	-	-	-	-	-	-
新潟市	30	-	-	-	-	30	-	-	-	-	-
静岡市	38	-	-	-	-	38	-	-	-	-	-
名古屋市	47	-	-	-	20	-	-	-	-	27	-
京都市	-	-	-	-	-	-	-	-	-	-	-
大阪市	30	-	-	-	30	-	-	-	-	-	-
堺市	20	-	-	-	-	-	20	-	-	-	-
神戸市	-	-	-	-	-	-	-	-	-	-	-
岡山市	-	-	-	-	-	-	-	-	-	-	-
広島市	-	-	-	-	-	-	-	-	-	-	-
北九州市	70	-	-	-	60	-	-	-	10	-	-
福岡市	20	-	-	-	20	-	-	-	-	-	-
熊本市	40	-	-	-	-	-	40	-	-	-	-
中核市（別掲）											
旭川市	49	-	-	-	20	29	-	-	-	-	-
函館市	20	-	-	-	20	-	-	-	-	-	-
青森市	33	-	-	-	15	18	-	-	-	-	-
八戸市	20	-	-	-	-	-	20	-	-	-	-
盛岡市	-	-	-	-	-	-	-	-	-	-	-
秋田市	38	-	-	-	-	38	-	-	-	-	-
郡山市	38	-	-	-	38	-	-	-	-	-	-
いわき市	20	-	-	-	20	-	-	-	-	-	-
宇都宮市	-	-	-	-	-	-	-	-	-	-	-
前橋市	-	-	-	-	-	-	-	-	-	-	-
高崎市	20	-	-	-	-	20	-	-	-	-	-
川越市	-	-	-	-	-	-	-	-	-	-	-
越谷市	-	-	-	-	-	-	-	-	-	-	-
船橋市	20	-	-	-	-	20	-	-	-	-	-
柏市	20	-	-	-	20	-	-	-	-	-	-
八王子市	16	-	-	-	-	16	-	-	-	-	-
横須賀市	-	-	-	-	-	-	-	-	-	-	-
富山市	-	-	-	-	-	-	-	-	-	-	-
金沢市	-	-	-	-	-	-	-	-	-	-	-
長野市	17	-	-	-	17	-	-	-	-	-	-
岐阜市	-	-	-	-	-	-	-	-	-	-	-
豊橋市	12	-	-	-	12	-	-	-	-	-	-
豊田市	-	-	-	-	-	-	-	-	-	-	-
岡崎市	20	-	-	-	20	-	-	-	-	-	-
大津市	-	-	-	-	-	-	-	-	-	-	-
高槻市	-	-	-	-	-	-	-	-	-	-	-
東大阪市	45	-	-	-	-	45	-	-	-	-	-
豊中市	-	-	-	-	-	-	-	-	-	-	-
枚方市	12	-	-	-	-	12	-	-	-	-	-
姫路市	-	-	-	-	-	-	-	-	-	-	-
西宮市	11	-	-	-	-	11	-	-	-	-	-
尼崎市	-	-	-	-	-	-	-	-	-	-	-
奈良市	10	-	-	-	-	10	-	-	-	-	-
和歌山市	20	-	-	-	-	20	-	-	-	-	-
倉敷市	-	-	-	-	-	-	-	-	-	-	-
福山市	22	-	-	-	-	22	-	-	-	-	-
呉市	-	-	-	-	-	-	-	-	-	-	-
下関市	20	-	-	-	-	20	-	-	-	-	-
高松市	14	-	-	-	-	14	-	-	-	-	-
松山市	20	-	-	-	20	-	-	-	-	-	-
高知市	22	-	-	-	22	-	-	-	-	-	-
久留米市	20	-	-	-	-	20	-	-	-	-	-
長崎市	40	-	-	-	-	40	-	-	-	-	-
佐世保市	10	-	-	-	-	-	-	-	-	10	-
大分市	17	-	-	-	17	-	-	-	-	-	-
宮崎市	-	-	-	-	-	-	-	-	-	-	-
鹿児島市	40	-	-	-	-	40	-	-	-	-	-
那覇市	30	-	-	-	-	30	-	-	-	-	-

第37表　短期入所・共同生活援助・宿泊型自立訓練・
国－都道府県－指定都市

（単位：人）

国 都 道 府 県			総　　数	児　　童　　発　　達　　支　　援　　事　　業									
				国・独立 行政法人	地方公共 団　　体	社会福祉 協 議 会	社会福祉法人 （社会福祉 協議会以外）	医療法人	公益法人	協同組合	営利法人 （会社）	特定非営利 活動法人 （NPO）	そ の 他
全		国	56 540	146	10 270	1 055	13 329	721	275	97	20 876	6 927	2 844
	国		－	－	－	－	－	－	－	－	－	－	－
北 海	道		2 190	－	956	20	316	10	－	－	617	196	75
青	森		167	－	12	－	75	－	－	－	30	30	20
岩	手		330	－	115	25	100	－	－	－	20	70	－
宮 城			129	－	50	10	10	－	－	－	21	36	2
秋	田		75	－	25	10	40	－	－	－	－	－	－
山	形		366	－	50	10	60	－	－	－	163	73	10
福	島		395	－	15	20	178	－	－	－	10	134	38
茨	城		907	－	280	50	85	15	－	－	329	108	40
栃	木		583	－	60	105	150	10	－	－	158	40	60
群	馬		218	－	10	10	60	－	－	－	73	65	－
埼	玉		1 725	－	305	60	130	－	－	－	947	243	40
千	葉		2 184	－	738	－	393	45	－	－	658	245	105
東	京		5 154	－	1 650	80	966	8	50	－	1 566	634	200
神 奈	川		1 172	－	174	5	440	5	20	－	328	170	30
新	潟		252	5	102	20	95	－	－	－	30	－	－
富	山		352	－	20	14	85	－	－	－	90	133	10
石	川		308	8	－	－	80	10	－	－	180	30	－
福	井		112	5	35	－	10	10	－	－	52	－	－
山	梨		181	6	－	－	120	－	10	－	30	5	10
長	野		322	－	125	25	78	－	－	－	40	34	20
岐	阜		1 241	－	593	135	217	10	5	－	191	40	50
静	岡		508	－	105	－	97	－	－	－	214	62	30
愛	知		1 696	－	692	－	206	12	－	－	491	263	32
三	重		819	10	200	40	96	20	－	－	290	103	60
滋	賀		356	－	261	－	－	－	－	－	55	40	－
京	都		537	5	290	20	132	－	－	－	43	40	7
大	阪		2 279	－	457	10	255	10	－	10	1 164	233	140
兵	庫		1 207	8	126	35	226	15	10	－	538	115	134
奈	良		576	10	54	40	90	10	－	－	264	45	63
和 歌	山		329	－	40	－	169	10	－	－	60	50	－
鳥	取		230	－	75	10	20	－	－	－	50	75	－
島	根		180	－	－	－	110	－	－	10	－	50	10
岡	山		355	－	20	10	135	－	－	－	25	150	15
広	島		482	－	－	－	337	－	－	－	82	53	10
山	口		278	5	－	－	85	10	－	－	88	90	－
徳	島		596	－	－	－	185	75	－	－	191	120	25
香	川		189	15	－	10	45	15	－	－	89	5	10
愛	媛		327	－	112	40	75	－	－	－	40	30	30
高	知		40	－	－	－	10	－	－	－	10	20	－
福	岡		968	－	110	30	193	30	－	－	428	70	107
佐	賀		227	－	45	－	10	－	－	－	40	55	77
長	崎		550	－	30	60	191	10	－	－	184	65	10
熊	本		581	5	－	70	115	－	－	－	168	98	125
大	分		159	－	－	－	84	10	－	－	40	20	5
宮	崎		260	－	－	－	55	5	－	－	114	66	20
鹿 児	島		778	5	140	8	320	60	－	－	95	80	70
沖	縄		643	－	20	55	99	－	－	－	333	75	61

児童発達支援・放課後等デイサービス事業所の定員，
－中核市、経営主体別

指定都市／中核市	総数	国・独立行政法人	地方公共団体	社会福祉協議会	社会福祉法人（社会福祉協議会以外）	医療法人	公益法人	協同組合	営利法人（会社）	特定非営利活動法人（NPO）	その他
指定都市（別掲）											
札幌市	2 545	-	70	-	376	76	10	-	1 670	205	138
仙台市	370	-	-	-	280	-	-	-	70	20	-
さいたま市	322	-	-	-	30	-	-	-	210	60	22
千葉市	421	-	46	-	51	-	-	-	244	70	10
横浜市	1 291	-	-	-	759	-	50	-	348	75	59
川崎市	441	-	-	-	98	5	-	-	328	-	10
相模原市	425	-	107	-	70	-	-	-	173	75	-
新潟市	253	15	58	-	80	-	-	-	70	10	20
静岡市	199	5	-	-	65	-	-	-	73	56	-
浜松市	365	-	80	-	165	10	10	-	90	10	-
名古屋市	1 195	-	-	-	73	-	-	-	843	168	111
京都市	292	-	-	-	90	-	-	-	152	40	10
大阪市	2 533	-	-	-	442	-	50	-	1 513	348	180
堺市	347	-	-	-	40	17	-	-	205	65	20
神戸市	734	-	236	-	115	15	30	-	173	125	40
岡山市	553	-	-	-	229	34	-	-	185	75	30
広島市	420	-	-	-	240	30	-	-	120	25	5
北九州市	250	-	-	-	15	-	-	-	185	20	30
福岡市	592	5	-	-	582	-	-	-	-	-	5
熊本市	317	-	35	-	32	3	-	-	166	46	35
中核市（別掲）											
旭川市	466	-	155	-	15	-	-	-	215	71	10
函館市	90	-	20	-	10	-	-	-	60	-	-
青森市	60	-	-	-	40	-	-	-	20	-	-
八戸市	15	-	-	-	-	-	-	-	5	10	-
盛岡市	105	-	15	-	40	-	-	-	40	10	-
秋田市	110	-	40	-	20	-	-	-	50	-	-
郡山市	160	-	30	-	40	-	-	-	10	75	5
いわき市	75	-	-	-	30	-	-	-	10	35	-
宇都宮市	10	-	-	-	-	-	-	-	10	-	-
前橋市	100	-	-	-	40	-	-	-	10	50	-
高崎市	-	-	-	-	-	-	-	-	-	-	-
川越市	89	-	30	-	10	-	-	-	40	9	-
越谷市	189	-	-	-	10	-	-	-	124	25	30
船橋市	228	-	118	-	10	-	-	-	90	10	-
柏市	275	-	90	-	70	-	-	-	90	25	-
八王子市	113	-	-	-	20	-	-	-	45	38	10
横須賀市	45	-	-	-	-	-	-	-	40	5	-
富山市	309	5	-	-	20	25	-	18	147	94	-
金沢市	156	6	-	-	20	-	-	-	120	10	-
長野市	65	5	-	-	50	-	-	-	10	-	-
岐阜市	303	-	128	-	60	15	-	-	30	10	60
豊橋市	198	-	45	-	55	4	-	-	61	20	13
豊田市	189	-	70	-	50	-	-	-	64	-	5
岡崎市	80	-	-	-	20	-	-	-	15	40	5
大津市	70	-	50	-	-	-	-	-	10	-	10
高槻市	318	-	110	-	68	-	-	-	120	-	20
東大阪市	467	-	130	-	45	-	-	-	222	50	20
豊中市	376	-	183	-	-	-	-	-	155	8	30
枚方市	234	-	40	-	42	-	-	-	142	10	-
姫路市	157	-	70	-	5	10	-	-	30	22	20
西宮市	286	-	-	-	71	10	10	-	150	30	15
尼崎市	285	-	50	-	50	10	-	20	130	10	15
奈良市	180	5	-	-	45	-	10	-	90	30	-
和歌山市	115	-	-	-	20	-	-	-	65	30	-
倉敷市	592	-	25	-	355	-	-	-	102	110	-
福山市	273	-	20	-	175	-	-	-	50	18	10
呉市	113	-	-	8	75	-	-	-	19	11	-
下関市	105	-	-	-	90	-	-	-	-	5	10
高松市	80	-	17	-	3	-	-	-	50	10	-
松山市	337	-	-	-	235	-	10	-	82	-	10
高知市	92	5	-	-	10	-	-	-	57	10	10
久留米市	94	-	-	-	-	-	-	29	65	-	-
長崎市	431	8	-	-	65	-	-	-	303	20	35
佐世保市	146	-	40	-	21	-	-	-	65	20	-
大分市	171	-	-	-	94	10	-	10	52	-	5
宮崎市	170	-	50	10	70	-	-	-	30	10	-
鹿児島市	542	-	-	-	298	30	-	-	85	109	20
那覇市	98	-	20	-	2	2	-	-	49	25	-

第37表　短期入所・共同生活援助・宿泊型自立訓練・

国－都道府県－指定都市

（単位：人）

国都道府県	放課後等デイサービス事業										
	総数	国・独立行政法人	地方公共団体	社会福祉協議会	社会福祉法人（社会福祉協議会以外）	医療法人	公益法人	協同組合	営利法人（会社）	特定非営利活動法人（NPO）	その他
全国	93 006	145	1 720	954	15 857	881	192	132	49 040	17 809	6 276
国	－	－	－	－	－	－	－	－	－	－	－
北海道	2 523	－	500	20	508	20	－	－	813	505	157
青森	588	－	38	－	265	－	－	－	40	205	40
岩手	660	－	15	65	255	－	－	－	50	235	40
宮城	728	－	－	20	125	－	－	－	226	299	58
秋田	172	－	－	10	92	－	－	－	60	10	－
山形	714	－	－	－	93	－	－	－	324	242	55
福島	651	－	－	40	192	－	－	－	160	221	38
茨城	1 729	－	84	55	165	15	－	－	978	322	110
栃木	945	－	40	40	320	－	－	－	375	90	80
群馬	860	－	30	－	190	－	－	－	305	300	35
埼玉	3 466	－	50	－	279	10	－	10	2 057	900	160
千葉	2 956	－	97	－	636	45	－	－	1 301	615	262
東京	6 587	－	180	－	807	10	60	－	3 634	1 461	435
神奈川	1 744	－	10	15	325	5	10	－	749	550	80
新潟	455	5	10	40	225	－	－	－	95	80	－
富山	632	－	－	55	140	－	－	15	189	200	33
石川	498	8	－	－	210	10	－	－	210	50	10
福井	505	5	40	20	108	50	－	－	161	111	10
山梨	490	5	－	－	175	－	10	－	225	35	40
長野	774	－	15	40	145	30	－	－	230	256	58
岐阜	1 391	－	77	95	125	10	5	－	789	160	130
静岡	1 946	－	10	50	218	－	－	－	1 131	347	190
愛知	2 544	－	10	10	216	23	－	－	1 295	870	120
三重	1 197	5	30	60	140	20	－	－	685	177	80
滋賀	700	－	20	－	100	－	－	－	400	110	70
京都	725	5	11	－	173	－	－	－	294	194	48
大阪	3 614	－	55	－	470	10	－	10	2 291	528	250
兵庫	2 158	8	74	30	226	45	10	－	1 291	258	216
奈良	891	10	－	20	205	－	－	－	459	100	97
和歌山	533	－	10	－	318	10	－	－	80	115	－
鳥取	398	－	10	10	60	－	－	－	140	158	20
島根	580	－	－	－	290	－	－	－	150	90	50
岡山	461	15	－	10	151	－	－	－	145	125	15
広島	931	－	10	－	190	15	－	－	557	139	20
山口	663	5	－	10	190	10	－	－	242	180	26
徳島	660	－	－	－	183	65	－	－	247	140	25
香川	276	15	－	10	65	25	－	－	106	55	－
愛媛	591	－	96	－	75	－	－	－	300	70	50
高知	140	－	－	－	50	－	－	－	60	10	20
福岡	2 173	－	60	30	481	35	－	－	1 135	209	223
佐賀	677	－	15	－	114	－	－	－	335	125	88
長崎	865	－	30	55	271	10	－	－	329	170	－
熊本	1 154	5	－	75	255	30	－	－	402	182	205
大分	459	－	－	－	205	10	－	－	163	74	7
宮崎	594	－	－	－	140	5	－	－	275	134	40
鹿児島	938	－	20	12	383	60	－	－	173	210	80
沖縄	1 422	－	－	35	305	21	－	－	821	175	65

児童発達支援・放課後等デイサービス事業所の定員，
－中核市、経営主体別

指定都市 中核市	放課後等デイサービス事業 総数	国・独立行政法人	地方公共団体	社会福祉協議会	社会福祉法人（社会福祉協議会以外）	医療法人	公益法人	協同組合	営利法人（会社）	特定非営利活動法人（NPO）	その他
指定都市（別掲）											
札幌市	2 816	-	-	-	231	4	10	-	2 046	395	130
仙台市	776	-	-	-	65	-	-	20	245	396	50
さいたま市	809	-	-	-	45	-	-	-	580	116	68
千葉市	775	-	-	20	131	-	-	-	469	145	10
横浜市	1 974	-	-	-	239	-	-	-	1 197	408	130
川崎市	813	-	-	-	30	5	10	-	688	10	70
相模原市	595	-	-	-	30	-	-	-	370	185	10
新潟市	335	15	-	-	120	-	-	-	160	20	20
静岡市	496	-	-	-	45	-	-	-	262	189	-
浜松市	658	-	-	-	125	20	20	-	330	103	60
名古屋市	1 928	-	-	-	122	10	-	-	1 308	319	169
京都市	985	-	-	-	140	-	-	-	635	70	140
大阪市	3 133	-	-	-	315	-	-	-	2 119	459	240
堺市	678	-	-	-	120	18	-	-	375	120	45
神戸市	1 338	-	-	10	90	16	20	-	597	435	170
岡山市	521	-	-	-	121	10	-	-	315	55	20
広島市	1 235	-	-	-	20	56	-	-	979	65	115
北九州市	851	-	-	-	200	-	10	-	505	96	40
福岡市	1 170	5	-	-	85	45	10	-	790	140	95
熊本市	700	-	-	-	27	2	-	-	557	44	70
中核市（別掲）											
旭川市	416	-	-	-	15	-	-	-	276	95	30
函館市	250	-	-	-	10	-	-	-	170	70	-
青森市	195	-	-	5	130	-	-	-	50	10	-
八戸市	215	-	-	-	140	-	-	-	35	20	20
盛岡市	185	-	-	-	75	-	-	-	90	20	-
秋田市	210	-	-	-	80	-	-	-	130	-	-
郡山市	285	-	-	5	70	-	-	-	80	95	35
いわき市	121	-	-	-	30	-	-	-	36	55	-
宇都宮市	250	-	-	-	30	-	-	-	210	-	10
前橋市	268	-	-	-	103	-	-	-	135	30	-
高崎市	134	-	-	10	30	-	-	-	10	84	-
川越市	205	-	-	-	20	-	10	-	120	55	-
越谷市	393	-	-	-	-	-	-	-	238	135	20
船橋市	270	-	-	-	10	-	-	-	230	30	-
柏市	366	-	-	-	55	-	-	-	170	111	30
八王子市	424	-	-	-	70	-	-	-	192	102	60
横須賀市	305	-	-	-	55	-	-	-	210	40	-
富山市	399	5	-	-	15	25	-	28	203	113	10
金沢市	226	6	-	-	60	-	-	-	150	10	-
長野市	150	5	-	-	105	-	-	-	40	-	-
岐阜市	415	-	-	-	100	5	-	-	200	20	90
豊橋市	333	-	-	-	70	6	-	-	159	55	43
豊田市	211	-	-	10	30	-	-	-	106	30	35
岡崎市	301	-	-	-	20	-	-	-	182	94	5
大津市	165	-	-	-	-	-	-	-	120	5	40
高槻市	322	-	25	-	87	-	-	-	170	10	30
東大阪市	435	-	-	-	45	-	-	-	300	70	20
豊中市	338	-	-	-	-	-	-	-	260	38	40
枚方市	294	-	-	-	31	-	-	-	238	10	15
姫路市	298	-	-	-	35	10	-	-	165	78	10
西宮市	428	-	-	-	73	10	-	-	310	20	15
尼崎市	390	-	-	-	-	10	-	20	335	10	15
奈良市	245	5	-	-	45	-	-	-	140	25	30
和歌山市	185	-	-	-	40	-	-	-	115	30	-
倉敷市	288	-	-	5	125	-	-	-	138	20	-
福山市	484	-	-	-	93	-	-	-	339	32	20
呉市	157	-	-	2	25	-	-	-	91	39	-
下関市	115	-	-	-	60	-	-	-	20	25	10
高松市	140	-	-	3	22	-	-	-	55	60	-
松山市	328	-	-	-	45	-	7	-	226	30	20
高知市	255	5	-	-	30	-	-	-	185	15	20
久留米市	189	-	-	-	-	-	-	29	150	10	-
長崎市	641	8	-	-	135	-	-	-	413	60	25
佐世保市	186	-	-	-	31	-	-	-	115	30	10
大分市	432	-	-	-	69	10	-	-	268	70	15
宮崎市	390	-	-	-	10	-	-	-	310	50	20
鹿児島市	756	-	-	-	350	20	-	-	115	226	45
那覇市	74	-	-	-	28	-	-	-	36	10	-

第38表　居宅介護事業・同行援護事業所の利用実人員・訪問回数，

| 都道府県 | 居宅介護事業　利用実人員（人） | | | | | | | | | |
| | 障害者（18歳以上） | | | | | 障害児（18歳未満） | | | | |
	身体介護が中心	通院介助（身体介護を伴う）が中心	家事援助が中心	通院介助（身体介護を伴わない）が中心	通院等乗降介助が中心	身体介護が中心	通院介助（身体介護を伴う）が中心	家事援助が中心	通院介助（身体介護を伴わない）が中心	通院等乗降介助が中心
全　国	74 510	17 281	97 209	6 831	2 586	8 308	899	1 405	121	61
北　海　道	1 112	640	1 929	279	284	62	36	10	5	1
青　森	361	273	709	159	195	9	3	－	5	2
岩　手	271	110	631	64	8	18	17	20	5	7
宮　城	391	68	583	46	－	46	6	5	1	－
秋　田	126	50	343	16	2	9	2	－	－	－
山　形	265	61	645	39	13	36	4	3	－	－
福　島	293	66	609	66	41	13	－	1	－	－
茨　城	617	151	1 299	90	45	40	5	8	－	－
栃　木	308	211	865	165	11	27	4	1	1	－
群　馬	369	159	750	131	34	54	5	14	－	1
埼　玉	2 323	261	2 528	102	36	201	9	9	13	3
千　葉	2 465	418	1 918	162	50	180	18	19	3	5
東　京	6 306	1 226	7 599	680	26	1 104	67	158	4	2
神　奈　川	1 310	229	1 478	70	14	138	10	26	1	2
新　潟	864	108	827	76	5	28	3	3	1	－
富　山	277	7	147	5	－	4	－	－	－	－
石　川	199	49	330	26	2	9	－	－	－	－
福　井	329	77	601	38	11	13	－	－	－	－
山　梨	334	83	661	52	3	18	2	2	1	－
長　野	635	134	1 267	88	10	50	5	3	－	－
岐　阜	610	63	697	39	10	64	1	5	1	－
静　岡	612	126	992	48	10	59	4	5	－	－
愛　知	2 292	442	1 628	75	26	252	24	13	－	－
三　重	1 104	243	892	106	90	92	5	4	－	1
滋　賀	1 150	272	351	67	8	158	14	－	1	－
京　都	843	214	748	73	6	67	8	2	－	－
大　阪	3 801	1 230	3 546	443	164	303	68	53	7	3
兵　庫	1 050	220	1 793	145	2	232	14	28	3	－
奈　良	452	208	701	154	80	40	4	3	－	－
和　歌　山	397	152	866	72	42	98	7	22	1	－
鳥　取	352	68	423	19	11	26	1	2	－	－
島　根	674	142	529	100	21	21	4	2	2	1
岡　山	251	29	553	27	3	33	2	13	－	－
広　島	773	103	1 117	63	72	77	2	3	2	－
山　口	351	60	546	24	1	8	1	1	－	－
徳　島	258	112	922	45	234	28	4	18	－	1
香　川	155	42	431	29	15	28	4	24	1	－
愛　媛	325	70	965	70	37	34	8	7	1	3
高　知	130	14	202	1	－	13	－	5	－	－
福　岡	885	264	1 752	108	68	153	18	21	－	－
佐　賀	276	72	506	22	8	50	6	3	－	－
長　崎	208	112	595	48	29	21	4	1	1	－
熊　本	352	66	833	39	20	74	5	23	3	1
大　分	320	56	758	35	24	37	2	3	－	－
宮　崎	222	104	535	65	3	16	2	－	－	－
鹿　児　島	276	56	715	27	2	47	7	13	－	2
沖　縄	632	201	977	71	81	170	33	7	3	1

注：指定都市及び中核市は別掲である。

都道府県－指定都市－中核市、障害者及び障害児・サービスの内容別

平成29年9月

指定都市 中核市	居宅介護事業 利用実人員（人）									
	障害者（18歳以上）					障害児（18歳未満）				
	身体介護が中心	通院介助（身体介護を伴う）が中心	家事援助が中心	通院介助（身体介護を伴わない）が中心	通院等乗降介助が中心	身体介護が中心	通院介助（身体介護を伴う）が中心	家事援助が中心	通院介助（身体介護を伴わない）が中心	通院等乗降介助が中心
指定都市（別掲）										
札幌市	1 627	383	2 299	167	32	343	32	13	4	－
仙台市	832	143	848	62	1	137	16	12	－	1
さいたま市	649	53	861	20	11	79	4	1	－	2
千葉市	524	73	608	23	1	40	5	7	－	－
横浜市	4 032	718	2 270	116	59	234	47	17	1	4
川崎市	474	89	959	23	1	32	1	5	－	－
相模原市	514	158	538	26	1	70	7	2	－	2
新潟市	423	102	758	39	5	185	15	115	－	－
静岡市	273	25	505	5	2	34	－	4	－	－
浜松市	226	17	375	2	2	23	1	19	－	－
名古屋市	2 542	187	3 240	41	46	227	2	73	－	－
京都市	2 312	225	979	53	7	128	12	2	1	－
大阪市	4 045	1 904	7 454	466	35	326	39	51	13	6
堺市	1 235	172	1 806	49	18	82	8	52	－	－
神戸市	1 085	240	1 962	114	16	154	6	54	4	2
岡山市	256	16	859	22	3	41	－	15	－	－
広島市	749	118	1 387	22	5	139	5	45	－	2
北九州市	1 085	105	778	13	47	59	9	28	1	－
福岡市	1 421	98	1 950	30	2	297	6	26	－	1
熊本市	122	17	633	41	1	29	2	6	3	－
中核市（別掲）										
旭川市	270	25	633	11	9	8	－	－	－	－
函館市	68	24	245	21	4	5	－	－	－	－
青森市	207	81	208	60	16	2	1	1	－	－
八戸市	73	19	182	12	11	3	1	1	－	－
盛岡市	161	29	192	18	－	17	1	－	－	－
秋田市	102	40	246	12	6	11	3	32	4	－
郡山市	129	31	171	12	9	16	5	－	－	－
いわき市	136	99	213	115	10	12	2	－	－	－
宇都宮市	208	125	253	23	1	12	10	1	－	－
前橋市	149	40	228	32	－	14	3	－	－	－
高崎市	196	38	205	31	19	21	－	2	－	－
川越市	285	57	178	15	1	31	2	7	－	－
越谷市	454	27	217	8	－	12	11	－	－	－
船橋市	193	47	396	14	8	29	2	5	1	－
柏市	347	33	98	9	1	61	9	1	－	－
八王子市	125	16	334	7	－	32	3	4	－	－
横須賀市	199	79	323	16	4	11	1	－	－	－
富山市	221	6	79	8	－	3	2	1	－	－
金沢市	346	58	340	35	18	9	5	22	－	2
長野市	368	50	167	26	7	17	1	－	－	1
岐阜市	282	30	313	8	－	53	2	－	－	－
豊橋市	203	74	286	13	2	39	7	－	－	－
豊田市	138	48	141	10	－	23	4	3	－	－
岡崎市	165	26	314	3	2	27	－	1	－	－
大津市	513	33	212	7	1	145	1	1	－	－
高槻市	217	150	357	23	－	29	1	－	－	1
東大阪市	489	192	892	107	2	21	5	6	4	－
豊中市	753	183	510	34	5	92	39	24	2	－
枚方市	572	122	287	41	－	27	1	1	2	－
姫路市	262	70	536	35	－	38	2	4	－	－
西宮市	231	48	360	16	－	32	1	2	－	－
尼崎市	793	388	1 017	33	1	61	17	21	2	－
奈良市	679	179	433	20	13	49	14	8	1	－
和歌山市	144	119	313	26	16	19	25	4	1	－
倉敷市	149	64	488	34	5	31	3	－	－	－
福山市	232	109	431	58	218	57	9	88	1	1
呉市	111	48	180	4	7	10	3	－	－	－
下関市	104	52	197	5	－	13	2	－	－	－
高松市	177	46	266	15	9	14	－	1	－	－
松山市	273	27	770	32	－	47	1	27	5	－
高知市	185	37	241	9	1	22	－	1	－	－
久留米市	208	44	401	7	6	40	1	5	－	－
長崎市	173	59	450	24	－	14	6	－	－	－
佐世保市	91	15	172	11	2	4	1	－	－	－
大分市	238	58	341	18	3	43	4	6	2	－
宮崎市	162	33	283	17	2	24	4	15	－	－
鹿児島市	258	89	498	15	7	61	12	－	3	－
那覇市	139	49	251	18	10	28	7	－	－	－

都道府県－指定都市－中核市、障害者及び障害児・サービスの内容別

第38表　居宅介護事業・同行援護事業所の利用実人員・訪問回数，

都　道　府　県	居　　　宅　　　介　　　護　　　事　　　業									
	訪　　　　　　　　　問					回　　　　　　数　　（回）				
	障　害　者　（　18　歳　以　上　）					障　害　児　（　18　歳　未　満　）				
	身体介護が中心	通院介助（身体介護を伴う）が中心	家事援助が中心	通院介助（身体介護を伴わない)が中心	通院等乗降介助が中心	身体介護が中心	通院介助（身体介護を伴う）が中心	家事援助が中心	通院介助（身体介護を伴わない)が中心	通院等乗降介助が中心
全　　　　　　国	1 252 528	59 393	931 592	17 379	19 654	88 065	2 357	12 431	325	312
北　海　道	20 498	2 756	17 787	607	2 701	696	109	75	8	2
青　　　　森	8 120	1 496	7 098	585	1 386	206	4	－	15	3
岩　　　　手	5 078	341	5 732	108	11	173	11	169	－	－
宮　　　　城	6 999	262	6 525	228	－	360	5	－	－	－
秋　　　　田	1 833	130	3 498	33	2	65	3	－	－	－
山　　　　形	4 671	177	6 698	53	80	563	5	18	－	－
福　　　　島	5 071	232	6 223	188	296	64	－	5	－	－
茨　　　　城	11 064	588	13 058	203	228	378	11	73	－	－
栃　　　　木	5 217	779	6 473	339	100	366	34	4	4	－
群　　　　馬	5 687	471	7 556	304	155	622	11	158	－	2
埼　　　　玉	35 950	958	21 814	237	447	2 315	17	196	36	19
千　　　　葉	32 415	1 107	18 957	462	388	2 035	118	173	27	72
東　　　　京	88 701	4 308	57 624	2 042	174	10 402	120	972	16	19
神　奈　川	19 308	620	11 943	135	62	1 333	15	147	1	12
新　　　　潟	10 498	456	8 323	138	37	182	10	21	1	－
富　　　　山	2 729	21	1 255	6	－	14	－	－	－	－
石　　　　川	2 262	93	2 697	44	18	78	－	－	－	－
福　　　　井	5 890	287	6 211	94	53	168	－	－	－	－
山　　　　梨	5 745	225	7 148	96	6	215	10	38	1	－
長　　　　野	11 330	459	12 597	187	95	537	15	67	1	－
岐　　　　阜	8 813	167	6 033	115	13	607	2	62	1	－
静　　　　岡	9 594	316	8 435	76	65	575	5	22	1	－
愛　　　　知	38 677	1 058	14 606	221	156	2 442	58	261	－	－
三　　　　重	17 897	748	8 393	202	672	950	11	64	－	1
滋　　　　賀	12 450	928	3 350	113	87	1 134	33	－	1	－
京　　　　都	13 009	486	7 078	131	31	906	17	34	－	－
大　　　　阪	64 322	3 350	35 693	1 117	1 102	3 539	135	329	14	20
兵　　　　庫	16 528	776	17 472	327	10	2 983	30	176	9	－
奈　　　　良	7 154	685	6 674	417	443	521	14	39	－	－
和　歌　山	5 398	684	8 725	161	275	428	22	176	2	－
鳥　　　　取	4 477	156	4 249	34	30	415	2	15	－	－
島　　　　根	9 260	354	5 228	185	107	312	6	12	5	2
岡　　　　山	3 536	73	5 282	62	7	314	14	102	－	－
広　　　　島	8 458	409	6 965	93	197	463	2	15	5	－
山　　　　口	5 125	103	5 056	46	2	58	4	12	－	－
徳　　　　島	4 841	425	10 463	166	2 284	293	14	185	－	1
香　　　　川	2 447	139	3 736	59	127	367	4	385	1	－
愛　　　　媛	6 337	291	11 046	222	326	311	20	70	1	8
高　　　　知	2 109	58	1 855	2	－	146	－	20	－	－
福　　　　岡	16 054	1 024	17 740	273	622	1 909	41	230	1	－
佐　　　　賀	5 739	248	5 500	50	81	541	8	9	－	－
長　　　　崎	3 868	406	6 234	98	235	355	18	9	1	－
熊　　　　本	4 126	309	8 834	106	190	1 049	14	252	4	4
大　　　　分	6 267	278	8 195	57	123	304	2	27	－	－
宮　　　　崎	5 693	269	6 295	137	5	216	3	－	－	－
鹿　児　島	5 700	204	7 573	148	19	504	19	152	－	6
沖　　　　縄	13 714	712	12 891	182	603	2 858	60	80	11	16

都道府県－指定都市－中核市、障害者及び障害児・サービスの内容別

指定都市 中核市	居宅介護事業 訪問回数（回）									
	障害者（18歳以上）					障害児（18歳未満）				
	身体介護が中心	通院介助（身体介護を伴う）が中心	家事援助が中心	通院介助（身体介護を伴わない）が中心	通院等乗降介助が中心	身体介護が中心	通院介助（身体介護を伴う）が中心	家事援助が中心	通院介助（身体介護を伴わない）が中心	通院等乗降介助が中心
指定都市（別掲）										
札幌市	31 102	1 371	23 238	498	332	3 092	65	84	7	－
仙台市	18 179	395	8 616	105	5	1 704	25	112	－	3
さいたま市	11 328	244	7 351	48	71	852	6	1	－	18
千葉市	11 288	235	5 877	34	26	642	17	54	－	－
横浜市	56 844	2 892	24 130	321	552	2 172	159	178	5	14
川崎市	6 496	310	7 181	45	2	320	6	49	－	－
相模原市	13 078	449	5 691	155	13	1 040	10	16	－	3
新潟市	12 111	258	7 987	77	8	356	32	－	－	－
静岡市	4 582	142	4 823	8	30	296	4	22	－	－
浜松市	3 605	58	2 842	3	11	251	1	119	－	－
名古屋市	82 094	905	30 450	127	328	2 780	2	661	－	－
京都市	31 076	928	8 862	164	90	1 176	39	8	3	－
大阪市	86 964	7 030	81 858	1 187	223	4 529	132	505	32	16
堺市	15 341	568	16 420	102	59	665	14	403	－	－
神戸市	19 875	1 218	18 062	304	100	979	32	505	17	8
岡山市	3 144	40	7 961	65	44	558	－	125	－	－
広島市	11 416	499	13 680	53	37	1 599	5	428	－	42
北九州市	14 920	294	7 447	63	460	854	58	266	4	－
福岡市	23 891	384	19 365	83	20	3 339	11	336	－	2
熊本市	1 816	38	4 914	157	18	282	3	23	3	－
中核市（別掲）										
旭川市	7 795	132	4 910	15	14	77	－	－	－	－
函館市	1 384	74	1 879	33	72	47	－	－	－	－
青森市	8 048	340	2 177	198	97	12	1	5	－	－
八戸市	1 575	30	1 407	21	77	42	1	1	－	－
盛岡市	4 221	57	2 050	37	－	212	1	－	－	－
秋田市	1 736	221	3 077	23	74	272	6	401	7	－
郡山市	2 279	103	1 323	66	60	128	10	－	－	－
いわき市	1 644	256	1 917	173	63	32	1	－	－	－
宇都宮市	3 505	907	3 373	52	15	237	22	2	－	－
前橋市	2 849	165	2 155	93	－	155·	9	－	－	－
高崎市	2 843	105	1 779	56	56	119	－	26	－	－
川越市	3 538	165	1 715	34	17	254	4	59	－	－
越谷市	2 989	59	2 110	12	－	351	11	－	－	－
船橋市	3 751	160	3 281	23	18	276	7	48	1	－
柏市	5 227	64	1 076	27	2	641	43	5	－	－
八王子市	2 149	48	2 454	11	－	244	6	28	－	－
横須賀市	4 170	169	3 171	47	56	122	1	－	－	－
富山市	2 881	15	750	11	－	28	5	8	－	－
金沢市	4 558	113	3 416	50	83	91	109	236	－	6
長野市	5 094	91	1 809	36	18	113	4	－	－	9
岐阜市	3 439	83	2 404	15	－	430	2	－	－	－
豊橋市	4 893	152	2 875	21	3	450	10	18	－	－
豊田市	3 575	79	1 646	85	－	276	8	18	－	－
岡崎市	2 475	53	2 420	4	19	354	－	20	－	－
大津市	4 706	153	1 892	16	4	987	1	4	－	－
高槻市	3 059	456	3 039	79	－	252	－	－	－	2
東大阪市	7 789	504	8 570	328	－	240	7	76	－	－
豊中市	11 524	546	5 446	55	19	900	96	205	18	－
枚方市	13 867	436	4 119	131	－	319	7	6	4	－
姫路市	3 841	156	5 731	64	－	386	15	43	－	－
西宮市	3 043	217	3 539	33	－	352	4	19	－	－
尼崎市	12 281	1 399	11 308	127	6	921	40	284	8	－
奈良市	8 093	530	3 721	75	96	386	43	64	1	－
和歌山市	2 809	471	2 532	52	93	212	68	21	1	－
倉敷市	2 040	210	4 009	98	50	429	11	－	－	－
福山市	2 628	323	3 925	147	1 861	745	22	954	3	2
呉市	2 045	129	1 625	28	76	68	11	－	－	－
下関市	2 051	212	2 131	16	－	162	5	－	－	－
高松市	3 207	125	2 686	34	44	100	－	8	－	－
松山市	4 677	116	7 323	83	－	449	2	263	20	－
高知市	3 318	113	1 825	20	2	242	－	26	－	－
久留米市	3 058	149	3 170	26	89	336	2	25	－	－
長崎市	3 115	179	4 370	54	－	98	22	－	－	－
佐世保市	908	33	1 027	54	－	36	1	－	－	－
大分市	5 660	113	3 136	103	7	505	11	125	5	－
宮崎市	4 425	154	3 113	31	30	1 132	5	702	－	－
鹿児島市	5 974	245	6 090	32	34	754	35	－	19	－
那覇市	1 983	103	2 518	62	19	333	11	－	－	－

第38表　居宅介護事業・同行援護事業所の利用実人員・訪問回数，

都道府県	同行援護事業							
	利用実人員（人）				訪問回数（回）			
	障害者（18歳以上）		障害児（18歳未満）		障害者（18歳以上）		障害児（18歳未満）	
	身体介護を伴う	身体介護を伴わない	身体介護を伴う	身体介護を伴わない	身体介護を伴う	身体介護を伴わない	身体介護を伴う	身体介護を伴わない
全国	10 804	13 349	178	78	70 934	73 311	1 210	370
北海道	156	145	1	–	806	869	9	–
青森	30	39	–	–	149	216	–	–
岩手	25	39	–	–	149	192	–	–
宮城	32	50	–	–	96	189	–	–
秋田	28	13	–	–	111	41	–	–
山形	19	93	1	2	36	350	1	4
福島	16	109	–	–	44	616	–	–
茨城	69	131	–	1	261	605	–	8
栃木	54	122	–	–	225	744	–	–
群馬	97	74	2	–	665	325	27	–
埼玉	254	478	4	5	1 655	2 590	29	33
千葉	209	412	8	1	1 027	2 195	37	5
東京	587	2 345	15	20	4 459	14 023	112	43
神奈川	375	120	9	1	1 959	614	35	2
新潟	39	79	2	–	213	377	7	–
富山	3	45	–	–	4	192	–	–
石川	47	45	–	–	171	160	–	–
福井	21	106	–	–	160	572	–	–
山梨	28	71	–	–	116	338	–	–
長野	75	89	5	1	372	305	26	2
岐阜	40	77	3	4	191	338	8	22
静岡	75	200	1	3	453	939	6	21
愛知	229	32	1	–	1 321	141	16	–
三重	107	124	–	1	507	418	–	3
滋賀	85	101	–	–	283	363	–	–
京都	67	211	1	1	321	1 119	1	15
大阪	542	557	4	4	3 905	3 587	54	43
兵庫	125	326	2	1	754	1 841	8	–
奈良	99	126	–	–	553	693	–	–
和歌山	38	74	–	1	249	301	–	3
鳥取	23	49	–	–	75	217	–	–
島根	73	15	–	–	342	57	–	–
岡山	36	30	–	–	204	110	–	–
広島	98	33	2	1	644	217	2	1
山口	75	67	–	–	330	326	–	–
徳島	146	82	3	1	1 399	599	26	4
香川	72	55	–	–	405	258	–	–
愛媛	44	228	–	2	275	1 585	–	5
高知	19	7	–	–	88	38	–	–
福岡	138	218	4	–	770	981	26	–
佐賀	28	50	–	–	153	151	–	–
長崎	53	82	–	–	395	450	–	–
熊本	50	83	–	–	357	446	–	–
大分	31	117	–	–	182	687	–	–
宮崎	37	129	1	–	229	637	10	–
鹿児島	16	69	2	–	68	343	12	–
沖縄	76	166	–	–	822	1 422	–	–

平成29年9月

指定都市 中核市	同行援護事業							
	利用実人員（人）				訪問回数（回）			
	障害者（18歳以上）		障害児（18歳未満）		障害者（18歳以上）		障害児（18歳未満）	
	身体介護を伴う	身体介護を伴わない	身体介護を伴う	身体介護を伴わない	身体介護を伴う	身体介護を伴わない	身体介護を伴う	身体介護を伴わない
指定都市（別掲）								
札幌市	140	323	2	4	1 051	1 782	24	59
仙台市	48	234	－	1	367	1 009	－	3
さいたま市	41	89	－	－	180	410	－	－
千葉市	77	80	4	－	377	385	－	－
横浜市	431	52	17	－	2 683	267	140	－
川崎市	205	43	－	－	1 557	295	－	－
相模原市	139	35	1	－	879	210	2	－
新潟市	96	140	3	－	468	576	19	－
静岡市	43	104	1	1	322	602	12	3
浜松市	33	82	－	－	136	428	－	－
名古屋市	609	38	10	－	3 772	216	131	－
京都市	232	417	3	2	1 330	1 787	13	3
大阪市	1 110	361	21	4	8 931	2 284	199	21
堺市	233	34	1	－	1 820	122	36	－
神戸市	173	380	－	2	1 518	2 199	－	4
岡山市	10	100	2	－	50	667	8	－
広島市	39	25	－	－	312	102	－	－
北九州市	184	37	18	2	1 071	164	67	29
福岡市	286	219	－	－	1 669	1 097	－	2
熊本市	66	74	－	－	427	382	－	－
中核市（別掲）								
旭川市	11	63	－	－	114	431	－	－
函館市	9	61	－	－	29	389	－	－
青森市	13	19	－	－	73	76	－	－
八戸市	9	23	－	－	44	92	－	－
盛岡市	8	22	－	－	20	78	－	－
秋田市	3	15	1	－	21	61	1	－
郡山市	6	62	－	－	62	257	－	－
いわき市	30	42	－	－	302	233	－	－
宇都宮市	58	68	1	－	534	365	5	－
前橋市	12	41	2	－	113	135	7	－
高崎市	39	44	－	－	200	291	－	－
川越市	28	30	－	－	179	59	－	－
越谷市	17	54	－	－	103	230	－	－
船橋市	61	71	1	－	339	359	2	－
柏市	61	18	－	－	444	60	－	－
八王子市	9	109	－	1	33	676	－	－
横須賀市	40	10	－	－	196	70	－	－
富山市	22	50	－	－	90	163	－	－
金沢市	11	7	－	－	61	31	－	－
長野市	33	20	－	－	230	76	－	－
岐阜市	34	110	1	－	321	498	1	－
豊橋市	29	3	－	－	107	14	－	－
豊田市	49	3	－	－	286	24	－	－
岡崎市	34	2	1	－	155	8	1	－
大津市	67	93	－	－	437	586	－	－
高槻市	9	121	－	1	69	839	－	4
東大阪市	94	97	－	－	937	834	－	－
豊中市	92	45	4	3	791	285	18	18
枚方市	76	58	－	－	520	297	20	－
姫路市	18	85	－	－	79	343	－	－
西宮市	92	40	1	－	723	266	4	－
尼崎市	158	18	5	－	1 273	153	23	－
奈良市	66	41	－	－	437	247	－	－
和歌山市	99	12	－	－	726	56	－	－
倉敷市	12	22	－	－	63	115	－	－
福山市	49	79	2	2	391	558	3	5
呉市	35	11	－	－	153	44	－	－
下関市	19	52	－	－	74	313	－	－
高松市	66	15	－	－	418	77	－	－
松山市	22	310	－	－	111	2 001	－	－
高知市	83	10	2	1	408	26	－	－
久留米市	38	13	－	－	212	37	－	－
長崎市	50	64	－	－	295	323	－	－
佐世保市	2	32	－	－	10	140	－	－
大分市	98	23	1	－	589	147	12	－
宮崎市	19	185	1	1	206	941	8	1
鹿児島市	89	130	－	2	707	695	－	4
那覇市	44	66	－	1	376	551	2	－

第39表　重度訪問介護事業所の利用実人員・

都　道　府　県	利　用　実　人　員　（人）		訪　問　回　数　（回）	
		うち移動介護		うち移動介護
全　　　　　国	17 895	6 647	471 967	48 284
北　海　道	119	33	4 415	169
青　　　森	38	16	3 392	251
岩　　　手	45	5	611	10
宮　　　城	59	10	1 163	32
秋　　　田	28	4	471	9
山　　　形	64	13	2 115	45
福　　　島	56	21	1 975	100
茨　　　城	79	39	1 247	200
栃　　　木	10	1	213	11
群　　　馬	26	8	515	44
埼　　　玉	375	110	8 916	849
千　　　葉	246	65	7 101	307
東　　　京	2 815	1 079	63 630	9 956
神　奈　川	98	22	1 677	172
新　　　潟	21	1	490	21
富　　　山	1	－	5	－
石　　　川	4	1	192	17
福　　　井	25	15	903	156
山　　　梨	91	30	3 572	106
長　　　野	77	12	1 649	63
岐　　　阜	21	6	815	19
静　　　岡	33	12	1 208	64
愛　　　知	160	53	4 667	348
三　　　重	125	27	948	129
滋　　　賀	109	63	1 154	298
京　　　都	98	40	2 865	364
大　　　阪	644	250	17 255	1 408
兵　　　庫	412	179	9 991	1 193
奈　　　良	84	22	2 273	178
和　歌　山	40	9	1 184	35
鳥　　　取	24	4	629	14
島　　　根	23	10	1 376	92
岡　　　山	29	6	547	20
広　　　島	78	26	1 267	175
山　　　口	49	18	1 411	150
徳　　　島	48	11	963	138
香　　　川	31	12	415	57
愛　　　媛	23	4	567	14
高　　　知	13	1	270	10
福　　　岡	127	44	3 808	240
佐　　　賀	26	15	837	113
長　　　崎	67	24	2 783	209
熊　　　本	51	5	2 277	5
大　　　分	36	11	1 258	65
宮　　　崎	24	5	1 240	16
鹿　児　島	51	7	1 907	89
沖　　　縄	164	84	8 883	700

注：指定都市及び中核市は別掲である。

指定都市 中核市	利用実人員（人）	うち移動介護	訪問回数（回）	うち移動介護
指定都市（別掲）				
札幌市	614	260	20 412	1 817
仙台市	167	26	2 983	73
さいたま市	77	24	922	198
千葉市	155	67	4 594	615
横浜市	320	124	7 610	605
川崎市	113	41	1 615	224
相模原市	75	25	1 879	150
新潟市	45	14	1 886	97
静岡市	68	22	2 111	72
浜松市	19	12	847	148
名古屋市	1 517	715	45 369	5 090
京都市	597	171	9 150	953
大阪市	2 761	1 222	74 137	8 848
堺市	408	150	10 950	882
神戸市	635	223	13 688	1 299
岡山市	231	55	5 340	270
広島市	240	101	7 790	877
北九州市	25	13	1 579	201
福岡市	139	67	4 288	675
熊本市	186	44	4 648	204
中核市（別掲）				
旭川市	44	3	1 556	25
函館市	14	1	331	3
青森市	31	17	1 631	465
八戸市	26	1	821	1
盛岡市	27	2	468	5
秋田市	26	6	504	23
郡山市	27	7	783	81
いわき市	29	11	857	37
宇都宮市	8	3	65	11
前橋市	16	10	642	119
高崎市	13	－	171	－
川越市	5	2	53	5
越谷市	12	－	111	－
船橋市	124	29	2 560	121
柏市	45	13	896	49
八王子市	222	86	5 833	860
横須賀市	8	2	213	30
富山市	36	9	485	131
金沢市	82	－	647	－
長野市	4	－	53	－
岐阜市	52	9	484	12
豊橋市	4	2	114	33
豊田市	12	2	936	7
岡崎市	2	1	171	25
大津市	40	2	584	30
高槻市	40	13	923	110
東大阪市	271	106	6 228	493
豊中市	111	36	3 800	158
枚方市	48	10	1 349	69
姫路市	141	45	3 423	135
西宮市	261	85	8 684	679
尼崎市	183	44	3 849	307
奈良市	106	52	1 944	268
和歌山市	50	20	2 432	110
倉敷市	31	10	831	77
福山市	42	10	766	44
呉市	21	16	280	65
下関市	26	12	495	152
高松市	31	14	1 000	124
松山市	72	40	3 071	573
高知市	12	2	210	11
久留米市	56	7	1 988	75
長崎市	43	10	1 202	65
佐世保市	13	9	1 350	57
大分市	41	9	1 151	101
宮崎市	7	4	1 349	35
鹿児島市	90	48	4 897	459
那覇市	31	18	928	85

第40表　行動援護事業所の利用実人員・訪問回数，

都 道 府 県	利 用 実 人 員 （人）		訪 問 回 数 （回）	
	障 害 者 （18歳以上）	障 害 児 （18歳未満）	障 害 者 （18歳以上）	障 害 児 （18歳未満）
全　　　　　国	7 279	2 032	40 425	9 794
北　海　道	295	30	1 318	116
青　　　森	25	8	141	12
岩　　　手	9	1	24	2
宮　　　城	23	10	102	23
秋　　　田	11	3	93	29
山　　　形	17	5	30	10
福　　　島	10	5	52	7
茨　　　城	49	11	181	51
栃　　　木	17	3	54	5
群　　　馬	27	14	253	34
埼　　　玉	505	251	2 746	1 287
千　　　葉	145	22	640	62
東　　　京	359	92	2 397	444
神　奈　川	123	41	784	352
新　　　潟	52	7	181	17
富　　　山	31	7	59	12
石　　　川	4	－	32	－
福　　　井	6	2	66	6
山　　　梨	48	1	307	2
長　　　野	168	105	1 409	877
岐　　　阜	81	24	331	69
静　　　岡	42	20	207	52
愛　　　知	160	36	663	95
三　　　重	23	2	153	6
滋　　　賀	191	159	658	570
京　　　都	206	14	838	84
大　　　阪	341	34	1 330	159
兵　　　庫	89	20	738	160
奈　　　良	251	186	1 221	985
和　歌　山	14	2	54	6
鳥　　　取	37	9	265	65
島　　　根	27	12	127	61
岡　　　山	15	2	75	2
広　　　島	75	33	217	59
山　　　口	－	－	－	－
徳　　　島	23	27	181	116
香　　　川	16	3	117	10
愛　　　媛	51	10	301	49
高　　　知	3	－	15	－
福　　　岡	49	23	227	59
佐　　　賀	63	21	271	79
長　　　崎	63	3	191	16
熊　　　本	22	－	106	－
大　　　分	74	42	397	251
宮　　　崎	11	4	65	16
鹿　児　島	25	6	113	19
沖　　　縄	57	30	442	151

注：指定都市及び中核市は別掲である。

都道府県－指定都市－中核市、障害者及び障害児別

指定都市 中核市	利用実人員（人）障害者 （18歳以上）	利用実人員（人）障害児 （18歳未満）	訪問回数（回）障害者 （18歳以上）	訪問回数（回）障害児 （18歳未満）
指定都市（別掲）				
札幌市	408	116	2 073	465
仙台市	7	2	39	20
さいたま市	136	37	981	189
千葉市	29	5	89	10
横浜市	314	50	1 881	306
川崎市	237	－	956	－
相模原市	31	－	201	－
新潟市	52	8	152	11
静岡市	12	－	68	－
浜松市	10	－	28	－
名古屋市	275	54	4 300	703
京都市	359	38	2 017	153
大阪市	274	19	1 846	101
堺市	27	3	147	25
神戸市	33	1	229	3
岡山市	21	2	96	18
広島市	12	5	104	25
北九州市	2	1	12	3
福岡市	85	22	189	120
熊本市	4	－	11	－
中核市（別掲）				
旭川市	12	3	57	5
函館市	3	4	5	22
青森市	9	7	35	18
八戸市	10	1	21	1
盛岡市	2	－	5	－
秋田市	－	－	－	－
郡山市	13	－	66	－
いわき市	22	11	87	33
宇都宮市	9	7	45	28
前橋市	5	2	22	4
高崎市	18	2	137	8
川越市	21	－	70	－
越谷市	153	109	449	252
船橋市	27	2	82	8
柏市	10	1	17	1
八王子市	11	－	59	－
横須賀市	1	－	18	－
富山市	7	2	47	3
金沢市	30	1	125	2
長野市	52	15	296	62
岐阜市	8	1	26	2
豊橋市	4	1	11	1
豊田市	－	－	－	－
岡崎市	21	9	42	22
大津市	2	1	4	26
高槻市	3	1	3	1
東大阪市	54	6	286	44
豊中市	7	－	49	－
枚方市	3	－	47	－
姫路市	19	1	114	1
西宮市	3	5	10	38
尼崎市	1	－	3	－
奈良市	145	56	748	263
和歌山市	23	7	254	59
倉敷市	19	2	59	10
福山市	119	11	519	67
呉市	39	6	262	10
下関市	2	1	8	1
高松市	10	3	47	11
松山市	6	－	40	－
高知市	5	－	24	－
久留米市	10	2	108	2
長崎市	13	－	39	－
佐世保市	2	－	2	－
大分市	26	25	155	77
宮崎市	1	－	19	－
鹿児島市	47	14	251	39
那覇市	11	10	61	34

第41表　療養介護・生活介護・計画相談支援・地域相談支援（地域移行
就労継続支援（A型）・就労継続支援（B型）事業所の利用

（単位：人）

国 都　道　府　県	療 養 介 護 事 業		生 活 介 護 事 業		計画相談支援事業	地 域 相 談 支 援 （地域移行支援） 事　　　業	地 域 相 談 支 援 （地域定着支援） 事　　　業
	利用実人員	利用延人数	利用実人員	利用延人数	利用実人員	利用実人員	利用実人員
全　　　　　　国	14 863	341 891	188 509	1 910 879	150 543	969	2 806
国	－	－	－	－	114	－	－
北　海　道	643	9 443	4 384	56 145	5 487	20	106
青　　　森	－	－	958	13 487	2 044	2	30
岩　　　手	316	7 710	1 008	14 819	1 353	9	25
宮　　　城	117	117	1 642	21 272	1 566	3	2
秋　　　田	－	－	958	16 114	1 542	－	48
山　　　形	97	2 961	1 014	11 664	1 661	－	2
福　　　島	115	3 432	1 427	17 481	1 622	3	14
茨　　　城	120	3 055	2 579	28 708	3 207	3	25
栃　　　木	115	3 426	2 924	29 028	1 586	3	17
群　　　馬	－	－	1 506	15 090	1 238	1	13
埼　　　玉	300	10 887	5 738	64 212	4 624	14	63
千　　　葉	45	45	7 032	62 247	4 448	13	104
東　　　京	900	17 272	13 298	147 705	9 802	233	210
神　奈　川	284	8 055	5 170	45 280	2 148	8	150
新　　　潟	396	11 842	1 328	14 994	2 181	58	77
富　　　山	－	－	754	9 818	718	－	1
石　　　川	78	1 267	462	7 086	1 030	2	17
福　　　井	100	2 995	598	9 977	1 904	1	12
山　　　梨	144	4 319	614	9 998	1 078	7	31
長　　　野	114	1 851	2 395	22 383	2 704	22	105
岐　　　阜	－	－	1 479	20 124	2 533	2	1
静　　　岡	24	720	2 570	27 118	2 104	17	29
愛　　　知	81	2 411	5 621	71 344	4 139	17	47
三　　　重	235	7 028	4 328	32 618	2 149	7	34
滋　　　賀	130	3 900	1 302	21 445	1 553	1	3
京　　　都	253	7 588	2 625	25 118	1 684	2	46
大　　　阪	97	2 884	7 574	78 538	4 562	22	78
兵　　　庫	665	19 948	3 429	34 761	4 008	13	78
奈　　　良	101	2 984	1 840	22 395	894	18	10
和　歌　山	188	5 552	1 126	10 890	1 037	8	33
鳥　　　取	－	－	478	10 046	580	－	－
島　　　根	315	7 002	833	9 882	1 933	9	101
岡　　　山	150	4 015	946	10 343	1 534	3	79
広　　　島	377	8 866	3 099	22 586	1 724	2	17
山　　　口	169	5 136	1 036	11 283	1 929	4	15
徳　　　島	332	6 665	549	7 711	1 333	5	14
香　　　川	184	5 506	996	4 234	455	－	2
愛　　　媛	172	5 153	568	7 185	1 294	1	5
高　　　知	140	3 708	428	6 207	729	－	1
福　　　岡	320	7 435	3 102	32 971	3 637	4	6
佐　　　賀	402	9 738	747	10 531	1 131	4	11
長　　　崎	209	6 167	2 921	16 714	1 212	5	9
熊　　　本	361	10 215	601	8 561	2 308	1	8
大　　　分	268	6 078	960	5 864	1 434	4	23
宮　　　崎	105	105	1 210	12 824	1 014	22	10
鹿　児　島	167	4 990	1 041	8 874	1 670	50	2
沖　　　縄	217	2 772	1 270	12 188	2 568	－	－

注：1）指定都市及び中核市は別掲である。
　　2）障害者支援施設の昼間実施サービス（生活介護、自立訓練（機能・生活）、就労移行支援及び就労継続支援）を除く。
　　3）計画相談支援事業は、サービス利用支援（計画作成）又は継続サービス利用支援（モニタリング）を利用した人数である。
　　また、計画相談支援・地域相談支援（地域移行支援・地域定着支援）事業の利用延人数は調査していない。

支援）・地域相談支援（地域定着支援）・就労移行支援・
実人員・利用延人数，　国－都道府県－指定都市－中核市別

平成29年9月

指定都市　中核市	療養介護事業		生活介護事業		計画相談支援事業	地域相談支援（地域移行支援）事業	地域相談支援（地域定着支援）事業
	利用実人員	利用延人数	利用実人員	利用延人数	利用実人員	利用実人員	利用実人員
指定都市（別掲）							
札幌市	318	4 907	2 379	33 346	1 137	2	7
仙台市	155	4 627	1 120	19 818	697	4	1
さいたま市	-	-	1 287	14 135	773	1	2
千葉市	197	3 064	1 452	10 870	776	20	37
横浜市	-	-	8 616	69 098	1 512	8	16
川崎市	83	2 533	4 450	24 861	681	8	5
相模原市	57	1 710	1 539	16 261	485	4	4
新潟市	142	4 259	722	9 829	908	3	11
静岡市	195	5 842	1 215	9 108	564	19	-
浜松市	174	3 210	1 976	11 926	1 446	8	66
名古屋市	190	2 868	5 139	33 570	2 626	7	23
京都市	41	1 242	2 163	21 753	1 259	11	17
大阪市	54	257	7 884	61 735	4 619	44	305
堺市	44	1 319	1 484	21 045	1 447	1	203
神戸市	-	-	2 302	21 576	723	7	14
岡山市	350	-	1 025	7 461	290	1	20
広島市	-	-	783	9 643	687	-	-
北九州市	175	4 082	1 616	20 775	2 308	8	31
福岡市	149	4 409	2 038	13 465	1 138	1	12
熊本市	97	2 894	659	9 463	1 296	-	2
中核市（別掲）							
旭川市	353	10 580	607	5 504	448	1	-
函館市	-	-	260	3 818	316	-	-
青森市	80	2 400	495	8 122	378	21	11
八戸市	22	647	385	4 442	510	-	1
盛岡市	-	-	296	4 187	402	10	-
秋田市	-	-	791	4 450	475	-	-
郡山市	-	-	407	4 570	660	-	2
いわき市	80	2 400	756	6 560	369	1	31
宇都宮市	74	2 214	403	6 742	674	-	2
前橋市	-	-	265	4 693	537	4	2
高崎市	-	-	304	3 907	260	-	-
川越市	-	-	218	3 511	303	1	-
越谷市	-	-	195	3 254	250	-	-
船橋市	-	-	593	8 011	681	12	5
柏市	53	1 590	1 051	6 213	388	4	2
八王子市	-	-	1 441	11 180	607	1	-
横須賀市	39	1 170	1 462	8 140	187	-	1
富山市	206	1 840	569	6 569	489	2	24
金沢市	127	3 791	270	4 150	590	4	35
長野市	108	3 238	464	6 227	490	10	20
岐阜市	158	158	447	5 507	632	-	1
豊橋市	34	1 020	1 562	9 020	584	2	1
豊田市	-	-	483	7 144	351	2	1
岡崎市	34	1 016	307	4 090	441	2	-
大津市	-	-	241	3 622	248	4	8
高槻市	-	-	666	10 845	187	2	-
東大阪市	-	-	1 364	12 581	516	-	4
豊中市	66	2 007	667	8 705	303	-	4
枚方市	388	-	993	10 302	38	-	1
姫路市	16	427	1 276	8 995	668	-	12
西宮市	168	5 040	492	8 793	311	11	19
尼崎市	-	-	655	9 430	70	10	2
奈良市	175	5 218	572	7 744	493	1	2
和歌山市	-	-	192	3 266	220	-	-
倉敷市	-	-	574	7 176	651	4	58
福山市	49	1 444	1 054	9 869	506	1	5
呉市	38	-	272	3 609	301	1	7
下関市	-	-	272	4 616	436	-	-
高松市	55	1 639	832	7 032	402	-	-
松山市	-	-	1 659	9 666	1 078	12	41
高知市	101	101	590	4 979	232	3	2
久留米市	100	2 999	1 197	4 923	468	-	15
長崎市	76	2 280	429	5 601	804	3	5
佐世保市	-	-	412	5 516	530	3	-
大分市	-	-	345	5 047	663	1	3
宮崎市	49	1 491	499	6 754	617	3	4
鹿児島市	155	4 623	606	9 573	849	53	1
那覇市	92	92	302	2 623	353	-	1

第41表　療養介護・生活介護・計画相談支援・地域相談支援（地域移行就労継続支援（A型）・就労継続支援（B型）事業所の利用

（単位：人）

国 都 道 府 県	就 労 移 行 支 援 事 業		就 労 継 続 支 援 （ A 型 ） 事 業		就 労 継 続 支 援 （ B 型 ） 事 業	
	利 用 実 人 員	利 用 延 人 数	利 用 実 人 員	利 用 延 人 数	利 用 実 人 員	利 用 延 人 数
全　　　　国	33 749	391 214	72 832	806 467	263 138	2 887 418
国	－	－	－	－	11	11
北　海　道	481	8 863	2 002	23 115	8 950	120 396
青　　　森	328	2 309	725	11 112	3 003	28 298
岩　　　手	55	959	398	7 173	2 684	42 885
宮　　　城	434	2 766	484	7 551	2 365	30 175
秋　　　田	75	1 191	132	2 200	1 653	21 533
山　　　形	147	2 349	856	12 544	4 244	35 566
福　　　島	79	975	210	2 628	3 094	41 444
茨　　　城	949	11 094	712	7 946	3 283	45 104
栃　　　木	421	4 329	896	4 988	3 077	35 317
群　　　馬	142	2 183	187	2 853	1 812	22 930
埼　　　玉	911	14 076	822	10 954	5 824	84 237
千　　　葉	1 161	12 812	693	9 108	5 226	54 701
東　　　京	4 034	43 965	1 589	23 347	21 220	233 052
神　奈　川	543	8 251	454	6 556	5 206	55 522
新　　　潟	429	7 193	210	3 391	5 598	51 993
富　　　山	210	926	441	7 305	1 172	15 486
石　　　川	29	440	1 197	7 144	1 318	21 201
福　　　井	264	3 043	1 307	15 451	2 102	25 980
山　　　梨	190	2 736	221	3 738	1 643	23 999
長　　　野	699	5 337	589	10 993	5 727	55 928
岐　　　阜	228	3 009	3 407	22 185	3 407	29 002
静　　　岡	404	6 298	633	9 375	5 120	56 632
愛　　　知	587	7 542	2 462	27 792	6 721	64 452
三　　　重	329	3 456	1 012	15 461	3 638	43 927
滋　　　賀	163	2 338	216	4 142	3 558	32 071
京　　　都	175	1 075	705	5 237	4 150	26 689
大　　　阪	872	9 998	2 069	15 094	6 995	74 276
兵　　　庫	266	3 948	1 069	12 308	4 998	57 491
奈　　　良	129	2 045	393	6 388	1 234	13 588
和　歌　山	31	637	399	4 542	1 627	21 139
鳥　　　取	34	560	305	4 784	2 459	30 880
島　　　根	267	1 106	338	6 139	1 979	24 927
岡　　　山	130	446	1 205	12 035	1 723	22 490
広　　　島	163	1 955	433	5 778	2 876	32 031
山　　　口	177	2 502	555	5 867	3 121	33 609
徳　　　島	128	1 985	357	5 318	1 013	15 106
香　　　川	29	567	42	567	1 439	13 521
愛　　　媛	96	1 383	1 125	7 626	1 686	24 170
高　　　知	27	515	158	2 983	987	16 320
福　　　岡	677	7 941	1 589	21 854	5 240	61 231
佐　　　賀	97	1 685	605	8 966	3 002	31 086
長　　　崎	102	1 875	482	8 169	3 868	37 745
熊　　　本	241	2 285	2 600	24 099	3 121	31 681
大　　　分	324	1 774	1 690	8 283	4 420	32 211
宮　　　崎	109	1 694	263	3 236	2 113	19 235
鹿　児　島	274	4 394	735	10 234	3 771	36 927
沖　　　縄	281	3 820	1 758	11 761	2 816	36 312

支援）・地域相談支援（地域定着支援）・就労移行支援・
実人員・利用延人数， 国−都道府県−指定都市−中核市別

指定都市 中核市	就労移行支援事業		就労継続支援（A型）事業		就労継続支援（B型）事業	
	利用実人員	利用延人数	利用実人員	利用延人数	利用実人員	利用延人数
指定都市（別掲）						
札幌市	1 172	10 343	2 106	22 282	5 638	59 320
仙台市	370	3 653	354	4 827	1 803	22 752
さいたま市	433	4 610	512	6 251	1 111	13 174
千葉市	834	5 179	235	3 777	1 317	10 063
横浜市	1 125	11 396	471	5 725	3 581	44 558
川崎市	393	4 928	276	4 176	876	9 277
相模原市	228	2 923	153	1 739	955	9 033
新潟市	170	2 774	213	4 196	2 551	23 027
静岡市	172	2 285	412	6 008	2 302	15 601
浜松市	267	4 266	502	8 766	1 082	17 191
名古屋市	1 289	10 483	3 056	23 683	2 238	26 668
京都市	355	3 698	679	7 666	2 383	33 742
大阪市	1 755	20 968	4 099	30 060	4 955	46 360
堺市	170	2 290	316	4 043	1 724	23 147
神戸市	335	5 005	594	8 451	3 197	38 121
岡山市	117	1 810	1 539	19 205	1 436	12 328
広島市	238	2 654	1 007	9 160	2 145	18 204
北九州市	335	4 245	860	11 658	2 259	24 362
福岡市	746	7 818	1 059	15 150	2 107	21 303
熊本市	132	2 095	776	9 878	846	12 127
中核市（別掲）						
旭川市	96	1 260	94	887	1 519	17 622
函館市	104	1 545	18	336	1 010	8 061
青森市	55	979	328	4 953	610	8 306
八戸市	159	901	480	3 119	543	9 094
盛岡市	113	1 375	289	3 191	668	10 796
秋田市	18	205	109	1 660	724	10 309
郡山市	32	583	92	893	461	7 341
いわき市	92	492	36	670	521	8 890
宇都宮市	119	1 273	314	4 898	549	8 427
前橋市	77	1 212	51	603	488	7 757
高崎市	135	1 544	137	1 590	421	7 385
川越市	173	2 857	209	3 484	279	4 057
越谷市	125	1 497	289	2 720	776	3 185
船橋市	209	2 167	125	2 073	561	4 857
柏市	124	800	54	416	840	7 292
八王子市	215	2 698	92	1 336	1 371	14 724
横須賀市	58	930	6	88	953	5 247
富山市	97	1 412	470	6 502	649	9 774
金沢市	146	1 377	478	6 556	831	9 402
長野市	141	2 200	77	796	1 701	12 429
岐阜市	114	1 323	470	6 980	988	10 951
豊橋市	131	2 519	115	1 971	1 204	10 344
豊田市	94	1 685	113	1 959	319	5 612
岡崎市	84	1 305	123	1 114	578	7 417
大津市	62	926	99	1 774	447	6 727
高槻市	96	1 169	19	416	312	4 047
東大阪市	256	1 832	413	5 245	828	11 522
豊中市	95	979	81	1 333	270	3 420
枚方市	92	1 084	128	799	528	7 458
姫路市	50	1 003	209	4 012	798	12 300
西宮市	68	1 099	288	3 876	659	11 270
尼崎市	142	2 365	303	2 077	1 213	9 756
奈良市	103	1 265	200	3 997	344	4 478
和歌山市	47	447	233	3 811	802	8 561
倉敷市	236	1 609	616	10 576	3 004	10 915
福山市	44	505	414	7 414	1 334	13 585
呉市	21	374	97	1 079	830	6 308
下関市	53	696	66	340	657	8 160
高松市	9	144	133	1 910	842	8 865
松山市	51	906	1 054	7 776	1 954	15 827
高知市	64	786	340	2 803	1 213	11 561
久留米市	121	1 853	418	6 217	622	4 987
長崎市	120	1 629	155	2 013	863	13 130
佐世保市	120	1 642	605	4 179	1 531	12 245
大分市	120	1 919	1 391	5 735	1 559	12 430
宮崎市	157	2 335	381	4 289	987	10 666
鹿児島市	164	1 818	405	5 771	1 566	16 375
那覇市	190	2 637	266	3 209	611	8 681

第42表 児童発達支援・放課後等デイサービス・
利用延人数・訪問回数，

国 都 道 府 県	児童発達支援事業		放課後等デイサービス事業		保育所等訪問支援事業		障害児相談 支援事業
	利用実人員 （人）	利用延人数 （人）	利用実人員 （人）	利用延人数 （人）	利用実人員 （人）	訪問回数 （回）	利用実人員 （人）
全　　　　　国	92 450	521 841	230 955	1 561 063	3 583	4 878	47 300
国	－	－	－	－	－	－	13
北　海　道	4 092	14 836	5 112	31 743	95	153	2 271
青　　　森	155	1 483	1 279	11 475	18	24	439
岩　　　手	439	2 085	1 109	12 033	28	28	292
宮　　　城	178	1 416	1 446	11 843	28	30	259
秋　　　田	133	465	263	3 012	10	10	167
山　　　形	431	2 874	1 818	14 311	11	21	426
福　　　島	607	3 303	1 622	10 241	14	14	379
茨　　　城	1 881	7 449	3 836	26 147	18	18	1 194
栃　　　木	1 233	6 096	2 207	15 973	33	11	545
群　　　馬	221	2 242	1 252	15 186	23	34	481
埼　　　玉	2 248	14 694	8 425	61 292	108	137	1 229
千　　　葉	3 512	20 685	6 938	45 730	58	126	1 319
東　　　京	11 405	59 065	20 471	125 956	173	199	3 308
神　奈　川	1 991	12 301	5 792	29 783	45	64	571
新　　　潟	605	1 667	1 045	7 474	9	14	557
富　　　山	170	374	461	3 314	1	2	157
石　　　川	73	307	1 261	9 021	3	3	225
福　　　井	159	495	1 043	7 741	84	94	377
山　　　梨	216	2 502	773	7 886	81	94	254
長　　　野	432	2 720	1 568	11 906	15	22	242
岐　　　阜	2 758	10 853	2 823	21 697	86	111	1 616
静　　　岡	543	3 744	4 683	35 010	118	184	688
愛　　　知	2 343	19 476	6 385	47 042	159	198	1 404
三　　　重	1 417	6 452	2 914	20 590	39	81	1 040
滋　　　賀	576	1 643	1 640	12 614	122	157	550
京　　　都	1 248	4 449	2 542	11 622	42	47	698
大　　　阪	2 354	12 957	8 373	59 576	218	270	27
兵　　　庫	3 521	10 886	8 200	35 370	85	96	1 637
奈　　　良	1 012	4 205	2 276	14 198	3	4	333
和　歌　山	282	3 355	865	8 773	20	33	307
鳥　　　取	232	764	730	5 791	30	40	220
島　　　根	252	1 339	965	9 132	52	84	378
岡　　　山	828	3 637	1 007	5 844	30	32	685
広　　　島	1 101	7 857	2 809	15 637	20	23	685
山　　　口	397	2 347	2 180	12 270	43	70	662
徳　　　島	935	6 677	1 581	11 634	63	69	564
香　　　川	195	991	594	3 298	9	9	93
愛　　　媛	755	3 505	1 421	9 907	11	11	416
高　　　知	60	145	264	1 900	3	－	152
福　　　岡	1 242	7 138	4 460	36 759	87	133	1 159
佐　　　賀	343	2 016	2 060	12 276	8	9	415
長　　　崎	679	3 704	1 443	13 269	79	79	333
熊　　　本	1 049	4 334	2 781	19 060	23	27	909
大　　　分	163	1 454	854	7 930	55	70	271
宮　　　崎	360	2 848	869	9 077	53	75	353
鹿　児　島	1 939	11 441	2 156	15 974	157	218	858
沖　　　縄	726	5 862	2 088	22 060	51	139	454

注：1）指定都市及び中核市は別掲である。
　　2）児童発達支援、放課後等デイサービス事業は訪問回数を調査していない。
　　3）障害児相談支援事業は、障害児支援利用援助（計画作成）又は継続障害児支援利用援助（モニタリング）を利用した人数である。
　　　　また、訪問回数は調査していない。

保育所等訪問支援・障害児相談支援事業所の利用実人員・
国－都道府県－指定都市－中核市別

平成29年9月

指定都市 / 中核市	児童発達支援事業		放課後等デイサービス事業		保育所等訪問支援事業		障害児相談支援事業
	利用実人員 (人)	利用延人数 (人)	利用実人員 (人)	利用延人数 (人)	利用実人員 (人)	訪問回数 (回)	利用実人員 (人)
指定都市(別掲)							
札幌市	3 478	27 954	6 601	41 252	39	65	468
仙台市	320	2 190	2 031	12 728	1	1	159
さいたま市	430	2 851	2 298	15 422	33	34	468
千葉市	838	3 535	2 122	12 857	9	9	333
横浜市	3 007	13 208	5 913	33 790	12	12	1 318
川崎市	932	5 425	1 851	13 536	2	4	376
相模原市	664	4 200	2 129	11 716	49	73	149
新潟市	426	2 681	881	6 499	–	–	126
静岡市	184	1 664	1 446	9 549	9	10	172
浜松市	663	6 475	1 609	13 234	68	68	839
名古屋市	1 201	7 853	5 234	33 930	12	24	500
京都市	817	3 052	2 938	16 863	2	3	186
大阪市	3 711	17 783	7 783	45 481	102	125	781
堺市	313	1 222	1 988	12 686	17	23	263
神戸市	1 032	9 419	2 486	20 363	12	13	112
岡山市	1 214	5 464	1 529	7 291	44	77	98
広島市	920	6 124	3 836	24 806	54	65	233
北九州市	198	1 396	1 753	15 764	70	80	539
福岡市	897	8 727	3 054	24 059	1	1	386
熊本市	678	3 085	1 561	13 190	–	–	657
中核市(別掲)							
旭川市	449	2 658	987	6 649	20	35	79
函館市	113	832	415	4 971	7	7	157
青森市	64	486	600	3 440	2	2	109
八戸市	9	55	392	4 410	2	2	104
盛岡市	89	352	382	3 189	–		18
秋田市	222	1 152	431	3 573	5	5	84
郡山市	243	2 271	841	4 850	30	32	356
いわき市	123	476	353	2 356	–	–	35
宇都宮市	1	3	559	4 495	9	11	93
前橋市	125	1 515	359	4 012	1	1	205
高崎市	–	–	265	2 745	7	10	126
川越市	213	1 132	440	3 529	–	–	41
越谷市	297	1 869	970	7 011	3	6	40
船橋市	481	1 677	816	4 464	–	–	91
柏市	368	2 722	1 141	6 920	24	32	156
八王子市	160	1 073	1 274	8 607	–	–	51
横須賀市	54	364	841	4 306	–	–	194
富山市	165	262	523	3 300	3	3	277
金沢市	39	253	629	4 072	–	–	44
長野市	86	1 012	540	2 982	25	37	77
岐阜市	459	2 750	856	6 604	18	33	245
豊橋市	209	2 447	550	5 476	1	1	184
豊田市	148	1 650	522	3 505	3	5	121
岡崎市	250	890	782	6 333	17	17	278
大津市	63	638	300	2 672	–	–	63
高槻市	395	2 199	1 029	4 463	23	24	239
東大阪市	290	2 214	911	6 358	2	2	320
豊中市	361	2 258	771	5 278	1	2	100
枚方市	214	918	704	5 669	25	90	41
姫路市	172	1 456	1 040	5 214	40	96	162
西宮市	706	2 995	1 255	6 306	8	6	67
尼崎市	358	2 418	790	6 189	25	29	79
奈良市	310	1 545	688	3 937	–	–	256
和歌山市	97	656	605	3 912	2	2	8
倉敷市	1 202	9 960	917	3 116	26	55	562
福山市	715	4 692	2 271	10 712	32	35	344
呉市	395	2 027	485	3 150	2	2	176
下関市	230	1 551	438	2 178	1	1	89
高松市	129	480	626	2 233	14	14	111
松山市	470	4 682	1 202	7 070	8	19	176
高知市	171	615	528	4 206	23	23	78
久留米市	20	81	240	2 048	32	59	44
長崎市	312	1 436	947	7 858	13	36	194
佐世保市	86	746	357	3 423	3	4	133
大分市	244	2 247	826	8 150	16	21	185
宮崎市	167	2 641	633	6 738	3	4	186
鹿児島市	1 419	9 089	2 062	11 863	46	56	523
那覇市	143	950	135	1 128	4	5	224

第43表　短期入所事業所の利用実人員・利用延日数，

国都道府県	利用実人員（人）		利用延日数（日）	
	障害者（18歳以上）	障害児（18歳未満）	障害者（18歳以上）	障害児（18歳未満）
全国	43 814	7 424	254 286	32 050
国	19	－	170	－
北海道	654	101	5 097	413
青森	179	25	2 147	102
岩手	284	27	1 850	168
宮城	569	105	2 451	656
秋田	221	8	1 594	21
山形	267	40	2 050	160
福島	268	18	1 715	72
茨城	711	111	5 517	613
栃木	676	65	8 739	485
群馬	266	42	2 053	198
埼玉	848	95	3 029	258
千葉	1 427	96	12 983	445
東京	3 278	628	16 303	2 432
神奈川	1 434	182	6 989	632
新潟	811	66	4 822	359
富山	187	6	1 000	26
石川	181	22	1 073	101
福井	412	36	1 448	181
山梨	380	61	2 919	426
長野	536	32	3 667	197
岐阜	478	114	2 545	268
静岡	589	91	3 629	277
愛知	1 368	158	7 533	651
三重	678	73	3 169	353
滋賀	403	111	1 961	457
京都	687	104	3 443	271
大阪	2 105	267	9 851	928
兵庫	1 211	228	6 875	926
奈良	411	83	2 729	348
和歌山	222	60	2 567	222
鳥取	179	33	1 032	150
島根	283	35	1 850	140
岡山	219	41	1 779	187
広島	647	119	4 105	616
山口	275	65	1 962	313
徳島	177	33	1 202	134
香川	236	25	1 041	100
愛媛	254	50	1 813	388
高知	158	13	964	83
福岡	759	138	3 901	499
佐賀	211	50	1 501	299
長崎	304	111	2 448	577
熊本	291	89	1 944	442
大分	184	96	1 236	1 016
宮崎	218	80	1 480	289
鹿児島	332	50	2 578	216
沖縄	374	62	2 555	258

注：指定都市及び中核市は別掲である。

国－都道府県－指定都市－中核市、障害者及び障害児別

指定都市　中核市	利用実人員（人）		利用延日数（日）	
	障害者（18歳以上）	障害児（18歳未満）	障害者（18歳以上）	障害児（18歳未満）
指定都市（別掲）				
札幌市	659	330	3 903	1 363
仙台市	226	49	1 106	179
さいたま市	397	72	2 604	249
千葉市	347	75	2 444	356
横浜市	997	251	4 537	1 094
川崎市	491	29	2 221	142
相模原市	184	62	1 205	237
新潟市	426	35	2 244	133
静岡市	279	44	1 292	185
浜松市	478	90	2 582	318
名古屋市	915	130	4 073	437
京都市	498	27	2 263	241
大阪市	909	170	4 616	732
堺市	503	61	2 850	308
神戸市	661	39	4 532	160
岡山市	223	113	607	285
広島市	444	114	2 759	737
北九州市	429	55	2 056	192
福岡市	449	279	1 806	1 252
熊本市	163	87	640	282
中核市（別掲）				
旭川市	119	36	739	138
函館市	26	1	141	2
青森市	53	18	420	65
八戸市	72	11	406	55
盛岡市	135	10	853	28
秋田市	81	30	411	133
郡山市	124	24	961	30
いわき市	71	1	362	3
宇都宮市	129	19	1 614	101
前橋市	－	－	－	－
高崎市	49	22	370	73
川越市	85	46	661	246
越谷市	31	23	62	46
船橋市	187	1	1 826	3
柏市	182	11	1 342	105
八王子市	148	2	1 065	13
横須賀市	289	18	1 093	43
富山市	106	29	411	151
金沢市	190	13	798	52
長野市	183	19	893	92
岐阜市	122	66	460	180
豊橋市	96	3	548	13
豊田市	123	25	668	116
岡崎市	139	43	371	226
大津市	298	6	860	15
高槻市	326	27	1 076	80
東大阪市	474	80	1 996	209
豊中市	335	42	1 934	154
枚方市	94	16	474	51
姫路市	141	29	753	100
西宮市	359	43	1 748	199
尼崎市	260	16	671	50
奈良市	181	22	1 295	100
和歌山市	47	15	309	84
倉敷市	142	11	602	36
福山市	221	46	1 600	172
呉市	146	39	986	212
下関市	92	4	604	31
高松市	365	26	1 405	74
松山市	280	48	1 549	193
高知市	55	31	309	248
久留米市	9	8	44	22
長崎市	106	28	705	101
佐世保市	34	3	262	20
大分市	139	4	443	13
宮崎市	178	76	755	356
鹿児島市	181	49	1 449	296
那覇市	72	27	333	85

第44表　重度障害者等包括支援事業所の利用実人員・

都 道 府 県	利　用　実　人　員　（人）			利　用　延　日　数　（日）		
	Ⅰ　類　型	Ⅱ　類　型	Ⅲ　類　型	Ⅰ　類　型	Ⅱ　類　型	Ⅲ　類　型
全　　　　　国	-	5	23	-	150	676
北　海　道	-	-	-	-	-	-
青　　森	-	-	-	-	-	-
岩　　手	-	-	-	-	-	-
宮　　城	-	-	-	-	-	-
秋　　田	-	-	-	-	-	-
山　　形	-	-	-	-	-	-
福　　島	-	-	-	-	-	-
茨　　城	-	-	-	-	-	-
栃　　木	-	-	-	-	-	-
群　　馬	-	-	-	-	-	-
埼　　玉	-	-	1	-	-	30
千　　葉	-	-	-	-	-	-
東　　京	-	-	-	-	-	-
神　奈　川	-	-	-	-	-	-
新　　潟	-	-	-	-	-	-
富　　山	-	-	-	-	-	-
石　　川	-	-	-	-	-	-
福　　井	-	-	-	-	-	-
山　　梨	-	-	-	-	-	-
長　　野	-	1	13	-	30	384
岐　　阜	-	-	-	-	-	-
静　　岡	-	-	-	-	-	-
愛　　知	-	-	-	-	-	-
三　　重	-	-	-	-	-	-
滋　　賀	-	-	-	-	-	-
京　　都	-	-	-	-	-	-
大　　阪	-	3	4	-	90	120
兵　　庫	-	-	-	-	-	-
奈　　良	-	-	-	-	-	-
和　歌　山	-	-	-	-	-	-
鳥　　取	-	-	-	-	-	-
島　　根	-	-	-	-	-	-
岡　　山	-	-	-	-	-	-
広　　島	-	-	-	-	-	-
山　　口	-	-	-	-	-	-
徳　　島	-	-	-	-	-	-
香　　川	-	-	-	-	-	-
愛　　媛	-	-	-	-	-	-
高　　知	-	-	-	-	-	-
福　　岡	-	-	-	-	-	-
佐　　賀	-	-	-	-	-	-
長　　崎	-	-	-	-	-	-
熊　　本	-	-	-	-	-	-
大　　分	-	-	-	-	-	-
宮　　崎	-	-	-	-	-	-
鹿　児　島	-	-	-	-	-	-
沖　　縄	-	-	-	-	-	-

注：指定都市及び中核市は別掲である。

利用延日数，都道府県－指定都市－中核市、利用者の類型別

指定都市 中核市	利用実人員（人）			利用延日数（日）		
	Ⅰ類型	Ⅱ類型	Ⅲ類型	Ⅰ類型	Ⅱ類型	Ⅲ類型
指定都市（別掲）						
札幌市	-	-	-	-	-	-
仙台市	-	-	-	-	-	-
さいたま市	-	-	-	-	-	-
千葉市	-	-	-	-	-	-
横浜市	-	-	-	-	-	-
川崎市	-	-	-	-	-	-
相模原市	-	-	-	-	-	-
新潟市	-	-	-	-	-	-
静岡市	-	-	-	-	-	-
浜松市	-	-	-	-	-	-
名古屋市	-	-	-	-	-	-
京都市	-	-	-	-	-	-
大阪市	-	-	-	-	-	-
堺市	-	-	-	-	-	-
神戸市	-	-	-	-	-	-
岡山市	-	-	-	-	-	-
広島市	-	-	-	-	-	-
北九州市	-	-	5	-	-	142
福岡市	-	-	-	-	-	-
熊本市	-	-	-	-	-	-
中核市（別掲）						
旭川市	-	-	-	-	-	-
函館市	-	-	-	-	-	-
青森市	-	-	-	-	-	-
八戸市	-	-	-	-	-	-
盛岡市	-	-	-	-	-	-
秋田市	-	-	-	-	-	-
郡山市	-	-	-	-	-	-
いわき市	-	-	-	-	-	-
宇都宮市	-	-	-	-	-	-
前橋市	-	-	-	-	-	-
高崎市	-	-	-	-	-	-
川越市	-	-	-	-	-	-
越谷市	-	-	-	-	-	-
船橋市	-	-	-	-	-	-
柏市	-	-	-	-	-	-
八王子市	-	-	-	-	-	-
横須賀市	-	-	-	-	-	-
富山市	-	-	-	-	-	-
金沢市	-	-	-	-	-	-
長野市	-	-	-	-	-	-
岐阜市	-	-	-	-	-	-
豊橋市	-	-	-	-	-	-
豊田市	-	-	-	-	-	-
岡崎市	-	-	-	-	-	-
大津市	-	-	-	-	-	-
高槻市	-	-	-	-	-	-
東大阪市	-	-	-	-	-	-
豊中市	-	-	-	-	-	-
枚方市	-	-	-	-	-	-
姫路市	-	-	-	-	-	-
西宮市	-	-	-	-	-	-
尼崎市	-	-	-	-	-	-
奈良市	-	-	-	-	-	-
和歌山市	-	-	-	-	-	-
倉敷市	-	-	-	-	-	-
福山市	-	1	-	-	30	-
呉市	-	-	-	-	-	-
下関市	-	-	-	-	-	-
高松市	-	-	-	-	-	-
松山市	-	-	-	-	-	-
高知市	-	-	-	-	-	-
久留米市	-	-	-	-	-	-
長崎市	-	-	-	-	-	-
佐世保市	-	-	-	-	-	-
大分市	-	-	-	-	-	-
宮崎市	-	-	-	-	-	-
鹿児島市	-	-	-	-	-	-
那覇市	-	-	-	-	-	-

利用延日数，都道府県－指定都市－中核市、利用者の類型別

第45表　共同生活援助・宿泊型自立訓練事業所の

（単位：人）

国 都 道 府 県	共 同 生 活 援 助 事 業	（再　　　　掲） 外 部 サ ー ビ ス 利 用 型 共 同 生 活 援 助 事 業	宿 泊 型 自 立 訓 練 事 業
全　　　　　　　国	93 090	12 653	3 064
国	27	－	－
北　　海　　道	6 444	764	86
青　　　　森	947	106	71
岩　　　　手	1 272	85	68
宮　　　　城	955	36	26
秋　　　　田	769	166	85
山　　　　形	947	312	26
福　　　　島	778	340	12
茨　　　　城	2 620	312	25
栃　　　　木	1 319	138	40
群　　　　馬	1 184	271	62
埼　　　　玉	2 712	257	128
千　　　　葉	2 606	129	48
東　　　　京	5 381	408	260
神　奈　川	1 700	24	72
新　　　　潟	1 215	76	106
富　　　　山	334	73	7
石　　　　川	647	117	－
福　　　　井	783	136	40
山　　　　梨	517	147	23
長　　　　野	1 514	19	47
岐　　　　阜	803	104	51
静　　　　岡	886	246	9
愛　　　　知	1 942	79	8
三　　　　重	1 133	37	49
滋　　　　賀	721	49	42
京　　　　都	814	50	－
大　　　　阪	2 848	80	66
兵　　　　庫	1 240	93	9
奈　　　　良	972	70	－
和　歌　山	722	11	－
鳥　　　　取	827	9	49
島　　　　根	1 032	200	29
岡　　　　山	1 738	75	17
広　　　　島	890	152	30
山　　　　口	881	236	66
徳　　　　島	386	122	51
香　　　　川	502	273	－
愛　　　　媛	495	131	14
高　　　　知	562	35	－
福　　　　岡	2 926	301	28
佐　　　　賀	1 138	143	12
長　　　　崎	1 498	185	27
熊　　　　本	1 398	587	33
大　　　　分	816	276	63
宮　　　　崎	666	43	18
鹿　児　島	1 296	497	73
沖　　　　縄	457	329	45

注：指定都市及び中核市は別掲である。

９月末日利用実人員，国－都道府県－指定都市－中核市別

指定都市 中核市	共同生活援助事業	（再掲） 外部サービス利用型 共同生活援助事業	宿泊型自立訓練事業
指定都市（別掲）			
札幌市	1 958	597	80
仙台市	783	43	75
さいたま市	280	5	16
千葉市	276	7	20
横浜市	2 825	23	75
川崎市	750	－	19
相模原市	496	－	－
新潟市	428	103	13
静岡市	202	47	－
浜松市	306	47	27
名古屋市	1 207	10	39
京都市	461	－	－
大阪市	1 585	8	21
堺市	546	－	11
神戸市	479	18	－
岡山市	316	16	－
広島市	313	82	－
北九州市	783	132	63
福岡市	491	131	－
熊本市	586	251	35
中核市（別掲）			
旭川市	552	90	41
函館市	149	25	18
青森市	437	65	29
八戸市	296	35	13
盛岡市	252	57	－
秋田市	296	200	33
郡山市	293	178	32
いわき市	313	9	13
宇都宮市	270	75	－
前橋市	258	21	－
高崎市	310	131	19
川越市	162	－	－
越谷市	75	8	－
船橋市	109	2	17
柏市	222	－	11
八王子市	644	34	12
横須賀市	303	－	－
富山市	315	109	－
金沢市	332	73	－
長野市	440	3	13
岐阜市	596	435	－
豊橋市	259	－	12
豊田市	120	38	－
岡崎市	76	－	21
大津市	415	－	－
高槻市	122	－	－
東大阪市	375	－	－
豊中市	85	－	22
枚方市	256	－	－
姫路市	165	24	8
西宮市	121	－	9
尼崎市	254	－	－
奈良市	152	10	6
和歌山市	186	5	10
倉敷市	102	－	－
福山市	447	84	22
呉市	119	52	－
下関市	267	18	17
高松市	193	47	12
松山市	537	36	12
高知市	399	82	18
久留米市	214	49	20
長崎市	262	37	31
佐世保市	470	73	9
大分市	407	136	16
宮崎市	232	67	－
鹿児島市	454	85	28
那覇市	446	411	25

第46表　自立訓練（機能訓練）・自立訓練（生活訓練）事業所の利用

（単位：人）

都道府県	自立訓練（機能訓練）事業				自立訓練（生活訓練）事業			
	利用実人員		利用延人数		利用実人員		利用延人数	
	サービス費Ⅰ（通所）	サービス費Ⅱ（訪問）	サービス費Ⅰ（通所）	サービス費Ⅱ（訪問）	サービス費Ⅰ（通所）	サービス費Ⅱ（訪問）	サービス費Ⅰ（通所）	サービス費Ⅱ（訪問）
全　　　　国	872	17	5 720	42	8 895	502	121 256	1 579
北　海　道	38	－	212	－	137	4	1 867	9
青　　　森	14	－	123	－	161	1	2 416	4
岩　　　手	－	－	－	－	109	3	1 910	5
宮　　　城	－	－	－	－	86	3	1 170	9
秋　　　田	5	－	33	－	82	－	961	－
山　　　形	－	－	－	－	88	2	1 366	2
福　　　島	－	－	－	－	57	3	709	10
茨　　　城	3	－	39	－	182	1	3 072	1
栃　　　木	－	－	－	－	256	1	2 271	1
群　　　馬	－	－	－	－	19	－	270	－
埼　　　玉	16	－	139	－	250	4	4 067	12
千　　　葉	29	－	161	－	281	27	3 298	97
東　　　京	320	6	1 759	8	928	94	10 001	285
神　奈　川	19	－	150	－	26	10	234	41
新　　　潟	2	－	16	－	232	5	4 331	18
富　　　山	5	－	17	－	58	－	575	－
石　　　川	－	－	－	－	11	－	142	－
福　　　井	－	－	－	－	84	7	1 003	14
山　　　梨	－	－	－	－	94	－	1 696	－
長　　　野	－	－	－	－	135	9	1 654	23
岐　　　阜	－	－	－	－	37	－	618	－
静　　　岡	－	－	－	－	61	1	934	13
愛　　　知	－	－	－	－	31	3	229	8
三　　　重	－	－	－	－	95	8	1 343	33
滋　　　賀	－	－	－	－	79	7	959	30
京　　　都	21	－	39	－	59	19	694	68
大　　　阪	－	－	－	－	347	55	4 358	132
兵　　　庫	6	－	33	－	91	－	1 335	－
奈　　　良	－	－	－	－	42	6	595	24
和　歌　山	－	－	－	－	80	8	1 314	14
鳥　　　取	1	－	8	－	14	5	109	23
島　　　根	6	－	30	－	76	－	980	－
岡　　　山	－	－	－	－	24	1	358	3
広　　　島	1	－	9	－	33	14	383	68
山　　　口	22	－	157	－	135	1	1 951	4
徳　　　島	－	－	－	－	59	2	934	8
香　　　川	－	－	－	－	5	－	89	－
愛　　　媛	－	－	－	－	37	1	541	2
高　　　知	－	－	－	－	16	－	110	－
福　　　岡	2	－	23	－	240	1	3 634	1
佐　　　賀	19	－	182	－	50	－	752	－
長　　　崎	1	－	4	－	77	1	1 400	4
熊　　　本	4	1	37	11	140	2	2 317	3
大　　　分	－	－	－	－	69	－	1 009	－
宮　　　崎	2	－	2	－	60	1	810	1
鹿　児　島	1	－	1	－	126	2	1 719	7
沖　　　縄	15	－	184	－	206	12	3 028	43

注：1）指定都市及び中核市は別掲である。
　　2）障害者支援施設の昼間実施サービス（生活介護、自立訓練（機能・生活）、就労移行支援及び就労継続支援）を除く。

実人員・利用延人数, 都道府県－指定都市－中核市、サービス費の種類別

指定都市 中核市	自立訓練（機能訓練）事業 利用実人員 サービス費I（通所）	サービス費II（訪問）	利用延人数 サービス費I（通所）	サービス費II（訪問）	自立訓練（生活訓練）事業 利用実人員 サービス費I（通所）	サービス費II（訪問）	利用延人数 サービス費I（通所）	サービス費II（訪問）
指定都市（別掲）								
札幌市	－	－	－	－	136	11	1 707	48
仙台市	35	2	345	3	141	5	1 937	22
さいたま市	61	－	340	－	31	－	284	－
千葉市	－	－	－	－	51	11	1 049	48
横浜市	－	－	－	－	179	－	2 923	－
川崎市	5	－	31	－	66	－	654	－
相模原市	－	－	－	－	61	－	1 303	－
新潟市	4	－	22	－	131	2	1 684	3
静岡市	16	－	83	－	38	－	282	－
浜松市	12	－	79	－	92	23	1 092	53
名古屋市	54	－	443	－	288	2	2 896	4
京都市	－	－	－	－	163	8	2 324	31
大阪市	－	－	－	－	257	17	4 007	52
堺市	19	1	156	＊ 1	60	2	660	2
神戸市	－	－	－	－	37	5	548	11
岡山市	－	－	－	－	19	－	332	－
広島市	－	－	－	－	156	25	2 036	81
北九州市	－	－	－	－	34	1	590	2
福岡市	－	－	－	－	98	3	1 641	3
熊本市	1	1	18	7	50	－	963	－
中核市（別掲）								
旭川市	－	－	－	－	13	－	137	－
函館市	－	－	－	－	26	－	478	－
青森市	－	－	－	－	26	11	349	31
八戸市	－	－	－	－	11	－	234	－
盛岡市	－	－	－	－	16	－	140	－
秋田市	2	－	21	－	55	－	691	－
郡山市	－	－	－	－	33	1	378	8
いわき市	－	－	－	－	－	－	－	－
宇都宮市	－	－	－	－	24	－	385	－
前橋市	－	－	－	－	－	－	－	－
高崎市	－	－	－	－	46	－	705	－
川越市	－	－	－	－	14	3	139	14
越谷市	－	－	－	－	－	－	－	－
船橋市	13	－	126	－	36	17	530	70
柏市	－	－	－	－	10	－	205	－
八王子市	－	－	－	－	54	－	768	－
横須賀市	22	1	131	1	9	－	51	－
富山市	9	－	78	－	36	1	405	2
金沢市	－	－	－	－	53	－	627	－
長野市	－	－	－	－	49	2	757	9
岐阜市	－	－	－	－	52	7	828	22
豊橋市	－	－	－	－	－	－	－	－
豊田市	－	－	－	－	9	－	153	－
岡崎市	－	－	－	－	47	－	675	－
大津市	－	－	－	－	32	－	454	－
高槻市	5	3	45	7	105	6	1 440	7
東大阪市	－	－	－	－	－	－	－	－
豊中市	－	－	－	－	3	－	43	－
枚方市	－	－	－	－	14	－	258	－
姫路市	－	－	－	－	－	－	－	－
西宮市	－	－	－	－	67	9	872	14
尼崎市	20	－	128	－	36	－	540	－
奈良市	1	－	4	－	42	1	707	1
和歌山市	－	－	－	－	23	－	303	－
倉敷市	－	－	－	－	14	－	192	－
福山市	－	－	－	－	－	－	－	－
呉市	－	－	－	－	11	1	91	4
下関市	－	－	－	－	27	－	468	－
高松市	－	－	－	－	－	－	－	－
松山市	－	－	－	－	－	－	－	－
高知市	1	－	1	－	51	－	599	－
久留米市	－	－	－	－	19	－	257	－
長崎市	22	2	128	4	10	－	147	－
佐世保市	－	－	－	－	9	－	146	－
大分市	18	－	183	－	12	－	147	－
宮崎市	－	－	－	－	－	－	－	－
鹿児島市	－	－	－	－	93	4	955	17
那覇市	－	－	－	－	55	－	574	－

第47表　共同生活援助・宿泊型自立訓練事業所の入居者数・退居者数，
入居者の入居前の場所・状況、退居者の退居後の行先・状況別

（単位：人）　　　　　　　　　　　　　　　　　　　　　　　　　　　　平成28年10月 1 日～平成29年 9 月30日

サービスの種類	総　数	入　居　者　の　入　居　前　の　場　所　・　状　況							
		自宅・アパート等		グループホーム	福祉ホーム	入所施設	病　院	特別支援学校の寄宿舎	その他
		一人暮らし・結婚等の自立した生活	親・兄弟等に扶養された生活						
共 同 生 活 援 助 事 業	19 069	1 183	7 147	2 786	196	2 770	3 908	323	756
(再掲) 外部サービス利用型共同生活援助事業	3 488	248	856	495	57	397	1 221	76	138
宿 泊 型 自 立 訓 練 事 業	1 850	78	382	65	4	84	1 151	35	.51

（単位：人）　　　　　　　　　　　　　　　　　　　　　　　　　　　　平成28年10月 1 日～平成29年 9 月30日

サービスの種類	総　数	退　居　者　の　退　去　後　の　行　先　・　状　況							
		自宅・アパート等		グループホーム	福祉ホーム	入所施設	病　院	死　亡	その他
		一人暮らし・結婚等の自立した生活	親・兄弟等に扶養された生活						
共 同 生 活 援 助 事 業	7 064	1 504	1 134	1 206	74	766	1 486	485	409
(再掲) 外部サービス利用型共同生活援助事業	1 669	492	214	182	12	140	487	74	68
宿 泊 型 自 立 訓 練 事 業	1 741	427	252	563	15	63	328	16	77

第48表　自立訓練（機能訓練）・自立訓練（生活訓練）・就労移行支援・
　　　　就労継続支援（A型）・就労継続支援（B型）事業所の退所者数，退所理由別

（単位：人）

平成28年10月 1 日～平成29年 9 月30日

サービスの種類	総　　数	就　　職	他の障害福祉サービス等を利用（利用先）				入　　院	死　　亡	そ　の　他
			就労移行 支援事業所	就労継続 支援（A型） 事　業　所	就労継続 支援（B型） 事　業　所	その他の 事業所等			
自立訓練（機能訓練）事業	449	27	25	4	36	99	38	16	204
自立訓練（生活訓練）事業	4 610	309	513	111	1 034	742	471	61	1 369
就労移行支援事業	18 429	8 906	551	1 206	2 740	601	373	60	3 992
就労継続支援（A型）事業	13 851	3 233	309	1 944	953	462	548	150	6 252
就労継続支援（B型）事業	23 718	2 706	1 384	1 929	4 123	3 143	1 672	952	7 809

注：障害者支援施設の昼間実施サービス（生活介護、自立訓練(機能・生活)、就労移行支援及び就労継続支援）を除く。

第49表　障害福祉サービス等事業所・障害児通所支援等事業所の常勤換算

（単位：人）

都道府県	居宅介護事業 総数	常勤	非常勤	重度訪問介護事業 総数	常勤	非常勤	同行援護事業 総数	常勤	非常勤	行動援護事業 総数	常勤	非常勤
全　　国	100 328	60 825	39 503	37 877	23 403	14 474	28 845	17 907	10 939	5 732	4 118	1 614
国	－	－	－	－	－	－	－	－	－	－	－	－
北　海　道	2 775	1 754	1 021	566	319	247	752	501	250	139	107	32
青　　森	1 403	1 133	270	255	215	41	183	129	54	37	28	8
岩　　手	639	468	171	177	132	44	117	55	63	9	4	5
宮　　城	867	575	292	213	128	85	146	104	42	38	30	8
秋　　田	431	292	139	151	114	38	114	80	34	47	43	4
山　　形	434	279	155	156	100	56	98	64	34	4	3	0
福　　島	640	423	218	116	73	43	148	78	71	6	5	0
茨　　城	959	564	395	160	86	74	278	173	105	62	33	29
栃　　木	523	290	233	37	21	16	149	92	57	10	6	5
群　　馬	625	330	295	112	70	42	238	146	92	25	20	4
埼　　玉	2 602	1 454	1 148	601	329	272	770	455	314	287	146	140
千　　葉	2 581	1 525	1 056	685	433	252	810	449	360	107	69	39
東　　京	7 888	4 856	3 031	4 545	2 712	1 833	2 200	1 322	878	272	194	78
神　奈　川	1 070	652	418	241	162	80	242	160	81	59	43	16
新　　潟	848	561	287	159	106	53	203	171	32	14	13	1
富　　山	284	168	117	5	2	3	117	72	45	11	9	1
石　　川	240	161	79	11	8	3	80	56	23	7	6	0
福　　井	469	291	178	70	51	19	46	18	27	18	11	7
山　　梨	340	187	153	154	101	53	57	28	29	12	10	3
長　　野	1 170	746	424	184	128	56	279	205	75	175	134	41
岐　　阜	680	355	324	86	43	43	217	127	91	63	36	27
静　　岡	732	402	330	83	48	35	264	167	97	36	28	7
愛　　知	2 122	1 172	950	537	326	211	596	353	243	125	99	27
三　　重	1 163	720	443	203	132	72	298	192	106	51	29	22
滋　　賀	630	410	220	161	110	51	164	132	32	94	75	19
京　　都	816	452	364	190	110	80	146	76	70	119	88	31
大　　阪	4 582	2 602	1 980	1 633	1 061	572	1 488	851	638	222	147	75
兵　　庫	1 673	1 004	669	771	442	330	600	363	237	85	66	19
奈　　良	863	556	306	278	194	84	275	186	89	158	124	34
和　歌　山	1 127	643	484	101	60	41	265	170	95	24	22	2
鳥　　取	378	271	107	74	56	18	102	67	35	60	56	3
島　　根	699	472	227	123	85	38	162	110	52	116	100	16
岡　　山	379	226	153	67	40	27	81	54	27	8	7	1
広　　島	813	484	329	201	106	95	181	100	81	54	31	23
山　　口	660	329	330	157	79	78	226	110	117	－	－	－
徳　　島	845	535	310	142	89	53	326	239	87	46	27	20
香　　川	265	157	108	98	64	34	119	79	40	17	14	3
愛　　媛	822	475	347	110	57	54	408	267	142	37	24	13
高　　知	250	184	66	31	20	11	32	30	2	10	9	1
福　　岡	1 707	1 043	665	462	272	190	550	363	187	52	37	15
佐　　賀	381	250	131	58	41	17	102	75	27	32	30	2
長　　崎	521	327	193	194	127	67	198	137	61	48	37	11
熊　　本	703	433	270	174	112	62	180	121	59	18	14	4
大　　分	632	372	260	125	75	50	227	151	76	93	72	21
宮　　崎	459	279	180	85	55	30	129	84	45	8	7	0
鹿　児　島	540	276	265	76	37	40	100	51	48	23	18	4
沖　　縄	837	523	314	416	254	162	296	208	88	52	41	11

注：1）指定都市及び中核市は別掲である。
　　2）常勤換算従事者数の小数点以下第1位を四捨五入している。なお、「0」は常勤換算従事者数が0.5未満の場合である。
　　3）平成29年9月中に利用者がいた事業所の従事者数である。

従事者数，国－都道府県－指定都市－中核市、障害福祉サービス等の種類・常勤－非常勤別

平成29年10月1日

指定都市 中核市	居宅介護事業 総数	常勤	非常勤	重度訪問介護事業 総数	常勤	非常勤	同行援護事業 総数	常勤	非常勤	行動援護事業 総数	常勤	非常勤
指定都市（別掲）												
札幌市	2 573	1 602	971	1 739	1 100	640	1 091	591	500	343	281	62
仙台市	892	487	405	384	207	177	410	195	215	120	48	73
さいたま市	738	442	296	202	132	70	183	106	77	131	93	38
千葉市	582	345	237	273	179	95	232	150	82	7	5	2
横浜市	3 373	1 746	1 627	755	408	347	790	484	306	242	158	84
川崎市	692	410	283	280	189	92	101	61	39	102	87	16
相模原市	496	284	212	156	88	69	143	76	67	5	1	4
新潟市	563	307	257	197	94	104	133	74	58	20	14	5
静岡市	295	148	147	191	89	102	139	71	68	9	8	1
浜松市	269	155	113	41	23	18	82	46	36	10	5	6
名古屋市	3 756	2 304	1 452	2 537	1 635	902	1 011	678	333	283	183	100
京都市	1 909	1 206	703	1 049	682	367	458	336	122	340	257	83
大阪市	7 251	4 580	2 671	4 510	2 764	1 747	1 959	1 287	672	125	92	33
堺市	1 502	880	622	1 068	625	443	518	297	220	25	18	7
神戸市	1 913	1 231	682	1 162	771	390	682	447	236	35	31	4
岡山市	464	262	202	325	168	158	42	25	17	17	12	4
広島市	1 264	741	524	538	317	221	39	29	10	8	4	4
北九州市	906	541	365	104	61	43	325	211	114	22	7	14
福岡市	1 562	1 024	538	480	337	143	506	307	199	70	60	10
熊本市	395	243	152	254	153	101	128	79	49	3	3	-
中核市（別掲）												
旭川市	660	534	126	202	146	56	125	101	24	3	3	-
函館市	195	81	115	65	26	39	52	21	31	3	3	-
青森市	639	461	178	143	115	29	62	39	23	15	13	2
八戸市	224	160	64	138	86	52	49	24	25	7	5	2
盛岡市	263	159	104	72	48	24	81	45	36	3	2	1
秋田市	353	204	149	174	125	49	60	38	23	-	-	-
郡山市	132	87	45	59	28	30	45	40	6	7	7	-
いわき市	268	180	88	103	70	33	86	60	26	13	9	4
宇都宮市	246	151	95	17	13	4	71	50	21	8	7	1
前橋市	251	118	133	50	32	18	93	64	29	10	8	2
高崎市	227	106	121	50	27	23	43	18	25	8	7	1
川越市	208	130	78	22	14	8	56	32	24	18	10	8
越谷市	184	90	95	69	32	37	75	35	41	41	15	27
船橋市	376	263	113	202	147	56	135	91	43	19	16	3
柏市	306	202	103	94	63	31	67	51	17	3	3	0
八王子市	272	151	121	273	138	134	53	25	28	3	3	1
横須賀市	278	197	81	27	21	6	37	28	9	0	0	0
富山市	195	99	96	67	45	22	40	22	18	1	0	1
金沢市	232	134	98	76	41	35	31	18	13	20	17	3
長野市	210	138	73	23	15	9	63	45	17	29	17	11
岐阜市	292	184	108	83	57	25	16	11	5	4	3	0
豊橋市	224	129	95	18	10	9	84	56	28	5	5	1
豊田市	209	106	103	42	24	18	57	28	29	-	-	-
岡崎市	190	114	76	8	3	4	129	91	39	18	8	10
大津市	337	211	125	85	58	26	160	96	64	13	6	7
高槻市	297	190	107	175	126	49	65	35	30	5	5	0
東大阪市	954	593	362	367	231	136	248	167	81	43	41	2
豊中市	632	382	251	244	151	93	187	108	79	5	4	2
枚方市	627	313	314	105	61	44	129	69	61	5	2	3
姫路市	528	292	236	333	191	142	170	104	66	29	20	9
西宮市	636	363	273	529	316	213	56	38	19	20	18	1
尼崎市	1 222	695	527	434	250	185	410	253	157	0	0	0
奈良市	558	320	239	377	224	153	276	133	143	155	102	53
和歌山市	471	261	210	213	126	87	191	105	85	26	19	7
倉敷市	248	144	105	76	47	28	27	20	7	11	10	1
福山市	304	167	137	97	61	36	66	41	25	44	36	8
呉市	191	103	88	70	36	35	50	34	16	14	12	3
下関市	243	147	97	127	85	41	119	74	45	26	19	7
高松市	259	158	100	99	62	37	112	58	54	7	6	2
松山市	490	292	198	195	111	85	228	100	128	12	6	5
高知市	278	176	101	31	18	13	139	87	52	4	2	1
久留米市	233	163	70	120	89	31	55	36	19	3	2	0
長崎市	357	231	126	128	90	38	153	113	40	17	13	4
佐世保市	123	71	53	65	40	25	69	44	26	1	1	-
大分市	427	235	192	137	83	54	151	76	75	57	38	20
宮崎市	212	139	72	57	38	19	136	89	47	28	17	12
鹿児島市	490	316	174	211	145	66	261	191	69	43	40	3
那覇市	120	88	32	50	41	9	52	40	13	22	19	3

従事者数，国－都道府県－指定都市－中核市、障害福祉サービス等の種類・常勤－非常勤別

第49表　障害福祉サービス等事業所・障害児通所支援等事業所の常勤換算

（単位：人）

国 都道府県	療養介護事業			生活介護事業			重度障害者等包括支援事業			計画相談支援事業		
	総数	常勤	非常勤	総数	常勤	非常勤	総数	常勤	非常勤	総数	常勤	非常勤
全国	18 070	16 512	1 558	56 088	40 734	15 354	17	15	1	14 047	12 991	1 056
国	－	－	－	－	－	－	－	－	－	6	6	－
北海道	787	721	66	1 441	1 102	339	－	－	－	428	390	38
青森	－	－	－	434	353	82	－	－	－	125	122	3
岩手	284	259	24	448	385	64	－	－	－	152	147	4
宮城	121	97	24	717	612	105	－	－	－	160	151	9
秋田	－	－	－	488	430	59	－	－	－	107	102	5
山形	87	81	6	365	305	60	－	－	－	117	111	6
福島	129	123	6	520	444	76	－	－	－	137	133	4
茨城	92	75	17	671	483	187	－	－	－	293	273	20
栃木	199	178	21	547	417	130	－	－	－	150	143	8
群馬	－	－	－	355	293	62	－	－	－	146	139	7
埼玉	439	372	67	1 852	1 246	606	8	8	－	444	397	46
千葉	78	57	21	1 877	1 373	504	－	－	－	342	314	28
東京	846	786	60	5 016	3 813	1 202	－	－	－	1 025	905	120
神奈川	282	249	33	1 131	671	460	－	－	－	208	190	18
新潟	427	417	10	407	316	92	－	－	－	222	212	10
富山	－	－	－	498	356	143	－	－	－	78	74	4
石川	87	78	10	189	135	54	－	－	－	69	67	2
福井	95	85	10	225	175	50	－	－	－	111	106	5
山梨	157	137	20	295	221	73	－	－	－	120	113	7
長野	121	106	15	753	526	227	3	3	0	290	270	20
岐阜	－	－	－	819	550	269	－	－	－	207	179	28
静岡	42	35	7	799	574	225	－	－	－	205	191	14
愛知	151	142	9	1 672	1 011	661	－	－	－	406	372	35
三重	231	227	5	909	621	288	－	－	－	219	201	19
滋賀	204	152	53	577	398	179	－	－	－	133	121	12
京都	365	337	28	754	510	245	－	－	－	146	132	14
大阪	50	47	3	2 382	1 607	776	1	1	0	516	471	45
兵庫	817	742	75	1 167	851	316	－	－	－	366	330	36
奈良	90	84	6	704	481	224	－	－	－	168	162	6
和歌山	273	249	24	376	295	81	－	－	－	96	91	4
鳥取	－	－	－	171	143	29	－	－	－	62	59	3
島根	372	352	20	293	215	79	－	－	－	149	144	5
岡山	137	126	11	319	233	86	－	－	－	113	106	7
広島	405	373	31	629	427	202	－	－	－	171	159	13
山口	138	117	22	334	248	86	－	－	－	131	126	5
徳島	215	204	11	184	137	47	－	－	－	68	64	4
香川	290	271	19	123	95	28	－	－	－	69	66	3
愛媛	126	121	4	224	155	69	－	－	－	132	127	6
高知	205	188	17	218	192	26	－	－	－	71	69	2
福岡	701	641	60	887	683	204	－	－	－	284	274	11
佐賀	460	417	43	302	252	50	－	－	－	107	100	7
長崎	347	324	23	425	338	87	－	－	－	111	104	7
熊本	494	473	22	267	228	39	－	－	－	170	163	7
大分	572	565	6	270	206	64	－	－	－	161	153	8
宮崎	95	95	1	383	324	58	－	－	－	129	123	6
鹿児島	195	193	2	265	215	50	－	－	－	145	137	9
沖縄	244	230	14	431	346	85	－	－	－	197	188	9

注：障害者支援施設の昼間実施サービス（生活介護、自立訓練（機能・生活）、就労移行支援及び就労継続支援）を除く。

従事者数，国－都道府県－指定都市－中核市、障害福祉サービス等の種類・常勤－非常勤別

平成29年10月1日

指定都市 中核市	療養介護事業			生活介護事業			重度障害者等包括支援事業			計画相談支援事業		
	総数	常勤	非常勤	総数	常勤	非常勤	総数	常勤	非常勤	総数	常勤	非常勤
指定都市（別掲）												
札幌市	209	192	17	814	603	211	-	-	-	168	154	14
仙台市	164	158	6	523	399	124	-	-	-	119	106	13
さいたま市	-	-	-	430	304	126	-	-	-	77	70	7
千葉市	345	327	18	267	202	64	-	-	-	77	73	5
横浜市	-	-	-	1 690	1 119	571	-	-	-	187	175	13
川崎市	118	96	22	667	559	108	-	-	-	125	115	9
相模原市	93	72	21	435	260	174	-	-	-	46	43	3
新潟市	162	155	7	390	274	116	-	-	-	53	48	5
静岡市	206	189	17	251	198	53	-	-	-	32	28	4
浜松市	182	172	11	319	248	72	-	-	-	64	60	4
名古屋市	271	231	40	1 331	883	448	-	-	-	279	254	25
京都市	55	53	2	653	478	175	-	-	-	151	139	12
大阪市	131	118	13	1 715	1 238	477	-	-	-	463	417	46
堺市	83	74	9	587	343	244	-	-	-	120	96	23
神戸市	-	-	-	607	464	143	-	-	-	116	110	6
岡山市	504	442	62	240	179	61	-	-	-	49	41	8
広島市	-	-	-	326	241	84	-	-	-	73	72	1
北九州市	336	303	32	631	482	149	-	-	-	132	125	7
福岡市	173	151	22	479	347	132	2	1	1	157	151	6
熊本市	185	155	30	215	183	32	-	-	-	85	80	5
中核市（別掲）												
旭川市	513	460	53	176	133	43	-	-	-	40	38	3
函館市	-	-	-	96	72	24	-	-	-	20	20	-
青森市	78	78	0	263	239	24	-	-	-	41	38	2
八戸市	48	45	3	187	143	44	-	-	-	49	46	3
盛岡市	-	-	-	123	95	28	-	-	-	53	50	3
秋田市	-	-	-	195	170	25	-	-	-	42	41	1
郡山市	-	-	-	137	112	25	-	-	-	30	28	2
いわき市	60	54	6	161	119	42	-	-	-	41	38	3
宇都宮市	54	47	7	157	94	62	-	-	-	34	33	1
前橋市	-	-	-	123	83	40	-	-	-	38	33	5
高崎市	-	-	-	118	89	29	-	-	-	31	29	2
川越市	-	-	-	109	74	36	-	-	-	31	30	1
越谷市	-	-	-	80	60	20	-	-	-	26	20	6
船橋市	-	-	-	246	173	73	-	-	-	35	30	5
柏市	100	91	9	191	132	59	-	-	-	46	38	7
八王子市	-	-	-	375	237	138	-	-	-	40	31	10
横須賀市	64	29	35	210	110	100	-	-	-	33	29	4
富山市	209	195	14	241	176	65	-	-	-	36	35	2
金沢市	136	130	6	102	82	20	-	-	-	54	53	1
長野市	99	86	13	174	91	82	-	-	-	46	43	3
岐阜市	128	119	9	168	95	73	-	-	-	34	32	2
豊橋市	34	29	5	225	156	69	-	-	-	39	34	5
豊田市	-	-	-	238	137	101	-	-	-	33	32	1
岡崎市	57	57	-	111	66	45	-	-	-	39	35	4
大津市	-	-	-	115	84	31	-	-	-	30	29	1
高槻市	-	-	-	281	192	88	-	-	-	25	22	3
東大阪市	-	-	-	349	243	106	-	-	-	62	57	5
豊中市	5	2	3	260	206	55	-	-	-	49	41	8
枚方市	465	427	38	328	203	125	-	-	-	17	16	1
姫路市	32	32	-	256	204	52	-	-	-	64	53	10
西宮市	75	68	7	237	170	67	-	-	-	45	38	7
尼崎市	-	-	-	395	241	154	-	-	-	26	21	4
奈良市	207	180	27	220	154	66	-	-	-	57	54	3
和歌山市	-	-	-	61	43	18	-	-	-	18	18	0
倉敷市	-	-	-	304	220	84	-	-	-	69	63	7
福山市	55	49	6	307	229	79	3	2	1	43	41	2
呉市	36	36	1	119	86	33	-	-	-	39	38	1
下関市	-	-	-	95	72	23	-	-	-	32	30	2
高松市	67	62	5	160	114	46	-	-	-	44	39	5
松山市	-	-	-	229	168	61	-	-	-	67	65	2
高知市	100	91	9	171	128	43	-	-	-	21	20	1
久留米市	170	170	-	193	144	50	-	-	-	36	36	0
長崎市	97	96	1	220	175	45	-	-	-	76	71	5
佐世保市	-	-	-	167	134	34	-	-	-	38	36	2
大分市	-	-	-	134	105	29	-	-	-	58	54	3
宮崎市	54	53	2	207	173	34	-	-	-	65	63	1
鹿児島市	338	328	10	297	240	57	-	-	-	96	95	1
那覇市	126	85	41	106	79	26	-	-	-	30	29	1

49表（6－3）
第49表　障害福祉サービス等事業所・障害児通所支援等事業所の常勤換算

（単位：人）

国 都道府県	地域相談支援（地域移行支援）事業			地域相談支援（地域定着支援）事業			短期入所事業			共同生活援助事業		
	総数	常勤	非常勤	総数	常勤	非常勤	総数	常勤	非常勤	総数	常勤	非常勤
全国	889	812	77	1 263	1 168	94	32 561	24 337	8 224	41 428	26 414	15 014
国	-	-	-	-	-	-	11	1	10	18	12	7
北海道	35	28	7	61	55	7	1 972	1 624	348	2 741	1 734	1 006
青森	9	9	-	2	2	-	296	251	45	462	352	110
岩手	8	7	1	14	13	1	453	398	56	551	369	182
宮城	3	3	-	2	2	-	348	294	54	469	370	100
秋田	-	-	-	6	6	-	252	229	23	366	247	119
山形	-	-	-	2	2	0	570	503	67	352	234	118
福島	7	7	-	7	7	-	238	187	52	256	172	84
茨城	10	10	0	15	14	1	809	605	204	890	668	222
栃木	3	3	-	11	10	1	988	803	185	531	387	145
群馬	2	2	-	13	12	1	474	366	108	370	229	140
埼玉	21	21	0	29	27	2	220	117	103	1 333	809	523
千葉	9	9	0	30	28	2	847	470	377	1 446	1 008	439
東京	119	107	12	73	65	9	1 358	977	381	2 779	2 014	765
神奈川	18	17	1	7	7	-	878	561	317	778	374	405
新潟	14	14	1	65	63	3	909	778	131	468	213	255
富山	-	-	-	0	0	-	200	138	62	113	63	50
石川	5	5	-	8	8	-	249	206	43	201	121	79
福井	5	5	-	16	14	2	492	402	90	279	156	123
山梨	11	10	0	16	16	0	328	261	67	215	139	76
長野	14	13	1	30	28	1	507	392	115	774	411	363
岐阜	4	4	-	1	1	-	847	569	278	369	161	209
静岡	32	31	1	3	3	0	624	455	169	405	275	130
愛知	47	34	13	44	30	14	752	486	266	839	476	363
三重	9	9	-	5	5	1	401	266	135	576	323	253
滋賀	0	0	-	0	0	-	276	177	99	352	176	176
京都	7	6	1	15	14	1	446	324	122	396	215	181
大阪	36	34	1	22	19	3	1 352	857	495	1 533	668	865
兵庫	18	14	5	46	39	7	947	666	281	538	302	236
奈良	9	9	0	9	9	-	241	150	91	312	210	103
和歌山	4	4	1	11	11	0	174	126	48	357	243	114
鳥取	-	-	-	-	-	-	96	64	32	282	192	90
島根	14	13	1	29	27	2	350	264	86	384	241	143
岡山	13	13	0	27	25	2	292	221	71	379	245	135
広島	1	0	1	10	8	1	495	366	129	395	236	158
山口	7	6	1	15	14	0	462	364	98	374	255	120
徳島	4	4	0	3	3	-	512	430	83	132	98	33
香川	-	-	-	8	8	-	54	32	21	190	145	45
愛媛	0	0	-	17	16	1	384	336	48	214	142	72
高知	-	-	-	0	0	-	196	168	28	223	189	34
福岡	11	10	1	2	2	-	747	575	173	1 183	811	373
佐賀	4	4	-	4	4	-	445	394	50	318	228	90
長崎	5	5	-	5	5	-	107	77	30	587	386	201
熊本	2	1	1	3	3	-	390	336	54	519	371	148
大分	13	13	-	28	27	1	603	536	67	295	226	69
宮崎	4	4	-	10	10	-	159	141	18	314	203	112
鹿児島	3	2	1	6	6	-	429	367	62	531	427	104
沖縄	-	-	-	-	-	-	361	306	55	176	136	40

注：短期入所事業の従事者には空床型の事業所の従事者を含まない。

従事者数，国－都道府県－指定都市－中核市、障害福祉サービス等の種類・常勤－非常勤別

平成29年10月 1 日

指定都市／中核市	地域相談支援（地域移行支援）事業			地域相談支援（地域定着支援）事業			短期入所事業			共同生活援助事業		
	総数	常勤	非常勤	総数	常勤	非常勤	総数	常勤	非常勤	総数	常勤	非常勤
指定都市（別掲）												
札幌市	7	7	1	20	20	1	372	295	77	1 024	695	329
仙台市	8	8	0	0	0	0	114	89	25	349	216	133
さいたま市	0	0	-	0	0	-	76	51	25	174	105	69
千葉市	10	10	-	8	8	-	270	199	71	132	61	71
横浜市	12	12	-	23	23	-	393	258	135	1 759	1 107	652
川崎市	6	6	-	4	4	-	169	129	40	379	266	113
相模原市	1	1	-	2	2	-	92	30	62	243	130	113
新潟市	7	7	0	4	4	0	221	176	45	174	105	69
静岡市	2	2	-	-	-	-	124	70	55	86	57	28
浜松市	9	9	-	16	15	0	334	234	100	153	95	58
名古屋市	22	18	3	18	16	2	272	156	117	679	460	219
京都市	18	18	1	16	16	0	223	163	60	280	160	120
大阪市	30	27	3	81	76	5	338	238	100	1 081	655	426
堺市	3	2	1	48	42	6	208	125	83	303	122	181
神戸市	10	9	1	14	13	1	183	133	51	215	117	98
岡山市	2	-	2	12	7	4	76	31	45	123	57	66
広島市	-	-	-	-	-	-	150	107	43	163	129	34
北九州市	24	23	1	28	27	1	100	44	55	401	198	204
福岡市	4	4	-	26	25	1	163	138	25	258	197	61
熊本市	-	-	-	6	6	-	49	41	8	190	141	49
中核市（別掲）												
旭川市	2	2	-	-	-	-	99	75	24	245	170	75
函館市	-	-	-	-	-	-	32	28	5	61	44	17
青森市	11	11	-	11	10	1	25	21	4	220	196	24
八戸市	-	-	-	2	1	1	99	77	22	114	86	28
盛岡市	2	2	-	-	-	-	64	58	6	129	92	38
秋田市	-	-	-	-	-	-	33	28	6	102	85	17
郡山市	-	-	-	4	3	1	72	62	10	108	76	32
いわき市	3	3	-	4	4	1	24	12	12	128	61	66
宇都宮市	-	-	-	2	2	-	77	56	21	127	99	28
前橋市	4	4	-	4	4	-	-	-	-	84	59	25
高崎市	-	-	-	-	-	-	25	19	5	121	78	43
川越市	2	2	-	-	-	-	6	1	5	84	66	18
越谷市	-	-	-	-	-	-	7	0	7	46	29	16
船橋市	3	3	0	1	1	-	102	71	31	80	48	32
柏市	12	11	2	7	6	1	67	53	14	102	65	37
八王子市	2	2	-	-	-	-	216	123	94	328	231	98
横須賀市	-	-	-	4	4	-	113	56	57	138	63	75
富山市	5	5	-	9	9	-	145	140	4	91	58	33
金沢市	8	8	-	13	13	1	123	105	18	109	79	30
長野市	12	12	0	11	11	0	110	83	27	190	107	83
岐阜市	-	-	-	4	4	-	32	6	25	97	47	51
豊橋市	9	9	0	-	-	-	44	24	19	131	93	39
豊田市	2	2	-	2	2	-	98	67	31	60	42	18
岡崎市	10	8	2	-	-	-	63	47	16	39	20	19
大津市	5	4	1	0	0	-	8	6	2	78	37	41
高槻市	4	3	1	-	-	-	84	55	29	133	87	46
東大阪市	-	-	-	1	1	-	90	57	33	158	39	119
豊中市	-	-	-	7	5	2	27	8	19	53	16	36
枚方市	-	-	-	3	3	0	134	79	55	148	49	99
姫路市	-	-	-	25	24	1	64	53	11	74	49	25
西宮市	17	14	3	10	10	-	230	178	51	76	54	21
尼崎市	4	4	-	-	-	-	13	10	4	174	74	100
奈良市	1	1	-	1	1	-	91	52	39	81	40	42
和歌山市	-	-	-	-	-	-	85	63	22	88	56	33
倉敷市	8	6	2	31	29	2	60	46	14	40	27	13
福山市	5	4	1	4	4	-	99	66	33	212	143	69
呉市	1	1	0	2	2	0	98	65	33	34	23	11
下関市	-	-	-	-	-	-	176	121	55	113	69	43
高松市	-	-	-	-	-	-	31	13	18	56	40	16
松山市	6	6	-	6	6	-	210	167	43	243	185	58
高知市	1	1	-	0	0	-	22	14	8	160	120	40
久留米市	-	-	-	1	1	-	12	6	6	90	66	24
長崎市	7	7	1	12	11	2	110	85	26	112	79	33
佐世保市	9	8	1	-	-	-	2	2	-	170	128	42
大分市	4	3	1	14	13	1	104	58	46	159	90	69
宮崎市	3	3	-	9	9	-	54	50	3	102	64	39
鹿児島市	14	13	1	9	8	1	594	542	53	170	130	40
那覇市	-	-	-	0	0	-	22	7	15	47	28	19

従事者数，国－都道府県－指定都市－中核市、障害福祉サービス等の種類・常勤－非常勤別

第49表　障害福祉サービス等事業所・障害児通所支援等事業所の常勤換算

（単位：人）

国 都 道 府 県	(再掲) 外部サービス利用型 共 同 生 活 援 助 事 業			自立訓練（機能訓練）事業			自立訓練（生活訓練）事業			宿 泊 型 自 立 訓 練 事 業		
	総　数	常　勤	非常勤	総　数	常　勤	非常勤	総　数	常　勤	非常勤	総　数	常　勤	非常勤
全　　　　国	3 869	2 718	1 150	607	472	135	3 346	2 852	495	1 116	963	153
国	-	-	-	-	-	-	-	-	-	-	-	-
北　海　道	241	142	99	23	19	4	58	51	7	37	31	7
青　　森	41	32	8	14	13	2	62	60	2	25	25	0
岩　　手	30	16	14	-	-	-	36	34	3	31	28	3
宮　　城	15	10	5	4	4	-	32	29	3	6	6	-
秋　　田	53	33	20	18	17	2	38	35	3	28	22	5
山　　形	85	55	30	-	-	-	37	34	3	7	7	-
福　　島	100	68	32	-	-	-	26	22	4	4	4	-
茨　　城	88	53	35	7	7	0	77	64	13	7	6	1
栃　　木	34	26	8	-	-	-	44	43	2	10	8	2
群　　馬	72	65	8	-	-	-	18	17	1	23	16	7
埼　　玉	59	40	19	4	4	0	96	82	14	60	58	2
千　　葉	63	54	9	9	8	1	94	84	10	14	13	1
東　　京	188	144	44	96	73	23	251	199	52	101	81	20
神　奈　川	6	4	3	5	4	1	13	11	2	12	8	4
新　　潟	26	9	16	3	3	-	108	96	12	32	21	11
富　　山	31	21	10	28	23	6	39	32	7	4	4	0
石　　川	42	16	26	-	-	-	3	3	0	-	-	-
福　　井	39	17	22	-	-	-	23	21	2	10	9	1
山　　梨	42	22	20	-	-	-	33	29	4	11	9	2
長　　野	8	4	4	-	-	-	66	54	12	24	19	5
岐　　阜	33	20	12	-	-	-	40	35	4	33	30	3
静　　岡	83	63	20	-	-	-	28	24	4	3	2	1
愛　　知	18	14	4	-	-	-	10	9	1	3	1	2
三　　重	21	14	7	-	-	-	24	18	6	15	9	6
滋　　賀	14	5	10	-	-	-	36	30	6	10	8	2
京　　都	14	4	10	4	3	1	29	24	5	-	-	-
大　　阪	24	15	9	-	-	-	112	93	20	27	26	1
兵　　庫	41	33	9	6	6	-	34	29	5	6	5	1
奈　　良	18	11	7	-	-	-	25	23	2	-	-	-
和　歌　山	5	3	1	-	-	-	29	21	9	-	-	-
鳥　　取	4	2	2	3	3	-	8	8	-	19	18	1
島　　根	55	36	19	2	2	0	23	20	2	10	10	0
岡　　山	33	25	8	-	-	-	11	10	1	7	6	1
広　　島	35	28	7	11	9	2	21	19	2	9	8	1
山　　口	62	24	38	5	3	2	36	32	4	22	20	2
徳　　島	40	31	8	-	-	-	25	21	4	24	23	1
香　　川	85	66	19	-	-	-	5	5	-	-	-	-
愛　　媛	50	38	12	-	-	-	19	17	3	12	12	-
高　　知	17	13	4	-	-	-	10	10	0	-	-	-
福　　岡	101	80	21	2	2	0	93	76	17	10	7	3
佐　　賀	56	39	16	10	8	2	27	25	1	6	6	-
長　　崎	70	52	17	3	3	-	29	26	3	9	8	1
熊　　本	169	107	62	4	2	2	58	54	5	16	15	1
大　　分	91	65	26	1	1	0	25	21	4	19	17	1
宮　　崎	12	6	6	0	0	-	23	21	2	7	7	-
鹿　児　島	152	126	26	6	5	1	54	49	5	27	26	1
沖　　縄	105	85	20	22	20	3	94	81	13	15	14	1

注：障害者支援施設の昼間実施サービス（生活介護、自立訓練（機能・生活）、就労移行支援及び就労継続支援）を除く。

従事者数，国−都道府県−指定都市−中核市、障害福祉サービス等の種類・常勤−非常勤別

平成29年10月 1 日

指定都市 中核市	(再掲)外部サービス利用型共同生活援助事業			自立訓練(機能訓練)事業			自立訓練(生活訓練)事業			宿泊型自立訓練事業		
	総数	常勤	非常勤	総数	常勤	非常勤	総数	常勤	非常勤	総数	常勤	非常勤
指定都市(別掲)												
札幌市	197	148	49	–	–	–	52	45	6	27	25	2
仙台市	18	14	4	35	20	15	61	53	8	44	32	12
さいたま市	2	1	1	13	13	–	9	7	1	4	2	2
千葉市	2	2	0	–	–	–	23	22	2	7	7	0
横浜市	28	16	12	–	–	–	51	43	8	23	20	3
川崎市	–	–	–	8	4	4	17	13	4	7	5	2
相模原市	–	–	–	–	–	–	20	14	7	–	–	–
新潟市	32	28	4	12	5	7	34	25	9	5	5	0
静岡市	14	6	8	9	4	5	8	5	3	–	–	1
浜松市	13	7	6	3	3	–	39	37	2	9	8	1
名古屋市	4	2	2	59	48	11	80	59	21	16	12	4
京都市	3	–	3	–	–	–	45	36	10	7	5	3
大阪市	3	2	2	–	–	–	102	88	15	7	5	3
堺市	–	–	–	5	5	0	16	15	1	2	2	–
神戸市	4	3	1	–	–	–	16	15	1	–	–	–
岡山市	7	6	1	–	–	–	9	7	2	–	–	–
広島市	53	46	7	–	–	–	39	32	7	–	–	–
北九州市	43	28	15	–	–	–	20	16	4	18	15	2
福岡市	45	32	13	8	7	1	50	41	8	–	–	–
熊本市	60	42	19	6	5	1	20	20	–	16	16	–
中核市(別掲)												
旭川市	22	20	2	–	–	–	5	4	0	14	14	–
函館市	9	2	6	–	–	–	9	6	2	4	2	1
青森市	26	17	9	–	–	–	10	10	1	10	8	2
八戸市	5	5	0	–	–	–	6	5	1	6	5	1
盛岡市	22	8	14	–	–	–	7	6	1	–	–	–
秋田市	53	47	6	12	10	2	23	19	3	11	11	–
郡山市	62	48	15	–	–	–	13	12	1	11	10	0
いわき市	5	5	0	–	–	–	7	6	1	6	4	2
宇都宮市	19	18	1	–	–	–	8	7	1	–	–	–
前橋市	6	4	2	–	–	–	–	–	–	–	–	–
高崎市	30	28	2	–	–	–	14	11	3	2	2	–
川越市	–	–	–	–	–	–	4	3	1	–	–	–
越谷市	3	2	1	–	–	–	–	–	–	–	–	–
船橋市	1	–	1	2	2	0	20	15	5	5	5	0
柏市	–	–	–	–	–	–	6	5	1	4	4	0
八王子市	27	21	6	–	–	–	19	16	3	2	2	–
横須賀市	–	–	–	3	2	1	5	4	1	–	–	–
富山市	25	16	8	33	22	10	54	39	16	–	–	–
金沢市	17	13	4	–	–	–	11	11	0	–	–	–
長野市	3	1	2	–	–	–	17	11	6	4	3	2
岐阜市	18	11	7	–	–	–	16	16	1	–	–	–
豊橋市	–	–	–	–	–	–	3	3	–	4	4	–
豊田市	9	7	3	–	–	–	7	7	–	3	2	0
岡崎市	–	–	–	–	–	–	7	7	–	–	–	–
大津市	–	–	–	–	–	–	9	7	2	–	–	–
高槻市	13	13	–	–	–	–	9	6	3	–	–	–
東大阪市	–	–	–	7	7	–	32	29	3	–	–	–
豊中市	–	–	–	–	–	–	4	3	0	7	7	0
枚方市	–	–	–	–	–	–	2	2	–	–	–	–
姫路市	9	7	2	–	–	–	17	16	1	4	4	–
西宮市	–	–	–	–	–	–	27	24	3	3	2	1
尼崎市	–	–	–	84	61	23	32	21	11	–	–	–
奈良市	5	2	3	2	2	0	19	14	5	3	3	–
和歌山市	1	0	1	–	–	–	11	10	1	3	3	1
倉敷市	–	–	–	–	–	–	7	6	1	–	–	–
福山市	28	21	7	–	–	–	–	–	–	6	6	–
呉市	12	10	2	–	–	–	2	2	–	6	5	1
下関市	8	5	3	–	–	–	7	7	1	4	4	–
高松市	14	11	4	–	–	–	–	–	–	4	4	1
松山市	14	13	1	–	–	–	–	–	–	5	3	1
高知市	43	27	16	5	2	3	8	8	1	10	7	4
久留米市	14	14	–	–	–	–	35	31	5	5	5	0
長崎市	15	10	5	9	8	1	3	3	–	15	14	1
佐世保市	22	15	8	–	–	–	6	6	1	4	4	–
大分市	39	23	16	5	5	0	8	7	1	5	3	2
宮崎市	24	11	14	–	–	–	4	2	2	–	–	–
鹿児島市	27	26	2	–	–	–	35	29	6	10	9	1
那覇市	24	21	2	–	–	–	15	14	1	9	3	2

第49表　障害福祉サービス等事業所・障害児通所支援等事業所の常勤換算

（単位：人）

国 都道府県	就労移行支援事業			就労継続支援（A型）事業			就労継続支援（B型）事業			児童発達支援事業		
	総数	常勤	非常勤	総数	常勤	非常勤	総数	常勤	非常勤	総数	常勤	非常勤
全国	12 623	11 152	1 471	15 730	13 208	2 522	52 987	42 379	10 608	23 808	18 485	5 323
国	－	－	－	－	－	－	3	3	－	－	－	－
北海道	277	230	47	366	328	39	1 962	1 590	372	797	646	151
青森	90	82	8	187	166	21	547	481	66	71	64	7
岩手	30	28	2	132	118	14	755	662	93	101	74	27
宮城	157	142	15	156	125	31	505	433	72	59	47	12
秋田	35	35	1	37	34	4	326	292	35	37	32	5
山形	100	95	5	190	172	18	600	536	64	132	114	18
福島	39	36	3	69	63	6	736	645	91	162	149	13
茨城	394	338	56	193	161	32	783	619	165	364	281	83
栃木	135	124	11	113	93	20	543	440	103	224	185	38
群馬	94	87	8	72	60	12	422	330	93	101	81	20
埼玉	350	307	43	221	188	33	1 541	1 125	416	722	549	173
千葉	380	330	50	205	176	30	1 022	791	231	938	733	205
東京	1 321	1 140	181	491	398	92	4 325	3 266	1 060	2 314	1 606	708
神奈川	201	175	26	107	91	16	907	618	289	505	348	156
新潟	228	212	16	73	65	8	783	641	142	83	62	22
富山	50	42	9	123	97	26	286	233	53	30	19	11
石川	22	20	2	139	116	23	374	316	58	78	67	11
福井	100	83	17	316	249	67	386	315	71	33	26	7
山梨	101	88	14	64	55	9	369	305	64	77	61	16
長野	170	149	20	202	171	31	974	780	194	146	114	32
岐阜	134	109	25	355	289	66	631	484	147	371	302	69
静岡	190	158	32	186	152	33	1 101	867	234	189	164	25
愛知	280	234	46	467	361	106	1 130	839	292	742	535	207
三重	117	97	20	272	218	54	876	712	164	311	249	61
滋賀	81	73	7	64	48	16	645	502	143	135	116	19
京都	54	50	4	84	63	21	466	358	108	223	169	54
大阪	354	313	41	327	268	59	1 440	1 082	358	946	724	222
兵庫	143	134	10	277	221	55	1 250	945	305	505	379	127
奈良	73	63	10	100	92	8	283	226	58	236	187	50
和歌山	35	30	5	149	125	24	390	310	79	134	94	40
鳥取	32	31	0	115	106	9	635	531	104	93	77	16
島根	40	34	6	111	99	12	482	380	102	74	70	4
岡山	18	17	1	245	203	42	378	292	85	138	109	30
広島	112	97	14	143	127	16	619	483	135	264	204	60
山口	120	109	11	123	107	16	640	528	112	125	88	37
徳島	61	49	12	91	82	9	282	220	61	335	260	75
香川	17	15	2	22	17	4	252	202	50	77	62	15
愛媛	72	63	9	165	135	30	552	425	127	139	117	22
高知	25	25	0	57	51	7	258	230	27	12	12	1
福岡	326	293	33	446	375	71	1 105	897	208	385	309	76
佐賀	69	60	8	215	191	24	652	544	107	100	88	12
長崎	73	66	7	154	136	18	686	573	113	221	185	36
熊本	103	95	7	488	432	56	544	478	66	306	267	39
大分	71	61	10	153	126	27	578	488	90	59	46	13
宮崎	71	66	5	76	67	10	406	351	55	138	114	24
鹿児島	155	139	16	259	226	32	772	659	113	395	300	94
沖縄	166	151	16	276	243	33	801	699	102	340	279	61

注：障害者支援施設の昼間実施サービス（生活介護、自立訓練（機能・生活）、就労移行支援及び就労継続支援）を除く。

従事者数，国－都道府県－指定都市－中核市、障害福祉サービス等の種類・常勤－非常勤別

平成29年10月1日

指定都市 中核市	就労移行支援事業			就労継続支援（A型）事業			就労継続支援（B型）事業			児童発達支援事業		
	総数	常勤	非常勤	総数	常勤	非常勤	総数	常勤	非常勤	総数	常勤	非常勤
指定都市（別掲）												
札幌市	296	272	24	405	355	50	1 098	938	161	1 183	919	264
仙台市	141	133	9	108	93	15	416	348	68	119	102	17
さいたま市	164	151	13	120	112	8	264	212	52	139	103	37
千葉市	139	127	12	50	43	7	211	165	46	173	141	32
横浜市	312	283	29	124	108	16	791	586	205	458	384	74
川崎市	136	119	16	54	48	6	168	137	31	216	176	40
相模原市	86	53	33	32	28	4	205	149	55	139	110	29
新潟市	84	71	13	61	55	6	343	264	79	126	99	27
静岡市	53	46	7	106	89	16	269	208	61	90	66	24
浜松市	98	91	7	145	130	15	268	225	43	169	118	51
名古屋市	225	194	30	403	299	103	521	404	117	612	443	169
京都市	132	115	18	198	170	29	609	497	112	111	83	28
大阪市	576	536	40	560	504	57	951	779	172	1 109	882	228
堺市	91	78	13	86	80	6	438	317	121	199	150	49
神戸市	127	116	11	157	124	34	680	542	138	310	244	66
岡山市	32	31	1	363	283	80	237	197	40	214	176	38
広島市	80	75	6	137	123	14	380	303	78	259	211	48
北九州市	171	152	19	227	183	44	429	349	80	101	87	14
福岡市	263	246	17	309	246	62	335	277	58	233	187	46
熊本市	56	51	5	201	172	29	247	213	35	147	123	24
中核市（別掲）												
旭川市	51	46	5	25	18	7	322	274	48	175	127	48
函館市	37	33	4	8	6	2	123	105	18	32	27	5
青森市	42	37	5	113	98	16	198	169	29	34	30	4
八戸市	32	29	4	60	52	8	158	130	28	8	6	2
盛岡市	49	45	4	87	79	7	184	161	23	20	17	4
秋田市	14	11	4	37	32	6	193	175	18	39	38	1
郡山市	15	12	3	30	20	10	122	109	13	60	53	7
いわき市	33	30	3	11	11	0	167	138	30	16	14	2
宇都宮市	57	45	11	76	55	21	129	95	34	4	4	-
前橋市	40	38	2	28	27	1	143	110	33	43	36	7
高崎市	59	54	5	34	29	5	108	75	33	-	-	-
川越市	52	51	1	63	52	11	85	69	16	51	44	7
越谷市	39	33	6	55	52	3	55	42	13	92	67	26
船橋市	51	49	2	39	25	15	97	78	20	62	43	19
柏市	39	34	5	15	10	5	121	102	19	118	89	30
八王子市	51	43	8	17	16	1	258	178	81	51	34	17
横須賀市	30	24	6	6	5	2	92	65	27	28	24	4
富山市	47	43	4	117	103	14	160	141	19	22	20	2
金沢市	72	62	9	112	89	24	160	129	31	61	53	8
長野市	74	69	6	51	45	6	229	185	44	36	24	12
岐阜市	49	35	14	161	124	37	185	138	47	108	84	24
豊橋市	49	41	8	42	31	11	155	117	38	88	71	17
豊田市	43	35	8	29	21	8	85	71	14	64	56	9
岡崎市	29	26	3	35	28	8	166	118	48	34	23	11
大津市	31	27	4	24	20	4	135	114	21	35	30	5
高槻市	31	25	6	4	3	1	87	63	24	152	97	55
東大阪市	75	69	5	78	60	18	224	176	48	171	136	35
豊中市	36	30	6	26	19	7	56	48	8	139	102	38
枚方市	38	30	8	28	21	7	142	95	47	106	75	31
姫路市	34	32	2	46	42	4	231	176	56	56	49	8
西宮市	25	24	2	83	81	2	179	156	23	104	85	20
尼崎市	68	63	5	92	80	13	191	151	40	133	91	43
奈良市	35	30	6	67	48	19	90	70	20	62	44	18
和歌山市	23	21	2	72	65	7	154	130	23	43	35	8
倉敷市	39	34	5	183	148	36	232	197	35	272	207	64
福山市	33	26	6	109	85	24	249	194	54	144	118	26
呉市	16	14	2	18	8	11	120	97	23	77	65	12
下関市	24	22	2	15	13	2	160	119	41	49	30	19
高松市	14	14	1	49	36	13	160	126	34	36	28	8
松山市	32	29	3	189	161	28	331	272	58	160	140	20
高知市	30	28	2	42	39	4	211	180	31	51	35	16
久留米市	50	43	7	116	97	18	107	95	12	14	14	0
長崎市	70	59	12	58	44	14	236	189	47	117	100	17
佐世保市	53	43	11	76	64	12	215	171	44	45	41	4
大分市	67	59	8	124	106	18	227	176	51	85	60	24
宮崎市	82	74	8	102	81	21	173	144	29	82	63	19
鹿児島市	57	50	7	106	95	11	372	312	60	297	238	59
那覇市	84	72	11	54	42	12	153	123	30	63	55	8

第49表　障害福祉サービス等事業所・障害児通所支援等事業所の常勤換算

（単位：人）

国 都道府県	放課後等デイサービス事業			保育所等訪問支援事業			障害児相談支援事業		
	総　数	常　勤	非常勤	総　数	常　勤	非常勤	総　数	常　勤	非常勤
全　　　　国	45 827	34 765	11 062	1 105	984	120	7 619	6 976	642
国	-	-	-	-	-	-	6	6	-
北　海　道	1 148	920	228	55	50	6	327	292	35
青　　森	307	254	53	6	6	0	63	61	2
岩　　手	306	249	57	6	5	1	76	75	1
宮　　城	312	265	47	16	15	1	88	85	142
秋　　田	71	60	11	2	2	1	52	50	2
山　　形	336	269	66	2	2	-	76	72	3
福　　島	284	258	27	6	5	1	74	70	3
茨　　城	758	594	165	3	3	0	274	257	16
栃　　木	386	312	74	8	7	1	86	79	7
群　　馬	440	324	116	8	7	1	101	96	5
埼　　玉	1 760	1 199	561	31	28	3	276	242	34
千　　葉	1 408	1 084	324	25	24	1	228	199	29
東　京	3 434	2 320	1 114	62	54	8	493	416	77
神　奈　川	844	579	265	25	21	4	91	76	16
新　　潟	207	152	55	5	3	2	160	151	9
富　　山	197	139	57	2	2	-	32	29	3
石　　川	228	186	42	1	1	-	56	54	2
福　　井	205	148	57	17	17	1	62	60	2
山　　梨	217	179	38	9	7	1	64	62	2
長　　野	335	254	81	7	5	2	62	58	4
岐　　阜	627	471	156	14	12	2	146	127	20
静　　岡	983	771	212	10	9	1	85	77	8
愛　　知	1 258	918	341	23	17	6	279	244	35
三　　重	559	441	118	6	6	-	138	126	12
滋　　賀	374	270	104	34	30	4	52	47	4
京　　都	326	246	80	11	10	0	84	76	7
大　　阪	1 983	1 453	530	76	64	12	3	3	-
兵　　庫	1 020	718	303	39	36	3	247	217	29
奈　　良	444	368	76	7	7	-	80	76	4
和　歌　山	232	188	44	4	4	1	45	42	3
鳥　　取	188	146	41	5	5	1	62	61	2
島　　根	266	199	67	18	15	2	77	74	3
岡　　山	196	155	40	7	5	2	66	62	4
広　　島	455	355	100	21	21	0	96	89	8
山　　口	344	254	90	14	13	0	80	75	4
徳　　島	399	322	77	14	13	2	59	55	4
香　　川	136	103	34	1	1	0	43	41	3
愛　　媛	307	240	66	5	4	1	85	81	3
高　　知	65	57	8	0	0	-	31	31	-
福　　岡	1 045	851	194	25	24	1	172	164	7
佐　　賀	339	265	74	1	1	-	60	56	5
長　　崎	387	320	67	16	16	0	79	74	5
熊　　本	594	531	64	25	23	2	105	98	7
大　　分	219	169	50	15	12	3	93	89	4
宮　　崎	278	237	41	11	10	1	57	56	2
鹿　児　島	447	368	79	21	20	1	111	104	7
沖　　縄	739	600	139	3	3	0	102	98	4

平成29年10月 1 日

指 定 都 市 中 核 市	放課後等デイサービス事業			保 育 所 等 訪 問 支 援 事 業			障 害 児 相 談 支 援 事 業		
	総 数	常 勤	非 常 勤	総 数	常 勤	非 常 勤	総 数	常 勤	非 常 勤
指定都市（別掲）									
札 幌 市	1 455	1 162	293	23	19	4	80	72	8
仙 台 市	396	304	92	0	0	0	56	54	2
さ い た ま 市	412	277	135	9	9	0	53	49	4
千 葉 市	366	293	74	11	8	3	45	43	2
横 浜 市	996	698	297	13	12	1	89	84	5
川 崎 市	440	340	101	1	1	-	37	33	4
相 模 原 市	271	177	94	8	7	1	17	15	2
新 潟 市	194	139	55	-	-	-	32	29	3
静 岡 市	247	185	62	2	2	-	22	20	2
浜 松 市	320	251	69	15	14	1	39	38	2
名 古 屋 市	1 001	692	309	4	4	-	122	115	7
京 都 市	535	415	120	1	1	-	34	32	2
大 阪 市	1 563	1 191	373	44	42	2	188	163	24
堺 市	449	326	123	4	4	1	60	45	15
神 戸 市	617	467	150	8	8	0	39	37	2
岡 山 市	237	192	45	8	8	1	38	34	4
広 島 市	675	467	208	5	5	-	55	55	1
北 九 州 市	373	302	71	15	15	0	62	61	2
福 岡 市	718	539	180	1	1	-	61	59	2
熊 本 市	338	276	63	-	-	-	64	61	3
中 核 市（別掲）									
旭 川 市	202	161	42	37	28	9	18	16	2
函 館 市	129	113	16	5	1	4	23	22	1
青 森 市	107	88	19	3	3	-	21	20	1
八 戸 市	97	78	19	3	3	-	21	21	-
盛 岡 市	82	69	13	-	-	-	13	13	-
秋 田 市	91	76	15	2	2	-	22	21	1
郡 山 市	205	187	18	4	4	-	20	20	1
い わ き 市	50	39	11	-	-	-	4	4	1
宇 都 宮 市	118	96	22	1	1	-	13	12	1
前 橋 市	114	81	33	1	1	-	25	22	3
高 崎 市	73	54	20	1	1	-	24	22	2
川 越 市	90	72	18	-	-	-	24	23	1
越 谷 市	201	150	51	4	4	-	7	7	-
船 橋 市	135	102	33	-	-	-	16	15	1
柏 市	173	131	42	6	6	0	35	30	5
八 王 子 市	187	127	61	-	-	-	18	12	5
横 須 賀 市	124	89	35	-	-	-	10	10	1
富 山 市	166	125	41	4	4	0	17	16	1
金 沢 市	121	103	18	-	-	-	20	19	1
長 野 市	73	44	29	3	2	1	25	24	1
岐 阜 市	192	156	36	14	12	2	25	22	3
豊 橋 市	153	111	43	1	1	0	37	35	3
豊 田 市	106	85	21	28	26	2	18	17	3
岡 崎 市	147	105	42	3	2	1	25	22	3
大 津 市	90	61	28	-	-	-	17	17	1
高 槻 市	174	133	42	3	2	1	14	11	3
東 大 阪 市	206	150	55	2	2	-	45	43	3
豊 中 市	173	124	49	2	2	0	33	26	7
枚 方 市	162	120	42	3	3	-	5	5	-
姫 路 市	139	107	32	8	5	3	40	34	6
西 宮 市	210	149	61	2	1	1	32	25	7
尼 崎 市	196	150	46	7	5	2	17	12	5
奈 良 市	112	81	31	-	-	-	23	22	1
和 歌 山 市	78	55	24	3	1	2	3	3	0
倉 敷 市	151	118	34	4	4	-	56	50	6
福 山 市	241	189	53	14	12	2	28	25	3
呉 市	98	81	18	1	1	-	24	23	2
下 関 市	65	43	23	0	0	0	16	15	1
高 松 市	77	53	24	6	5	1	24	22	2
松 山 市	192	169	23	2	2	-	26	26	1
高 知 市	138	113	25	4	4	0	15	15	1
久 留 米 市	62	49	13	2	2	-	18	18	-
長 崎 市	238	186	52	2	2	-	40	37	3
佐 世 保 市	91	76	15	1	1	0	26	23	2
大 分 市	213	167	46	17	16	0	32	30	2
宮 崎 市	172	151	21	1	1	-	43	41	3
鹿 児 島 市	385	324	61	8	8	-	63	62	1
那 覇 市	38	33	5	0	0	-	26	25	1

第 IV 編

用語の定義等

1　施設・障害福祉サービス等事業所の種類

【 施 設 】

保護施設

(1) 救護施設

　　身体上又は精神上著しい障害があるために日常生活を営むことが困難な要保護者を入所させて、生活扶助を行う施設

(2) 更生施設

　　身体上又は精神上の理由により養護及び生活指導を必要とする要保護者を入所させて、生活扶助を行う施設

(3) 医療保護施設

　　医療を必要とする要保護者に対して、医療の給付を行う施設

(4) 授産施設

　　身体上若しくは精神上の理由又は世帯の事情により就業能力の限られている要保護者に対して、就労又は技能の修得のために必要な機会及び便宜を与えて、その自立を助長する施設

(5) 宿所提供施設

　　住居のない要保護者の世帯に対して、住宅扶助を行う施設

老人福祉施設

(1) 養護老人ホーム（一般、盲）

　　65歳以上の者であって、環境上の理由及び経済的理由により、居宅において養護を受けることが困難な者を入所させ、養護する施設

(2) 軽費老人ホーム（Ａ型、Ｂ型、ケアハウス、都市型）

　　無料又は低額な料金で、老人を入所させ、食事の提供その他日常生活上必要な便宜を供与する施設

　　　　軽費老人ホームＡ型：高齢等のため独立して生活するには不安が認められる者を入所させる。

　　　　軽費老人ホームＢ型：身体機能等の低下等が認められる者（自炊ができない程度の身体機能の低下等が認められる者を除く。）又は高齢等のため独立して生活するには不安が認められる者を入所させる。

　　　　軽費老人ホーム（ケアハウス）：身体機能の低下等により自立した日常生活を営むことについて不安があると認められる者であって、家族による援助を受けることが困難な者を入所させる。

　　　　都市型軽費老人ホーム：都市部において、軽費老人ホームの設備や職員配置基準の特例を設け、主として、要介護度が低い低所得高齢者を対象とする小規模な施設

(3) 老人福祉センター（特Ａ型、Ａ型、Ｂ型）

　　Ａ型は無料又は低額な料金で、老人に関する各種の相談に応ずるとともに、老人に対して、健康の増進、教養の向上及びレクリエーションのための便宜を総合的に供与する施設

　　なお、特Ａ型は保健関係部門を強化した施設で、Ｂ型は基本となるＡ型の機能を補完する施設

障害者支援施設等

(1) 障害者支援施設

　　障害者につき、施設入所支援を行うとともに、施設入所支援以外の施設障害福祉サービスを行う施設（独立行政法人国立重度知的障害者総合施設のぞみの園が設置する施設を含む。）

(2) 地域活動支援センター

　　障害者等を通わせ、創作的活動又は生産活動の機会の提供、社会との交流の促進その他の便宜を供与する施設

(3) 福祉ホーム

現に住居を求めている障害者につき、低額な料金で、居室その他の設備を利用させるとともに、日常生活に必要な便宜を供与する施設

旧身体障害者福祉法による身体障害者更生援護施設（平成23年まで）

(1) 肢体不自由者更生施設

肢体不自由者を入所又は通所させて、その更生に必要な治療及び訓練を行う施設

(2) 視覚障害者更生施設

視覚障害者を入所又は通所させて、その更生に必要な知識、技能及び訓練を与える施設

(3) 聴覚・言語障害者更生施設

聴覚・言語障害者を入所又は通所させて、その更生に必要な指導及び訓練を与える施設

(4) 内部障害者更生施設

内臓の機能に障害のある者を入所又は通所させて、医学的管理の下にその更生に必要な指導及び訓練を行う施設

(5) 身体障害者療護施設

身体障害者であって常時の介護を必要とする者を入所させて、治療及び養護を行う施設

(6) 身体障害者入所授産施設

身体障害者で雇用されることの困難な者又は生活に困窮する者等を入所又は通所させて、必要な訓練を行い、かつ、職業を与え自活させる施設

(7) 身体障害者通所授産施設

身体障害者であって、雇用されることの困難な者等を通所させて、必要な訓練を行い、かつ、職業を与え自活させる施設

(8) 身体障害者小規模通所授産施設

身体障害者授産施設のうち、通所による利用者のみを対象とするものであって、常時利用する者が20人未満の施設

(9) 身体障害者福祉工場

重度の身体障害者で作業能力はあるが、職場の設備、構造、通勤時の交通事情等のため、一般企業に雇用されることの困難な者に職場を与え、生活指導と健康管理の下に健全な社会生活を営ませる施設

旧知的障害者福祉法による知的障害者援護施設（平成23年まで）

(1) 知的障害者入所更生施設

18歳以上の知的障害者を入所又は通所させて、これを保護するとともに、その更生に必要な指導及び訓練を行う施設

(2) 知的障害者通所更生施設

18歳以上の知的障害者を通所させて、これを保護するとともに、その更生に必要な指導及び訓練を行う施設

(3) 知的障害者入所授産施設

18歳以上の知的障害者であって、雇用されることが困難なものを入所又は通所させて、自活に必要な訓練を行うとともに、職業を与えて自活させる施設

(4) 知的障害者通所授産施設

18歳以上の知的障害者であって、雇用されることが困難なものを通所させて、自活に必要な訓練を行うとともに、職業を与えて自活させる施設

(5) 知的障害者小規模通所授産施設

　　知的障害者授産施設のうち通所による利用者のみを対象とするものであって、常時利用する者が20人未満の施設

(6) 知的障害者通勤寮

　　就労している知的障害者に対し、居室その他の設備を利用させるとともに、独立及び自活に必要な助言及び指導を行う施設

(7) 知的障害者福祉工場

　　知的障害者であって、作業能力はあるものの、対人関係、健康管理等の事由により、一般企業に就労できないでいる者を雇用し、生活指導、健康管理等に配慮した環境の下で社会的自立を促進する施設

旧精神保健及び精神障害者福祉に関する法律による精神障害者社会復帰施設（平成23年まで）

(1) 精神障害者生活訓練施設

　　精神障害のため家庭で日常生活を営むのに支障がある精神障害者が日常生活に適応することができるように、低額な料金で、居室その他の設備を利用させ、必要な訓練及び指導を行うことにより、社会復帰の促進を図る施設

(2) 精神障害者福祉ホーム（B型）

　　住居を求めている症状が相当程度改善している精神障害者に対し、社会復帰及び家庭復帰の援助をするために、低額な料金で、居室その他の設備を利用させるとともに、日常生活に必要な便宜を供与することにより、その者の社会復帰と自立の促進を図る施設

(3) 精神障害者授産施設（入所、通所）

　　雇用されることが困難な精神障害者が自活することができるように、低額な料金で必要な訓練を行い、職業を与えることにより、社会復帰の促進を図る施設

(4) 精神障害者小規模通所授産施設

　　精神障害者授産施設のうち通所による利用者のみを対象とするものであって、常時利用する者が20人未満の施設

(5) 精神障害者福祉工場

　　通常の事業所に雇用されることが困難な精神障害者を雇用し、社会生活への適応のために必要な指導を行うことにより、社会復帰の促進及び社会経済活動への参加の促進を図る施設

身体障害者社会参加支援施設

(1) 身体障害者福祉センター（A型、B型）

　　無料又は低額な料金で、身体障害者に関する各種の相談に応じ、身体障害者に対し、機能訓練、教養の向上、社会との交流の促進及びレクリエーションのために必要な便宜を総合的に供与する施設

　　　A型：身体障害者の福祉の増進を図る事業を総合的に行う。

　　　B型：身体障害者が自立した日常生活及び社会生活を営むために必要な事業を行う。

(2) 障害者更生センター

　　身体障害者又はその家族に対し、宿泊、レクリエーション、その他休養のための便宜を供与する施設

(3) 補装具製作施設

　　無料又は低額な料金で、補装具の製作又は修理を行う施設

(4) 盲導犬訓練施設

　　無料又は低額な料金で、盲導犬の訓練を行うとともに、視覚障害のある身体障害者に対し、盲導犬の利用に必要な訓練を行う施設

(5) 点字図書館

無料又は低額な料金で、点字刊行物及び視覚障害者用の録音物の貸し出し等を行う施設

(6) 点字出版施設

無料又は低額な料金で、点字刊行物を出版する施設

(7) 聴覚障害者情報提供施設

無料又は低額な料金で、点字刊行物、視覚障害者用の録音物、聴覚障害者用の録画物その他各種情報を記録した物であって専ら視聴覚障害者が利用するものを製作し、若しくはこれらを視聴覚障害者の利用に供し、又は点訳（文字を点字に訳すことをいう。）若しくは手話通訳等を行う者の養成若しくは派遣、相談等を行う施設

婦人保護施設

要保護女子を入所させて保護する施設

児童福祉施設等

(1) 助産施設

保健上必要があるにもかかわらず、経済的理由により入院助産を受けることができない妊産婦を入所させて、助産を受けさせる施設

(2) 乳児院

乳児を入院させて、これを養育し、あわせて退院した者について相談その他の援助を行う施設

(3) 母子生活支援施設

配偶者のない女子又はこれに準ずる事情にある女子及びその者の監護すべき児童を入所させて、これらの者を保護するとともに、これらの者の自立の促進のためにその生活を支援し、あわせて退所した者について相談その他の援助を行う施設

(4) 幼保連携型認定こども園

幼稚園的機能と保育所的機能の両方の機能を持つ単一の施設として、就学前の子どもに幼児教育・保育を提供する機能や地域における子育て支援を行う機能を備える施設

(5) 保育所型認定こども園

保育所が、保育が必要な子ども以外の子どもも受け入れるなど、幼稚園的な機能を備えることで、就学前の子どもに幼児教育・保育を提供する機能や地域における子育て支援を行う機能を備える施設

(6) 保育所

保育を必要とする乳児・幼児を日々保護者の下から通わせて、保育を行うことを目的とする施設

(7) 小規模保育事業所（Ａ型、Ｂ型、Ｃ型）

保育を必要とする乳児・幼児であって満三歳未満のものについて、保育を必要とする乳児・幼児を保育することを目的とする施設において、保育を行う事業所

　　　Ａ型：保育所分園や小規模の保育所に近い類型の事業所

　　　Ｂ型：Ａ型とＣ型の中間の類型の事業所

　　　Ｃ型：家庭的保育に近い類型の事業所

(8) 児童養護施設

乳児を除いて、保護者のない児童、虐待されている児童その他環境上養護を要する児童を入所させて、これを養護し、あわせて退所した者に対する相談その他の自立のための援助を行う施設

(9) 障害児入所施設（福祉型、医療型）

　　　福祉型：障害児を入所させて、保護、日常生活の指導及び独立自活に必要な知識技能を付与することを目的とする施設

医療型：障害児を入所させて、保護、日常生活の指導、独立自活に必要な知識技能の付与及び
治療を行うことを目的とする施設

(10) 児童発達支援センター（福祉型、医療型）

福祉型：障害児を日々保護者の下から通わせて、日常生活における基本的動作の指導、独立自
活に必要な知識技能の付与又は集団生活への適応のための訓練を行うことを目的とす
る施設

医療型：障害児を日々保護者の下から通わせて、日常生活における基本的動作の指導、独立自
活に必要な知識技能の付与又は集団生活への適応のための訓練及び治療を行うことを
目的とする施設

(11) 知的障害児施設（平成23年まで）

知的障害のある児童を入所させて、保護するとともに、独立自活に必要な知識技能を与える施設

(12) 自閉症児施設（平成23年まで）

自閉症を主たる病状とする児童を入所させ、保護するとともに独立自活に必要な知識技能を与え
る施設

(13) 知的障害児通園施設（平成23年まで）

知的障害のある児童を日々保護者の下から通わせて、保護するとともに、独立自活に必要な知識
を与える施設

(14) 盲児施設（平成23年まで）

盲児（強度の弱視児を含む）を入所させて、保護するとともに、独立自活に必要な指導又は援助
を行う施設

(15) ろうあ児施設（平成23年まで）

ろうあ児（強度の難聴児を含む）を入所させて、保護するとともに、独立自活に必要な指導又は
援助を行う施設

(16) 難聴幼児通園施設（平成23年まで）

強度の難聴の幼児を保護者の下から通わせて、指導訓練を行う施設

(17) 肢体不自由児施設（平成23年まで）

上肢、下肢又は体幹の機能の障害のある児童を治療するとともに、独立自活に必要な知識技能を
与える施設

(18) 肢体不自由児通園施設（平成23年まで）

通園によっても療育効果が得られる肢体不自由のある児童に対し、必要な療育を行い、もってこ
れら児童の福祉の増進を図る施設

(19) 肢体不自由児療護施設（平成23年まで）

病院に入院することを要しない肢体不自由のある児童であって、家庭における養育が困難なもの
を入所させ、治療及び訓練を行う施設

(20) 重症心身障害児施設（平成23年まで）

重度の知的障害及び重度の肢体不自由が重複している児童を入所させて、これを保護するととも
に、治療及び日常生活の指導をする施設

(21) 児童心理治療施設

家庭環境、学校における交友関係その他の環境上の理由により社会生活への適応が困難となった
児童を、短期間、入所させ、又は保護者の下から通わせて、社会生活に適応するために必要な心理
に関する治療及び生活指導を主として行い、あわせて退所した者について相談その他の援助を行う
ことを目的とする施設

(22) 児童自立支援施設

　　不良行為をなし、又はなすおそれのある児童及び家庭環境その他の環境上の理由により生活指導等を要する児童を入所させ、又は保護者の下から通わせて、個々の児童の状況に応じて必要な指導を行い、その自立を支援し、あわせて退所した者について相談その他の援助を行う施設

(23) 児童家庭支援センター

　　地域の児童の福祉に関する各般の問題につき、児童、母子家庭その他の家庭、地域住民その他からの相談に応じ、必要な助言、指導を行い、あわせて児童相談所、児童福祉施設等との連絡調整、援助を総合的に行う施設

(24) 児童館（小型児童館、児童センター、大型児童館（Ａ型、Ｂ型、Ｃ型）及びその他の児童館）

　　屋内に集会室、遊戯室、図書室等必要な設備を設け、児童に健全な遊びを与えて、その健康を増進し、又は情操をゆたかにする施設

　　　　小型児童館　　：小地域を対象
　　　　児童センター：児童の体力増進を図る機能を有する。
　　　　大型児童館　　：広域児童を対象
　　　　Ａ型：都道府県内の児童館の指導及び連絡調整等の役割を果たす中枢的機能を有する。
　　　　Ｂ型：自然の中で宿泊し、野外活動が行える機能を有する。
　　　　Ｃ型：芸術、体育、科学等の総合的な活動ができる機能を有する。

(25) 児童遊園

　　屋外に広場、ブランコ等必要な設備を設け、児童に健全な遊びを与えて、その健康を増進し、又は情操をゆたかにする施設

母子・父子福祉施設

(1) 母子・父子福祉センター

　　無料又は低額な料金で、母子家庭等に対して、各種の相談に応ずるとともに、生活指導及び生業の指導を行う等母子家庭等の福祉のための便宜を総合的に供与する施設

(2) 母子・父子休養ホーム

　　無料又は低額な料金で、母子家庭等に対して、レクリエーションその他休養のための便宜を供与する施設

その他の社会福祉施設等

(1) 授産施設（社会福祉法）

　　労働力の比較的低い生活困難者に対し、施設を利用させることによって、就労の機会を与え、又は技能を修得させ、これらの者の保護と自立更生を図る施設

(2) 宿所提供施設（社会福祉法）

　　生計困難者のために無料又は低額な料金で貸し付ける簡易住宅、又は宿泊所その他の施設

(3) 盲人ホーム

　　あん摩師免許、はり師免許又はきゅう師免許を有する視覚障害者であって、自営し、又は雇用されることの困難な者に対し施設を利用させるとともに、必要な技術の指導を行い、その自立更生を図る施設

(4) 無料低額診療施設

　　生計困難者のために無料又は低額な料金で診療を行う事業を実施する施設

(5) 隣保館

　　無料又は低額な料金で施設を利用させ、近隣地域における住民の生活の改善及び向上を図る施設

(6) へき地保健福祉館

　へき地において地域住民に対し、保健福祉に関する福祉相談、健康相談、講習会、集会、保育、授産など生活の各般の便宜を供与する施設

(7) へき地保育所 （ 平成26年まで ）

　へき地における保育を要する児童に対し、必要な保護を行い、これらの児童の福祉の増進を図る施設

(8) 有料老人ホーム（サービス付き高齢者向け住宅以外）

(9) 有料老人ホーム（サービス付き高齢者向け住宅であるもの）

　　　有料老人ホーム：老人を入所させ、入浴、排せつ若しくは食事の介護、食事の提供又はその他
　　　　　　　　　　　日常生活上必要な便宜を供与する施設

　　　サービス付き高齢者向け住宅：60歳以上の高齢者等を入居させ、状況把握サービス、生活相談
　　　　　　　　　　　　　　　　サービス等の高齢者が日常生活を営むために必要な福祉サービ
　　　　　　　　　　　　　　　　スを提供する賃貸住宅等

【 障害福祉サービス等 】

(1) 居宅介護

　居宅において入浴、排せつ及び食事等の介護、調理、洗濯及び掃除等の家事並びに生活等に関する相談及び助言その他の生活全般にわたる援助を行う。

(2) 重度訪問介護

　重度の肢体不自由者又は重度の知的障害若しくは精神障害により行動上著しい困難を有する障害者であって常時介護を要する障害者につき、居宅において入浴、排せつ及び食事等の介護、調理、洗濯及び掃除等の家事並びに生活等に関する相談及び助言その他の生活全般にわたる援助並びに外出時における移動中の介護を総合的に行う。

(3) 同行援護

　視覚障害により、移動に著しい困難を有する障害者等につき、外出時において、当該障害者等に同行し、移動に必要な情報を提供するとともに、移動の援護、排せつ及び食事等の介護その他の当該障害者等の外出時に必要な援助を行う。

(4) 行動援護

　知的障害又は精神障害により行動上著しい困難を有する障害者等であって常時介護を要するものにつき、当該障害者等が行動する際に生じ得る危険を回避するために必要な援護、外出時における移動中の介護、排せつ及び食事等の介護その他の当該障害者等が行動する際の必要な援助を行う。

(5) 療養介護

　病院において機能訓練、療養上の管理、看護及び医学的管理の下における介護その他必要な医療並びに日常生活上の世話を要する障害者であって、常時介護を要するものにつき、主として昼間において、病院において行われる機能訓練、療養上の管理、看護、医学的管理の下における介護及び日常生活上の世話を行う。

(6) 生活介護

　施設において入浴、排せつ及び食事等の介護、創作的活動及び生産活動の機会の提供その他の支援を要する障害者であって、常時介護を要するものにつき、主として昼間において、入浴、排せつ及び食事等の介護、調理、洗濯及び掃除等の家事、生活等に関する相談及び助言その他の必要な日常生活上の支援並びに創作的活動及び生産活動の機会の提供その他の身体機能又は生活能力の向上のために必要な支援を行う。

(7) 重度障害者等包括支援

　　常時介護を要する障害者等であって、意思疎通を図ることに著しい支障があるもののうち、四肢の麻痺及び寝たきりの状態にあるもの並びに知的障害又は精神障害により行動上著しい困難を有するものにつき、居宅介護、重度訪問介護、同行援護、行動援護、生活介護、短期入所、自立訓練、就労移行支援、就労継続支援及び共同生活援助を包括的に提供する。

(8) 計画相談支援

　　障害者の心身の状況、その置かれている環境、当該障害者等又は障害児の保護者の意向等を勘案し、利用する障害福祉サービス等を定めたサービス等利用計画案を作成し、支給決定等が行われた後に、障害福祉サービス事業者等との連絡調整その他の便宜を供与するとともに、当該支給決定等に係るサービス等利用計画を作成すること等を行う。

(9) 地域相談支援（地域移行支援）

　　障害者支援施設等に入所している障害者又は精神科病院に入院している精神障害者等につき、住居の確保その他の地域における生活に移行するための活動に関する相談等を行う。

(10) 地域相談支援（地域定着支援）

　　居宅において単身等で生活する障害者につき、当該障害者との常時の連絡体制を確保し、障害の特性に起因して生じた緊急の事態等に相談等を行う。

(11) 短期入所

　　居宅においてその介護を行う者の疾病その他の理由により、入所の必要が生じた障害者等につき、障害者支援施設、児童福祉施設等に短期間の入所をさせ、入浴、排せつ及び食事の介護その他の必要な支援を行う。

(12) 共同生活介護（平成25年まで）

　　共同生活を営むべき住居に入居している障害者につき、主として夜間において、共同生活を営むべき住居において入浴、排せつ及び食事等の介護、調理、洗濯及び掃除等の家事、生活等に関する相談及び助言、就労先その他関係機関との連絡その他の必要な日常生活の世話を行う。

(13) 共同生活援助

　　共同生活を営むべき住居に入居している障害者につき、主として夜間において、相談その他の日常生活上の援助を行う。

(14) 自立訓練（機能訓練）

　　身体障害を有する障害者につき、障害福祉サービス事業所において、又は当該障害者の居宅を訪問して行う理学療法、作業療法その他必要なリハビリテーション、生活等に関する相談及び助言その他の必要な支援を行う。

(15) 自立訓練（生活訓練）

　　知的障害又は精神障害を有する障害者につき、障害福祉サービス事業所において、又は当該障害者の居宅を訪問して行う入浴、排せつ及び食事等に関する自立した日常生活を営むために必要な訓練、生活等に関する相談及び助言その他の必要な支援を行う。

(16) 宿泊型自立訓練

　　知的障害又は精神障害を有する障害者につき、居室その他の設備を利用させるとともに、家事等の日常生活能力を向上させるための支援、生活等に関する相談及び助言その他の必要な支援を行う。

(17) 就労移行支援

　　就労を希望する65歳未満の障害者であって、通常の事業所に雇用されることが可能と見込まれるものにつき、生産活動、職場体験その他の活動の機会の提供その他の就労に必要な知識及び能力の向上のために必要な訓練、求職活動に関する支援、その適性に応じた職場の開拓、就職後における職場への定着のために必要な相談その他の必要な支援を行う。

(18) 就労継続支援（A型）

　　通常の事業所に雇用されることが困難な障害者のうち適切な支援により雇用契約等に基づき就労
　する者につき、生産活動その他の活動の機会の提供その他の就労に必要な知識及び能力の向上のた
　めに必要な訓練その他の必要な支援を行う。

(19) 就労継続支援（B型）

　　通常の事業所に雇用されることが困難な障害者のうち通常の事業所に雇用されていた障害者で
　あってその年齢、心身の状態その他の事情により引き続き当該事業所に雇用されることが困難と
　なった者、就労移行支援によっても通常の事業所に雇用されるに至らなかった者その他の通常の事
　業所に雇用されることが困難な者につき、生産活動その他の活動の機会の提供その他の就労に必要
　な知識及び能力の向上のために必要な訓練その他の必要な支援を行う。

【 障害児通所支援等 】

(1) 児童発達支援

　　障害児につき、児童発達支援事業所に通わせ、日常生活における基本的な動作の指導、知識技能
　の付与、集団生活への適応訓練等を行う。（児童発達支援センターの利用に係るものを除く。）

(2) 放課後等デイサービス

　　学校教育法第１条に規定する学校（幼稚園及び大学を除く。）に就学している障害児につき、授
　業の終了後又は休業日に児童発達支援センター等に通わせ、生活能力の向上のために必要な訓練、
　社会との交流の促進等を行う。

(3) 保育所等訪問支援

　　保育所等に通う障害児につき、当該施設を訪問し、当該施設における障害児以外の児童との集団
　生活への適応のための専門的な支援等を行う。

(4) 障害児相談支援

　　障害児支援利用援助及び継続障害児支援利用援助を行う。

2　設置主体・経営主体の区分

（施　設　票）

公立－私立 公営－私営	10分類		
公立・公営	国・独立行政法人		
	都道府県		
	市区町村		
	一部事務組合・広域連合		
私立・私営	社会福祉法人		
	医療法人		
	公益法人・日赤		
	営利法人（会社）		
	その他の法人 [1]		
	その他 [2]		

注：1）その他の法人は、「社会福祉法人」～「営利法人（会社）」を含む）以外の法人である。一般社団法人及び一般財団法人、協同組合、特定非営利活動法人、学校法人、宗教法人などが含まれる。
　　2）その他は、「国・独立行政法人」～「その他の法人」以外である。

（障害福祉サービス等事業所票）

公営－私営	10分類	14分類
公営	国・独立行政法人	
	地方公共団体	都道府県 市区町村 一部事務組合・広域連合
私営	社会福祉協議会	
	社会福祉法人（社会福祉協議会以外）	
	医療法人	
	公益法人	
	協同組合	農業協同組合及び連合会 消費生活協同組合及び連合会
	営利法人（会社）	
	特定非営利活動法人（ＮＰＯ）	
	その他 [2]	その他の法人 [1] その他 [2]

注：1）その他の法人は、「社会福祉法人」～「特定非営利活動法人（ＮＰＯ）」（協同組合を含む）以外の法人である。一般社団法人及び一般財団法人、宗教法人などが含まれる。
　　2）その他は、「国・独立行政法人」～「特定非営利活動法人（ＮＰＯ）」（14分類は「その他の法人」を含む）以外である。

3　従事者

有給・無給にかかわらず、10月1日現在に施設・事業所（以下「施設等」という。）に在籍する者を以下の区分で分類した。

(1) 常　　　勤

①専　　　従　　施設等が定めた、常勤の従事者が勤務すべき時間数（以下「施設等の勤務時間数」という。）のすべてを勤務している者で、施設等内の他の職務及び併設施設等の他の職務に従事しない者

②兼　　　務　　施設等の勤務時間数のすべてを勤務している者で、施設等内の複数の職務に従事する者又は併設施設等にも従事する者

(2) 非　常　勤　　常勤以外の従事者（他の施設等にも勤務するなど収入及び時間的拘束の伴う仕事をもっている者、短時間のパートタイマー等）

4　常勤換算従事者数

兼務している常勤者（当該施設・事業所が定めた勤務時間数のすべてを勤務している者）及び非常勤者について、その職務に従事した1週間の勤務時間を当該施設・事業所の通常の1週間の勤務時間で除し小数点以下第2位を四捨五入した数と、常勤者の専従職員数の合計をいう。

5　職種

資格の有無にかかわらず担当している業務内容により、主に以下の区分で分類した。

ただし、理学療法士、作業療法士、医師、歯科医師、保健師、助産師、看護師、精神保健福祉士及び栄養士については、資格を有し、かつその業務に従事している者とした。

(1) 施設長、園長、管理者

従事者の管理、業務の実施状況の把握、その他の管理を一元的に行う者をいう。

(2) 生活指導員・支援員、生活相談員

在所者の生活の向上と更生を図り、日常生活の相談・指導等を行っている者をいう。

(3) 職業指導員

その職名で働いている者ばかりでなく、技術指導、職能訓練などを担当している者も含む。

(4) 作業指導員

作業を通じて自立のために必要な指導を行っている者をいう。

(5) セラピスト

運動療法、理学療法、作業療法等の仕事に主として携わっている者をいう。

その他の療法員

理学療法士、作業療法士の免許を有さず、理学療法、作業療法等の仕事に携わっている者、言語聴覚士、聴能訓練師、あん摩マッサージ指圧師等をいう。

(6) 心理判定員

在所者の心理を判定し、心理的更生を図らせるために必要な助言を行っている者をいう。

(7) 職能判定員

在所者の職能を判定し、職業的更生を図らせるために必要な助言を行っている者をいう。

(8) 児童指導員

児童の生活指導を行う者をいう。

(9) 児童自立支援専門員

児童の自立支援を行う者をいう。

(10) 児童厚生員

児童館、児童遊園等において、児童の遊びを指導している者をいう。

(11) 保育士

　　保育士の登録を受け、保育士の名称を用いて、専門的知識及び技術をもって、児童の保育及び児童の保護者に対する保育に関する指導を行うことを業とする者をいう。

(12) 児童生活支援員

　　児童自立支援施設において児童の生活支援を行う者をいう。

(13) 母子支援員

　　母子生活支援施設において、母子の生活指導を行う者をいう。

(14) 介護職員

　　生活上の身近な世話をする者をいう。

(15) 調理員

　　調理師免許の有無に関係なく、実際に調理を担当している者をいう。

(16) 事務員

　　庶務・経理などを担当する事務職員だけをいう。

(17) 主幹保育教諭 [1]

　　園長を助け、命を受けて園務の一部を整理し、並びに園児の教育及び保育をつかさどる者をいう。

(18) 指導保育教諭 [1]

　　園児の教育及び保育をつかさどり、保育教諭その他の職員に対して、教育及び保育の改善及び充実のために必要な指導及び助言を行う者をいう。

(19) 保育教諭 [1]

　　園児の教育及び保育をつかさどる者をいう。

(20) 助保育教諭 [1]

　　保育教諭の職務を助ける者をいう。

(21) 講師 [1]

　　保育教諭又は助保育教諭に準ずる職務に従事する者をいう。

(22) 主幹養護教諭 [2]

　　園長を助け、命を受けて園務の一部を整理し、及び園児の養護をつかさどる者をいう。

(23) 養護教諭 [2]

　　園児の養護をつかさどる者をいう。

(24) 養護助教諭 [2]

　　養護教諭の職務を助ける者をいう。

(25) 主幹栄養教諭 [3]

　　園長を助け、命を受けて園務の一部を整理し、並びに園児の栄養の指導及び管理をつかさどる者をいう。

(26) 栄養教諭 [3]

　　園児の栄養の指導及び管理をつかさどる者をいう。

(27) 教諭等

　　保育士の登録を受けておらず、幼稚園教諭の普通免許状又は幼稚園の助教諭の臨時免許状を有していて、主幹教諭、指導教諭、教諭又は助教諭として従事する者をいう。

　　　　（「(17) 主幹保育教諭」～「(21) 講師」は除く）

(28) 教育・保育補助員

　　教育・保育活動の補助業務に従事する者をいう。

(29) 保育従事者

　　保育士又はその他の保育に従事する者として市町村長等が行う研修を修了した者をいう。

（30）家庭的保育者

　　市町村長が行う研修を修了した保育士又は保育士と同等以上の知識を有すると市町村が認める者をいう。

（31）家庭的保育補助者

　　市町村長が行う研修を修了した者であって、家庭的保育者を補助する者をいう。

注：1）認定こども園法第15条（就学前の子どもに関する教育、保育等の総合的な提供の推進に関する法律の一部を改正する法律（平成24年第66号）附則第5条の特例が適用されるものも含む。）に基づき、保育教諭等として採用されている者をいう。

　　2）養護教諭免許状又は同助教諭免許状を有し、養護教諭等として採用されている者をいう。

　　3）栄養教諭免許状を有し、栄養教諭等として採用されている者をいう。

第 V 編

調 査 票 の 様 式

政府統計　厚生労働省

都道府県・指定都市・中核市：

平成29年社会福祉施設等調査　施設基本票　（※A票・B票・C票用）

（平成29年10月1日現在）

調査票番号	(1)施設番号			(2)法人名	(3)施設名	※調査票A～C票　共通											※調査票A票のみ	※調査票B票のみ							備考
						(4)施設の所在地						(5)活動状況	(6)設置主体	(7)経営主体	(8)認可・届出・設置年月			(9)定員	(10)サービス付き高齢者向け住宅の登録の有無	(11)障害者支援施設（指定されている昼間実施サービスの事業所番号）					
	県市番号	種類番号	一連番号			郵便番号	住所	電話番号							元号	年	月			生活介護	自立訓練（機能訓練）	自立訓練（生活訓練）	就労移行支援	就労継続支援（A型）	就労継続支援（B型）	
								市外	市内	番号															

・A票　・保護施設・老人福祉施設・身体障害者社会参加支援施設等調査票
・B票　・障害者支援施設等調査票
・C票　・児童福祉施設等調査票

㊙

平成29年社会福祉施設等調査 施設基本票（※D票・E票用）
（平成29年10月1日現在）

調査票番号	(1)施設番号			(2)法人名	(3)施設名	(4)施設の所在地		電話番号			(5)活動状況	(6)設置主体	(7)経営主体	(8)認可（届出・設置）年月			(9)施設の類型	(10)-1 認可定員							（再掲）分園の認可定員				(10)-2 利用定員							（再掲）分園の利用定員				(11)保育標準時間		(12)保育短時間		備考
	県市番号	種類番号	一連番号			郵便番号	住所	市外	市内番号	番号				元号	年	月		認定員の合計	教育標準時間認定（1号認定）	満3歳以上・保育認定（2号認定）	満3歳未満・保育認定（3号認定）	分園数	分園の認可定員の合計	教育標準時間認定（1号認定）	満3歳以上・保育認定（2号認定）	満3歳未満・保育認定（3号認定）				利用定員の合計	教育標準時間認定（1号認定）	満3歳以上・保育認定（2号認定）	満3歳未満・保育認定（3号認定）	分園の利用定員の合計	教育標準時間認定（1号認定）	満3歳以上・保育認定（2号認定）	満3歳未満・保育認定（3号認定）	開所時間	利用時間	利用開始時間	利用終了時間	

・D票　保育所・小規模保育事業所調査票
・E票　幼保連携型認定こども園調査票

政府統計　厚生労働省

㊙

平成29年社会福祉施設等調査　事業所基本票　（※F票用）

（平成29年10月1現在）

都道府県・指定都市・中核市：

調査番号	(1)県市番号	(2)サービス種別	(3)事業所番号	(4)法人名	(5)事業所名	(6)事業所の所在地		(7)活動状況	(8)経営主体	備考
						郵便番号	住所	電話番号			
								市外 市内 番号			

㊙ 政府統計

保護施設・老人福祉施設
身体障害者社会参加支援施設 等調査票

（平成29年10月1日調査）

A

厚生労働省

＊施設番号									
＊調査番号									

以下の項目について、印字されているものに変更・誤りがある場合は、赤字で余白に修正してください。
＊部分は記入不要です。

法 人 名（運営法人名を記入してください。）	
施 設 名	
施 設 の所 在 地	〒　　　　　　　　　TEL（　　　　）－（　　　　）－（　　　　）
施設の種類名	

(1) 活動の状況	1 活動中 2 休止中 3 廃止	※休止中・廃止は、それぞれ届出を提出している場合のみ○をつけてください。9月30日時点で届出を出していない場合は活動中に○をつけ、各設問に回答してください。 ※休止中・廃止の場合は、以下、記入不要です。

(2) 在所者数（9月30日現在）
※入所者及び通所者の合計を記入してください。

被措置者・その他別在所者数

被 措 置 者	人	その他	人

年齢階級別在所者数

19歳以下	20～24歳	25～29歳	30～34歳	35～39歳	40～44歳	45～49歳	50～54歳
人	人	人	人	人	人	人	人

55～59歳	60～64歳	65～69歳	70～74歳	75～79歳	80～84歳	85～89歳	90歳以上
人	人	人	人	人	人	人	人

(3) 職種・常勤－非常勤別従事者数（人）　※換算数は小数点以下第2位を四捨五入して小数点以下第1位まで記入してください。

	1 施設長	1のうち社会福祉士	2 生活指導・相談員	2のうち社会福祉士	3 職業・作業指導員	3のうち社会福祉士	セラピスト 4 理学療法士	5 作業療法士	6 その他の療法員
常勤専従（換算数不要）									
常勤兼務									
常勤兼務の換算数									
非常勤									
非常勤の換算数									

	7 医師	8 保健師看護師	9 精神保健福祉士	10 介護職員	10のうち介護福祉士	11 栄養士	12 調理員	13 事務員	14 その他の職員
常勤専従（換算数不要）									
常勤兼務									
常勤兼務の換算数									
非常勤									
非常勤の換算数									

※調査票の記入内容について質問する際の問い合わせ先として使用する場合があります。施設の代表者の氏名ではなく、実際に調査票を記入した施設の担当者の氏名と連絡先を記入してください。	調査票記入者名・担当部署と連絡先（※必須）	（ふりがな） 電話　（　　　－　　　－　　　）
	上記以外連絡先（携帯、FAX等）	

ご協力ありがとうございました。

＊施設番号										
＊調査番号										

※障害児入所施設の基準により障害者支援施設の指定を受けている場合は、この調査票ではなく「C　児童福祉施設等調査票」に記入してください。調査票が届いていない場合は事務局までお問い合わせください。

以下の項目について、印字されているものに変更・誤りがある場合は、赤字で余白に修正してください。
＊部分は記入不要です。

法　人　名 （運営法人名を記入してください。）	
施　設　名	
施　設　の所　在　地	〒　　　　　　　TEL（　　　　）−（　　　　　）−（　　　　　）
施設の種類名	

(1)	活動の状況	1　活動中 2　休止中 3　廃　止	※休止中・廃止は、それぞれ届出を提出している場合のみ〇をつけてください。9月30日時点で届出を出していない場合は活動中に〇をつけ、各設問に回答してください。 ※休止中・廃止の場合は、以下、記入不要です。

(2)　在所者数（9月30日現在）
　　※入所者及び通所者それぞれの合計を記入してください。

入所者・通所者別在所者数

入所者数	人	通所者数	人		

年齢階級別在所者数

17歳以下	18・19歳	20〜24歳	25〜29歳	30〜34歳	35〜39歳	40〜44歳	45〜49歳	50〜54歳
人	人	人	人	人	人	人	人	人

55〜59歳	60〜64歳	65〜69歳	70〜74歳	75〜79歳	80〜84歳	85〜89歳	90歳以上	
人	人	人	人	人	人	人	人	

(3)　入所期間別入所者数（9月30日現在）　※障害者支援施設の入所者が対象です。通所者は計上しないでください。

6月以下	6月超1年以下	1年超1年6月以下	1年6月超2年以下	2年超3年以下	3年超5年以下	5年超
人	人	人	人	人	人	人

(4)　退所理由・退所後の住居（夜の住まい）別退所者数（過去1年間）　※平成28年10月1日〜平成29年9月30日

退所理由 退所後の住居	就職	家庭復帰	他の社会福祉施設等へ転所	入院	死亡	その他
1　自宅・アパート等	人	人	人			人
2　グループホーム（共同生活援助）	人	人	人			人
3　福祉ホーム	人	人	人			人
4　入所施設	人	人	人			人
5　その他	人	人	人			人
6　合計	人	人	人	人	人	人

【●(5)は地域活動支援センターのみ、お答えください】

(5)　地域活動支援センターの9月中の「利用実人員」「利用延人数」
　　※「利用実人員」は9月中に同じ者が10日利用しても「1」となりますが、「利用延人数」は「10」となります。

利用実人員	人	利用延人数	人

裏面に続きます。

【●(6)は障害者支援施設のみ、お答えください】

(6) 障害者支援施設の指定昼間実施サービスの有無・種類・事業所番号、サービスの種類別利用状況

※障害者支援施設の昼間実施サービス(6種類)につきましては、「F 障害福祉サービス等・障害児通所支援等事業所票」ではなく、この調査票に記入してください。

※障害者支援施設以外の施設が実施するサービス、障害者支援施設が実施する下記6種類以外のサービスは、「F 障害福祉サービス等・障害児通所支援等事業所票」に記入してください。

障害者支援施設について、指定の状況に該当する番号に○をつけてください。	1 あり→補問へ　　2 なし(補問回答不要)

補問1 指定されている昼間実施サービス(「生活介護」「自立訓練(機能訓練・生活訓練)」「就労移行支援」「就労継続支援(A型・B型)」)を実施している障害者支援施設は、下欄に**事業所番号**を記入してください。

事業所番号
□□□□□□□□□□

補問2-1 「指定されている昼間実施サービス」の種類について、**実施しているサービスの種類の番号に○をつけてください。**
また、「9月中の利用者の有無」について、該当する番号に○をつけ、9月中の利用者が「1あり」の場合は、「利用実人員」「利用延人数」も記入してください。

サービスの種類		9月中の利用者の有無	利用実人員	利用延人数
1	生活介護	→	1 あり　2 なし	人	人
2	自立訓練(機能訓練)	→	1 あり　2 なし	人	補問2-2へ
3	自立訓練(生活訓練)	→	1 あり　2 なし	人	
4	就労移行支援	→	1 あり　2 なし	人	人
5	就労継続支援(A型)	→	1 あり　2 なし	人	人
6	就労継続支援(B型)	→	1 あり　2 なし	人	人

補問2-2 「自立訓練サービス(機能訓練・生活訓練)」の**9月中**のそれぞれについて、「サービス費Ⅰ」「サービス費Ⅱ」別に「利用実人員」「利用延人数」を記入してください。

※「利用実人員」は9月中に同じ者が10日利用しても「1」となりますが、「利用延人数」は「10」となります。
ただし、1日に同じ者が2回利用した場合の「利用延人数」は「1」となります。(利用回数ではないので2回にはなりません。)

		サービス費Ⅰ(入所・通所)	サービス費Ⅱ(訪問)
自立訓練サービス(機能訓練)	利用実人員	人	人
	利用延人数	人	人
自立訓練サービス(生活訓練)	利用実人員	人	人
	利用延人数	人	人

【●(7)は全施設、記入してください】

(7) 職種・常勤一非常勤別従事者数(人)　　※換算数は小数点以下第2位を四捨五入して小数点以下第1位まで記入してください。

	1 施設長(管理人)	1のうち社会福祉士	2 サービス管理責任者	3 生活指導・支援員	3のうち社会福祉士	4 職業・作業指導員	4のうち社会福祉士	セラピスト		7 その他の療法員
								5 理学療法士	6 作業療法士	
常勤専従(換算数不要)										
常勤兼務										
常勤兼務の換算数										
非常勤										
非常勤の換算数										

	8 心理・職能判定員	9 医師	10 保健師看護師	11 精神保健福祉士	12 介護職員	12のうち介護福祉士	13 栄養士	14 調理員	15 事務員	16 その他の職員
常勤専従(換算数不要)										
常勤兼務										
常勤兼務の換算数										
非常勤										
非常勤の換算数										

※調査票の記入内容について質問する際の問い合わせ先として使用する場合があります。施設の代表者の氏名ではなく、実際に調査票を記入した施設の担当者の氏名と連絡先を記入してください。

調査票記入者名・担当部署と連絡先(※必須)	(ふりがな)
	電話 (　　-　　-　　)
上記以外連絡先(携帯、FAX等)	

ご協力ありがとうございました。

㊙ 政府統計

児童福祉施設等調査票
（平成29年10月1日調査）

C

厚生労働省

＊施設番号								
＊調査番号								

※障害児入所施設の基準により障害者支援施設又は療養介護事業所の指定を受けている場合も、この調査票に記入してください。

以下の項目について、印字されているものに変更・誤りがある場合は、赤字で余白に修正してください。
＊部分は記入不要です。

法 人 名 （運営法人名を記入してください。）	
施 設 名	
施 設 の 所 在 地	〒　　　　　　　　　　　TEL（　　　　）－（　　　　）－（　　　　）
施設の種類名	

(1) 活動の状況

1　活動中
2　休止中
3　廃　止

※休止中・廃止は、それぞれ届出を提出している場合のみ〇をつけてください。9月30日時点で届出を出していない場合は活動中に〇をつけ、各設問に回答してください。
※休止中・廃止の場合は、以下、記入不要です。

(2) 在所者数（9月30日現在）
※入所者及び通所者の合計を記入してください。

契約による者・被措置者・その他別在所者数

契約による者	人	被措置者	人	その他	人

年齢階級別在所者数

0歳	1歳	2歳	3歳	4歳	5歳	6歳	7歳	8歳	9歳	10歳	11歳	12歳
人	人	人	人	人	人	人	人	人	人	人	人	人

13歳	14歳	15歳	16歳	17歳	18・19歳	20～24歳	25～29歳	30～39歳	40～49歳	50～59歳	60～69歳	70歳以上
人	人	人	人	人	人	人	人	人	人	人	人	人

(3) 職種－常勤－非常勤別従事者数（人）　※換算数は小数点以下第2位を四捨五入して小数点以下第1位まで記入してください。

	1 施設長	1のうち 社会福祉士	2 職業・作業 指導員	3 生活・児童指導員、 児童自立支援専門員	3のうち 社会福祉士	4 児童 厚生員	5 保育士	6 児童生活 支援員	6のうち 社会福祉士	7 母子 支援員
常勤専従 （換算数不要）										
常勤兼務										
常勤兼務 の換算数										
非常勤										
非常勤の 換算数										

	8 医師	セラピスト 9 理学 療法士	10 作業 療法士	11 その他の 療法員	12 保健師 助産師 看護師	13 栄養士	14 調理員	15 事務員	16 児童発達 支援管理 責任者	17 その他の 職員
常勤専従 （換算数不要）										
常勤兼務										
常勤兼務 の換算数										
非常勤										
非常勤の 換算数										

【●(4)は障害児関係施設のみお答えください】

(4) 過去1年間の在所期間・退所理由別の退所者数 ※平成28年10月1日～平成29年9月30日	就職	家庭復帰	他の社会福祉 施設等へ転所	死亡	その他
1年未満	人	人	人	人	人
1年以上2年未満	人	人	人	人	人
2年以上5年未満	人	人	人	人	人
5年以上	人	人	人	人	人

※調査票の記入内容について質問する際の問い合わせ先として使用する場合があります。施設の代表者の氏名ではなく、実際に調査票を記入した施設の担当者の氏名と連絡先を記入してください。

調査票記入者名・担当部署 と連絡先（※必須）	（ふりがな）
	電話（　　　　－　　　　－　　　　）
上記以外連絡先（携帯、FAX等）	

ご協力ありがとうございました。

㊙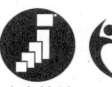
政府統計

平成29年社会福祉施設等調査
保育所・小規模保育事業所調査票
(平成29年10月1日調査)

D

厚生労働省

＊施設番号 □□□□□□□□□
＊調査番号 □□□□□□□□□

以下の項目について、印字されているものに変更・誤りがある場合は、赤字で余白に修正してください。
＊部分は記入不要です。

法 人 名 (運営法人名を記入してください。)	
施設・事業所名	
施設・事業所の所在地	〒　　　　　　　TEL(　　　)-(　　　)-(　　　)
施設・事業所の種類名	

(1) 活動の状況	1 活動中 2 休止中 3 廃　止	※休止中・廃止は、それぞれ届出を提出している場合のみ〇をつけてください。9月30日時点で届出を出していない場合は活動中に〇をつけ、各設問に回答してください。 ※休止中・廃止の場合は、以下、記入不要です。

(2) 年齢階級別利用児童数
※9月30日現在の満年齢により記入してください。なお、年度の途中で3歳となった3号認定の児童については、3号認定欄の満2歳に人数を計上してください。
※放課後児童クラブや併設の地域子育て支援センターの利用児童などは含めないでください。
※保育所型認定こども園における幼稚園機能部分の1号認定利用児童は含めないでください。

			0歳	満1歳	満2歳	満3歳	満4歳	満5歳	満6歳 (就学前)
認定ありの利用児童	標準時間	教育標準時間認定(1号認定)					人	人	人
		満3歳以上・保育認定(2号認定)					人	人	人
		満3歳未満・保育認定(3号認定)	人	人	人				
	短時間	満3歳以上・保育認定(2号認定)					人	人	人
		満3歳未満・保育認定(3号認定)	人	人	人				
		(再掲) 分園	人	人	人	人	人	人	人
認定なしの利用児童		措置人員	人	人	人	人	人	人	人
		私的契約人員	人	人	人	人	人	人	人

(3) 第三者評価機関による評価の受審の状況(努力義務の実施状況)

1 過去5年以内に評価を受審している	2 1より過去に評価を受審している	3 評価を受審していない

(補問) ※(3)で「1」を選んだ施設・事業所のみ回答してください。
第三者評価機関による評価の受審の実施時期

1 1年以内に実施	3 2年を超え3年以内に実施	5 4年を超え5年以内に実施
2 1年を超え2年以内に実施	4 3年を超え4年以内に実施	

(4) 小規模保育事業所(A型・B型・C型)の自園調理(給食)の実施状況　※最も当てはまる番号1つに〇をつけてください。

1 自園調理(給食)を実施	3 離島、へき地のため、学校(給食室)や学校給食センターから搬入	5 1〜4以外を実施
2 連携施設から給食を搬入	4 弁当を持参	

(5) 小規模保育事業所(A型・B型・C型)の連携施設の設定状況　※該当する番号すべてに〇をつけてください。

1 認定こども園	3 保育所	5 経過措置期間であるため設定していない
2 幼稚園	4 離島、へき地であり、連携施設の設定が著しく困難であるため設置していない	

裏面に続きます。

(6) 保育所（保育所型認定こども園を含む）の職種・常勤－非常勤別従事者数（人）

※換算数は小数点以下第2位を四捨五入して小数点以下第1位まで記入してください。
※小規模保育事業所は(7)に記入してください。

	1 施設長	2 保育士	2のうち幼稚園教諭免許保有者	3 医師	4 歯科医師	5 保健師・看護師	5のうち准看護師	6 栄養士	7 調理員	8 事務員	9 その他の職員
常勤専従（換算数不要）											
常勤兼務											
常勤兼務の換算数											
非常勤											
非常勤の換算数											

(7) 小規模保育事業所（A型・B型・C型）の職種・常勤－非常勤別従事者数（人）

※換算数は小数点以下第2位を四捨五入して小数点以下第1位まで記入してください。

●（A型・B型・C型）共通の必須記入事項　　●（A型・B型）のみ　　●（C型）のみ

	1 管理者	2 医師	3 歯科医師	4 保健師・看護師	4のうち准看護師	5 栄養士	6 調理員	7 事務員	8 その他の職員	9 保育従事者 保育士資格あり	9 保育従事者 保育士資格なし	10 家庭的保育者 保育士資格あり	10 家庭的保育者 保育士資格なし	家庭的11保育補助者
常勤専従（換算数不要）														
常勤兼務														
常勤兼務の換算数														
非常勤														
非常勤の換算数														

(8) 過去1年間（平成28年10月1日から平成29年9月30日まで）の保育士の採用－退職者数（常勤－非常勤別）と平成28年度に学校を卒業した者の人数

※人事異動による他保育所等からの転入・転出者、育児休業等の代替職員は含みません。
※採用、退職者がいない場合には、「0（ゼロ）」を記入してください。

	常勤	非常勤
保育士採用者数	人	人
うち、平成28年度に学校を卒業した者	人	人

	常勤	非常勤
保育士退職者数	人	人
うち、平成28年度に学校を卒業した者	人	人

※調査票の記入内容について質問する際の問い合わせ先として使用する場合があります。施設・事業所の代表者の氏名ではなく、実際に調査票を記入した施設・事業所の担当者の氏名と連絡先を記入してください。

調査票記入者名・担当部署と連絡先（※必須）	（ふりがな）
	電話　（　　　－　　　－　　　）
上記以外連絡先（携帯、FAX等）	

ご協力ありがとうございました。

幼保連携型認定こども園調査票
（平成29年10月1日調査）

E

厚生労働省

＊施設番号							
＊調査番号							

以下の項目について、印字されているものに変更・誤りがある場合は、赤字で余白に修正してください。
＊部分は記入不要です。

法　人　名（運営法人名を記入してください。）	
施　設　名	
施設の所在地	〒　　　　　　　TEL（　　　　　）−（　　　　　）−（　　　　　）
施設の種類名	
(1)　活動の状況	1　活動中 2　休止中 3　廃　止	※休止中・廃止は、それぞれ届出を提出している場合のみ〇をつけてください。9月30日時点で届出を出していない場合は活動中に〇をつけ、各設問に回答してください。 ※休止中・廃止の場合は、以下、記入不要です。

(2)　年齢階級別利用児童数
　※9月30日現在の満年齢により記入してください。なお、年度の途中で3歳となった3号認定の児童については、3号認定欄の満2歳に人数を計上してください。
　※放課後児童クラブや併設の地域子育て支援センターの利用児童などは含めないでください。

			0歳	満1歳	満2歳	満3歳	満4歳	満5歳	満6歳（就学前）
認定ありの利用児童	標準時間	教育標準時間認定（1号認定）					人	人	人	人
		満3歳以上・保育認定（2号認定）					人	人	人	人
		満3歳未満・保育認定（3号認定）	人	人	人				
	短時間	満3歳以上・保育認定（2号認定）					人	人	人	人
		満3歳未満・保育認定（3号認定）	人	人	人				
		（再掲）分園	人	人	人	人	人	人	人
認定なしの利用児童		措置人員	人	人	人	人	人	人	人
		私的契約人員	人	人	人	人	人	人	人

(3)　第三者評価機関による評価の受審の状況（努力義務の実施状況）

1　過去5年以内に評価を受審している　　2　1より過去に評価を受審している　　3　評価を受審していない

（補問）　※(3)で「1」を選んだ施設のみお答えください。
　第三者評価機関による評価の受審の実施時期

1　1年以内に実施　　　　　　　　　3　2年を超え3年以内に実施　　　　　　5　4年を超え5年以内に実施
2　1年を超え2年以内に実施　　　　4　3年を超え4年以内に実施

裏面に続きます。

(4) 職種・常勤ー非常勤別従事者数（人）　　　※換算数は小数点以下第2位を四捨五入して小数点以下第1位まで記入してください。

	1 園長	2 副園長	3 教頭	4 主幹保育教諭	4のうち保育士資格保有者	5 指導保育教諭	5のうち保育士資格保有者	6 保育教諭	6のうち保育士資格保有者	7 助保育教諭	7のうち保育士資格保有者	8 主幹養護教諭	9 養護教諭	10 養護助教諭	11 主幹栄養教諭
常勤専従（換算数不要）															
常勤兼務															
常勤兼務の換算数															
非常勤															
非常勤の換算数															

	12 栄養教諭	13 講師	13のうち保育士資格保有者	14 教諭等	15 保育士	16 教育・保育補助員	17 養護職員（看護師等を除く）	18 医師	19 歯科医師	20 保健師・看護師	20のうち准看護師	21 栄養士	22 調理員	23 事務員	24 その他の職員（用務員・警備員等を含む）
常勤専従（換算数不要）															
常勤兼務															
常勤兼務の換算数															
非常勤															
非常勤の換算数															

(5) 過去1年間（平成28年10月1日から平成29年9月30日）の保育教諭及び保育士の採用ー退職者数（常勤ー非常勤別）と平成28年度に学校を卒業した者の人数

※人事異動による他保育所等からの転入・転出者、育児休業等の代替職員は含みません。
※採用、退職者がいない場合には、「0（ゼロ）」を記入してください。

保育教諭（主幹保育教諭、指導保育教諭、保育教諭、助保育教諭、講師）

	常 勤	うち保育士資格保有者	非常勤	うち保育士資格保有者
保育教諭採用者数	人	人	人	人
うち、平成28年度に学校を卒業した者	人	人	人	人

	常 勤	うち保育士資格保有者	非常勤	うち保育士資格保有者
保育教諭退職者数	人	人	人	人
うち、平成28年度に学校を卒業した者	人	人	人	人

保育士

	常 勤	非常勤
保育士採用者数	人	人
うち、平成28年度に学校を卒業した者	人	人

	常 勤	非常勤
保育士退職者数	人	人
うち、平成28年度に学校を卒業した者	人	人

※調査票の記入内容について質問する際の問い合わせ先として使用する場合があります。施設の代表者の氏名ではなく、実際に調査票を記入した施設の担当者の氏名と連絡先を記入してください。

調査票記入者名・担当部署と連絡先（※必須）	（ふりがな） 電話　（　　　　　-　　　　　-　　　　　）
上記以外連絡先（携帯、FAX等）	

ご協力ありがとうございました。

平成29年社会福祉施設等調査

障害福祉サービス等・障害児通所支援等事業所票

（平成29年10月1日調査）

F

厚生労働省

*一連番号								
*調査番号								

以下の項目について、印字されているものに変更・誤りがある場合は、赤字で余白に修正してください。

法 人 名 （運営法人名を記入してください。）	
事 業 所 名 ※事業所名に修正がある場合は(1)の各事業所名もご確認の上、修正してください。	
事 業 所 の 所 在 地	〒　　　　　　　　　TEL（　　　）－（　　　　）－（　　　）

（1）事業の種類・事業所番号

- 印字されたサービスについて、「活動状況」に○をつけてください。休止届や廃止届を出している場合は「2 休止中」又は「3 廃止」に○をつけてください。（2ページ以降は記入不要です。）
- このページに印字されたサービスについてのみ、サービスの提供状況等を2ページ以降に記入してください。印字のないサービスについては記入不要です。
- なお、障害者支援施設の昼間実施サービスについてはこの調査票に記入せず、活動状況の「3 廃止」に○をつけてご返送ください。
- サービスにより記入者が異なる場合は、お手数ですが、この調査票を事業所内で回覧の上、記入をお願いします。

（記入ページのみを剥がしたりせず、冊子のままご返送下さい。）

サービスの種類		事 業 所 番 号	事 業 所 名	活動状況（1つに○）	回答ページ
障害福祉サービス等	0011 居宅介護			1 活動中　2 休止中　3 廃止	2ページ
	0012 重度訪問介護			1 活動中　2 休止中　3 廃止	3ページ
	0015 同行援護			1 活動中　2 休止中　3 廃止	4ページ
	0013 行動援護			1 活動中　2 休止中　3 廃止	4ページ
	0021 療養介護			1 活動中　2 休止中　3 廃止	5ページ
	0022 生活介護			1 活動中　2 休止中　3 廃止	5ページ
	0014 重度障害者等包括支援			1 活動中　2 休止中　3 廃止	6ページ
	0052 計画相談支援			1 活動中　2 休止中　3 廃止	6ページ
	0053 地域相談支援（地域移行支援）			1 活動中　2 休止中　3 廃止	6ページ
	0054 地域相談支援（地域定着支援）			1 活動中　2 休止中　3 廃止	7ページ
	0024 短期入所			1 活動中　2 休止中　3 廃止	7ページ
	0033 共同生活援助			1 活動中　2 休止中　3 廃止	8・9ページ
	0041 自立訓練（機能訓練）			1 活動中　2 休止中　3 廃止	10ページ
	0042 自立訓練（生活訓練）			1 活動中　2 休止中　3 廃止	11ページ
	0034 宿泊型自立訓練			1 活動中　2 休止中　3 廃止	12ページ
	0043 就労移行支援			1 活動中　2 休止中　3 廃止	13ページ
	0045 就労継続支援（A型）			1 活動中　2 休止中　3 廃止	14ページ
	0046 就労継続支援（B型）			1 活動中　2 休止中　3 廃止	14ページ
障害児通所支援等	0061 児童発達支援			1 活動中　2 休止中　3 廃止	15ページ
	0063 放課後等デイサービス			1 活動中　2 休止中　3 廃止	15ページ
	0064 保育所等訪問支援			1 活動中　2 休止中　3 廃止	16ページ
	0055 障害児相談支援			1 活動中　2 休止中　3 廃止	16ページ

※調査票の記入内容について質問する際の問い合わせ先として使用する場合があります。事業所の代表者の氏名ではなく、実際に調査票を記入した事業所の担当者の氏名と連絡先を記入してください。

調査票記入者名・担当部署と連絡先（※必須）	（ふりがな）
	電話（　　　－　　　－　　　）
上記以外連絡先（携帯、FAX等）	

1

| 0011 居宅介護サービス | 記入者名 | 電話番号 ( ) - ( ) - ( ) |

（２）居宅介護サービスの提供状況　　　　９月中の営業日数 ☐☐ 日　　※利用者がいない日であっても、事業所として営業していた場合は営業日として数えてください。

| 1　９月中の利用者あり　　2　９月中の利用者なし |

利用実人員 ☐☐☐ 人　　注：ここでいう「利用実人員」の計上のしかたは、例えば、同じ利用者（１人）に複数のサービス（回数）を提供しても「１人」と計上します。

（補問）「９月中の利用者あり」の場合、９月中の「障害者」「障害児」別「利用実人員」「訪問回数合計」を記入してください。
　　　注：ここでいう「利用実人員」の計上のしかたは、例えば、同じ利用者（１人）に「身体介護が中心」と「家事援助が中心」の各サービスを１回ずつ提供した場合、利用した各サービスに「１人」ずつ計上します。

	障害者（18歳以上）		障害児（18歳未満）	
	利用実人員	訪問回数合計	利用実人員	訪問回数合計
身体介護が中心	人	回	人	回
通院介助（身体介護を伴う）が中心	人	回	人	回
家事援助が中心	人	回	人	回
通院介助（身体介護を伴わない）が中心	人	回	人	回
通院等乗降介助が中心	人	回	人	回

（３）居宅介護サービスの従事者数　　・「９月中の利用者なし」でも、利用者がいた場合に対応できる人数を記入してください。
　　　　　　　　　　　　　　　　　　・換算数は小数点以下第２位を四捨五入して小数点以下第１位まで記入してください。
　　　　　　　　　　　　　　　　　　・複数の資格を保有している場合は、左側の資格優先で計上してください。

	介護福祉士	実務者研修修了者	旧介護職員基礎研修課程修了者	旧ホームヘルパー１級研修課程修了者	初任者研修修了者（旧ホームヘルパー2級研修課程修了者含む）	障害者居宅介護従業者基礎研修課程修了者（旧ホームヘルパー3級研修課程修了者含む）	その他の職員
常勤専従（換算数不要）							
常勤兼務							
常勤兼務の換算数							
非常勤							
非常勤の換算数							

（補問１）従事者のうち、サービス提供責任者の人数を記入してください。
　　　　　他のサービスと掛け持ちしている者も含めます。　　→ ☐☐ 人

（補問２）従事者のうち、喀痰吸引等研修を修了し、認定証が交付された人数を記入してください。
　　　　　複数の研修を修了している場合は、左側の研修優先で計上してください。　　→

１号研修	２号研修	３号研修
人	人	人

2

0012 重度訪問介護サービス	記入者名		電話番号（　　　　）-（　　　　）-（　　　　）

（4）重度訪問介護サービスの提供状況

9月中の営業日数　[　　　]日

※利用者がいない日であっても、事業所として営業していた場合は営業日として数えてください。

1　9月中の利用者あり　　2　9月中の利用者なし

（補問）「9月中の利用者あり」の場合、9月中の「利用実人員」「訪問回数合計」を記入してください。また、それぞれのうち、「移動介護」の人数と回数を記入してください。

利用実人員	うち移動介護	訪問回数合計	うち移動介護
人	人	回	回

（5）重度訪問介護サービスの従事者数

・「9月中の利用者なし」でも、利用者がいた場合に対応できる人数を記入してください。
・換算数は小数点以下第2位を四捨五入して小数点以下第1位まで記入してください。
・複数の資格を保有している場合は、左側の資格優先で計上してください。

	介護福祉士	実務者研修修了者	旧介護職員基礎研修課程修了者	旧ホームヘルパー1級研修課程修了者	初任者研修修了者（旧ホームヘルパー2級研修課程修了者含む）	障害者居宅介護従業者基礎研修課程修了者（旧ホームヘルパー3級研修課程修了者含む）	重度訪問介護従業者養成研修修了者	その他の職員
常勤専従（換算数不要）								
常勤兼務								
常勤兼務の換算数								
非常勤								
非常勤の換算数								

（補問1）従事者のうち、サービス提供責任者の人数を記入してください。他のサービスと掛け持ちしている者も含めます。　→　[　　　]人

（補問2）従事者のうち、喀痰吸引等研修を修了し、認定証が交付された人数を記入してください。複数の研修を修了している場合は、左側の研修優先で計上してください。　→

1号研修	2号研修	3号研修
人	人	人

（補問3）行動障害を有する知的障害者等の利用はできますか。　→　1　利用できる　　2　利用できない

（補問4）従事者のうち、「行動障害を有する者に対する研修」を修了した者及びそのうちの「サービス提供責任者」の人数を記入してください。　→

従事者のうち行動障害を有する者に対する研修修了者	うちサービス提供責任者
人	人

3

0015 同行援護サービス　　記入者名　　　　　　　電話番号（　　　）-（　　　）-（　　　）

（6）同行援護サービスの提供状況　　9月中の営業日数 [　　] 日

※利用者がいない日であっても、事業所として営業していた場合は営業日として数えてください。

1　9月中の利用者あり　　2　9月中の利用者なし

利用実人員 [　　　] 人

注：ここでいう「利用実人員」の計上のしかたは、例えば、同じ利用者（1人）に複数のサービス（回数）を提供しても「1人」と計上します。

（補問）「9月中の利用者あり」の場合、9月中の「障害者」「障害児」別「利用実人員」「訪問回数合計」を記入してください。

	障害者（18歳以上）		障害児（18歳未満）	
	利用実人員	訪問回数合計	利用実人員	訪問回数合計
身体介護を伴う	人	回	人	回
身体介護を伴わない	人	回	人	回

（7）同行援護サービスの従事者数

・「9月中の利用者なし」でも、利用者がいた場合に対応できる人数を記入してください。
・換算数は小数点以下第2位を四捨五入して小数点以下第1位まで記入してください。
・複数の資格を保有している場合は、左側の資格優先で計上してください。

	介護福祉士	実務者研修修了者	旧介護職員基礎研修課程修了者	旧ホームヘルパー1級研修課程修了者	初任者研修修了者（旧ホームヘルパー2級研修課程修了者含む）	障害者居宅介護従業者基礎研修課程修了者（旧ホームヘルパー3級研修課程修了者含む）	同行援護従業者養成研修修了者	その他の職員
常勤専従（換算数不要）								
常勤兼務								
常勤兼務の換算数								
非常勤								
非常勤の換算数								

（補問1）従事者のうち、サービス提供責任者の人数を記入してください。他のサービスと掛け持ちしている者も含めます。　→ [　　] 人

（補問2）従事者のうち、「同行援護従業者養成研修修了者」及びそのうちの「サービス提供責任者」の人数を記入してください。　→

従事者のうち同行援護従業者養成研修修了者	うちサービス提供責任者
人	人

0013 行動援護サービス　　記入者名　　　　　　　電話番号（　　　）-（　　　）-（　　　）

（8）行動援護サービスの提供状況　　9月中の営業日数 [　　] 日

※利用者がいない日であっても、事業所として営業していた場合は営業日として数えてください。

1　9月中の利用者あり　　2　9月中の利用者なし

（補問）「9月中の利用者あり」の場合、9月中の「障害者」「障害児」別「利用実人員」「訪問回数合計」を記入してください。

	障害者（18歳以上）	障害児（18歳未満）
利用実人員	人	人
訪問回数合計	回	回

（9）行動援護サービスの従事者数

・「9月中の利用者なし」でも、利用者がいた場合に対応できる人数を記入してください。
・換算数は小数点以下第2位を四捨五入して小数点以下第1位まで記入してください。
・複数の資格を保有している場合は、左側の資格優先で計上してください。

	介護福祉士	実務者研修修了者	旧介護職員基礎研修課程修了者	旧ホームヘルパー1級研修課程修了者	初任者研修修了者（旧ホームヘルパー2級研修課程修了者含む）	障害者居宅介護従業者基礎研修課程修了者（旧ホームヘルパー3級研修課程修了者含む）	行動援護従業者養成研修修了者	その他の職員
常勤専従（換算数不要）								
常勤兼務								
常勤兼務の換算数								
非常勤								
非常勤の換算数								

（補問1）従事者のうち、サービス提供責任者の人数を記入してください。他のサービスと掛け持ちしている者も含めます。　→ [　　] 人

（補問2）従事者のうち、「行動援護従業者養成研修修了者」又は「強度行動障害支援者養成研修（基礎及び実践）修了者」とそのうちの「サービス提供責任者」の人数を記入してください。　→

従事者のうち行動援護従業者養成研修修了者又は強度行動障害支援者養成研修（基礎及び実践）修了者	うちサービス提供責任者
人	人

4

0021 療養介護サービス

記入者名 　　　　　　　　　　　電話番号（　　　）-（　　　　）-（　　　　）

※<u>医療型障害児入所施設の基準</u>により療養介護事業所の指定を受けている場合は、この調査票ではなく「C 児童福祉施設等調査票」に記入してください。調査票が届いていない場合は事務局までお問い合わせください。

(10) 療養介護サービスの提供状況

1　9月中の利用者あり　　2　9月中の利用者なし

↓

（補問）「9月中の利用者あり」の場合、9月中の「利用期間別利用実人員」「利用延人数」を記入してください。

利用期間別利用実人員			利用延人数
1年以下	1年超3年以下	3年超	
人	人	人	人

(11) 療養介護サービスの従事者数

・「9月中の利用者なし」でも、利用者がいた場合に対応できる人数を記入してください。
・換算数は小数点以下第2位を四捨五入して小数点以下第1位まで記入してください。

	サービス管理責任者	医　師	看　護　師	生活支援員	その他の職　員
常勤専従（換算数不要）					
常勤兼務					
常勤兼務の換算数					
非常勤					
非常勤の換算数					

0022 生活介護サービス

記入者名 　　　　　　　　　　　電話番号（　　　）-（　　　　）-（　　　　）

※<u>障害者支援施設</u>が実施する指定昼間実施サービスにつきましては、この調査票ではなく「B 障害者支援施設等調査票」に記入してください。調査票が届いていない場合は事務局までお問い合わせください。

(12) 生活介護サービスの提供状況

9月中の営業日数　　□　日　　　※利用者がいない日であっても、事業所として営業していた場合は営業日として数えてください。

1　9月中の利用者あり　　2　9月中の利用者なし

↓

（補問）「9月中の利用者あり」の場合、9月中の「利用期間別利用実人員」「利用延人数」を記入してください。

利用期間別利用実人員			利用延人数
1年以下	1年超3年以下	3年超	
人	人	人	人

(13) 過去1年間の退所者の状況

過去1年間（平成28年10月1日～平成29年9月30日）に退所した者について、次の退所理由別に人数を記入してください。

退　　所　　理　　由							
	他の障害福祉サービス等を利用（利用先）						
1　就　職	2　就労移行支援事業所	3　就労継続支援（A型）事業所	4　就労継続支援（B型）事業所	5　その他の事業所等	6　入　院	7　死　亡	8　その他
人	人	人	人	人	人	人	人

(14) 生活介護サービスの従事者数

・「9月中の利用者なし」でも、利用者がいた場合に対応できる人数を記入してください。
・換算数は小数点以下第2位を四捨五入して小数点以下第1位まで記入してください。

	サービス管理責任者	医　師	保健師・看護師	理学療法士・作業療法士	生活支援員	その他の職　員
常勤専従（換算数不要）						
常勤兼務						
常勤兼務の換算数						
非常勤						
非常勤の換算数						

5

0014 重度障害者等包括支援サービス

記入者名 _____ 電話番号（　　　）-（　　　）-（　　　）

(15) 重度障害者等包括支援サービスの提供状況

9月中の営業日数　[　　]日

※利用者がいない日であっても、事業所として営業していた場合は営業日として数えてください。

1　9月中の利用者あり　　2　9月中の利用者なし

（補問）「9月中の利用者あり」の場合、利用者の類型別に9月中の「利用実人員」「利用日数合計」を記入してください。

	Ⅰ類型	Ⅱ類型	Ⅲ類型
利用実人員	人	人	人
利用日数合計	日	日	日

(16) 重度障害者等包括支援サービスの従事者数

・「9月中の利用者なし」でも、利用者がいた場合に対応できる人数を記入してください。
・換算数は小数点以下第2位を四捨五入して小数点以下第1位まで記入してください。

	サービス提供責任者	その他の職員
常勤専従（換算数不要）		
常勤兼務		
常勤兼務の換算数	.	.
非常勤		
非常勤の換算数	.	.

（補問）従事者のうち、喀痰吸引等研修を修了し、認定証が交付された人数を記入してください。
複数の研修を修了している場合は、左側の研修優先で計上してください。

1号研修	2号研修	3号研修
人	人	人

0052 計画相談支援サービス

記入者名 _____ 電話番号（　　　）-（　　　）-（　　　）

(17) 計画相談支援サービスの提供状況

1　9月中の利用者あり　　2　9月中の利用者なし

（補問）「9月中の利用者あり」の場合、9月中の「利用実人員」を記入してください。

利用実人員　[　　]人

・9月中にサービス利用支援（計画作成）又は継続サービス利用支援（モニタリング）を提供した人数を記入してください。

(18) 計画相談支援サービスの従事者数

・「9月中の利用者なし」でも、利用者がいた場合に対応できる人数を記入してください。
・換算数は小数点以下第2位を四捨五入して小数点以下第1位まで記入してください。

	管理者	相談支援専門員	その他の職員
常勤専従（換算数不要）			
常勤兼務			
常勤兼務の換算数	.	.	.
非常勤			
非常勤の換算数	.	.	.

0053 地域相談支援サービス（地域移行支援）

記入者名 _____ 電話番号（　　　）-（　　　）-（　　　）

(19) 地域移行支援サービスの提供状況

1　9月中の利用者あり　　2　9月中の利用者なし

（補問）「9月中の利用者あり」の場合、9月中の「利用実人員」を記入してください。

利用実人員　[　　]人

(20) 地域移行支援サービスの従事者数

・「9月中の利用者なし」でも、利用者がいた場合に対応できる人数を記入してください。
・換算数は小数点以下第2位を四捨五入して小数点以下第1位まで記入してください。

	管理者	相談支援専門員	その他の職員
常勤専従（換算数不要）			
常勤兼務			
常勤兼務の換算数	.	.	.
非常勤			
非常勤の換算数	.	.	.

6

0054 地域相談支援サービス（地域定着支援） 記入者名 　　　　　電話番号（ 　 ）-（ 　 ）-（ 　 ）

(21) 地域定着支援サービスの提供状況

1 ９月中の利用者あり 　 2 ９月中の利用者なし

↓

（補問）「９月中の利用者あり」の場合、９月中の「利用実人員」を記入してください。

利用実人員	人

(22) 地域定着支援サービスの従事者数

・「９月中の利用者なし」でも、利用者がいた場合に対応できる人数を記入してください。
・換算数は小数点以下第2位を四捨五入して小数点以下第1位まで記入してください。

	管 理 者	相談支援専門員	その他の職員
常勤専従（換算数不要）			
常 勤 兼 務			
常勤兼務の換算数			
非 常 勤			
非 常 勤の換算数			

0024 短期入所サービス 記入者名 　　　　　電話番号（ 　 ）-（ 　 ）-（ 　 ）

(23) 事業所形態 　※該当する番号すべてに○をつけてください。

1 単独型 　 2 併設型 　 3 空床型

↓

定員	人	注：「2 併設型」のみ記入してください。

(24) 短期入所サービスの提供状況

1 ９月中の利用者あり 　 2 ９月中の利用者なし

（補問）「９月中の利用者あり」の場合、９月中の「障害者」「障害児」別「利用実人員」「利用日数合計」を記入してください。

	障害者（18歳以上）	障害児（18歳未満）
利 用 実 人 員	人	人
利 用 日 数 合 計	日	日

(25) 短期入所サービスの従事者数

・(23)で「1 単独型」又は「2 併設型」に○をつけた事業所のみ記入してください。（「3 空床型」のみに○をつけた事業所は記入不要）
・「９月中の利用者なし」でも、利用者がいた場合に対応できる人数を記入してください。
・換算数は小数点以下第2位を四捨五入して小数点以下第1位まで記入してください。

	医 師	保健師・看護師	心理判定員・職能判定員	理学療法士・作業療法士	生活支援員	職業指導員
常勤専従（換算数不要）						
常 勤 兼 務						
常勤兼務の換算数						
非 常 勤						
非 常 勤の換算数						

	介護職員	うち介護福祉士	児童指導員	保 育 士	その他の職員
常勤専従（換算数不要）					
常 勤 兼 務					
常勤兼務の換算数					
非 常 勤					
非 常 勤の換算数					

0033 共同生活援助サービス	記入者名	電話番号( )-( )-( )

以下の設問については表紙（1ページ）の「共同生活援助」の事業所番号を持つすべての住居について記入してください。

（26）事業所形態　　※該当する番号すべてに○をつけてください。

> 1　共同生活援助サービス事業所（外部サービス利用型共同生活援助事業所を除く。）
> 2　外部サービス利用型共同生活援助事業所

（27）総定員

事業所の総定員（3カ所あれば3カ所すべて）を記入してください。　　　　　　　　　　　　人

（28）定員（階級）別住居箇所数

サテライト型住居を除くすべての「共同生活住居」について（3カ所あれば3カ所すべて）、定員別に住居箇所数を記入してください。

定員	2人	3人	4人	5人	6人	7人	8人	9人	10人	11～20人	21～30人
住居箇所数	ヵ所	ヵ所	ヵ所	ヵ所	ヵ所	ヵ所	ヵ所	ヵ所	ヵ所	ヵ所	ヵ所

（29）サテライト型住居箇所数

> 1　サテライト型住居あり　　2　サテライト型住居なし

（補問）「サテライト型住居あり」の場合、「サテライト型住居箇所数」を記入してください。

サテライト型住居箇所数	ヵ所

（30）共同生活援助サービスの提供状況

	9月中の利用者の有無	
共同生活援助サービス事業所（外部サービス利用型共同生活援助事業所を除く。）	1　利用者あり	2　利用者なし
外部サービス利用型共同生活援助事業所	1　利用者あり	2　利用者なし

（31）利用期間別利用実人員（9月30日現在）

（30）で「1　利用者あり」の場合は、9月30日現在の「利用期間別利用実人員」を記入してください。
また、それぞれのうち、「サテライト型住居」の人数を記入してください。
・共同生活介護（ケアホーム）を利用していた者が継続して利用している場合は、その利用期間を通算します。
・サテライト型住居の利用期間は、サテライト型住居入居前の共同生活住居の利用期間を通算します。

	利　用　期　間		
	1年以下	1年超3年以下	3年超
共同生活援助サービス事業所（外部サービス利用型共同生活援助事業所を除く。）	人	人	人
うちサテライト型住居	人	人	人
外部サービス利用型共同生活援助事業所	人	人	人
うちサテライト型住居	人	人	人

（32）「外部サービス利用型共同生活援助事業所」における受託居宅介護サービスの提供状況

（26）で「2　外部サービス利用型共同生活援助事業所」に○をつけた事業所のみ記入してください。

> 1　9月中の利用者あり　　　2　9月中の利用者なし

（補問）「9月中の利用者あり」の場合、9月中の「受託居宅介護サービスの利用実人員」を記入してください。

受託居宅介護サービスの利用実人員	人

8

(33) 過去1年間の入退居の状況　　　　過去1年間（平成28年10月1日〜平成29年9月30日）に入居した者及び退居した者について、
①、②別に該当する者を計上してください。

① 共同生活援助サービス事業所（外部サービス利用型共同生活援助事業所を除く。）の利用者

利用者の **入居前** の 場所・状況							
自宅・アパート等		3 グループホーム	4 福祉ホーム	5 入所施設	6 病院	7 特別支援学校の寄宿舎	8 その他
1 1人暮らし・結婚等の自立した生活	2 親・兄弟等に扶養された生活						
人	人	人	人	人	人	人	人

利用者の **退居後** の 行先・状況							
自宅・アパート等		3 グループホーム	4 福祉ホーム	5 入所施設	6 病院	7 死亡	8 その他
1 1人暮らし・結婚等の自立した生活	2 親・兄弟等に扶養された生活						
人	人	人	人	人	人	人	人

② 外部サービス利用型共同生活援助事業所の利用者

利用者の **入居前** の 場所・状況							
自宅・アパート等		3 グループホーム	4 福祉ホーム	5 入所施設	6 病院	7 特別支援学校の寄宿舎	8 その他
1 1人暮らし・結婚等の自立した生活	2 親・兄弟等に扶養された生活						
人	人	人	人	人	人	人	人

利用者の **退居後** の 行先・状況							
自宅・アパート等		3 グループホーム	4 福祉ホーム	5 入所施設	6 病院	7 死亡	8 その他
1 1人暮らし・結婚等の自立した生活	2 親・兄弟等に扶養された生活						
人	人	人	人	人	人	人	人

(34) 共同生活援助サービスの従事者数
・「9月中の利用者なし」でも、利用者がいた場合に対応できる人数を記入してください。
・換算数は小数点以下第2位を四捨五入して小数点以下第1位まで記入してください。

共同生活援助サービス事業所（外部サービス利用型共同生活援助事業所を除く。）
8ページ(26)で「1 共同生活援助サービス事業所（外部サービス利用型共同生活援助事業所を除く。）」に○をつけた事業所のみ記入してください。

	サービス管理責任者	世話人	生活支援員	その他の職員
常勤専従（換算数不要）				
常勤兼務				
常勤兼務の換算数				
非常勤				
非常勤の換算数				

外部サービス利用型共同生活援助事業所
8ページ(26)で「2 外部サービス利用型共同生活援助事業所」に○をつけた事業所のみ記入してください。

	サービス管理責任者	世話人	その他の職員
常勤専従（換算数不要）			
常勤兼務			
常勤兼務の換算数			
非常勤			
非常勤の換算数			

9

0041 自立訓練（機能訓練）サービス | 記入者名　　　　　　　　　電話番号（　　　）-（　　　）-（　　　）

※障害者支援施設が実施する指定昼間実施サービスにつきましては、この調査票ではなく「B 障害者支援施設等調査票」に記入してください。
　調査票が届いていない場合は事務局までお問い合わせください。

(35) 自立訓練（機能訓練）サービスの提供状況　　9月中の営業日数　　［　　　］日　　※利用者がいない日であっても、事業所として営業していた場合は営業日として数えてください。

1　9月中の利用者あり　　2　9月中の利用者なし

（補問1）「9月中の利用者あり」の場合、9月中の「利用期間別利用実人員」を記入してください。

利 用 期 間					
1年以下	1年超 1年6月以下	1年6月超 2年以下	2年超 2年6月以下	2年6月超 3年以下	3年超
人	人	人	人	人	人

（補問2）　・9月中の「利用実人員」のうち、「サービス費Ⅰ」「サービス費Ⅱ」別「利用実人員」「利用延人数」を記入してください。
　　　　　・「利用実人員」の計上について、例えば、同じ利用者（1人）に「サービス費Ⅰ」と「サービス費Ⅱ」の各サービスを1回ずつ提供した場合、利用した各サービスに「1人」ずつ計上します。

	サービス費Ⅰ（通所）	サービス費Ⅱ（訪問）
利 用 実 人 員	人	人
利 用 延 人 数	人	人

(36) 過去1年間の退所者の状況

過去1年間（平成28年10月1日～平成29年9月30日）に退所した者について、次の退所理由別に人数を記入してください。

退 所 理 由							
1　就　職	他の障害福祉サービス等を利用（利用先）				6　入　院	7　死　亡	8　その他
	2　就労移行 支援事業所	3　就労継続 支援（A型） 事 業 所	4　就労継続 支援（B型） 事 業 所	5　その他の 事業所等			
人	人	人	人	人	人	人	人

(37) 自立訓練（機能訓練）サービスの従事者数

　・「9月中の利用者なし」でも、利用者がいた場合に対応できる人数を記入してください。
　・換算数は小数点以下第2位を四捨五入して小数点以下第1位まで記入してください。

	サービス 管理責任者	保健師・看護師	理学療法士・ 作業療法士	生活支援員	訪問支援員	その他の 職　員
常 勤 専 従 （換算数不要）						
常 勤 兼 務						
常勤兼務 　の換算数						
非 　 常 　 勤						
非 常 勤 　の換算数						

10

0042 自立訓練（生活訓練）サービス	記入者名	電話番号（　　）-（　　）-（　　）

※ 障害者支援施設が実施する指定昼間実施サービスにつきましては、この調査票ではなく「B 障害者支援施設等調査票」に記入してください。
　調査票が届いていない場合は事務局までお問い合わせください。

(38) 自立訓練（生活訓練）サービスの提供状況　9月中の営業日数 ［　　　］日　　※利用者がいない日であっても、事業所として営業していた場合は営業日として数えてください。

1 9月中の利用者あり　2 9月中の利用者なし

（補問1）「9月中の利用者あり」の場合、9月中の「利用期間別利用実人員」を記入してください。

利 用 期 間					
1年以下	1年超 1年6月以下	1年6月超 2年以下	2年超 2年6月以下	2年6月超 3年以下	3年超
人	人	人	人	人	人

（補問2）・9月中の「利用実人員」のうち、「サービス費I」「サービス費II」別「利用実人員」「利用延人数」を記入してください。
　　　　・「利用実人員」の計上について、例えば、同じ利用者（1人）に「サービス費I」と「サービス費II」の各サービスを1回ずつ提供した場合、利用した各サービスに「1人」ずつ計上します。

	サービス費I（通所）	サービス費II（訪問）
利 用 実 人 員	人	人
利 用 延 人 数	人	人

(39) 過去1年間の退所者の状況
　過去1年間（平成28年10月1日～平成29年9月30日）に退所した者について、次の退所理由別に人数を記入してください。

退 所 理 由							
1 就 職	他の障害福祉サービス等を利用（利用先）				6 入 院	7 死 亡	8 そ の 他
	2 就労移行 支援事業所	3 就労継続 支援（A型） 事業所	4 就労継続 支援（B型） 事業所	5 そ の 他 の 事 業 所 等			
人	人	人	人	人	人	人	人

(40) 自立訓練（生活訓練）サービスの従事者数
・「9月中の利用者なし」でも、利用者がいた場合に対応できる人数を記入してください。
・換算数は小数点以下第2位を四捨五入して小数点以下第1位まで記入してください。

	サービス 管理責任者	保健師・看護師	生活支援員	訪問支援員	その他の 職 員
常 勤 専 従 （換算数不要）					
常 勤 兼 務					
常勤兼務 　の換算数					
非 常 勤					
非常勤 　の換算数					

11

（41）定員

　　□□　人

（42）宿泊型自立訓練サービスの提供状況

1　9月中の利用者あり　　2　9月中の利用者なし

（補問）「9月中の利用者あり」の場合は、**9月30日現在**の「利用期間別利用実人員」を記入してください。

利　用　期　間					
1年以下	1年超 1年6月以下	1年6月超 2年以下	2年超 2年6月以下	2年6月超 3年以下	3年超
人	人	人	人	人	人

（43）過去1年間の入退所の状況

過去1年間（平成28年10月1日～平成29年9月30日）に入所した者及び退所した者について、該当する者を計上してください。

利　用　者　の　**入　所　前**　の　場　所・状　況							
自宅・アパート等		3　グループ 　　ホ ー ム	4　福祉ホーム	5　入所施設	6　病　　院	7　特別支援 　　学校の 　　寄宿舎	8　その他
1　1人暮らし・結婚等 　　の自立した生活	2　親・兄弟等に 　　扶養された生活						
人	人	人	人	人	人	人	人

利　用　者　の　**退　所　後**　の　行　先・状　況							
自宅・アパート等		3　グループ 　　ホ ー ム	4　福祉ホーム	5　入所施設	6　病　　院	7　死　　亡	8　その他
1　1人暮らし・結婚等 　　の自立した生活	2　親・兄弟等に 　　扶養された生活						
人	人	人	人	人	人	人	人

（44）宿泊型自立訓練サービスの従事者数

・「9月中の利用者なし」でも、利用者がいた場合に対応できる人数を記入してください。
・換算数は小数点以下第2位を四捨五入して小数点以下第1位まで記入してください。

	サービス 管理責任者	保健師・看護師	生活支援員	その他の 職　　員
常 勤 専 従 （換算数不要）				
常 勤 兼 務				
常勤兼務 　の換算数				
非 常 勤				
非常勤 　の換算数				

0043 就労移行支援サービス	記入者名	電話番号（　　　）-（　　　）-（　　　）

※障害者支援施設が実施する指定昼間実施サービスにつきましては、この調査票ではなく「B障害者支援施設等調査票」に記入してください。
　調査票が届いていない場合は事務局までお問い合わせください。

(45) 就労移行支援サービスの提供状況　　9月中の営業日数 ☐ 日　　※利用者がいない日であっても、事業所として営業していた場合は営業日として数えてください。

1　9月中の利用者あり　　2　9月中の利用者なし

（補問）「9月中の利用者あり」の場合、9月中の「利用期間別利用実人員」「利用延人数」を記入してください。

利用期間別利用実人員			利用延人数
2年以下	2年超3年以下	3年超	
人	人	人	人

(46) 過去1年間の退所者の状況

過去1年間（平成28年10月1日～平成29年9月30日）に退所した者について、次の退所理由別に人数を記入してください。

退　　所　　理　　由							
1　就　職	他の障害福祉サービス等を利用（利用先）				6　入　院	7　死　亡	8　その他
	2　就労移行支援事業所	3　就労継続支援(A型)事業所	4　就労継続支援(B型)事業所	5　その他の事業所等			
人	人	人	人	人	人	人	人

(47) 就労移行支援サービスの従事者数
・「9月中の利用者なし」でも、利用者がいた場合に対応できる人数を記入してください。
・換算数は小数点以下第2位を四捨五入して小数点以下第1位まで記入してください。

	サービス管理責任者	生活支援員	職業指導員	就労支援員	その他の職員
常勤専従（換算数不要）					
常勤兼務					
常勤兼務の換算数					
非常勤					
非常勤の換算数					

13

0045 就労継続支援（Ａ型）サービス 記入者名　　　　　　　　　電話番号（　　　）-（　　　）-（　　　　）

※障害者支援施設が実施する指定昼間実施サービスにつきましては、この調査票ではなく「Ｂ障害者支援施設等調査票」に記入してください。
　調査票が届いていない場合は事務局までお問い合わせください。

(48) 就労継続支援（Ａ型）サービスの提供状況　　9月中の営業日数 [　　　] 日　　※利用者がいない日であっても、事業所として営業していた場合は営業日として数えてください。

　　　[1　9月中の利用者あり　　2　9月中の利用者なし]

　（補問）「9月中の利用者あり」の場合、9月中の「利用期間別利用実人員」「利用延人数」を記入してください。

利用期間別利用実人員			利用延人数
1年以下	1年超3年以下	3年超	
人	人	人	人

(49) 過去1年間の退所者の状況

過去1年間（平成28年10月1日〜平成29年9月30日）に退所した者について、次の退所理由別に人数を記入してください。

退　　　所　　　理　　　由							
1　就　　　職	他の障害福祉サービス等を利用（利用先）				6　入　　院	7　死　　亡	8　その他
	2　就労移行支援事業所	3　就労継続支援（Ａ型）事業所	4　就労継続支援（Ｂ型）事業所	5　その他の事業所等			
人	人	人	人	人	人	人	人

(50) 就労継続支援（Ａ型）サービスの従事者数

・「9月中の利用者なし」でも、利用者がいた場合に対応できる人数を記入してください。
・換算数は小数点以下第2位を四捨五入して小数点以下第1位まで記入してください。

	サービス管理責任者	生活支援員	職業指導員	その他の職員
常勤専従（換算数不要）				
常勤兼務				
常勤兼務の換算数				
非常勤				
非常勤の換算数				

0046 就労継続支援（Ｂ型）サービス 記入者名　　　　　　　　　電話番号（　　　）-（　　　）-（　　　　）

※障害者支援施設が実施する指定昼間実施サービスにつきましては、この調査票ではなく「Ｂ障害者支援施設等調査票」に記入してください。
　調査票が届いていない場合は事務局までお問い合わせください。

(51) 就労継続支援（Ｂ型）サービスの提供状況　　9月中の営業日数 [　　　] 日　　※利用者がいない日であっても、事業所として営業していた場合は営業日として数えてください。

　　　[1　9月中の利用者あり　　2　9月中の利用者なし]

　（補問）「9月中の利用者あり」の場合、9月中の「利用期間別利用実人員」「利用延人数」を記入してください。

利用期間別利用実人員			利用延人数
1年以下	1年超3年以下	3年超	
人	人	人	人

(52) 過去1年間の退所者の状況

過去1年間（平成28年10月1日〜平成29年9月30日）に退所した者について、次の退所理由別に人数を記入してください。

退　　　所　　　理　　　由							
1　就　　　職	他の障害福祉サービス等を利用（利用先）				6　入　　院	7　死　　亡	8　その他
	2　就労移行支援事業所	3　就労継続支援（Ａ型）事業所	4　就労継続支援（Ｂ型）事業所	5　その他の事業所等			
人	人	人	人	人	人	人	人

(53) 就労継続支援（Ｂ型）サービスの従事者数

・「9月中の利用者なし」でも、利用者がいた場合に対応できる人数を記入してください。
・換算数は小数点以下第2位を四捨五入して小数点以下第1位まで記入してください。

	サービス管理責任者	生活支援員	職業指導員	その他の職員
常勤専従（換算数不要）				
常勤兼務				
常勤兼務の換算数				
非常勤				
非常勤の換算数				

14

0061 児童発達支援

記入者名　　　　　　　　　　電話番号（　　　）-（　　　）-（　　　）

（54）児童発達支援の提供状況

定員 ☐ 人　　9月中の営業日数 ☐ 日

※利用者がいない日であっても、事業所として営業していた場合は営業日として数えてください。

1　9月中の利用者あり　　2　9月中の利用者なし

（補問）「9月中の利用者あり」の場合、9月中の「利用実人員」「利用延人数」を記入してください。

利 用 実 人 員	人	利 用 延 人 数	人

（55）児童発達支援の従事者数

・「9月中の利用者なし」でも、利用者がいた場合に対応できる人数を記入してください。
・換算数は小数点以下第2位を四捨五入して小数点以下第1位まで記入してください。

	児童発達支援管理責任者	指 導 員	保 育 士	その他の職 員
常 勤 専 従（換算数不要）				
常 勤 兼 務				
常勤兼務の換算数				
非 常 勤				
非 常 勤の換算数				

0063 放課後等デイサービス

記入者名　　　　　　　　　　電話番号（　　　）-（　　　）-（　　　）

（56）放課後等デイサービスの提供状況

定員 ☐ 人　　9月中の営業日数 ☐ 日

※利用者がいない日であっても、事業所として営業していた場合は営業日として数えてください。

1　9月中の利用者あり　　2　9月中の利用者なし

（補問）「9月中の利用者あり」の場合、9月中の「利用実人員」「利用延人数」を記入してください。

利 用 実 人 員	人	利 用 延 人 数	人

（57）放課後等デイサービスの従事者数

・「9月中の利用者なし」でも、利用者がいた場合に対応できる人数を記入してください。
・換算数は小数点以下第2位を四捨五入して小数点以下第1位まで記入してください。

	児童発達支援管理責任者	指 導 員	保 育 士	その他の職 員
常 勤 専 従（換算数不要）				
常 勤 兼 務				
常勤兼務の換算数				
非 常 勤				
非 常 勤の換算数				

15

0064 保育所等訪問支援

記入者名　　　　　　　　　　　電話番号（　　　）-（　　～　　）-（　　　）

(58) 保育所等訪問支援の提供状況

9月中の営業日数　□□ 日

※利用者がいない日であっても、事業所として営業していた場合は営業日として数えてください。

| 1　9月中の利用者あり　　2　9月中の利用者なし |

↓

(補問)　「9月中の利用者あり」の場合、9月中の「利用実人員」「訪問回数合計」を記入してください。

| 利 用 実 人 員 | | 人 | 訪 問 回 数 合 計 | | 回 |

(59) 保育所等訪問支援の従事者数

・「9月中の利用者なし」でも、利用者がいた場合に対応できる人数を記入してください。
・換算数は小数点以下第2位を四捨五入して小数点以下第1位まで記入してください。

	児童発達支援管理責任者	訪問支援員	その他の職員
常 勤 専 従（換算数不要）			
常 勤 兼 務			
常勤兼務の換算数			
非 常 勤			
非常勤の換算数			

0055 障害児相談支援

記入者名　　　　　　　　　　　電話番号（　　　）-（　　　）-（　　　）

(60) 障害児相談支援の提供状況

| 1　9月中の利用者あり　　2　9月中の利用者なし |

↓

(補問)　「9月中の利用者あり」の場合、9月中の「利用実人員」を記入してください。

| 利 用 実 人 員 | | 人 |

9月中に障害児支援利用援助(計画作成)又は継続障害児支援利用援助(モニタリング)を提供した人数を記入してください。

(61) 障害児相談支援の従事者数

・「9月中の利用者なし」でも、利用者がいた場合に対応できる人数を記入してください。
・換算数は小数点以下第2位を四捨五入して小数点以下第1位まで記入してください。

	管 理 者	相談支援専門員	その他の職員
常 勤 専 従（換算数不要）			
常 勤 兼 務			
常勤兼務の換算数			
非 常 勤			
非常勤の換算数			

16

平成28年 社会福祉施設等調査報告　　正誤表

【21頁】

（正）

表6　施設の種類別にみた職種別常勤換算従事者数（詳細票）

（単位：人）　　平成28年10月1日現在

	総　　数	保護施設 1)	老人福祉施設	障害者支援施設等	身体障害者社会参加支援施設	婦人保護施設	児童福祉施設等（保育所等を除く） 1)	保育所等 2)	母子・父子福祉施設	その他の社会福祉施設等（有料老人ホーム（サービス付き高齢者向け住宅以外）を除く） 1)	有料老人ホーム（サービス付き高齢者向け住宅以外）
総　　数	960 031	6 199	44 121	100 448	2 667	363	98 031	546 628	192	3 650	157 732
施設長・園長・管理者	46 710	211	3 286	3 686	210	28	6 203	24 345	22	1 042	7 678
サービス管理責任者	3 806	…	…	3 806	…	…	…		…	…	…
生活指導・支援員等 3)	83 480	770	4 559	56 960	279	135	13 792	…	3	735	6 248
職業・作業指導員	3 835	88	112	2 678	90	12	274	…	4	288	290
セラピスト	6 146	5	123	896	84	6	3 602	…	-	3	1 427
理学療法士	2 070	3	35	436	29	-	1 028	…	-	-	541
作業療法士	1 443	2	20	301	26	-	839	…	-	-	257
その他の療法員	2 633	1	69	159	30	6	1 735	…	-	3	630
心理・職能判定員	59	…	…	59	…	…	…	…	-	…	…
医師	3 072	27	143	296	7	5	1 275	1 243	-	2	75
歯科医師	1 162	…	…	…	…	…	58	1 103	…	…	…
保健師・助産師・看護師	41 860	408	2 793	4 668	87	18	10 374	8 593	-	35	14 883
精神保健福祉士	1 116	107	26	930	1	-	…	…	…	1	50
保育士	373 586	…	…	…	…	…	16 630	356 952	4	…	…
保育教諭 4)	50 328	…	…	…	…	…	…	50 328	…	…	…
うち保育士資格保有者	44 687	…	…	…	…	…	…	44 687	…	…	…
保育従事者 5)	11 652	…	…	…	…	…	11 652			…	…
家庭的保育者 5)	289	…	…	…	…	…	289			…	…
家庭的保育補助者 5)	108	…	…	…	…	…	108			…	…
児童生活支援員	631	…	…	…	…	…	631	…	-	…	…
児童厚生員	10 442	…	…	…	…	…	10 442	…	-	…	…
母子支援員	700	…	…	…	…	…	700	…	-	…	…
介護職員	129 956	3 183	17 432	11 877	58	-	…	…	…	37	97 369
栄養士	23 509	195	2 062	2 241	6	17	1 909	15 645	-	2	1 433
調理員	72 301	524	4 842	4 738	16	53	5 407	45 799	8	149	10 765
事務員	35 237	434	4 872	4 880	578	40	4 172	11 985	74	864	7 337
児童発達支援管理責任者	953	…	…	…	…	…	953	…	…	…	…
その他の教諭 6)	2 439	…	…	…	…	…	…	2 439	…	…	…
その他の職員 7)	56 655	248	3 870	2 734	1 250	50	9 560	28 196	77	493	10 178

注：従事者数は常勤換算従事者数であり、小数点以下第1位を四捨五入している。

　　従事者数は詳細票により調査した職種についてのものであり、調査した職種以外は「…」とした。

1) 保護施設には医療保護施設、児童福祉施設等（保育所等を除く）には助産施設及び児童遊園、その他の社会福祉施設等（有料老人ホーム（サービス付き高齢者向け住宅以外）を除く）には無料低額診療施設及び有料老人ホーム（サービス付き高齢者向け住宅であるもの）をそれぞれ含まない。

2) 保育所等は、幼保連携型認定こども園、保育所型認定こども園及び保育所である。

3) 生活指導・支援員等には、生活指導員、生活相談員、生活支援員、児童指導員及び児童自立支援専門員を含むが、保護施設及び婦人保護施設は生活指導員のみである。

4) 保育教諭には主幹保育教諭、指導保育教諭、助保育教諭及び講師を含む。また、就学前の子どもに関する教育、保育等の総合的な提供の推進に関する法律の一部を改正する法律（平成24年法律第66号）附則にある保育教諭等の資格の特例のため、保育士資格を有さない者を含む。

5) 保育従事者、家庭的保育者及び家庭的保育補助者は小規模保育事業所の従事者である。なお、保育士資格を有さない者を含む。

6) その他の教諭は、就学前の子どもに関する教育，保育等の総合的な提供の推進に関する法律（平成18年法律第77号）第14条にもとづき採用されている、園長及び保育教諭（主幹保育教諭、指導保育教諭、助保育教諭及び講師を含む）以外の教諭である。

7) その他の職員には、幼保連携型認定こども園の教育・保育補助員及び養護職員（看護師等を除く）を含む。

（誤）

表6　施設の種類別にみた職種別常勤換算従事者数（詳細票）

（単位：人）　　平成28年10月1日現在

	総　数	保護施設 1)	老人福祉施設	障害者支援施設等	身体障害者社会参加支援施設	婦人保護施設	児童福祉施設等（保育所等を除く）1)	保育所等 2)	母子・父子福祉施設	その他の社会福祉施設等（有料老人ホーム（サービス付き高齢者向け住宅以外）を除く）1)	有料老人ホーム（サービス付き高齢者向け住宅以外）
総　数	960 031	6 199	44 121	100 448	2 667	363	98 031	546 628	192	3 650	157 732
施設長・園長・管理者	44 914	211	3 286	3 686	210	28	4 407	24 345	22	1 042	7 678
サービス管理責任者	3 806	…	…	3 806	…		…		…		
生活指導・支援員等 3)	83 480	770	4 559	56 960	279	135	13 792	…	3	735	6 248
職業・作業指導員	3 835	88	112	2 678	90	12	274	…	4	288	290
セラピスト	6 146	5	123	896	84	6	3 602	…	−	3	1 427
理学療法士	2 070	3	35	436	29	−	1 028	…	−		541
作業療法士	1 443	2	20	301	26	−	839	…	−		257
その他の療法員	2 633	1	69	159	30	6	1 735	…	−	3	630
心理・職能判定員	59	…	…	59	…		…		…		
医師	3 055	27	143	296	7	5	1 258	1 243	−	2	75
歯科医師	1 308	…	…	…	…		205	1 103	…	…	
保健師・助産師・看護師	41 704	408	2 793	4 668	87	18	10 218	8 593	−	35	14 883
精神保健福祉士	1 116	107	26	930	1	−	…	…	…	1	50
保育士	373 586	…	…	…	…		16 630	356 952	4	…	…
保育教諭 4)	50 328	…	…	…	…		…	50 328			
うち保育士資格保有者	44 687	…	…	…	…		…	44 687			
保育従事者 5)	11 652	…	…	…	…		11 652				
家庭的保育者 5)	289	…	…	…	…		289				
家庭的保育補助者 5)	108	…	…	…	…		108				
児童生活支援員	631	…	…	…	…		631		−		
児童厚生員	10 442	…	…	…	…		10 442				
母子支援員	700	…	…	…	…		700				
介護職員	129 956	3 183	17 432	11 877	58	−	…	…	…	37	97 369
栄養士	23 509	195	2 062	2 241	6	17	1 909	15 645	−	2	1 433
調理員	72 301	524	4 842	4 738	16	53	5 407	45 799	8	149	10 765
事務員	35 237	434	4 872	4 880	578	40	4 172	11 985	74	864	7 337
児童発達支援管理責任者	953	…	…	…	…		953		…	…	
その他の教諭 6)	2 439	…	…	…	…		…	2 439			
その他の職員 7)	56 655	248	3 870	2 734	1 250	50	9 560	28 196	77	493	10 178

注：従事者数は常勤換算従事者数であり、小数点以下第1位を四捨五入している。

　　従事者数は詳細票により調査した職種についてのものであり、調査した職種以外は「…」とした。

1) 保護施設には医療保護施設、児童福祉施設等（保育所等を除く）には助産施設及び児童遊園、その他の社会福祉施設等（有料老人ホーム（サービス付き高齢者向け住宅以外）を除く）には無料低額診療施設及び有料老人ホーム（サービス付き高齢者向け住宅であるもの）をそれぞれ含まない。

2) 保育所等は、幼保連携型認定こども園、保育所型認定こども園及び保育所である。

3) 生活指導・支援員等には、生活指導員、生活相談員、生活支援員、児童指導員及び児童自立支援専門員を含むが、保護施設及び婦人保護施設は生活指導員のみである。

4) 保育教諭には主幹保育教諭、指導保育教諭、助保育教諭及び講師を含む。また、就学前の子どもに関する教育、保育等の総合的な提供の推進に関する法律の一部を改正する法律（平成24年法律第66号）附則にある保育教諭等の資格の特例のため、保育士資格を有さない者を含む。

5) 保育従事者、家庭的保育者及び家庭的保育補助者は小規模保育事業所の従事者である。なお、保育士資格を有さない者を含む。

6) その他の教諭は、就学前の子どもに関する教育，保育等の総合的な提供の推進に関する法律（平成18年法律第77号）第14条にもとづき採用されている、園長及び保育教諭（主幹保育教諭、指導保育教諭、助保育教諭及び講師を含む）以外の教諭である。

7) その他の職員には、幼保連携型認定こども園の教育・保育補助員及び養護職員（看護師等を除く）を含む。

定価は表紙に表示してあります。

平成31年2月18日　発行

平 成 29 年

社 会 福 祉 施 設 等 調 査 報 告

編　　集　　厚生労働省政策統括官(統計・情報政策、政策評価担当)

発　　行　　一般財団法人　厚生労働統計協会
　　　　　　郵便番号　103-0001
　　　　　　東京都中央区日本橋小伝馬町4－9
　　　　　　小伝馬町新日本橋ビルディング3F
　　　　　　電　話　03－5623－4123（代表）

印　　刷　　統 計 プ リ ン ト 株 式 会 社